乱序版

SAT词汇

词根+联想
记忆法

俞敏洪 。编著

群言出版社
QUNYAN PRESS

· 北 京 ·

图书在版编目(CIP)数据

SAT词汇词根+联想记忆法：乱序版 / 俞敏洪编著
. —北京：群言出版社，2013（2015.9重印）
ISBN 978-7-80256-470-1

Ⅰ.①S… Ⅱ.①俞… Ⅲ.①英语—词汇—记忆术—
高等学校—入学考试—美国—自学参考资料 Ⅳ.①H313

中国版本图书馆CIP数据核字（2013）第180437号

责任编辑：张 茜
封面设计：大愚设计

出版发行：群言出版社
社　　址：北京市东城区东厂胡同北巷1号（100006）
网　　址：www.qypublish.com
自营网店：http://xdfdytushu.tmall.com（天猫旗舰店）
　　　　　http://www.qypublish.com（官方网店）
电子信箱：bj62605588@163.com　qunyancbs@126.com
总 编 室：010-62605588　65265404
编 辑 部：010-62418641（读者服务）
发 行 部：010-62605019　65263345　65263836
市 场 部：010-65220236
经　　销：全国新华书店
法律顾问：北京市君泰律师事务所

印　　刷：北京慧美印刷有限公司
版　　次：2013年9月第1版　2015年9月第5次印刷
开　　本：720mm×960mm　1/16
印　　张：37.5
字　　数：664千字
书　　号：ISBN 978-7-80256-470-1
定　　价：62.00元

Energy and persistence conquer all things.

能量加毅力可以征服一切。

——*Benjamin Franklin* 富兰克林

当今中国的年轻一代，尤其是在 1990 年之后出生的一代，面临着前所未有的挑战，也面临着前所未有的机遇。

面对前所未有的挑战，是因为中国和世界现在的状况，是历史上前所未有的，从历史中找不到经验也找不到答案，一切都需要人类动用自身的智慧来寻找解决办法。在如此急速变化的时代，人类社会如何消除隔阂、互相尊重、和谐共处，是我们共同面对的问题。随着现代科技的发展，我们从一个地点到达另外一个地点所需的时间越来越短，但人类互相之间的隔阂和仇恨却越来越多。从 90 年代开始成长的一批人，将面临这样一种困境：世界在他们的手中，要么将其变成和谐的乐园，要么将其变成血流成河的战场。而要把世界变成和谐的乐园，他们需要具备一种能力：真正懂得世界，理解人民，同时具备慈悲胸怀和解决现实问题的能力。

1990 年之后出生的一代中国年轻人，正在面临这样的挑战。在世界向中国开放的同时，中国也在融入世界。中国的年轻一代，未来要么就承担起引领世界前进的脚步，要么就被世界牵着鼻子没有目的地乱跑。如果要引领世界，就需要首先了解世界。我们欣喜地看到，中国现在正在成长起来的 90 后，他们有着浓厚的兴趣和强烈的愿望接纳世界和拥抱世界。他们的眼光更多地看向世界上正在发生的事情，而不仅仅是自己周围发生的事情。在教育方面，他们的眼光也越过了中国的范围走向世界。如果说前几年中国的高中生还以到香港去上大学为骄傲，那么今天中国的高中毕业生已经以优异的成绩迈进了世界很多著名的大学殿堂。

所以，中国的年轻一代面对着前所未有的机遇。机遇之一是世界高等教育的大门已经向中国学生打开，这里面有着太多的知识宝库和人类文化等待他们去探索。即使在十年前，这都是一件可望而不可及的事情，而在詹天佑那个时代，全中国只有几十人会有这样的机会。今天，这种机会已经落到了成千上万的中国青年人身上，一旦他们学有所成，将会为中国和世界做出重大贡献。机遇之二是他们适逢中国高速发展，而世界却在一定意义上陷入了困局，像 2008 年的全球金融危机，使世界在经济上倒退了几十年，而恰恰中国可以利用这个机会缩短与西方国家的距离。中国未来可能会在某些方面引领世界，而中国的年轻人通过拥抱世界，未来在一些领域中说不定会产生巨人级的人才，引领世界文明的发展。机遇之三是中国一直是一个爱好和平、具备宽容精神的民族，如果优秀的中国年轻人走向世界，不仅仅能够获得世界优秀的科技和文化遗产，更可以把中国文化传统中优秀的东西带到全世界，为世界人民和谐共处在这个美丽的地球上做出自己的努力和贡献。

面对这些机遇，能够到美国、英国等国家的大学去读书，自然变成了中国青年人的选择之一。如果家庭经济条件允许，如果自己热爱学习，有探索精神，如果确实拥有胸怀中国、放眼全球的眼光，走向世界教育就成了一种必然。我是无比鼓励青年人到世界上去闯荡的，当然并不是每一个人都可以随便去闯荡的。如果想在国际上闯荡出成果来，一开始就要有拼命的精神才行。国际上的著名大学并不是收容所，他们只接受最优秀的人才。而要成为最优秀的人才，不努力是不行的。不但在中国高中阶段的成绩要优秀，而且还要过五关斩六将通过种种考试才行。比如美国的 SAT 考试，就是进入名牌大学必考的内容之一。但中国学生是有能耐的，至少在考试上是这样，很多考试的世界最高分都出在中国。尽管 SAT 很难考，但已经有很多中国高中生参加了考试并获得了优异成绩，最后走进了哈佛、耶鲁这样的顶级大学读书。

　　我是相信中国学生的，对于正在成长的一代人，我充满了敬畏。毫无疑问他们将成为比我们更加优秀、更加有成就、也更加走向世界并且引领世界的一代。让我们一起祝福他们好了，剩下的事情他们完全能够自己解决。

　　希望这本 SAT 词汇书，能够成为他们前进道路上的一块垫脚石，使他们迈向成功彼岸的时候更加轻松一点。

新东方教育科技集团董事长兼总裁

SAT考试（Scholastic Assessment Test）是美国高中生进入大学的标准入学考试，类似于中国的高考。如今，这项考试也成为世界各国高中生申请进入美国大学学习能否被录取及能否得到奖学金的重要参考因素。对于中国的高中生来说，SAT考试的难度首先体现在词汇上，词汇量大，而且其中很多单词的难度超过了高考英语，这就要求考生有扎实的词汇功底。

词汇的积累需要平时点滴的努力，同时一本好的词汇书也是必备的。何谓"好的词汇书"呢？简言之，就是应该具备科学的词汇学习理念与方法、合理的编排和设计、全面而实用的内容以及轻松有趣的记忆方法。经广大考生多年实践证明，"词根＋联想"记忆法是一种行之有效的单词学习方法。本书沿袭了正序版《SAT词汇词根＋联想记忆法》中这一科学实用的学习方法，紧扣SAT考试，全方位解读核心词汇，旨在帮助考生牢固掌握SAT必备词汇，扩充词汇量，轻松应对SAT考试。本书特色如下：

一、收词全面，无序胜有序

经过对SAT考试和官方指南的深入研究和分析，本书在正序版《SAT词汇词根＋联想记忆法》的基础上，增收了新的重点词汇，现有大约7000主词条。同时，书中还给出重点单词的同义词，补充大量的派生词，这样全书共收录约11000个SAT单词。尤其值得注意的是，书中涵盖了巴朗词表中的几乎所有的核心词汇，将近3500个，用＊标注。

本书根据SAT考试中对单词的考查特点分为核心词汇、阅读词汇、专业词汇和认知词汇四部分，基本上呈现出由易到难的难度阶梯。这样的内容编排可以让考生避免临近考试却还在A开头的单词上打转的困局，帮助考生高效地学习单词。

本书一改从A到Z按字母顺序排列单词的方式，所有单词采取"乱序"编排，打破单词常规记忆模式，帮助考生自由灵活地理解和记忆单词，从而在最短的时间内攻克SAT词汇。

二、"词根＋联想"，实用有趣

如果缺少科学的记忆方法，单词记忆将是一段效率低下、枯燥乏味的经历。实践证明，"词根＋联想"记忆法能够帮助考生最大程度地提升单词记忆的趣味性和成就感，本书沿袭了这一实用有趣的记忆方法。

词根记忆法是通过归纳常用词根，使考生可以举一反三，用"四两拨千斤"的巧力攻克单词记忆的堡垒。例如：

    词根： vok = to call（喊叫）

        provoke = pro（前）+ vok（呼喊）+ e → 在某人前面呼喊 → 挑动；招惹

        convoke = con（共同）+ vok（喊）+ e → 喊到一起 → 召集

        evoke = e（看作ex，出）+ vok（喊）+ e → 出来喊以唤起 → 唤起

        revoke = re（反）+ vok（喊）+ e → 喊着反对某事 → 废除

考生掌握了词根vok的意思后，配合常见的词缀pro-, con-, e-, re-就可以推导并记住以上这些单词的意思。而且，在考试中遇到含有相同词根的生词时，也能够尝试从其结构推断出大致词义。

联想记忆主要利用单词的拆分、形近词对比、同音词、情景联想、电影名等有趣的方式，发挥考生的想象力，帮助考生强化记忆。

发音记忆主要利用英文单词与中文的谐音，帮助考生巧妙记忆单词。

所有这些灵活有趣的记忆方法把考生从记忆单词的枯燥劳役中解放出来，有助于考生克服背诵单词的畏惧心理，提高学习效率。

三、幽默插图，轻松记忆

除文字助记方法外，本书为单词配以约240幅生动有趣的漫画式插图，为考生开启轻松记忆之旅。往往一张幽默的插图可以抵得上千言万语，能够帮助考生变抽象记忆为形象记忆，在轻松愉悦的氛围下学习单词。例如：

mingle [ˈmɪŋgl]	*v.* (使)混合；相互往来 记 联想记忆：铃铛声(jingle) 混合(mingle) 在一起形成噪音 例 The air was full of the smell of the soil *mingled* with the faint scent of the grass after rain. 雨后空气中到处弥漫着泥土混杂淡淡青草的香味儿。	

四、备考锦囊，点击考点

SAT考试从难度到考查角度都与国内的英语考试有着很大的不同，也需要考生具备更丰富的知识储备。因此，本书在单元后根据SAT考查内容精心编写了"备考锦囊"，将常考的长难句、常用语法点、写作指南等尽收囊中，真正做到"授之以鱼，更授之以渔"，切实帮助考生解决考试中可能遇到的问题。

五、返记菜单，反复自查

不少考生在单词记忆时一味追求效率，忽视了效果，往往等到一本单词书看完，最先背的单词已经忘得差不多了。本书在页面最下方设置了"返记菜单"，帮助考生随时检查自己的记忆效果。

本书得以顺利完成，要感谢世纪友好的金利、关晓蕙、王峰、张森、龙薇、李素素和张大川等编辑。他们的辛勤工作使得本书能够及时与读者见面。

各位正在积极备考的同学，也许今天你们还是人们眼里长不大的90后，但相信经历过备考、出国留学后，你们将展现更为坚强、独立的一面，你们的人生也将从此改变。衷心希望本书能够成为大家备考SAT的得力助手，并祝大家能克服前行路上的困难，最终收获精彩！

使用说明

单元前的词根预习表帮助考生掌握常用词根，迅速扩大词汇量。

编写大量词根记忆法，考生可举一反三，达到事半功倍的效果。

配有 700 分钟录音，对所有英文单词及中文释义进行朗读，有效提高对单词的理解程度和记忆效果。

Word List 2

音频

词根预习表

lig	选择	negligible a. 可以忽略的	ept	适合	adept a. 精通的
tri	三	trifle n. 少量，少许	ego	自己	egoism n. 自我主义
grand	大	aggrandize vt. 增加	arbor	树	arboretum n. 植物园
merg	浸没	submerge v. 沉没	mal	坏	malice n. 恶意
punct	刺	compunction n. 良心的谴责	migr	移动	emigrate v. 移民

missile˙
['mɪsl]
n. 导弹；发射物
记 词根记忆：miss(发送) + ile(物体) → 要发送的物体 → 发射物
例 a nuclear *missile* 核导弹 // a *missile* base 导弹基地

missile

summary
['sʌməri]
n. 摘要，概要
记 词根记忆：sum（总和）+ mary → 内容的总和 → 摘要，概要
搭 in summary 总的说来，概括起来
例 In *summary*, it was a disappointing performance. 总的来说，这次表演令人失望。

jade
[dʒeɪd]
n. 碧玉，翡翠；老马
例 a *jade* necklace 翡翠项链
同 jadeite

edible
['edəbl]
a. 可以吃的，可食用的
例 *edible* oil 食用油
同 eatable

comprehensible
[ˌkɑːmprɪ'hensəbl]
a. 可理解的，易于了解的
记 来自 comprehend(v. 理解，了解)
搭 easily *comprehensible* to the average reader 一般读者容易懂的

acquittal˙
[ə'kwɪtl]
n. 宣判无罪，无罪开释
记 联想记忆：原告放弃(quit) 起诉，被告被宣判无罪(acquittal)
例 The judges rejected the criminal's *acquittal* plea. 法官们驳回了罪犯的开释请求。

□ missile　　□ summary　　□ jade　　□ edible　　□ comprehensible □ acquittal

大量经典例句，为单词提供恰当的语境，帮助考生加深记忆单词。

通过单词的分拆、谐音和词与词之间的联系将难词化简、联想成串，轻松高效地记忆单词。

幽默有趣的插图将单词含义形象化，辅助记忆的同时增加学习的趣味性。

destitution
[ˌdestɪˈtjuːʃn]
n. 贫穷，穷困
记 联想记忆：现在有研究所(institution)很贫穷(destitution)

inclusive *
[ɪnˈkluːsɪv]
a. 包含全部费用的；包容广阔的
记 来自 include(*v.* 包含，包括)
搭 inclusive of... 把…包括在内
例 an *inclusive* charge 包括一切的费用 // The monthly rent is $75 *inclusive* of everything. 月房租包括一切费用在内总共 75 美元。
派 inclusively(*ad.* 包含地)

fictitious *
[fɪkˈtɪʃəs]
a. 小说中的，虚构的，假想的；假装的；虚伪的
记 词根记忆：fict(做) + itious → 故意做出来的姿态 → 假装的；虚伪的
例 a *fictitious* character 虚构的人物
同 imaginary, false, assumed

berate *
[bɪˈreɪt]
vt. 严厉指责；申斥
记 联想记忆：be(使) + rate(责骂) → 严厉指责；申斥
例 I seemed to be *berating* myself for spending a Sunday afternoon talking with my friends. 我得指责自己，星期天整个下午都和朋友闲聊。

negligible
[ˈneglɪdʒəbl]
a. 可以忽略的，微不足道的
记 词根记忆：neg(不) + lig(选择) + ible(可…的) → 可以不选择的 → 可以忽略的
例 a *negligible* amount 微小的量
同 trifling, insignificant

chilly
[ˈtʃɪli]
a. 寒冷的；冷淡的
记 来自 chill(*n.* 寒冷)
例 a *chilly* welcome 冷淡的欢迎
同 chilling

adept *
[ˈædept] *n.* 行家，熟手 [əˈdept] *a.* 精通的，内行的
记 词根记忆：ad(表加强) + ept(适合) → 能力强的正好适合 → 精通的，内行的
例 Ben has got quite *adept* at shoeing horses and fixing wagons. 本已经能相当熟练地钉马掌、修马车了。
同 proficient, skilled, skillful

inert *
[ɪˈnɜːrt]
a. 无活动的；惰性的；迟钝的
记 词根记忆：in(不) + ert(技巧) → 没有技巧 → 迟钝的
例 *inert* gases 惰性气体

soluble *
[ˈsɑːljəbl]
a. 可溶的
记 来自 solute(*n.* 溶解物，溶质)
例 *soluble* aspirin 可溶性阿司匹林
派 insoluble (*a.* 不能溶解的；不能解决的)；solution (*n.* 溶液；解决方法)；resoluble(*a.* 可分解的；可解决的)

□ destitution □ inclusive □ fictitious □ berate □ negligible □ chilly
□ adept □ inert □ soluble

目 录

核心词汇

音频

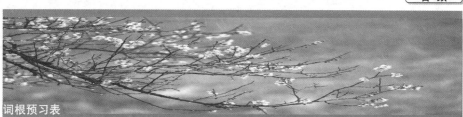

词根预习表

vict	征服	evict vt. 驱逐	hal	呼吸	exhale v. 呼气
tang	触摸	entangle vt. 卷入	pow	有力的	empower vt. 授权
sum	高潮	consummate a. 圆满的	mut	改变	commute v. 通勤
flex	弯曲	flexible a. 易弯曲的	ben	好	benign a. 仁慈的
bu	牛	bucolic a. 牧歌的	thes	放置	hypothesis n. 假设

---

evict
[ɪˈvɪkt]

vt. 驱逐
记 词根记忆：e + vict(征服) → 征服了国家，驱逐了人民 → 驱逐
例 Monica's mother, who has now been *evicted* from her home, is staying with friends. 莫妮卡的母亲被从家中驱逐出去了，目前和朋友住在一起。

---

exhale
[eksˈheɪl]

v. 呼气
记 词根记忆：ex(出) + hal(呼吸) + e → 呼气
例 Rita *exhaled* in relief when she saw her daughter come back safely. 看到女儿平安归来，丽塔松了口气。

exhale

---

affinity*
[əˈfɪnəti]

n. 构造相似；特点相近；密切关系
记 词根记忆：af (近处) + fin (结束，末端) + ity → 亲密的关系处于即将结束的时候 → 密切关系
例 The scientist recognized the *affinity* between sound and light in the end. 那位科学家最终找到了声和光的密切关系。

---

inalterable
[ɪnˈɔːltərəbl]

a. 不能变更的，不变的
同 unalterable, unchangeable

---

debase*
[dɪˈbeɪs]

vt. 降低，贬损
记 词根记忆：de(向下) + bas(底部，低的) + e → 使完全走向底部 → 降低，贬损
例 Greed could *debase* one's character. 贪婪会降低一个人的品格。
同 vitiate

---

retrospect
[ˈretrəspekt]

n. 回顾，反顾
记 词根记忆：retro(向后) + spect(看) → 向后看 → 回顾，反顾
搭 in retrospect 回顾，追溯
例 In *retrospect*, I must admit we have made a big mistake. 回想起来，我必须承认，我们犯了一个大错。
同 recollection, remembrance

---

acclimate * [ˈækləmeɪt]	*v.* (使)适应新环境 记 词根记忆：ac(表加强) + clim(倾斜) + ate → 向新事物倾斜以适应 → (使)适应新环境 例 The flowers and grasses have not yet *acclimated* to this climate. 这些 花草还没有适应这种气候。
begrudge * [bɪˈɡrʌdʒ]	*vt.* 羡慕；舍不得给 记 联想记忆：be + grudge(勉强给予) → 舍不得给 例 You surely don't *begrudge* her being so successful. 你当然不用羡慕她 如此成功。
calamity * [kəˈlæməti]	*n.* 大灾祸，灾难，不幸 例 This country suffered a series of *calamities* during the 1980s. 该国在 20 世纪 80 年代经历了一系列灾难。 派 calamitous(*a.* 造成灾祸的)
altruistic * [ˌæltruˈɪstɪk]	*a.* 利他的，无私心的 例 *altruistic* motive 利他动机
robust * [roʊˈbʌst]	*a.* 强壮的，健康的；精力充沛的 记 联想记忆：广告词："乐百氏"(Robust)矿泉水，27 层净化 例 a *robust* young man 一个精力充沛的年轻人 派 robustness(*n.* 健壮)；robustly(*ad.* 有活力地；强健地)
banal * [bəˈnɑːl]	*a.* 平凡的，陈腐的，老一套的 记 联想记忆：ban(禁止) + al → 应该禁止的 → 陈腐的
treacherous [ˈtretʃərəs]	*a.* 背叛的，背信弃义的 记 来自 treachery(*n.* 背叛，背信弃义) 例 a *treacherous*, selfish woman 一个背信弃义、自私的女人 同 perfidious
entangle [ɪnˈtæŋɡl]	*vt.* 使…纠缠，卷入；连累；使混乱 记 词根记忆：en(进入) + tang(触摸) + le → 触摸后被卷入 → 卷入，使…纠缠 例 Paul was inextricably *entangled* in the snare of his antagonist. 保罗陷 入了对手给他布下的天罗地网中，逃不掉了。 同 interweave
ensure [ɪnˈʃʊr]	*v.* 确保，保证 记 联想记忆：en(使…) + sure(确定的) → 使确定 → 确保 例 Scientists of this institute focusing on breast cancer studies tried to *ensure* high-quality cancer care. 这个研究所的科学家致力于乳腺癌的研 究，以确保高质量的癌症治疗。
junction [ˈdʒʌŋkʃn]	*n.* 连接，接合；交叉点，接合处；枢纽站 记 词根记忆：junct(连接) + ion(表状态) → 连接 同 juncture*
empower [ɪmˈpaʊər]	*vt.* 授权，准许 记 词根记忆：em(使成为) + pow(有力的) + er → 使成为有权力的 → 授权 例 I know that the manager have *empowered* Gavin to deal with David behind my back. 我知道经理已经授权加文背着我和戴维打交道。

dissuade *
[dɪˈsweɪd]

vt. 劝阻

记 词根记忆：dis(不) + suad(建议) + e → 建议不要做 → 劝阻

例 The females are obviously well aware of the danger, as they try hard to *dissuade* other females from joining them. 很显然这些女性充分意识到了危险性，因为她们竭力劝阻其他女性加入她们的行列。

不建议你吸烟！

dissuade

---

instruct
[ɪnˈstrʌkt]

vt. 教，教授；命令，指示

记 词根记忆：in(使…) + struct(建造) → 使建造 → 命令

搭 instruct sb. in (doing) sth. 教某人(做)某事

例 New recruits were *instructed* in marching and the handling of weapons. 新兵被教导如何行进与如何使用武器。

同 teach, train

---

naive
[naɪˈiːv]

a. 天真的；幼稚的

记 联想记忆：native(原始的，土著的)减去 t

例 *naive* remarks 幼稚的话

派 naively(*ad.* 天真烂漫地，无邪地)；naiveness(*n.* 天真，纯真)

同 artless, ingenuous*, childish, puerile

---

latent *
[ˈleɪtnt]

a. 潜在的，潜伏的，不易察觉的

记 联想记忆：late(晚) + nt(看作 hint, 提示) → 晚来的提示 → 不易察觉的

例 *latent* capital 潜在资本 // *latent* period 潜伏期

同 dormant, hidden, quiescent, potential

---

decrepit *
[dɪˈkrepɪt]

a. 破旧的；衰老的

记 词根记忆：de + crep(喋喋不休) + it → 年老的人总是喋喋不休地说一件事 → 衰老的

例 a *decrepit* building 破旧的建筑 // a *decrepit* man 衰老的人

---

verify
[ˈverɪfaɪ]

v. 证实，证明

记 词根记忆：ver(真实的) + ify(使) → 使真实 → 证明，证实

例 It could take a week to *verify* those reports. 证实这些报道的真实性需要一个星期的时间。

---

summon
[ˈsʌmən]

v. 召唤；召集；传讯，传唤；鼓起(勇气)，振作(精神)

记 联想记忆：sum(全部) + mon(看作 man, 人) → 把全部的人集合起来 → 召唤；召集

搭 summon up 鼓起(勇气)，奋起；唤起

例 Jack was *summoned* as a witness last month. 杰克上个月被传唤出庭作证了。// You have to *summon* the energy to finish the race. 你得振作精神来完成这次比赛。

---

wistful *
[ˈwɪstfl]

a. 伤感的，徒然神往的

记 联想记忆：和 wishful(*a.* 怀有希望的)一起记

例 The girl looked with *wistful* eyes at the doll on display. 女孩看着展出的洋娃娃，流露出伤感的眼神。

□ dissuade   □ instruct   □ naive   □ latent   □ decrepit   □ verify
□ summon   □ wistful

3

denote [dɪˈnoʊt]	v. 指示，表示 记 词根记忆：de(往下) + not(知道) + e → 下指示，让大家知道 → 指示 例 Certain symbols, as a rule, are used to *denote* relationships between family members on the family tree. 在家谱中某些特定符号常常被用来表示家庭成员之间的关系。 派 denotable(a. 可表示的，可指示的) 同 signify, indicate, mean
buoyant * [ˈbuːjənt]	a. 有浮力的；轻快的 记 来自 buoy(n. 浮标)
consummate * 	[ˈkɑːnsəmeɪt]vt. 完成，使完整，使圆满 [ˈkɑːnsəmət]a. 圆满的；技艺高超的；完美的 记 词根记忆：con + sum(高潮) + mate → 到达高潮，圆满结束 → 圆满的 例 The award *consummates* the actor's life. 这个奖项让这位演员的人生变得圆满。// Steven conducted his strategy with *consummate* skill. 史蒂文以高超的技巧执行了他的策略。 同 finish, complete, perfect
endurance [ɪnˈdʊrəns]	n. 忍耐(力)，持久(力)，耐久(性) 记 词根记忆：en(使…) + dur(持久) + ance(表名词) → 持久(力) 例 mental *endurance* 心理承受力
irate * [aɪˈreɪt]	a. 生气的，发怒的 记 联想记忆：i(我) + rate(责骂) → 我无端被责骂了 → 生气的，发怒的 例 *irate* customers 愤怒的顾客
commute [kəˈmjuːt]	v. 交换；减刑；通勤 记 词根记忆：com(共同) + mut(改变) + e → 坐车换车 → 通勤 例 *commuting* students 走读生 派 commuter(n. 经常往返者；通勤者)
residential [ˌrezɪˈdenʃl]	a. 住宅的，适合居住的，做住家用的 例 *residential* home 住家
descry * [dɪˈskraɪ]	vt. 察看，发现；远远看到 记 联想记忆：哭(cry) 得很大声，很容易被发现(descry) 例 I looked in the direction of the square and there I *descried* a man running as hard as he could. 我朝广场方向望去，远远看到有人在拼命地跑。
beguile * [bɪˈɡaɪl]	vt. 诱骗；诱惑 记 联想记忆：be + guile(欺诈) → 诱骗 搭 beguile sb. into doing sth. 诱使某人做某事 例 The speaker *beguiled* them into believing his version of this event. 演讲者诱使他们相信他对这件事的陈述。 同 hoodwink

endurance

□ denote　　□ buoyant　　□ consummate　　□ endurance　　□ irate　　　　□ commute
□ residential　□ descry　　□ beguile

commentary [ˈkɑːmənteri]	*n.* 注释；解说词；评论 记 来自 comment(*v.* 注释；评论)
pacify * [ˈpæsɪfaɪ]	*vt.* 使平静，安慰，抚慰 记 词根记忆：pac(和平，平静) + ify(使) → 使平静 例 You can easily *pacify* Joe, even though he storms. 即使乔暴跳如雷，你也可以轻而易举地让他平静下来。
eligible [ˈelɪdʒəbl]	*a.* 符合条件的，合格的；(尤指婚姻等)合适的，合意的 记 词根记忆：e(看作 ex，出) + lig(看作 lect，选择) + ible(可…的) → 可以选择的 → 符合条件的 搭 be eligible to 有资格做… 例 Last week disagreements about who should be *eligible* to vote brought the election to a halt. 上周就选举人资格一事未能达成共识，致使选举工作出现中断。 派 ineligible(*a.* 没有资格的)；eligibility(*n.* 合格；合适) 同 desirable, qualified, suitable
untimely [ʌnˈtaɪmli]	*a.* 不适时的，不合时宜的 记 联想记忆：un(不) + timely(适时的) → 不适时的 例 an *untimely* interruption 不合时宜的打断
chagrin * [ʃəˈɡrɪn]	*n.* 懊恼；气愤；委屈 记 联想记忆：cha(拼音：差) + grin(咧嘴而笑) → 心情差的时候多咧嘴笑笑，懊恼就会跑光光 → 懊恼 例 This area was declared a wildlife reserve, much to the *chagrin* of developers. 令开发商大为懊恼的是，这一地区被宣布为野生生物保护区。
flexible [ˈfleksəbl]	*a.* 柔韧的，易弯曲的；灵活的，可变动的 记 词根记忆：flex(弯曲) + ible(能…的) → 能弯曲的 → 易弯曲的 例 a *flexible* schedule 灵活的日程表 // *flexible* working hours 弹性工作时间 派 flexibly(*ad.* 易曲地，柔韧地)；flexibility(*n.* 弹性；灵活性)；inflexible(*a.* 不可弯曲的) 同 pliant
triumph [ˈtraɪʌmf]	*n.* 狂喜；胜利，成功 记 联想记忆：胜利(triumph) 之后吹喇叭(trump) 例 The conquest of outer space is one of the greatest *triumphs* of modern science. 征服太空是现代科学最伟大的成就之一。 派 triumphant(*a.* 得胜的；得意洋洋的)；triumphantly(*ad.* 成功地；耀武扬威地)；triumphal(*a.* 胜利的，凯旋的)
oppressive [əˈpresɪv]	*a.* 压制性的，压迫的，高压的；难以忍受的 记 来自 oppress(*vt.* 压迫；压抑) 例 an *oppressive* regime 残暴的政权 // *oppressive* heat 难熬的酷暑

你不是一个人在战斗！
commentary

prescript [ˈpriːskrɪpt]	*a.* 作为条例规定的，指定的 记 词根记忆：pre(预先) + script(写) → 预先写在纸上的 → 指定的
benign* [bɪˈnaɪn]	*a.* (病) 良性的；(气候) 良好的；仁慈的，和蔼的 记 词根记忆：ben(好) + ign → 好的 → 仁慈的 例 *benign* tumour 良性肿瘤 // a *benign* old lady 和蔼的老妇人 派 benignity(*n.* 善行；仁慈)
bombast [ˈbɑːmbæst]	*n.* 夸大的言辞 记 联想记忆：bomb(爆炸) + ast(看作 ask，要求) → 爆炸式的要求 → 夸大的言辞 例 Personally, the professor's lecture is full of *bombast*. 我个人认为这个教授的演讲通篇是夸夸其谈。
greedy [ˈɡriːdi]	*a.* 贪食的；贪婪的；渴望的 记 联想记忆：那个贪婪的(greedy)人一看到钱眼都变绿(green)了 例 a *greedy* man 贪婪的人 同 eager, keen
menace [ˈmenəs]	*n.* 威胁；危险的人(或物) *vt.* 恐吓，威胁 记 联想记忆：men(人) + ace(看作 face，脸) → 脸上有刀疤的人 → 危险的人 搭 a menace to sb. / sth. 对…的威胁 例 The boss often *menaced* his workers with the immediate sack. 老板经常用立即解雇来威胁他的员工。 同 threat, threaten
fabricate* [ˈfæbrɪkeɪt]	*vt.* 捏造，编造(谎言、借口等)；建造，制造 记 联想记忆：捏造(fabricate) 谎言(fable) 例 The President has denied the allegations, which he said were *fabricated* by his political opponents. 总统否认了谣言，称这是他的政敌编造的。 派 fabrication(*n.* 编造，捏造；伪造的事物) 同 construct, manufacture, invent, create
unbecoming [ˌʌnbɪˈkʌmɪŋ]	*a.* 不恰当的，不得体的 记 拆分记忆：un(不) + becoming(恰当的) → 不恰当的 例 an *unbecoming* speech 有失身份的讲话
probe* [proʊb]	*n.* 针；探测器 *v.* (以探针等) 探查，穿刺；查究 搭 probe into 探查 例 The police resolved to *probe* thoroughly into the series of mysterious deaths. 警方决心彻底调查这一系列离奇的死亡事件。 派 prober(*n.* 探测者)；probing(*n.* 探通术) 同 investigate, survey
despondent* [dɪˈspɑːndənt]	*a.* 垂头丧气的，沮丧的 例 He was *despondent* about the way things were going. 他对情况的发展很失望。

□ prescript   □ benign   □ bombast   □ greedy   □ menace   □ fabricate
□ unbecoming   □ probe   □ despondent

penalty [ˈpenəlti]	*n.* 处罚，惩罚 记 来自 penal(*a.* 刑事的) 例 death *penalty* 死刑
causal* [ˈkɔːzl]	*a.* 原因的，因果关系的 记 来自 cause(*vt.* 导致，引起) 例 These findings add considerable weight to the claims that emotional arousal is of *causal* significance to relapse. 这些结果加强了这种说法的说服力：情绪的唤醒是复发的重要原因。
blaze [bleɪz]	*n.* 火焰；光辉 *vi.* 燃烧，冒火焰；照耀，发光 记 联想记忆：上釉(glaze)得靠火焰(blaze) 例 The stars *blaze* overhead, so bright and clear that you can see everything in the sky. 星星在头顶闪烁，如此明亮清晰，你几乎能看到天空中的一切。 同 flame, blast
blasé* [blɑːˈzeɪ]	*a.* 不感兴趣的；厌倦的 记 联想记忆：杀手已经厌倦(blasé)了刀口(blade)舔血的生活 例 Nowadays children have become *blasé* about violence on television. 如今孩子们已经厌倦了电视上的暴力场景。
bleak [bliːk]	*a.* 阴冷的，寒冷的；没有指望的，令人沮丧的；荒凉的 记 联想记忆：由于核物质泄露(leak)，这里变得极其荒凉(bleak) 例 a *bleak* winter's day 冬日寒冷的一天 // a *bleak* future 前途黯淡 同 cold, raw, depressing, dismal
surmise* [sərˈmaɪz]	*v./n.* 推测，猜测 记 词根记忆：sur(上面) + mis(送) + e → 送上自己的想法 → 推测 例 It turned out that the man's *surmise* was correct. 结果证明那位男子的推测是正确的。
depraved [dɪˈpreɪvd]	*a.* 堕落的，颓废的；邪恶的 例 a *depraved* mind 堕落的思想 同 perverted
indistinct [ˌɪndɪˈstɪŋkt]	*a.* 不清楚的；模糊的，朦胧的 记 词根记忆：in(不) + distinct(清楚的) → 不清楚的 例 an *indistinct* figure 模糊的身影 同 blurred, faint, dim
maneuver [məˈnuːvər]	*v.* 调遣；换防 记 词根记忆：man(手) + euver(工作) → 用手指挥 → 调遣 例 The troop was too big to *maneuver* very well in such a short time. 军队过于庞大，在这么短的时间内无法很好地调遣。
withhold* [wɪðˈhoʊld]	*v.* 拒绝，不给 记 联想记忆：with(带有) + hold(控制) → 控制不让带有 → 拒绝，不给 例 During the trial, the man was accused of *withholding* crucial evidence. 在审讯过程中，那名男子被指控拒绝提供重要证据。

□ penalty □ causal □ blaze □ blasé □ bleak □ surmise
□ depraved □ indistinct □ maneuver □ withhold

genesis * [ˈdʒenəsɪs]	*n.* 创始，起源 记 词根记忆：gen(出生，创造) + esis → 创始；大写 Genesis 专指《圣经》中的"创世纪" 例 *genesis* of species 物种起源
revoke * [rɪˈvoʊk]	*vt.* 撤回；废除，使无效 记 词根记忆：re(反) + vok(喊) + e → 喊着反对某事 → 废除 例 The police *revoked* the drunk driver's license. 警察吊销了那个醉酒司机的驾照。 同 rescind
deficit [ˈdefɪsɪt]	*n.* 赤字，逆差 记 词根记忆：de(向下) + fic(做) + it → 做事不利，出现亏损 → 赤字，逆差 例 a budget *deficit* 预算赤字
controversy [ˈkɑːntrəvɜːrsi]	*n.* 争论，辩论 记 词根记忆：contro(相反) + vers(转) + y → 意见转向相反的方向 → 争论，辩论 例 There was a huge *controversy* over the plans for the new university. 建造新大学的计划引起了很大的争论。
sheer * [ʃɪr]	*a.* 全然的，纯粹的；绝对的，彻底的；极其薄的，透明的；峻峭的 记 联想记忆：有时候纯粹(sheer)为了高兴而喝啤酒(beer) 例 by *sheer* chance 纯属偶然地；*sheer* hypocrisy 纯粹的伪善，十足的虚伪(行为或表现) 同 pure, unqualified, utter
ascribe * [əˈskraɪb]	*vt.* 归因于，归咎于 记 词根记忆：a + scrib(写) + e → 把原因写上去 → 归因于，归咎于 搭 ascribe to 把…归因于 例 The report *ascribes* the rise in the disease to the increase in air pollution. 报告认为该疾病患病率的上升是由空气污染加重造成的。 同 attribute, assign, impute, credit
variation [ˌveriˈeɪʃn]	*n.* 变化，变动；变种，变异 记 词根记忆：var(改变) + i + ation(表状态) → 变化，变动；变异 例 University of Minnesota researchers have linked a single genetic *variation* to a fatal disease. 明尼苏达大学的研究人员认为，一种单一的遗传变异与一种致命疾病紧密相连。
defraud [dɪˈfrɔːd]	*v.* 欺骗，诈骗 记 词根记忆：de(变坏) + fraud(欺骗) → 欺骗 例 This man was charged with *defrauding* an insurance company of $20,000. 这名男子被指控涉嫌诈骗保险公司两万美元。
uproot [ˌʌpˈruːt]	*v.* 连根拔起，根除；(使)离开家园 记 组合词：up(向上) + root(根) → 连根拔起 例 In 1954, my grandfather decided to *uproot* his family and move to New York. 1954 年我祖父决定举家搬往纽约。

prelude * [ˈpreljuːd]	*n.* 先驱；前奏，序幕 记 词根记忆：pre(前) + lud(演奏) + e → 前面演奏的乐曲 → 前奏，序幕
usage [ˈjuːsɪdʒ]	*n.* 用法，惯用法 记 来自 use(*vt.* 使用)
compressible [kəmˈpresɪbl]	*a.* 可压缩的，可压榨的 记 来自 compress(*v.* 压缩，浓缩)
confrontation * [ˌkɑːnfrʌnˈteɪʃn]	*n.* 对抗；冲突 记 来自 confront(*vt.* 使面临) 例 He wanted to avoid another *confrontation* with his father. 他想避免和父亲再次发生冲突。
redeem [rɪˈdiːm]	*vt.* 赎回，挽回；恢复，补偿；兑换 记 词根记忆：re(重新) + d + eem(拿) → 重新拿回来 → 挽回 例 I *redeemed* my ring from the pawnshop after I got my wages. 我领到工资后从当铺赎回了戒指。// I *redeemed* the lottery ticket for the $5,000 prize. 我拿彩票兑取了 5000 美元的奖金。 同 repurchase
bucolic * [bjuːˈkɑːlɪk]	*a.* 牧羊的；牧歌的，田园风味的 记 词根记忆：bu(牛) + co(喂养) + lic → 养牛的喜欢唱歌 → 牧歌的 同 pastoral
entity * [ˈentəti]	*n.* 实体；存在物 记 联想记忆：授权(entitle) 给实体(entity) 例 a separate *entity* 独立的实体 同 being, existence
accost * [əˈkɔːst]	*vt.* 对…说话，搭话 记 联想记忆：ac(表加强) + cost(花费；代价) → 随便跟人搭话是要付出代价的 → 对…说话，搭话 例 Mark *accosts* the woman, pretending to brush dust from her clothes. 马克假装帮那个女人拂去衣服上的灰尘，借机与她攀谈起来。
dialect [ˈdaɪəlekt]	*n.* 方言 记 词根记忆：dia(两者之间) + lect(选择) → 两个老乡通常选择方言进行交流 → 方言 同 idiom
desultory * [ˈdesəltɔːri]	*a.* 散漫的，不连贯的 记 词根记忆：de(离开) + sul(看作 sal，跳跃) + tory(…的) → 跳跃式的 → 不连贯的 例 a *desultory* conversation 漫无边际的谈话
persevere * [ˌpɜːrsəˈvɪr]	*vi.* 坚持不懈，锲而不舍 例 If you want to succeed, you'd better try your best and *persevere* to the end. 如果想要成功，你最好竭尽全力，并坚持到最后。

perplexing [pər'pleksɪŋ]	*a.* 复杂的，令人困惑的 记 来自 perplex(*vt.* 使困惑) 例 a *perplexing* problem 令人不解的问题
persuade [pər'sweɪd]	*vt.* 说服，劝说 记 词根记忆：per(始终) + suad(建议) + e → 始终给建议 → 说服，劝说 例 UN wanted to *persuade* the country to abandon its nuclear weapons development in return for economic and diplomatic rewards. 联合国想说服该国放弃发展核武器，而作为回报，该国将获得经济上和外交上的援助。
straightforward [ˌstreɪt'fɔːrwərd]	*a.* 简单的，易懂的；直截了当的；正直的，诚实的，坦率的 记 组合词：straight(直的) + forward(向前的) → 直截了当的 例 a *straightforward* job 一项简单的工作 // a *straightforward* reply 坦率的回答 同 candid
coincidence* [koʊ'ɪnsɪdəns]	*n.* 一致，符合；巧合；同时存在，并存 记 来自 coincide(*vi.* 一致，符合) 例 It's not a *coincidence* and it's fate. 那不是巧合，而是命运。
hypothesis [haɪ'pɑːθəsɪs]	*n.* 假说，假设；猜测，猜想 记 词根记忆：hypo(在…之下) + thes(放置) + is → 放在观点之下的 → 假说，假设 例 continental drift *hypothesis* 大陆漂移说 派 hypothesize(*v.* 假定，假设) 同 supposition, assumption*
defiant [dɪ'faɪənt]	*a.* 挑战的，挑衅的，目中无人的 记 联想记忆：de(去掉) + fi(看作词根 fid，信心) + ant → 去掉别人的信心 → 挑战的，挑衅的 例 a *defiant* attitude 挑衅的态度 同 bold
shrinkage ['ʃrɪŋkɪdʒ]	*n.* 收缩 记 来自 shrink(*v.* 收缩) 例 the *shrinkage* of heavy industry 重工业的萎缩
reputed* [rɪ'pjuːtɪd]	*a.* 驰名的，享有盛誉的；号称的，所谓的，普遍认为的(略带怀疑成分) 例 Herodotus who wrote *Histories* was *reputed* to be Father of History. 《历史》的作者希罗多德被誉为"历史之父"。
guarantee [ˌɡærən'tiː]	*n.* 保证；保修单，保证书 *v.* 保证，担保 记 联想记忆：警卫(guardian)可以保证(guarantee)人们的安全 例 a year's *guarantee* 一年的保修期 // After all, it is a social rule that businesses need to provide jobs and to *guarantee* employment. 各行各业必须向社会提供工作岗位并保证一定的就业率，毕竟这是社会规则。
barrel ['bærəl]	*n.* 桶；枪管，炮管 记 联想记忆：木桶(barrel)是由横木(bar)做成的 派 barrelful(*n.* 一桶之量)

别固执啦，休息休息吧 persuade

persevere

perplexing

allude[*] [ə'luːd]	*vi.* 暗指，影射，间接提到 记 词根记忆：al + lud(嬉笑) + e → 笑里藏刀，含沙射影 → 影射 例 Joe did not *allude* to the growing scandal in his speech. 乔在发言中并没有提及这桩正闹得沸沸扬扬的丑闻。 派 allusive(*a.* 含典故的；暗指的) 同 refer
apprehensive [ˌæprɪ'hensɪv]	*a.* 忧虑的，担心的；有理解力的 记 词根记忆：ap(表加强) + prehens(=prehend，抓住) + ive → 准确抓住大意 → 有理解力的 例 an *apprehensive* face 忧虑的面容 同 discerning
discredit [dɪs'kredɪt]	*n.* 丧失信用；怀疑，不信任 *vt.* 使不相信；使成为不可信；败坏…的声誉 记 词根记忆：dis(不) + cred(相信) + it → 不信任 例 The President used his powers to *discredit* the investigation. 总统用自己的权力证实这个调查不可信。
discourse[*] 	['dɪskɔːrs] *n.* 演讲；谈话 [dɪs'kɔːrs] *vi.* 演讲，谈话 记 联想记忆：dis (离开) + cour (看作词根 cur，跑) + se → 离开家跑到此做演讲 → 演讲 搭 discourse on / upon 演讲，谈话 例 Sheila heard the teacher *discourse* on that subject. 希拉听到老师谈论那个话题。 同 conversation
discourteous [dɪs'kɜːrtɪəs]	*a.* 失礼的，无礼貌的 记 联想记忆：他在礼貌方面有 discount(折扣) → 失礼的 例 *discourteous* acts 粗鲁的行为
emanate[*] ['eməneɪt]	*v.* 流出，发出；发散，放射 记 词根记忆：e(看作 ex，出) + man(流出) + ate(表动词) → 流出 例 Clark always knew whether his wife was at home from the smells *emanating* from the kitchen. 克拉克总能通过厨房里散发的味道来判断妻子是否在家。
purposeful ['pɜːrpəsfl]	*a.* 有目的的；有意义的 例 a *purposeful* movement 有目的的行动 同 meaningful, intentional
obstruct [əb'strʌkt]	*vt.* 阻塞，截断，堵塞；阻碍，阻止，妨碍 记 词根记忆：ob(反) + struct(建造) → 反对建造 → 阻塞；阻碍 例 Officials are hoping that none of these issues will *obstruct* progress in the peace talks. 官员们希望这些问题都不会阻碍和平谈判的进程。 同 impede
qualified[*] ['kwɑːlɪfaɪd]	*a.* 有资格的，胜任的，合格的；有限制的，有保留的 例 The commentator who knew nothing about this case was not *qualified* to say these words. 这个评论员对这件事一无所知，根本没有资格说这些话。 同 eligible

blighted* [ˈblaɪtɪd]	*a.* 枯萎的；衰老的；毁灭的
	记 来自 blight [*v.* (使)枯萎；破坏]
	例 Hundreds of hectares of the fruit trees were *blighted* because of the sudden frost. 由于一场突如其来的霜冻，数百公顷果树冻死了。
pontifical* [pɑːnˈtɪfɪkl]	*a.* 自以为是的，武断的
	例 The teacher resented the students' *pontifical* manners. 老师讨厌学生自以为是的态度。
	同 pompous
covetous* [ˈkʌvətəs]	*a.* 贪心的，贪求的，垂涎的
	例 Mr. Black is a *covetous* person on power and money. 布莱克先生是一个贪求金钱和权力的人。
fiddle [ˈfɪdl]	*n.* 骗局，欺诈；小提琴 *v.* 拉小提琴；不停摆弄；虚度光阴
	例 The father was very angry because his son *fiddled* his new watch. 那位父亲很生气，因为儿子在摆弄他的新表。
	同 violin, swindle
roam [rəʊm]	*n./v.* 漫游，闲逛，徜徉
	例 A group of students *roam* around on the streets after class. 一群学生放学后在街头闲逛。
crabbed* [ˈkræbɪd]	*a.* 暴躁的，执拗的；潦草的；难懂的
	例 Tom's writings are too *crabbed* to be read easily by his teacher. 汤姆的字迹太潦草，老师不容易看懂。

备考锦囊

长难句分析(一)

本书以 SAT 官方样题中部分长难句为例，带领考生分析考试中的复杂句型，并熟悉考试难度。

1 Thus, at a time when occupation was becoming a core element in masculine identity, any position for middle-class women other than in relation to men was considered anomalous.

译文：因此，当职业成为男性认同的核心要素时，任何中产阶级女性在不是因为与男性有关而获得职位时，都被认为是不正常的。

解析：句子主干为 position was considered anomalous，主句中主语 position 后的 for middle-class... to men 都是用来修饰限定主语 position 的，分句 at a time... identity 中包含一个由 when 引导的定语从句，修饰 time，此类定语从句还可以说 We all remember the days when we studied together.（我们都记得那些一起上学的日子。）

音频

词根预习表

lig	选择	negligible *a.* 可以忽略的	ept	适合	adept *a.* 精通的
tri	三	trifle *n.* 少量，少许	ego	自己	egoism *n.* 自我主义
grand	大	aggrandize *vt.* 增加	arbor	树	arboretum *n.* 植物园
merg	浸没	submerge *v.* 沉没	mal	坏	malice *n.* 恶意
punct	刺	compunction *n.* 良心的谴责	migr	移动	emigrate *v.* 移民

---

missile*
 [ˈmɪsl]

n. 导弹；发射物
记 词根记忆：miss(发送) + ile(物体) → 要发送的物体 → 发射物
例 a nuclear *missile* 核导弹 // a *missile* base 导弹基地

missile

---

summary
 [ˈsʌməri]

n. 摘要，概要
记 词根记忆：sum（总和）+ mary → 内容的总和 → 摘要，概要
搭 in summary 总的说来，概括起来
例 In *summary*, it was a disappointing performance. 总的来说，这次表演令人失望。

---

jade
 [dʒeɪd]

n. 碧玉，翡翠；老马
例 a *jade* necklace 翡翠项链
同 jadeite

---

edible
 [ˈedəbl]

a. 可以吃的，可食用的
例 *edible* oil 食用油
同 eatable

---

comprehensible
 [ˌkɑːmprɪˈhensəbl]

a. 可理解的，易于了解的
记 来自 comprehend(*v.* 理解，了解)
搭 easily *comprehensible* to the average reader 一般读者容易懂的

---

acquittal*
 [əˈkwɪtl]

n. 宣判无罪，无罪开释
记 联想记忆：原告放弃(quit)起诉，被告被宣判无罪(acquittal)
例 The judges rejected the criminal's *acquittal* plea. 法官们驳回了罪犯的开释请求。

---

destitution [ˌdestɪˈtjuːʃn]	*n.* 贫穷，穷困 记 联想记忆：现在有研究所(institution) 很贫穷(destitution)
inclusive* [ɪnˈkluːsɪv]	*a.* 包含全部费用的；包容广阔的 记 来自 include(*v.* 包含，包括) 搭 inclusive of... 把…包括在内 例 an *inclusive* charge 包括一切的费用 // The monthly rent is $75 *inclusive* of everything. 月房租包括一切费用在内总共 75 美元。 派 inclusively(*ad.* 包含地)
fictitious* [fɪkˈtɪʃəs]	*a.* 小说中的，虚构的，假想的；假装的；虚伪的 记 词根记忆：fict(做) + itious → 故意做出来的姿态 → 假装的；虚伪的 例 a *fictitious* character 虚构的人物 同 imaginary, false, assumed
berate* [bɪˈreɪt]	*vt.* 严厉指责；申斥 记 联想记忆：be(使) + rate(责骂) → 严厉指责；申斥 例 I seemed to be *berating* myself for spending a Sunday afternoon talking with my friends. 我得指责自己，星期天整个下午都和朋友闲聊。
negligible [ˈneɡlɪdʒəbl]	*a.* 可以忽略的，微不足道的 记 词根记忆：neg(不) + lig(选择) + ible(可…的) → 可以不选择的 → 可以忽略的 例 a *negligible* amount 微小的量 同 trifling, insignificant
chilly [ˈtʃɪli]	*a.* 寒冷的；冷淡的 记 来自 chill(*n.* 寒冷) 例 a *chilly* welcome 冷淡的欢迎 同 chilling
adept*	[ˈædept] *n.* 行家，熟手 [əˈdept] *a.* 精通的，内行的 记 词根记忆：ad(表加强) + ept(适合) → 能力强的正好适合 → 精通的，内行的 例 Ben has got quite *adept* at shoeing horses and fixing wagons. 本已经能相当熟练地钉马掌、修马车了。 同 proficient, skilled, skillful
inert* [ɪˈnɜːrt]	*a.* 无活动的；惰性的；迟钝的 记 词根记忆：in(不) + ert(技巧) → 没有技巧 → 迟钝的 例 *inert* gases 惰性气体
soluble* [ˈsɑːljəbl]	*a.* 可溶的 记 来自 solute(*n.* 溶解物，溶质) 例 *soluble* aspirin 可溶性阿司匹林 派 insoluble (*a.* 不能溶解的；不能解决的)；solution (*n.* 溶液；解决方法)；resoluble(*a.* 可分解的；可解决的)

bravado * [brəˈvɑːdou]	*n.* 虚张声势，装作有自信的样子 记 来自 bravo(*vt.* 欢呼；喝彩)
apotheosis * [əˌpɑːθiˈousɪs]	*n.* 尊为神，神化，典范；发展顶峰，巅峰 记 词根记忆：apo(表加强) + theo(神) + sis → 使成为神 → 神化 例 the *apotheosis* of the career 事业的巅峰
dignify [ˈdɪgnɪfaɪ]	*vt.* 使尊荣，使高贵 记 词根记忆：dign(价值) + ify(使…) → 使有价值 → 使尊荣 例 The conference has been *dignified* by the presence of Professor White. 怀特教授的出席给本次会议增光不少。 同 ennoble
embody * [ɪmˈbɑːdi]	*vt.* 体现，使具体化 记 联想记忆：em(使…) + body(形体) → 使具有形体 → 使具体化 例 Paintings and music can vividly *embody* the spirits and character of a country. 绘画和音乐能生动形象地体现出一个国家的精神和个性。 同 personify, incarnate, express
maritime [ˈmærɪtaɪm]	*a.* 海上的；海事的，海运的；海员的 记 词根记忆：mar(海) + i + time(时间) → 大部分时间在海上 → 海上的；海员的 例 a *maritime* museum 海洋博物馆
apparition * [ˌæpəˈrɪʃn]	*n.* 离奇出现的东西；(尤指)鬼怪，幻影 记 词根记忆：ap(附近) + par(出现) + ition → 离奇出现的东西 例 Alice claimed to have seen the *apparition* of her dead husband. 艾丽斯声称看到过亡夫的灵魂。
impede * [ɪmˈpiːd]	*vt.* 妨碍，阻碍，阻止 记 词根记忆：im(在…中) + ped(脚) + e → 在…中插一脚 → 妨碍 例 This review was intended to serve essentially as a background to how science and technology could *impede* or promote development. 该评论旨在为科技是如何阻碍或推进发展这一问题提供必要的背景资料。
casualty * [ˈkæʒuəlti]	*n.* 伤亡事故；人员伤亡 记 联想记忆：casual(偶然的) + ty → 偶然发生的事情 → 伤亡事故 例 First reports of the traffic accident tell of more than 10 *casualties*. 最初的报道称这起交通事故有 10 多个伤亡人员。 同 victim
participate [pɑːrˈtɪsɪpeɪt]	*vi.* 参与，参加；分享，分担 记 联想记忆：parti(看作 party，晚会) + cip(抓，拿) + ate(动词后缀) → 抓人参加晚会 → 参与，参加 搭 participate in 参加，参与 例 Our students were encouraged to *participate* in these discussions. 我们鼓励学生参与到这些讨论中来。 派 participation(*n.* 参与)；participator(*n.* 参与者)

trifle [ˈtraɪfl]	*n.* 少量，少许；小事，琐事，微不足道的东西 *v.* 玩忽；怠慢 记 词根记忆：tri(三) + fle → 分成三份，每份都很少 → 少量，少许 搭 a trifle 有点儿，稍微；trifle with 轻视，小看 例 A mere *trifle* brought about a quarrel between the couple. 一点儿小事引起了夫妻间的一场争吵。// If you *trifle* with the boss, you'll get into trouble. 你若是怠慢了老板，就将陷入麻烦。
egoism* [ˈiːɡəʊɪzəm]	*n.* 自我主义；利己主义 记 词根记忆：ego(自己) + ism(表"主义") → 只顾自己的主义 → 自我主义
recessive [rɪˈsesɪv]	*a.* 隐性的 搭 *recessive* trait 隐性性状
accede* [əkˈsiːd]	*vi.* 同意；即位，继任 记 词根记忆：ac(表加强) + ced(走) + e → 走到一起 → 同意 例 Helen can't *accede* to the absurd proposal on any account. 海伦无论如何也不同意那个荒谬的提议。// The law forbade women to *accede* to the throne in that country. 在那个国家，法律禁止女性继任王位。
uphold [ʌpˈhəʊld]	*vt.* 支持，赞成；举起；坚持 记 组合词：up(向上) + hold(举起) → 举起手来 → 支持，赞成 例 Judge Davis *upheld* the Supreme Court's decision. 戴维斯法官赞成最高法院的裁决。 同 support
expect [ɪkˈspekt]	*v.* 期待，预期；盼望，指望 例 If you *expect* to further study abroad, you should apply now. 如果你希望出国继续深造，现在就应该申请了。
immune* [ɪˈmjuːn]	*a.* 免疫的，有免疫力的；不受影响的；免除的，豁免的 记 词根记忆：im(没有) + mun(效用) + e → 病菌的毒素没有效用 → 免疫的，有免疫力的 搭 immune to 不受影响的；immune from 免除的 例 *immune* system 免疫系统 // The criminal is told he will be *immune* from punishment if he helps the police. 罪犯被告知，如果他协助警方，就可以免受惩罚。 派 immunize(*vt.* 使免疫)；immunity(*n.* 免疫力；免疫性) 同 resistant, invulnerable*
aggrandize* [əˈɡrændaɪz]	*vt.* 增加，夸大 记 词根记忆：ag(表加强) + grand(大) + ize(使) → 使增大 → 增加 例 A country shall not *aggrandize* itself at the expense of other countries. 一个国家不应该牺牲别国来壮大自己。
habitude [ˈhæbətjud]	*n.* 习俗 派 habituated(*a.* 习惯的)

hazard [ˈhæzərd]	*n.* 危险，冒险，危害 *vt.* 冒险，拼命 记 发音记忆："害死人的" → 危险 例 noise *hazards* 噪音危害 派 hazardous(*a.* 危险的，冒险的)
arboretum [ˌɑːrbəˈriːtəm]	*n.* 树园，植物园 记 词根记忆：arbor(树) + et+ um(看作 sum，总和) → 树木的集结地 → 植物园
ludicrous* [ˈluːdɪkrəs]	*a.* 可笑的；滑稽的；愚蠢的 记 词根记忆：lud(嬉笑) + icrous → 让大家嬉笑的 → 可笑的 例 a *ludicrous* idea 荒谬的想法
amend* [əˈmend]	*vt.* 修改，修正 记 词根记忆：a(=away，远离) + mend(错误) → 远离错误 → 修正 例 Rose *amended* the testament to include her son. 罗丝修改了遗嘱，将 自己的儿子列为受益人。 同 correct, improve
meditate [ˈmedɪteɪt]	*v.* 沉思，冥想(尤其是精神方面的问题)；反省；考虑，策划，谋划 记 词根记忆：med(专心) + i + tate → 专心地想 → 沉思 例 I started to *meditate* on that topic in relation to my argument with my colleague. 我开始沉思与同事争论的那个话题。 同 ponder, muse
submerge [səbˈmɜːrdʒ]	*v.* 沉没，淹没；潜入 记 词根记忆：sub(在下面) + merg(浸没) + e → 浸没下去 → 沉没，淹没 例 Torrents of water rushed down the hill and *submerged* the farmland. 洪流冲下小山，淹没了 农田。
adjuration [ˌædʒʊˈreɪʃn]	*n.* 恳请，请愿 记 来自 adjure(*v.* 要求，命令) 同 supplication
alimentary* [ˌælɪˈmentəri]	*a.* 食物的；营养的 记 联想记忆：缺乏营养(alimentary)，就会得病(ailment) 例 *alimentary* canal 消化道
dissimilar [dɪˈsɪmɪlər]	*a.* 不同的 记 联想记忆：dis(不) + similar(类似的) → 不类似的 → 不同的 例 *dissimilar* tastes 不同的爱好
renovate* [ˈrenəveɪt]	*vt.* 革新；更新，修复 记 词根记忆：re(重新) + nov(新的) + ate → 更新，修复 例 We decided to buy an old house and *renovate* it ourselves. 我们决定 买一间旧房子，然后自己翻修一下。 同 restore

submerge

obscurity [əbˈskjʊrəti]	*n.* 阴暗，朦胧；隐匿；晦涩 记 来自 obscure(*a.* 朦胧的；晦涩的) 例 a state of *obscurity* 朦胧的状态
reign [reɪn]	*n./v.* 统治，支配 记 联想记忆：独立的国家要不断增强实力，才不会被 foreign（外国）势力 reign(统治) 搭 reign over 统治，支配 例 the *reign* of James Ⅰ 詹姆士一世统治时期 同 dynasty, rule
inestimable [ɪnˈestɪməbl]	*a.* 无价的，无法估计的 例 *inestimable* value 难以估量的价值
informal* [ɪnˈfɔːrml]	*a.* 不正式的；不拘礼节的 记 拆分记忆：in(不) + formal(正式的) → 不正式的 例 an *informal* meeting 非正式会议
induce* [ɪnˈduːs]	*vt.* 劝诱；促使，引起，导致；感应 记 词根记忆：in(进入) + duc(导致) + e → 导致进入一种状态 → 引起，导致 例 Scientists of England have developed a spray that can *induce* plants to flower earlier. 英格兰的科学家们开发出一种喷雾，可以促使植物提早开花。 同 persuade, prompt, cause
enthusiastic [ɪnˌθuːziˈæstɪk]	*a.* 热情的，热心的 记 联想记忆：enthusias(=enthusiasm 狂热，热心) + tic → 热情的，热心的 例 an *enthusiastic* crowd 热心的群众 派 enthusiastically (*ad.* 热情地，热心地)；overenthusiastic (*a.* 过度热情的)；enthusiast(*n.* 热衷者)
disparity* [dɪˈspærəti]	*n.* 不同，不等；不一致 记 词根记忆：dis(不) + par(平等) + ity(表名词) → 不平等 → 不同，不等 例 the wide *disparity* between rich and poor 贫富悬殊
condescend* [ˌkɑːndɪˈsend]	*vi.* 谦逊，屈尊 记 词根记忆：con + de(向下) + scend(爬) → 向下爬 → 屈尊
renown* [rɪˈnaʊn]	*n.* 名望，声誉 记 词根记忆：re(反复) + nown(=name，名字) → 名门望族的名字反复出现 → 名望 同 fame
boorish* [ˈbʊrɪʃ]	*a.* 粗野的，粗鄙的 记 来自 boor(*n.* 粗野的人) 例 We found the driver rather *boorish* and aggressive. 我们发现那个司机非常粗野和好斗。

compress[*] [kəm'pres]	*vt.* 压缩，浓缩 记 词根记忆：com(全部) + press(压) → 全部压 → 压缩 例 Behind the factory is a machine that *compresses* old cars into blocks of scrap metal. 工厂后面有台机器，把废旧的轿车挤压成废铁块儿。 派 compressed (*a.* 被压缩的); compression(*n.* 压缩，浓缩); compressible(*a.* 可压缩的，被浓缩的); compressor(*n.* 压缩器，压缩机)

（插图标注：boorish / compress / .zip / cathartic）

cathartic [kə'θɑːrtɪk]	*n.* 泻药；通便药 *a.* 通便的；导泻的 同 purgative
impetus ['ɪmpɪtəs]	*n.* 推动(力)，促进 记 词根记忆：im(在…中) + pet(寻求) + us → 在心中极力寻求，所以有动力 → 推动力 同 stimulus, spur
fertile ['fɜːrtl]	*a.* 肥沃的，富饶的；能繁殖的，已受精的 记 词根记忆：fer(带来) + tile → 土地肥沃，能带来很多粮食 → 肥沃的 例 *fertile* land / fields / soil 肥沃的土地 // *fertile* eggs 受精卵 派 fertility(*n.* 肥沃，富饶；多产); infertile(*a.* 贫瘠的); fertilize(*vt.* 使受精，施肥于); fertilizer(*n.* 肥料) 同 rich, productive
adulterate[*] [ə'dʌltəreɪt]	*vt.* 掺杂，掺假 记 联想记忆：奉承(adulate) 话里都掺杂(adulterate) 着谎话 例 Those who like *adulterating* commodities with shoddy items must be punished. 那些喜欢用假货充当真品的人应该受到惩罚。
sensitive ['sensətɪv]	*a.* 敏感的；灵敏的 记 联想记忆：sens(e)(感觉) + itive → 容易引起感觉的 → 敏感的 搭 be sensitive to 对…敏感 例 a *sensitive* and intelligent young man 一个敏感聪明的年轻人 派 sensitively(*ad.* 神经过敏地); hypersensitive(*a.* 非常敏感的); sensitivity (*n.* 灵敏性；敏感)
recourse[*] ['riːkɔːrs]	*n.* 求援，求助 例 a way of solving disputes without *recourse* to law 不求助法律而解决争端的方式
hesitant ['hezɪtənt]	*a.* 犹豫的，犹豫不决的；吞吞吐吐的 记 来自 hesitate(*vi.* 犹豫，踌躇) 例 a *hesitant* smile 勉强的微笑

□ compress □ cathartic □ impetus □ fertile □ adulterate □ sensitive
□ recourse □ hesitant

acquaint
[əˈkweɪnt]

vt. 使认识，使了解

记 词根记忆：ac(表加强) + quaint(知道) → 知道得很清楚 → 认识，了解

搭 acquaint with 使认识，使了解，使熟悉

例 I had no problem getting *acquainted* with the girls, but the guys were a little harder. 我结识女孩是不成问题的，但结识男孩就有点儿困难。

同 inform

---

oblivious *
[əˈblɪvɪəs]

a. 遗忘的，忘却的；茫然的，不自觉的

例 an *oblivious* slumber 昏睡

---

malice
[ˈmælɪs]

n. 恶意，怨恨

记 词根记忆：mal(坏) + ice(表性质) → 恶有恶报 → 恶意

---

allay *
[əˈleɪ]

vt. 减轻，减少；使安静

记 联想记忆：al(看作 all，全都) + lay(放置) → 放下所有的担子 → 减轻

例 The President made his effort to *allay* the tension in the Middle East. 总统努力缓解中东的紧张局势。

同 alleviate, calm

---

secondary
[ˈsekənderi]

a. 第二的；间接的，非原始的；次要的

记 来自 second(*n.* 第二)

搭 be secondary to 仅次于…

例 the novel's *secondary* characters 小说中的次要人物

同 inferior

---

disburse *
[dɪsˈbɜːrs]

vt. 支付

记 联想记忆：他前妻经常打扰(disturb)他，要他付(disburse)生活费

例 The fund was only to be *disbursed* when the contract had been signed. 在合同签订之前，不会支付这笔资金。

---

dwarf *
[dwɔːrf]

n. 矮子，侏儒 *vt.* (由于对比)使显得矮小，使相形见绌 *a.* 矮小的，发育不全的

记 联想记忆：战争(war)使战败国在战胜国面前相形见绌(dwarf)

例 *dwarf* conifers 矮小的针叶树 // Our little house is *dwarfed* by that big building. 我们的小房子和那座大厦相比显得很小。

同 midget, runt; outshine

---

rigorous *
[ˈrɪgərəs]

a. 严格的，严厉的

记 来自 rigor(*n.* 严酷，严格)

搭 be rigorous with ... 对…严苛

例 *rigorous* army training 严格的军训

同 meticulous, rigid

---

transcendent *
[trænˈsendənt]

a. 卓越的，出众的

例 The Olympic Games is a *transcendent* event. 奥林匹克运动会是卓越的大事件。

---

numerous
[ˈnuːmərəs]

a. 众多的，许多的，大批的

记 词根记忆：numer(计数) + ous → 不计其数的 → 众多的，许多的

例 *numerous* errors 许许多多的错误

---

intelligence [ɪnˈtelɪdʒəns]	*n.* 智力，聪明；理解力；情报，消息 记 来自 intelligent(*a.* 聪明的) 例 *intelligence* test 智力测验 // *intelligence* level 智力水平 // *intelligence* analysis 情报分析 // military *intelligence* 军事情报
ritual [ˈrɪtʃuəl]	*n.* 典礼，(宗教)仪式；礼节 *a.* 典礼的，(宗教)仪式的 记 来自 rite(*n.* 典礼，仪式)
conciliatory* [kənˈsɪliətɔːri]	*a.* 抚慰的，调和的 记 来自 conciliate(*vt.* 调和，安慰) 例 *conciliatory* tone 抚慰的语调
compunction* [kəmˈpʌŋkʃn]	*n.* 良心的谴责；后悔，悔恨 记 词根记忆：com + punct(刺) + ion → (心)不断被刺 → 良心的谴责 同 scruple
conjugal* [ˈkɑːndʒəgl]	*a.* 结婚的，夫妇间的 记 联想记忆：con(共同) + jug(监牢) + al → 不幸的婚姻如同监牢 → 结婚的，夫妇间的 同 connubial
outdo [ˌaʊtˈduː]	*vt.* 胜过 记 联想记忆：out(外面的) + do(做) → 胜过 例 When it comes to the speed of solving problems, a small firm can *outdo* a big one. 提到解决问题的速度，小公司比大公司要快。
emigrate [ˈemɪgreɪt]	*v.* 迁居，移民 记 词根记忆：e(出) + migr(移动) + ate → 搬出去 → 移民 搭 emigrate from... to... 从…移居到… 例 Justin's parents *emigrated* from Britain to New Zealand just before he was born. 贾斯廷的父母在他快要出生的时候从英国移居到了新西兰。 同 migrate
bibliography [ˌbɪbliˈɑːgrəfi]	*n.* (有关某一专题的)书目；参考书目 记 词根记忆：biblio(书) + graph(写) + y → 写文章时用的书 → 参考书目 例 universal *bibliography* 世界文献目录 // classified *bibliography* 分类书目 派 bibliographical(*a.* 参考书目的)
comestible [kəˈmestɪbl]	*a.* 可吃的 *n.* 食物 记 联想记忆：comes(来) + tible(看作 table, 桌子) → 来到桌上 → 食物 同 edible
exemplary* [ɪgˈzempləri]	*a.* 典范的，可作榜样的；典型的，代表性的 记 词根记忆：ex(外) + emp(抓) + lary(…的) → 抓出来举例 → 典型的 例 a man of *exemplary* character 一个具有模范品德的人 同 commendable

conjugal

□ intelligence □ ritual □ conciliatory □ compunction □ conjugal □ outdo
□ emigrate □ bibliography □ comestible □ exemplary

21

plausible * [ˈplɔːzəbl]	*a.* 似乎合理的，似乎可信的 记 词根记忆：plaus(打) + ible(可…的) → 可打动人的 → 似乎合理的 例 a *plausible* excuse 看似有理的借口 派 plausibility(*n.* 似乎有理；善辩)；implausible(*a.* 难以置信的，不像真实的)；plausibly(*ad.* 似真地)
allot [əˈlɑːt]	*vt.* 分配，拨给 记 联想记忆：al(看作 all，所有的) + lot(划分) → 人人都分得一大份 → 分配 例 The President's budgets have failed to *allot* enough money for education. 总统的预算里没给教育拨足经费。
senator [ˈsenətər]	*n.* 参议员 记 联想记忆：senat(e)(参议院) + or(表人) → 参议员
erode * [ɪˈroʊd]	*v.* 侵蚀，腐蚀；使变化 记 词根记忆：e + rod(咬) + e → 岩石被侵蚀得像被咬过一样 → 侵蚀 例 If the flood is not controlled, it will *erode* the banks as well as the surrounding farm land. 如果洪水得不到控制，河岸以及岸边的农田都将受到侵蚀。 同 corrode, rot
demolition * [ˌdeməˈlɪʃn]	*n.* 毁坏；拆毁，拆除 例 *demolition* kit 爆破工具
debacle * [deɪˈbɑːkl]	*n.* 冰河的溃裂；大败，崩溃 记 联想记忆：来自法语，de(表否定) + bacle(阻挡) → 阻挡不住 → 崩溃 例 The collapse of this corporation was described as the greatest financial *debacle* in US history. 这家公司的倒闭被认为是美国历史上最严重的经融失败。
stature [ˈstætʃər]	*n.* 身高，身材 记 词根记忆：stat(站) + ure(表状态) → 站的状态 → 身高，身材 例 a man of short *stature* 身材矮小的男人
statue [ˈstætʃuː]	*n.* 塑像，雕像 记 联想记忆：一般来说，有身份(status)的人才能立雕像(statue) 派 statuette(*n.* 小雕像)
status [ˈsteɪtəs]	*n.* 地位，身份；情形，状况 记 词根记忆：stat(站) + us → 站的位置 → 地位，身份 例 wealth and *status* 财富和地位 // marital *status* 婚姻状况
desperate [ˈdespərət]	*a.* 令人绝望的；不顾一切的，拼死的 记 词根记忆：de(表否定) + sper(希望) + ate → 没希望的 → 令人绝望的 例 a *desperate* man 走投无路的人 同 despairing

high *status*

statue

Napoleon

short *stature*

synonym [ˈsɪnənɪm]	*n.* 同义词 记 词根记忆：syn(相似的) + onym(单词) → 相似的单词 → 同义词 派 synonymous(*a.* 同义的)
negotiate [nɪˈɡoʊʃieɪt]	*v.* 谈判，交涉，商议 记 联想记忆：ne + got(获得) + iate → 商议是为了获得一致意见 → 商议 搭 negotiate with sb. 和某人进行谈判 例 John, the representative of International Business Machine Corporation, has been assigned to *negotiate* business with you. 约翰是国际商用机器公司的代表，公司委派他来和贵方洽谈业务。
projection [prəˈdʒekʃn]	*n.* 突起物，隆起物；发射；计划；投影 记 词根记忆：pro(向前) + ject(投) + ion → 向前投影 → 投影 例 tiny *projections* on the cell 细胞上的微小突出物 // This *projection* was a complete success. 这次发射取得了圆满成功。 同 scheme
testimony [ˈtestɪmoʊni]	*n.* 证据，证词；表明，说明 记 词根记忆：test(证明) + imony → 证词 例 The witness's *testimony* cleared the suspect. 证人的证词证明了嫌疑人的清白。
aversion [əˈvɜːrʒn]	*n.* 厌恶；讨厌的人或事 记 来自 aversive(*a.* 令人嫌恶的，令人厌恶的) 例 Most people have a natural *aversion* to anything associated with death or dying. 很多人天生反感任何与死亡相关的事物。
avarice [ˈævərɪs]	*n.* 贪财；贪婪 记 词根记忆：av(欲望) + arice → 贪婪 同 greed, greediness, cupidity
automaton [ɔːˈtɑːmətən]	*n.* 自动机器；机器人 记 联想记忆：使用机器人(automaton)实现自动化(automation)
legendary [ˈledʒənderi]	*a.* 传说的，传奇的；享有盛名的 记 来自 legend(*n.* 传奇，传说) 例 Some experts think King Arthur and Round Table Knights were just *legendary* stories instead of true history. 一些学者认为，亚瑟王和圆桌骑士只是传奇而不是真实的历史。
quaff* [kwɑːf]	*v.* 痛饮，畅饮；大口地喝 记 发音记忆："夸父" → 夸父追日，渴急痛饮 → 痛饮 例 The man told his wife that he spent all night *quaffing* whiskey with his friends. 男人告诉他妻子，他整个夜晚都在跟朋友狂饮威士忌。
trivialize [ˈtrɪviəlaɪz]	*vt.* 使平凡；使琐碎；使淡化 记 来自 trivial(*a.* 琐碎的，微不足道的) 例 The Philippine government tried to *trivialize* the death of the tourists. 菲律宾政府试图淡化游客死亡事件。

Hum, human *avarice*.

aversion

automaton

unprecedented * [ʌn'presɪdentɪd]	*a.* 前所未有的 例 The economy of this country has achieved an *unprecedented* level. 这个国家的经济已经达到了一个前所未有的水平。
plod [plɑːd]	*v.* 重步缓慢地行走；吃力地干 搭 plod along / on 进展缓慢 例 The miners *plodded* home after a whole day's heavy work in the evening. 晚上，矿工们在一天繁重的工作后，拖着沉重的步子回家。
conspire [kən'spaɪər]	*v.* 密谋，阴谋，共谋 记 词根记忆：con + spir(呼吸) + e → 共同呼吸，一个鼻孔出气 → 共谋 例 The woman was accused of *conspiring* with her lover to murder her husband. 这名妇女被指控伙同情夫一起谋害亲夫。 派 conspirator(*n.* 阴谋者，谋叛者)
filibuster * ['fɪlɪbʌstər]	*n./v.* (以冗长演说等方法)妨碍议事，阻挠 记 发音记忆："费力拍死它" → 妨碍议事，阻挠 例 Several senators plan to *filibuster* gay marriage. 一些议员计划阻挠同性恋结婚。
stupefy * ['stuːpɪfaɪ]	*vt.* 使茫然，使惊呆；使神志不清 记 词根记忆：stup(笨，呆) + e + fy(使) → 使惊呆 例 Joan was *stupefied* when a man shot her husband. 当一个男人对琼的丈夫开枪时，她吓呆了。

长难句分析(二)

2 Although nineteenth-century women traveled for a variety of reasons, ranging from a desire to do scientific research to involvement in missionary work, undoubtedly major incentive was the desire to escape from domestic confinement and the social restrictions imposed on the Victorian female in Britain.

译文:虽然十九世纪的女性去旅行有很多原因，无论是希望做科学研究还是参与到传教活动中，但是无疑最主要的动机还是要逃脱英国维多利亚时期女性受到的家庭束缚与社会限制。

解析:此句为复合句。although引导的是一个让步状语从句，从句中 ranging from... to 结构是对 reasons 的修饰；主句中分词结构 imposed on 做后置定语修饰 confinement 与 restrictions。分析本句的主干要抓住以下几个部分：Although nineteenth-century women traveled for... reasons... major incentive was...

音频

词根预习表

vol	意愿	benevolent a. 慈善的	du	二，双	dual a. 双的
lev	举	relevant a. 有关的	gest	运来；带来	congest v. (使)拥塞
aug	增加	augment vt. 增加	quir	寻求	acquired a. 已获得的
morph	形状	amorphous a. 无定形的	flu	流动	fluctuation n. 波动, 起伏
nat	出生	native a. 与生俱来的	ordin	顺序	subordinate a. 下级的

benevolent * [bə'nevələnt]	a. 慈善的
	记 词根记忆：bene(好) + vol(意愿) + ent → 好意的 → 慈善的
	例 a benevolent smile 仁慈的微笑
	派 benevolence(n. 善心, 仁心)

dual ['dju:əl]	a. 双的，双重的；两部分的
	记 词根记忆：du(二，双) + al(…的) → 双的
	例 a dual role 双重角色
	同 double

relevant * ['reləvənt]	a. 有关的；切题的
	记 词根记忆：re(一再) + lev(举) + ant(…的) → 不要一再抬高话题的高度，要切题一些 → 有关的
	搭 relevant to 与…相关，有关的，相应的
	例 I don't think your arguments are relevant to this discussion. 我认为你的论据与这次讨论无关。
	派 relevance(n. 有关, 相关)

soothe [su:ð]	vt. 安慰，使平静；缓和，减轻(痛苦等)
	记 来自 sooth(a. 抚慰的)
	例 Shelley wiped the girl's forehead, and soothed her. 谢利擦拭着女孩的额头，安慰着她。// A cold cloth pressed against your jaw will soothe a toothache. 把凉布贴在颌处能缓解牙疼。

utter ['ʌtər]	a. 完全的，彻底的，十足的 vt. 发出声音；说，讲
	记 联想记忆：小男孩突然发出声音(utter)说要吃黄油(butter)
	例 The boy looked at his teacher in utter confusion. 男孩十分迷惑地看着他的老师。// Susan uttered her explanation so softly that we couldn't hear it. 我们听不到苏珊如此轻声的解释。

congest [kənˈdʒest]	v. (使)充满，(使)拥塞
	记 词根记忆：con(共同) + gest(运来；带来) → 一起搬运 → (使)拥塞
	例 The expressway was *congested* with cars. 那条高速公路堵满了车。
dogged * [ˈdɔːgɪd]	a. 顽固的，顽强的
	记 联想记忆：这只顽强的(dogged)狗(dog)一定受了上帝(God)的恩惠
	例 *dogged* persistence 顽强的毅力
brusque * [brʌsk]	a. 唐突的，无礼的；直率的；粗鲁的
	记 用刷子(brush)打人，真无礼(brusque)
	例 in a *brusque* tone 以唐突的语气 // a *brusque* attitude 粗暴的态度
	同 bluff, blunt, curt, gruff
resource [ˈriːsɔːrs]	n. 资源
	记 联想记忆：re(再) + source(源泉) → 可一再使用的源泉 → 资源
	例 human *resources* 人力资源 // productive *resources* 生产资料
	派 resourceful(a. 机敏的，随机应变的)；resourcefulness(n. 足智多谋)；resource-intensive(a. 资源密集的)
demure * [dɪˈmjʊr]	a. 端庄的；假装矜持的
	记 联想记忆：她纯洁(pure)又端庄(demure)
	例 a *demure* smile 矜持的微笑
	同 modest, coy
typical [ˈtɪpɪkl]	a. 典型的，有代表性的
	记 词根记忆：typ(类型) + ical → 典型的
	搭 be typical of 有代表性的，典型的
	例 This painting is fairly *typical* of Dali's early work. 这幅画是达利早期的代表作。
	派 typically(ad. 典型地)
augment [ɔːgˈment]	vt. 增加；增大；提高
	记 词根记忆：aug(增加) + ment → 增加
	例 Those girls often *augment* their recipe collection by passing around their favourites written on cards. 那些女孩时常把自己最喜欢的食谱写在卡片上，相互传阅，以增加自己的食谱收藏。
	派 augmentation(n. 增加)
symbolize [ˈsɪmbəlaɪz]	vt. 象征，作为…的象征
	记 来自 symbol(n. 象征)
	例 In Europe, the colour white *symbolizes* purity but in Asia it is often the symbol of mourning. 在欧洲白色是纯洁的象征，而在亚洲它常象征服丧。
unspeakable [ʌnˈspiːkəbl]	a. 无法形容的，不能以言语表达的
	记 联想记忆：un(不) + speak(说话，表达) + able(能…的) → 不能用语言表达的
	例 *unspeakable* embarrassment 难以形容的尴尬

symbolize

animosity * [ˌænɪˈmɑːsəti]	*n.* 仇恨，憎恶 记 词根记忆：anim(头脑，情绪) + osity → 脑中仇恨的情绪 → 仇恨，憎恶 例 The villagers felt burning *animosities* towards the invading forces. 村民们对入侵的军队深恶痛绝。
collapse [kəˈlæps]	*v.* 倒塌；崩溃，突然失败；虚脱，(因病)倒下 记 词根记忆：col + laps(倒) + e → 倒塌 例 Hearing the news, Janice *collapsed* into the sofa, sighing deeply. 听到消息后，贾尼丝瘫倒在沙发里，深深地叹了口气。
intelligible [ɪnˈtelɪdʒəbl]	*a.* 可理解的，明白易懂的 记 联想记忆：in(使) + tell(说) + igible → 使说明白 → 明白易懂的 例 *intelligible* explanation 清楚的解释 同 clear, distinct
acquired [əˈkwaɪərd]	*a.* 已获得的；通过自己的后天努力得到的 记 词根记忆：ac + quir(寻求) + ed → 通过后天努力寻求到的 → 已获得的
beget * [bɪˈget]	*vt.* 成为…的父亲；引起，招致 记 联想记忆：be(是) + get(得到) → 是得到了 → 引起，招致 例 Poverty and hunger *beget* crime. 贫穷和饥饿会导致犯罪。
amorphous * [əˈmɔːrfəs]	*a.* 无定形的；非结晶的 记 词根记忆：a(无) + morph(形状) + ous → 无形状的 → 无定形的 例 *amorphous* carbon 无定形碳 同 shapeless
strenuous [ˈstrenjuəs]	*a.* 积极的，奋发的；费劲的 记 联想记忆：stren(看作 strength，力量) + uous → 用力量的 → 费劲的 例 The boat went down although *strenuous* efforts were made to save it. 尽管很努力地去拯救那只小船，它依然沉没了。// We should avoid *strenuous* exercise immediately after a meal. 饭后不应立即进行剧烈运动。 同 vigorous, energetic, lusty, arduous
drowsy [ˈdraʊzi]	*a.* 昏昏欲睡的 记 联想记忆：在海上的时候可不要昏昏欲睡(drowsy)，小心被淹没(drown) 例 a *drowsy* afternoon 令人困倦的下午
vocabulary [vəˈkæbjəleri]	*n.* 词汇，词汇量；词汇表 例 The word "failure" is not in his *vocabulary*. 在他的人生字典中没有"失败"这个词。
eclectic * [ɪˈklektɪk]	*a.* 兼收并蓄的；博采众长的 例 She has very *eclectic* tastes in music. 她在音乐方面的兴趣很广泛。
absurd [əbˈsɜːrd]	*a.* 荒唐的，荒谬的 记 联想记忆：ab + surd(没有道理的) → 荒谬的 例 *absurd* play 荒诞派戏剧 派 absurdity(*n.* 荒谬) 同 ridiculous

3

dilate [daɪˈleɪt]	*v.* 扩大，膨胀 记 发音记忆："太累了" → 虚荣心膨胀，让他太累了 → 膨胀 例 The blood vessels then *dilate*, allowing blood to flow smoothly. 接着血管膨胀，从而血流变得顺畅。
systematic [ˌsɪstəˈmætɪk]	*a.* 系统的，体系的 记 来自 system(*n.* 系统) 例 a long-term, *systematic* research 长期系统的研究
misdeed [ˌmɪsˈdiːd]	*n.* 罪行，犯罪 记 联想记忆：mis(坏) + deed(行为) → 坏行为 → 罪行，犯罪 例 an antisocial *misdeed* 反社会罪
savage [ˈsævɪdʒ]	*a.* 野蛮的，未开化的 *n.* 原始的人，野蛮的人 记 词根记忆：sav(森林) + age → 在森林里生活 → 原始的人 例 *savage* behavior 野蛮的行为 派 savagely (*ad.* 野蛮地，残酷地); savagery (*n.* 野蛮或残酷的行为) 同 wild, uncultivated
stimulate [ˈstɪmjuleɪt]	*vt.* 刺激，使兴奋；激励，鼓舞 例 This library was established to *stimulate* public interest in books, to encourage the study of the printed word. 这个图书馆的建立是为了激发公众对读书的兴趣，鼓励人们对出版物的研究。 派 stimulating (*a.* 刺激性的，起激励作用的；饶有兴味的，使人兴奋的); stimulation(*n.* 刺激，激励，鼓舞)
imprint [ɪmˈprɪnt]	*vt.* 印，压印；铭记 *n.* 印记；深刻的印象；持久的特征、标志 记 词根记忆：im(在…上) + print(印) → 印，压印 例 One snowy morning footprints and tyre marks were *imprinted* in the snow. 在一个雪天的早上，雪地上留下了行人的脚印和汽车驶过的痕迹。 同 impress
forsake· [fərˈseɪk]	*v.* 放弃，抛弃 记 联想记忆：for(为) + sake(理由) → 年轻的妈妈为了某种无奈的理由抛弃了刚出生的婴儿 → 抛弃 例 William was *forsaken* by his companions when he was in danger. 威廉在身处险境时被同伴抛弃了。 同 abandon, desert
callous [ˈkæləs]	*a.* 无情的；冷淡的；硬结的；起老茧的 记 联想记忆：call(命令) + ous → 命令通常是无情的 → 无情的；来自 callus (*n.* 老茧) 例 *callous* attitude 冷淡的态度 // a pair of *callous* hands 一双长满老茧的手
misstep [ˌmɪsˈstep]	*n.* 失足；失策 记 联想记忆：mis(看作 mistake，错误) + step(脚步) → 脚步走错了 → 失足

savage

□ dilate   □ systematic   □ misdeed   □ savage   □ stimulate   □ imprint
□ forsake   □ callous   □ misstep

undue [ˌʌnˈduː]	*a.* 不适当的；过度的 记 拆分记忆：un(不) + due(适当的) → 不适当的 例 The plan should be carried out without *undue* delay. 这个计划的执行不能过度耽搁。
derelict * [ˈderəlɪkt]	*a.* 被抛弃的；玩忽职守的；荒废的，弃置的 记 联想记忆：de(分离) + relic(遗迹) + t → 分离的遗迹 → 被抛弃的 例 a *derelict* ship 被弃的船只 同 negligent
tense [tens]	*n.* 时态 *a.* 拉紧的；紧张的 *v.* (使)紧张；(使)拉紧 记 My father is a *tense* person. 我父亲是一个神经紧张的人。
fluctuation [ˌflʌktʃuˈeɪʃn]	*n.* 波动，起伏 记 词根记忆：flu(流动) + ctu + ation(表名词) → 波动，起伏 例 a wild *fluctuation* 疯狂的波动
dissect [dɪˈsekt]	*vt.* 解剖；仔细研究 记 词根记忆：dis(分离) + sect(切开) → 切开，分离 → 解剖 例 The book *dissects* a variety of data to show how the man runs his company. 这本书仔细研究了各种数据，以展现那人的公司经营之道。
simile * [ˈsɪməli]	*n.* 明喻 记 词根记忆：simil(相类似的) + e → 把相类似的事物做比较 → 明喻
native [ˈneɪtɪv]	*a.* 本地的；与生俱来的 记 词根记忆：nat(出生) + ive(有…性质的) → 与生俱来的 例 *native* language 母语 同 local
subordinate * [səˈbɔːrdɪnət]	*a.* 次要的，从属的；下级的 *n.* 部属，下级 记 词根记忆：sub(在下面) + ordin(顺序) + ate → 顺序在下 → 下级的 搭 subordinate to 次要的，从属的 例 This question is *subordinate* to the main aim of our company. 与公司的主要目标相比，这是个次要问题。// Chris's *subordinates* find him difficult to work with. 下属们发现与克里斯共事很难。 派 subordination(*n.* 从属；部下) subordinate
comprise * [kəmˈpraɪz]	*vt.* 包含，包括；构成 记 词根记忆：com(共同) + pris(抓) + e → 被抓在一起 → 构成 例 A federal law provides that the trademark cannot be registered if it *comprises* the flag of the US. 一项联邦法律规定，含有美国国旗的商标不能够进行注册。
retrieve * [rɪˈtriːv]	*v.* 重新得到，寻回；恢复，挽回 记 联想记忆：retr(看作 return，返回) + ieve → 使返回 → 寻回 例 The new version of the software automatically *retrieves* digital information. 这个新版软件能够自动恢复数字信息。 同 reclaim, retake

□ undue □ derelict □ tense □ fluctuation □ dissect □ simile
□ native □ subordinate □ comprise □ retrieve

imaginary [ɪˈmædʒɪneri]	*a.* 假想的，想象的，虚构的 例 an *imaginary* character 虚构的人物 // *imaginary* number 虚假数字 同 fancied, mythical
naval [ˈneɪvl]	*a.* 海军的；军舰的 记 词根记忆：nav(船) + al(…的) → 船的 → 海军的；军舰的 例 a *naval* base 海军基地
bumptious * [ˈbʌmpʃəs]	*a.* 盲目自大的，傲慢的 记 联想记忆：bump(碰撞) + tious → 傲慢地顶撞人 → 傲慢的 例 The manager was clearly embarrassed at times by Duane's *bumptious* behaviour. 有时候，经理显然被杜安傲慢的行为弄得很尴尬。 同 obtrusive
prolong * [prəˈlɔːŋ]	*vt.* 拉长；延长 记 词根记忆：pro(向前) + long(长) → 向前拉长 → 拉长；延长 例 The operation could *prolong* his life by two or three years. 这次手术能够使他的寿命延长两到三年。 派 prolongable(*a.* 可延长的，可拖延的); prolonged(*a.* 延长的，拖延的) 同 elongate, extend
ulterior * [ʌlˈtɪriər]	*a.* 隐秘的，别有用心的 记 词根记忆：ulter(超越) + ior → 隐秘的事物超出了想象 → 隐秘的 例 There was no *ulterior* motive in Joseph's proposal. 约瑟夫的建议没有别的用心。
humanity [hjuːˈmænəti]	*n.* 人类；人性，人情；人道，仁慈；人文科学 记 词根记忆：human(人类) + ity(表抽象名词) → 人类；人性 例 frail *humanity* 脆弱的人性 同 humankind
irrelevant * [ɪˈreləvənt]	*a.* 不相关的；不切题的 记 词根记忆：ir(不) + re + lev(举) + ant → 不能再举那些例子 → 不相关的；不切题的 搭 be irrelevant to 和…不相关的 例 To many young people, traditions seemed outdated and *irrelevant* to modern times. 很多年轻人认为传统是过时的东西，与现代生活无关。 同 inapplicable
unanimity * [ˌjuːnəˈnɪməti]	*n.* 全体一致 记 词根记忆：un(uni, 一个) + anim(生命；精神) + ity → 大家保持一种精神 → 全体一致 例 There is no *unanimity* of opinion on this subject. (大家)就这一话题没有达成统一的意见。
subsequent * [ˈsʌbsɪkwənt]	*a.* 随后的，后来的 记 词根记忆：sub(下面) + sequ(跟随) + ent → 随后的，后来的 例 *Subsequent* investigations did not uncover any new evidence. 随后的调查没有发现新的证据。 派 subsequently(*ad.* 后来，随后)

□ imaginary　　□ naval　　　　□ bumptious　　□ prolong　　　□ ulterior　　　□ humanity
□ irrelevant　　□ unanimity　　□ subsequent

transient * [ˈtrænʃnt]	*a.* 短促的，片刻的，一瞬间的；暂住的；临时的；过往的 记 词根记忆：trans(穿过) + i(=it，走) + ent → 时光穿梭，转瞬即逝 → 一瞬间的 例 *transient* population 流动人口 派 transiently(*ad.* 短暂地；临时地) 同 transitory
technique [tekˈniːk]	*n.* 技术，技巧 记 词根记忆：techn(技艺) + ique → 技术，技巧
quantitative [ˈkwɑːntəteɪtɪv]	*a.* 数量的；定量的 记 词根记忆：quant(数量) + it + ative → 数量的；定量的 例 a *quantitative* analysis of stock market trends 对股市趋势的定量分析
geology [dʒiˈɑːlədʒi]	*n.* 地质学；(某地区的)地质 记 词根记忆：geo(地球) + logy(…学) → 地质学
decisive [dɪˈsaɪsɪv]	*a.* 决定性的 记 来自 decision(*n.* 决定) 例 Interest rate levels can play a *decisive* role in determining currency values. 利率在评估货币价值时能够起到决定性的作用。
charlatan * [ˈʃɑːrlətən]	*n.* 庸医；吹牛者；冒充内行的人 记 联想记忆：意大利有个地方叫 "Charlat"，专卖假药并出江湖郎中，所以"庸医"叫 charlatan 同 fraud, fake
gravity * [ˈɡrævəti]	*n.* 重力，引力；严肃，庄重 记 词根记忆：grav(重的) + ity(表抽象名词) → 重力 例 the center of *gravity* 重心
explicate * [ˈeksplɪkeɪt]	*vt.* (详尽地)解释，说明(观点、概念等) 例 There are several problems that I have not even tried to *explicate* or to explore. 有几个问题我甚至不愿解释或探究。
decoy *	[ˈdiːkɔɪ] *n.* 诱饵，(诱捕鸟兽的)动物，用于引诱某人入圈套的人或物；诱骗，圈套 [diˈkɔɪ] *vt.* 诱骗 记 联想记忆：de(坏) + coy(卖弄风情的) → 卖弄风情者常常设计恶毒的圈套 → 诱骗 例 These men started the fire as a *decoy* so that they could escape from police. 这些人放火是个诱骗，这样他们就能摆脱警察。 同 lure, entice*, inveigle*, tempt, seduce
personnel [ˌpɜːrsəˈnel]	*n.* 全体人员，全体职员；人事(部门) 记 来自 person(*n.* 人) 例 *personnel* exchange 人才交流 // *personnel* department 人事部(或处、科)
prophetic * [prəˈfetɪk]	*a.* 预言的；有预见的 记 来自 prophet(*n.* 先知) 例 Much of Orwell's writing now seems *prophetic*. 奥威尔的大部分作品现在看来都具有预言性。 同 predictive

意大利进口
包治百病！

charlatan

□ transient □ technique □ quantitative □ geology □ decisive □ charlatan
□ gravity □ explicate □ decoy □ personnel □ prophetic

31

procedure [prə'siːdʒər]	*n.* 手续，步骤 记 联想记忆：proced(看作 proceed，前进) + ure(表状态) → 手续，步骤 例 regular *procedure* 常规手续 // the registration *procedure* 登记手续 派 procedural(*a.* 程序上的；手续的)
figurative* ['fɪɡərətɪv]	*a.* 比喻的；形象的；象征的 记 联想记忆：figur(e)(外形) + ative → 形象的 例 a *figurative* artist 形象艺术家 同 metaphorical, emblematic
demise* [dɪ'maɪz]	*n.* 死亡，逝世 记 词根记忆：de(出去) + mis(送出) + e → 送了性命 → 死亡，逝世 例 a sudden *demise* 猝死
encounter [ɪn'kaʊntər]	*n./vt.* 遇到，遭遇；意外遇见 记 联想记忆：en + counter(对立，反对) → 遇到对立的事物 → 遭遇 搭 encounter difficulties / danger / trouble / opposition 遇到困难(危险、麻烦、反对) 例 Linda's efforts to establish the clinic *encountered* a number of difficulties. 琳达开诊所的努力遇到了重重困难。 同 meet
cant [kænt]	*n.* 伪善之言；隐语，黑话；斜面 *v.* 讲黑话；倾斜 记 联想记忆：不能(can't) 说的话 → 黑话(cant) 例 a speech full of political *cant* 满是政治伪善言论的演讲 // the *cant* of the surgeons 外科医生间的行话
narrative* ['nærətɪv]	*a.* 叙述的；有故事性的 *n.* 叙述；记叙文 记 来自 narrate(*v.* 叙述) 例 a master of *narratives* 讲故事的高手
frank [fræŋk]	*a.* 坦白的，直率的 搭 to be frank 坦白地讲，说实在的 例 a *frank* admission 坦率的承认
erroneous* [ɪ'roʊniəs]	*a.* 错误的，不正确的 记 词根记忆：err(犯错) + one + ous(⋯的) → 犯错的 → 错误的 例 *erroneous* conclusion 错误的结论
acme* ['ækmi]	*n.* 顶点，顶端 记 联想记忆：超越自我(me)，必将达到人生成功的顶点(acme) 例 the *acme* of perfection 完美之极
glimmer* ['ɡlɪmər]	*n.* 闪光，微光 记 联想记忆：微光(glimmer)不耀眼(glitter) 例 a *glimmer* of light 微微闪烁的灯光

□ procedure □ figurative □ demise ■ encounter □ cant □ narrative
□ frank □ erroneous □ acme □ glimmer

potential * [pə'tenʃl]	*a.* 潜在的，可能的 *n.* 潜能，潜力 记 词根记忆：pot(有力的) + ent + ial(具有…的) → 具有潜力的 → 潜在的，可能的 例 a *potential* source of conflict 潜在的冲突根源 派 potentially(*ad.* 潜在地); potentiality(*n.* 潜力; 潜在性，可能性)
conflagration * [ˌkɑːnfləˈɡreɪʃn]	*n.* 大火，大火灾 记 词根记忆：con + flagr(燃烧) + ation → 大火
extant * [ekˈstænt]	*a.* 现存的 记 词根记忆：ex + t(=st, 站立) + ant → 还站着的 → 现存的 例 *extant* remains 尚存的遗迹
adroit * [əˈdrɔɪt]	*a.* (尤指待人接物)精明的，干练的，机敏的 记 联想记忆：a + droit(权利) → 善于争得权利的 → 精明的，干练的 例 an *adroit* negotiator 谈判老手
commensurate * [kəˈmenʃərət]	*a.* 相称的，相当的 记 词根记忆：com + mens(测量) + urate → 测量相同 → 相称的 搭 commensurate with 和…相当的 例 Salary should be *commensurate* with age and experience. 薪水应当和年龄及工作经验相当。
collaborate * [kəˈlæbəreɪt]	*vi.* 协作，合作 记 联想记忆：col(共同) + labor(劳动) + ate → 共同劳动 → 协作，合作 搭 collaborate with 协作，合作 例 A German company *collaborated* with an American firm to develop the new product. 一家德国公司和美国公司合作开发了这项新产品。 collaborate
anticipate [ænˈtɪsɪpeɪt]	*v.* 预期，预料; 预见，期望; 先于…行动 记 词根记忆：anti(前) + cip(拿，取) + ate(使) → 提前去拿 → 先于…行动 例 It was *anticipated* that the research would have many different practical applications. 该项研究成果预计会有许多不同的实际用途。 派 anticipation(*n.* 期望; 预料); anticipated(*a.* 预期的); anticipatory(*a.* 预想的，预期的) 同 foretell, expect
recline [rɪˈklaɪn]	*v.* 向后靠，斜倚 记 词根记忆：re(回) + clin(弯曲) + e → 斜回去 → 斜倚 例 *Reclining* in a comfortable chair, David idly flipped through a magazine. 斜靠在一张舒服的沙发上，戴维闲散地翻阅一本杂志。
vegetarian [ˌvedʒəˈteriən]	*n.* 素食主义者 记 来自 vegetable(*n.* 蔬菜，植物; 生活呆板单调的人)

3

encompass * [ɪnˈkʌmpəs]	*v.* 包围，环绕；包含，包括 记 词根记忆：en(使…) + com(完全地) + pass(大步走) → 使绕着公园一起大步走 → 包围，环绕 例 Some universities have already come up with new programs that *encompass* both business and technical curricula. 有些大学已着手开设新的课程，其中包括商业和技术课程。 同 enclose, include, encircle
subconscious [ˌsʌbˈkɑːnʃəs]	*a.* 下意识的 记 词根记忆：sub(在下面) + con + sci(知道) + ous → 下意识的 例 a *subconscious* motive 潜意识里的动机
amphibious [æmˈfɪbiəs]	*a.* (生物)水陆两栖的 记 词根记忆：amphi(两的) + bio(生命) + us → 以两种方式生存的 → 水陆两栖的 例 *amphibious* creatures 两栖生物
receptive * [rɪˈseptɪv]	*a.* 善于接受的，能接纳的 记 词根记忆：re + cept (拿) + ive → 一再拿来 → 能接纳的 例 a *receptive* audience 善于接受的观众
deft * [deft]	*a.* 巧妙的，熟练的；敏捷的，灵巧的 记 联想记忆：专家证实，用左(left)手写字的人更加灵巧(deft) 例 The artist finished off the painting with a few *deft* strokes of the brush. 画家熟练地用刷子画了几笔就完成了画作。
cavil * [ˈkævl]	*v.* 吹毛求疵，挑剔；指责 记 联想记忆：老指责(cavil)我，生活变得像地狱(devil) 例 Several directors *cavilled* at the cost of the project. 有几名董事对这一项目的花费吹毛求疵。
abominate [əˈbɑːmɪneɪt]	*vt.* 痛恨，憎恶 记 联想记忆：ab + omin(看作 omen，凶兆) + ate → 人人都痛恨不好的事情没有预兆就发生 → 痛恨，憎恶 例 Two brothers lived together, but *abominated* each other. 两兄弟住在一起，但却彼此憎恨。
proceed [prəʊˈsiːd]	*v.* 行进，前进；继续进行(某事) 记 词根记忆：pro(向前) + ceed(前进) → 行进，前进 搭 proceed to 向…进发；proceed with 开始或继续做某事 例 The ship is now *proceeding* to the Pacific Ocean at a speed of 100 sea miles an hour. 这艘船正以每小时 100 海里的速度驶往太平洋。 派 proceeding(*n.* 进程，过程；〈*pl.*〉会议记录；学报)；procession(*n.* 行列，队伍) 同 progress
apogee [ˈæpədʒiː]	*n.* 【天】远地点 记 词根记忆：apo(远离) + gee(=geo，地球) → 远地点 例 *apogee* altitude 远地点高度

accuse [əˈkjuːz]	*vt.* 控告；控诉；谴责 记 词根记忆：ac(加强) + cus(理由) + e → 有充足的理由控告 → 控告 搭 accuse sb. of doing sth. 指控某人做某事 例 A businessman has gone on trial *accused* of a two million dollar investment fraud. 一名被指控诈骗200万美元投资款的商人已接受了审讯。
maze [meɪz]	*n.* 迷宫；迷魂阵；(事情等的)错综复杂；困惑，迷惘 例 For many foreign tourists, the Hutong of Beijing is a delightful *maze*. 对于许多外国游客来说，北京的胡同就像是有趣的迷宫。
concourse [ˈkɑːŋkɔːrs]	*n.* 集合，汇合；合流；广场；(车站、机场等的)大厅；一大群人 例 Each year a *concourse* of pilgrims gather in Mekka for worshipping. 每年都有大量的朝圣者聚集在麦加进行朝拜。
engaging* [ɪnˈɡeɪdʒɪŋ]	*a.* 迷人的，美丽动人的 记 来自 engage(*v.* 吸引) 例 Leo fell in love with his wife at the first sight just because of her *engaging* smile. 里奥对他的妻子一见钟情就是因为她迷人的微笑。
anchor* [ˈæŋkər]	*n.* 锚；给人安全感之物(或人)，精神支柱 *v.* 抛锚，泊船；把…系住，使固定 记 发音记忆："安客" → 船安全到岸抛锚，客人便安心了 → 锚 例 The ship will come back, drop the *anchor* and stop at the harbor in time. 船将准时返航，在港口抛锚停泊。
parry* [ˈpæri]	*v.* 挡开，避开(武器、打击等)；回避(问题等) 例 The spokesman *parried* the enquiries about the official's taking bribes. 发言人避开了有关官员受贿的发问。 同 deflect
harmonic [hɑːrˈmɑːnɪk]	*a.* 和声的；和谐的，悦耳的 *n.* 泛音 记 来自 harmony(*n.* 和声；和谐) 例 The *harmonic* tones of the second movement is quite charming. 第二乐章的和声相当动听。
welter* [ˈweltər]	*n.* 混乱，杂乱无章；杂乱的一堆；翻滚，滚动 记 联想记忆：像一个大熔炉(melter)一片混乱(welter) 例 A *welter* of emails filled in the mail-box when I came back from traveling. 当我旅行回来时，邮箱里塞满了一堆邮件。
legend* [ˈledʒənd]	*n.* 传说，传奇故事/人物；(地图里或书中图标的)说明文字或图例 记 联想记忆：联想集团原名就是 Legend 例 The little boy was very interested in the *legend* of the ancient heroes. 小男孩对古代英雄的传奇故事非常感兴趣。

□ accuse　　　□ maze　　　□ concourse　　□ engaging　　□ anchor　　□ parry
□ harmonic　　□ welter　　□ legend

Word List 4

音频

preoccupy
[pri'ɑːkjupaɪ]

vt. 使全神贯注，使专心于

记 联想记忆：pre + occupy(占据) → 占据某人的思想 → 使全神贯注

例 Much of the discussion at the meeting was *preoccupied* with global warming. 本次大会讨论更多的是全球变暖的问题。

abundance
[ə'bʌndəns]

n. 丰富，充裕

记 来自 abundant(*a.* 丰富的，充裕的)

搭 in abundance 充足，丰富

例 One quality the team possessed in *abundance* was team spirit. 这支队伍优点之一是具有团队精神。

同 profusion, affluence, wealth

trigger*
['trɪgər]

vt. 引发，导致 *n.* 扳机

记 联想记忆：扣动扳机(trigger) 射杀了一只老虎(tiger)

例 Certain forms of mental illness can be *triggered* by food allergies. 一些精神方面的疾病是由食物过敏引起的。

同 stimulate, initiate, cause

widespread
['waɪdspred]

a. 分布广泛的，普遍的

记 合成词：wide(广阔的) + spread(传播，散布) → 分布广泛的

fluid
['fluːɪd]

a. 流动的，液体的 *n.* 流体，液体

记 词根记忆：flu(流动) + id → 液体可以流动 → 液体

例 *fluid* capital 流动资本

派 fluidity(*n.* 流动性；易变性)

fluid

erosion
[ɪ'roʊʒn]

n. 腐蚀，磨损，侵蚀

例 soil *erosion* 水土流失 // the *erosion* of confidence 信心的削弱

同 corrosion, deterioration

suspend [sə'spend]	*v.* 吊，悬挂；推迟；暂停 记 词根记忆：sus(下面) + pend(挂) → 挂在下面 → 悬挂 例 In view of his conduct, the university has decided to *suspend* him. 鉴于他的行为，学校决定令其休学。 同 defer, postpone
excellent ['eksələnt]	*a.* 卓越的，极好的 记 联想记忆：表格处理软件 Excel 是极好的(excellent) 计算机软件 例 *excellent* service 优质服务
verification [ˌverɪfɪ'keɪʃn]	*n.* 确认，查证 记 来自 verify(*vt.* 证明，证实)
remnant[*] ['remnənt]	*n.* 残余部分，剩余部分 记 可能是 remain(*v.* 剩余，残存) 的变体 例 *remnant* hill 残丘 同 remains, leftover
code [koʊd]	*n.* 密码；代码，代号；编码；准则，规范 记 发音记忆：和 cold(*a.* 寒冷的) 发音相似 例 zip *code* 邮政编码 // moral *code* 道德准则
morality [mə'ræləti]	*n.* 道德；道德准则；道德规范 记 来自 moral(*a.* 道德的) 例 matters of private *morality* 个人道德问题
superstitious [ˌsuːpər'stɪʃəs]	*a.* 迷信的 记 词根记忆：super(上面) + stit(站) + ious → 站在上面藐视真理 → 迷信的 例 *superstitious* beliefs 迷信
befriend [bɪ'frend]	*vt.* 待人如友，帮助 记 词根记忆：be(使…成为) + friend(朋友) → 使成为朋友 → 待人如友 例 The couple *befriended* the little girl who got lost. 这对夫妇照顾那个迷路的小女孩。
juvenile ['dʒuːvənl]	*n.* 未成年人，青少年 *a.* 青少年的，青少年特有的；幼稚的 记 词根记忆：juven(年轻) + ile(…的) → 青少年的 例 *juvenile* crime 青少年犯罪 同 young, childish, immature, youngster, teenager
benefactor[*] ['benɪfæktər]	*n.* 恩人；捐助者；赠送者；赞助人 记 词根记忆：bene(好) + fact(做) + or(表人) → 做好事的人 → 恩人；捐助者
disastrous [dɪ'zæstrəs]	*a.* 灾难性的；极糟糕的 记 词根记忆：dis(远离) + astr(星星) + ous(…的) → 离开美丽的星星真是一场灾难 → 灾难性的 例 a *disastrous* harvest 严重歉收 同 horrendous, calamitous

4

□ suspend   □ excellent   □ verification   □ remnant   □ code   □ morality
□ superstitious   □ befriend   □ juvenile   □ benefactor   □ disastrous

37

lively [ˈlaɪvli]	*a.* 活泼的，活跃的 例 a *lively* mind 思维活跃的头脑
deleterious* [ˌdeləˈtɪriəs]	*a.* 有害的，造成伤害的 记 联想记忆：delete(删除) + rious → 应该删除的 → 有害的 例 the *deleterious* effect 不良影响
contentment [kənˈtentmənt]	*n.* 满足，满意 记 来自 content(*a.* 满足的)
contemptuous [kənˈtemptʃuəs]	*a.* 轻蔑的，蔑视的 记 来自 contempt(*n.* 轻视) 例 a *contemptuous* attitude 轻蔑的态度 同 scornful
contemptible [kənˈtemptəbl]	*a.* 可鄙的；卑劣的 记 来自 contempt(*n.* 轻视) 例 In this novel, the man was portrayed as a *contemptible* coward. 在这本小说里，这个男子被描写为一个可鄙的胆小鬼。
microphone [ˈmaɪkrəfoʊn]	*n.* 话筒，扩音器，麦克风 记 词根记忆：micro(小) + phon(声音) + e → 将小的声音放大 → 扩音器
analogous* [əˈnæləgəs]	*a.* 类似的，相似的；可比拟的 记 来自 analogy(*n.* 类似) 例 *analogous* element 类似元素
grievous [ˈɡriːvəs]	*a.* 令人忧伤的，令人悲痛的 记 词根记忆：griev(沉重) + ous(…的) → 使心里沉重的 → 令人忧伤的，令人悲痛的
canto* [ˈkæntoʊ]	*n.* 长诗中的篇(相当于书中的"章") 记 联想记忆：can(能) + to(到) → 能拿到舞台上朗诵的 → 长诗中的篇
barring [ˈbɑːrɪŋ]	*prep.* 不包括；除非 例 *Barring* accidents, We should attend the important meeting. 如果没有意外情况的话，我们应该参加这个重要会议。
avuncular [əˈvʌŋkjələr]	*a.* 像伯伯(或叔叔)似的；有长辈风范的；慈爱的 例 He always talks with me with *avuncular* affection, which makes me feel comfortable. 他总是很慈爱地和我说话，让我感到很舒服。
bereave [bɪˈriːv]	*vt.* 使丧失(亲人、朋友等) 记 联想记忆：be(被) + reave(抢夺) → 被抢夺 → 使丧失(亲人、朋友等) 例 The accident *bereaved* Jack of his wife and child. 车祸夺去了杰克的妻子和孩子。
vivify [ˈvɪvɪfaɪ]	*vt.* 给予生气，使复生；使生动，使活跃 记 词根记忆：viv(生命) + ify(使) → 给予生气，使复生
append* [əˈpend]	*vt.* 附加，添加 记 词根记忆：ap + pend(悬挂) → 悬挂在上面 → 附加 例 The general manager *appended* his signature to the contract. 总经理在合同书上签了字。

contemptuous

contentment

contemptible

□ lively　　　□ deleterious　　□ contentment　　□ contemptuous　　□ contemptible　　□ microphone
□ analogous　　□ grievous　　□ canto　　　□ barring　　　□ avuncular　　□ bereave
□ vivify　　　□ append

appraise[*] [əˈpreɪz]	*vt.* 评价，评定 记 联想记忆：ap(加强) + praise(赞扬) → 经评定可受到赞扬 → 评价，评定 例 联想记忆：The coach uses a different scale to *appraise* athletes. 教练用一种别具一格的衡量标准来评定运动员。
appreciate[*] [əˈpriːʃieɪt]	*vt.* 感谢，感激；欣赏，赏识 记 词根记忆：ap(加强) + preci(价值) + ate → 价值受到肯定 → 欣赏，赏识 搭 appreciate doing sth. 对某事表示感激 例 We shall *appreciate* hearing from you again. 我们恭候佳音。 派 appreciation(*n.* 欣赏；感激)；appreciative(*a.* 感谢的；赞赏的)；appreciable (*a.* 值得重视的；可感知的) 同 value, prize, treasure
prejudice [ˈpredʒudɪs]	*n.* 偏见，成见；损害，侵害 *vt.* 使抱偏见；损害 记 词根记忆：pre(预先) + jud(判断) + ice(表行为) → 先入为主的判断，容易产生偏见 → 偏见，成见 搭 prejudice against 对…抱有偏见；without prejudice(to) (对…)没有不利，无损(于) 例 personal *prejudice* 个人偏见 // People are *prejudiced* against Darcy because of his wealth and position. 人们因达西的财富和地位而对他持有偏见。 派 prejudiced(*a.* 有偏见的)；prejudice-free(*a.* 无偏见的)；prejudicial(*a.* 不利的，有损害的)
appropriate[*] [əˈprouprɪət]	*a.* 适当的，恰如其分的 记 词根记忆：ap(加强) + propr(拥有) + iate → 拥有最适当的权力或职位 → 适当的，恰如其分的 例 *appropriate* measure 恰当的措施 派 appropriately (*ad.* 适当地)；appropriateness (*n.* 适当，适合)；appropriating(*a.* 适当的)；inappropriate(*a.* 不适合的)
galore [ɡəˈlɔːr]	*a.* 丰盛的，丰富的 例 If weeding is not done, there will be weeds *galore* in the field. 如果不动手锄的话，田里会有很多杂草。
curmudgeon[*] [kɜːrˈmʌdʒən]	*n.* 脾气坏的人(尤指老人) 记 联想记忆：cur(跑) + mud(泥) + geon → 跑到泥地里去发脾气 → 脾气坏的人(尤指老人)
shield [ʃiːld]	*n.* 保护物；屏障；挡板 *v.* 保护…不受伤害 搭 shield from 保护，防护 例 Before operating this machine, make sure the safety *shield* is in place. 操作之前，确保安全挡板是在原位的。// import tariffs that *shield* firms from foreign competition 使公司免遭外国竞争威胁的进口关税

coddle * [ˈkɑːdl]	*vt.* 娇养，溺爱；悉心照料 记 联想记忆：放入摇篮(cradle) 悉心照料(coddle) 例 The man needs to be *coddled* after his illness. 那个男子生病后需要悉心照料。 同 pamper
astringent [əˈstrɪndʒənt]	*n.* 收敛剂；止血剂 *a.* 收敛的；止血的；尖刻的 记 词根记忆：a + string(绑紧) + ent(…剂) → 收敛剂 例 *astringent* remarks 尖刻的语言
manifest * [ˈmænɪfest]	*vt.* 表明，显示 *a.* 明白的，显然的 记 词根记忆：man(手) + i + fest(打) → 打手势表明自己清白 → 表明 例 The shareholders have *manifested* their intention to sell the shares. 股东表明了他们出售股份的意图。 // a *manifest* error 明显的错误 同 evident, patent, distinct, obvious, apparent, plain, clear
thesis [ˈθiːsɪs]	*n.* 论文；毕业论文；论题，论点 例 You haven't given enough evidences and the right logic to prove your *thesis*. 你没有给出足够的证据和正确的推理证明你的论点。
cogitate [ˈkɑːdʒɪteɪt]	*v.* 仔细思考，慎重考虑 记 联想记忆：他做任何事都思前想后，cogitate(慎重考虑)，做决定太慢，终于 irritate(激怒)了董事会成员。
invalid	[ˈɪnvəlɪd] *n.* 病人，病弱者，伤残人 [ɪnˈvælɪd] *a.* 有病的，伤残的；无效的；无根据的，站不住脚的 记 词根记忆：in(无) + val(价值) + id(…的) → 无价值的 → 无效的 例 an *invalid* argument 站不住脚的论点 // *invalid* characters 无效字符 派 invalidate(*vt.* 使无效)
verifiable [ˈverɪfaɪəbl]	*a.* 可证实的 记 来自 verify(*vt.* 证明，证实) 例 a *verifiable* fact 可证实的事实
unanimous [juˈnænɪməs]	*a.* 全体一致的，一致同意的 记 词根记忆：un(=uni，一个) + anim(生命；精神) + ous → 大家保持一种精神 → 全体一致的 例 *Unanimous* agreement must be reached for this plan to go ahead. 在这个计划开始前，全体得一致同意。 派 unanimously(*ad.* 全体一致地，一致同意地)
dominate [ˈdɑːmɪneɪt]	*v.* 支配，统治，控制；占优势 记 词根记忆：domin(统治) + ate → 支配，统治 例 Concerns over the discovery of a case of bird flu in France continue to *dominate* headlines. 对法国发现一例禽流感的关注继续成为报纸的头版头条。 派 dominant(*a.* 有统治权的；占优势的)；dominance(*n.* 优势；统治) 同 monopolize, control, rule, prevail

derivative * [dɪˈrɪvətɪv]	*a.* 衍生的；无创意的 *n.* 衍生物 记 来自 derive(*v.* 起源于) 例 a *derivative* design 沿袭前人的设计
deride * [dɪˈraɪd]	*vt.* 嘲弄，嘲笑 记 联想记忆：嘲笑(deride)别人不会骑(ride)车 例 Critics *derided* Danny as contentious and impractical. 批评家们嘲笑丹尼喜欢争论且不切实际。
depress [dɪˈpres]	*vt.* 降低(价格等)；使沮丧，使消沉；使萧条 记 词根记忆：de(往下) + press(压) → 往下压 → 降低(价格等) 例 It *depresses* me to think that I'll probably still be doing exactly the same job in five years' time. 一想到在未来的五年要从事同样的工作，我就觉得沮丧。 同 discourage, frustrate
vocation [voʊˈkeɪʃn]	*n.* (认为特别适合自己的)工作，职业；信心，使命感 记 联想记忆：从事这个职业(vocation)意味着没有假期(vacation)
centurion [senˈtʃʊriən]	*n.* 百人队长，百夫长(古罗马的军官，指挥百人) 记 联想记忆：cent(一百) + urion → 领导一百个人的人 → 百夫长
artifice * [ˈɑːrtɪfɪs]	*n.* 巧计，诡计；欺骗 记 词根记忆：art(技巧) + i + fic(做) + e → 做的技巧 → 巧计，诡计
diurnal * [daɪˈɜːrnl]	*a.* 日间活动的 记 词根记忆：di(天) + urn + al → 日间活动的 例 *diurnal* animals 昼出动物
salvage * [ˈsælvɪdʒ]	*n./vt.* 抢救财物 记 词根记忆：salv(安全) + age → 使财物安全 → 抢救财物 例 *salvage* operation 抢救作业
devalue [ˌdiːˈvæljuː]	*v.* 贬值 记 联想记忆：de(往下) + value(价值) → 价值下降 → 贬值 例 What do you benefit from allowing your currency to *devalue*? 任凭货币贬值对你们有什么好处呢？
ambidextrous * [ˌæmbɪˈdekstrəs]	*a.* 两手都善用的 记 词根记忆：ambi(两个) + dextr(右手) + ous → 两手都如右手一样灵活 → 两手都善用的
myth [mɪθ]	*n.* 神话；虚构的东西，荒诞的说法 例 the Greek *myth* 希腊神话 派 mythical(*a.* 神话的；想象的，虚构的)
cacophony [kəˈkɑːfəni]	*n.* 刺耳的嘈杂声；不和谐的声音 记 词根记忆：caco(坏) + phon(声音) + y → 声音不好 → 不和谐的声音

4

模仿嘛没创意 depress

deride derivative

□ derivative □ deride □ depress □ vocation □ centurion □ artifice
□ diurnal □ salvage □ devalue □ ambidextrous □ myth □ cacophony

41

imminent *
[ˈɪmɪnənt]

a. (尤指不好的事)即将来临的，逼近的

记 词根记忆：im(在…上) + min(悬挂) + ent → 敌人逼近，心都悬了起来 → 逼近的

例 the *imminent* threat of invasion 迫在眉睫的入侵威胁

comparative
[kəmˈpærətɪv]

a. 比较的，相当的；相对的

记 来自compare(*v.* 比较，相比)

例 a *comparative* advantage 相对优势

同 relative

tolerate
[ˈtɑːləreɪt]

vt. 容忍，忍受，默许

例 For many years the workers have had to *tolerate* low wages and terrible working conditions. 许多年来，工人们不得不忍受低工资和恶劣的工作环境。

siege
[siːdʒ]

n. 包围，围困

记 发音记忆："吸脂" → 吸脂让您逃离脂肪的包围 → 包围，围困

例 The TV station has been under *siege* from irate viewers phoning in to complain. 电视台被愤怒的观众的投诉电话包围了。

benignant
[bɪˈnɪgnənt]

a. 仁慈的，和蔼的；有益的

例 With a *benignant* smile, the grandma told a good news to children. 祖母和蔼可亲地微笑着，告诉孩子们一个好消息。

benignant

nutriment
[ˈnjuːtrɪmənt]

n. 营养品

记 词根记忆：nutri(营养) + ment →营养品

例 essential *nutriment* 必要的营养品

penetrate
[ˈpenətreɪt]

v. 穿过；渗入；看穿，洞察

记 联想记忆：pen(全部) + etr(看作 enter，进入) + ate(使) → 使全部进入 → 渗入

例 It was the violence of the cold wind that *penetrated* through the valley. 猛烈的寒风呼啸着穿过山谷。

同 pierce, perceive

anticlimax *
[ˌæntɪˈklaɪmæks]

n. 【修】突降法；虎头蛇尾；令人扫兴的结局

记 联想记忆：anti(相反) + climax(高潮) → 与高潮部分相反的结局 → 突降法

vulnerable *
[ˈvʌlnərəbl]

a. 易受伤害的，易受攻击的，脆弱的

记 词根记忆：vuln(伤) + er + able(可…的) → 易受伤的

搭 vulnerable to 易受…伤害的

例 Kids are particularly *vulnerable* to the flu. 小孩很容易感染流感。

派 vulnerability(*n.* 易受攻击，弱点); vulnerably(*ad.* 易受伤地；易受攻击地)

同 assailable

avert *
[əˈvɜːrt]

vt. 防止，避免；转移(目光等)

记 词根记忆：a + vert(转) → 转开 → 转移(目光等)

例 The tragedy could have been *averted* if the workers had followed safety procedures. 如果工人们遵照安全操作程序的话，悲剧就能避免。

同 avoid

occupant [ˈɑːkjəpənt]	*n.* 占有者；居住者 记 来自 occupy(*vt.* 占据) 例 *occupant* of the house 房屋的居住者
redress˙ [rɪˈdres]	*v.* 改正，纠正，矫正 记 词根记忆：re(重新) + dress(使直) → 使重新变直 → 改正，纠正 例 The government is taking measures to *redress* these abuses. 政府正采取措施纠正这些弊端。 同 remedy
highlight [ˈhaɪlaɪt]	*vt.* 使显著，使突出；强调 *n.* (图片等的)光线最强处；最精彩的部分；最重要的事件 记 联想记忆：high(高的) + light(光) → 高处的光最强 → 光线最强处 例 Ministers are planning to fund an advertising campaign to *highlight* the risks of drug abuse. 部长正计划资助一项宣传活动，以强调吸毒的危害。
cupidity˙ [kjuːˈpɪdəti]	*n.* 贪心，贪婪 记 联想记忆：罗马神话中的爱神丘比特（Cupid）使人们产生对爱情的"贪婪"(cupidity) 同 greed
shun˙ [ʃʌn]	*v.* 避开，避免，回避 记 联想记忆：太阳(sun) 中间隔了一个 h，避开强光 → 避开，避免 例 GM foods are now increasingly being *shunned* in Europe. 现在转基因食物在欧洲越来越受冷落。 同 escape, avoid, evade, elude
unparalleled [ʌnˈpærəleld]	*a.* 无比的，无双的；空前的 记 词根记忆：un(无) + para(在旁边) + llel(另一个) + ed → 旁边没有另一个东西 → 无双的 例 an achievement *unparalleled* in history 空前的成就
agreement [əˈɡriːmənt]	*n.* 同意，一致；协定，协议 记 来自 agree(*v.* 同意) 例 an international peace *agreement* 国际和平协定 同 concord
enact [ɪˈnækt]	*vt.* 制定(法律)；通过(法案) 记 词根记忆：en(使成为) + act(做) → 制定法律了才能做 → 制定(法律) 例 A discussion occurs within the representatives, to determine whether this proposal should be *enacted* and how it should be implemented. 代表们展开了讨论，以确定这一提案是否该立法以及如何实施。
frivolous [ˈfrɪvələs]	*a.* 轻佻的，轻浮的；琐碎的，无聊的 记 联想记忆：frivol(虚度日子) + ous(…的) → 做事轻浮是在虚度日子 → 轻佻的，轻浮的 例 *frivolous* behaviour 轻浮的行为

□ occupant   □ redress   □ highlight   □ cupidity   □ shun   □ unparalleled
□ agreement   □ enact   □ frivolous

marsh [mɑːʃ]	*n.* 湿地，沼泽，沼泽地 记 联想记忆：和 march(*n.* 行军) 一起记：红军长征(long march) 过沼泽地 (marsh) 例 *marsh* gas 沼气 同 swamp
visual ['vɪʒuəl]	*a.* 视觉的 记 词根记忆：vis(看) + ual(…的) → 视觉的 例 *visual* perception 视觉感知
supposition * [ˌsʌpə'zɪʃn]	*n.* 假定，想象；推测，推想 记 来自 suppose(*v.* 假定，料想) 例 The writer's version of events is pure *supposition*. 那位作者对事件的描述纯粹是想象。
census ['sensəs]	*n.* 人口普查 记 词根记忆：cens(评估) + us → 评估我们 → 人口普查
elusive * [i'luːsɪv]	*a.* 逃避的；难懂的，难捉摸的 记 词根记忆：e + lus(嬉笑) + ive(…的) → 嘻嘻一笑，并不回答 → 逃避的 例 the *elusive* concept 难以解释的概念
solemn ['sɑːləm]	*a.* 庄严的，隆重的；严肃的 记 词根记忆：sol(太阳) + emn → 古代把太阳看作是神圣的 → 庄严的 例 a *solemn* event 隆重的大事 // The old man was very *solemn* and refrained from talking. 那位老人很严肃，话也不多。
reasonable ['riːznəbl]	*a.* 合理的，有道理的；适度的；通情达理的 例 a *reasonable* request 合理的请求 派 unreasonable(*a.* 不合理的)
diabolical * [ˌdaɪə'bɑːlɪkl]	*a.* 恶魔的 记 联想记忆：废止 (abolish) 恶魔似的 (diabolical) 条款 例 a *diabolical* sneer 邪恶的讥笑 同 devilish diabolical
unaccountable * [ˌʌnə'kaʊntəbl]	*a.* 无法解释的 记 拆分记忆：un(无) + account(解释) + able (可…的) → 无法解释的 例 His attitude toward the event is quite *unaccountable*. 他对这件事的态度令人费解。
deference * ['defərəns]	*n.* 顺从，尊重 记 来自 defer(*v.* 听从，顺从) 例 The female visitors wore veils in *deference* to the customs of the country. 女性游客戴面纱是为了尊重这个国家的风俗。
antediluvian * [ˌæntidɪ'luːviən]	*a.* (《圣经》中所说的)大洪水前的；上古的，古风的 记 词根记忆：ante(前) + di + lu(洪水，洗刷) + vian → 大洪水前的
precision [prɪ'sɪʒn]	*n.* 准确，精确；精确度 记 来自 precise(*a.* 准确的) 例 *precision* instruments 精密仪器

feint * [feɪnt]	*n./v.* 伪装，假装，佯攻 记 联想记忆：与 feign(*v.* 假装)一起记 例 body *feint* 身体的假动作
digression * [daɪˈɡreʃn]	*n.* 离题 记 联想记忆：大会(congress)讨论有些离题(digression)了 例 return from the *digression* 言归正传
retrospective [ˌretrəˈspektɪv]	*a.* 回顾的 记 词根记忆：retro(后退) + spect(看) + ive → 回顾的 例 a *retrospective* look at the 1974 election 对 1974 年大选的回顾
pursue [pərˈsuː]	*v.* 追求，致力于；追赶，追踪；继续探讨、从事 记 联想记忆：狗仔队会不断地追踪(pursue)新的话题(issue) 搭 pursue a degree 攻读学位；pursue a goal / aim 追逐目标 例 A good reporter will *pursue* a story until he or she knows all the facts. 一名好的记者就是要不断地追踪一个事件，直到弄清每一个细节为止。 派 pursuit(*n.* 追求，寻求；[常 *pl.*]花时间和精力等做的事，职业); pursuer (*n.* 追随者；追求者) 同 engage *, chase, trace
heedful [ˈhiːdfl]	*a.* 注意的，留心的 记 来自 heed(*n./v.* 留心，注意) 例 He's always *heedful* of others' warnings. 他对别人给予的警告总是很留意。
haste [heɪst]	*n.* 急速，匆忙，紧迫，仓促；轻率，草率 *v.* 赶快；匆忙 搭 in haste 急忙，慌忙 例 More *haste*, less speed. 欲速则不达。
hail [heɪl]	*v.* 下雹；向…欢呼，欢迎；赞扬 *n.* 雹；雹子般的一阵 记 联想记忆：狗摇着尾巴(tail)对主人表示欢迎(hail) 搭 hail from 来自，出生于 例 Many buyers will likely *hail* from the village, about 40 miles away from the city. 许多买主来自距这座城市约 40 英里的村庄。// a *hail* of abuse 一顿痛骂 同 acclaim, celebrate, extol
dignity [ˈdɪɡnəti]	*n.* 高贵，体面；可敬的品格；尊严；自尊 例 Asking his friends for money fell beneath John's *dignity*. 约翰觉得伸手向朋友要钱有失体面。 同 nobleness
bask * [bæsk]	*v.* 晒太阳(享受温暖)；感到温暖、愉快或舒适 记 联想记忆：她要(ask)我和她一起去晒太阳(bask)
repetition * [ˌrepəˈtɪʃn]	*n.* 重复，反复 记 来自 repeat(*v.* 重复)

hail be *heedful* of

haste

awry [əˈraɪ]	*a./ad.* 歪曲的(地); 错误的(地) 记 联想记忆: a + wry(挖苦的) → 错误的想法受到挖苦 → 错误的 例 My carefully-laid plans had already gone *awry*. 我精心设置的计划出了岔子。 同 askew, amiss
ensue [ɪnˈsuː]	*vi.* 继而发生, 接着发生 记 词根记忆: en(进入) + su(=sequ, 跟从) + e → 接着发生 例 The child lost his parents when aftershock *ensued*. 在接着发生的余震中, 这个孩子失去了双亲。 同 follow
lustrous * [ˈlʌstrəs]	*a.* 有光泽的, 光亮的; 光辉的, 灿烂的; (品德或声誉上)杰出的 例 Everybody focused on her thick *lustrous* hair when the girl appeared. 当女孩出现时, 每个人的目光都聚集在她浓密又有光泽的头发上。
deducible * [dɪˈduːsəbl]	*a.* 可推论的, 可判断的 例 If you can prove your assumption, the conclusion is easily *deducible*. 如果你能证明你的假设, 那么结论就可以很容易地推倒出来。
reminiscence * [ˌremɪˈnɪsns]	*n.* 回忆, 缅怀往事; 回忆录; 引起联想的相似事物 记 来自 reminiscent(*a.* 回忆往事的; 引人联想的) 例 The TV series just awakened the *reminiscence* of my childhood in rural place. 这部电视剧让我回忆起了我在乡下度过的童年时光。
variegate [ˈverɪgeɪt]	*vt.* 使多样化; 使丰富多彩; 使呈杂色, 使斑驳 记 词根记忆: var(变化) + ie + gate → 使多样化 例 The teacher showed the students how to *variegate* a single color. 老师向学生们展示, 如何使单一的颜色多样化。 派 variegated(*a.* 杂色的, 斑驳的)
dutiful * [ˈduːtɪfl]	*a.* 恭敬顺从的; 尽职的 记 来自 duty(*n.* 职责, 任务) 例 The *dutiful* wife sacrificed her career for her husband to be a full-time housewife at home. 这个尽职的妻子为丈夫牺牲了自己的事业, 在家做全职主妇。
inveigle * [ɪnˈveɪgl]	*v.* 诱骗, 诱使 例 The prisoner *inveigled* the keeper into giving him a cigarette. 囚犯诱使看守给他一根烟。 同 lure
topple [ˈtɑːpl]	*v.* 颠覆, 推翻; 倒塌, 倒下 记 联想记忆: top(顶) + ple → 使顶向下 → 颠覆, 推翻 例 The government of the small country was *toppled* as the financial crisis broke out. 经济危机一爆发, 这个小国的政府就倒台了。

□ awry　　　　□ ensue　　　　□ lustrous　　　□ deducible　　　□ reminiscence　　□ variegate
□ dutiful　　　□ inveigle　　　□ topple

Word List 5

音频

词根预习表

plet	充满	deplete *vt.* 耗尽	volu	滚	evolution *n.* 进化
struct	建造	destructive *a.* 破坏性的	vapor	蒸汽	evaporate *v.* (使)蒸发
vers	转	diverse *a.* 不同的	dem	人民	epidemic *a.* 流行性的
numer	数字	innumerable *a.* 数不清的	cis	切	precise *a.* 精确的
clud	关闭	seclude *vt.* 使隔离	orn	装饰	ornate *a.* 装饰的

---

audition
[ɔːˈdɪʃn]

n. 听；听力；试听；试演，试唱

记 词根记忆：aud(听) + ition → 听

例 *audition* studio 试听播音室

deplete*
[dɪˈpliːt]

vt. 耗尽；使枯竭

记 词根记忆：de(表否定) + plet(充满) + e → 没有充满 → 耗尽

例 As oil reserves are increasingly *depleted*, its price will continue to rise. 随着石油储备的日益枯竭，石油价格将会继续攀升。

派 depletion(*n.* 耗尽；枯竭)

同 drain, exhaust, impoverish

aspirant
[əˈspaɪərənt]

n. 有抱负者；有野心者 *a.* 上进的；有野心的

记 联想记忆：aspir(看作 aspire，追求) + ant(…的) → 有追求的 → 上进的

例 literary *aspirant* 有文学抱负者

evolution
[ˌiːvəˈluːʃn]

n. 进化，演变，演化

记 词根记忆：e + volu(滚) + tion → 不断地向前滚 → 进化

例 the theory of *evolution* 进化论

派 evolutionary(*a.* 进化的)

evolution

coercion*
[kəʊˈɜːrʒn]

n. 强迫，威压

记 来自 coerce(*v.* 强制，强迫)

例 Kevin quit the job under *coercion*. 凯文迫于压力辞去了工作。

destructive
[dɪˈstrʌktɪv]

a. 破坏性的，损害的

记 词根记忆：de(不) + struct(建造) + ive(…的) → 不建造的 → 破坏性的

例 the *destructive* effects of anxiety 焦虑的破坏性影响

同 ruinous

□ audition   □ deplete   □ aspirant   □ evolution   □ coercion   □ destructive   47

vitalize [ˈvaɪtəlaɪz]	*vt.* 使有生气；给予…生命 记 来自 vital(*a.* 有生命的)
historical [hɪˈstɔːrɪkl]	*a.* 历史的；有关历史的 例 *historical* sources 史料 // *historical* heritage 历史遗产
auxiliary[*] [ɔːgˈzɪliəri]	*a.* 辅助的；补助的 记 联想记忆：aux(看作 aug，提高) + iliary → 帮助提高的 → 辅助的 例 *auxiliary* staff 助理员工 // an *auxiliary* power supply 备用电源 同 supplementary
analyze [ˈænəlaɪz]	*vt.* 分析，分解 例 One of the problems in *analyzing* the situation is that we do not yet know the entire story in detail. 分析这一情况遇到的问题之一是我们尚不清楚整件事的来龙去脉。
altitude [ˈæltɪtuːd]	*n.* 高度，海拔 记 词根记忆：alt(高) + itude(表状态) → 高度，海拔 例 *altitude* difference 高度差
evaporate [ɪˈvæpəreɪt]	*v.* (使)蒸发 记 词根记忆：e + vapor(蒸汽) + ate(使…) → 使产生蒸汽 → (使)蒸发 例 When a salt lake *evaporates*, salts will come out of the solution and form crystals. 咸水湖的水蒸发时，盐将会析出并结晶。 派 evaporation (*n.* 蒸发；消失); evaporated (*a.* 浓缩的，脱水的); evaporating(*a.* 蒸发作用的) 同 vanish, vaporize
diverse[*] [daɪˈvɜːrs]	*a.* 多种多样的，不同的，变化多的 记 词根记忆：di(离开) + vers(转) + e → 转开 → 不同的 例 *diverse* cultures 不同的文化 派 diversity(*n.* 多样，千变万化) 同 different, varied, various
accomplish [əˈkɑːmplɪʃ]	*vt.* 完成，达到；实现 记 词根记忆：ac(加强) + com + pli(满) + sh → 使圆满 → 完成，达到 例 Edward has a willingness to take career and business risks to *accomplish* his goals. 为了达到目标，爱德华甘愿冒事业上和生意上的风险。 派 accomplishment(*n.* 成就，完成); accomplished(*a.* 完成了的；有技巧的；熟练的)
passive[*] [ˈpæsɪv]	*a.* 被动的，消极的 记 词根记忆：pass(感觉，遭受) + ive(…的) → 感觉遭受外界的影响 → 被动的 例 *passive* smoking 被动吸烟 派 passively(*ad.* 被动地，消极地); passivity(*n.* 被动性)
logical [ˈlɑːdʒɪkl]	*a.* 逻辑的；符合逻辑的 例 a *logical* argument 合乎逻辑的论证

□ vitalize □ historical □ auxiliary □ analyze □ altitude □ evaporate
□ diverse □ accomplish □ passive □ logical

flux^{*} [flʌks]	*n.* 流，流出，流动；涨潮；变迁 记 词根记忆：flu(流动) + x → 流，流动 例 magnetic *flux* 磁通量 同 change, fluctuation
immigrate ['ɪmɪɡreɪt]	*v.* 移居入境 记 词根记忆：im(进入) + migr(移动) + ate → 移动进入另一个地方 → 移居入境 例 After the hard winter, the family *immigrated* to Canada, where Becky's sisters lived. 严冬过后，贝姬一家移居到加拿大，她的姐妹们就住在那里。
impact ['ɪmpækt]	*n.* 冲击，碰撞；效果，影响 *v.* 冲击，碰撞；影响 记 词根记忆：im(加强) + pact(系紧，捆紧) → 使劲系紧 → 效果，影响 搭 (an) impact on 对…的强烈影响 例 The strike had a great *impact* on the local economy. 这次罢工对当地的经济产生了巨大的影响。
epidemic [ˌepɪ'demɪk]	*a.* 流行性的；传染的 *n.* 流行病；传播 记 词根记忆：epi(在…之间) + dem(人民) + ic(…的) → 在人之间流传 → 流行性的 例 *epidemic* disease 流行病 // the *epidemic* of measles 麻疹的流行 同 contagious, prevalent, popularity
innumerable [ɪ'nuːmərəbl]	*a.* 无数的，数不清的 记 词根记忆：in(不) + numer(数字) + able(可以…的) → 不可以算清数字的 → 数不清的 例 *innumerable* grains of sand 数不清的砂粒 同 countless, myriad
fidelity^{*} [fɪ'deləti]	*n.* 忠实，忠诚，忠贞 记 词根记忆：fid(相信) + elity → 能让人相信的 → 忠实 例 marital *fidelity* 婚姻的忠诚
possessive [pə'zesɪv]	*n.* 所有格 *a.* 所有的，占有的 记 来自 possess(*vt.* 占有，拥有) 例 *possessive* pronoun 物主代词
species ['spiːʃiːz]	*n.* (物)种，种类 记 联想记忆：和 specimen(*n.* 标本) 一起记 例 an extinct *species* 灭绝的物种
decorous ['dekərəs]	*a.* 礼貌得体的 记 联想记忆：decor(看作 decorate，装饰) + ous → 行为举止经过装饰的 → 礼貌得体的 例 *decorous* behaviour 礼貌的举止
precise^{*} [prɪ'saɪs]	*a.* 精确的，准确的 记 词根记忆：pre(在…之前) + cis(切) + e → 切东西之前要计算 → 精确的，准确的 例 *precise* details 确切的细节

□ flux   □ immigrate   □ impact   □ epidemic   □ innumerable   □ fidelity
□ possessive   □ species   □ decorous   □ precise

49

memorize [ˈmeməraɪz]	*vt.* 记住；记忆 记 词根记忆：memor(记忆) + ize → 记住；记忆 例 It is the secretary's duty to *memorize* certain phone numbers. 熟记某些电话号码是秘书的职责。
seclude [sɪˈkluːd]	*vt.* 使隔离；使孤立；使隐居 记 词根记忆：se(分开) + clud(关闭) + e → 分开关闭 → 使隔离 例 The child was *secluded* on a desert island at birth. 这个小孩一出世就被隔离在一座荒岛上。
congenital* [kənˈdʒenɪtl]	*a.* (疾病或不良的身体状况)天生的，先天的；生性的 记 词根记忆：con + gen(出生) + ital → 与生俱来的 → 天生的 例 a *congenital* disease 先天疾病 同 innate, inborn, inbred, hereditary
sensation [senˈseɪʃn]	*n.* 感觉，知觉 记 来自sense(*n./v.* 感觉) 例 John lost all *sensation* after the horrible accident. 那次可怕的事故之后，约翰丧失了所有知觉。 同 perception
eliminate [ɪˈlɪmɪneɪt]	*vt.* 消除；排除 记 联想记忆：e(看作ex, 出) + limin(看作limit, 限制) + ate(表动词) → 走出限制 → 消除；排除 例 The central government is injecting a great deal of money into the remote mountain areas to help *eliminate* poverty. 中央政府给偏远山区注入大笔资金，以消除当地的贫困。 派 elimination(*n.* 消除，除去) 同 remove, eradicate
mask [mæsk]	*n.* 面具，面罩；假面具；伪装 *vt.* 掩饰，掩盖 记 联想记忆：戴面具(mask)是虚伪的标志(mark) 例 an oxygen *mask* 氧气罩 // The guests felt puzzled but *masked* their doubts as the hostess never appeared. 女主人一直没露面，客人们感到迷惑不解但掩饰住了自己的疑虑。
dejected [dɪˈdʒektɪd]	*a.* 沮丧的，灰心的 记 来自deject(*vt.* 使沮丧，使灰心)
telescope [ˈtelɪskoʊp]	*n.* 望远镜 *v.* 压缩 记 词根记忆：tele(远) + scop(看) + e → 往远方看需要借助望远镜 → 望远镜 例 It is difficult to *telescope* 100 years of history into one lecture. 把一百年的历史压缩到一次讲座中并不容易。
ornate* [ɔːrˈneɪt]	*a.* 装饰的，华丽的；(文体)绚丽的 记 词根记忆：orn(装饰) + ate(有…性质的) → 装饰的 例 an *ornate* appearance 华丽的外表

feast [fiːst]	*n.* 节日；宴会
	记 联想记忆：节日(feast)上的饭菜都是最好的(best)
	例 a wedding *feast* 婚宴
	同 banquet
dubious * [ˈduːbiəs]	*a.* 有问题的，靠不住的；(值得)怀疑的；犹豫不决的；半信半疑的
	记 词根记忆：dub(不确定的) + ious(…的) → 犹豫不决的
	例 a *dubious* business venture 冒险的商业投资 // a *dubious* reply 含糊的回答
	派 dubiety(*n.* 怀疑，疑惑)；dubiously(*ad.* 怀疑地)
	同 doubtful
perceive [pərˈsiːv]	*vt.* 察觉，感知；理解，领悟
	记 词根记忆：per(全部) + ceiv(拿住) + e → 全部拿住 → 感觉，感知
	例 Emma had *perceived* a certain bitterness in her husband's tone. 埃玛从丈夫的语调中感到了些许悲伤。
	同 detect, comprehend
cue [kjuː]	*n.* 提示，暗示
	记 联想记忆：有线索(clue)可以暗示(cue)
	搭 on cue 恰好在这时候
	例 One's nonverbal *cues* often send a clearer message than what one actually says. 通常一个人的非语言提示传达的信息比其实际用语言表达出来的更为清楚。// Nell said the girl would be back soon, and, right on *cue*, she walked in. 内尔说那个女孩很快就回来，正说着，她就进来了。
	同 hint
resemblance [rɪˈzembləns]	*n.* 相似，相似处
	记 来自 resemble(*v.* 类似于，像)
	同 similarity, likeness
permanent [ˈpɜːrmənent]	*a.* 永久的，持久的
	记 词根记忆：per(自始至终) + man(手) + ent(具…性质的) → 人类的劳动创造了世界 → 永久的真理 → 永久的
	例 *permanent* staff 正式职员
	派 permanency(*n.* 永久)；permanently(*ad.* 永久地)
generalize [ˈdʒenrəlaɪz]	*v.* 推广；概括，归纳
	例 The experts set up a new organization to *generalize* the use of the invention. 专家组建了一个新机构来推广这项新发明。
alienate * [ˈeɪliəneɪt]	*vt.* 疏远
	记 联想记忆：a + lien(看作 lie，说谎) + ate(使…) → 谎言会疏远朋友 → 疏远；或者，alien(陌生的) + ate(使) → 使陌生 → 疏远
	例 Tony didn't want to *alienate* the people he worked with. 托尼不想疏远那些和他共事的人。
	派 alienated(*a.* 疏远的，被隔开的)；alienation(*n.* 疏远，离间)
	同 estrange

5

acumen [ˈækjəmən]	*n.* 敏锐，聪明 记 词根记忆：acu(尖，锐利) + men(表名词) → 敏锐 例 financial *acumen* 精于理财
patriotism [ˈpeɪtrɪətɪzəm]	*n.* 爱国心，爱国精神 记 来自 patriot(*n.* 爱国者) 例 a wave of *patriotism* 爱国主义热潮
enlighten [ɪnˈlaɪtn]	*vt.* 启发，启蒙，教导，启迪，开导 记 联想记忆：en(使…) + light(明亮的) + en → 使脑子明亮 → 启发，启蒙 例 Not only did the 18th century English novelists try to fight against the feudal ideas, but also to *enlighten* common people with reason and science. 18 世纪英国小说家不但竭力与封建思想作战，而且还用理性和科学启蒙大众。 enlighten
omission [əˈmɪʃn]	*n.* 省略，忽略；疏忽 记 来自 omit(*vt.* 省略；遗漏) 例 *omission* mark 省略符
nationality [ˌnæʃəˈnæləti]	*n.* 国籍；民族 记 词根记忆：nat(出生) + ion + ality(表状态) → 刚出生的孩子也有国籍 → 国籍 例 minority *nationality* 少数民族
predominant [prɪˈdɑːmɪnənt]	*a.* 主要的，支配的；流行的 记 词根记忆：pre(前) + domin(统治) + ant → 在前面统治的 → 支配的 例 a *predominant* feature 显著特征 同 dominant, paramount, preponderant, prevailing, superior, chief
reactionary* [riˈækʃəneri]	*a.* 反作用的；反动的 *n.* 反动分子 记 来自 reaction(*n.* 反动) 例 *reactionary* attitudes 反动情绪 exotic
exotic* [ɪɡˈzɑːtɪk]	*a.* 异国情调的；外来的；奇异的 派 exotically(*ad.* 奇异地，异国情调地) 同 foreign, strange
preservation [ˌprezərˈveɪʃn]	*n.* 保存 记 来自 preserve(*v.* 保存) 例 environmental *preservation* 环境保护
obligate [ˈɑːblɪɡeɪt]	*vt.* 使负有义务 记 词根记忆：ob(加强) + lig(捆) + ate(使…) → 捆起来强制去做 → 使负有义务 例 The contract does not *obligate* the board to give teachers the same salary that Susan received. 合同上没有说董事会有义务发给教师们同苏珊一样多的薪水。

rotary [ˈroʊtəri]	*a.* 旋转的 记 联想记忆：rot(轮，转动) + ary → 旋转的 例 a *rotary* dial phone 旋转的拨号盘
query* [ˈkwɪri]	*n.* 疑问，询问 *v.* 怀疑，质疑 例 The critics raised a *query* on the writer's honesty. 评论家们对作者的诚信提出质疑。
radiance [ˈreɪdiəns]	*n.* 光辉；容光焕发 记 来自 radiant(*a.* 光辉灿烂的) 例 the moon's *radiance* 月亮的光辉
quip* [kwɪp]	*n.* 嘲弄，挖苦话；双关语；俏皮话 记 联想记忆：俏皮话(quip)说过头就是嘲弄(quib) 例 an amusing *quip* 有趣的双关语 同 gibe*, equivocation
slogan [ˈsloʊgən]	*n.* 标语，口号 例 The company's *slogan* is "Time is money; efficiency is life." 这家公司的口号是"时间就是金钱，效率就是生命"。
recruit [rɪˈkruːt]	*v.* 招募(新兵)，招收(新成员) *n.* 新兵，新成员 记 词根记忆：re(重新) + cru(增加) + it → 重新增加人数 → 招收(新成员) 例 It's getting more and more difficult to *recruit* experienced staff. 要招用有经验的员工越来越困难了。 派 recruitment(*n.* 招聘，吸收新成员)；recruiter(*n.* 征兵人员；为学校招生者)
liable [ˈlaɪəbl]	*a.* 有责任的，有义务的；有…倾向的，易于…的 记 联想记忆：贴上标签(lable)易于(liable)察看 搭 liable for 有法律责任的，有义务的；liable to 易于…的，有…倾向的 例 The taxi driver should be *liable* for compensating injured cyclists, since he was responsible for the accident. 这起事故的责任在于出租车司机，他需要对受伤的骑车人给予赔偿。// You're more *liable* to injury when you don't do regular exercise. 如果不经常锻炼，你就更容易受伤。 同 responsible
characterize [ˈkærəktəraɪz]	*vt.* 表现…的特色，刻画…的性格；是…的特征 记 来自 character(*n.* 人或事物的特征) 例 In trying to *characterize* these roles, it is not easy to avoid oversimplification. 在试图表现这些角色的性格特征时，避免将其过度单纯化并不是件容易的事情。
alacrity* [əˈlækrəti]	*n.* 敏捷，轻快；乐意，欣然同意 例 Although my grandmother is old, she still dances with *alacrity*. 虽然我的外祖母年事已高，但她跳舞时依然很轻快。
caricature* [ˈkærɪkətʃər]	*n.* 讽刺画，漫画；讽刺描述法；歪曲(或拙劣)的模仿 *vt.* 画成漫画讽刺 记 发音记忆："凯利开车" → 金·凯利擅长夸张的表演风格 → 歪曲(或拙劣)的模仿 例 The newspaper presents a *caricature* of the true situation. 这份报纸扭曲了事实。

quip　query
哼，地　是真　男友
摊货　的吗　送的

radiance

5

indebted [ɪn'detɪd]	*a.* 负债的；感恩的 记 联想记忆：in(在…内) + debt(债务) + ed → 有债在身的 → 负债的 例 an *indebted* nation 一个负债的国家 同 beholden
advocate*	['ædvəkət]*n.* 提倡者，拥护者 ['ædvəkeɪt]*vt.* 提倡，支持 记 词根记忆：ad + voc(叫喊) + ate → 为其呐喊助威 → 提倡，支持 例 Mr. Smith has long *advocated* restoring normal diplomatic relations with that country. 史密斯先生一直提倡恢复与那个国家的正常外交关系。 派 advocacy(*n.* 拥护，支持) 同 proponent
eradicate [ɪ'rædɪkeɪt]	*vt.* 根除，灭绝 记 词根记忆：e(看作 ex, 出) + radic(根) + ate → 连根拔出 → 根除，灭绝 例 This study was designed to determine if under the right conditions, the virus could be *eradicated*. 设计这项研究的目的是确定在正常情况下能否根除这种病毒。 同 exterminate, extirpate, uproot
potion* ['poʊʃn]	*n.* 一服，一剂 记 联想记忆：可以和 portion(一份) 一起记
commodious* [kə'moʊdiəs]	*a.* 宽敞的 记 词根记忆：com + mod(适合) + ious → 这个房间适合任何尺寸的家具 → 宽敞的
interrogate [ɪn'terəgeɪt]	*vt.* 审问，询问 记 词根记忆：inter(相互) + rog(问) + ate → 有问有答 → 询问 例 Joe was *interrogated* by the police at length about his conversation with the two men. 警方详尽地审问乔和那两个人都谈了些什么。
paralysis [pə'ræləsɪs]	*n.* 瘫痪，麻痹 记 来自 paralyse(*vt.* 使麻痹) 例 total *paralysis* 完全瘫痪
dearth* [dɜːrθ]	*n.* 缺乏 记 联想记忆：物以稀(dearth)为贵(dear) 例 a *dearth* of food 食物匮乏 同 famine, lack
elevated ['elɪveɪtɪd]	*a.* 升高的，提高的；高尚的；欢欣的 记 来自 elevate(*v.* 提高) 例 an *elevated* highway 高架公路
version ['vɜːrʒn]	*n.* 版本；说法，描述 记 词根记忆：vers(转化) + ion → 从原文转化而来 → 翻译的或改写的版本 → 版本

aberration [ˌæbəˈreɪʃn]	n. 失常;异常行为、现象 记 词根记忆:ab(离开) + err(徘徊) + ation(表行为)→ 脱离正常,徘徊在边缘 → 失常 例 mental *aberration* 心理失常
provoke [prəˈvəʊk]	v. 挑动;激发;招惹 记 词根记忆:pro(前) + vok(呼喊) + e → 在某人面前呼喊 → 挑动;招惹 例 The unfair division in the factory *provoked* workers to anger. 厂里不公平的分配激怒了工人。 派 provocation(n. 激怒,挑衅); provocative(a. 挑衅的,煽动性的)
conservative [kənˈsɜːvətɪv]	n. 保守主义者 a. 保守的;谨慎的 记 来自 conserve(vt. 保存,保藏) 例 *conservative* ideas / point of view 保守思想/观点 同 traditional
alternative [ɔːlˈtɜːnətɪv]	n. 两者择一,可供选择的办法 a. 选择性的,两者择一的 派 alternatively(ad. 二选一)
**symmetry* [ˈsɪmətri]	n. 对称(性);匀称,整齐 记 词根记忆:sym(一起) + metr(测量) + y → 两边一起测量,结果是相同的 → 对称(性) 同 uniformity
**meager* [ˈmiːgər]	a. 缺乏的,贫乏的,不足的 记 联想记忆:m + eager(热心的)→ 光靠热心解决不了贫乏 → 贫乏的 例 *meager* profit 微利 同 scanty, scant, skimpy, sparse
wrangle [ˈræŋɡl]	vi. 争论,争吵 n.(长时间的)争论,争吵,口角 记 联想记忆:wr + angle(观点,立场)→ 观点立场不同就会发生争吵 → 争论,争吵 例 Tina *wrangled* with her roommate over what to do next. 蒂娜就接下来该做什么和她的室友吵了起来。
**ethnic* [ˈeθnɪk]	a. 人种的,种族的,民族的 记 联想记忆:种族(ethnic)问题通常也会涉及伦理(ethics) 例 *ethnic* communities 种族社群 同 racial, national
destination [ˌdestɪˈneɪʃn]	n. 目的地;目标 记 词根记忆:de(往下) + sti(站立) + nation(表名词)→ 往下走到目的地去 → 目的地

5

conservative

alternative

POLL

PARTY A   PARTY B
ballot

insensible* [ɪn'sensəbl]	*a.* 失去知觉的；麻木不仁的；无感觉的；不易被察觉的 记 词根记忆：in(无) + sens(感觉) + ible(…的) → 无感觉的 例 an *insensible* change 难以察觉的变化 同 unconscious, apathetic, indifferent
conscientious* [ˌkɑːnʃi'enʃəs]	*a.* 认真的，谨慎的 记 词根记忆：con + sci(知道) + ent + ious(多…的) → 学习认真才能懂得多 → 认真的，谨慎的 例 a *conscientious* worker 认真负责的工人 同 meticulous, careful
cadence* ['keɪdns]	*n.* (声音的)抑扬顿挫；节奏，韵律 记 词根记忆：cad(落下) + ence → 声音的落下和上升 → (声音的)抑扬顿挫
artistic [ɑːr'tɪstɪk]	*a.* 艺术(家)的；富有艺术性的；有美感的；风雅的 记 来自 artist (*n.* 艺术家) 例 *artistic* abilities 艺术才能 派 artistically (*ad.* 艺术地)
nominee [ˌnɑːmɪ'niː]	*n.* 被提名的人，候选人 记 词根记忆：nomin(名字) + ee(表人) → 被提名的人 例 an Oscar *nominee* 获得奥斯卡提名的人
pollute [pə'luːt]	*vt.* 弄脏，污染；玷污，败坏 例 Some of the contents of this gas not only *polluted* the atmosphere but caused actual harm to the health of people. 这种气体中的一些成分不仅污染了大气，而且对人体健康造成了实际的伤害。 同 befoul, dirty
brooch [broʊtʃ]	*n.* 胸针，领针 记 联想记忆：oo 像胸前的两块肌肉 → 别在胸前的针 → 胸针
imperceptive [ˌɪmpər'septɪv]	*a.* 无知觉(力)的；察觉不出的 记 来自 perceive(*v.* 理解；感知)
illegible [ɪ'ledʒəbl]	*a.* 难辨认的，字迹模糊的 记 词根记忆：il(不) + leg(读) + ible(可…的) → 不易读的 → 难辨认的 例 an *illegible* signature 难以辨认的签名
landmark ['lændmɑːrk]	*n.* (树木、建筑等明显的)陆标，地标；里程碑；划时代的事件 记 组合词：land(土地) + mark(标志) → 陆标，地标 例 a *landmark* decision 具有里程碑意义的决策
gustatory* ['gʌstətəri]	*a.* 味觉的，品尝的 例 This dish is very famous in this restaurant which gives the customers *gustatory* pleasures. 这道菜是这个饭店的名菜，给顾客带来了味觉享受。

expository * [ɪk'spɑːzətɔːri]	*a.* 说明的 例 Everybody is busy with the *expository* meeting for the new product which will be held next Monday. 每个人都在为下周一要举行的新产品说明会忙碌着。
detached * [dɪ'tætʃt]	*a.* 分离的, 独立的; 超然的, 冷漠的; 冷静的, 客观的 记 来自 detach[*v.* (使)分开, (使)脱离] 例 The mother didn't want her boy to be so *detached*. 男孩的妈妈不希望她的儿子如此冷静超然。
material * [mə'tɪriəl]	*n.* 材料; 原料; 素材, 资料 *a.* 物质的, 实际的; 重要的, 实质性的 例 It's quite difficult to see the raw *material* of the furniture. 很难看出这种家具的原材料。
invasive * [ɪn'veɪsɪv]	*a.* (尤指体内疾病)侵入的, 侵袭的; 有扩散危害的, 扩散性的 记 来自 invade(*v.* 侵入, 侵袭) 例 It is the best news that the patient has ever heard that the cancerous cells are not *invasive*. 癌细胞没有扩散的危险是这个病患听过的最好的消息了。
impassable * [ɪm'pæsəbl]	*a.* 不可通行的, 不可逾越的 记 拆分记忆: im(不) + pass(通过) + able(可…的) → 不可通行的 例 It's an *impassable* road due to the debris flow several days ago. 由于几天前发生了泥石流, 这条道路现在无法通行。
mourn [mɔːrn]	*v.* 哀悼; 悲痛, 痛心 例 All people in the country *mourned* for those who lost their lives in the earthquake. 这个国家的所有人都为那些在地震中丧生的人哀悼。
check * [tʃek]	*v.* 检查, 审查; 核实, 核对 *n.* 检查; 核对; 支票 例 Customs officers should *check* all luggage to ensure the safety. 海关工作人员应检查所有行李以确保安全。

5

 备考锦囊

长难句分析(三)

3 Because this anticoagulant is not toxic to humans, vampire bats may one day play an important role in the treatment of heart patients—that is, if we can just get over our phobia about them.

译文: 因为这种抗凝血剂对人类是无毒的, 所以也许有一天吸血蝙蝠会在心脏病的治疗方面发挥重要作用, 也可以说, 如果我们可以克服对吸血蝙蝠的恐惧的话。

解析: Because 引导的一个原因状语从句, 句子主干是 vampire bats may play an role in treatment, 破折号引出的分句一般是对前面内容的解释。

Word List 6

音频

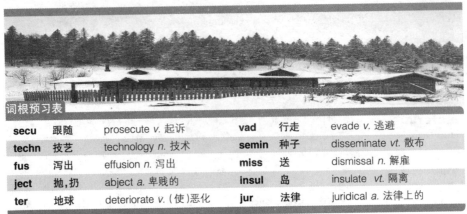

theoretical * [ˌθiːə'retɪkl]	*n.* 理论的 记 来自 theory(*n.* 理论) 例 *theoretical* physics 理论物理学 派 theoretically(*ad.* 理论上)
demur * [dɪ'mɜːr]	*v.* 犹豫不决(由于疑惑和反对) 记 联想记忆:面对谣言(rumor)他犹豫不决(demur) 例 When Gordon continued to *demur*, his doctor promised to prescribe only five pills, one for each of the next five nights. 正当戈登犹豫不决之时,医生答应给他开药,不过只有五片,在接下来的五天每晚吃一粒。
emblem ['embləm]	*n.* 象征;徽章;符号 例 the national *emblem* 国徽 同 badge
campaign [kæm'peɪn]	*n.* 战役;(政治或商业性)活动,竞选运动 *vi.* 参加活动,从事活动;作战 记 联想记忆:camp(野营地) + aign → 战役;活动 例 Environmentalists in Japan claim a rare victory after five firms quit whaling following a pressure *campaign*. 五家捕鲸公司迫于活动压力停止捕鲸,日本环保主义者称他们获得了宝贵的胜利。
rouse [raʊz]	*v.* 惊起;唤起,唤醒;激起(情感等) 记 联想记忆:看到 mouse(老鼠)就被 rouse(惊起) 例 Around 2 a.m., I was *roused* by the sound of screaming. 大概在凌晨两点左右,我被尖叫声惊醒。 同 awaken, excite
sophisticated * [sə'fɪstɪkeɪtɪd]	*a.* 尖端的,复杂的,先进的;老练的,老于世故的 记 来自 sophisticate(*vt.* 使复杂;使老于世故 *n.* 久经世故的人) 例 *sophisticated* technique 尖端技术 // a *sophisticated* man 世故之人 派 unsophisticated(*a.* 不懂世故的,单纯的); sophistication(*n.* 精致,复杂) 同 complex, experienced, proficient, complicated

prosecute [ˈprɑːsɪkjuːt]	*v.* 实行，从事；告发，起诉 记 词根记忆：pro（前）+ secu（跟随）+ te → 事先追踪行迹 → 起诉 例 The company was *prosecuted* for breaching the Health and Safety Act. 这家公司被控违反了《卫生安全法》。 同 accuse, inculpate
distinction* [dɪˈstɪŋkʃn]	*n.* 区别，差别 例 an appreciable *distinction* 明显的区别
bosom [ˈbʊzəm]	*n.* 胸部，胸；胸怀，内心 *a.* 知心的，亲密的 例 a *bosom* friend 知心朋友
evade [ɪˈveɪd]	*v.* 逃避，回避，避开，躲避 记 词根记忆：e（看作 ex，出）+ vad（行走）+ e → 为了逃避出走了 → 逃避 例 As a sound young man, Harry should not *evade* military service. 作为一个健康的年轻人，哈里不应该逃避兵役。
overrun	[ˈoʊvərʌn] *n.* 泛滥成灾；超出限度 [ˌoʊvəˈrʌn] *v.* 超过（期限、范围等）；泛滥 记 词根记忆：over(过度，过分) + run(跑) → 跑过了头 → 超过
euphemism* [ˈjuːfəmɪzəm]	*n.* 委婉的说法 记 词根记忆：eu(好) + phe(说) + mism → 更好的说法 → 委婉的说法
evoke [ɪˈvoʊk]	*vt.* 唤起(回忆、感情等)，引起 记 词根记忆：e(看作 ex，出) + vok(喊) + e → 出来喊以唤起 → 唤起 例 The little boy tried everything in an attempt to *evoke* sympathy and pity from his parents. 小男孩竭尽全力试图唤起父母的同情与怜悯之心。 同 summon
recover [rɪˈkʌvər]	*v.* 重新获得；痊愈，复原 记 联想记忆：re(重新) + cover(包括) → 重新包括进来 → 重新获得 例 The bank is planning to sue the company in order to try and *recover* its money. 银行为了追回他们的钱打算起诉那家公司。
technology [tekˈnɑːlədʒi]	*n.* 工艺，科技，技术 记 词根记忆：techn(技艺) + ology(…术) → 技术
genetic [dʒəˈnetɪk]	*a.* 基因的；遗传(学)的 记 来自 gene(*n.* 基因) 例 *genetic* factor 遗传因素 派 genetical(*a.* 遗传的；起源的) 同 hereditary, inherited, congenital
exhausted [ɪɡˈzɔːstɪd]	*a.* 耗尽的；疲惫的 例 an *exhausted* climber 筋疲力尽的登山者

6

没带钱… euphemism — evoke — 可怜我… — evade

□ prosecute　　□ distinction　　□ bosom　　□ evade　　□ overrun　　□ euphemism
□ evoke　　□ recover　　□ technology　　□ genetic　　□ exhausted

delegate	[ˈdelɪɡət] *n.* 代表，代表团成员 [ˈdelɪɡeɪt] *v.* 委派(或选举)…为代表；授(权)，把…委托给 记 词根记忆：de(去) + leg(送，派遣) + ate → 派人去参加 → 代表 例 The company decided to *delegate* Frank to attend the conference. 公司决定委派弗兰克出席这次会议。 同 representative, authorize
disseminate* [dɪˈsemɪneɪt]	*vt.* 散布，传播 记 词根记忆：dis(分离) + semin(种子) + ate → 让种子分离开 → 散布 例 The mass media can transform people's views by changing the way in which information is *disseminated*. 大众媒体可以通过改变信息传播的方式来改变人们的观点。
effusion [ɪˈfjuːʒn]	*n.* 溢出，泻出 记 词根记忆：ef(向外) + fus(泻出) + ion(表名词) → 泻出 例 a sudden *effusion* of blood 突然出血
rightful [ˈraɪtfl]	*a.* 公正的；正当的；合法的 例 the *rightful* heir to the throne 王位合法继承人
tour [tʊr]	*n.* 旅行，游览；(剧团等的)巡回演出；(在国外的)任职期 例 The band is now on a five-day *tour* of France. 这支乐队现在正在法国进行为期五天的巡回演出。// Mr. Brown has served two *tours* in Europe. 布朗先生在欧洲工作了两个任期。
blithe* [blaɪð]	*a.* 愉快的，高兴的；无忧无虑的 记 联想记忆：b(看作 be，是) + lith(石头) + e → 做一块高兴的石头 → 愉快的，高兴的 例 a *blithe* spirit 愉悦的心情
lucrative [ˈluːkrətɪv]	*a.* 赚钱的，获利的 记 词根记忆：lucr(钱财) + ative(有…倾向的) → 一切向前(钱)看 → 赚钱的 例 a *lucrative* market 利润丰厚的市场 同 profitable
maintain [meɪnˈteɪn]	*vt.* 维修，保养；维持，保持；坚持，主张 记 词根记忆：main(手) + tain(保持) → 用手去使物品保持完好 → 保养，维修 例 One of the most important factors for *maintaining* beautiful skin and a glowing complexion is a good circulation. 保持肌肤亮丽、容光焕发的重要因素之一就是血液循环畅通。
dismissal [dɪsˈmɪsl]	*n.* 免职，解雇 记 词根记忆：dis + miss(送) + al(表行为) → 把员工送出去 → 解雇

comparison [kəmˈpærɪsn]	*n.* 比较，对比；比喻，比拟
	记 来自 compare(*v.* 比较)
	搭 by / in comparison 相比之下；in comparison with / to 与…比较起来
	例 The country is quieter in *comparison* to metropolitan life. 和都市生活相比，乡村生活要宁静得多。
blatant * [ˈbleɪtnt]	*a.* 明显的；明目张胆的；厚颜无耻的
	记 联想记忆：blat(不假思索地说出) + ant → 不假思索地说出别人的隐私 → 厚颜无耻的
	例 a *blatant* lie 无耻的谎言
boisterous * [ˈbɔɪstərəs]	*a.* 狂暴的；喧闹的
	记 联想记忆：boi(看作 boil, 煮沸) + ster(看作 lobster, 龙虾) + ous → 龙虾在沸水里乱蹦了一小会就恢复了平静 → 喧闹的
	例 a *boisterous* wind 暴风 // a large and *boisterous* crowd 一大群喧闹的人
	同 vociferous, clamorous, strident, rowdy
homogeneous * [ˌhɒməˈdʒiːniəs]	*a.* 同种类的，同性质的，有相同特征的
	记 词根记忆：homo(相同的) + gene(种) + ous(…的) → 相同种的 → 同种类的
	例 a *homogeneous* mixture 相同成分组成的混合物
	派 homogeneously(*ad.* 同种类地)
	同 identical, kindred, uniform
belie [bɪˈlaɪ]	*vt.* 掩饰；证明为假
	记 联想记忆：be(是) + lie(谎言) → 证明是谎言 → 证明为假
	例 The woman's energy and youthful good looks *belie* her 65 years. 那位妇女的活力和年轻的美貌掩盖了她 65 岁的事实。// It was reported that there was no poverty in this city, which was *belied* by the number of homeless people on the streets. 报道称这一城市不存在贫困现象，此种说法被证明是假的，事实是街道上有很多无家可归的人。
	同 disguise
fundamental * [ˌfʌndəˈmentl]	*a.* 基础的，基本的 *n.* 基本原则，基本原理
	记 来自 fundament(*n.* 基础；基本原理)
	例 *fundamental* innovation 基础性的创新 // *fundamental* process 基本过程 // *fundamental* element 基本元素
	派 fundamentally(*ad.* 基础地，根本地)
	同 essential, vital, cardinal, basic
proverb [ˈprɑːvɜːrb]	*n.* 谚语；格言；俗语
	记 词根记忆：pro(在前的) + verb(话) → 以前留下的话 → 谚语；俗语
sturdy [ˈstɜːrdi]	*a.* 强健的，结实的
	记 联想记忆：强健的(sturdy)身体是学习(study)的本钱
	例 a *sturdy* young man 身体强壮的年轻人
	同 robust, sound

sturdy

felicity * [fə'lɪsəti]	*n.* 幸福，幸运，福气 记 词根记忆：felic(快乐) + ity → 幸福
sequence ['si:kwəns]	*n.* 次序，顺序 记 词根记忆：sequ(跟随) + ence → 一个跟着一个 → 次序，顺序 搭 in sequence 依次，逐一；a sequence of 一系列 例 the correct *sequence* 正确的顺序
abject ['æbdʒekt]	*a.* 卑贱的；凄惨的 记 词根记忆：ab(离去) + ject(抛，扔) → 遭人抛弃 → 卑贱的 例 *abject* poverty 赤贫
diagnosis * [ˌdaɪəɡ'noʊsɪs]	*n.* 诊断 记 词根记忆：dia(完全) + gno(了解) + sis → 完全了解病情 → 诊断 例 *diagnosis* of lung cancer 肺癌的诊断
cohesive [koʊ'hi:sɪv]	*a.* 黏着的，黏合性的；凝聚性的 记 词根记忆：co + hes(=her，黏着) + ive → 有黏合力的 → 黏着的 例 a *cohesive* social unit 紧密团结的社会团体
gratify * ['ɡrætɪfaɪ]	*vt.* 使满意，使高兴；满足 记 联想记忆：很好(great) 很满意(gratify) 搭 gratify one's taste 满足某人的爱好 例 Douglas found it difficult to *gratify* his girlfriend's vanity. 道格拉斯发现很难满足女友的虚荣心。
gall * [ɡɔːl]	*n.* 胆汁；苦味(的东西)；恶毒；怨恨；厚颜无耻 记 联想记忆：把怨恨(gall) 都发泄在篮球(ball)上 例 *gall* bladder 胆囊 同 audacity, effrontery, cheek, chutzpah, bile, rancor
captious ['kæpʃəs]	*a.* 吹毛求疵的；挑剔的 记 词根记忆：capt(拿) + ious → 拿(别人的缺点) → 吹毛求疵的
aristocracy * [ˌærɪ'stɑːkrəsi]	*n.* 贵族；贵族阶层；贵族统治 记 词根记忆：aristo(最好) + cracy(统治) → 最高的统治 → 贵族统治 例 members of the *aristocracy* 贵族成员
reassure [ˌriːə'ʃʊr]	*vt.* 使放心，使安心，安慰 记 词根记忆：re(一再) + as + sur(保证) + e → 一再保证 → 使放心 同 assure, guarantee
readjust [ˌriːə'dʒʌst]	*v.* 重新调整，再调整 记 联想记忆：re(重新) + adjust(调整) → 重新调整 例 Remember to *readjust* the mirrors in the car. 记得重新调整一下车子的观后镜。
canny * ['kæni]	*a.* 谨慎的；精明的 记 联想记忆：can(能) + ny → 能干的 → 精明的 例 a *canny* politician 一位谨慎的政治家 同 clever, shrewd, prudent

□ felicity　　□ sequence　　□ abject　　□ diagnosis　　□ cohesive　　□ gratify
□ gall　　□ captious　　□ aristocracy　　□ reassure　　□ readjust　　□ canny

calumny * [ˈkæləmni]	*n.* 诽谤，中伤 记 词根记忆：cal(欺骗，玩手段) + umny → 诽谤，中伤 例 The famous basketball player accused the press of publishing vicious *calumnies*. 那位知名的篮球运动员控告出版社恶意诽谤。
scar [skɑːr]	*n.* 疤，伤痕；(心灵上的)创伤 记 联想记忆：美国特种部队使用的一种突击步枪就叫作 SCAR
cabinet [ˈkæbɪnət]	*n.* (有抽屉或格子的) 橱柜；内阁 *a.* 内阁的 记 联想记忆：cabin(小屋) + et(小) → 橱柜 例 a medicine *cabinet* 药柜 // *Cabinet* Minister 内阁部长
drought [draʊt]	*n.* 旱灾，干旱 记 发音记忆："沼泽" → 湿 → 与湿相对的 → 干旱 例 severe *drought* 严重干旱
sentimental [ˌsentɪˈmentl]	*a.* 情感上的；多愁善感的 记 来自 sentiment(*n.* 情感) 例 a *sentimental* story set in Russia 一个发生在俄罗斯的伤感的故事
expend [ɪkˈspend]	*v.* 消费，花费，支出 记 词根记忆：ex + pend(衡量) → 消费前先衡量一下 → 消费 例 The sailors were living on beans as all the biscuits and bread in the boat had been *expended*. 船上所有的饼干和面包都吃光了，水手们只能靠大豆来维持生命。
consensus * [kənˈsensəs]	*n.* 一致同意；多数人的意见；舆论 记 词根记忆：con(共同) + sens(感觉) + us → 感觉相同 → 一致同意 例 a broad *consensus* 广泛的一致 同 unanimity
quarterly [ˈkwɔːrtərli]	*a.* 每季的 *ad.* 每季一次 *n.* 季刊 记 来自 quarter(*n.* 季度) 例 a *quarterly* journal 季刊
emancipation [ɪˌmænsɪˈpeɪʃn]	*n.* 释放，解放 例 the *emancipation* of slaves 奴隶的解放
insulate [ˈɪnsəleɪt]	*vt.* 隔离，孤立；使绝缘；使绝热 记 词根记忆：insul(岛) + ate(使…) → 使困在岛上 → 隔离 例 Electric wires should be *insulated* with a non-conducting substance. 电线应该用不导电物使之绝缘。 派 insulation(*n.* 绝缘；隔绝，孤立); insulator(*n.* 绝缘体，绝热体)
academy [əˈkædəmi]	*n.* (高等)专科院校；研究院；大学；学会，协会 例 a police *academy* 警官学校
fossil [ˈfɑːsl]	*n.* 化石 记 联想记忆：他预言（foresee）那里有化石(fossil) 例 living *fossil* 活化石 派 fossilize(*vt.* 使成化石); fossilized(*a.* 成化石的)

□ calumny □ scar □ cabinet □ drought □ sentimental □ expend
□ consensus □ quarterly □ emancipation □ insulate □ academy □ fossil

intrinsic [ɪnˈtrɪnsɪk]	*a.* 固有的，本质的，内在的 记 联想记忆：intr(看作 intro，向内) + insic(看作 inside，里面) → 内因起决定作用 → 内在的，本质的 例 the *intrinsic* value of education 教育的内在价值 派 intrinsically(*ad.* 内在地) 同 inherent, essential, innate
altercation* [ˌɔːltərˈkeɪʃn]	*n.* 争论，口角 记 联想记忆：因如何改变(alter)而发生口角(altercation) 例 The football players had an *altercation* over the referee's decision. 足球队员们对裁判的判决有争议。
solvent* [ˈsɑːlvənt]	*a.* 有溶解力的；有偿付能力的 *n.* 溶剂 记 词根记忆：solv(松开，解开) + ent → 被水溶解的 → 有溶解力的 例 the *solvent* action of water 水的溶解反应 // Now the problem is how to keep the business *solvent*. 现在的问题是如何让我们的公司保持偿还能力。
drainage [ˈdreɪnɪdʒ]	*n.* 排水，排水装置 记 词根记忆：drain(排水) + age(表名词) → 排水 例 a *drainage* system 排水系统
lifelong [ˈlaɪflɔːŋ]	*a.* 终身的，毕生的 记 合成词：life(生命) + long(长的) → 终身的，毕生的 例 *lifelong* education 终身教育
assess [əˈses]	*vt.* 估定；评定 例 Scientists are particularly interested in observing the thawing and freezing of the polar icecaps in order to *assess* changes in climate. 科学家们对通过观察极地冰帽的消融与凝结来评估气候的变化尤其感兴趣。 派 assessment (*n.* 估价；确定，评定；核定的付款额); assessor (*n.* 评估者，评价者)
outweigh [ˌaʊtˈweɪ]	*vt.* (在重量或价值上)超过 记 词根记忆：out(超过) + weigh(称重) → (在重量或价值上)超过 例 The bridge might collapse if the load *outweighed* its supports. 如果这座桥的负重量超过其承受力，它就有可能倒塌。
significant [sɪɡˈnɪfɪkənt]	*a.* 有意义的，意味深长的；重要的，重大的；非偶然的 记 联想记忆：sign(标记) + i + fic(做) + ant → 做很多标记 → 意义重大的 例 a *significant* impact 重大的影响 同 important
beatific* [ˌbiːəˈtɪfɪk]	*a.* 祝福的；快乐的，幸福的 记 词根记忆：beat(幸福，快乐) + ific → 幸福的，快乐的
facilitate* [fəˈsɪlɪteɪt]	*vt.* 使变得(更)容易，使便利；促进，帮助 例 Development of technology has *facilitated* the sharing of information and the storage of information. 科技的发展使信息的共享和储存便利起来。

overflow [ˈoʊvərfloʊ]	[ˈoʊvərfloʊ] n. 溢出 [ˌoʊvərˈfloʊ] v. (使)泛滥，(使)溢出，(使)充溢 记 来自词组 flow over(溢出，泛滥) 搭 overflow with 充满，洋溢 例 Bookshelves line every inch of wall space and are *overflowing* with books. 一排排书架占据了墙壁的每一寸空间，架子上都堆满了书。
malevolent [məˈlevələnt]	a. 有恶意的；坏心肠的 记 词根记忆：male(恶) + vol(意念) + ent(…的) → 有恶意念的 → 有恶意的 例 *malevolent* intensions 恶毒的企图 malevolent
clarity [ˈklærəti]	n. 清楚，清晰；清澈透明 记 词根记忆：clar(清楚，明白) + ity→清楚，清晰 例 *clarity* of expression / thinking 表达 / 思维清楚 同 lucidity
immediate [ɪˈmiːdiət]	a. 直接的；立即的，即刻的 记 词根记忆：im(不) + medi(中间的) + ate → 省去中间步骤的 → 立即的 例 an *immediate* action 即时的反应 同 direct
tangible * [ˈtændʒəbl]	a. 触摸得到的，有实体的；实际的 记 词根记忆：tang(接触) + ible → 可接触的 → 有实体的 例 a *tangible* benefit 实际的好处 // a *tangible* object 具体的物体
annuity [əˈnuːəti]	n. 年金，养老金；年金保险 记 词根记忆：annu(年) + ity → 一年发一次的钱 → 年金 例 *annuity* agreement 年金契约
teem [tiːm]	vi. 大量出现，充满 例 During the summer holiday, the streets were *teeming* with students. 暑假期间，街道上到处都是学生。
deteriorate [dɪˈtɪəriəreɪt]	v. (使)恶化，(使)变坏 记 词根记忆：de(向下) + ter(地球) + ior + ate(使…) → 地球的环境每况愈下 → (使)变坏，(使)恶化 例 Relations between the two countries had *deteriorated* since the treaty was signed. 自条约签订后，两国的关系就恶化了。 派 deterioration(n. 恶化)
abscond * [əbˈskɑːnd]	v. 潜逃，逃跑 记 词根记忆：abs(离去) + cond(藏起来) → 离开并藏起来 → 潜逃 例 There is no evidence that the criminal is likely to *abscond*. 没有证据表明罪犯可能要潜逃。
privacy [ˈpraɪvəsi]	n. 隐居；私事，隐私 记 来自 private(a. 私人的；秘密的) 例 right of *privacy* 隐私权
coagulate * [koʊˈæɡjuleɪt]	v. (使)凝结；(使)凝固 记 词根记忆：coag(凝固) + ulate → 凝固在一起 → (使)凝固 例 The salt solution will help *coagulate* the soy milk into clumps. 盐溶液有助于豆奶凝结。

6

decry * [dɪ'kraɪ]	*vt.* (公开)谴责 记 联想记忆：受害者边哭(cry)边谴责(decry) 例 The measures were *decried* by the newspaper as useless. 报纸谴责这些措施没有用。
juridical [dʒʊ'rɪdɪkl]	*a.* 法律上的 记 词根记忆：jur(法律) + id + ical(…的) → 法律上的 例 *juridical* person 法人
aloof * [ə'luːf]	*a.* 孤零零的；冷淡的 *ad.* 远离地；冷漠超然地 记 联想记忆：a(…的) + loof(看作 roof；屋顶) → 战争过后，只剩一个孤零零的屋顶 → 孤零零的 例 an *aloof* church 一座孤零零的教堂
nude [nuːd]	*a.* 裸体的 记 联想记忆：裸体(nude)是粗鲁的(rude) 例 a *nude* model 裸体模特
humorous ['hjuːmərəs]	*a.* 幽默的，诙谐的 记 来自 humor(*n.* 幽默) 例 a *humorous* story 幽默小说
swamp [swɑːmp]	*n.* 沼泽，沼地 记 联想记忆：在沼泽地(swamp)上露营(camp) 派 swampy(*a.* 沼泽的；湿地的) 同 marsh
morale [mə'ræl]	*n.* 士气，斗志 记 联想记忆：和 moral(*n.* 道德)一起记 例 the high *morale* of the troops 军队高昂的士气
bountiful * ['baʊntɪfl]	*a.* 慷慨的；宽大的；大量的 记 来自 bounty(*n.* 慷慨，大方) 例 *bountiful* nature 慷慨的天性 // a *bountiful* supply of food 大量供应的食物
implement	['ɪmplɪmənt] *n.* 工具，器具 ['ɪmplɪment] *vt.* 贯彻，实现 记 词根记忆：im + ple（满） + ment → 圆满实现 → 实现 例 agricultural *implements* 农具 // Andrew must now win a battle with the Treasury for funding to enable councils to *implement* the plan. 安德鲁现在必须赢得财政部的资金支持，才能使委员们实施该方案。 派 implementation(*n.* 实施，执行) 同 tool, perform, execute
reflection [rɪ'flekʃn]	*n.* 反射；映象；倒影；反省，沉思 例 John's speech was an accurate *reflection* of the public mood. 约翰的演说准确地反映了公众的情绪。

harmonious [hɑːrˈmoʊniəs]	*a.* 协调的；相称的；和睦的，融洽的 记 联想记忆：不损害(harm)公共利益是和谐(harmonious)社会的表现 例 a *harmonious* combination of colors 协调的色彩搭配 同 congruous
austerity [ɔːˈsterəti]	*n.* 严峻，严厉；朴素，节俭；苦行(生活) 记 来自 austere(*a.* 严峻的，严厉的；简朴的) 例 wartime *austerities* 战争期间的艰苦 // *austerity* measures 紧缩措施
carnal * [ˈkɑːrnl]	*a.* 肉体的；肉欲的，性欲的，色欲的；淫荡的 记 词根记忆：carn(肉) + al(…的) → 肉体的；肉欲的
harrowing [ˈhæroʊɪŋ]	*a.* 悲痛的，令人难受的 记 来自 harrow(*vt.* 使痛苦，折磨) 例 The terrible car accident was a *harrowing* experience for both the victims and their families. 这次严重的交通意外对受害者及其家人来说都是一次悲痛的经历。
gauche * [goʊʃ]	*a.* 不善交际的，不圆滑的；笨拙的，拙劣的 例 After graduating from college, he has never been that *gauche* college student any more. 从学校毕业之后，他就再也不是那个不善交际的大学生了。 派 gaucherie(*n.* 笨拙)
dispatch * [dɪˈspætʃ]	*vt.* 派遣，调遣；发送(邮件、信息等)；迅速完成，迅速处理 *n.* 派遣；快件；新闻报道 记 联想记忆：dis(分开) + patch(片) → 把人群分成几片 → 派遣，调遣 例 All the mails will be *dispatched* within 24 hours as they reach here. 所有邮件到达这里后，二十四小时之内将被分发出去。
rattle [ˈrætl]	*v.* 发出格格声；使窘迫不安，使惊慌 *n.* 格格声，连续短促尖利的碰撞声 例 The strong and cold wind of December *rattled* the window at night. 十二月份的夜里，强烈的寒风使玻璃窗格格作响。
meddlesome * [ˈmedlsəm]	*a.* 爱管闲事的 记 联想记忆：meddle(管闲事) + some(多…的) → 爱管闲事的 例 According to the report, 80% of women are always *meddlesome*. 报告称，80%的女人总是爱管闲事。
impoverished * [ɪmˈpɑːvərɪʃt]	*a.* 穷困的，赤贫的；贫乏的，贫瘠的，枯竭的 记 来自 impoverish(*vt.* 使贫穷；使贫瘠) 例 Emma's gambling drove her family *impoverished* by debt. 由于赌博，埃玛使她的家庭因债务而变得赤贫。
savory * [ˈseɪvəri]	*a.* 美味可口的 例 The *savory* dishes gained a good reputation for this restaurant. 可口的菜肴给这家饭店赢得了好名声。 同 platable

6

antagonistic [ænˌtæɡəˈnɪstɪk]	*a.* 对抗的，敌对的，抵触的 记 来自 antagonist(*n.* 对抗者，对立者) 例 The new policy was *antagonistic* to the reality of this country. 这条新政策与国家的现实相抵触。 同 hostile

长难句分析(四)

4 According to it, watching television not only undermines the viewer's ability to criticize and differentiate, along with the moral and political fiber of their being, but also impairs their overall ability to perceive.

译文:根据报告显示，看电视不仅削弱观众批评与区别的能力以及他们的道德和政治意志，同样会伤害他们整体的感知能力。

解析:注意本句是由 not only...but also... 连接的并列句，not only 引导的分句中，along with 的意思是是"连同…一起"，它后面的 the moral and political fiber of their being 与之前的 ability to criticize and differentiate 是并列关系。

5 I think the carvings mean something, because shapes and details, which I never seem to notice until after they're pointed out to me, always mean something to Chinese people.

译文:我认为这些雕刻品有着某些意味，因为之前我并未在意、直到被指给我看时才发现的那些形状和细节对于中国人来说通常都是有一定意味的。

解析:本句中 because 引导一个原因状语从句，从句中套用了一个由 which 引导的从句来修饰先行词 shapes and details。本句的主干是 I think the carvings mean something, because shapes and details...always mean...

6 Though we are at the top of our food chain, if we had to live along in the rain forest, say, and protect ourselves against roaming predators, we would live party in terror, as our ancestors did.

译文:虽然我们处在食物链的最顶部，但是假如我们要生活在热带雨林中，要保护自己不受四处游荡的食肉动物的攻击，那么我们可能就需要在恐惧中过群居的生活，就像我们的祖辈那样。

解析:找本句的主干要抓住下面几个部分:Though we are... if we had to live... we would live party...，其中 though 表示"尽管"，引导一个让步状语从句，从句中套用了由 if 引导的条件状语从句，这里面 say 是插入语，意思是"比方说"；而 as 是连词，"正如，就像"的意思。

词根预习表

cred	相信	credible *a.* 可信的	mot	移动	emotion *n.* 情绪
ceiv	拿	deceive *v.* 欺骗，蒙蔽	trem	害怕	tremendous *a.* 巨大的
sol	孤独的	desolate *vt.* 使孤独	var	改变	variant *n.* 变体；变种
tract	拉	retract *v.* 缩回，缩进	loqu	说	colloquial *a.* 口语的
ann	年	annals *n.* 编年史	cess	走	access *n.* 进入

credible [ˈkredəbl]	*a.* 可信的 记 词根记忆：cred(相信) + ible(可…的) → 可信的
imitate [ˈɪmɪteɪt]	*vt.* 模仿；仿效；仿造，伪造 记 联想记忆：他模仿(imitate)得再像，也是有限度(limit)的 例 Harold has a unique ability to *imitate* any sound he has heard. 哈罗德有种独特的能力，能够模仿听过的任何声音。 派 imitation(*n.* 模仿，效法；仿制品); imitative(*a.* 模仿的；伪造的)
dramatic [drəˈmætɪk]	*a.* 戏剧的，剧本的；戏剧性的；引人注目的；突然的 记 词根记忆：drama(戏剧) + tic(…的) → 戏剧的 例 a *dramatic* society 戏剧协会 // a *dramatic* increase 剧增 同 striking, theatrical, vivid
ornamental [ˌɔːrnəˈmentl]	*a.* 装饰性的 记 来自 ornament(*v./n.* 装饰，修饰) 例 *ornamental* plants 装饰性植物
superintendent [ˌsuːpərɪnˈtendənt]	*n.* 主管，负责人，指挥者，管理者 记 联想记忆：super(上等的) + intend(打算) + ent(表人) → 做打算、写计划的上级 → 主管，负责人 同 supervisor, administrator
parentage [ˈperəntɪdʒ]	*n.* 出身；起源 记 来自 parent(*n.* 父母) 例 a young American of German *parentage* 一个年轻的德裔美国人

emotion [ɪˈmoʊʃn]	*n.* 情绪，情感 记 词根记忆：e(看作 ex，出) + mot(移动) + ion(表名词) → 情绪的波动 → 情绪 例 personal *emotion* 个人情感 派 emotionless(*a.* 不露感情的；没有感情的)；emotional(*a.* 情绪的，情感的)；emotionally(*ad.* 在情绪上；有感情地) 同 sentiment, feeling
moderate	[ˈmɑːdərət] *a.* 中等的，适度的；温和的，稳健的 [ˈmɑːdəreɪt] *v.* (使)缓和 记 词根记忆：mod(适合) + erate → 适度的 例 students of *moderate* ability 能力一般的学生 同 mediocre
deceive [dɪˈsiːv]	*v.* 欺骗，蒙蔽 记 词根记忆：de(变坏) + ceiv(拿) + e → 用不好的手段拿 → 欺骗，蒙蔽 例 Many home buyers were *deceived* into buying homes at inflated prices. 许多买主被骗以过高的价格购买了房屋。 派 deceptive(*a.* 欺骗性的)；deceptively(*ad.* 迷惑地；虚伪地)；deceit(*n.* 欺骗，欺诈)；deceitful(*a.* 惯于欺骗的，不诚实的) 同 trick, cheat
recollect [ˌrekəˈlekt]	*v.* 回忆，想起，记起 记 联想记忆：和 recall(*v.* 回想)一起记 例 I can still *recollect* every detail of that meeting. 我仍记得那次会议的每一个细节。
exterior [ɪkˈstɪriər]	*a.* 外部的，外在的 *n.* 外部 记 词根记忆：exter(外面) + ior → 外部的 例 *exterior* walls 外墙
unfavorable [ʌnˈfeɪvərəbl]	*a.* 相反的；不适宜的，不顺利的；令人不快的 记 来自 favorable(*a.* 有利的；讨人喜欢的) 例 The conditions in this area were *unfavorable* for agriculture. 这一地区的条件不适宜发展农业。 同 disadvantageous
abet * [əˈbet]	*vt.* 教唆，煽动；帮助，支持 记 联想记忆：a + bet(打赌) → 你敢打赌吗? → 教唆，煽动 例 The group aids and *abets* terrorists around the world. 该集团资助和教唆全世界的恐怖分子。
tremendous [trəˈmendəs]	*a.* 巨大的，极大的 记 词根记忆：trem(害怕) + endous → 大得让人害怕的 → 巨大的 例 a *tremendous* amount of work 大量的工作 派 tremendously(*ad.* 巨大地，非常地) 同 enormous, marvelous

bulwark * [ˈbʊlwɜːrk]	*n.* 壁垒；防波堤 记 联想记忆：bul(看作拼音 bu，不) + wark(看作 walk，走) → 不让洪水走进来 → 防波堤
pervade [pərˈveɪd]	*v.* 遍及；弥漫，遍布 记 词根记忆：per(始终) + vad(走) + e → 足迹遍及大江南北 → 遍及 例 Physicists confirmed neutrinos, the "ghost particles" that *pervaded* the Universe, had mass. 物理学家证实被称为"幽灵粒子"的在宇宙中大量存在的中微子是有质量的。
ken [ken]	*n.* 视野；知识领域；理解范围 记 发音记忆："看" → 博览群书，视野(ken)开阔
remote [rɪˈmoʊt]	*a.* 偏远的，偏僻的；关系疏远的 记 词根记忆：re(反) + mot(移动) + e → 向相反的方向移动 → 关系疏远的 例 *remote* control 遥控器 // Your comments were *remote* from the topic we were discussing. 你的评论跟我们正讨论的话题没什么关系。 同 divergent, faraway
bug [bʌg]	*n.* 小虫，臭虫；毛病，故障 *vt.* 打扰，使厌烦 记 联想记忆：书包(bag)里长满了小虫子(bug) 例 There might be some *bugs* in your printer. 你的打印机可能有些毛病。// It really *bugs* me when I cannot remember the book's name. 我想不起那本书的名字了，真让我头疼。 同 bother, annoy
jungle [ˈdʒʌŋgl]	*n.* (热带)丛林，密林；乱七八糟的一堆；竞争激烈的环境 例 *jungle* law 弱肉强食的原则
copious * [ˈkoʊpiəs]	*a.* 丰富的，大量的 记 联想记忆：copi(看作 copy，拷贝) + ous → 能拷贝很多 → 丰富的 例 The most important thing you can do is to drink *copious* amounts of hot water. 你能做的最重要的事情就是喝大量的热水。
chimerical * [kaɪˈmerɪkl]	*a.* 空想的 记 联想记忆：很多化学(chemical)物质是他空想的(chimerical)产物 例 *chimerical* ideas / schemes 异想天开的主意 / 计划 同 imaginary, fanciful, visionary, fantastic, quixotic
desolate * [ˈdesələt]	[ˈdesəleɪt] *vt.* 使荒芜；使孤独 [ˈdesələt] *a.* 荒凉的，荒无人烟的；孤独的 记 词根记忆：de(完全地) + sol(孤独的) + ate(使…) → 使孤独 例 a bleak and *desolate* landscape 一片荒凉的景象 // The invading forces *desolated* the magnificent palace. 侵略军使这座宏伟的宫殿沦为废墟。 同 deserted
compassionate [kəmˈpæʃənət]	*a.* 富于同情心的 记 来自 compassion(*n.* 同情，怜悯) 例 A *compassionate* act comes out of a *compassionate* feeling. 富有同情心的行为源自内心对他人的同情。

antedate [ˌænti'deɪt]	*n.* 比正确日期早的日期　*vt.* 提前日期；先于，早于 记 词根记忆：ante(前) + date(日期) → 比正确日期早的日期 例 The symptoms usually do *antedate* the illness for ten years. 这些症状通常会比疾病早十年出现。
antiquate [ˈæntɪkweɪt]	*vt.* 因过时而淘汰，因陈旧而废弃 例 With the development of the human society, there have always been new things *antiquating* old things. 随着社会的发展，总是不断有新的事物使旧事物过时，将其淘汰。
diaphanous * [daɪˈæfənəs]	*a.* (布料或织物)轻柔细密的；半透明的；精致的 记 词根记忆：dia(通过) + phan(展现) + ous → 通过精致的衣服展现形体的美 → 精致的 例 a *diaphanous* silk veil 透明的丝绸面纱
variant [ˈværiənt]	*n.* 变体；变种；变形 记 词根记忆：var(改变) + iant → 变体；变种 例 The English and Americans often spell words differently, but both *variants* are acceptable. 英国人和美国人的拼写经常不同，但两种变体均可接受。
symphony [ˈsɪmfəni]	*n.* 交响乐，交响曲；和谐，一致 记 词根记忆：sym(共同) + phon(声音) + y → 奏出共同的声音 → 交响乐 例 *symphony* orchestra 交响乐队 同 concord, harmony
archaic [ɑːrˈkeɪɪk]	*a.* 古老的；古代的；陈旧的 记 词根记忆：arch(古老) + aic(…的) → 古代的 例 *archaic* art 古代艺术
domain [douˈmeɪn]	*n.* (活动、思想等)领域，范围；领土，领地 记 联想记忆：每个人都有自己一块主要的(main)活动领域(domain) 例 *domain* name 域名 同 realm, field, territory
persecution [ˌpɜːrsɪˈkjuːʃn]	*n.* 迫害；烦扰 记 来自 persecute(*v.* 迫害)
synthesis * [ˈsɪnθəsɪs]	*n.* 综合；合成 记 联想记忆：syn(共同) + thesis(论题) → 将论题归为一类 → 综合 同 composite, integration
retract * [rɪˈtrækt]	*v.* 缩回，缩进；收回，取消，撤销 记 词根记忆：re + tract(拉) → 拉回去 → 缩回，缩进 例 Galileo was not the first scientist to be forced to *retract* his theories. 伽利略并不是第一个被迫收回理论的科学家。// Because of the meeting, the film maker had to *retract* from the engagement. 因为这次会议，电影制作人不得不取消约会。 同 withdraw

well-wisher	*n.* 祝福者
	记 联想记忆：well(好) + wish(祝福) + er(表人) → 祝福者
discern [dɪ'sɜːrn]	*v.* 认出，发现；辨别，识别
	记 词根记忆：dis(离开) + cern(分开) → 分别开来 → 辨别，识别
	搭 discern from 辨别
	例 Some people have difficulty in *discerning* red from green. 一些人难辨红绿两色。
	派 discernible*(*a.* 可识别的)；discernment(*n.* 识别；洞察力)
	同 discriminate, detect, recognize
collective [kə'lektɪv]	*n.* 集体 *a.* 集体的
	记 来自collect(*v.* 收集)
	例 the *collective* effort 集体的努力
	同 group, community
contradictory [ˌkɑːntrə'dɪktəri]	*a.* 反对的；矛盾的
	记 来自contradict(*v.* 矛盾)
	例 The witness's statement was *contradictory* to the one he'd made earlier. 证人的陈述前后矛盾。
chasm* ['kæzəm]	*n.* (地上的)裂隙，深坑；显著差别
	记 联想记忆：cha(音似：茶) + sm → 峡谷产好茶 → 深坑，裂隙
	例 the *chasm* between rich and poor 贫富差距
colloquial* [kə'loʊkwiəl]	*a.* 口语的，会话的
	记 词根记忆：col(共同) + loqu(说) + ial → 两人一起说的 → 口语的
injurious* [ɪn'dʒʊəriəs]	*a.* 有害的
	记 来自injure(*v.* 伤害，损伤)
	例 *injurious* ingredient 有害成分
	同 detrimental
mansion ['mænʃn]	*n.* 大厦；官邸
	记 联想记忆：man(人) + ion → 用人力建造的大型建筑物 → 大厦
	例 a country *mansion* 乡村宅第
baleful ['beɪlfl]	*a.* 有害的；恶意的
	记 联想记忆：bale(古代或诗歌中，灾难) + ful → 带来灾难的 → 有害的
	例 a *baleful* look 凶恶的样子
	同 ominous*
sober ['soʊbər]	*a.* 清醒的；认真的，冷静的，严肃的；颜色不鲜艳，淡素的
	记 联想记忆：足球(soccer)运动员在赛场上要保持冷静(sober)
	例 a *sober*, hard-working young man 一位冷静、努力的年轻人 // a *sober* grey suit 一件暗灰色的西服
proficiency [prə'fɪʃnsi]	*n.* 熟练，精通
	记 来自proficient(*a.* 熟练的)
	例 *proficiency* test 水平测试
	同 mastery, competence

7

annals* ['ænlz]	*n.* 编年史；年报 记 词根记忆：ann(年) + als → 编年史 例 the *annals* of war 战争史
lapse [læps]	*n.* 失误，疏忽；行为有失检点，失足；(时间的)流逝，间隔 *v.* 终止，失效；陷入(或进入)…状态 搭 lapse into 陷入(或进入)…状态 例 Annie *lapsed* into a coma in hospital. 安妮在医院里陷入了昏迷状态。
intensive [ɪn'tensɪv]	*a.* 加强的；集中的；深入细致的 记 来自 intense(*a.* 强烈的，剧烈的) 例 *intensive* training 强化训练 // *intensive* readings 精读材料
fervor* ['fɜːrvər]	*n.* 热情，热烈 例 patriotic *fervor* 爱国热诚
controversial [ˌkɑːntrə'vɜːrʃl]	*a.* 引起争论的，有争议的 记 词根记忆：contro(相反) + vers(转) + ial → 反着转 → 引起争论的 例 a highly *controversial* issue 一个相当有争议的问题
caucus* ['kɔːkəs]	*n.* 政党会议；核心小组会议 记 源自 Caucus，美国波士顿政党会议俱乐部(18世纪60年代)
abstract*	['æbstrækt] *n.* 摘要，概要 *a.* 抽象的；深奥的；理论的 [æb'strækt] *v.* 写摘要；提炼 记 词根记忆：abs(去掉) + tract(拉) → 去粗取精 → 摘要 例 By the age of seven, children are capable of understanding some *abstract* concepts. 孩子七岁的时候就可以理解一些抽象概念了。 派 abstracted(*a.* 出神的)；abstraction(*n.* 抽象，抽象概念) 同 theoretical, summary abstract
zest [zest]	*n.* 趣味；热情，热心 记 联想记忆：有热情(zest)才能做到最好(best) 例 The possibility of danger will give a *zest* to this adventure. 潜在的危险会使这次冒险更有趣。// Emma entered into our plans with *zest*. 爱玛热情地加入了我们的计划。
eloquence* ['eləkwəns]	*n.* 雄辩，口才 记 词根记忆：e + loqu(说) + ence(表名词) → 说的能力 → 口才 例 a speech of passionate *eloquence* 热情洋溢、雄辩的演讲
arbiter* ['ɑːrbɪtər]	*n.* 仲裁者，裁决人 记 词根记忆：ar(=to) + bit(去) + er(表人) → 产生争议，找人协调 → 仲裁者 例 an *arbiter* of fashion 时尚权威
outlive [ˌaʊt'lɪv]	*vt.* 比…长命；比…耐久；经受住 记 词根记忆：out(超过) + live(活着) → 比…长命 例 Diana lived to a very great age and *outlived* not only her husband but all her five children. 戴安娜非常长寿，活得比她的丈夫和五个孩子都长。

coy * [kɔɪ]	*a.* 腼腆的，羞涩的，忸怩的 记 联想记忆：腼腆的(coy)男孩(boy) 例 a *coy* smile 腼腆的微笑
subsidize [ˈsʌbsɪdaɪz]	*vt.* 给补助金、津贴、奖金 记 来自 subsidy(*n.* 补助金，津贴)
access [ˈækses]	*n.* 接近，进入；入口，通道；接近(或进入)的方法 *v.* 接近 记 词根记忆：ac(加强) + cess(走) → 走进去 → 进入 搭 access to 通往…的道路；have access to 有机会、权利享用或接近… 例 Helen's beauty, along with luck, helped her have *access* to the upper class. 海伦的美貌加上好运使她有机会步入上流社会。 派 accessible(*a.* 可接近的，可进入的)；accessibility(*n.* 易接近；可到达)
vacuity [vəˈkjuːəti]	*n.* (精神)空虚；思想贫乏 记 词根记忆：vac(空的) + uity → 空虚
vicious [ˈvɪʃəs]	*a.* 恶毒的，凶残的，邪恶的 记 来自 vice(*n.* 罪恶) 例 *vicious* remarks 恶毒的评论 派 viciously(*ad.* 恶毒地)；viciousness(*n.* 恶毒)
preclude * [prɪˈkluːd]	*vt.* 阻止；排除；妨碍 记 词根记忆：pre(前) + clud(关闭) + e → 在危险到来之前关闭 → 阻止 搭 preclude sb. from doing sth. 阻止某人做某事 例 We are *precluded* from going for a picnic due to the heavy rain. 大雨使得我们无法去野餐。
withdraw [wɪθˈdrɔː]	*v.* 取回，收回；撤销；提，取(银行账户中的款) 记 联想记忆：with(反) + draw(拉) → 拉回来 → 取回，收回 例 Eight million bottles of water had to be *withdrawn* from sale. 正在销售的八百万瓶水被召回了。 派 withdrawal(*n.* 收回，撤回)；withdrawn *(*a.* 性格内向的；孤僻的，离群的)
deportment [dɪˈpɔːtmənt]	*n.* 行为，举止 记 联想记忆：部门(department)的行为(deportment)代表着公司的形象 例 improper *deportment* 不适当的行为
agape [əˈgeɪp]	*a.* 张口发呆的，目瞪口呆的 记 联想记忆：ag + ape(猿) → 看到猿人，目瞪口呆 → 目瞪口呆的 例 Sheila's mouth was *agape*, and she can't believe what she's just heard. 希拉目瞪口呆，她无法相信自己刚听到的一切。
exclusive [ɪkˈskluːsɪv]	*a.* 专有的，独占的；除外的，排他的 记 词根记忆：ex(在外) + clus(关闭) + ive(…的) → 关在外面的 → 除外的，排他的 例 an *exclusive* interview 独家采访，专访 // an *exclusive* nation 排外的国家

□ coy   □ subsidize   □ access   □ vacuity   □ vicious   □ preclude

□ withdraw   □ deportment   □ agape   □ exclusive

75

ridicule [ˈrɪdɪkjuːl]	*vt.* 嘲笑，奚落 记 词根记忆：rid(笑) + icule → 奚落，嘲笑 例 It's wrong to *ridicule* other's mistakes. 嘲笑别人的错误是不对的。
autobiography [ˌɔːtəbaɪˈɑːgrəfi]	*n.* 自传 记 词根记忆：auto(自己) + bio(生命) + graphy(写) → 写自己的生命历程 → 自传
wretch [retʃ]	*n.* 不幸的人，苦命的人；卑劣的人，无耻的人，坏人 记 联想记忆：看到坏人(wretch)就想呕吐(retch) 例 The poor *wretch* lost all his money. 那个可怜的人把所有的钱都弄丢了。 //Stop pulling my hair, you *wretch*! 别拉我的头发了，你这个坏蛋！
apparatus * [ˌæpəˈrætəs]	*n.* 器械，设备，仪器，装置 记 词根记忆：ap(加强) + par(安排) + atus → 有助于工作安排 → 器械，设备 例 chemical *apparatus* 化学仪器 // remote control *apparatus* 遥控装置
irritable [ˈɪrɪtəbl]	*a.* 易怒的，急躁的 记 来自 irritate(*vt.* 使恼怒，使烦躁) 例 He was *irritable* when he was young. 他年轻的时候脾气暴躁。
practicable * [ˈpræktɪkəbl]	*a.* 能实行的，行得通的，可以实行的 记 来自 practice(*v.* 实践) 例 a *practicable* plan 可行的计划 同 feasible *, doable
productive [prəˈdʌktɪv]	*a.* 生产(性)的；能产的，多产的；有成效的 记 来自 product(*n.* 产品，产物) 例 *productive* forces 生产力 // a *productive* writer 多产的作家 // a *productive* meeting 有成效的会议
aboriginal * [ˌæbəˈrɪdʒənl]	*a.* 土著的；原始的 *n.* 土著居民 记 词根记忆：ab + ori(出现，开始) + gin + al(…的) → 原始的；土著的 例 *aboriginal* art 土著艺术
complaint [kəmˈpleɪnt]	*n.* 诉苦，抱怨 记 来自 complain(*v.* 抱怨)
inspiration [ˌɪnspəˈreɪʃn]	*n.* 吸入，吸气；鼓舞，激动；灵感 记 词根记忆：in(进入) + spir(呼吸) + ation → 吸进空气 → 吸气 例 a constant *inspiration* 永久的鼓舞 派 inspirational(*a.* 有灵感的；给予灵感的)；inspire(*vt.* 鼓舞；给…以灵感)； inspiring(*a.* 使人振奋的，鼓舞的)
execute * [ˈeksɪkjuːt]	*vt.* 实行，实施，执行，完成，实现；处决 记 词根记忆：ex + ecu(看作 secu，跟随) + te → 跟随下去 → 实施，执行 例 Several staff were sent to *execute* the company's policy for homeowners. 公司派了几名员工去执行针对业主的政策。

□ ridicule □ autobiography □ wretch □ apparatus □ irritable □ practicable
□ productive □ aboriginal □ complaint □ inspiration □ execute

qualify [ˈkwɑːlɪfaɪ]	*v.* (使)具有资格；证明合格；限制，限定；修饰
	记 联想记忆：qual(看作 quality，质量) + ify(使) → 质量过关 → 证明合格
	搭 qualifiy for 有权做
	例 After *qualifying*, stock brokers must work for the company for five years. 取得资格后，股票经纪人必须为公司工作五年。
	同 modify

antecede* [ˌæntəˈsiːd]	*v.* 先前，先行；居…之先，胜过
	记 联想记忆：ante(前) + ced(走) + e → 走在前面 → 先行；胜过

ceremonious* [ˌserəˈmoʊniəs]	*a.* 仪式的；讲究礼节的；正式的，隆重的
	记 来自 ceremony(*n.* 典礼，仪式)
	例 a *ceremonious* reception 隆重的接待仪式

calculable [ˈkælkjələbl]	*a.* 可计算的；能预测的
	记 来自 calculate(*v.* 计算)
	例 a *calculable* risk 可预测的风险

contract*	[ˈkɑːntrækt] *n.* 合同，契约 [kənˈtrækt] *v.* 缩小，缩短；订(约)；得(病)
	记 联想记忆：con (共同) + tract (拉，拽) → 合同将双方损益拉到一起 → 合同，契约
	搭 contract with 订立合同
	例 One-third of the adult population there has *contracted* AIDS. 那个地区三分之一的成年人感染了艾滋病。// cancel the *contract* 取消合同

ambush [ˈæmbʊʃ]	*n.* 埋伏，伏兵 *v.* 埋伏；伏击
	记 联想记忆：am(看作 army，军队) + bush(矮树丛) → 埋伏在矮树丛里的军队 → 埋伏；伏击
	例 The general was not wise enough that his troops were *ambushed* and suffered serious losses in the forest. 那位将军不够明智，结果他的部队在森林中了埋伏，损失惨重。

sanction* [ˈsæŋkʃn]	*vt.* 同意，许可，准许；(国际)制裁
	记 词根记忆：sanct(神圣) + ion → 打狗棒乃丐帮神圣之物，没有帮主批准是不能擅自动用的 → 同意
	例 The wrong use of the word is *sanctioned* by usage. 这个词的错误用法已是约定俗成了。
	派 sanctionist(*n.* 制裁国)

mainstream [ˈmeɪnstriːm]	*n.* 主流
	记 组合词：main(主要的) + stream(溪，流) → 主流
	例 literary *mainstream* 文学主流

scruple* [ˈskruːpl]	*n.* 顾虑，顾忌；踌躇，犹豫
	记 联想记忆：scrup(看作 scrub，身材矮小的人) + le → 身材矮小者在恋爱时常不自信，顾忌很多 → 踌躇；顾忌
	例 The lawyer made no *scruple* to speak his doubts. 律师毫不迟疑地说出了他的疑问。

premier [prɪˈmɪr]	*n.* 首相，总理 *a.* 第一的，首要的 记 词根记忆：prem(i)(=prim，第一的) + er(表人) → 国家中的第一人 → 首相，总理 例 the former *premier* 前任总理
earnest [ˈɜːrnɪst]	*a.* 热心的，诚挚的，认真的 记 联想记忆：要想挣钱(earn)就得认真(earnest)干 搭 in earnest 认真的(地)，坚定的(地)，诚挚的(地) 例 an *earnest* young man 一个认真的年轻人
elicit* [ɪˈlɪsɪt]	*vt.* 得出，引出，引起，诱出 记 词根记忆：e(看作 ex，出) + lic(诱使) + it→ 诱出 例 The leading actor has *elicited* admiration by his excellent acting skill in the film. 那名男主角凭借在电影中的精湛演技博得了人们的称赞。 同 educe
propel [prəˈpel]	*vt.* 推进，推动；激励，驱使 记 词根记忆：pro(向前) + pel(推) → 推进，推动 例 Pressure from the crowd behind was *propelling* us further and further forward. 在后面人群的推动下，我们不断地前进。 派 propellant(*n.* 推进物); propelment(*n.* 推进；鼓励) 同 stimulate, impel
ephemeral* [ɪˈfemərəl]	*a.* 朝生暮死的；短暂的；短命的 记 词根记忆：ep(在…之中) + hemer(日子) + al(…的) → 生命很短暂，就 在一天一天之中过去了 → 短暂的 例 *ephemeral* pleasure 短暂的快乐 同 transient, transitory, momentary, fleeting, evanescent
notable* [ˈnoʊtəbl]	*a.* 值得注意的；显著的；著名的 记 词根记忆：not(知道) + able(可…的) → 被很多人知道的 → 显著的 例 a *notable* success 显著的成功 派 notably(*ad.* 显著地，特别地); notability(*n.* 显要人物) 同 distinguished, prominent, remarkable, eminent*, noteworthy
churlish [ˈtʃɜːrlɪʃ]	*a.* 粗野的；脾气坏的；无礼的 记 联想记忆：脾气太坏（churlish），得去教堂 **churlish** （church）忏悔 例 Shirley invited me to dinner and I thought it would be *churlish* to refuse. 雪莉邀请我一起吃晚 饭，我觉得拒绝的话不礼貌。 同 boorish, loutish, vulgar
transfigure [trænsˈfɪɡjər]	*vt.* 美化；使变形，使改观 记 联想记忆：trans(改变) + figure(形象) → 改变形象 → 美化 例 The old lady's faces became *transfigured* with joy. 老妇人的脸因喜悦而 容光焕发。

devious* [ˈdiːviəs]	*a.* 迂回的，曲折的；偏离(正道)的；不光明正大的，不坦诚的 记 词根记忆：de(离开) + vi(路) + ous(…的) → 离开路的 → 偏离的 例 a *devious* route 曲折的道路 同 out-of-the-way, wandering, roundabout
strident* [ˈstraɪdnt]	*a.* 尖声的，刺耳的；强硬的，咄咄逼人的 例 The woman's *strident* voice angered the bus driver. 女人刺耳的声音把公交车司机激怒了。 同 vociferous
seep* [siːp]	*v.* 渗漏，渗透 例 This sea was polluted because the oil *seeped* from the pipe. 由于石油从管道渗漏出来，这片海被污染了。
bent* [bent]	*n.* 特长，倾向，爱好 *a.* 弯曲的；下决心的 例 The little boy is *bent* on becoming a singer when he grows up. 小男孩一心想长大后成为一名歌手。
checkered* [ˈtʃekərd]	*a.* 盛衰无常的 例 There is an architecture with a *checkered* history in my hometown. 我的家乡有一处建筑历经历史的兴衰。
retentive* [rɪˈtentɪv]	*a.* 有记性的，记忆力强的 例 The old woman has a *retentive* memory and can tell many things happening several decades ago. 这位老妇人的记性很好，能讲出几十年前发生的许多事情。
disenchant [ˌdɪsɪnˈtʃænt]	*vt.* 使清醒，使不再抱幻想 例 The university should *disenchant* the students that the real society is not ideal. 大学应该使学生清醒认识到现实社会并不是理想化的。 派 disenchanted(*a.* 不再抱幻想的)
flabbergast* [ˈflæbərgæst]	*vt.* 使大吃一惊，使目瞪口呆 例 When he was announced to win a laptop, the winner was just *flabbergasted*. 当宣布获胜者赢得了一台笔记本电脑时，他吃惊得目瞪口呆。 派 flabbergasted(*a.* 吃惊的) 同 surprise
crop* [krɑːp]	*n.* 作物，庄稼；(谷物等的)一熟，收成；一批人，一群人 *v.* 收割，收获；种植 例 Corn is one of the most important *crops* in northeast China. 玉米是中国东北最重要的作物之一。

7

Word List 8

词根预习表

graph	写	biography *n.* 传记	aud	听	audible *a.* 听得见的
part	分开	impartial *a.* 不偏不倚的	neg	否认	negate *vt.* 否定
leg	法律	privilege *n.* 特权	cept	拿	intercept *vt.* 中途拦截
fer	带来	refer *v.* 提交；谈及	simul	相同	simultaneous *a.* 同时发生的
viv	生命	vivacious *a.* 活泼的	don	给予	donate *vt.* 捐赠

---

irritate
[ˈɪrɪteɪt]

vt. 激怒，使急躁；刺激

记 词根记忆：irrit(激怒) + ate → 激怒，使急躁

例 It *irritated* me when people gave me phony information. 别人给我虚假信息的时候我会生气。

同 agitate, disturb

---

glamorous
[ˈɡlæmərəs]

a. 迷人的，富有魅力的；吸引人的

例 a *glamorous* job 令人向往的工作

---

inhospitable
[ˌɪnhɑːˈspɪtəbl]

a. 冷淡的，不好客的；(地带，气候等)不适合居住的，(指地方)荒凉的

例 *inhospitable* terrain 荒凉地带

---

biography
[baɪˈɑːɡrəfi]

n. 传记

记 词根记忆：bio(生命) + graph(写) + y → 记录生命 → 传记

---

inconsistent
[ˌɪnkənˈsɪstənt]

a. 不一致的；不协调的；矛盾的

记 来自 consistent(*a.* 一致的)

例 *inconsistent* behaviour 前后不一致的行为

---

ruddy
[ˈrʌdi]

a. 红色的；(脸色)红润的

记 联想记忆：在泥泞的 (muddy) 路上打闹的孩子，看上去身体健康，脸色红润(ruddy)

例 *ruddy* cheeks (脸色)红润的面颊

同 red, reddish

---

outlast
[ˌaʊtˈlæst]

vt. 比…长久；比…活得长

记 词根记忆：out(超过) + last(持续) → 比…长久

例 It seemed incredible that a man could *outlast* half a century shut up in a dark hole like a rat. 一个人竟能像耗子一样在一个黑洞里生活半个多世纪，这似乎令人难以置信。

□ irritate □ glamorous □ inhospitable □ biography □ inconsistent □ ruddy
□ outlast

audible [ˈɔːdəbl]	*a.* 听得见的 记 词根记忆：aud(听) + ible(能…的) → 听得见的 例 *audible* reception 声频接收
cherish [ˈtʃerɪʃ]	*v.* 珍爱；怀抱(希望等) 记 联想记忆：好好珍爱(cherish)，不让它受到毁坏(perish) 例 We still *cherish* the memory of that day. 我们依然珍视那天的回忆。// The tennis player still *cherished* the hope of winning an Olympic medal. 那位网球运动员依然对获得奥林匹克奖牌抱有希望。 同 appreciate, value, prize, treasure
external [ɪkˈstɜːrnl]	*a.* 外部的，外面的 记 词根记忆：exter(外面) + nal → 外面的 例 an *external* wound 外伤 // *external* pressure 外界压力 派 externally(*ad.* 在外部；外表上)；externalize(*vt.* 使具体化)
disdain＊ [dɪsˈdeɪn]	*n.* 轻蔑 记 词根记忆：dis(不) + dain(看作 dign，价值) → 认为没有价值 → 轻蔑 例 a *disdain* for the law 对法律的藐视
playwright [ˈpleɪraɪt]	*n.* 剧作家 记 组合词：play(戏剧) + wright(制造者) → 戏剧的制造者 → 剧作家 例 a famous *playwright* 著名的剧作家
fretful＊ [ˈfretfl]	*a.* 烦躁的，焦躁的 记 来自 fret(*v.* 烦恼，焦躁) 例 a *fretful* child 急躁的孩子
duration＊ [duˈreɪʃn]	*n.* 持续，持久；持续期间 记 词根记忆：dur(持续) + ation(表名词) → 持续 例 the *duration* of the war 战争期间
tribute＊ [ˈtrɪbjuːt]	*n.* 贡品；颂词，称赞；(表示敬意的)礼物 记 词根记忆：tribut (给予) + e → 给予最好的礼物 → 贡品 例 Columbus commanded each Indian to pay an annual *tribute*. 哥伦布命令每个印第安人给他交年贡。 同 compliment, praise
questionable [ˈkwestʃənəbl]	*a.* 可疑的 记 联想记忆：question(问题) + able(形容词后缀) → 可疑的 例 The statistics are highly *questionable*. 这些数据非常可疑。 同 problematic
tremulous＊ [ˈtremjələs]	*a.* 震颤的；颤抖的 记 词根记忆：trem(害怕) + ulous → 害怕得颤抖 → 震颤的 例 The girl's voice went on *tremulous* yet determined. 那个女孩的声音虽然颤抖却很坚定。

8

伟大的宙斯

tribute

proximity * [prɑːkˈsɪməti]	*n.* 接近，邻近 记 词根记忆：prox(接近) + imity → 接近 例 The main advantage of the hotel is its *proximity* to the beach. 这家酒店的主要优势是离海滩很近。 同 closeness
endanger [ɪnˈdeɪndʒər]	*vt.* 使遭到危险，危及，危害 记 联想记忆：en(使) + danger(危险) → 使遭到危险 例 If the unemployment rate continues to rise, social stability may be *endangered*. 如果失业率继续上升，可能会危及社会稳定。
workmanlike [ˈwɜːrkmənlaɪk]	*a.* 技巧熟练的，精工细作的 记 来自 workman(*n.* 工人，工匠)
ambulance [ˈæmbjələns]	*n.* 救护车 记 词根记忆：ambul(行走) + ance(表性质) → 哪里有病人就行走到哪里的车 → 救护车
impartial * [ɪmˈpɑːrʃl]	*a.* 公平的，不偏不倚的 记 词根记忆：im(不) + part(分开) + ial → 不分割某物 → 不偏不倚的 例 an *impartial* inquiry 公正的调查 同 fair, just, equitable*, unbiased, dispassionate, objective
indolence [ˈɪndələns]	*n.* 懒惰 记 来自 indolent(*a.* 懒惰的) 例 mental *indolence* 思想懒惰 同 sloth
lodge [lɑːdʒ]	*v.* (提供)住宿，投宿，留宿 *n.* 山林小屋；(游览区的)旅馆；临时住宿 例 The hotel owner would *lodge* the refugees for free. 那位旅馆老板愿意无偿为难民提供住处。// a hunting *lodge* 供打猎者居住的小屋
blandishment * [ˈblændɪʃmənt]	*n.* 奉承，哄诱 记 来自 blandish(*v.* 奉承，哄诱) 同 allurement
negate * [nɪˈɡeɪt]	*vt.* 否定；取消，使无效 记 词根记忆：neg(否认) + ate(使…) → 否定 例 The government was trying to *negate* the negative influence of the new policy on the economy. 政府正努力消除新政策给经济带来的负面影响。 同 nullify, annul, abrogate, invalidate
menacing [ˈmenəsɪŋ]	*a.* 威胁的；险恶的 记 来自 menace(*vt.* 威胁，威吓) 例 a *menacing* tone 威胁的口吻 同 endangering
affluent [ˈæfluənt]	*a.* 丰富的；富裕的 记 词根记忆：af(不断) + flu(流) + ent → 富得流油 → 丰富的；富裕的 例 a very *affluent* neighborhood 富人区

□ proximity □ endanger □ workmanlike □ ambulance □ impartial □ indolence
□ lodge □ blandishment □ negate □ menacing □ affluent

privilege [ˈprɪvəlɪdʒ]	*n.* 特权，优惠，特许 *vt.* 给予优惠，给予特权 记 词根记忆：pri(少数的) + vi + leg(法律) + e → 法律给予少数人的权利 → 特权 例 special *privilege* 特权 // The government of this country *privileged* the disabled to take buses free. 该国政府赋予了残疾人免费乘公交的特权。 派 privileged(*a.* 享有特权的); underprivileged(*a.* 没享受适当权益的；弱势的)
intentional [ɪnˈtenʃənl]	*a.* 有意图的，故意的 记 来自 intention(*n.* 意图，目的) 例 *intentional* act 故意行为 同 intended
intellectual [ˌɪntəˈlektʃuəl]	*n.* 知识分子 *a.* 智力的，有智力的；有才智的 记 来自 intellect(*n.* 智力) 例 *intellectual* powers 智力 // an *intellectual* worker 脑力劳动者 // *intellectual* property 知识产权 派 intellectually(*ad.* 智力地); intellect(*n.* 智力，思维能力；才智非凡的人)
intercept [ˌɪntərˈsept]	*vt.* 中途拦截，截击，截取 记 词根记忆：inter(在…中间) + cept(拿) → 中途拿下 → 中途拦截 例 Several strangers *intercepted* Sheila and blocked her way. 几个陌生人拦住希拉并挡住她的去路。
extrovert * [ˈekstrəvɜːrt]	*n.* 性格外向者 记 词根记忆：extro(出) + vert(转动) → 喜欢出去转动 → 性格外向者
autopsy [ˈɔːtɑːpsi]	*n.* (为查明死因而做的)尸体解剖；验尸 记 联想记忆：auto(自己) + psy(看作 spy, 间谍) → 自己当间谍查明死因 → 尸体解剖；验尸
refer [rɪˈfɜːr]	*v.* 提交；使求助于；查阅；谈及 记 词根记忆：re + fer(带来，拿来) → 提交；谈及 搭 refer to 参考，查阅；涉及，提到；把…提交；refer to...as... 把…称作，把…当作 例 Although the teacher didn't mention any name, everyone knew who she was *referring* to. 虽然老师没有提及任何名字，但是大家都知道她说的是谁。
vegetable [ˈvedʒtəbl]	*n.* 蔬菜；生活呆板、单调的人；植物人 例 Since breaking up with my girlfriend, I've felt like a *vegetable*. 自从和女友分手后，我感到百无聊赖。
legislator [ˈledʒɪsleɪtər]	*n.* 立法者 记 来自 legislate(*v.* 通过立法)
allotment [əˈlɑːtmənt]	*n.* 分配 记 来自 allot(*vt.* 分配) 例 *allotment* of money 金额分配

radical [ˈrædɪkl]	*a.* 根本的，重要的；激进的，极端的 *n.* 激进分子；【数】根号，根式 记 词根记忆：radic(根) + cal → 根是植物生长之本 → 重要的，根本的 同 fundamental, drastic
juncture * [ˈdʒʌŋktʃər]	*n.* 交界处，接合点；时刻，重要关头 记 词根记忆：junct(连接) + ure(表行为的结果) → 接合点 例 a crucial *juncture* 关键时刻
simultaneous [ˌsaɪmlˈteɪnɪəs]	*a.* 同时的，同时发生的 记 词根记忆：simul(相同) + taneous(…的) → 时间相同的 → 同时发生的 例 a *simultaneous* translator 同声翻译 同 contemporaneous, synchronous, coincident, coinstantaneous
urgency [ˈɜːrdʒənsi]	*n.* 紧急，紧急的事 记 来自urgent(*n.* 紧急的，急迫的)
jargon * [ˈdʒɑːrgən]	*n.* 行话，术语 例 legal *jargon* 法律术语
shrewd * [ʃruːd]	*a.* 敏捷的，机灵的，精明的，伶俐的 记 联想记忆：shrew(泼妇)通常反应都不够 shrewd(灵敏) 例 a *shrewd* businessman 精明的生意人 派 shrewdly(*ad.* 精明地，机灵地); shrewdness(*n.* 机灵)
ascetic * [əˈsetɪk]	*a.* 苦行的；禁欲主义的 记 源自希腊文，原意是"刻苦锻炼并隐居的人" 例 an *ascetic* life 清苦的生活
vogue * [voʊg]	*n.* 时尚，风气，流行 记 联想记忆：有时候时尚(vogue)让人很茫然(vague) 搭 in vogue 流行 例 Black is in *vogue* again. 黑色又流行了起来。
vivid [ˈvɪvɪd]	*a.* (指光线或颜色)鲜艳的，强烈的；生动的，栩栩如生的；(头脑)活跃的 记 词根记忆：viv(生活) + id → 生动的 例 a *vivid* skirt 鲜艳的裙子 // a *vivid* account 生动的描述 派 vividly(*ad.* 生动地；鲜明地); vividness(*n.* 鲜艳；生动)
vivacious [vɪˈveɪʃəs]	*a.* 活泼的，快活的 记 词根记忆：viv(生命) + acious → 活泼的 例 a *vivacious* personality 活泼的个性 同 lively, animated*, sprightly, gay
suspicious [səˈspɪʃəs]	*a.* 猜疑的；可疑的，令人怀疑的 搭 be suspicious of 对…怀疑 例 The passengers became *suspicious* of his behaviour and contacted the police. 乘客对他的行为表示怀疑，于是报了警。 派 suspiciously(*ad.* 可疑地); suspect(*v.* 怀疑); suspicion(*n.* 怀疑，猜疑；涉嫌) 同 questionable, doubtful, sceptical

prosperity * [prɑːˈsperəti]	*n.* 繁荣，兴旺 记 来自 prosper(*v.* 繁荣，兴旺) 例 peace and *prosperity* 安定繁荣 派 prosperous(*a.* 繁荣富强的，兴旺的)
amiable * [ˈeɪmiəbl]	*a.* 和蔼可亲的，友好的，可爱的，亲切的 记 词根记忆：am(爱) + i + able(能…的) → 很容易喜欢上的 → 和蔼可亲的 例 an *amiable* tone of voice 亲切的语调
acclaim * [əˈkleɪm]	*n.* 称赞，欢迎 *v.* 欢呼，称赞；欢呼着同意 记 词根记忆：ac(加强) + claim(大叫) → 大声叫 → 欢呼 例 People *acclaimed* the writer and bought his books. 人们称赞那位作家并买了他的书。// popular *acclaim* 公众的赞扬
longevity * [lɔːnˈdʒevəti]	*n.* 长寿；持久 记 词根记忆：long(长) + ev(时间) + ity(表性质) → 活得时间长 → 长寿 例 the secret of *longevity* 长寿的秘诀 同 permanence, durability
donate [ˈdoʊneɪt]	*vt.* 捐赠，赠送 记 词根记忆：don(给予) + ate → 给予 → 捐赠 例 Alexander *donated* most of his art collections to the museum. 亚历山大将他大部分的艺术收藏品都捐赠给了博物馆。 派 donation(*n.* 捐赠；捐款，捐赠物); donator(*n.* 捐赠者) 同 contribute, present
condone * [kənˈdoʊn]	*vt.* 宽恕，赦免 记 词根记忆：con(共同) + don(给予) + e → 全部给予原谅 → 宽恕，赦免 例 I cannot *condone* the use of violence under any circumstances. 任何情形下我都不会宽恕使用暴力的行为。 同 excuse, pardon, forgive
abrogate [ˈæbrəgeɪt]	*vt.* 废除，取消 记 词根记忆：ab(离去) + rog(要求) + ate → 要求离去 → 废除 例 The two countries intend to *abrogate* the Mutual Defense Treaty. 两国打算废除《共同防御条约》。 同 nullify, negate, annul, invalidate
hospitable [hɑːˈspɪtəbl]	*a.* 好客的；招待周到的；(气候等)宜人的；(对新思想等)易接受的 记 联想记忆：这家主人(host)很好客(hospitable) 例 a *hospitable* climate 宜人的气候
artless * [ˈɑːrtləs]	*a.* 朴实的；单纯的；无虚饰的 例 an *artless* reply 朴实的回答

ultimatum [ˌʌltɪˈmeɪtəm]	*n.* 最后通牒 记 联想记忆：ultim(最后的) + a + tum(看作 term，期限) → 最后的期限 → 最后通牒
literacy [ˈlɪtərəsi]	*n.* 识字，有文化；读写能力 记 词根记忆：liter(文字) + acy(表性质) → 识字，有文化 例 basic *literacy* skills 基本的读写技巧 派 illiteracy(*n.* 文盲)
disregard [ˌdɪsrɪˈgɑːrd]	*vt.* 不理，不顾；蔑视 记 词根记忆：dis(不) + re(再) + gard(看作 guard，看守) → 不再看守了 → 不理，不顾
affected* [əˈfektɪd]	*a.* 假装的，做作的 记 来自 affect(*v.* 假装) 例 an *affected* laugh 假笑
endurable [ɪnˈdʊrəbl]	*a.* 可忍受的，能忍耐的；耐用的；能持久的 记 联想记忆：endure(忍受) + able(可…的) → 可忍受的
interpreter [ɪnˈtɜːrprɪtər]	*n.* 解释者；口译员 记 来自 interpret(*v.* 解释) 例 a sign language *interpreter* 手语译员
catastrophe* [kəˈtæstrəfi]	*n.* 大灾难，大祸 记 词根记忆：cata(向下) + stroph(出现) + e → 结束，终结 → 大灾难，大祸 例 This lake is facing ecological *catastrophe* as a result of pollution. 这个湖泊因污染正面临着生态灾难。 派 catastrophic(*a.* 悲惨的；灾难性的) 同 disaster
assuage [əˈsweɪdʒ]	*vt.* 缓和，减轻；使镇定 记 联想记忆：ass(驴子) + u + age(年龄) → 驴子上了年纪，应该给它减轻负担 → 减轻 例 The policy appeared to *assuage* some worries among international investors about the country's free-market reforms. 这一政策似乎是要减轻国际投资者对该国自由市场改革的担忧。
shuffle [ˈʃʌfl]	*v.* 搅乱；洗牌 记 联想记忆：shu(音似：输) + ffle → 打赌谁输了罚他洗牌 → 洗牌 例 The man *shuffles* through the contents of the drawer and brings out a small pile of photographs. 那个人胡乱翻着抽屉里面的东西，然后拿出了一小摞照片。
ingenious [ɪnˈdʒiːniəs]	*a.* 机灵的；有独创性的；心灵手巧的 记 词根记忆：in(在…中) + gen(产生) + i + ous(…的) → 在心中产生很多独特的想法 → 有独创性的 例 an *ingenious* invention 新颖的发明 同 intelligent, creative

brevity * [ˈbrevəti]	n. (时间)短暂；(讲话、文章等)简短 记 词根记忆：brev(短) + ity(表状态) → 简短
enthusiast [ɪnˈθuːziæst]	n. 热情者，热衷者 记 来自 enthusiasm(n. 热情，热心) 例 a football *enthusiast* 足球爱好者
terminal [ˈtɜːrmɪnl]	a. 末端的 n. 终点站；(电路)终端，接线端；(计算机)终端 记 词根记忆：termin(结束) + al → 终点站；终端 例 The data will be fed into the computer *terminal*. 该数据将被输入计算机终端。 派 terminally(ad. 在末端)
refugee [ˌrefjuˈdʒiː]	n. 难民，流亡者 记 词根记忆：re + fug(逃，离开) + ee → 逃离家园的人 → 难民
rural [ˈrʊrəl]	a. 农村的，乡村的 记 词根记忆：rur(乡村) + al(…的) → 乡村的 例 *rural* area 农村地区
credence * [ˈkriːdns]	n. 信用，信任；可信性，真实性 记 词根记忆：cred(相信) + ence → 相信 例 The man's bruises added *credence* to his statement that he had been beaten. 那个男子身上的淤伤让他的陈述更加可信：他被人打了。
betrothal [bɪˈtroʊðl]	n. 婚约 记 来自 betroth(vt. 许配)
complication [ˌkɑːmplɪˈkeɪʃn]	n. 复杂化；(使复杂的)因素 同 complexity, intricacy
cataract * [ˈkætərækt]	n. 大瀑布；【医】白内障 记 词根记忆：cata(向下) + ract(冲) → 大瀑布
recitation [ˌresɪˈteɪʃn]	n. 朗诵，背诵 记 来自 recite(v. 朗诵，背诵)
wary * [ˈweri]	a. 机警的，警惕的 例 The gatekeeper kept a *wary* eye on strangers. 看门人对陌生人很警觉。 同 cautious, circumspect, chary
abjure * [əbˈdʒʊr]	vt. 发誓放弃，公开弃绝(信仰、权利等) 记 词根记忆：ab(离去) + jur(发誓) + e → 发誓放弃 例 If you made me *abjure* my responsibility as a musician, that would be worse than killing me. 如果你让我发誓放弃音乐家的职责，那还不如杀了我。
fascinate [ˈfæsɪneɪt]	v. 使着迷；使神魂颠倒 记 联想记忆：他让粉丝们(fans)很着迷(fascinate) 例 Polly watched the actor with deep attention because his feat *fascinated* her. 波莉全神贯注地看着这个男演员，他的技艺使她着迷。 同 allure, charm, captivate, beguile

8

annotate * [ˈænəteɪt]	*v.* 注释，评注 记 词根记忆：an + not(知道) + ate → 将知道的东西加为注释 → 注释 例 The text can be printed off and then *annotated*. 可以把正文打印出来，然后再进行注解。
interact [ˌɪntərˈækt]	*vi.* 互相作用，互相影响 记 词根记忆：inter(相互) + act(行动) → 互动 → 相互作用 搭 interact with 与…相互作用，与…相互影响 例 People *interact* with other people, places, and things almost every day of their lives. 人们在生活中的每一天都和其他的人、与周围的环境和事物相互作用、相互影响。 派 interaction(*n.* 相互作用)；interactive(*a.* 交互式的；相互作用的)
buffoonery * [bəˈfuːnəri]	*n.* 打诨，滑稽 记 联想记忆：小丑(buffoon)爱插科打诨(buffoonery)
absorption [əbˈsɔːrpʃn]	*n.* 吸收 记 来自absorb(*v.* 吸收；吸引) 例 *absorption* area 吸收面积
scrutinize * [ˈskruːtənaɪz]	*vt.* 细察 记 来自scrutiny(*n.* 仔细检查、观察) 例 Detectives *scrutinized* the area, looking for clues. 侦探细查了这一地区，搜索线索。 同 scan, inspect, examine
tedious * [ˈtiːdiəs]	*a.* 乏味的，单调的，冗长的 例 a *tedious* debate 单调乏味的辩论
belittle * [bɪˈlɪtl]	*vt.* 轻视；使…显得渺小 记 联想记忆：be + little(小) → 把(人)看小 → 轻视 例 By saying this, I do not mean to *belittle* the importance of his job. 我说这些并不是轻视他的工作的重要性。
peccant [ˈpekənt]	*a.* 犯罪的；堕落的；有过失的 同 maleficent, criminous
mechanical [məˈkænɪkl]	*a.* 机械的，机械制的；机械似的，呆板的 记 联想记忆：可看作mach(ine)(机械) + an(一个) + ical(…的) → 像个机械似的 → 机械似的 例 a *mechanical* device 机械装置
foggy [ˈfɔːgi]	*a.* 有雾的；不清楚的 例 *foggy* conditions 有雾的状况
circumspect * [ˈsɜːrkəmspekt]	*a.* 慎重的；谨慎小心的 记 词根记忆：circum(周围) + spect(看) → 向周围看 → 慎重的 例 The university was *circumspect* when dealing with the media. 在同媒体打交道时，这所大学很慎重。 同 cautious, chary, prudent

circumference [sər'kʌmfərəns]	*n.* 圆周；周长；周围 记 词根记忆：circum(周围) + fer(带来) + ence → 带来一圈 → 周长 例 the *circumference* of the Earth 地球的周长
ciliate ['sɪlɪɪt]	*a.* 有纤毛的；有睫毛的 *n.* 纤毛虫 例 The freshwater *ciliate* has an oval body and long deep oral groove. 淡水纤毛虫有椭圆形的身体和长而深的口槽。
circumscribe* ['sɜːrkəmskraɪb]	*vt.* 限制，约束 记 词根记忆：circum(周围) + scrib(写) + e → 画地为牢 → 限制 例 Their movements were severely *circumscribed* since the regulations came into effect. 规章实施后，他们的活动受到了严格的限制。
despicable [dɪ'spɪkəbl]	*a.* 可鄙的，卑劣的 记 词根记忆：de(往下) + spic(看) + able(…的) → 往下看的 → 可鄙的 例 a *despicable* act 卑鄙的行为
community [kə'mjuːnəti]	*n.* 社区，团体，社会 记 词根记忆：com + mun(服务) + ity → 为大家服务 → 社区，团体
outright ['aʊtraɪt]	*a./ad.* 直率(的)地，公开(的)地；全部(的)地 记 组合词：out(太) + right(正义) → 太有正义感 → 直率地 例 *outright* ban 完全禁止
shriek [ʃriːk]	*n.* 尖声叫喊 记 联想记忆：怪物史莱克(Shrek)的长相着实让人尖叫(shriek) 例 a *shriek* of laughter 尖声大笑
clothier ['kloʊðɪər]	*n.* 布商；服装商；衣庄 记 来自cloth(*n.* 布料，衣料)
crotchety* ['krɑːtʃəti]	*a.* 脾气坏的；有怪想法的，想入非非的；反复无常的 例 After working 24 hours, you'd better let Jack alone for he was tired and *crotchety*. 工作了24小时，杰克已经很疲惫了，脾气也不好，你最好让他单独待会儿。 同 grumpy
rig* [rɪg]	*v.* (用不正当手段)操纵，垄断；给(船)装配帆及索具；用临时替代材料迅速搭起 *n.* 船桅(或船帆等)的装置；成套器械 例 The leaders of the party tried to *rig* the election. 这个政党的领导人试图操纵这次选举。
limber* ['lɪmbər]	*a.* 易弯曲的；柔软的，敏捷的 *v.* 使柔软；做热身运动 记 联想记忆：limb(肢) + er → 像四肢一样易弯曲的 → 易弯曲的 例 The dancer's limbs are very *limber* to take every challenging action. 舞者的四肢很柔软，能做各种有挑战的动作。
decimate* ['desɪmeɪt]	*vt.* 大量毁灭，大批杀死；严重破坏 例 The economic crisis has *decimated* the country's cycle industry. 经济危机已经严重破坏了该国的自行车行业。

8

dilapidated* [dɪˈlæpɪdeɪtɪd]	a. 破旧的，毁坏的；年久失修的 例 This house where we grew up lasted at least 50 years and now it is really *dilapidated*. 这栋我们在其中长大的房子至少存在 50 年了，现在看起来确实已经破旧不堪。
regressive [rɪˈɡresɪv]	a. (税率)递减的；退步的，退化的 记 来自 regress(v. 倒退，退化) 例 So many students doesn't understand what the *regressive* tax is. 如此多的学生不知道何为递减税。
unfathomable* [ʌnˈfæðəməbl]	a. 高深莫测的，难以理解的 例 The scientists try to explain the *unfathomable* theory to the public. 科学家试图向公众解释这个深奥的理论。
digress [daɪˈɡres]	vt. 离题 记 词根记忆：di(离开) + gress(走) → 走开了 → 离题 例 The old professor always *digressed* when he gave a lecture to the students. 老教授给学生上课的时候，总是跑题。 派 digression(n. 离题)

备考锦囊

长难句分析(五)

7 One of the most startling facts to anyone who has toured Europe is that the Williamsburg guides have no set speeches, and are giving visitors their own interpretation of the rigorous course of lectures on colonial life which they are required to attend as part of their training.

译文：对于任何一个游历过欧洲的人来说一个最令人吃惊的事实，那就是威廉斯堡的导游们并没有固定的解说词，他们给游客的解说是对他们在训练时必须参加的、严格的殖民地生活课程的主观理解。

解析：句子主干为：One of the most startling facts is that..., 后面的内容都是 that 引导的从句；主句中 who 引导一个定语从句修饰 anyone；而 that 引导的表语从句中又套用了一个由 which 引导的定语从句，修饰 lectures。

8 I composed many now-familiar songs, like "Hound Dog," "Jailhouse Rock," and "Love Potion No. 9," in many different musical styles, from rhythm and blues to jazz and rock.

译文：我创作了许多现在耳熟能详的歌曲，例如《猎狗》、《监狱摇滚》和《第 9 号爱情香水》，包括很多不同的曲风，从节奏蓝调到爵士摇滚。

解析：本句的主干就是开头的部分，I composed many now-familiar songs，后面是补充说明的部分。遇到这样的句子，像歌名、书名、人物身份等内容扫过即可，有不认识的词也不必在意，抓住句子主干弄清句意就可以答题。

Word List 9

音频

词根预习表

sent	感情	resent v. 愤恨，怨恨	ped	脚	peddle v. 沿街叫卖
lud	扮演	delude vt. 迷惑	bit	走，去	arbitrate v. 作出公断
termin	结束	predetermine v. 预先确定	cosm	世界	cosmopolitan a. 世界性的
vey	道路	convey v. 运送，搬运	tent	伸展	tentative a. 试验性的
sci	知道	conscious a. 神志清醒的	void	空的	devoid a. 全无的

---

plea
[pliː]

n. 恳求，请求；抗辩，答辩，辩护；借口，托辞
记 联想记忆：不要在请求（plea）帮忙时才说"请（please）"
搭 plea for 请求
例 The boss rejected Tom's *plea* for vacation. 老板拒绝了汤姆休假的请求。
同 appeal

plague
[pleɪɡ]

n. 祸患，瘟疫，灾害 *vt.* 使受祸患；困扰，折磨
记 联想记忆：pla（看作 PLA，人民解放军）+ gue（音似：go）→ 解放军把祸患驱走了 → 祸患
例 a *plague* of rats 鼠害
派 plaguesome（*a.* 讨厌的，麻烦的；瘟疫的）
同 annoy, torment, vex, pestilence

seclusion*
[sɪˈkluːʒn]

n. 隔离；隐居；与世隔绝
记 来自 seclude（*vt.* 使隔离）

bilk*
[bɪlk]

vt. 诈骗
记 联想记忆：诈骗（bilk）人们买过期的牛奶（milk）
搭 bilk sb. out of sth. 骗取某人某物
例 Investors were *bilked* out of more than $15,000. 投资者被诈骗了 15000 多美元。
同 defraud

resent
[rɪˈzent]

v. 愤恨，怨恨
记 词根记忆：re（反）+ sent（感情）→ 负面的感情 → 愤恨，怨恨
例 Young people deeply *resent* any criticism of their friends by their parents. 年轻人十分憎恶父母对自己朋友的任何批评。
同 hate, grudge

---

reliance [rɪˈlaɪəns]	*n.* 信赖，依靠 记 来自 rely(*v.* 依赖；信赖) 搭 place reliance on 信赖，依靠 例 the country's *reliance* on imported oil 国家对进口石油的依赖 同 trust, dependence
alleged [əˈledʒd]	*a.* 无根据的，声称的；所谓的 记 来自 allege(*v.* 断言，宣称) 例 the *alleged* attack 涉嫌的袭击
utility [juːˈtɪləti]	*n.* 效用，有用 记 词根记忆：ut(使用) + il + ity → 效用，有用 例 This discovery is of the highest *utility* to a historian. 这一发现对历史学家最有用。
beleaguer* [bɪˈliːgər]	*vt.* 围，围攻；使苦恼 记 联想记忆：be + leaguer(围攻) → 围攻 例 the country's *beleaguered* steel industry 那个国家陷入困境的钢铁工业 同 besiege
forebode [fɔːrˈboʊd]	*v.* 预示，预言，预感 记 词根记忆：fore(在…之前) + bode (预示) → 事情发生之前的猜测 → 预言 派 forboding(*n.* 不祥的预感)
resumption* [rɪˈzʌmpʃn]	*n.* 恢复，再开始 例 The President called for an immediate ceasefire and a *resumption* of negotiations between the two sides. 总统呼吁立即停火，并且恢复双方的谈判。
peddle [ˈpedl]	*v.* 沿街叫卖，挨户销售 记 词根记忆：ped(脚) + dle → 行走在大街上叫卖 → 沿街叫卖 例 The old poor woman made a living on *peddling* newspapers. 那位贫穷的老妇人靠沿街卖报度日。
acrid* [ˈækrɪd]	*a.* (气味)辛辣的；(言语或语调)刻薄的 记 词根记忆：acr(辛辣的) + id → 辛辣的 例 *acrid* smell 刺鼻的气味
veto [ˈviːtoʊ]	*n./v.* 否决 例 The chairman has the right to *veto* any of the board's proposals. 主席有权否决董事会的任何提议。 同 prohibit, interdiction
avow [əˈvaʊ]	*vt.* 公开声明；承认 记 词根记忆：a + vow(喊叫) → 公开声明 例 I believe that there is an authentic beauty in science and this is *avowed* by many scientists. 我认为科学中存在一种真正的美，这一观点得到了很多科学家的认可。

delude * [dɪˈluːd]	*vt.* 迷惑，蛊惑，哄骗 记 词根记忆：de + lud(扮演) + e → 扮演以迷惑 → 迷惑 例 John suffered himself to be *deluded* by the lady's specious appearance. 约翰被那位女士美丽的外表所蒙骗，并自食苦果。
context * [ˈkɑːntekst]	*n.* 上下文，文章前后关系，语境 记 词根记忆：con(共同) + text(编织) → 共同编织在一起 → 上下文 派 contextual(*a.* 根据上下文的)
reform [rɪˈfɔːrm]	*n./v.* 改革，改造，改良 记 词根记忆：re(重新) + form(形成) → 重新形成 → 改革，改良 例 education *reform* 教育改革 同 innovate
statement [ˈsteɪtmənt]	*n.* 声明，陈述 记 来自 state(*v.* 声明) 例 The report was found to contain many false *statements*. 这份报告中的许多陈述都有误。
invasion [ɪnˈveɪʒn]	*n.* 侵入，侵略 记 来自 invade(*v.* 侵入，侵略) 例 the threat of *invasion* 入侵的威胁
refusal [rɪˈfjuːzl]	*n.* 拒绝，推却 记 来自 refuse(*v.* 拒绝) 例 a flat *refusal* 断然拒绝
accustomed [əˈkʌstəmd]	*a.* 通常的；习惯的 记 联想记忆：ac + custom(风俗) + ed → 入乡随俗的 → 习惯的 搭 be accustomed to 习惯于…
arbitrate [ˈɑːrbɪtreɪt]	*v.* 作出公断；仲裁 记 词根记忆：ar + bit(走，去) + r + ate(使) → 走过去做决定 → 作出公断 例 Edward emerged from his study in time to *arbitrate* amongst his children. 爱德华及时地从书房走出来，裁决孩子们之间的争吵。 同 decide, determine
predetermine * [ˌpriːdɪˈtɜːrmɪn]	*v.* 预先确定；事先安排 记 词根记忆：pre(预先) + de + termin(结束) + e → 预先结束疑问 → 预先确定 例 Factors in the environment may have some influence on the *predetermined* plan. 环境因素可能会对预先决定的计划产生一些影响。 同 foreordain, predestine
preferable [ˈprefrəbl]	*a.* 更可取的，更好的 记 联想记忆：prefer(更喜欢) + able(可…的) → 更可取的，更好的 搭 preferable to 更好的，更合意的 例 Part-time work was sometimes *preferable* to full-time work. 兼职工作有时候比全职更好。 派 preferably(*ad.* 更适宜地)

incredulous* [ɪnˈkredʒələs]	*a.* 怀疑的，不轻信的 记 词根记忆：in(不) + cred(相信) + ul + ous(…的) → 怀疑的 例 *incredulous* look 怀疑的神色 同 skeptical
futile* [ˈfjuːtl]	*a.* 无效的，无用的，无希望的，无意义的；琐细的 记 词根记忆：f(看作 fail, 失败) + ut(用) + ile → 无法利用的 → 无效的 例 a *futile* attempt 徒劳的尝试 同 vain, fruitless, frivolous
bestial* [ˈbestʃəl]	*a.* 野兽的；兽性的；残忍的 记 来自 beast(*n.* 野兽) 例 *bestial* acts 残忍的行为 同 brutal
cosmopolitan* [ˌkɑːzməˈpɑːlɪtən]	*a.* 世界性的；全球(各地)的 记 词根记忆：cosm(世界，宇宙) + o + polit(城市) + an → 世界性的城市 → 世界性的 例 a *cosmopolitan* city 世界性的城市 同 worldly*
suggestive [səˈdʒestɪv]	*a.* 提示的，暗示的，引起联想的 记 来自 suggest(*v.* 暗示) 例 Mort's behavior was *suggestive* of a cultured man. 莫特的举止暗示出他 是位有教养的人。 同 indicative
resourceful [rɪˈsɔːrsfl]	*a.* (人力、物力)资源丰富的；机智的，多策略的 记 联想记忆：resource(资源) + ful(=full, 丰富的) → 资源丰富的
habitable [ˈhæbɪtəbl]	*a.* 可居住的 记 联想记忆：这里可以居住(habitable)，但是要养成好习惯(habit) 例 a *habitable* house 适合居住的房子
opaque* [oʊˈpeɪk]	*a.* 不透明的；难理解的，晦涩的 例 *opaque* glass 不透明的玻璃 派 opaquely(*ad.* 不透明地，无光泽地); opaqueness (*n.* 含糊) 同 obscure, vague
impropriety* [ˌɪmprəˈpraɪəti]	*n.* 不适当的行为；不适当 记 词根记忆：im(不) + propr(拥有) + iety → 拥有不属于自己的东西 → 不 适当 例 suggestions of *impropriety* 不恰当的建议
principal [ˈprɪnsəpl]	*n.* 校长；主要演员 *a.* 主要的，首要的 记 来自 principle(*n.* 原则) 例 the *principal* of a college 院长 同 chief, major

clarify ['klærəfaɪ]	*vt.* 澄清，阐明 记 词根记忆：clar(清楚，明白) + ify(…化) → 澄清，阐明 例 I hope this statement has helped to *clarify* a few points. 我希望这一声明有助于阐明一些观点。
cite* [saɪt]	*vt.* 引用，引证 记 词根记忆：cit(唤起) + e → 唤起证据 → 引用，引证 例 The scientist *cited* vivid instances in illustration of his theory. 科学家引用了生动的例子来说明他的理论。
stock [stɑːk]	*n.* 备料，库存，现货；股票；公债；砧木 例 in *stock* 有贮备 // out of *stock* 没有库存，缺货 // *stock* market 股市
reclusive [rɪ'kluːsɪv]	*a.* 隐遁的，隐居的 例 a *reclusive* millionaire 一个隐居的富翁 同 solitary
bewilder [bɪ'wɪldər]	*vt.* 使迷惑；使不知所措；使昏乱 记 联想记忆：be(使…) + wild(荒野的) + er → 迷失荒野中 → 使迷惑 例 Scientists were *bewildered* by the reason of such strange phenomenon. 科学家们对这一怪现象产生的原因感到迷惑不解。 派 bewilderment(*n.* 困惑，迷惑)；bewildering(*a.* 令人困惑的) 同 puzzle, confuse
narrate [nə'reɪt]	*v.* 叙述，讲述 记 联想记忆：使叙述(narrate)范围缩小(narrow) 例 Some day I will *narrate* the touching and instructive history of the hero's life. 将来有一天，我会讲述那位英雄生命中那段感人且有教育意义的历程。
assimilation [ə‚sɪmə'leɪʃn]	*n.* (食物等的)吸收；同化；同化作用 记 词根记忆：as(加强) + simil(类似，一样) + ation → 变成一样 → 同化 例 *assimilation* effect 同化效应
fake [feɪk]	*n.* 假货，赝品；骗子，冒充者 *a.* 假的，冒充的 *vt.* 伪造，捏造；伪装，假装 记 联想记忆：做假货(fake)是不对的(fault) 例 a *fake* fur 人造毛皮 // Tony couldn't *fake* being kind to the enemies. 对这些敌人，托尼无法伪装和善。 同 counterfeit, simulate, concoct, imitation, sham
familiarity [fə‚mɪli'ærəti]	*n.* 亲密；熟悉；精通 记 来自 familiar(*a.* 熟悉的) 例 a feeling of *familiarity* 一种熟悉的感觉
fanatic [fə'nætɪk]	*a.* 狂热的，盲信的 *n.* 狂热者，盲信者，入迷者 记 联想记忆：有些粉丝(fans)很狂热(fanatic) 例 a religious *fanatic* 狂热的宗教信徒
undercharge [‚ʌndər'tʃɑːrdʒ]	*v.* 索价低于常价 记 组合词：under(低于) + charge(费用) → 索价低于常价

9

鄙人精通辨伪

familiarity

哇，崇拜您~

fake

fanatic

chronicle * [ˈkrɑːnɪkl]	*n.* 编年史 记 词根记忆：chron(时间) + icle → 按时间编排的 → 编年史
expanse [ɪkˈspæns]	*n.* 宽阔的区域；宽阔 例 a wide *expanse* of blue sky 广阔的蓝天
orchestra [ˈɔːrkɪstrə]	*n.* 管弦乐队 记 联想记忆：orch(ard)(果园) + estra(看作 extra，多余的) → 果园丰收，举家欢庆，请了管弦乐队演奏 → 管弦乐队 例 Symphony *Orchestra* 交响乐团
hazardous * [ˈhæzərdəs]	*a.* 危险的，冒险的；有害的 记 来自 hazard(*n.* 危险) 例 *hazardous* waste 有害废物 同 dangerous, precarious, perilous, risky
amnesia * [æmˈniːʒə]	*n.* 健忘症 记 词根记忆：a(无) + mnes(记忆) + ia(病) → 无记忆的病 → 健忘症
amicable * [ˈæmɪkəbl]	*a.* 友善的，心平气和的 例 an *amicable* relationship 和睦的关系 同 peaceable
heretofore [ˌhɪrtuˈfɔːr]	*ad.* 迄今 例 The bomber went all-out, bombing vital targets that were *heretofore* untouched. 轰炸机全速前进，向那些尚且完好的重要目标进攻。 同 hitherto
abash * [əˈbæʃ]	*vt.* 使局促不安，使困窘，使尴尬 记 联想记忆：ab + ash(灰) → 灰头灰脸 → 使尴尬 例 When Mary came to the river, the horse was standing there, head hung as if *abashed*. 当玛丽来到河边时，马儿低着头，似乎很羞愧地站在那里。
convey [kənˈveɪ]	*v.* 运送，搬运；传达，表达 记 词根记忆：con(共同) + vey(道路) → 共同用道路运送 → 运送，搬运 例 Passengers are *conveyed* by bus to the airport. 乘客由公共汽车送往机场。// One of the most powerful applications of language is the ability to tell a story in order to *convey* your message. 语言最有效的应用之一就是通过讲故事来传达信息。 派 conveyable(*a.* 可搬运的；可传达的)
disclose * [dɪsˈkloʊz]	*v.* 泄露；揭发；透露，公开 记 词根记忆：dis(不) + clos(关) + e→ 不关上 → 泄露 例 The prime minister didn't *disclose* those details on tax reform. 总理没有透露那些有关税收改革的细节。 派 disclosure(*n.* 公开，透露；揭发，败露的事情)

tentative * ['tentətɪv]	*a.* 试验性的，试探的；未确定的 记 词根记忆：tent(伸展) + ative → 像触角一样伸过去试探 → 试验性的，试探的 例 a *tentative* explanation 推测性的解释 同 uncertain
prescription [prɪ'skrɪpʃn]	*n.* 指示，规定；法规；药方，处方；处方上开的药 记 来自 prescribe(*v.* 指示，规定；开药方) 例 *prescription* drugs 处方药
censorious * [sen'sɔːriəs]	*a.* 爱批判的，挑剔的 记 来自 censor(*vt.* 检查，审查)
suspicion [sə'spɪʃn]	*n.* 怀疑，猜疑 例 The experiment clinched his *suspicions*. 实验结果证明他的怀疑是对的。 同 mistrust
complicate ['kɑːmplɪkeɪt]	*v.* (使)变复杂 记 词根记忆：com(全部) + plic(重叠) + ate → 全部重叠起来 → (使)变复杂 例 Don't *complicate* the matters by making excuses. 别找各种借口来使这些事情复杂化。
caustic * ['kɔːstɪk]	*a.* 腐蚀性的；刻薄的 记 词根记忆：caust(烧灼) + ic → 腐蚀性的 例 *caustic* comments 刻薄的评论 同 corrosive
valid * ['vælɪd]	*a.* 有效的；合理的，有根据的 记 词根记忆：val(价值) + id → 有价值的 → 有效的 例 Your tourist visa is *valid* for four months. 你的旅游签证四个月内有效。// These are the *valid* reasons why we don't permit smoking in the office. 这就是我们为什么不允许在办公室吸烟的正当理由。 派 validate(*vt.* 证实，确认)；validity(*n.* 有效；合法性)；invalid(*a.* 无效的)；validation(*n.* 确认)
conscious ['kɑːnʃəs]	*a.* 意识到的，觉察到的；有意识的，神志清醒的 记 词根记忆：con + sci(知道) + ous → 知道的 → 神志清醒的 搭 be conscious of 意识到 例 Neil wasn't *conscious* of having offended the hostess. 尼尔没有意识到他已经冒犯了女主人。
desiccate * ['desɪkeɪt]	*v.* 使干涸，使脱水，使枯竭；变干 记 词根记忆：de(加强) + sicc(干的) + ate(使…) → 使很干的 → 使脱水 例 With field peas, the correct time to *desiccate* is when 70% of the pods have changed from green to tan. 对于田间的豌豆来说，70%的豆荚由绿色变成棕褐色时适宜脱水。

9

contend * [kən'tend]	*v.* 斗争，竞争；主张 记 词根记忆：con + tend(伸展) → 你拉我夺 → 竞争 搭 contend with sb. for sth. 和某人竞争某物 例 The charms of my rival are too powerful for me to *contend* with. 我对手的魅力太大了，我不能和他竞争。// A few astronomers *contend* that the universe may be younger than previously thought. 一些天文学家认为宇宙的年龄要比之前推想的年轻。 同 contest, maintain, assert
pretend [prɪ'tend]	*v.* 假装；(在演戏中)装扮；自命，自称 记 词根记忆：pre(向前) + tend(伸展) → 事先就有趋向 → 假装 例 Students in this game *pretended* to be historians seeking funding for expeditions to search for pirate ships. 在这个游戏中，学生们扮成历史学家为找寻海盗船只的探险筹集资金。
economical [ˌiːkə'nɑːmɪkl]	*a.* 节约的，节俭的，节省的，经济的 例 an *economical* use of land 节约用地 派 economically(*ad.* 节约地；经济上；经济学上)
exaggerate [ɪɡ'zædʒəreɪt]	*v.* 夸大，夸张 记 词根记忆：ex(出) + ag + ger(运) + ate → 往出运太多了 → 夸大 例 The importance of the campaign against dogs in public housing estates in the region cannot be *exaggerated*. 不能夸大当地为反对在公租房养狗而进行的游行的重要性。 派 exaggeration(*n.* 夸张); exaggerated(*a.* 夸张的)
pastoral * ['pæstərəl]	*a.* 田园的，田园生活的 记 联想记忆：pastor(牧人) + al → 在田园里生活 → 田园生活的 例 a *pastoral* scene 田园风光
devoid * [dɪ'vɔɪd]	*a.* 全无的，缺乏的 记 词根记忆：de(完全地) + void(空的) → 完全空的 → 全无的 例 *devoid* of all gratitude 忘恩负义 同 empty
outbreak ['aʊtbreɪk]	*n.* 爆发 记 来自词组 break out(爆发) 例 the *outbreak* of war 战争的爆发
pretext * ['priːtekst]	*n.* 借口，托辞 记 词根记忆：pre(预先) + text(编织) → 事先编出来的文字 → 借口，托辞 搭 on the pretext of 以…为借口 例 Mike has come back home earlier on the *pretext* of having letters to write. 迈克借口要写信，提早回家了。
onset * ['ɑːnset]	*n.* 攻击，进攻；开始 记 来自词组 set on(攻击；使开始) 例 the *onset* of disease 疾病的发作 同 attack, assault, beginning, commencement

reclaim [rɪˈkleɪm]	*v.* 要求归还，收回；开垦 记 词根记忆：re(回来) + claim(叫喊) → 叫喊着要收回 → 要求归还 搭 reclaim scraps 回收废料 例 This land will be *reclaimed* for a new airport. 这块土地将会被收回，用来建新机场。 派 reclamation(*n.* 开垦；改造；废物回收) 同 retrieve, retake, recycle
eclipse* [ɪˈklɪps]	*n.* 日食；月食；黯然失色 *vt.* 使失色；使相形见绌 记 词根记忆：ec(出) + lip(离开) + se → 太阳或月亮的一部分离开 → 日食；月食 例 solar *eclipse* 日食 同 darken, obscure, shadow
brittle* [ˈbrɪtl]	*a.* 易碎的；脆弱的 记 联想记忆：幼小的(little)的心灵是脆弱的(brittle) 例 Relations between the two companies are still very *brittle*. 这两家公司间的关系依然很脆弱。 派 brittleness(*n.* 脆弱) 同 frail*
coax [kəʊks]	*v.* 劝诱，诱骗 记 联想记忆：妈妈哄骗(coax)孩子穿衣服(coat) 搭 coax sb. / sth. into / out of doing sth. 诱骗或哄骗某人做某事；coax sth. out of / from sb. 劝说某人得到某物 例 The teacher *coaxed* the little boy out of his bad temper. 老师诱导那个男孩改掉了坏脾气。
premise* [ˈpremɪs]	*n.* 前提，假设；[*pl.*](企业、机构等使用的)房屋和地基，经营场地 记 词根记忆：pre(前) + mis(送，放) + e → 提前送出来的条件 → 前提 搭 on the premise that... 在…的前提下；on the premises 在建筑物内 例 A thief was caught on the *premises* of a large jewellery store yesterday morning. 昨天早上，一个小偷在一家大型珠宝商店的营业场所被抓获了。
competitive [kəmˈpetətɪv]	*a.* 竞争的 记 来自compete(*vi.* 比赛，竞争) 派 competitiveness(*n.* 竞争力)
amenable* [əˈmiːnəbl]	*a.* 顺从的，服从劝导的 记 联想记忆：a(无) + men(男人) + able → 没有大男子主义的 → 顺从的 例 Duncan didn't forget that he was a deserter, but still *amenable* to the law. 邓肯没有忘记虽然自己是个逃亡者，但仍然有服从法律的义务。
rational [ˈræʃnəl]	*a.* 理性的；合理的 记 联想记忆：ratio(比率) + nal → 按比率来分配是很合理的 → 合理的 例 *rational* behavior 理性的行为 派 irrational(*a.* 不合理的，不理智的；无理性的)；rationalism(*n.* 唯理论)；rationality(*n.* 理性)；rationally(*ad.* 理性地) 同 reasonable

☐ reclaim   ☐ eclipse   ☐ brittle   ☐ coax   ☐ premise   ☐ competitive
☐ amenable   ☐ rational

prohibitive [prəˈhɪbətɪv]	*a.* 禁止的，抑制的；价格极高的
	记 来自 prohibit(*v.* 禁止)
	例 *prohibitive* amount 限额

modest [ˈmɑːdɪst]	*a.* 谦虚的，谦逊的；适度的；有节制的
	记 词根记忆：mod(方式) + est → 做事讲究方式 → 适度的
	例 a *modest* price 适中的价格

emergence [iˈmɜːrdʒəns]	*n.* 浮现，露出
	记 来自 emerge(*v.* 出现，浮现)
	例 the *emergence* of the new technologies 新技术的出现

demolish [dɪˈmɑːlɪʃ]	*vt.* 毁坏，破坏；拆毁(建筑物)；推翻，驳倒(观点或理论)
	记 联想记忆：与 abolish(*vt.* 废止)形近
	例 A number of farmlands have been *demolished* so that the new factories can be built. 为了建立新工厂，大量农田遭到了破坏。
	同 smash, dismantle, destroy

illegal [ɪˈliːgl]	*a.* 不合法的，非法的
	记 词根记忆：il(不) + leg(法律) + al → 非法的
	例 *illegal* earnings 非法收入

paraphrase* [ˈpærəfreɪz]	*n./v.* 解释，释义
	记 词根记忆：para(旁边) + phras(说) + e → 在一旁解说 → 解释
	例 When writers *paraphrase* or summarize they will place themselves between their characters and their readers. 当作者对文章做解释或总结的时候，他们会把落脚点放在书中人物与读者之间。

submit [səbˈmɪt]	*v.* (使)服从，(使)屈服；呈送，提交
	记 词根记忆：sub (下面的) + mit (放出) → 被关押的人从下面放出来 → (使)服从，(使)屈服
	搭 submit to 屈服，听从；提交
	例 The man refused to *submit* to an unjust decision. 那名男子拒绝服从不公正的决定。// We want you to *submit* your own articles or comments. 我们想要你提交自己的文章或评论。

appeal [əˈpiːl]	*n./v.* 呼吁，恳求；有吸引力；申述，上诉
	记 词根记忆：ap(向) + peal(拉) → 向…拉 → 有吸引力
	搭 appeal to 吸引；向…上诉；appeal against 向…上诉
	例 Getting that information released could also mean *appealing* to the highest courts. 发布那条信息就意味着向最高法院提起上诉。// Those workers under severe exploitation made an *appeal* to the Court of Human Rights. 那些遭受严重剥削的工人向人权法院提起了上诉。
	派 appealing(*a.* 吸引人的；打动人心的)
	同 entreaty, attraction

choral [ˈkɔːrəl]	*a.* 唱诗班的
	记 来自 choir(*n.* 唱诗班)

□ prohibitive   □ modest   □ emergence   □ demolish   □ illegal   □ paraphrase
□ submit   □ appeal   □ choral

jolt [dʒoʊlt]	*v.* (使)颠簸，(使)摇晃；使震惊 *n.* 震动，摇动，颠簸；震惊 记 联想记忆：防止颠簸(jolt)用门闩(bolt)固定 例 There was a massive *jolt* when the plane landed on the ground. 飞机着陆的时候，产生一阵剧烈的摇动。
optic [ˈɑːptɪk]	*a.* 眼的；视觉的；光学上的 记 词根记忆：opt(眼；视力) + ic(…的) → 眼的；视觉的 例 the *optic* nerve 视神经
superficial* [ˌsuːpərˈfɪʃl]	*a.* 表面的；肤浅的，浅薄的 记 词根记忆：super(在…上面) + fic(做) + ial → 在上面做 → 表面的 例 *superficial* phenomenon 表面现象 // *superficial* knowledge 肤浅的知识 派 superficiality(*n.* 浅薄；表面性)；superficially(*ad.* 浅薄地；表面上地)
ration [ˈræʃn]	*n.* 定量，配给量；定量配给 *v.* 配给，分发，定量配给 记 联想记忆：ratio(比例) + n(看作 N 个人) → 按比例分给 N 个人 → 定量，配给量 例 emergency food *rations* 紧急食物配给 // Sugar, cooking oil and rice will also be *rationed*. 糖、食用油和大米现在仍实行定量配给。 同 quota
stingy [ˈstɪndʒi]	*a.* 吝啬的，小气的 记 联想记忆：被蜜蜂叮(sting)了都不舍得松手，真小气(stingy) 例 The manager is too *stingy* to give money to charity. 经理太小气了，不舍得给慈善机构捐款。
relish* [ˈrelɪʃ]	*n.* 享受，乐趣 记 联想记忆：rel(看作 real，真的) + ish → 真人无名，真水无香，当为享受人生的最高境界 → 享受 例 a *relish* for luxury 对奢侈品的爱好
ruffle [ˈrʌfl]	*v.* 弄皱，弄乱；激怒，扰乱；给…饰褶边 *n.* 褶饰，花边 记 联想记忆：被激怒了(ruffle)举起来福枪(rifle) 例 As the evening falls, it's not easy to see that the breeze *ruffles* the surface of the pond. 夜幕降临时，很难看到微风将水池表面吹起涟漪。
wrack [ræk]	*n.* 破坏；失事船只 *vt.* 使遭难；完全毁坏 例 Many ships were *wracked* in the area of Bermuda Triangle. 许多船只在百慕大三角地区失事。 同 destruction
prod* [prɑːd]	*n./v.* 刺，捅，戳；催促，督促；刺激，激励 例 The boy *prodded* his friend with his elbow when the teacher came in. 老师进来的时候，男孩用胳膊肘捅了捅他的朋友。
inflated* [ɪnˈfleɪtɪd]	*a.* 充气的；夸张的，言过其实的；通货膨胀的 例 Our teacher has a very *inflated* opinion of his reputation. 我们老师对自己的名声实在是言过其实。

9

□ jolt　　　□ optic　　　□ superficial　　□ ration　　　□ stingy　　　□ relish
□ ruffle　　□ wrack　　　□ prod　　　□ inflated

contrive [kən'traɪv]	*v.* 计划，图谋；设计，发明 记 词根记忆：contri(反) + ve(=vene，走) → 反着走，和普通人不同 → 设计新东西 → 设计，发明 例 During the WWII, the businessman *contrived* to save more than 2,000 Jews from the Nazis. 二战期间，这个商人设法从纳粹手中救出了 2000 多名犹太人。 派 contrivance(*n.* 发明，设计；计谋，手段)
staunch [stɔːntʃ]	*a.* 坚定的，忠实的 例 The old man was a *staunch* supporter of the economic reform. 这个老人是经济改革的坚定拥护者。 同 faithful
affectation [ˌæfek'teɪʃn]	*n.* 假装，虚饰，做作 记 词根记忆：af(加强) + fect(做) + ation → 做得过了头 → 做作，虚饰 例 an *affectation* of surprise 故作吃惊
marked* [mɑːrkt]	*a.* 有标记的；明显的，显著的 记 联想记忆：mark(标记) + ed → 有标记的；显著的，明显的 例 We are not sure if the advertisement would have a *marked* effect on the sales. 我们不确定广告是否会对销售产生明显的影响。

备考锦囊

长难句分析 (六)

9 One especially frightening engraving shows the bat god with outstretched wings and a question-mark nose, its tongue wagging with hunger, as it holds a human corpse in one hand and the human's heart in the other.

译文：一座特别恐怖的雕塑表现的是一个双翼张开、长着问号形鼻子的蝙蝠神，它的舌头贪婪地摇晃着，一只手握着人的尸体，另一只手握着人的心脏。

讲解：主句中的谓语动词是 show，句中有一个 as 引导的从句。宾语 the bat god 后面的 with outstretched wings...with hunger 是一个后置定语对它作修饰。遇到此类句子时，划清句子主、谓语，并在关联词上做标记，句子就不难看懂了。

音频

词根预习表

path	感情	antipathy n. 反感	labor	劳动	collaboration n. 协作
cap	抓住	capitulate vi. 投降	vok	喊	convoke vt. 召集
nomin	名字	denominate vt. 命名	vert	转	introvert vt. 使向内弯曲
volv	滚动	evolve v. (使)发展	feroc	野性	ferocious a. 凶猛的
tail	切割	curtail vt. 缩减，减少	sembl	相同	dissemble v. 掩饰

---

rationalism
[ˈræʃnəlɪzəm]

n. 理性主义，唯理论
记 来自 rational(a. 理性的；合理的)

cartographer
[kɑːrˈtɑːɡrəfər]

n. 绘制地图者
记 词根记忆：carto(=card，纸，图) + graph(写) + er → 绘制地图者

antipathy *
[ænˈtɪpəθi]

n. 憎恶，反感
记 词根记忆：anti(反) + path(感情) + y → 反感
例 general antipathy 普遍反感
同 distaste

capacious *
[kəˈpeɪʃəs]

a. 容积大的；宽敞的；广阔的
记 词根记忆：cap (拿，抓) + acious → 拿来的所有东西都可以放下 → 宽敞的
例 a capacious handbag 容量大的手提包
同 spacious, commodious, ample

compelling *
[kəmˈpelɪŋ]

a. 强制的；引人注目的；令人信服的
记 来自 compel(vt. 强迫，驱使)

collaboration
[kəˌlæbəˈreɪʃn]

n. 协作
记 词根记忆：col(共同) + labor(劳动) + ation → 共同劳动 → 协作

collaboration

搭 in collaboration with 与…合作，与…勾结
例 Nadia has been working on a book in *collaboration* with Nora for almost three years. 纳迪娅和诺拉合作编写一本书已经快 3 年了。
派 collaborate (vi. 合作；通敌); collaborative (a. 合作的，协作的); collaborator(n. 合作者；通敌者)

austere [ɔːˈstɪr]	*a.* 严肃的，严厉的；(操行上)一丝不苟的；简朴的，简陋的 记 词根记忆：auster(粗糙，干燥) + e → 衣服粗糙 → 简朴的 例 an *austere* man 一个严肃的人 // an *austere* bedroom 一间简陋的卧室
vegetative [ˈvedʒɪteɪtɪv]	*a.* 有关植物生长的；植物的；有生长力的 记 来自 vegetable(*n.* 蔬菜，植物；生活呆板、单调的人)
cramp [kræmp]	*n.* 夹子，扣钉 *v.* 用夹子夹紧 记 联想记忆：营地(camp)的帐篷要用夹子夹紧(cramp)
curtail * [kɜːrˈteɪl]	*vt.* 缩减，减少(经费等)；缩短 记 词根记忆：cur(短) + tail(切割) → 切短 → 缩减，减少 例 The manager said that budget cuts had drastically *curtailed* training programs. 经理说预算的削减极大地削弱了培训项目。 同 shorten, abbreviate, abridge, retrench
capitulate * [kəˈpɪtʃuleɪt]	*vi.* 有条件投降；屈服，停止抵抗，投降 记 词根记忆：cap(抓住) + itul + ate → 抓住俘虏 → 投降 例 Changes in the law force everyone, female, male, old and young, to *capitulate*. 法律的变革迫使男女老少都停止抵抗。 同 yield, submit, succumb, defer
aghast * [əˈɡæst]	*a.* 惊骇的，吓呆的 记 联想记忆：a + ghast(看作 ghost，鬼) → 大白天见鬼，吓呆了 → 吓呆的 搭 stand aghast at 被…吓一跳，被…吓呆 例 Lucy stood *aghast* at the terrible sight. 露西被那可怕的景象吓呆了。
chastise * [tʃæˈstaɪz]	*vt.* 严惩，惩罚；批评，指责 记 发音记忆：“掐死打死” → 严惩，惩罚
fortunate [ˈfɔːrtʃənət]	*a.* 幸运的；侥幸的 派 unfortunate (*a.* 不幸的) 同 auspicious
dominant [ˈdɑːmɪnənt]	*a.* 支配的；统治的；占优势的 记 词根记忆：domin(统治) + ant(…的) → 统治的 例 a *dominant* power in the world 世界头号强国
ruin [ˈruːɪn]	*v.* (使)破产；(使)堕落，毁灭；毁坏 *n.* 毁灭；破产；废墟，遗迹 记 联想记忆：大雨(rain)毁坏了(ruin)庄稼 搭 in ruins 严重受损，破败不堪 例 Alcohol and drugs almost *ruined* his career. 酒精和毒品几乎毁了他的事业。 同 destroy, devastate
dissemble * [dɪˈsembl]	*v.* 掩饰，掩盖 记 词根记忆：dis(否定) + sembl(相同) + e → 不和(真实面目)相同 → 掩饰 例 So skillfully did the cheat *dissemble* that everyone was deceived by his appearance. 这个骗子伪装的技巧如此高明，以至于所有人都被他的外表欺骗了。

habitual [həˈbɪtʃuəl]	*a.* 习惯的，惯常的 记 来自 habit(*n.* 习惯) 例 a *habitual* response 一贯的反应
superb [suːˈpɜːrb]	*a.* 极好的，高质量的 记 词根记忆：super(超过) + b → 超群的，出色的 → 极好的 例 in *superb* condition 状况极好的
temper * [ˈtempər]	*n.* 脾气；情绪 *vt.* 使缓和，使温和 记 联想记忆：情绪(temper)会影响体温(temperature) 搭 lose one's temper 发脾气，发怒；control one's temper 控制脾气 例 My father was a violent man who couldn't control his *temper*. 我父亲是个暴躁的人，控制不了自己的脾气。// The heat in this coastal town is *tempered* by cool sea breezes. 来自大海的习习凉风缓和了这一海滨小镇的炎热。 派 short-tempered(*a.* 脾气坏的，易怒的)；temperament(*n.* 性情；气质) temperamental(*a.* 性情的；喜怒无常的)
appall * [əˈpɔːl]	*vt.* 使惊骇，使恐怖 记 联想记忆：ap + pa(看作拼音 pa，怕) + ll → 使惊骇 例 These nuclear explosions may *appall* the comfortable residents. 这些核爆炸也许会让安逸的居民们大为惊恐。
liberty [ˈlɪbərti]	*n.* 自由；冒失，冒昧，失礼 记 词根记忆：liber(自由) + ty(表状态) → 自由 搭 at liberty 自由的，不受囚禁的 例 personal *liberty* 人身自由
culmination [ˌkʌlmɪˈneɪʃn]	*n.* 顶点；巅峰 记 来自 culminate(*vi.* 达到顶点) 例 The reforms marked the successful *culmination* of the campaign. 改革标志着这次运动达到了成功的顶点。
tropical [ˈtrɑːpɪkl]	*a.* 热带的 例 *tropical* fish / birds / plants 热带鱼/鸟/植物
susceptible * [səˈseptəbl]	*a.* 敏感的；易受感动的，易受影响的；过敏的；可被…的，可能…的 记 词根记忆：sus + cept(抓) + ible(可…的) → 易被情绪抓住的 → 易受感动的，易受影响的 搭 be susceptible to 易受…影响；be susceptible of 能经受的，有某种能力的 例 I was remarkably *susceptible* to the emotions of others. 我很容易受到他人情绪的影响。// Kevin's strong will renders him *susceptible* of any torture. 凯文坚强的意志使他能经受一切磨难。 派 susceptibility(*n.* 易感性) 同 allergic, vulnerable

10

terrify [ˈterɪfaɪ]	*vt.* 使害怕，使惊恐 例 Speaking in public *terrifies* many people. 很多人都害怕在公共场合演讲。 同 appall, horrify
convoke * [kənˈvoʊk]	*vt.* 召集 记 词根记忆：con(共同) + vok(喊) + e → 喊到一起 → 召集 例 A conference will be *convoked* to discuss the current situation. 将召开会议讨论当前的形势。 同 summon, call, convene, muster*
amateur [ˈæmətər]	*n.* 外行；业余爱好者 *a.* 业余的 记 词根记忆：amat(爱) + eur(表人) → 有业余爱好的人 → 业余爱好者 例 an *amateur* performance 业余演出 派 amateurish(*a.* 业余爱好的；不熟练的)
nuisance [ˈnuːsns]	*n.* 讨厌的人(或东西)；麻烦事 记 联想记忆：讨厌的人(nuisance)总说废话(nonsense) 例 I hope I didn't make a *nuisance* of myself. 我希望我没有讨人嫌。
recede [rɪˈsiːd]	*vi.* 退，退去，渐渐远去；缩进；(指问题、感情等)逐渐减弱 记 词根记忆：re(反) + ced(走) + e → 向反方向走 → 退 例 As the threat of nuclear war *receded*, other things began to worry us. 当核战争的威胁退去之后，其他的事情开始令我们烦忧。
aspire [əˈspaɪər]	*vi.* 有志于；热望；向往 记 联想记忆：a + spir(呼吸) + e → 渴望呼吸新鲜的空气 → 向往 搭 aspire to 渴望；立志 例 What Henry *aspired* to was his country under the leadership of a wise President. 亨利渴望祖国能够由一位贤明的总统领导。
liberal [ˈlɪbərəl]	*a.* 慷慨的，大方的；丰富的，富足的；自由的；思想开明的 记 词根记忆：liber(自由) + al(…的) → 自由的 例 a *liberal* mind 开明的思想 派 liberality(*n.* 慷慨；心胸开阔)；liberally(*ad.* 大方地；不受限制地) 同 openhanded
gigantic [dʒaɪˈɡæntɪk]	*a.* 巨大的，庞大的 记 联想记忆：gigant(看作 giant，巨人) + ic(…的) → 巨大的 例 a *gigantic* house 巨大的房子 同 colossal, enormous
deceitful [dɪˈsiːtfl]	*a.* 欺诈的 记 来自 deceit(*n.* 欺骗) 例 The press was accused of being hypocritical and *deceitful*. 那家出版社因弄虚作假而被起诉。
momentary [ˈmoʊmənteri]	*a.* 瞬间的，刹那间的 记 来自 moment(*n.* 瞬间) 例 *momentary* confusion 一时糊涂 同 fleeting

☐ terrify ☐ convoke ☐ amateur ☐ nuisance ☐ recede ☐ aspire
☐ liberal ☐ gigantic ☐ deceitful ☐ momentary

denominate [dɪˈnɑːmɪneɪt]	*vt.* 命名 记 词根记忆：de + nomin(名字) + ate(表动词) → 命名
consultant [kənˈsʌltənt]	*n.* 会诊医师；顾问医生；顾问 记 来自 consult(*v.* 请教；查阅)
abut [əˈbʌt]	*v.* 邻接，毗邻 记 联想记忆：about 去掉 o 例 There was a small coffee bar *abutting* the train station. 火车站旁有一个小咖啡店。
mingle [ˈmɪŋɡl]	*v.* (使)混合；相互往来 记 联想记忆：铃铛声(jingle) 混合(mingle) 在一起形成噪音 例 The air was full of the smell of the soil *mingled* with the faint scent of the grass after rain. 雨后空气中到处弥漫着泥土混杂淡淡青草的香味儿。 **mingle**
homage [ˈhɑːmɪdʒ]	*n.* 敬意 记 词根记忆：hom (看作 homo，人类) + age → 他是人类中的典范 → 人们纷纷对他表示敬意 → 敬意 例 a great *homage* 崇高的敬意
enchant [ɪnˈtʃænt]	*vt.* 对…施行魔法，用魔法迷惑；使心醉，使销魂，使迷住 记 词根记忆：en(使) + chant(=cant，唱歌) → 唱歌使心醉 → 使心醉 例 Robin was plainly *enchanted* by the beautiful painting. 罗宾显然被这幅美丽的画迷住了。
ebb [eb]	*n.* 退潮，落潮 *vi.* 退潮，落潮；减少，衰退 记 发音记忆："爱不" → 内心的感情已经退潮，不爱了 → 退潮 搭 at a low ebb 处于低潮，衰退，不景气；ebb and flow 兴衰，起伏；ebb away 退去 例 the *ebb* and flow of seasons 季节的交替 // The old man's on sixty, so his strength is slowly *ebbing* away. 那位老人快六十岁了，因此体力正在渐渐衰退。
introvert [ˈɪntrəvɜːrt]	*n.* 性格内向的人 *vt.* 使向内弯曲 记 词根记忆：intro(向内) + vert(转) → 使向内弯曲
stability [stəˈbɪləti]	*n.* 稳定(性)；安定 记 词根记忆：sta(站) + bility(表性质) → 站得稳稳当当 → 稳定(性) 例 a long period of *stability* 长治久安 派 instability(*n.* 不稳定性)
bereft [bɪˈreft]	*a.* 被剥夺的；失去亲人的；丧失的 记 来自 bereave(*vt.* 使丧失) 例 The tennis player now seems *bereft* of inspiration. 那位网球选手现在看起来像是失去了动力。

□ denominate □ consultant □ abut □ mingle □ homage □ enchant
□ ebb □ introvert □ stability □ bereft

wield [wiːld]	*vt.* 支配，掌控（权力）；使用（工具等）
	记 联想记忆：在掌权（weild）人面前不屈服放弃（yield）
	例 Neil *wields* a lot of power in the organization. 尼尔在组织中很有权力。
humility * [hjuːˈmɪləti]	*n.* 谦恭，谦逊
	记 词根记忆：hum(地) + ility → 他始终对大地怀着敬意 → 谦恭
	例 a genuine *humility* 真正的谦虚
barrister [ˈbærɪstər]	*n.* 大律师，出庭律师
	记 联想记忆：爸爸禁止（bar）姐姐（sister）当大律师（barrister）
divert [daɪˈvɜːrt]	*vt.* 使转向，使改道（或绕道）；转移…的注意力；使消遣，使娱乐
	记 词根记忆：di + vert(转向) → 使转向
	搭 divert sb.'s attention from sth. 转移某人对于某事的注意力
	例 The teacher tried in vain to *divert* Mike's mind from the subject. 老师试图把迈克的思维从这个主题上转开，但丝毫没用。
	同 distract, entertain, amuse
hierarchy * [ˈhaɪərɑːrki]	*n.* 等级制度；统治集团
	记 联想记忆：hier(看作 heir，继承人) + archy(统治) → 王室继承人是统治集团的最高领导 → 统治集团
	例 the social *hierarchy* 社会等级制度
lyric [ˈlɪrɪk]	*n.* 抒情诗；歌词 *a.* 抒情的
	记 联想记忆：ly(看作 lying, 躺) + ric → 躺在星空下 → 抒情的
	例 a *lyric* poem 抒情诗
numerical [nuːˈmerɪkl]	*a.* 数字的，用数字表示的
	记 词根记忆：numer(数字) + ical(…的) → 数字的
	例 *numerical* data 数据
	派 numerically(*ad.* 用数字，在数字上)
dissent * [dɪˈsent]	*v.* 持异议 *n.* 异议，不同意见
	记 词根记忆：dis(否定) + sent(看作 sens, 感觉) → 凭感觉否定 → 持异议
	例 Justices Andrew and Jonathan *dissented* from the ruling. 安德鲁法官和乔纳森法官对这一裁决持有异议。
ferocious [fəˈrouʃəs]	*a.* 凶恶的，残忍的，凶猛的；十分强烈的，极度的
	记 词根记忆：feroc(野性) + ious → 凶猛的
	例 a *ferocious* beast 猛兽
	同 fierce, barbarous, savage, cruel
frigid * [ˈfrɪdʒɪd]	*a.* 寒冷的；冷淡的，(尤指女人)性冷淡的
	记 联想记忆：这么冷的(frigid)天，水果(fruit)都冻坏了
	例 *frigid* air 寒冷的空气 // *frigid* manner 冷淡的态度
	同 indifferent

evolve [iˈvɑːlv]	*v.* (使)发展，(使)进化，演化；引申出，推理，引出 记 词根记忆：e + volv(滚动) + e→ 向前滚动 → (使)发展 例 Professor White had *evolved* his theory after many years of research. 经过多年的研究，怀特教授形成了自己的理论。 派 evolution(*n.* 进化，进化论)；evolutionary(*a.* 进化的) 同 derive, deduce
demonstrate [ˈdemənstreɪt]	*v.* 证明，证实；演示，举例说明；表明，表达；游行示威 记 词根记忆：de(加强) + monstr(显示) + ate → 充分显示出来 → 举例说明 搭 demonstrate one's ability 显示某人的能力 例 The economist has written a long article to *demonstrate* what the enterprise had done was a folly. 这位经济学家写了一篇很长的文章，以证明该企业的所作所为不但耗资巨大，而且毫无益处。 派 demonstration(*n.* 游行示威；示范)；demonstrative(*a.* 说明的，指示的) 同 display, show, illustrate
sensibility [ˌsensəˈbɪləti]	*n.* 敏感性，感受能力；鉴赏力 记 来自 sensible(*a.* 意识到的，有感觉的)
affluence * [ˈæfluəns]	*n.* 富裕；大量，丰富 记 词根记忆：af + flu(流) + ence(表状态) → 富得流油 → 富裕 例 Human spiritual needs should match material *affluence*. 人类的精神需求应该与丰富的物质相匹配。 同 profusion
circumlocution * [ˌsɜːrkəmləˈkjuːʃn]	*n.* 婉转曲折的陈述 记 词根记忆：circum (周围，绕圈) + locut (说话) + ion → 说话绕圈子 → 婉转曲折的陈述
mount [maʊnt]	*v.* 登上，爬上(山、梯等)；安装，装配，固定，镶嵌 *n.* 支架，底座，底板；山峰 记 词根记忆：mount 本身是个词根，意为"山峰；登上" 搭 mount the steps 登上台阶；mount a horse 上马 例 The picture has been securely *mounted* to the wall. 这张画已被牢牢地固定在墙上了。// The mirror is fixed to the wall with a sturdy *mount*. 这面镜子被一个坚固的支架固定在墙上。
assent [əˈsent]	*n./vi.* 同意，赞成 记 词根记忆：as(加强) + sent(感觉) → 感觉相同 → 同意，赞成 例 Arnold didn't *assent* to making a phone call while driving. 阿诺德不赞成开车时打电话。
collide [kəˈlaɪd]	*vi.* 碰撞；抵触，冲突 记 联想记忆：因为物品滑动(slide)发生了碰撞(collide) 搭 collide with 与…发生碰撞；与…发生冲突 例 A 20-year-old man remained critically ill in hospital after the car he was driving *collided* with another vehicle. 一名 20 岁男青年驾车与另一辆车相撞，他被送往医院后情况仍然很危急。 同 clash

□ evolve □ demonstrate □ sensibility □ affluence □ circumlocution □ mount
□ assent □ collide

inspiring [ɪnˈspaɪərɪŋ]	*a.* 鼓舞的；激励人心的 记 来自 inspire（*v.* 鼓舞，激发） 例 an *inspiring* eulogy 鼓舞人心的颂词
hesitation [ˌhezɪˈteɪʃn]	*n.* 犹豫，踌躇；含糊；口吃，停顿 记 来自 hesitate（*v.* 犹豫，踌躇）
premature [ˌpriːməˈtʃʊr]	*a.* 未成熟的；太早的；不到期的；早产的 记 词根记忆：pre（前）+ mat（熟的）+ ure → 未成熟的 例 a *premature* infant 早产婴儿 派 prematurely（*ad.* 过早地）
restrict [rɪˈstrɪkt]	*v.* 限制，约束 记 联想记忆：re（一再）+ strict（严格的）→ 一再对其严格要求 → 限制，约束 搭 restrict... to... 把…限制于… 例 Can the school board *restrict* teachers' rights to express their views? 学校董事会能限制教师们表达他们观点的权利吗？ 派 restriction（*n.* 限制，约束）；restrictive（*a.* 限制性的） 同 restrain, limit
episode [ˈepɪsoʊd]	*n.* 一段情节，片断，（连续剧的）一集；插曲 例 the funny *episode* 有趣的插曲
nurture * [ˈnɜːrtʃər]	*vt.* 教养，抚育；滋养 *n.* 营养物，食物；养育 记 联想记忆：大自然（nature）滋养（nurture）着万物 例 The biggest nation-wide campaign to find and *nurture* new talent was launched in 2010. 旨在发现和培养天才新星的最大的全国性竞赛活动于 2010 年启动。 派 nurturer（*n.* 养育者；营养物）
disturb [dɪˈstɜːrb]	*v.* 扰乱；打扰；使不安；使烦恼 记 词根记忆：dis（分离）+ turb（扰乱）→ 扰乱某人使其思绪分离 → 扰乱 例 Hugh stood there, waiting for something to *disturb* the silence. 休站在那里，等待着有什么东西来打破这种沉默。 同 discompose, disquiet, agitate, upset, fluster, interrupt
realism [ˈriːəlɪzəm]	*n.* 现实主义；现实性 记 来自 reality（*n.* 真实，现实性）
nominate [ˈnɑːmɪneɪt]	*vt.* 提名；任命；指派 记 词根记忆：nomin（名字）+ ate（使…）→ 使榜上有名 → 提名 例 The man who created Space School is *nominated* for the industry's equivalent of an Oscar. 航空学院的创始人获得了工业界相当于奥斯卡奖的提名。 同 appoint, designate
alter [ˈɔːltər]	*v.* 改变，变更 例 Whether you like it or not, you're going to have to *alter* your lifestyle. 无论你是否愿意，你都要改变自己的生活方式。 派 alternation（*n.* 改变，变更）；unaltered（*a.* 未被改变的，不变的）；alternative（*n.* 替换物，选择）

synthesize [ˈsɪnθəsaɪz]	*vt.* 综合；合成 记 来自 synthesis(*n.* 综合；合成) 例 DDT is a pesticide that was first *synthesized* in 1874. DDT 是种杀虫剂，首次合成于 1874 年。
precede [priˈsiːd]	*v.* 领先(于)，在(…之)前；优先，先于 记 词根记忆：pre(前) + ced(走) + e → 走在前面 → 在(…之)前 例 Dinner will be *preceded* by a short speech from the general manager. 总经理在晚宴前会做一个简短的讲话。 同 forerun
excerpt * [ˈeksɜːrpt]	*n./vt.* 摘录，选录，节录 例 This passage is *excerpted* from a very famous novel. 这个段落节选自一部著名的小说。
ardor [ˈɑːrdər]	*n.* 热情 记 词根记忆：ard(燃烧) + or → 热情
adumbrate [ˈædəmbreɪt]	*v.* 预示；画轮廓；概括 记 词根记忆：ad + umbr(影子) + ate → 影子提前来到 → 预示 例 The recent development *adumbrates* a world-wide revolution in science and technology. 近来的发展预示着将会出现一场全球性的科技革命。
castigate * [ˈkæstɪɡeɪt]	*vt.* 惩罚；严厉批评 记 联想记忆：cast(扔) + i(我) + gate(门) → 向我的门扔东西 → 惩罚 例 Health inspectors *castigated* the kitchen staff for poor standards of cleanliness. 卫生检查人员批评厨师们卫生标准太低。 同 punish, chastise*, chasten
enormous [ɪˈnɔːrməs]	*a.* 巨大的，庞大的 记 联想记忆：一只巨大的(enormous)老鼠(mouse) 例 *enormous* expenditure 巨额开支 同 remarkable, massive
denounce * [dɪˈnaʊns]	*vt.* 谴责，公开指责，公然抨击；告发，指控 记 词根记忆：de(否定) + nounc(说) + e → 否定的说法 → 公开指责 例 Many experts have *denounced* the painting as a fake. 很多专家指责这幅画是赝品。 派 denouncement(*n.* 谴责，指责) 同 accuse, condemn, criticize
consistency * [kənˈsɪstənsi]	*n.* 始终一贯，前后一致 记 来自 consist(*v.* 一致) 例 There is no *consistency* between the film and the novel. 这部电影的情节和小说不一致。

10

中国队加油！
ardor

enlist [ɪn'lɪst]	*v.* 征募，征召；参军 记 联想记忆：en(进入) + list(名单) → 征募的人会进入名单 → 征募 例 Many men were forced to *enlist* in the army during the civil war. 内战期间，很多人都被迫参军。
medieval [ˌmedi'iːvl]	*a.* 中世纪的；老式的，古旧的 记 词根记忆：medi(中间) + ev(时间) + al(…的) → 中世纪的 例 *medieval* castles 中世纪的城堡
displace [dɪs'pleɪs]	*v.* 移置，转移；取代，置换；迫使…离开家园 记 联想记忆：dis(分离) + place(位置) → 离开原来的位置 → 移置，转移 例 Flooding caused by the rain storm may *displace* up to a million people. 暴雨引起的洪水致使一百万人被迫离开家园。 同 replace
vegetation [ˌvedʒə'teɪʃn]	*n.* 植被，植物群落 记 来自 vegetable(*n.* 蔬菜，植物) 例 *vegetation* damage 植被破坏 同 plant
belated* [bɪ'leɪtɪd]	*a.* 误期的；迟来的 记 联想记忆：be(使…成为) + late(迟的) + d → 迟来的 例 a *belated* apology 迟到的道歉
comely* ['kʌmli]	*a.* 清秀的，标致的；合适的 记 联想记忆：大家都想打听那个标致的(comely)女孩来自(come)哪里 同 beautiful, lovely, handsome, pretty, fair
clergy ['klɜːrdʒi]	*n.* 牧师，神职人员 记 联想记忆：牧师(clergy)能让信徒充满力量(energy)
bureaucracy* [bjʊ'rɑːkrəsi]	*n.* 官僚；官僚主义；官僚体制 记 词根记忆：bureau(桌子) + cracy(政府) → 政府的官员成天坐在办公桌旁开会 → 官僚体制
insightful* ['ɪnsaɪtfʊl]	*a.* 洞察力强的 记 来自 insight(*n.* 洞察力) 例 an *insightful* historian 有真知灼见的历史学家
impression [ɪm'preʃn]	*n.* 印象，感想；盖印，压痕 记 词根记忆：im(在…上) + press(压) + ion → 在…上压 → 盖印，压痕 例 an overall *impression* 整体的印象
thrash [θræʃ]	*v.* 鞭打，棒击；连续拍击；不断挥动；彻底击败，重创 搭 thrash out 通过反复研讨解决 例 We have to *thrash* out the problem even if we still have disputes. 尽管我们还有一些争论，但必须解决问题。
bemused* [bɪ'mjuːzd]	*a.* 茫然的，困惑的 记 来自 bemuse(*vt.* 使困惑) 例 Simon seemed a little *bemused* after his girlfriend broke up with him. 西蒙的女朋友和他分手后，他看起来有点困惑。

☐ enlist　　☐ medieval　　☐ displace　　☐ vegetation　　☐ belated　　☐ comely
☐ clergy　　☐ bureaucracy　　☐ insightful　　☐ impression　　☐ thrash　　☐ bemused

pan* [pæn]	v. 严厉批评 n. 平底锅，盘状器皿 例 You have to wash the *pan* before you make the cake. 在做蛋糕之前，你得先把平底锅洗干净。
couple* ['kʌpl]	n. 数个；夫妻，情侣 v. 连接；结合；结婚 例 The new *couple* just spent their honeymoon on traveling in Hawaii. 这对新婚夫妇刚刚在夏威夷度完蜜月。
squat* [skwɑːt]	n./v. 蹲坐，蹲 a. 矮胖的 例 The woman *squatted* down silently after she heard the death of her husband. 这个女人听到丈夫的死讯后，默默地蹲下身去。
glean [gliːn]	v. 拾(落穗)；(四处费力地)收集，采集 例 The girl is a fan of the singer and *gleans* all his albums and materials. 女孩是这个歌手的粉丝，她收集了他所有的专辑和资料。
disputatious* [ˌdɪspjuˈteɪʃəs]	a. 爱争论的，好争辩的 记 来自 dispute (v. 争论，辩论) 例 Jerry is a *disputatious* young man who will not miss any opportunity to argue with others. 杰里是一个好争辩的年轻人，他从不放过任何与人争辩的机会。
perishable ['perɪʃəbl]	a. 易腐烂的，易变质的 n. 易腐物品 记 来自 perish (v. 枯萎；腐烂) 例 You should keep the *perishable* goods in the fridge, especially in hot summer. 你应该把易腐物品放在冰箱里保存，尤其是在炎热的夏季。

10

长难句分析 (七)

10 High school graduates usually do not end up earning as much income as college graduates do, this being why so many high school students go on to pursue college degrees.

译文：通常高中毕业生最终的工资没有大学毕业生高，这就是为什么这么多高中生毕业后继续到大学攻读学位。

讲解：本句中第二个 as 引导了一个状语从句，类似的句子还有：The student decided to read as much as he could. 这个学生下决心尽可能多地读书。注意，句中的 this being 不是完整的句子结构，在写作时如运用这种句子结构，需要小心。

Word List 11

词根预习表

hum	地	humble *a.* 卑贱的	verg	转向	divergent *a.* 分歧的
fic	做	proficient *a.* 熟练的	cau	小心	precaution *n.* 预防，小心
prob	证实	approbation *n.* 认可	brac	手臂	embrace *vt.* 拥抱
solv	松开	absolve *vt.* 免除(责任)	stat	站	ecstatic *a.* 欣喜若狂的
corp	团体	incorporate *v.* 合并，纳入	arch	古老	archaeology *n.* 考古学

---

emit
[i'mɪt]

v. 发出，放射，散发；发表(意见等)；发行(纸币等)
记 联想记忆：e(出) + mit(放出) → 发出，散发
例 The fume, *emitted* from the exhaust pipe of the motor vehicle, does harm to people's health. 机动车排气管排出的尾气对人体健康有害。
派 emission(*n.* 发出，发光；放射物)
同 radiate

---

bulk
[bʌlk]

n. 体积，大小；大多数；巨大的东西，大块 *vt.* (使)膨胀或延伸
记 联想记忆：公牛(bull) 总是大批(bulk) 地行动
搭 in bulk 大量，大批；bulk sth. out 把…延伸；把…变大 / 厚
例 The heavy *bulk* of the block of steel almost crushed the delivery truck. 这块钢体积很大，快要把运送的卡车压塌了。// The students can *bulk* out the report with lots of diagrams. 学生可以通过大量使用图表来加长报告。
派 bulky(*a.* 巨大的，庞大的)
同 magnitude

**abridge*
[ə'brɪdʒ]

vt. 删节，削减，精简
记 词根记忆：a + bri(看作 bief，简短) + dge → 使缩短 → 删节
例 an *abridged* edition 删节版

---

outgoing
['aʊtɡoʊɪŋ]

a. 即将离职的；对人友好的；外向的
记 联想记忆：out(外出的) + go(去) + ing → 喜欢外出的 → 外向的
例 the *outgoing* president 即将下台的总统

---

comestibles
[kə'mestɪblz]

n. 食物
记 联想记忆：come(来) + stible(看作 stable) + s → 来餐桌吃东西 → 食物

**objective*
[əb'dʒektɪv]

n. 目标，目的；(显微镜等的)物镜 *a.* 客观的，真实的
记 来自 object(*n.* 目标，目的)
例 strategic *objective* 战略目标

---

milestone [ˈmaɪlstoʊn]	*n.* 里程碑，里程标；重要事件，转折点 记 组合词：mile(英里) + stone(石头) → 标明英里数的石头 → 里程碑 例 an important *milestone* 重要的里程碑
oblivion * [əˈblɪviən]	*n.* 遗忘；沉睡，昏迷；被摧毁 记 词根记忆：ob(离开) + liv(活) + ion → 不再存活的东西被遗忘了 → 遗忘
dismiss * [dɪsˈmɪs]	*vt.* 使退去，让离开，打发走，解散；免职，解雇，开除（学生、工人等）；消除(顾虑等)；不考虑，驳回 记 词根记忆：dis(离开) + miss(送) → 送走，让离开 → 让离开 搭 dismiss sb. / sth. from 开除/消除 例 The words of Juliet's father *dismissed* fear from her mind. 父亲的话消除了朱丽叶心里的恐惧。 派 dismissal(*n.* 不考虑；解雇)；dismissive(*a.* 轻视的)
humble [ˈhʌmbl]	*a.* 谦卑的，恭顺的；低下的，卑贱的；粗陋的 *vt.* 降低，贬抑 记 词根记忆：hum(地) + ble → 趴在地上 → 卑贱的 例 a *humble* job 低下的职业 // a man of *humble* origin 出身卑微的人 // *humble* pie 屈辱，丢脸 派 humbleness(*n.* 谦逊)
celibate * [ˈselɪbət]	*n.* 禁欲者；独身者，独身主义者 *a.* 独身的；禁欲的 例 I've been *celibate* for a year. 我已经禁欲一年了。
characteristic [ˌkærəktəˈrɪstɪk]	*a.* 特有的，表示特性的；典型的 *n.* 特征 记 联想记忆：character(特征) + istic(…的) → 有特征的 → 典型的 例 Birds of prey with similar *characteristics* may not have evolved from a common ancestor. 具有相似特征的肉食鸟类可能并不是由共同的祖先进化而来。 派 characteristically(*ad.* 表示特性地)；character(*n.* 性格，品质；性质，特性)；characterize(*vt.* 成为…的特征，以…为特征；描绘人或物的特性) 同 individual, peculiar, distinctive
divergent * [daɪˈvɜːrdʒənt]	*a.* 分歧的；相异的；分散的 记 词根记忆：di(分开) + verg(转向) + ent(…的) → 分别转换方向 → 分歧的 例 *divergent* paths 岔路
subdue * [səbˈduː]	*vt.* 征服；抑制 记 联想记忆：sub(在下面) + due(看作 duce，领袖) → 领袖要征服民众的心 → 征服 例 Napoleon *subdued* much of Europe. 拿破仑征服了欧洲的大部分地区。 // The girl felt the urge to laugh, but then *subdued* it. 那个女孩想要发笑，不过她忍住了。
assemble [əˈsembl]	*vt.* 集合，集会；装配，组装 记 词根记忆：as(加强) + sembl(类似) + e → 物以类聚 → 集合 派 assembly (*n.* 集会；装配)

conceivable [kənˈsiːvəbl]	*a.* 可能的，想得到的，可想象的 记 来自 conceive(*v.* 考虑，设想) 例 every *conceivable* means 一切能想到的方法 同 imaginable
proficient [prəˈfɪʃnt]	*a.* 精通的，熟练的 记 词根记忆：pro(大量) + fic(做) + ient → 做得多了就熟练了 → 熟练的 例 a *proficient* surgeon 技术纯熟的外科医生 同 skilled, expert
clientele * [ˌklaɪənˈtel]	*n.* [总称]诉讼委托人；客户 记 来自 client(*n.* 当事人，顾客)
pension [ˈpenʃn]	*n.* 养老金，退休金 记 词根记忆：pens(付钱) + ion → 付给老年人的补助金 → 养老金 派 pensionable(*a.* 可领养老金的); pensioner(*n.* 领养老金的人)
veil [veɪl]	*n.* 面纱；遮蔽物；掩饰 *vt.* 用面纱掩盖；掩饰 记 联想记忆：邪恶的(evil) 人蒙着面纱(veil) 以掩饰自己 搭 draw a veil over 避而不谈，隐瞒 例 The details of the negotiation are *veiled* in secrecy. 这次谈判的细节被隐藏了。 同 cover
revere [rɪˈvɪr]	*vt.* 尊敬，崇敬，敬畏 记 联想记忆：那位老师因为严厉(severe) 而使我们敬畏(revere) 例 People love and *revere* her for her bright and sunny temper and her saintly unselfishness. 人们因她阳光开朗的性格以及圣洁的无私而喜爱她，尊敬她。 同 adore, worship, respect
appease * [əˈpiːz]	*vt.* 平息；安抚，缓和；满足 记 联想记忆：ap(加强) + pease(看作 peace，和平) → 平息 例 Ross *appeased* her baby with gentle caress. 罗斯温柔地爱抚着宝宝，使他安静下来。 同 calm, allay, pacify, conciliate
suspension [səˈspenʃn]	*n.* 悬吊；悬浮；悬浮液；暂停，中止；停职，停学；悬而未决，延迟 例 This is the longest *suspension* bridge in the world. 这是世界上最长的吊桥。// Bad weather causes *suspension* of search for pilots and passengers. 恶劣的天气导致暂停了对飞行员和乘客的搜索。
cogent * [ˈkoʊdʒənt]	*a.* 强有力的，使人信服的 记 联想记忆：代理商(agent) 的说法很令人信服(cogent) 例 *cogent* argument / reason 令人信服的论点 / 理由 同 valid, sound, convincing

alien
['eɪliən]

n. 外侨；外星人 a. 外国的；外侨的；相异的；不相容的

记 词根记忆：ali（其他的）+ en → 其他国家的人 → 外侨

搭 be alien to 与…格格不入；be alien from 与…不同

例 *alien* culture 异族文化 // A parliament possessing real power was *alien* to the country's every tradition. 掌握实权的议会与这个国家的每一项传统都背道而驰。

同 strange, foreign

11

endorse *
[ɪn'dɔːrs]

v. 在(票据)背面签名；签注(文件)；赞同，认可

记 词根记忆：en + dors(背面) + e → 在背面签字 → 在(票据)背面签名

例 The President toured the Middle East, aiming at persuading countries in the region to *endorse* his country's desire to develop nuclear technology. 总统中东一行旨在游说该地区国家同意其发展核技术。

同 approve, sanction, accredit, certify

conventional *
[kən'venʃnl]

a. 惯例的，常规的；习俗的，传统的

记 来自 convention(n. 习俗；惯例)

例 a *conventional* greeting 日常问候语 // a *conventional* wedding 传统的婚礼

同 commonplace

lobby
['lɑːbi]

n. 门廊，门厅；(会议) 休息厅；游说团 v. 向(议员)游说

记 联想记忆：lob(动作缓慢) + by → 通常休息时动作缓慢 → 休息厅

例 a hotel *lobby* 旅馆大厅 // The experts *lobbied* the city council members for economic reform. 专家们向市政委员会成员游说，希望进行经济改革。

blunder *
['blʌndər]

n. 大错 v. 跌跌撞撞地走；犯大错，做错

记 联想记忆：犯了大错(blunder)，打雷(thunder) 天被赶出了门

搭 blunder on / upon 偶然碰上，无意中发现；blunder about / around 跌跌跄跄地走

例 We could hear somebody *blundering* around in the darkness. 我们能听到有人在黑暗中蹒跚前行。// The cashier realized that he committed a terrible *blunder*, but it was too late. 出纳员意识到自己犯了一个严重的错误，可一切都太迟了。

同 error

tempt
[tempt]

vt. 诱惑，引诱；吸引，使感兴趣

记 本身为词根，意为"尝试"

搭 tempt sb. into sth. / doing sth. 劝说或鼓动某人做某事；吸引某人做某事

例 The new program is designed to *tempt* young people into studying physics. 这个新计划是为了吸引年轻人学习物理学。

派 temptable(a. 易被引诱的，可诱惑的)；tempter(n. 诱惑者，诱惑物)

同 appeal, entice *

malicious[*] [məˈlɪʃəs]	*a.* 怀恶意的，恶毒的 记 来自 malice（*n.* 恶意） 例 *malicious* lies 恶毒的谎言
waver [ˈweɪvər]	*n./v.* 摇摆，摇晃；声音（颤抖）；（光亮）闪烁；犹豫，动摇 记 联想记忆：和 wave（*v.* 波动）一起记 例 The pine trees *wavered* in the wind. 松树在风中摇曳。// I never *wavered* in my determination to succeed. 我要成功的决心从来没动摇过。
progression [prəˈgreʃn]	*n.* 行进；发展；连续，序列；【数】数列 记 来自 progress（*v.* 前进） 例 arithmetic *progression* 等差数列
symphonious [sɪmˈfoʊnɪəs]	*a.* 和谐的，协调的 记 来自 symphony（*n.* 交响乐；和谐）
flag[*] [flæg]	*n.* 国旗，旗帜；标志，特征 *v.* 无力地下垂，低垂；变弱，疲乏 记 联想记忆：他顿时没了力气（flag），不再像一只青蛙（frog）似的聒噪 例 the national *flag* 国旗 // The explorer's strength was *flagging* as he had been walking for a long time. 由于走了很长时间的路，那位探险家的体力逐渐下降。
satire[*] [ˈsætaɪər]	*n.* 讽刺文学；讽刺 记 联想记忆：乐于 satire（讽刺）的人永远不会觉得 tire（厌倦）
diffusion [dɪˈfjuːʒn]	*n.* 扩散，传播 记 词根记忆：dif + fus(e)（撒，泼）+ ion（表名词）→ 撒，泼 → 扩散，传播 例 *diffusion* area 扩散面积
atone [əˈtoʊn]	*v.* 弥补（过错）；赎（罪） 记 联想记忆：a + tone（看作 stone，石头）→ 女娲以石补天 → 弥补 搭 atone for 赎回；偿还 例 The cruel king had expressed a wish to *atone* for his actions in the past when he was old. 那位残暴的国王在老年之际希望为自己过去的罪行赎罪。
determinate [dɪˈtɜːrmɪnət]	*a.* 确定的 记 来自 determine（*v.* 确定）
precaution [prɪˈkɔːʃn]	*n.* 预防，警惕，谨慎，小心；预防措施 记 词根记忆：pre（预先）+ cau（小心）+ tion → 预防，小心 例 fire *precautions* 防火措施
approbation[*] [ˌæprəˈbeɪʃn]	*n.* 官方批准；认可；嘉许 记 词根记忆：ap + prob(=prove, 证实) + ation → 经过一再证实 → 认可 例 Kevin stood silently, nodding in *approbation* of what I said. 凯文一声不响地站着，点头表示同意我所说的。

stimulation [ˌstɪmjuˈleɪʃn]	*n.* 激励，鼓舞；刺激 记 来自 stimulate(*v.* 激励；刺激) 例 The deaf have no response to the auditory *stimulation*. 聋子对听觉刺激没有任何反应。 同 animate, arouse
delusion * [dɪˈluːʒn]	*n.* 错觉，妄想；欺骗，哄骗 记 词根记忆：de + lus（扮演）+ ion（表名词）→ 扮演出假象，使产生错觉 → 错觉 例 *delusion* of grandeur 妄自尊大
akin [əˈkɪn]	*a.* 近似的，类似的；有血亲关系的 记 联想记忆：a(一个) + kin(亲属) → 一个亲属 → 有关系的 搭 akin to sth. 与…类似的 例 The function of the Department of Justice was much more *akin* to that of the Department of Defense than to other agencies. 与其他机构相比，司法部的作用和国防部更为类似。
innovative * [ˈɪnəveɪtɪv]	*a.* 创新的 记 来自 innovate(*v.* 创新) 例 an *innovative* design 别出心裁的设计
reserved [rɪˈzɜːrvd]	*a.* 保留的，留作专用的；缄默的，内敛的，冷淡的 例 *reserved* parking spaces 留作停车专用的空间
temperate [ˈtempərət]	*a.* (气候)温和的；温带的；自制的，心平气和的 记 联想记忆：temper(脾气) + ate(具有…) → 好脾气的 → 心平气和的 例 *temperate* forests 温带森林 // Please be *temperate* in your language. 请在言语方面自制一些。
embrace * [ɪmˈbreɪs]	*vt.* 拥抱；包含；抓住(机会)；接受(提议) 记 词根记忆：em(在中间) + brac(手臂) + e → 用手臂抱在中间 → 拥抱 例 The word "culture" *embraces* both artistic and sociological aspects of a society. "文化"一词包含社会艺术和社会学两个方面。 同 hug
pathos * [ˈpeɪθɑːs]	*n.* 痛苦，感伤；悲悯，同情 记 词根记忆：path(感情) + os → 痛苦，感伤 例 false *pathos* 假悲伤
absent-minded [ˈæbsənt ˈmaɪndɪd]	*a.* 心不在焉的，出神的 记 联想记忆：absent(不在) + mind(引申为内心) + ed → 心不在的 → 心不在焉的
absolve * [əbˈzɑːlv]	*vt.* 免除(责任)；赦免…罪 记 词根记忆：ab + solv(松开) + e → 松开使脱离责任 → 免除(责任) 例 According to Bankruptcy Law, the companies are *absolved* of all their debts. 依照《破产法》，这些公司被免除所有的债务。

11

temperate

pathos

embrace

exploit * [ɪkˈsplɔɪt]	*v.* 开拓，开发，开采；利用；剥削 记 联想记忆：有时候采矿(exploit)要用爆炸(explode)的方法 搭 exploit one's office 利用职权 例 Measures have been taken to stop some leaders *exploiting* their office to oppress the people. 已经采取了措施来制止一些领导利用职权欺压百姓。 派 exploitation(*n.* 开发；剥削；利用)；overexploitation(*n.* 过度开采)；exploitage(*n.* 开发，开采)；exploitee(*n.* 被剥削者) 同 utilize
ecstatic [ɪkˈstætɪk]	*a.* 欣喜若狂的，入迷的，出神的 记 词根记忆：ec(离开) + stat(站) + ic(…的) → 站着目送喜欢的歌手离开 → 欣喜若狂的 例 *ecstatic* applause 狂热的鼓掌
instant [ˈɪnstənt]	*a.* 立即的，直接的；紧迫的；(食品)速溶的，方便的 *n.* 瞬间，即刻 搭 for an instant 片刻，一瞬间；on the instant 立即，马上；in an instant 立即；the instant... 一…就… 同 importunate, urgent, immediate, direct
bane [beɪn]	*n.* 造成困扰的事；祸根 记 发音记忆："背" → 背运不断，令人苦恼 → 造成困扰的事
variable [ˈveriəbl]	*a.* 易变的；可变的，变量的 *n.* 变量；可变因素 记 词根记忆：var(改变) + i + able (可…的) → 可变的 例 The weather here in summer is likely to be very *variable*. 这里夏天天气非常多变。
melancholy [ˈmelənkɑːli]	*n.* 忧郁，悲伤 *a.* 忧郁的，令人悲伤的 记 联想记忆：melan(黑色) + chol(=bile 胆汁，不开心) + y → 伤心得胆汁都发黑了 → 忧郁的
glorious [ˈɡlɔːriəs]	*a.* 壮丽的，辉煌的；光荣的 例 a *glorious* deed 光辉的业绩
cohesion * [kəʊˈhiːʒn]	*n.* 结合，凝聚 记 词根记忆：co(共同) + hes(粘贴) + ion → 粘贴在一起 → 结合 例 social *cohesion* 社会团结
restoration [ˌrestəˈreɪʃn]	*n.* 修复；恢复 记 来自 restore (*v.* 恢复) 例 a fund for the *restoration* of historic buildings 用于修复历史建筑的经费
preference [ˈprefrəns]	*n.* 偏爱，喜爱；优惠；优先选择 记 来自 prefer(*v.* 更喜欢) 搭 preference for / to 偏爱… 例 Parents, as a rule, showed their *preference* to the youngest child. 父母通常偏爱他们最小的孩子。 派 preferential(*a.* 优先的；特惠的) 同 favoritism

fawn [fɔːn]	*v.* 奉承，讨好
	记 联想记忆：粉丝(fans) 非常愿意讨好(fawn) 偶像
	搭 fawn on sb. 奉承某人
	例 Christina, poor woman, had at last found a grown-up man, and showed her pleasure by *fawning* on him. 克里斯蒂娜是个贫穷的女人，最终找到了自己的伴侣，为了显示自己很快乐，她处处讨好那个男人。
	同 toady, cringe
prolific * [prəˈlɪfɪk]	*a.* 多产的；富有创造力的；丰富的，富饶的
	记 联想记忆：pro(许多) + lif(看作 life，生命) + ic → 产生许多生命的 → 多产的
	例 a *prolific* author 多产的作家
	同 fertile, fecund, fruitful, productive
dogmatic * [dɔːgˈmætɪk]	*a.* 教条的；武断的
	记 联想记忆：dog(狗) + ma(看作拼音，妈) + tic(…的) → 狗妈妈不听小狗的想法，独断专行 → 教条的；武断的
	例 a *dogmatic* approach 武断的方法
likelihood [ˈlaɪklihʊd]	*n.* 可能，可能性
	记 联想记忆：likeli(=likely 可能) + hood(表性质) → 可能性
	同 probability
license [ˈlaɪsns]	*n.* 许可(证)；执照
	记 联想记忆：酒后驾车，吊销执照(license) 是教训(lesson)
	例 a driving *license* 驾驶执照
linear [ˈlɪniər]	*a.* 线的，直线的，线状的
	记 来自 line(*n.* 直线)
	例 a *linear* descendent 直系后代 // a *linear* design 线条图案
blight * [blaɪt]	*vt.* 破坏，摧残；使枯萎 *n.* (植物)枯萎病；有害因素
	记 联想记忆：b + light(光) → 植物无光便死亡 → 使枯萎
	例 A disease which, though not fatal, can *blight* the lives of its victim. 尽管不是致命的疾病，可还是会摧毁受害者的生命。
incorporate * [ɪnˈkɔːrpəreɪt]	*v.* 合并，纳入，结合
	记 词根记忆：in(进入) + corp(团体) + or + ate → 进入团体 → 合并，纳入
	搭 incorporate into / in 合并，纳入
	例 Several universities are trying to *incorporate* ethnic foods into their menus. 几所大学正试图把具有民族特色的食物添加进他们的菜单。
	派 incorporation(*n.* 结合，合并)
	同 comprehend, embody
archaeology * [ˌɑːrkiˈɑːlədʒi]	*n.* 考古学
	记 词根记忆：arch(古老) + ae + ology(学科) → 考古学
	派 archaeological(*a.* 考古学的)；archaeologist(*n.* 考古学家)

designate [ˈdezɪɡneɪt]	*v.* 指明, 标示; 任命, 指派 记 词根记忆: de(加强) + sign(标记) + ate → 加强标记 → 指明, 标示 例 Mr. Smith *designated* his son as his successor. 史密斯先生指定他的儿子为继承人。 同 appoint, nominate
ascent [əˈsent]	*n.* 上升; 攀登; 上坡路; (地位、声望等的)提高 记 词根记忆: a + scent(爬, 攀) → 向上爬 → 上升; 攀登 例 the first *ascent* of Mount Everest 首次攀登珠穆朗玛峰 // a steep *ascent* 陡坡
vitality [vaɪˈtæləti]	*n.* 生命力, 活力 记 来自 vital(*a.* 生命的, 生机的) 例 Rick is bursting with *vitality* and new ideas. 里克充满了活力和新想法。
absence [ˈæbsəns]	*n.* 不在场, 缺席; 缺乏, 没有 记 来自 absent(*a.* 缺席的, 不在场的) 例 a long *absence* 长期缺席
specimen [ˈspesɪmən]	*n.* 标本, 样本 记 词根记忆: spec(看) + i + men → 做标本, 供观察 → 标本 例 fossil *specimens* 化石标本
therapeutic* [ˌθerəˈpjuːtɪk]	*a.* 治疗的 记 词根记忆: therap(照看, 治疗) + eutic → 治疗的 例 *therapeutic* value 治疗价值
bolster* [ˈbəʊlstər]	*n.* 垫子 *vt.* 支持; 加强 例 Both sides offered statistics to *bolster* their arguments. 双方都提供了统计数字来支持自己的观点。 同 reinforce
inhibit* [ɪnˈhɪbɪt]	*vt.* 阻止, 妨碍, 抑制 记 词根记忆: in(不) + hibit(拿住) → 不让拿住 → 阻止, 抑制 例 The members who *inhibit* attainment of the group's goals should be dismissed. 应该开除那些阻碍实现集体目标的成员。 派 inhibition(*n.* 阻止, 禁止) 同 hinder, obstruct, impede
confession [kənˈfeʃn]	*n.* 供认, 承认, 坦白 记 来自 confess(*v.* 承认, 坦白) 例 After hours of questioning by police, the man made a full *confession*. 经过警察几小时的审讯, 那个男子全部供认了。 confession
devour [dɪˈvaʊər]	*v.* 狼吞虎咽地吃, 吞食; 吞没; 毁灭 记 联想记忆: 旅行(tour)结束时, 大家狼吞虎咽地吃(devour)起来 例 An eagle, perching on the edge of cliff, was *devouring* a snake. 一只鹰栖息在悬崖边, 正吞食一条蛇。 同 consume

autocratic [ˌɔːtə'krætɪk]	*a.* 独裁的，专制的 记 词根记忆：auto（自己）+ crat（统治）+ ic → 一个人统治的 → 独裁的，专制的 例 an *autocratic* style of government / leadership / management 专制的政府 / 领导 / 管理 同 absolute
remembrance [rɪ'membrəns]	*n.* 回想，记忆；纪念 记 来自 remember(*v.* 回忆；纪念)
constructive [kən'strʌktɪv]	*a.* 建设性的 记 来自 construct(*v.* 建设，建造) 例 a *constructive* suggestion 一条建设性意见
vulgar ['vʌlɡər]	*a.* 粗俗的，庸俗的；普通的，通俗的 记 词根记忆：vulg(民众) + ar → 民众的 → 普通的，通俗的 例 a *vulgar* joke 粗俗的笑话 派 vulgarity(*n.* 粗俗，低级); vulgarly(*ad.* 粗野地；庸俗地)
workmanship ['wɜːrkmənʃɪp]	*n.* 手艺，技艺，技巧 记 来自 workman(*n.* 工人，工匠)
radiate ['reɪdieɪt]	*v.* 放射，辐射；散布，传播 记 词根记忆：rad(光线) + i + ate → 发出光线 → 放射，辐射 搭 radiate from 散发 例 The sun *radiates* both warmth and light. 太阳发出光和热。 同 glow, beam
brag [bræg]	*v.* 吹牛，自夸 记 联想记忆：bag(口袋) 中间加个 r 例 Percy often *brags* about how well he plays golf. 珀西经常吹嘘自己高尔夫打得有多棒。
indolent * ['ɪndələnt]	*a.* 懒惰的，懒散的；【医】无痛的 记 词根记忆：in(不) + dol(感到痛苦) + ent(…的) → 无痛的 例 *indolent* weather 令人困倦的天气
obsolete * [ˌɑːbsə'liːt]	*a.* 已废弃的，过时的 记 词根记忆：ob(不) + solet(使用) + e → 不使用 → 已废弃的 例 *obsolete* technology 过时的技术 同 old-fashioned
corroborate * [kə'rɑːbəreɪt]	*v.* 使坚固；确证，证实 记 词根记忆：cor(加强) + robor(力量) + ate → 加强力量 → 使坚固；确证 例 Unfortunately there is no evidence to *corroborate* his testimony. 不幸的是，没有证据确认他的证词。 同 confirm, substantiate, verify, authenticate, validate

new model

obsolete

11

docile * [ˈdɑːsl]	*a.* 听话的，温顺的 记 发音记忆："多赛" → 这匹马很听话，需要多赛一场就多赛一场 → 听话的，温顺的
occurrence [əˈkɜːrəns]	*n.* 发生，出现；事件，发生的事情 记 来自 occur(*v.* 发生) 例 a common *occurrence* 司空见惯的事情
bustle * [ˈbʌsl]	*n.* 忙乱；喧嚣 *vi.* 匆匆忙忙 记 联想记忆：道路上公车(bus) 来来往往，十分喧嚣(bustle) 例 I sat watching nurses *bustle* in and out of the operating room. 我坐在那儿，看护士们匆匆进出手术室。// the hustle and *bustle* of city life 城市生活的喧嚣
forgery [ˈfɔːrdʒəri]	*n.* 伪造 记 来自 forge(*v.* 伪造) 例 *forgery* bond 伪造票据
coincide [ˌkoʊɪnˈsaɪd]	*v.* 同时发生；一致，符合 记 词根记忆：co(共同) + in + cid(落下) + e → 共同落下 → 一致，符合 搭 coincide with 和…相符，和…一致 例 The kids' views on life don't always *coincide*, but they're not afraid of voicing their opinions. 孩子们对生命的认识并不总是一致的，但他们从来不畏惧表达自己的观点。 同 concur, agree
fawning * [ˈfɔːnɪŋ]	*a.* 奉承的 记 来自 fawn(*v.* 狗等摇尾乞怜；奉承，讨好) 例 Most of people don't like the *fawning* ones, but they have to fawn over others. 大多数人不喜欢爱奉承的人，但又不得不奉承别人。
chaffing * [ˈtʃæfɪŋ]	*a.* 玩笑的，嘲弄的 记 来自 chaff(*v.* 开玩笑，逗弄) 例 Tony's foolish things done in his childhood often become the *chaffing* target. 托尼小时候干的蠢事现在经常成为嘲弄的对象。
concerted * [kənˈsɜːrtɪd]	*a.* 一致的，协同的，协定的 例 Several police forces should make a *concerted* effort to protect the hostages. 警方各部门应该同心协力保护人质的安全。
imbalance * [ɪmˈbæləns]	*n.* 不平衡，不均衡 记 拆分记忆：im(不) + balance(平衡) → 不平衡 例 We have to solve the problem of the *imbalance* between import and export trade. 我们必须解决进出口贸易不平衡的问题。
weather * [ˈweðər]	*n.* 天气，气候 *v.* 经受住；(使)风化；(经风吹日晒等)褪色，变形 搭 under the weather 不舒服，有病 例 The *weather* in Beijing is quite comfortable when the autumn comes. 秋天到了，北京的天气非常舒适。

multifaceted * [ˌmʌlti ˈfæsɪtɪd]	*a.* 多方面的；要从多方面考虑的；多才多艺的 记 联想记忆：multi(多) + face(面) + ted → 多方面的 例 The problem of the gap between the rich and the poor is quite complex and ***multifaceted.*** 贫富差距是一个相当复杂且多层面的问题。
definitive * [dɪ ˈfɪnətɪv]	*a.* 确定的；决定性的；有权威的 例 At last, the jury gave their ***definitive*** verdict to set Sam free. 最后，陪审团给出了他们的最终裁决——释放山姆。

11

备考锦囊

长难句分析（八）

11 In many respects living Native Americans remain as mysterious, exotic, and unfathomable to their contemporaries at the end of the twentieth century as they were to the Pilgrim settlers over three hundred fifty years ago.

译文：从许多角度来说，现存的 20 世纪末的美国原住民对于他们同时代的人来说还是神秘奇异、难以理解的，就像他们对于 350 多年前的清教徒殖民者一样。

讲解：本句的主干是 living Native Americans remain as...as..., as...as...表示"像…一样"，中间的修饰成分比较多也比较复杂，但只要标清句子主干就很好理解了。

You have to believe in yourself. That's the secret of success.
人必须相信自己，这是成功的秘诀。

——美国演员 卓别林（Charles Chaplin, American actor）

□ multifaceted   □ definitive   125

Word List 12

词根预习表

pand	延伸	expand v. (使)扩张	**carn**	肉	carnivorous a. 食肉的
forc	强的	enforce vt. 强制,迫使	**prim**	最初的	primer n. 初级读本
tric	复杂	intricate a. 错综复杂的	**mit**	发送	intermit v. (使)中断
ceed	去	exceed v. 超过	**pior**	哭泣	deplore vt. 表示悲痛
lingu	语言	lingual a. 语言的	**liqu**	液体	liquor n. 酒

derive [dɪˈraɪv]	v. 取得,导出,引申;起源于,出自 记 联想记忆:人类文明起源于(derive)大河(river)流域 搭 derive from 导出,由…来,衍生,起源于 例 Laura *derived* her enthusiasm for music from her mother. 劳拉对音乐的热爱是受她母亲的影响。 同 originate
capricious* [kəˈprɪʃəs]	a. 任性的;反复无常的 例 If environmental changes are *capricious*, the animal's migration viewed in isolation will also be capricious. 如果环境的改变是反复无常的,那么孤立地来看,动物的迁徙行为也会变得反复无常。 同 inconstant, fickle*, unstable, impulsive, unpredictable
ownership [ˈoʊnərʃɪp]	n. 所有权;物主身份 记 联想记忆:owner(物主)+ ship(身份)→ 物主身份 例 intellectual *ownership* 知识产权
camouflage* [ˈkæməflɑːʒ]	n. 伪装,掩饰;伪装手段;保护色 v. 伪装,掩饰 记 联想记忆:cam(看作 came)+ ou(看作 out)+ flag(旗帜)+ e → 扛着旗帜出来 → 伪装成革命战士 → 伪装 例 This animal *camouflages* itself by changing colour. 这种动物通过改变身体的颜色来伪装自己。// Many insects have a natural *camouflage* which hides them from the attack of their enemies. 许多昆虫有天生的伪装手段,这可以让它们躲过敌人的攻击。
eternal [ɪˈtɜːrnl]	a. 永恒的,永远的;不灭的;不朽的 记 联想记忆:外部世界(external)是永恒的(eternal)诱惑 例 *eternal* truths 永恒的真理 // *eternal* life 永生 同 everlasting, perpetual, timeless, endless, permanent

expand [ɪk'spænd]	*v.* (使) 膨胀，(使) 扩张；张开，展开 记 词根记忆：ex(出) + pand(延伸) → 延伸出去 → 扩张 例 The class aims to *expand* pupils' knowledge of drugs so that they appreciate that only some drugs are socially acceptable. 这节课旨在扩大学生对药品的知识面，让他们明白只有某些药品得到社会认可。 派 expanding(*a.* 扩大的); expansion(*n.* 扩张); expanse(*n.* 宽广空间) 同 enlarge
equivalent [ɪ'kwɪvələnt]	*a.* (数量、价值、意义等) 相等的，相同的 *n.* 相等物，等价物，等值物 记 联想记忆：equi(相等的) + val(价值) + ent → 相等的价值 → 等值的 搭 be equivalent to 相等于，相当于 例 A study showed average summer temperatures in this area were *equivalent* to the California city. 研究表明，该地区夏季的平均气温与加利福尼亚相当。 派 equivalence(*n.* 相等；等值) 同 identical
trick [trɪk]	*v.* 欺骗，哄骗 *n.* 诡计；把戏 搭 trick sb. into doing sth. 欺骗某人做某事 // trick sb. out of sth. 骗取某人某物 例 The boy had been *tricked* and he felt stupid. 那个男孩被骗了，他觉得自己很笨。 同 cheat
anarchy ['ænərki]	*n.* 无政府状态；政治混乱 记 词根记忆：an(不，无) + arch(统治) + y → 没有人统治 → 无政府状态 例 The President feared that too much freedom would result in *anarchy*. 总统担心过多的自由会导致无政府主义。
carnivorous * [kɑːr'nɪvərəs]	*a.* 食肉的 记 词根记忆：carn(肉) + i + vor(吃) + ous → 吃肉的 → 食肉的
approval [ə'pruːvl]	*n.* 赞成，同意；认可，批准 记 联想记忆：ap + prov(看作 prove，证实) + al(表行为) → 认可，批准 搭 on approval 供试用的，包退包换；give approval to 批准；in approval of 赞成，同意 例 Rachel nodded her head in *approval* of her son's new look. 雷切尔点头对儿子的新形象表示认可。 同 approbation
enforce [ɪn'fɔːrs]	*vt.* 实施，执行；强制，迫使 记 词根记忆：en(使…) + forc(强的) + e → 用强大的权力迫使 → 强制，迫使 例 The health minister said he expected the nationwide smoking ban to be *enforced* without difficulty. 卫生部长表示他期望全国戒烟行动能够毫无困难地开展。 派 enforcement(*n.* 实施，执行); enforceable(*a.* 可实施的，可执行的；可强制服从的)

12

primer [ˈpraɪmər]	*n.* 初级读本；入门书 记 词根记忆：prim(最初的) + er → 初级读本
collusion* [kəˈluːʒn]	*n.* 共谋，勾结 记 词根记忆：col(共同) + lus(玩) + ion(名词后缀) → 共谋，勾结
intricate* [ˈɪntrɪkət]	*a.* 错综复杂的，难以理解的 记 词根记忆：in(使…) + tric(复杂) + ate(有…性质的) → 错综复杂的 例 *intricate* patterns 复杂的图案 同 complex, complicated, involved
ingenuous [ɪnˈdʒenjuəs]	*a.* 天真的，单纯的 记 来自拉丁语 ingenuus，意为"天真，诚实" 例 an *ingenuous* smile 纯真的微笑
release [rɪˈliːs]	*v.* 释放，解放；松开；公布，发布；解除，免除 记 联想记忆：人有三急，其中一急就是 release(释放) 内部杂物 搭 release from 免除，解除；release news 发布新闻 例 Mr. Bean's new comedy is due to be *released* in the US very soon. 憨豆先生的新喜剧很快将在美国发布。 同 liberate
leaflet [ˈliːflət]	*n.* 小叶，嫩叶；传单，活页 记 联想记忆：leaf(树叶) + let(小) → 小叶，嫩叶 例 advertising *leaflet* 广告传单
superior [suːˈpɪriər]	*a.* 优良的，卓越的；有优越感的，高傲的；优于 *n.* 上级，长官 记 联想记忆：super(在…上面) + ior → 较高的 例 Don't take a *superior* attitude toward your classmates. 不要对你的同学采取傲慢的态度。 派 superiority(*n.* 优越，优等)
foresight* [ˈfɔːrsaɪt]	*n.* 远见，深谋远虑 记 词根记忆：fore(在前) + sight(看) → 远见 例 a great *foresight* 高瞻远瞩 同 prudence
biased* [ˈbaɪəst]	*a.* 有偏见的，片面的 记 来自 bias(*n.* 偏见；偏爱) 例 a *biased* account 有偏见的陈述
asperity [æˈsperəti]	*n.* (气候)严酷；粗暴；刻薄 记 词根记忆：asper(粗暴) + ity → 粗暴 例 the *asperity* of northern winters 北方的严冬
aspiration [ˌæspəˈreɪʃn]	*n.* 强烈的愿望；志向，抱负 记 联想记忆：a + spir(呼吸) + ation → 渴望呼吸新鲜空气 → 强烈的愿望 例 *aspiration* group 志趣小组

aspiration

俺渴望把斜眼治好~

askance

严冬

asperity

□ primer   □ collusion   □ intricate   □ ingenuous   □ release   □ leaflet
□ superior   □ foresight   □ biased   □ asperity   □ aspiration

askance [əˈskæns]	*ad.* (怀疑或不满地)斜眼看 记 来自 askew(*a.* 歪斜的)
intermit [ˌɪntərˈmit]	*v.* (使)间歇, (使)中断 记 词根记忆: inter(中间) + mit(发送) → 开会中间暂停, 发送重要信息 → 中断
incident [ˈɪnsɪdənt]	*n.* (尤指不寻常的或不愉快的)事件 记 词根记忆: in + cid(落下) + ent → 突然落下的事件 → 事件 例 a touching *incident* 感人的事件 同 happening
neutral [ˈnuːtrəl]	*a.* 中立的; 中性的 记 词根记忆: ne(不) + utr(两者) + al(的) → 正反两方都不同意的 → 中立的 例 a *neutral* position 中立立场
reliant [rɪˈlaɪənt]	*a.* 信赖的, 依靠的 记 来自 rely(*v.* 依赖) 例 It was an enormous step for man to cease to be *reliant* on vegetation, and to add meat to his diet. 人类开始停止对植物性食物的依赖, 把肉食加 入到饮食中来, 这对人类来说是非常重要的一步。
justification* [ˌdʒʌstɪfɪˈkeɪʃn]	*n.* 证明有理, 证明正当; 正当的理由 记 来自 justify(*v.* 证明有理) 同 vindication
conundrum* [kəˈnʌndrəm]	*n.* 谜语; 难题 记 联想记忆: con + und(看作 under) + (d) rum(鼓) → 全部蒙在鼓里 → 谜语
competitor [kəmˈpetɪtər]	*n.* 竞争者 记 来自 compete(*v.* 比赛, 竞争)
landlord [ˈlændlɔːrd]	*n.* 房东; 地主 记 组合词: land(土地) + lord(地主) → 地主
enrage [ɪnˈreɪdʒ]	*v.* 激怒 记 词根记忆: en(使…) + rage(怒) → 使发怒 → 激怒 例 Everyone at the meeting was *enraged* by the President's arrogance. 与 会的每一个人都被总统的傲慢激怒了。
abandon [əˈbændən]	*vt.* 放弃; 抛弃; 放纵, 沉湎于 记 联想记忆: a + band(乐队) + on → 一个乐队 在台上激情演出 → 放纵 搭 abandon oneself to 纵情于, 沉溺于 例 To support his family better, Mark *abandoned* his dreams. 为了让家人过上更好的生活, 马克放 弃了自己的梦想。 派 abandoned(*a.* 被抛弃的, 废置的); abandonment(*n.* 放弃, 抛弃)

□ askance   □ intermit   □ incident   □ neutral   □ reliant   □ justification
□ conundrum   □ competitor   □ landlord   □ enrage   □ abandon

129

identical [aɪˈdentɪkl]	*a.* 同一的，完全相同的；相等的，恒等的 记 词根记忆：ident(相同的) + ical(…的) → 相同的 搭 be identical with / to sb. / sth. 与某人/某物完全一样 例 The cloned sheep is genetically *identical* to the sheep that donated the udder cell. 那只克隆羊和捐献乳腺细胞的那只羊在基因上是一样的。 派 identically(*ad.* 同一地，相等地) 同 alike, duplicate
implication* [ˌɪmplɪˈkeɪʃn]	*n.* 含意，暗示 记 词根记忆：im(在…中) + plic(包，裹) + ation → 包在里面的意思 → 含意，暗示 例 *implication* relation 隐含关系
debilitate* [dɪˈbɪlɪteɪt]	*vt.* 使衰弱，使虚弱；削弱…的力量 例 The troops were *debilitated* by hunger and disease. 部队的战斗力被饥饿和疾病削弱了。 同 weaken, enfeeble
brief [briːf]	*n.* 摘要，大纲 *vt.* 简短介绍；简要汇报 *a.* 简短的；短暂的 搭 in brief 简而言之，简单地说 例 The professor gave a *brief* sketch of his study at the beginning of the lecture. 教授在演讲开始时粗略概括了他的研究内容。// In *brief*, it should be our goal to restore as much of the original beauty of nature as we can. 简要地说，我们的目标就是尽可能恢复大自然最初的美丽。 同 synopsis, summary, concise
overt* [oʊˈvɜːrt]	*a.* 公然的，明显的 记 词根记忆：o(出) + vert(转) → 从暗处转出来 → 公然的 例 *overt* hostility 公然的敌意 同 open, unconcealed
conjecture [kənˈdʒektʃər]	*v.* 推测，猜想 记 词根记忆：con + ject(推，扔) + ure → 全部是推出来的 → 推测 例 The expert *conjectured* that the population might double in ten years. 那位专家推测人口在十年内会翻一番。
exceed [ɪkˈsiːd]	*v.* 超过，胜过；超越…的限制 记 词根记忆：ex(出) + ceed(去) → 超出去 → 超过 例 The size of the group should be kept as small as possible and should not *exceed* six members. 小组的规模要尽可能小，不要超过六名组员。 派 exceeding(*a.* 超过的，非常的)；exceedingly(*ad.* 非常地)
admonition* [ˌædməˈnɪʃn]	*n.* 警告，告诫 记 来自 admonish(*v.* 劝告，训诫) 例 a serious *admonition* 严肃的劝诫
shield [ʃiːld]	*n.* 防护物，护罩；盾，盾状物 *v.* 保护，防护 派 windshield(*n.* 挡风玻璃)

immense [ɪ'mens]	*a.* 广大的，巨大的 记 词根记忆：im(不) + mens(看作 measure，测量) + e → 太广大了，没法测量 → 广大的 例 a project of *immense* importance 极其重要的工程 派 immensely(*ad.* 广大地)；immensity(*n.* 广大；无限)
panic ['pænɪk]	*n.* 恐慌，惊慌 *v.* (使)惊慌 例 a moment of *panic* 一时恐慌 派 panicky(*a.* 恐慌的，惊慌失措的)
deplore * [dɪ'plɔːr]	*vt.* 表示悲痛；对…深感遗憾；强烈反对 记 词根记忆：de + plor(哭泣) + e → 表示悲痛 例 Oscar *deplored* his children's lack of inventiveness. 奥斯卡为自己的孩子缺乏创造力而感到悲哀。
deficient [dɪ'fɪʃnt]	*a.* 不足的，缺乏的，欠缺的；有缺陷的 记 词根记忆：de(变坏) + fic(做) + ient → 做得不好的 → 缺乏的，不足的 例 Deaf people are sometimes treated as being mentally *deficient*. 聋人有时候会被认为有智力缺陷。 同 inadequate
energetic [ˌenər'dʒetɪk]	*a.* 精力旺盛的；积极的 记 来自 energy(*n.* 能量) 例 an *energetic* supporter 积极的支持者
lingual ['lɪŋgwəl]	*a.* 语言的 记 词根记忆：lingu(舌头，引申为语言) + al(的) → 语言的 例 *lingual* diversity 语言的多样性
grief [griːf]	*n.* 悲伤，悲痛；悲伤的事，悲痛的缘由 记 词根记忆：gr(看作 grav，重的) + ief → 心情沉重的 → 悲痛 搭 come to grief 失败，遭受不幸 同 sorrow, anguish, woe, regret, grievance, disaster
reveal [rɪ'viːl]	*v.* 泄露；显露；揭露 记 联想记忆：re(相反) + veal(看作 veil，面纱) → 除去面纱揭示真面目 → 揭露 例 We don't *reveal* the names of our guests to protect their privacy. 为了保护客人的隐私，我们不会泄露他们的名字。 派 revelation(*n.* 泄露的事实；揭示，透露) 同 disclose
surrender [sə'rendər]	*v.* 投降；交出，放弃 记 联想记忆：被人包围 (surround)，不得不投降 (surrender) 搭 surrender to 向…屈服，让步 例 The young man *surrendered* to temptation and took out a cigarette. 那位年轻男子抵不住诱惑，拿出了一支香烟。

☐ immense ☐ panic ☐ deplore ☐ deficient ☐ energetic ☐ lingual
☐ grief ☐ reveal ☐ surrender

caste [kæst]	n. (印度的四大)种姓;(具有严格等级的)社会阶层;社会等级制度 例 the ruling *caste* 统治阶层
generosity [ˌdʒenə'rɑːsəti]	n. 慷慨,大方;宽宏大量 记 来自 generous(a. 慷慨的)
liquor ['lɪkər]	n. 酒,烈性酒;含酒精饮料 记 词根记忆: liqu(液体) + or(表性质) → 酒是一种醇香的液体 → 酒 例 hard *liquor* 烈性酒
pervasive* [pər'veɪsɪv]	a. 弥漫的;广泛存在的,普遍的 记 来自 pervade(v. 遍及,蔓延) 例 a *pervasive* smell of dampness 四处弥漫的潮湿味儿
frequent ['friːkwənt]	a. 时常发生的;频繁的 记 联想记忆: fre(看作 free,自由的) + quent → 因为是自由的,不受控制 → 时常发生的 例 a *frequent* customer 老主顾 同 common, usual
miserly* ['maɪzərli]	a. 吝啬的,小气的 记 来自 miser(n. 吝啬鬼) 例 a *miserly* old man 一个吝啬的老头儿
ample* ['æmpl]	a. 充分的,富裕的;宽敞的,宽大的 记 联想记忆: 和 apple(n. 苹果)一起记 例 *ample* evidence 足够的证据 同 spacious, plentiful
engrossing* [ɪn'groʊsɪŋ]	a. 引人入胜的,极有趣的 记 来自 engross(vt. 使全神贯注) 例 an *engrossing* problem 引人关注的问题 同 absorbing
repeal* [rɪ'piːl]	vt. 废止,撤销 记 联想记忆: Ctrl + Z 就是 repeal(撤销)命令 例 The committee does not have the power to *repeal* the ban. 委员会没有权力撤销禁令。
colloquy ['kɑːləkwi]	n. 谈话,会话 记 词根记忆: col(共同) + loqu(说) + y → 谈话,会话
definite ['defɪnət]	a. 明确的,肯定的 记 词根记忆: de(往下) + fin(结束) + ite → 结束的时候得出明确的结论 → 明确的 例 a *definite* answer 明确的答复 派 definitely(ad. 确切地,肯定地); definition(n. 定义); indefinitely(ad. 不定地,无穷地) 同 distinct, precise

liquor

treachery [ˈtretʃəri]	*n.* 背叛，反叛 记 词根记忆：treach(欺骗) + ery → 背叛，反叛 例 Selling military secrets is considered to be an unforgivable act of *treachery*. 出售军事机密被认为是不能原谅的背叛行为。 同 treason
contest*	[ˈkɑːntest] *n.* 竞争，竞赛，比赛 [kənˈtest] *v.* 争论，争辩；竞赛；争夺 记 联想记忆：con(共同) + test(检验) → 共同检验实力 → 比赛 例 a beauty *contest* 选美比赛 // The gold medal is being keenly *contested* by eight gymnasts. 八名体操运动员正对金牌展开激烈地争夺。 同 dispute
cessation* [seˈseɪʃn]	*n.* 停止，中断 记 词根记忆：cess(走) + ation(表状态) → 不走的状态 → 停止 例 France called for an immediate *cessation* of hostilities. 法国呼吁立刻停止敌对状态。
sparse* [spɑːrs]	*a.* 稀少的，稀疏的 记 联想记忆：稀疏的(sparse) 火星(spark) 例 *sparse* population 稀少的人口 同 meager, scanty, scant, skimpy
incomprehensible [ɪnˌkɑːmprɪˈhensəbl]	*a.* 不能理解的 记 联想记忆：in(不) + comprehen(d)(理解) + sible(可…的) → 不能理解的 例 *incomprehensible* jargon 难以理解的行话 同 unintelligible
acquiesce* [ˌækwiˈes]	*vi.* 默许，勉强同意 记 词根记忆：ac(加强) + qui(安静) + esce → 保持沉默 → 默许 例 After thinking for a long time, Bill finally *acquiesced* to his nephew's wishes. 想了很久以后，比尔最终勉强同意了外甥的请求。
demeanor* [dɪˈmiːnər]	*n.* 行为，风度 记 联想记忆：和 demean*(*v.* 降低身份) 一起记忆 例 a professional *demeanor* 专业人才所具有的风度
beneficence [bɪˈnefɪsns]	*n.* 善行；仁慈；赠物 记 词根记忆：bene(善，好) + fic(做) + ence → 做善事 → 善行；仁慈
determination* [dɪˌtɜːrmɪˈneɪʃn]	*n.* 决心，果断；决定 记 来自 determine(*v.* 下决心) 例 fierce *determination* 坚定的决心
philosophy [fəˈlɑːsəfi]	*n.* 哲学 记 词根记忆：philo(爱) + soph(聪明的，智慧的) + y → 爱思考脑则灵 → 哲学 例 moral *philosophy* 伦理学
rationality [ˌræʃəˈnæləti]	*n.* 合理性 记 来自 rational(*a.* 理性的)

12

prominent * [ˈprɑːmɪnənt]	*a.* 突起的，凸现的；杰出的，著名的；显著的 记 词根记忆：pro(向前) + min(伸) + ent → 向前伸出 → 突出的 例 *prominent* cheek-bones 凸起的颧骨 // a *prominent* politician 一个杰出的政治家 派 prominently(*ad.* 显著地) 同 distinguished, protuberant
abundant [əˈbʌndənt]	*a.* 丰富的，充分的，充裕的 记 联想记忆：a(无) + bund(看作 bound，边界) + ant(…的) → 多得没边的 → 丰富的 例 *abundant* evidence 充分的证据 派 abundantly(*ad.* 丰富地，充裕地)；abundance(*n.* 大量，丰富，充足)
misbehave [ˌmɪsbɪˈheɪv]	*v.* (使)行为不礼貌；(使)行为不端 记 联想记忆：mis(错误) + behave(行为表现) → 行为不端 例 One young man was arrested for *misbehaving* at a bus stop. 一个男青年因为在公共汽车站行为不端而被拘捕。
timidity * [tɪˈmɪdəti]	*n.* 胆小，羞怯，怯懦 记 来自 timid(*a.* 胆小的)
nostalgia * [nɑːˈstældʒə]	*n.* 思家病，乡愁；向往过去，怀旧之情 记 词根记忆：nost(家) + alg(痛) + ia(表某种病) → 思家病 例 a sense of *nostalgia* 怀旧感 同 homesickness
prevalent [ˈprevələnt]	*a.* 流行的；普遍的 记 词根记忆：pre(前) + val(价值) + ent → 价值观走在社会的前沿 → 流行的 例 a *prevalent* belief 普遍的信仰 派 prevalently(*ad.* 流行地)；prevalence(*n.* 盛行) 同 dominant, widespread, common, universal
cumulative * [ˈkjuːmjəleɪtɪv]	*a.* 累加的，蓄积的 记 词根记忆：cumul(堆积) + ative → 累加的 例 It was all nonsense of course, but the *cumulative* effect of all the bad publicity was unstoppable. 尽管那全是胡说，但所有有害宣传累积的不良影响却是无法阻止的。
circuitous [sərˈkjuːɪtəs]	*a.* (路线或旅程)迂回的，曲折的 记 词根记忆：circ(绕圈) + u + it(走) + ous → 迂回的；circuit 本身是一个单词，意为"环行；电路" 例 The journey turned out to be *circuitous* and slow. 结果证明这次旅行又绕路、又慢。
impulsive [ɪmˈpʌlsɪv]	*a.* 冲动的 记 词根记忆：im + puls(看作 pel，驱使) + ive(…的) → 在冲动的驱使下 → 冲动的 例 an *impulsive* act 冲动的行为

witness [ˈwɪtnəs]	*n.* 目击者，证人 *v.* 目击，目睹；作证，证明 记 联想记忆：智力(wit)不正常的人不能作证(witness) 搭 be a witness to sth. 目击某事 // bear / give witness to 为…作证 例 The empty workshops bear *witness* to the industrial past. 这间空厂房证明了工业化的过去。// The crash was *witnessed* by scores of holiday weekenders along the beach. 许多周末在海边度假的游客目击了这场车祸。
browbeat* [ˈbraʊbiːt]	*vt.* 恫吓，吓唬 记 组合词：brow(眉毛) + beat(打) → 用眉毛来打人 → 吓唬 例 The miners were *browbeaten* into working in a part of the mine that the owner knew to be dangerous. 矿工们被矿主恫吓在矿井中明知有危险的区域干活。
composure* [kəmˈpoʊʒər]	*n.* 镇静，沉着 记 词根记忆：com + pos(放) + ure(表状态) → 放着不动 → 沉着
perceptible [pərˈseptəbl]	*a.* 可感知的，可以理解的 记 来自percept(*n.* 感知) 例 a *perceptible* change 可以察觉的变化
ambitious [æmˈbɪʃəs]	*a.* 有雄心的，雄心勃勃的 记 来自ambition(*n.* 雄心) 例 an *ambitious* manager 雄心勃勃的经理 同 aspiring
solar [ˈsoʊlər]	*a.* 太阳的，日光的 记 词根记忆：sol(太阳) + ar → 太阳的，日光的 例 *solar* calendar 阳历 // *solar* system 太阳系
rearrange [ˌriːəˈreɪndʒ]	*v.* 再排列，重新整理 记 联想记忆：re(重新) + arrange(排列，整理) → 重新排列 → 再排列 例 We'll have to *rearrange* all the furniture once they deliver the new sofa. 他们一将新沙发送到，我们就要重新排列家具。
celerity* [səˈlerətɪ]	*n.* 敏捷，快速 记 词根记忆：celer(快速的) + ity → 快速
possess [pəˈzes]	*vt.* 占有，拥有；支配，控制；迷住，缠住 例 A sense of fear *possessed* him as the historian walked into the old house. 历史学家走进那所老房子时萌生了一种恐惧感。 派 possessed (*a.* 着迷的，疯狂的); possession (*n.* 拥有；财产); possessive(*a.* 拥有的，所有的); dispossessed(*a.* 被剥夺得一无所有的)
chaos [ˈkeɪɑːs]	*n.* 混乱；[C-]混沌(宇宙未形成前的情形) 记 发音记忆：音近似汉语"吵死" → 混乱 例 Week after week, a succession of bitter strikes plunged this country toward economic *chaos*. 一周接着一周，一系列让人难以忍受的罢工让这个国家陷入了经济混乱。 派 chaotic(*a.* 混乱的，无秩序的); chaotically(*ad.* 混乱地)

browbeat

ambitious

Fighting

12

deter [dɪ'tɜːr]	v. 威慑；制止，阻止 记 词根记忆：de(加强) + ter(看作 terr，惊吓) → 不断吓唬以阻止 → 阻止 例 The new regulation is to *deter* people from drunken driving. 这部新规章是为了威吓那些酒后开车的人。 同 prevent 晚上不要出去玩有鬼呀~ deter
lethal ['liːθl]	a. 致命的；危害极大的 记 词根记忆：leth(死) + al(的) → 引起死亡的 → 致命的 例 a *lethal* weapon 致命的武器 同 deadly, mortal, fatal
plural ['plʊrəl]	a. 复数的 n. 复数 记 最常见的是其简写形式 pl. 例 *plural* form 复数形式
profane [prə'feɪn]	a. 世俗的；不敬神的；亵渎神灵的 vt. 亵渎(神灵)；对…无礼，玷污 记 词根记忆：pro(在前) + fane(神庙) → 在神庙前(做坏事) → 亵渎神灵 例 The musician tried to distinguish the difference between sacred music and *profane* music. 这个音乐家试图区分宗教音乐和世俗音乐的不同。
muted ['mjuːtɪd]	a. (声音)减弱的；轻柔的 例 There was a *muted* and polite applause after the orchestra played the symphony. 管弦乐队演奏完交响乐后，台下响起了轻柔而有礼貌的掌声。
paltry ['pɔːltri]	a. 无价值的；微不足道的 记 联想记忆：pal(=pale 白) + try(努力) → 白努力 → 无价值的 例 It's totally worthless to argue for the *paltry* amount of discount. 为了这么一点折扣去争吵，完全不值得。
cloying ['klɔɪɪŋ]	a. 甜得发腻的；倒胃口的；令人腻烦的 例 Her very cheap perfume smells thick and *cloying*. 她那廉价的香水散发出的味道让人腻烦。
estranged [ɪ'streɪndʒd]	a. 疏远的，分开的；脱离的，决裂的 例 True friends will not become *estranged* after arguments. 真正的朋友不会因为争吵而疏远的。 同 alienated
lull [lʌl]	v. 使安静，使入睡；减弱，缓和；平息，停止 n. 暂时的平息(或平静) 例 The mother's soft voice *lulled* the children to sleep. 母亲温柔的声音使孩子们安静地睡着了。
dispossess [ˌdɪspə'zes]	vt. 剥夺，夺去；霸占 记 联想记忆：dis(不) + possess(拥有) → 使不再拥有 → 剥夺，夺去 例 The farmlands of the peasants were *dispossessed* by the brute landowner. 农民们的农田被残忍的地主霸占去了。

animated * [ˈænɪmeɪtɪd]	*a.* 活跃的，活泼的，生气勃勃的；栩栩如生的
	例 Everybody involved in this conversation looked very *animated* about this subject. 每个参与到谈话中的人对于这个话题都表现得很活跃。
	同 lively

语法知识(一)定语从句常见用法

定语从句是英语中比较规律的一种从句，引导定语从句的词叫关系词，包括关系代词和关系副词。

关系代词：

who, which, that 作从句的主语，例如：Is he the student who wants to see you? 是这个学生想见你吗?

whom, which, that 作从句的宾语（可省略），例如：Jane is the girl whom I saw yesterday. 我昨天看到简了。

whose 在从句中作定语，例如：Mary rushed over to help the girl whose bike had broken down. 玛丽冲过去帮助那个自行车坏了的女孩。

关系副词：

when 指时间，在定语从句中作时间状语，例如：They will put off the sport meeting until next week when the weather may be better. 他们将把运动会延迟到下周天气好时再开。

where 指地点，在定语从句中作地点状语，例如：Tianjin is the place where the boy was born. 天津是那个男孩出生的地方。

why 指原因，在定语从句中作原因状语，只修饰 reason，例如：That is no reason why you should be late. 你没有理由迟到。

Word List 13

词根预习表

equ	平等	inequity n. 不公平	dur	持久的	endure v. 持久
radi	光	radioactive a. 放射性的	bat	打，敲击	abate v. 减弱
plic	重叠	duplicate n. 复制	min	突出	eminence n. 卓越
spir	呼吸	inspire v. 吸入	son	声音	resonate v. (使)共鸣
sorb	吸收	absorb vt. 吸收	liter	文字	literary a. 文学的

inequity * [ɪnˈekwəti]	n. 不公平，不公正 记 词根记忆：in(不) + equ(平等) + i + ty → 不平等 → 不公平 例 the *inequity* of the legal system 法律制度的不公正 同 injustice, unfairness
actuate [ˈæktʃueɪt]	vt. 开动；促使 记 词根记忆：act(行动) + uate(使) → 使行动 → 促使 例 When accidents happen, we can *actuate* the rescue at any time. 如有事故发生，我们可以随时开始营救。
gloomy [ˈɡluːmi]	a. 令人沮丧的，抑郁的；阴沉的，阴暗的；前景黯淡的，悲观的 例 *gloomy* skies 阴沉的天空 // a *gloomy* mood 悲观情绪 同 sullen, glum, morose, surly, sulky, saturnine *, melancholy
compromise * [ˈkɑːmprəmaɪz]	n. 妥协，折中 v. 妥协，折中；危及 记 联想记忆：com + promise(保证) → 相互保证 → 妥协 例 Neither side shows the slightest disposition to *compromise*. 双方都没有表现出丝毫的妥协之意。// Disclosure of information would *compromise* the proper conduct of the investigation. 封锁消息会危及调查的正当进行。
endure [ɪnˈdʊr]	v. 忍受，容忍；持久，持续；经受 记 词根记忆：en(使…) + dur(持久的) + e → 持久 例 It seemed that Diana was destined to *endure* many hardships. 戴安娜似乎命中注定要经受许多困苦。 同 tolerate, suffer

fable ['feɪbl]	*n.* 寓言，神话；谎言 记 词根记忆：fa(说) + ble → 传说的 → 神话 例 Aesop's *Fables* 伊索寓言
radioactive ['reɪdioʊ'æktɪv]	*a.* 放射性的；放射引起的 记 词根记忆：radi(光) + o + active(活跃的) → 放射性的 例 *radioactive* waste 放射性废物 派 radioactivity(*n.* 放射现象)
instinct ['ɪnstɪŋkt]	*n.* 本能；直觉；天性 记 词根记忆：in(向内) + stinct(刺) → 向内刺，挖掘天性 → 本能；天性 搭 by instinct 凭本能 派 instinctive(*a.* 本能的，天生的；直觉的)；instinctively(*ad.* 本能地)
forthright * ['fɔːrθraɪt]	*a.* 直率的；径直的 记 联想记忆：forth(向前) + right(对的) → 他坚持向前走，认为是对的 → 径直的
mate [meɪt]	*n.* 伙伴，同事；配偶；(熟练工人的)助手，下手 *v.* 使配对；结伴 例 an electrician's *mate* 电工助手 同 associate, companion, match
affable ['æfəbl]	*a.* 和蔼可亲的；慈祥的，友善的 记 联想记忆：和蔼可亲的(affable)老人给孩子们讲寓言(fable)故事 例 an *affable* smile 慈祥的微笑
immoral [ɪ'mɔːrəl]	*a.* 不道德的；邪恶的 记 拆分记忆：im(不) + moral(道德的) → 不道德的 例 *immoral* conduct 不道德的行为
misadventure [ˌmɪsəd'ventʃər]	*n.* 不幸的遭遇；灾难 记 联想记忆：mis(错误) + adventure(冒险) → 冒险是个错误，会遭遇不幸 → 不幸的遭遇 例 a series of *misadventures* 一连串不幸的遭遇
oblique * [ə'bliːk]	*a.* 倾斜的；间接的；不坦率的，无诚意的 记 词根记忆：ob(表加强) + lique(歪斜的) → 倾斜的 例 an *oblique* approach 间接途径 同 inclined *, indirect
interrupt [ˌɪntə'rʌpt]	*v.* 中断，阻碍；打断(话)；打扰 记 词根记忆：inter(在…之间) + rupt(断裂) → 从中断裂 → 中断 搭 interrupt sb. / sth. with sth. 用另一件事来打断某人/某事 例 Train service was *interrupted* for about 30 minutes because of the heavy snow. 由于下大雪，铁路运输中断了大约 30 分钟。 派 interruption(*n.* 打扰；打断)
atypical * [ˌeɪ'tɪpɪkl]	*a.* 非典型的；反常的 记 拆分记忆：a(非) + typical(典型性的) → 非典型的 例 *atypical* child 异常儿童 同 irregular, unusual

13

□ fable   □ radioactive   □ instinct   □ forthright   □ mate   □ affable
□ immoral   □ misadventure   □ oblique   □ interrupt   □ atypical

139

stationary [ˈsteɪʃəneri]	*a.* 静止的，固定的 记 联想记忆：station(位置) + ary → 位置不变的 → 静止的 例 The stars appear *stationary* because they are so far away. 星星看起来是静止不动的，因为它们距离我们非常远。 同 motionless
ramble* [ˈræmbl]	*v.* 漫游；漫谈，闲聊 记 联想记忆：和 amble(*v.* 缓行，漫步) 一起记 例 Ben was a little drunk and kept *rambling* on about the good old days. 本有些醉了，一直喋喋不休地谈论以前的好时光。 同 wander, roam, rove, traipse, meander
contempt* [kənˈtempt]	*n.* 轻视，轻蔑 记 联想记忆：con + tempt(引诱) → 不接受敌人引诱，轻视他们 → 轻视 搭 contempt for 对…的蔑视；in contempt of 对…不屑 例 Some young people had shown a *contempt* for the values their parents thought important. 一些年轻人对父母看重的价值观表示轻视。 派 contemptible(*a.* 可鄙的)；contemptuous(*a.* 鄙视的，轻蔑的) 同 disdain
slender [ˈslendər]	*a.* 修长的，苗条的；微小的，微薄的 记 联想记忆：温柔(tender) 和苗条(slender) 都是常用来形容女孩子的 例 *slender* figure 苗条的身材 // a *slender* hope 渺茫的希望 同 thin, slim, slight, tenuous
abate* [əˈbeɪt]	*v.* 减少；减轻；减弱 记 词根记忆：a(加强) + bat(打，敲击) + e → 不断敲击，使减弱 → 减弱 例 About three o'clock in the afternoon the wind *abated* and Tom continued his journey. 下午三点左右，风减弱了，汤姆继续他的旅程。
illuminate* [ɪˈluːmɪneɪt]	*v.* 照亮，照明；阐明；启蒙 记 词根记忆：il + lumin(光) + ate → 照亮，照明 例 Perhaps Frank's analysis can *illuminate* our situation. 或许弗兰克的分析能说明我们的处境。 同 elucidate, illustrate, demonstrate
comparable* [ˈkɑːmpərəbl]	*a.* 可比较的，比得上的 记 来自 compare(*v.* 比较，相比) 搭 be comparable with / to 与…相似 例 This dinner was *comparable* to the best French cooking. 这顿饭可与最好的法国大餐一比高下。 同 similar, like
hideous [ˈhɪdiəs]	*a.* 骇人听闻的；丑陋的；可怕的 记 发音记忆："骇得死" → 惊骇得要吓死了 → 骇人听闻的 例 a *hideous* face 丑陋的面孔 同 shocking

hideous
主人

severely [sɪˈvɪrlɪ]	*ad.* 严格地；严厉地 记 来自 severe(*a.* 严格的；严厉的)
codicil * [ˈkɑːdəsl]	*n.* 遗嘱的附录；附录 同 appendix, supplement
duplicate [ˈduːplɪkeɪt]	*n.* 复制品；副本 *a.* 复制的；二重的；二倍的 *v.* 复写；复制；使加倍 记 词根记忆：du(双的) + plic(重叠) + ate → 做成双重的 → 复制 搭 duplicate a key 配钥匙；in duplicate 一式两份 例 a *duplicate* of the document 文件副本 // a *duplicate* key 一把备份钥匙 派 duplication(*n.* 副本；复制) 同 copy
alleviate * [əˈliːvieɪt]	*v.* 减轻, 缓解, 缓和 记 词根记忆：al + lev(轻) + iate(使…) → 使…轻 → 减轻 例 The representatives' opinion is to strengthen public transportation to *alleviate* traffic jams. 代表们主张加强公共交通以缓解交通拥挤状况。 同 relieve, lessen
diplomatic [ˌdɪpləˈmætɪk]	*a.* 外交的；老练的, 有手腕的；有策略的 记 联想记忆：他非常老练(diplomatic), 又在策划(plot) 阴谋 例 a *diplomatic* crisis 外交危机 // a *diplomatic* answer 老练的回答
convert * [kənˈvɜːrt]	*v.* 变换, 转化 记 词根记忆：con(共同) + vert(转) → 变换, 转化 搭 convert to / into 把…转化为 例 These processes will *convert* your physical state from sleepy and unkempt to bright-eyed and bushy-tailed. 这些方法将把你从昏昏欲睡、不修边幅的状态转化为明眸炯炯、精神抖擞的状态。 派 conversion(*n.* 转化；换算); converter(*n.* 变流器；变频器); convertible (*a.* 可转换的；自由兑换的)
eminence [ˈemɪnəns]	*n.* 卓越, 显赫, 著名 记 词根记忆：e(看作 ex, 出) + min(突出) + ence(表名词) → 突出的事物 → 卓越 例 a man of political *eminence* 政治上声名显赫的人
irresolute * [ɪˈrezəluːt]	*a.* 犹豫不决的, 优柔寡断的 记 拆分记忆：ir(不) + resolute(坚决的) → 不坚决的 → 犹豫不决的 例 an *irresolute* person 优柔寡断的人 同 vacillating
ultimate * [ˈʌltɪmət]	*a.* 最后的, 最终的；根本的, 基本的 记 词根记忆：ultim(最后的) + ate(…的) → 最后的；最终的 搭 in ultimate 到最后, 结果 例 *ultimate* goal / aim / objective / target 最终目标 // an *ultimate* principle 基本原理 派 ultimately(*ad.* 最后, 终于) 同 basic, fundamental

13

dais * ['deɪs]	*n.* 台，讲台 记 联想记忆：老师几乎天天（days）上讲台（dais）
apology [ə'pɑːlədʒi]	*n.* 道歉，歉意，认错 例 a formal *apology* 正式道歉 同 excuse
subtle ['sʌtl]	*a.* 敏锐的；精细的，精巧的；微妙的 记 联想记忆：sub（下面）+ tle → 暗藏于下面的 → 微妙的 例 *subtle* senses 敏锐的感觉 // a *subtle* design 精巧的设计 派 subtlety(*n.* 微妙；狡猾)；subtly(*ad.* 敏锐地；精细地；巧妙地) 同 delicate, intricate, cunning
acknowledge * [ək'nɑːlɪdʒ]	*vt.* 承认；致谢 记 联想记忆：ac + know（知道）+ ledge → 大家都知道了，所以不得不承认 → 承认 例 Henry's novels have been *acknowledged* as major contributions to American literature. 亨利的小说被认为是对美国文学的重大贡献。 派 acknowledgement(*n.* 承认)
scope [skoʊp]	*n.* (活动)范围；机会，余地 记 联想记忆：心怀希望（hope）就会有机会（scope） 例 measures to limit the *scope* of criminals' activities 减少犯罪活动出现范围的措施
instantaneous [ˌɪnstən'teɪniəs]	*a.* 瞬间的，即时的 记 联想记忆：instant（立即）+ aneous（有…特征的）→ 即时的 例 an *instantaneous* response 即时的反应 同 immediate, instant
chaste * [tʃeɪst]	*a.* 贞洁的；有道德的；朴素的 记 联想记忆：贞洁的（chaste）姑娘经常被人追（chase） 例 a *chaste*, decent life 贞洁正派的生活 // a *chaste* nightgown 朴素的睡衣 同 austere, modest
indifferent * [ɪn'dɪfrənt]	*a.* 不关心的，冷淡的，不感兴趣的；无偏袒的，中立的，公平的 记 联想记忆：他对她漠不关心（indifferent），认为她和其他人没什么不同（different） 搭 be indifferent to 对…漠不关心，不在乎 例 Few people can remain *indifferent* to the music of a man who is a musician first and a pianist second. 很少有人会对一个首先是音乐家、其次是钢琴家的人的音乐漠不关心。 同 unbiased, apathetic, impassive, unconcerned indifferent

inspire [ɪn'spaɪər]	*v.* 鼓舞；感动；激发；启示，使产生灵感；吸入 记 词根记忆：in(里面) + spir(呼吸) + e → 吸入 搭 inspire sb. with sth. / inspire sth. in sb. 激起某人的…，使某人产生… 例 The story was *inspired* by a chance meeting with an old French duke. 与一位法国老公爵的偶然相遇是这个故事的灵感来源。 同 impel, motivate
option ['ɑːpʃn]	*n.* 选择；选择权；可选择的事物(或人)；选课 记 来自 opt(*v.* 选择) 例 *option* buttons 选择按钮
reservoir ['rezərvwɑːr]	*n.* 水库，蓄水池 记 联想记忆：reserv(e)(保存，储备) + oir(地方) → 保存水的地方 → 水库
resonate ['rezəneɪt]	*v.* (使) 共鸣 记 词根记忆：re(回) + son(声音) + ate(使…) → 使产生回声 → (使)共鸣 例 The sounds of Beethoven's 5th Symphony *resonated* through the house. 贝多芬的第五交响曲在屋子里回响。
cursory* ['kɜːrsəri]	*a.* 仓促的，草率的，匆忙的 记 词根记忆：curs(跑) + ory → 跑过去 → 草率的 例 *cursory* glance / look 匆匆一瞥
disadvantage [ˌdɪsəd'væntɪdʒ]	*n.* 不便，不利，不利条件；(名誉、信用、经济等方面的) 损害，损失 记 联想记忆：dis(否定) + advantage(优点) → 没有优点 → 不利 例 a severe *disadvantage* 严重的不利条件 同 drawback, handicap
absorb [əb'sɔːrb]	*vt.* 吸收；使专注 记 词根记忆：ab(去掉) + sorb(吸收) → 吸收掉 → 吸收 搭 be absorbed in 全神贯注于… 例 Tom was so *absorbed* in his computer game that he didn't notice me come in. 汤姆如此专注于电脑游戏，竟没察觉到我进来了。 派 absorbed(*a.* 精神集中的)；absorption(*n.* 吸收；全神贯注)；absorbent(*a.* 能吸收的)；absorbing(*a.* 十分吸引人的)
avidity [ə'vɪdəti]	*n.* 热望；贪婪 记 来自 avid(*a.* 渴望的)
interim* ['ɪntərɪm]	*a.* 暂时的，临时的 *n.* 间歇；过渡期间，中间时期 记 联想记忆：inter(在…之间) + im(看作 time, 时间) → 中间时期 搭 in the interim 在其间 例 an *interim* government 临时政府
alteration [ˌɔːltə'reɪʃn]	*n.* 变更，改变 记 来自 alter(*v.* 改变) 例 major *alteration* 大改变
literary ['lɪtəreri]	*a.* 文学上的，文学的；精通文学的，从事写作的 记 词根记忆：liter(文字) + ary(的) → 文字上的 → 文学的 例 *literary* works 文学作品

13

introductory [ˌɪntrəˈdʌktəri]	*a.* 引导的，介绍的，开始的 记 来自 introduce(*vt.* 介绍) 例 *introductory* remarks 开场白
indiscreet [ˌɪndɪˈskriːt]	*a.* 不慎重的，轻率的 例 an *indiscreet* comment 轻率的评论 同 imprudent
auspicious [ɔːˈspɪʃəs]	*a.* 吉兆的；幸运的 记 来自 auspice(*n.* 吉兆) 例 an *auspicious* start 开门红
amphitheater* [ˈæmfɪθiːətər]	*n.* 古罗马的圆形剧场；竞技场；似圆形剧场的场所 记 联想记忆：amphi(两者) + theater(剧院) → 古罗马的竞技场有两个剧院大小 → 竞技场
cliché* [kliːˈʃeɪ]	*n.* 陈词滥调，老套 记 发音记忆：音似"可理谁" → 总是陈词滥调，还有谁会搭理？ → 陈词滥调 例 It's a *cliché*, I know, but the game isn't over till the final whistle blows. 我知道这是陈词滥调，但结束的哨声响了游戏才算结束。
overweight [ˌoʊvərˈweɪt]	*n.* 超重，过重 记 组合词：over(超过) + weight(重量，体重) → 超重
ravage [ˈrævɪdʒ]	*v.* 毁坏，破坏；掠夺 记 联想记忆：《变形金刚》中那只善于耍阴谋的机器狗就叫做 Ravage 例 The area has been *ravaged* by war. 这个地区被战争摧毁了。 同 devastate, sack, pillage, despoil
reproduce [ˌriːprəˈduːs]	*v.* 繁殖，生殖；复制；再现 记 联想记忆：re(再) + produce(生产) → 不断生产 → 繁殖，生殖 例 Disney had the latest audio equipment installed to accurately *reproduce* the sounds of music, voice, etc. 迪斯尼配备了最新的音响设备，以精确地再现音乐和声音。 派 reproduction(*n.* 繁殖；复制品)；reproductive(*a.* 生殖的；再生的) 同 copy, duplicate
unused [ˌʌnˈjuːzd]	*a.* 未用过的；空着的，未消耗的；无经验的；不习惯的 记 拆分记忆：un(不，未) + use(使用) + d(…的) → 未用过的 例 The little boy is still *unused* to city life. 那个小男孩还不适应城市的生活。 同 idle, vacant
lifetime [ˈlaɪftaɪm]	*n.* 一生，终身 记 组合词：life(生命) + time(时间) → 一生，终身 例 a *lifetime* of experience 毕生的经历
drastic [ˈdræstɪk]	*a.* 激烈的；(药性等)猛烈的；严厉的；极端的 例 a *drastic* step 严厉的措施 同 fierce, intense, violent

□ introductory □ indiscreet □ auspicious □ amphitheater □ cliché □ overweight
□ ravage □ reproduce □ unused □ lifetime □ drastic

bizarre * [bɪˈzɑːr]	*a.* 古怪可笑的；奇异的(态度、容貌、款式等) 记 联想记忆：集市 (bazaar) 上有各种古怪的 (bizarre)东西 例 Visiting our website, you'll find the strangest, the funniest, the most *bizarre* news stories and funny pictures. 登录我们的网站，你将看到最奇特、最有趣、最怪诞的新闻故事和搞笑图片。 同 fantastic, outlandish
enhance * [ɪnˈhæns]	*vt.* 提高(价值、价格等)，增强 例 This developing country wants to *enhance* its technology in a short time. 这个发展中国家希望短期内提高其技术水平。 派 enhancement(*n.* 增加); enhanced(*a.* 增强的，提高的) 同 heighten, increase, improve, enrich
satirize [ˈsætəraɪz]	*v.* 讽刺，挖苦 记 来自 satire(*n.* 讽刺) 例 These groups have often been *satirized* and ridiculed. 这些群体经常被讽刺嘲笑。
cameo * [ˈkæmioʊ]	*n.* 刻有浮雕的宝石或贝壳 记 联想记忆：came(来) + o → 来哦，刻有浮雕的宝石在拍卖哦 → 刻有浮雕的宝石或贝壳
bungle * [ˈbʌŋgl]	*v.* 办糟，搞砸 记 联想记忆：事情办糟(bungle) 了，罚他去丛林(jungle) 工作 例 The plan seemed simple enough, but the team *bungled* the operation. 这个计划看起来很简单，可这个队还是把它搞砸了。
emerge [iˈmɜːrdʒ]	*vi.* 浮现，出现，显现 记 词根记忆：e(出) + merg(沉，浸入) + e → 没有沉，出来了 → 浮现 搭 emerge from 浮现，出现；暴露(问题、意见等)；摆脱 例 At the railway station, people stood behind a metal fence waiting for passengers to *emerge* from the exit. 火车站里，人们站在金属护栏后等待旅客走出通道。 同 appear
monopoly [məˈnɑːpəli]	*n.* 垄断；专卖 记 词根记忆：mono(单个) + poly(销售) → 市场上只有一家企业在销售 → 垄断 例 *monopoly* capitalism 垄断资本主义
inherent * [ɪnˈhɪrənt]	*a.* 固有的，内在的，天生的 记 词根记忆：in(在…内) + her(黏着) + ent → 在…内黏着的 → 内在的 例 an *inherent* weakness 内在缺陷 派 inherently(*ad.* 天性地，固有地) 同 intrinsic *, natural, inborn, innate

13

preface ['prefəs]	*n.* 序言，引言，前言 记 联想记忆：pre(前) + face(正面) → 写在正文前面的话 → 序言，引言，前言
potent * ['poʊtnt]	*a.* 有力的；有效的 例 a *potent* argument 有力的论据 同 powerful
mistrust [ˌmɪs'trʌst]	*n.* 不信任，猜疑 记 拆分记忆：mis(表否定) + trust(相信) → 不信任，猜疑
territorial [ˌterə'tɔːriəl]	*a.* 领土的 记 来自 territory(*n.* 领土) 例 *territorial* waters 领海
rag [ræg]	*n.* 抹布，破旧衣服 *v.* 揶揄，戏弄，欺负 记 联想记忆：古代人对付迷路的方法是用破布(rag)之类做标记(tag) 搭 in rags 衣衫褴褛的；破碎的 例 Children in *rags* begged money from the tourists. 衣着破烂的孩子向游客乞讨。// My boss is always *ragging* on me. 我的老板经常戏弄我。 同 torment, tease
anathema [ə'næθəmə]	*n.* 诅咒；令人厌恶的事 记 联想记忆：ana(错误) + them(他们) + a → 他们做错了事所以遭到诅咒 → 诅咒 例 Such a lifestyle and values are *anathema* to the princess. 公主对这种生活方式和价值观极其厌恶。
evidence ['evɪdəns]	*n.* 证据，根据，论据；迹象，痕迹，征兆 同 testimony, basis, proof, indication
excursion [ɪk'skɜːrʒn]	*n.* 短途旅行，游览 记 词根记忆：ex(出) + cur(跑) + s + ion(表名词) → 跑出去玩儿 → 游览 例 *excursion* bus 游览公共汽车
adjunct * ['ædʒʌŋkt]	*n.* 附件；助手 *a.* 附属的；辅助的 记 词根记忆：ad + junct(结合，连接) → 和主件连在一起 → 附件 例 The memory expansion cards are useful *adjuncts* to the computer. 内存扩充卡是计算机很有用的附件。
imperil [ɪm'perəl]	*vt.* 使处于危险，危及 记 拆分记忆：im(使…) + peril(危险) → 使处于危险，危及 例 The small neglect may *imperil* both the culture and social order in many contemporary towns and cities. 小的疏漏都可能危及许多现代城镇的文明和社会秩序。
imbue [ɪm'bjuː]	*vt.* 渗透；灌输；使充满 记 联想记忆：IBM 品牌已经渗透(imbue) 中国市场 同 infuse, suffuse, inoculate

necessity [nə'sesəti]	*n.* 必要性，(迫切)需要；必需品 搭 of necessity 无法避免地；必定 例 the *necessities* of life 生活必需品 派 necessitous(*a.* 贫困的；急需的)
zeal * [zi:l]	*n.* 热心，热情 记 联想记忆：没有什么能治愈(heal)爱恋盲目的热情(zeal) 例 reforming / political *zeal* 改革 / 政治热情 同 passion, fever, ardor, enthusiasm
orthodox * ['ɔ:rθədɑ:ks]	*a.* 传统的，符合社会风俗的；正统的 记 词根记忆：ortho(正) + dox(观点) → 正统观点的 → 正统的 派 orthodoxy[*n.* 正统(学说)]
mischievous ['mɪstʃɪvəs]	*a.* 恶作剧的；淘气的 记 联想记忆：mis(错误) + chiev(看作 chief, 首领) + ous → 假冒首领的恶作剧 → 恶作剧的 例 a *mischievous* grin 淘气地咧着嘴笑
astute [ə'stu:t]	*a.* 机敏的；精明的；狡猾的 例 an *astute* merchant 精明的商人 同 crafty, wily
unawares [ˌʌnə'werz]	*ad.* 不料；吃惊地；不知不觉地，无意中 记 联想记忆：un(无) + aware(意识到的) + s → 没有意识到的 → 吃惊地；不知不觉地 例 Linda came upon a burglar *unawares* when he was searching her room. 琳达吃惊地撞见盗贼在翻她的房间。// The boy probably dropped the parcel *unawares*. 那个男孩可能无意中把包裹丢了。
blunt [blʌnt]	*a.* 钝的；不敏感的；坦诚的，直率的 记 发音记忆："不拦的" → 口无遮拦的 → 直率的 搭 to be blunt 坦白讲，说实话 例 To be quite *blunt*, this computer course is a waste of time and money. 坦诚地说，这个电脑课程既费时又费钱。 同 dull, bluff
infuse [ɪn'fju:z]	*v.* 输入，注入；浸泡；使充满 记 词根记忆：in(进入) + fus(倾注) + e → 注入 例 Being raised in Athens, the City of the Gods, I was *infused* with a holy and proud sense. 由于在"众神之城"雅典长大，我心中充满了神圣感和自豪感。
feign * [feɪn]	*v.* 装作，假装；伪造，捏造，杜撰 记 联想记忆：他精心设计(design)了这次伪造(feign)行动 例 The silence I *feign* does not mean you are not in my thoughts. 我假装沉默并不代表我没有想你。

13

analogy [əˈnælədʒi]	*n.* 比拟，类比，类推 记 词根记忆：ana(并列) + log(说话) + y → 放在一块说 → 类比 搭 by analogy 用类推的方法，照此类推 例 By *analogy*, the heart is a pump and brain is a computer. 照此类推，心脏好比是一台水泵，而大脑好比是一台计算机。 派 analogous(*a.* 类似的) 同 likeness
gossip [ˈgɑːsɪp]	*n.* 闲话，聊天；非议，流言 *vi.* 传播流言蜚语；闲聊 记 发音记忆："告诉不" → 这种流言还是不要告诉他的好 → 流言 例 a vicious *gossip* 恶毒的流言 // It will be the hurt to others for you to *gossip* here and there. 你到处传播流言蜚语，这对别人将是一种伤害。 同 hearsay, scandal, tattle
perceptive [pərˈseptɪv]	*a.* 知觉的；感觉(敏锐)的；有洞察力的 记 来自 percept(*n.* 感觉；认知) 例 a highly *perceptive* comment 见地高明的评论
itinerant [aɪˈtɪnərənt]	*a.* 巡回的；流动的 *n.* 巡回者 记 词根记忆：it(走) + iner + ant → 到处走 → 巡回的 例 This famous *itinerant* musician has traveled more than 20 countries around the world to play at his concerts. 这位著名的巡回音乐家已经在全球 20 多个国家举办了个人音乐会。
mushroom [ˈmʌʃrʊm]	*n.* 蘑菇 *v.* 采蘑菇；迅速成长 记 联想记忆：mush(软块) + room(房子) → 蘑菇就像软软的房子 → 蘑菇 例 Some *mushrooms* are forbidden to eat because they are poisonous. 一些蘑菇是不能吃的，因为有毒。
luster [ˈlʌstər]	*n.* 光泽，光辉，光彩 例 A high quality of furniture should keep full *luster*. 高质量的家具应该保持色泽饱满。
discombobulated [ˌdɪskəmˈbɑːbjuleɪtɪd]	*a.* 扰乱的，打乱的 记 来自 discombobulate(*vt.* 使混乱，打乱) 例 During the last two days, Joe had been depressed and in a *discombobulated* state of mind. 在过去的两天里，乔一直很沮丧，思想处于混乱的状态。
beneficial [ˌbenɪˈfɪʃl]	*a.* 有益的，有利的 记 词根记忆：bene(善，好) + fic(做) + ial(…的) → 做有益的事 → 有益的 搭 be beneficial to 对…有益 例 To spend this summer near the beach is *beneficial* to your wife's health. 在海滨度过这个夏天对你妻子的健康有好处。
propulsive [prəˈpʌlsɪv]	*a.* 对…有推进作用的，有推进力的 例 The teacher explained the *propulsive* force of the rocket to the students. 老师向学生解释火箭的推动力。

☐ analogy   ☐ gossip   ☐ perceptive   ☐ itinerant   ☐ mushroom   ☐ luster
☐ discombobulated   ☐ beneficial   ☐ propulsive

mnemonic * [nɪ'mɑːnɪk]	*a.* 记忆的；用以助记的 *n.* 记忆方法，助记标记 例 For many students, it's not easy to find an effective *mnemonic* means in studying English words. 对于许多学生而言，很难找到一种学习英语单词的有效的记忆方法。
smear [smɪr]	*n.* 污迹，污斑；(显微镜的)涂片；诽谤 *v.* 胡乱涂抹；弄脏；诽谤，诋毁 记 联想记忆：发誓(swear)的 w 翻过来就成了诽谤(smear) 例 The naughty boys *smeared* the paint all over the floor. 淘气的男孩子们把油漆涂抹得满地板都是。

13

备考锦囊

语法知识(二)定语从句中只能用 that 作关联词的情况

1. 当先行词为 anything, everything, nothing 等不定代词时，只能使用"that"。
2. 当先行词为 all, any, much, many 等时，只能使用"that"。
3. 当先行词是形容词最高级或被形容词最高级修饰时，只能使用"that"。
4. 当先行词是序数词修饰时，只能使用"that"。例：He was the first person that passed the exam. 他是第一个通过考试的人。
5. 先行词被 the only, the very, the same, the last 修饰时，只能使用"that"。例：This will be the last chance that he can get. 这将会是他得到的唯一机会。
6. 先行词里同时含有人或物时，只能使用"that"。例：They talked of things and persons that they remembered in the school. 他们谈论记得的有关学校的事和人。
7. 当主句是以 who, which 开头的特殊疑问句或先行词是 who 时，只能使用"that"。例：Which is the book that he bought from the library yesterday? 哪本是他昨天从图书馆借来的书？

If you want to understand today, you have to search yesterday.
想要懂得今天，就必须研究昨天。

——美国女作家 赛珍珠(Pearl Buck, American female writer)

Word List 14

词根预习表

cip	取	principle *n.* 原则	ess	存在	essence *n.* 本质，实质
opti	最好的	optimism *n.* 乐观主义	port	带有	comport *v.* 举止
puls	驱赶	repulse *vt.* 击退，驱逐	lud	玩	elude *vt.* 躲避，逃避
clin	倾斜	inclination *n.* 倾斜；倾向	pon	放置	opponent *a.* 对立的
mari	海洋	submarine *a.* 海底的	circum	围绕	circumvent *vt.* 回避，规避

balk [bɔːk]	*v.* 犹豫不决；畏缩不前；阻止，妨碍 记 联想记忆：犹豫不决(balk)，不敢前行(walk) 搭 balk at 畏缩，回避 例 Many people would *balk* at setting up a new business during a recession. 在经济不景气的时候，很多人会回避开设新的公司。 同 frustrate*, thwart, foil*, baffle, block
crass * [kræs]	*a.* 愚钝的，迟钝的；完全的，彻底的 记 联想记忆：他是完全的(crass)草(grass)根阶级(class) 例 a *crass* remark 愚蠢的评论
principle ['prɪnsəpl]	*n.* 原理，原则；准则，规范；主义，信条 记 词根记忆：prin(第一) + cip(取) + le → 原则上录取第一名 → 原则 搭 in principle 原则上，大体上；on principle 根据原则，依据信念 同 theory
astounding [ə'staʊndɪŋ]	*a.* 令人惊讶的，令人震惊的 记 来自 astound(*vt.* 使惊骇) 例 an *astounding* increase 一个惊人的增长
contentious * [kən'tenʃəs]	*a.* 好争吵的；引起争论的，有异议的 记 来自 contend(*v.* 斗争；主张) 例 a *contentious* issue 有争议的问题
essence ['esns]	*n.* 本质，实质；精髓，精华 记 词根记忆：ess(存在) + ence(表名词) → 真实的存在 → 本质，实质 搭 in essence 本质上，实质上，基本上；of the essence 极其重要的，必不可少的

vain [vein]	*a.* 徒劳的，无益的；自负的，虚荣的 记 联想记忆：他很自负(vain)，到头来一无所获(gain) 搭 in vain 徒劳地，白费力地；be vain of / about 为…自负 例 Scientists clone endangered Asian wild cattle to preserve them from extinction, but in *vain*. 为了保护亚洲野牛不至灭绝，科学家们将其克隆，但没有成功。 派 vainglory(*n.* 虚荣); vainly(*ad.* 自负地；徒劳地，无用地) 同 otiose, empty, hollow, unsuccessful, useless
endue [ɪn'duː]	*vt.* 授予，赋予 例 Sophia prayed to God to *endue* her with the spirit of holiness. 索菲亚祈祷上帝赋予她神圣的灵魂。
inaccessible [ˌɪnæk'sesəbl]	*a.* 难达到的；不易进入的；不可接近的 记 来自 accessible (*a.* 可接近的,可进入的) 例 an *inaccessible* area 难以接近的地区
coalescence [ˌkoʊə'lesns]	*n.* 合并，接合；结合，联合 记 来自 coalesce(*v.* 联合,合并)
conformity * [kən'fɔːrməti]	*n.* 一致，符合；遵从，遵守 记 来自 conform(*v.* 符合,使一致) 搭 in conformity with sth. 和某物一致 例 These regulations are in *conformity* with American law. 这些规章制度和美国的法律是一致的。
assurance [ə'ʃʊrəns]	*n.* 确信，断言；保证，担保 记 来自 assure(*vt.* 保证,担保) 例 quality *assurance* system 质量保证体系 同 pledge, guarantee
disprove [ˌdɪs'pruːv]	*vt.* 证明…不成立，证明…是错误的 记 词根记忆：dis(表否定) + prov(证明) + e → 证明…不成立 例 The author has *disproved* the idea that people sleep in order to rest their muscles. 作者证明了人们睡觉是为了让肌肉休息这一观点并不成立。
optimism ['ɑːptɪmɪzəm]	*n.* 乐观，乐观主义 记 词根记忆：opti(最好的) + m + ism(主义) → 乐观主义者总认为自己是最好的 → 乐观主义 例 a mood of cautious *optimism* 谨慎乐观的心情 派 optimist(*n.* 乐观主义者)
accessible * [ək'sesəbl]	*a.* 易接近的；可达到的；易受影响的；可理解的 记 来自 access(*v.* 接近,进入) 例 All rooms of the castle remained *accessible* to visitors. 这座城堡所有的房间都对游人开放。
temperance ['tempərəns]	*n.* 节制，自制；戒酒，禁酒 记 来自 temperate(*a.* 有节制的,适度的)

temperance

dauntless[*] [ˈdɔːntləs]	*a.* 不屈不挠的，大胆的，勇敢的 记 来自 daunt(*vt.* 使气馁，使畏缩) 例 *dauntless* courage 大无畏的勇气 同 fearless, undaunted
discretion[*] [dɪˈskreʃn]	*n.* 慎重，谨慎；自行决断的自由 记 词根记忆：dis(分开) + cret(观察) + ion(表名词) → 分开观察的自由 → 自行决断的自由 例 years of *discretion* 懂事年龄；责任年龄
painstaking[*] [ˈpeɪnzteɪkɪŋ]	*a.* 辛勤的，刻苦的；十分小心的，仔细的 记 联想记忆：pains(辛苦) + taking(花费…的) → 辛勤的，刻苦的 例 *painstaking* research 仔细的研究
ethical [ˈeθɪkl]	*a.* 与伦理有关的，道德的；合乎伦理的，合乎道德的 记 来自 ethic (*n.* 道德规范，伦理标准) 例 *ethical* standards 道德标准
sensational [senˈseɪʃnl]	*a.* 轰动性的；引起哗然的，耸人听闻的 记 来自 sensation(*n.* 感情) 例 a *sensational* discovery 引起轰动的发现
authenticity [ˌɔːθenˈtɪsəti]	*n.* 确实性；真实性 记 来自 authentic (*a.* 真实的，真正的) 例 Archaeological evidence helps to establish the *authenticity* of the statue. 考古方面的证据有助于证实这件雕像的真实性。
hamper[*] [ˈhæmpər]	*vt.* 妨碍，阻碍；束缚，牵制 记 联想记忆：有人拿着榔头(hammer)阻碍(hamper)事情的发展 例 Roger was still *hampered* by the position where he was. 罗杰仍然为自己所处的形势所束缚。 同 disrupt, impede, inhibit, encumber[*], obstruct
exempt[*] [ɪgˈzempt]	*vt.* 免除，豁免 *a.* 被免除(义务，责任等)的，被豁免的 记 词根记忆：ex(出) + empt(拿) → 拿走 → 免除，豁免 搭 exempt from 免除，豁免 例 The little boy was *exempt* from charges by virtue of his youth. 小男孩因年幼而免费。
supplementary [ˌsʌplɪˈmentri]	*a.* 增补的，补充的；附加的 记 来自 supplement(*n.* 补充，增补) 例 *supplementary* reading 补充读物 // *supplementary* payment 额外的付款 派 supplementation(*n.* 增补，补充) 同 additional, extra
overpass [ˈoʊvərpæs]	*n.* 过街天桥；立交桥 记 联想记忆：over(在…之上) + pass(通过) → 从上面通过 → 过街天桥 例 an expressway *overpass* 高速公路立交桥

pedal ['pedl]	*n.* 踏板；脚蹬子 *v.* 踩踏板；骑自行车 记 词根记忆：ped(脚) + al(表物体) → 用脚踩的东西 → 踏板；脚蹬子 例 a brake *pedal* (汽车的) 刹车踏板
bowdlerize[*] ['baʊdləraɪz]	*vt.* 删除(书刊、剧本等中) 不妥的文句；删改；修订 记 来自人名 Thomas Bowdler，他删改出版了莎士比亚的戏剧 例 a *bowdlerized* version 删改过的版本
affray [ə'freɪ]	*v.* (尤指在公共场所) 吵架，打架；闹事，滋事 例 The men were charged with causing an *affray*. 那些人被控扰乱治安。
unveil [ˌʌn'veɪl]	*v.* 除去…的面纱或遮盖物；揭开…的幕；揭露，使公之于众 记 来自 veil(*n.* 面纱) 例 The plan was *unveiled* with the approval from the mayor. 经市长同意，这个计划被公布了。
hostility[*] [hɑ'stɪləti]	*n.* 敌意，敌对；反对，抵制；战争(状态)，战斗 记 发音记忆："好死踢了踢" → 这两人非得争个你死我活，想把对方踢死 → 敌意，敌对 例 a feeling of *hostility* 敌对情绪
forbearance[*] [fɔːr'berəns]	*n.* 自制，忍耐；债务偿还期的延展 记 来自 forbear(*v.* 容忍，克制) 例 an attitude of *forbearance* 克制的态度 同 patience
arduous[*] ['ɑːrdʒuəs]	*a.* 费力的；艰巨的 记 联想记忆：一项又艰巨(arduous)又乏味(tedious)的工作 例 an *arduous* work 艰巨的工作 同 difficult, strenuous
comprehensive[*] [ˌkɑːmprɪ'hensɪv]	*a.* 内容广泛的，包罗万象的；(指教育)综合的 记 来自 comprehend(*v.* 理解，了解) 例 All the products should be labelled with *comprehensive* instructions. 所有的产品都应该贴上详细的使用说明。
comport [kəm'pɔːrt]	*v.* 举止，(行为)表现 记 词根记忆：com(一起) + port(带有) → 一个人带有的全部仪态 → 举止
disparage [dɪ'spærɪdʒ]	*v.* 蔑视，贬损(尤指欠公允) 记 联想记忆：他居然贬损(disparage) 这位著名作家的文章(passage) 例 As Brad points out, these signs have been neglected or *disparaged* as trivial items. 正如布拉德指出的那样，这些征兆被忽视了或被当作微不足道的事而没有得到重视。 同 degrade, depreciate, belittle

14

handlebars 车把　seat 车座
tire 轮胎
pedal 踏板　chain 链条　spokes 辐条
a bicycle
自行车

repulse [rɪˈpʌls]	*vt.* 击退(进攻)，驱逐；拒绝，排斥；使厌恶，使反感 记 词根记忆：re(反向) + puls(驱赶) + e → 反着推 → 击退，驱逐 例 Monica coldly *repulsed* the disgusting man's courtship. 莫妮卡冷淡地拒绝了那个令人厌恶的男人的求爱。
aviary [ˈeɪvieri]	*n.* 大鸟笼；鸟舍 记 词根记忆：avi(鸟) + ary(表场所) → 大型鸟舍
rigor* [ˈrɪɡər]	*n.* 艰苦，严峻；严格，苛刻 同 strictness
didactic* [daɪˈdæktɪk]	*a.* 说教的；教诲的 记 联想记忆：did(do 的过去式，做) + actic(看作 active, 积极的) → 老师教我们做人要积极 → 教诲的；说教的
glacial* [ˈɡleɪʃl]	*a.* 冰冷的，冷淡的；冰的，冰状的；冰期的，冰河时代的 记 词根记忆：glac(冰) + ial(…的) → 冰的，冰状的 例 *glacial* winds 刺骨的寒风 同 frigid
elude [iˈluːd]	*vt.* 躲避，逃避；不记得，不理解 记 词根记忆：e(出) + lud(玩) + e → 出去玩躲猫猫 → 躲避，逃避 例 Rachel ran for the edge of the woods but she wasn't quite fast enough to *elude* her pursuer. 雷切尔跑向林子的尽头，但她的速度不够快，甩不掉追赶者。
inclination [ˌɪnklɪˈneɪʃn]	*n.* 倾向，意向；趋向，趋势；倾斜，坡度 记 词根记忆：in + clin(倾斜) + ation(名词后缀) → 倾斜；倾向 例 She can not follow her own *inclination* in the matter of marriage. 她在婚姻问题上不能遵循自己的意愿。 同 propensity*, liking
inconvenient [ˌɪnkənˈviːniənt]	*a.* 不方便的，有困难的，让人不舒服的 记 来自 convenient(*a.* 方便的，省心的) 例 *inconvenient* time 不方便的时间 同 inopportune*
incentive* [ɪnˈsentɪv]	*n.* 刺激；激励；鼓励 记 联想记忆：用几分钱(cent)就想刺激(incentive)他是不可能的 例 *incentive* payment 奖金 // an *incentive* scheme 激励方案 同 motivation, impetus
armada [ɑːrˈmɑːdə]	*n.* 舰队 记 词根记忆：arm(武装) + ada(舰队) → 舰队 例 the *Armada* 天敌舰队(1588 年被派遣进攻英国的西班牙舰队)
phenomenon [fəˈnɑːmɪnən]	*n.* ([pl.] phenomena) 现象；非凡的人、物或事 例 natural *phenomenon* 自然现象 派 phenomenal(*a.* 显著的)；phenomenally(*ad.* 惊人地)

incentive

inconvenient

inclination

dynamic * [daɪˈnæmɪk]	*a.* 力的，动力的；力学的，动力学的；有活力的，有生气的 例 a *dynamic* personality 充满活力的个性 同 active
issue [ˈɪʃuː]	*v.* 流出，出来；发行，发表；颁布，发布 *n.* 发出，流出；发行(物)；(报刊)期号；问题，争端 记 发音记忆："一休" → 聪明的一休总能解决问题 → 问题，争端 搭 at issue 在讨论或争议中的 例 *issue* cost 发行成本 // The government *issued* an alert to its people in South Africa that the potential for terrorist actions is high. 政府向在南非的公民发出警告，说该国发生恐怖袭击的可能性非常大。 同 dicharge, emit
ambiguous * [æmˈbɪɡjuəs]	*a.* 不明确的，意向不明的；模棱两可的，有歧义的 记 词根记忆：amb(两边) + ig(驱动) + uous(…的) → 往两边都可以驱动的 → 不明确的，意向不明的 例 an *ambiguous* word 模棱两可的词 // an *ambiguous* smile 暧昧的微笑 同 obscure, inexplicable
opponent [əˈpoʊnənt]	*n.* 对手，敌手；反对者 *a.* 对立的，对抗的 记 词根记忆：op(相反) + pon(放置) + ent(…的) → 反着放的 → 对立的，对抗的 搭 opponent at / in sth. 在某方面的对手 例 a political *opponent* 政敌 // a fierce *opponent* of nuclear arms 强烈反对核武器的人
repress * [rɪˈpres]	*v.* 压制，抑制；镇压，平息 记 词根记忆：re(一再) + press(压迫) → 压制，抑制 例 I could scarcely *repress* the slight sensation of fear. 我几乎难以压抑这种轻微的恐惧感。
auditory [ˈɔːdətɔːri]	*a.* 耳的；听觉的；关于听觉的 记 词根记忆：aud(听) + it + ory(…的) → 听觉的 例 *auditory* stimuli 听觉刺激 // the *auditory* nerve 听觉神经
omen [ˈoʊmən]	*n.* 预兆，征兆 记 联想记忆：说阿门(amen)以祈求好的征兆(omen) 例 a good *omen* 吉祥的预兆 // a bird of ill *omen* 不祥的鸟
playful [ˈpleɪfl]	*a.* 爱玩的，有趣的；闹着玩的，取乐的 记 来自 play(*v.* 玩耍) 例 a *playful* puppy 顽皮的小狗 // *playful* remarks 开玩笑的话 同 frolicsome, sportive, jocular
negligent [ˈneɡlɪdʒənt]	*a.* 疏忽的；粗心大意的 记 来自 negligence(*n.* 疏忽；粗心大意) 例 a *negligent* driver 粗心大意的司机 // He was *negligent* of his duties. 他玩忽职守。 同 neglectful, slack, remiss

14

buttress* [ˈbʌtrəs]	*n.* (建筑的)扶壁；支持力量，支撑物 *vt.* 扶持，支持，(用扶壁)支撑 记 联想记忆：装饰着蝴蝶(butterfly)的扶壁(buttress) 例 Matthew gave statistics to *buttress* his argument. 马修给出统计数据以支持他的论点。 同 support, strengthen
embarrass [ɪmˈbærəs]	*vt.* 使窘迫，使为难，使尴尬；使不安，使焦虑 记 联想记忆：em(使…) + bar(障碍) + rass → 设置障碍使窘迫 → 使窘迫，使为难 例 James' crude manners *embarrassed* everyone at the table. 詹姆斯粗鲁的言行让所有在座的人都感到尴尬。 同 fluster, disconcert embarrass
feat [fiːt]	*n.* 功绩，伟业；技艺，武艺 记 联想记忆：打败(beat)敌人，取得功绩(feat) 例 a brilliant *feat* 光辉的业绩 // perform *feats* of daring 表演惊险的技艺 同 accomplishment, achievement, triumph
anecdote [ˈænɪkdoʊt]	*n.* 轶事，逸闻(关于真人真事的短小有趣的故事) 记 词根记忆：an(表否定) + ec(出) + dot(给) + e → 不给外人说的故事 → 轶事，逸闻 例 an amusing *anecdote* 趣闻逸事 // He told us some *anecdotes* about our president. 他告诉我们几个关于主席的掌故。 派 anecdotal(*a.* 轶事的，趣闻的)
asylum [əˈsaɪləm]	*n.* 安全，庇护；收容所 记 联想记忆：a(一个) + sylum(看作 slum, 贫民窟) → 一个贫民窟就是穷人的收容所 → 收容所 例 ask for political *asylum* 请求政治庇护 同 shelter
submarine [ˌsʌbməˈriːn]	*a.* 海面下的，海底的 *n.* 潜艇 记 词根记忆：sub(在下面) + mari(海洋) + ne → 在海洋下面 → 海面下的，海底的 例 nuclear *submarine* 核潜艇 // a *submarine* cable 海底电缆 同 underwater, submerged
primitive [ˈprɪmətɪv]	*a.* 原始的，远古的，早期的；粗糙的，简单的，未开化的 记 词根记忆：prim(第一) + itive(具…性质的) → 第一个出现的 → 原始的 例 *primitive* society 原始社会 // They built a *primitive* shelter out of tree trunks. 他们用一些树干造了一个简陋的棚子。 同 crude, rudimentary
populous [ˈpɑːpjələs]	*a.* 人口多的，人口稠密的 记 词根记忆：popul(人) + ous(…的) → 人口多的，人口稠密的 例 a *populous* region 人口稠密的地区

156

wherever [wer'evər]	*ad.* 无论哪里；无论什么情况下 例 Sit *wherever* you like. 您愿意坐在哪儿都行。
diligent ['dɪlɪdʒənt]	*a.* 勤奋的，刻苦的 记 发音记忆："地理整的"→ 地理考试整得他不 得不勤奋学习 → 勤奋的，刻苦的 搭 be diligent in doing sth. 勤奋用功地做某事 例 Many countries have been very *diligent* in pushing forward the peace process. 许多国家一 直在很努力地推动这一和平进程。 派 diligence(*n.* 勤奋) 同 painstaking, industrious
divest* [daɪ'vest]	*vt.* 脱去(衣服)；解除(权利、责任等)；摆脱(情感等) 记 联想记忆：大公司的投资(invest)剥夺(divest)了小公司的自主权 例 The disgraced official was *divested* of all authority. 这个失势的官员失 去了一切权利。
typify ['tɪpɪfaɪ]	*vt.* 作为…的典型；代表，象征 记 来自type(*n.* 类型；典型) 例 The old man's attitude towards the television *typified* his whole moral outlook. 老人对电视的态度代表了他全部的道德观。
diplomat ['dɪpləmæt]	*n.* 外交官，外交家；善交际的人，处事练达的人 例 a *diplomat* of distinction 一位卓越的外交官
circumvent* [ˌsɜːkəm'vent]	*vt.* 智胜，用计谋取胜；规避，回避 记 词根记忆：circum(围绕) + vent(来) → 为了回避，绕着过来 → 回避， 规避 例 The company found a way of *circumventing* the law. 这家公司找到了一 个规避法律的方法。
illusion* [ɪ'luːʒn]	*n.* 错觉，幻觉；假象，幻想中的事物 记 词根记忆：il(在…上) + lus(玩耍) + ion → 出现在天堂上玩耍的幻觉 → 错觉，幻觉 例 an optical *illusion* 视错觉 派 disillusioned(*a.* 对…幻想破灭); illusive(*a.* 错觉的，幻觉的) 同 mirage
aesthetic* [es'θetɪk]	*a.* 美学的，审美的；美观的，雅致的 记 词根记忆：aesthet(感觉) + ic → 关于美的感觉 → 美学的，审美的 例 *aesthetic* value 美学价值 // The furniture was more *aesthetic* than practical. 这件家具华而不实。 派 aesthetically(*ad.* 审美地); aesthetics(*n.* 美学)
inevitable* [ɪn'evɪtəbl]	*a.* 不可避免的，必然发生的 记 来自evitable(*a.* 可避免的) 例 an *inevitable* consequence 必然的后果 派 inevitably(*ad.* 不可避免地，必然地)

14

□ wherever   □ diligent   □ divest   □ typify   □ diplomat   □ circumvent
□ illusion   □ aesthetic   □ inevitable

portent* [ˈpɔːrtent]	*n.* 预兆，征兆，凶兆 例 a *portent* of disaster 灾难的凶兆
vaccinate [ˈvæksɪneɪt]	*v.* 进行预防接种 记 来自 vaccine(*n.* 牛痘，疫苗) 例 All the children are *vaccinated* against measles. 所有的孩子都接种了麻疹疫苗。
illiterate [ɪˈlɪtərət]	*a.* 文盲的，不识字的；未受教育的，教育程度低的 记 词根记忆：il(不) + liter(文字) + ate → 不识字的，文盲的 例 *illiterate* population 未受教育的人口
rotate [ˈroʊteɪt]	*v.* (使)旋转，(使)转动；(使)循环，(使)轮流 记 词根记忆：rot(旋转) + ate(使) → (使)旋转，(使)转动 例 Bill *rotates* the telegraph handle back and forth. 比尔来回摇动着电报机的摇柄。 派 rotation(*n.* 旋转)；rotatable(*a.* 可旋转的)
frightful [ˈfraɪtfl]	*a.* 令人厌恶的，可怕的；非常的，极其的 例 a *frightful* experience 可怕的经历 // in a *frightful* rush 极其匆忙地
exert [ɪɡˈzɜːrt]	*vt.* 用(力)，尽(力)；运用(技巧等)，发挥(特质等)，施加(压力等) 记 词根记忆：ex(出) + ert(看作 sert，放置) → 放出来 → 运用，发挥 搭 exert oneself 尽力，努力；exert all one's strength 尽某人的全力；exert sth. on / over 对…施加 例 Scientists believed that they were closer to understanding why alcohol and drugs *exerted* an addictive effect on the brain. 科学家们认为他们即将能揭开为什么大脑会对酒精和毒品上瘾的谜团。 派 exertion*(*n.* 努力；发挥，行使)
offshoot [ˈɔːfʃuːt]	*n.* 枝条，枝杈；(山等的)支脉；支族，旁系 记 联想记忆：off(出) + shoot(嫩芽) → 主枝上长出的嫩芽变成枝杈 → 枝杈，枝条 例 an *offshoot* of a mountain range 山脉的分支
wry* [raɪ]	*a.* 扭曲的，扭歪的；挖苦的，揶揄的 记 联想记忆：因为别人揶揄的(wry)话语气得哭泣(cry)起来 例 The boy pulled a *wry* face when I asked him where he was heading for. 当我问男孩要去哪里时，他冲我做了一个鬼脸。
contingent* [kənˈtɪndʒənt]	*a.* 依情况而定的；不能确定的；偶然的 例 a *contingent* effect 意外的结果 // Outdoor arrangements are *contingent* on the weather. 户外活动的安排取决于天气情况。
sociable [ˈsoʊʃəbl]	*a.* 好交际的；友善的；合群的 记 词根记忆：soci(结交) + able(能…的) → 好交际的 例 a friendly, *sociable* man 一个友好、好交际的人

rotate

158
□ portent □ vaccinate □ illiterate □ rotate □ frightful □ exert
□ offshoot □ wry □ contingent □ sociable

domestic [dəˈmestɪk]	*a.* 家里的，家庭的；本国的，国内的；驯养的，非野生的 记 词根记忆：dom(屋子) + est + ic(与…有关的) → 与屋子有关的 → 家里的，家庭的 例 *domestic* appliance 家用器具 // gross *domestic* product（GDP）国内生产总值 派 domestically(*ad.* 国内地)；domesticate(*v.* 驯养，驯化)；domestication(*n.* 驯养，驯化)；domesticity(*n.* 家庭生活) 同 tame, domesticated, internal, household
cerebration * [ˌserəˈbreʃən]	*n.* 大脑活动，思考 记 联想记忆：思考(cerebration)该如何庆祝(celebration)
wrath * [ræθ]	*n.* 愤怒，大怒 记 联想记忆：国王大怒(wrath)，发誓(oath)说再也不洗澡(bath)了 例 The girl was scared of incurring his father's *wrath*. 女孩很害怕把父亲惹怒了。 同 anger, rage, fury, indignation*
inhume [ɪnˈhjuːm]	*vt.* 埋葬 记 联想记忆：埋葬(inhume)活人很不人道(inhuman)
cantankerous * [kænˈtæŋkərəs]	*a.* 脾气坏的，好吵架的 记 联想记忆：can(罐头) + tanker(坦克手) + ous → 坦克手没罐头吃就发脾气 → 脾气坏的 例 As Gavin grew older, he became more *cantankerous*. 加文上了岁数后，脾气变得越来越坏了。
vivacity [vɪˈvæsəti]	*n.* 活泼，快活，有生气 记 词根记忆：viv(生命) + acity → 有生气
earthy * [ˈɜːrθi]	*a.* 粗俗的，粗陋的；泥土的，有泥土气息的 记 联想记忆：earth(土地) + y → 泥土的，有泥土气息的 例 The *earthy* joke is offensive to women and kids. 这个粗俗的笑话冒犯了妇女和儿童。
rendition * [renˈdɪʃn]	*n.* 提供，给予；表演，演唱；翻译；再现 例 I'd like to listen to a live *rendition* of this pop band. 我很想听一听这支流行乐队的现场演唱。 同 performance
illimitable * [ɪlˈlɪmɪtəbl]	*a.* 无穷的，无限的；无边际的 记 联想记忆：il(不) + limit(界限) + able(…的) → 没有界限的 → 无限的 例 The scientists are trying to find a new planet of *illimitable* natural resources. 科学家们正在试图寻找一个蕴藏着无穷自然资源的新星球。
log * [lɑːg]	*n.* 原木；航海日志 *v.* 采伐树木；正式记录 记 联想记忆：和 Blog(网络日志)一起记 搭 log in 进入计算机系统；log out 退出计算机系统 例 If a user fails to *log* in, the system of the computer is not accessible. 用户如果登录失败，就无法进入电脑系统。

14

turbulence * [ˈtɜːrbjələns]	*n.* 动荡；喧嚣，骚乱；(空气或水的)湍流，紊流 例 This country experienced several *turbulence* during the last ten years. 过去十年里，这个国家经历了多次动荡。
rumple [ˈrʌmpl]	*v.* 弄皱，弄乱 记 联想记忆：rum(看作 room) + ple(看作 people) → 房间里面来了好多人，把房间弄得乱七八糟 → 弄乱 例 Naughty kids *rumpled* the neat sheets on the bed, which angered the parents. 调皮的孩子把床上整洁的床单弄乱了，这让父母大为光火。 同 wrinkle, crumple
intrusive [ɪnˈtruːsɪv]	*a.* 侵入的，闯入的；侵扰的；内凸的 记 词根记忆：in(进入) + trus(推，冲) + ive → 推进去 → 闯入的 例 It's quite hard to eliminate the *intrusive* viruses from the computer. 很难从电脑上把这种入侵型病毒消除掉。
disconsolate * [dɪsˈkɑːnsələt]	*a.* 不快乐的；忧郁的；郁郁寡欢的 例 Different from his imagination, he fell *disconsolate* after his divorce. 与想象的不同，离婚后他感到不快乐。 同 cheerless

备考锦囊

语法知识（三）同位语从句常见用法、同位语从句与定语从句的区别(1)

同位语从句一般直接跟在名词之后，由 that 引导，且 that 不可省略。如：

There is no doubt that Mary is a scholar. 毫无疑问，玛丽是位学者。

有时不直接跟在名词之后。如：

Several years later, word came that Napoleon himself was coming to inspect them. 几年以后，有消息传来说拿破仑要亲自检阅他们。

有时可由连接代词或连接副词引导。如：

I have no idea when he will be back. 我不知道他什么时候能回来。

Word List 15

音频

词根预习表

bell	战争	bellicose a. 好战的	tinct	刺	extinct a. 灭绝的
rupt	断	rupture v. 断裂	leg	读	legible a. 易读的
trus	插入	abstruse a. 难懂的	gross	大的	engross vt. 用大字体书写
magn	大	magnitude n. 巨大	pos	放置	positive a. 积极的
spic	看	conspicuous a. 显眼的	card	心脏	cardinal a. 主要的

antiseptic [ˌænti'septɪk]	*n.* 防腐剂, 抗菌剂 *a.* 防腐的, 杀菌的; 消过毒的, 无菌的 记 词根记忆: anti(反) + sept(腐烂的) + ic → 防腐的, 杀菌的 例 *antiseptic* cream 防腐乳膏
breach* [briːtʃ]	*n.* 违背, 破坏; 破裂; 缺口; 中断, 中止 *vt.* 破坏, 违反; 冲破, 突破 记 联想记忆: brea(看作 break, 打破) + ch → 破坏, 违背 例 We thought that your discussions with other companies constituted a *breach* in our agreement. 我们认为你们同其他公司间的讨论构成了违约。 // Companies who *breach* the rules could face a fine of up to 20,000 dollars. 违反该规定的公司将面临最高两万美元的罚款。 同 break, violate
underlie [ˌʌndər'laɪ]	*vt.* 位于或存在于…之下; 成为…的基础; 为…说明或解释 记 联想记忆: under(在…下) + lie(躺) → 躺在…之下 → 位于或存在于…之下 例 Social problems and poverty *underlie* much of the crime in New York. 纽约的大部分犯罪行为是由社会和贫穷问题所导致的。
landscape ['lændskeɪp]	*n.* (陆地)风景, 景色; 风景画, 山水画 记 联想记忆: land(陆地) + scape(景色) → (陆地)风景, 景色 例 the rugged *landscape* 崎岖的陆地景观
alliance [ə'laɪəns]	*n.* 结盟; 联盟; 联姻; 联合 记 来自 ally(v. 结盟) 搭 in alliance with 与…联盟; 与…联合 例 The firm is in *alliance* with a national lab to explore the problem. 这家公司和一家国家实验室联手研究该问题。

ancillary [ˈænsəleri]	*a.* 辅助的；从属的；副的 记 联想记忆：an（一个）+ cill（看作 hill，山）+ ary（…的）→ 一座从属于主峰的侧峰 → 从属的 例 *ancillary* staff 辅助人员 // *ancillary* rights 附属权利 同 auxiliary, supplementary, subordinate, subsidiary
element [ˈelɪmənt]	*n.* 元素，要素；组成部分，成分 记 联想记忆：让我（let me）看看它是由什么成分（element）组成的 例 chemical *elements* 化学元素 // Justice is an important *element* of good government. 公正是仁政的要素。
tact [tækt]	*n.* 机智，老练；得体，圆滑 记 联想记忆：t（音似：他）+ act（行动）→ 他善于行动 → 机智，老练 例 Settling the dispute required great *tact* and diplomacy. 解决纷争需要机智和外交手段。
intangible * [ɪnˈtændʒəbl]	*a.* 无法触摸的；难以捉摸的，难以理解的；（指企业资产）无形的 记 来自 tangible（*a.* 可触知的） 例 *intangible* assets 无形资产 同 impalpable
bellicose * [ˈbelɪkoʊs]	*a.* 好战的，好斗的，寻衅的 记 词根记忆：bell（战争）+ icose → 好战的 同 belligerent, pugnacious, quarrelsome, contentious
accompany [əˈkʌmpəni]	*v.* 陪同，伴随；随着…发生，伴有；为…伴奏或伴唱 记 来自 company（*v.* 陪伴） 例 John remained the musician's trusted adviser, *accompanying* him to concerts. 约翰一直是那位音乐家信赖的顾问，所有音乐会都是由他陪着去的。 派 accompanying（*a.* 陪伴的，伴随的）；accompaniment（*n.* 伴随物；[音]伴奏）；accompanist（*n.* 伴奏者）
qualification [ˌkwɑːlɪfɪˈkeɪʃn]	*n.* 资格，合格；技能；限定，条件；合格证 记 来自 qualify（*vt.* 使具有资格） 例 What sort of *qualifications* do you need for the job? 做这项工作需要什么资格？
concede * [kənˈsiːd]	*vt.* （不情愿地）承认，承认…为真（或正确）；（在结果确定前）承认…失败；允许，让给 记 词根记忆：con + ced（走）+ e → 离开，因为失败了 → 承认…失败 例 Although Paul had lost two rounds, he refused to *concede* and decided to finish the match. 虽然已经输了两盘，但是保罗拒绝认输并决定打完比赛。 派 concession（*n.* 让步；特许权） 同 grant, vouchsafe*, accord
beatitude * [biˈætɪtuːd]	*n.* 至上的幸福；祝福，祈福 记 联想记忆：我的态度（attitude）是祝福（beatitude）你有一个美丽的（beautiful）人生

prominence
['prɑːmɪnəns]

n. 杰出，卓越；突起，凸出

记 来自 prominent(*a.* 杰出的，卓越的)

例 Most of the papers give *prominence* to the same story this morning. 今早大多数的报纸都突出报道了同一个事件。

paralyze
['pærəlaɪz]

vt. 使瘫痪，使麻痹；使不能活动，使丧失作用

例 Her legs were partly paralyzed in the crash. 车祸后她的腿部分瘫痪。

transcript
['trænskrɪpt]

n. 抄本，誊本；<美>成绩单

例 The witness will present a transcript of the tapes in court. 目击证人会在法庭上出示录音带的文字记录。

trait
[treɪt]

n. 特征，特点，特性

记 联想记忆：要根据每位队员的特点(trait)进行训练(train)

例 personality *trait* 个性特征 // One of her less attractive *traits* is criticizing her husband in public. 她有个不太讨人喜欢的特点，就是爱当众责备她丈夫。

同 feature, peculiarity

15

extinct
[ɪk'stɪŋkt]

a. 灭绝的，绝种的；熄灭的；破灭的

记 词根记忆：ex + tinct(刺) → 动物被刺没了 → 灭绝的，绝种的

例 an *extinct* species 已灭绝的物种

派 extinction(*n.* 灭绝；废止)

同 vanished

extinct

emphasis
['emfəsɪs]

n. 强调，重点；加强语气

搭 place / put / lay an emphasis on 强调…，把重点放在…上

例 Bills completed by the 1980s laid special *emphasis* on environmental protection and energy conversion. 20 世纪 80 年代缔结的法案特别强调了环境保护和能源转换问题。

commonplace
['kɑːmənpleɪs]

n. 陈词滥调，老生常谈；司空见惯的事 *a.* 平凡的，普通的，平淡无味的

记 联想记忆：common(普通的) + place(地方) → 普通的地方发生普通的事 → 司空见惯的事

同 ordinary, unremarkable

beneficiary*
[ˌbenɪ'fɪʃieri]

n. 受惠者，受益人

记 词根记忆：bene(善，好) + fic(做) + i + ary(表人) → 得到好处的人 → 受惠者，受益人

compression
[kəm'preʃn]

n. 浓缩，压缩，压榨，压挤；(燃料、蒸汽等的)压缩

记 来自 compress(*vt.* 压缩，浓缩)

powerless
['paʊərləs]

a. 无权利的；无力量的；无能力的

记 来自 power(*n.* 权力，力量)

例 *powerless* minorities 弱势的少数民族

misunderstand
[ˌmɪsʌndər'stænd]

vt. 误解，误会

例 The art of that nation has often been *misunderstood*, or treated unfairly. 那个民族的艺术常常遭到误解或者不公正的对待。

---

shatter [ˈʃætər]	*v.* 粉碎，砸碎；破坏，损坏 记 联想记忆：在摔碎(shatter)花瓶之前要按快门(shutter) 留念 例 Our lives were completely *shattered* by the accident. 我们的生活完全被那场事故破坏 同 demolish
alcove* [ˈælkoʊv]	*n.* 凹室，壁凹，壁龛 记 联想记忆：壁龛（alcove）上盖着（cover）一块布，布上画着一只鸽子(dove)，鸽子后面是个山洞(cave) 例 coat *alcove* 衣帽间
profession [prəˈfeʃn]	*n.* 职业；同业；公开表示，表白 记 联想记忆：教授(professor)是个不错的职业(profession) 搭 the profession 同业，同行 例 the legal *profession* 法律业界 同 occupation
seize [siːz]	*v.* 抓住，捉住；没收，扣押；把握(时机等)，利用；(机器等)卡住 记 联想记忆：无论大小(size)，是机会就要抓住(seize) 搭 be seized with 被…侵扰；seize on / upon 利用；seize up（机器等）卡住，停顿 例 I want to *seize* every opportunity to improve myself. 我想把握每一次机会来提高自己的能力。// The mechanism had *seized* up. 机器卡住了。
utopian [juːˈtoʊpiən]	*a.* 乌托邦的，理想化的，不切实际的 记 来自 utopia*(*n.* 乌托邦)
emphasize [ˈemfəsaɪz]	*vt.* 强调，着重；使显得突出 例 Professor Green believed writers should *emphasize* the positive aspects of life. 格林教授认为作家应该强调生活的积极面。 同 stress
rupture [ˈrʌptʃər]	*v.* 破裂，裂开；断绝，割裂(关系等) 记 词根记忆：rupt(断) + ure → 断裂 例 A stroke is often caused when a blood vessel in the brain *ruptures*. 脑部血管破裂容易引起中风。
legible [ˈledʒəbl]	*a.* (印刷或字迹)清楚的，易读的 记 词根记忆：leg(读) + ible(可…的) → 易读的 例 *legible* handwriting 清楚易读的笔迹 同 plain
anonymous* [əˈnɑːnɪməs]	*a.* 匿名的；无名的；无特色的 记 词根记忆：an(无) + onym(名字) + ous(…的) → 无名的，匿名的 例 *anonymous* letter 匿名信
seminar [ˈsemɪnɑːr]	*n.* (大学的)研究班，专题研讨会 记 词根记忆：semin(种子) + ar → 教授在研究班播撒学术的种子 → 研究班 例 a sales *seminar* 销售研讨会

anonymous

stubborn [ˈstʌbərn]	*a.* 顽固的，倔强的；难对付的，难克服的；顽强的，不退让的 记 联想记忆：那个人生来（born）就很倔强（stubborn） 例 These were *stubborn* men, not easily persuaded to change their minds. 这些人很顽固，要说服他们改变想法不是件容易的事。 派 stubbornness(*n.* 倔强); stubbornly(*ad.* 倔强地，顽固地) 同 headstrong, unbending
guilty [ˈgɪlti]	*a.* 犯罪的，有罪的；自觉有罪的，内疚的；有过失的 搭 be guilty of 有……罪；内疚的 例 a *guilty* conscience 问心有愧 // The leader was found *guilty* of keeping a large number of gifts received from foreign visitors. 这位领导人因收受了外国访客的大量礼物而被判有罪。
notorious [noʊˈtɔːriəs]	*a.* 臭名昭著的，声名狼藉的 记 词根记忆：not(知道) + orious → 人所共知的 → 臭名昭著的 例 a *notorious* criminal 声名狼藉的罪犯 派 notoriously(*ad.* 声名狼藉地，人尽皆知地); notoriousness(*n.* 声名狼藉，臭名昭著) 同 infamous, arrant, disreputable
abstruse* [əbˈstruːs]	*a.* 难懂的，深奥的 记 词根记忆：abs(离去) + trus(插入) + e → 插不进去的 → 难懂的 例 an *abstruse* argument 玄妙的理论
introspect [ˌɪntrəˈspekt]	*v.* 内省，反省 记 词根记忆：intro(向内) + spect(看) → 向内心看 → 内省
engross [ɪnˈgroʊs]	*vt.* 使全神贯注；用大字体或正式法律文体写 记 词根记忆：en(使) + gross(大的) → 使字体大的 → 用大字体书写 例 Evelyn'd been so *engrossed* in the interesting novel that she hadn't heard the teacher come into the classroom. 伊夫林如此专注于看这本有趣的小说，连老师走进教室她都没听见。
component* [kəmˈpoʊnənt]	*n.* 组成部分；成分；零件 *a.* 组成的，构成的 记 词根记忆：com(共同) + pon(放) + ent(…的) → 放到一起的 → 组成的，构成的 例 He runs a factory supplying components for car industry. 他经营着一家为汽车业提供零部件的工厂。 派 componential(*a.* 成分的) 同 ingredient, element, constituent
extinguish [ɪkˈstɪŋgwɪʃ]	*vt.* 熄灭，扑灭(火等)；使(希望、热情)破灭或消灭 记 联想记忆：要好好检查(distinguish)一下火熄灭(extinguish)没有 例 It was not until early November 2009 that the last of the oil well fires was *extinguished*. 直到 2009 年 11 月初，最后一口油井的大火才被扑灭。
elasticity [ˌiːlæˈstɪsəti]	*n.* 弹性，弹力 记 来自 elastic(*a.* 有弹性的) 例 *elasticity* approach 弹性分析法

15

□ stubborn　　□ guilty　　□ notorious　　□ abstruse　　□ introspect　　□ engross
□ component　□ extinguish　□ elasticity

archipelago [ˌɑːrkɪˈpeləɡoʊ]	*n.* 群岛，列岛；多岛屿的海 记 词根记忆：arch(主要的，大的) + i + pelago(海) → 海中大块的陆地 → 群岛，列岛 例 the Philippine *archipelago* 菲律宾群岛
idealize [aɪˈdiːəlaɪz]	*vt.* 使理想化，使合乎理想 记 词根记忆：ideal(理想) + ize(使…) → 使理想化，使合乎理想 例 The old man had no friend but one, Adam, whom he *idealized*. 那位老人除了亚当外没有其他朋友，他把亚当看得很理想化。
bureau [ˈbjʊroʊ]	*n.* (政府机构的)局，司，署，处；办公室，办事处 例 Federal *Bureau* of Investigation 联邦调查局
occasion [əˈkeɪʒn]	*n.* 场合，时刻；时机，机会 搭 on occasion(s) 有时，间或；have occasion to do sth. 有机会做某事 例 As a firefighter, he himself has *occasion* to fight the fire and save people on many an *occasion*. 作为一名消防员，他有机会在很多时刻与火魔搏斗、挽救人们的生命。
adamant * [ˈædəmənt]	*a.* 坚定不移的，坚决的；固执的，倔强的 记 联想记忆：adam(亚当) + ant(蚂蚁) → 亚当有着蚂蚁啃大象的精神 → 坚定不移的，坚决的 例 an *adamant* critic 态度坚决的批评家 同 inflexible, obdurate, adamant
attest [əˈtest]	*v.* 证明，证实 记 词根记忆：at + test(证据) → 用证据证明 → 证明，证实 例 I can personally *attest* to Martin's strong background in trade. 我个人能证明马丁具有很强的商业背景。
transfer [trænsˈfɜːr]	*v.* 转移，调动；转职，转业；转学，转专业；换车，转车；转让，过户 记 词根记忆：trans(转移) + fer(带来) → 转移，调动 例 The gifted student *transferred* away from the local school to urban senior school. 那个有天赋的学生从地方学校转学到了城里的高等学校。 派 transference(*n.* 转移；转让)；transferable(*a.* 可转移的，可传递的)
apparent [əˈpærənt]	*a.* 明显的，显而易见的；表面的，未必真实的 记 联想记忆：ap + parent(父母) → 可怜天下父母心 → 明显的爱 → 明显的，显而易见的 例 an *apparent* error 明显的错误 // an *apparent* advantage 表面上的优势
faction * [ˈfækʃn]	*n.* (大组织中的)派别，小派系 记 联想记忆：党内派别(faction)林立，不利于发挥党的领导功能(function) 例 rival *factions* 对立派别
ashen * [ˈæʃn]	*a.* 灰色的；苍白的 记 来自ash(*n.* 灰) 例 an *ashen* face 一张苍白的脸

noticeable [ˈnoʊtɪsəbl]	*a.* 显而易见的, 值得注意的 记 来自 notice(*v.* 注意) 例 a *noticeable* difference 显而易见的差别 // It was *noticeable* that many of them avoided answering the question. 显然, 他们中有很多人在回避回答那个问题。
economic [ˌiːkəˈnɑːmɪk]	*a.* 经济(上)的, 经济学的 记 词根记忆: eco(家) + nom + ic(…的) → 与每个家庭相关的 → 经济的 例 *economic* reform 经济改革
abusive * [əˈbjuːsɪv]	*a.* 辱骂的; 滥用的 记 来自 abuse(*v.* 滥用; 虐待, 辱骂) 例 *abusive* language 秽言恶语
cognate * [ˈkɑːgneɪt]	*a.* 同词源的; 相关的, 有许多共同点的 记 词根记忆: co(一起) + gn(出生) + ate → 一起出生的 → 同词源的 例 German and Dutch are considered to be *cognate* languages. 德语和荷兰语被认为是同词源的语言。
magnitude * [ˈmæɡnɪtuːd]	*n.* 大小, 数量; 巨大, 广大; 重要, 重大 记 词根记忆: magn(大) + itude(表状态) → 大的状态 → 巨大, 广大 例 an artist of the first *magnitude* 一流的艺术家
intuition * [ˌɪntuˈɪʃn]	*n.* 直觉, 直觉力 记 来自 intuit(*v.* 由直觉知道) 例 *intuition* thinking 直觉思维 派 intuitive(*a.* 有直觉力的, 直觉的)
sympathetic [ˌsɪmpəˈθetɪk]	*a.* 同情的, 出于同情的; 好感的, 赞同的 记 词根记忆: sym(共同) + path(感情) + etic(…的) → 有共同感情的 → 同情的 搭 sympathetic to 赞同的, 支持的
denigrate * [ˈdenɪɡreɪt]	*v.* 贬低, 诋毁, 诬蔑 记 词根记忆: de(表加强) + nigr(黑的) + ate(使…) → 越抹越黑的 → 贬低, 诋毁, 诬蔑 例 Rather than being *denigrated* and despised, Bruce was admired for his courage. 布鲁斯非但没遭到人们的诋毁和轻视, 还因勇气可嘉受到了人们的赞扬。
positive [ˈpɑːzətɪv]	*a.* 确实的, 明确的; 积极, 肯定的; 正的, 阳性的; 十足的, 完全的 *n.* (摄影) 正片 记 词根记忆: pos(放置) + itive → 放在正确的地方 → 积极的, 肯定的 例 *positive* role 积极的作用 // a *positive* number 正数 同 real
zealous [ˈzeləs]	*a.* 热心的, 热情的, 积极的 记 来自 zeal(*n.* 热心) 搭 be zealous in doing sth. 积极地做某事 例 No one was more *zealous* than Lydia in supporting the proposal. 没有人比莉迪亚更支持这个提议。

15

□ noticeable   □ economic   □ abusive   □ cognate   □ magnitude   □ intuition
□ sympathetic   □ denigrate   □ positive   □ zealous

fluent [ˈfluːənt]	*a.* 流利的，流畅的 记 词根记忆：flu(流动) + ent(…的) → 流利的 派 fluently(*ad.* 流利地)
emergency [iˈmɜːrdʒənsi]	*n.* 紧急情况，突发事件，非常时刻 记 联想记忆：出现(emergence)紧急情况(emergency)后，两个空间站合二为一(merge)了 例 *emergency* funding 应急资金
gamble [ˈɡæmbl]	*n./v.* 投机，冒险，赌博，打赌 记 发音记忆："敢不" → 敢不敢冒险 → 冒险 搭 gamble away 赌掉，输光；gamble on 赌博，打赌 例 a *gambling* house 赌场 // It's the man who built this house and then *gambled* it away. 就是那人盖了这座房子，后来又因赌博把它输掉。
prohibition [ˌprouəˈbɪʃn]	*n.* 禁止，阻止；禁令，禁律 记 来自 prohibit(*v.* 禁止) 例 *prohibition* law 禁酒法
warrant * [ˈwɔːrənt]	*n.* 授权，批准；正当理由，根据；许可证，委任状 *vt.* 保证，担保；使成为正当理由；批准，授权 记 联想记忆：warr(看作 war，战争) + ant(蚂蚁) → 一旦授权开战，就是杀人如蚁的场面 → 授权，批准 搭 without warrant 无正当理由地
autonomous [ɔːˈtɑːnəməs]	*a.* 自治的；自主的；独立的 记 来自 autonomy(*n.* 自治，自治权) 例 an *autonomous* region / state 自治区/州 同 self-contained
lasting [ˈlæstɪŋ]	*a.* 持久的，持续的，耐久的 例 a *lasting* peace 持久的和平
august [ˈɔːɡəst]	*a.* 令人敬畏的；威严的；堂皇的 记 联想记忆：和 August(*n.* 八月) 同形 例 an *august* group of statesmen 一批威严的政治领袖
aperture [ˈæpətʃər]	*n.* 孔，穴，缝隙；(照相机、望远镜等的)光圈，孔径 记 词根记忆：aper(开) + ture → 开个口 → 孔，缝隙 例 *aperture* angle 孔径角 // What *aperture* are you using? 你使用多大的光圈？
bauble * [ˈbɔːbl]	*n.* 美观的廉价货；小玩意 记 发音记忆："玻玻儿" → 玻璃球 → 小玩意
bawdy * [ˈbɔːdi]	*a.* 猥亵的，下流的 记 来自 bawd(*n.* 鸨母，妓女) 同 obscene, lewd

□ fluent □ emergency □ gamble □ prohibition □ warrant □ autonomous
□ lasting □ august □ aperture □ bauble □ bawdy

revelation [ˌrevəˈleɪʃn]	*n.* 显示，揭示；揭露，暴露 记 来自 reveal(*v.* 揭露，泄露) 例 Each new *revelation* received extensive news coverage. 每个新的发现都会有大幅度的新闻报道。
acquaintance [əˈkweɪntəns]	*n.* 相识，了解；熟人，相识的人 记 来自 acquaint(*vt.* 使认识，使了解) 例 The practice of a lawyer requires *acquaintance* with court procedures. 一名律师必须了解法庭的程序。
scarcity [ˈskersəti]	*n.* 缺乏，不足；匮乏，萧条 记 来自 scarce(*a.* 不足的，缺乏的) 例 the *scarcity* of employment opportunities 就业机会的缺乏
conspicuous * [kənˈspɪkjuəs]	*a.* 显眼的，明显的，惹人注目的 记 词根记忆：con(一起) + spic(看) + uous → 大家都能看到的 → 显眼的，明显的 例 The poster must be displayed in a *conspicuous* place. 这个海报一定要放在显眼的地方展示。 同 noticeable, remarkable, prominent, outstanding, salient, striking
syllable [ˈsɪləbl]	*n.* 音节 记 联想记忆：syll(音似：say) + able → 可以说出来的 → 音节
chicanery * [ʃɪˈkeɪnəri]	*n.* 强辩，强词夺理，狡辩，欺骗 记 联想记忆：爸爸欺骗(chicanery)孩子圣诞老人是从烟囱(chimney)里钻进来的 例 In the past, many blacks were denied the right to vote through *chicanery*. 在过去，很多黑人因被欺骗而丧失了选举权。 同 trick, trickery
outcry [ˈaʊtkraɪ]	*n.* 呐喊，大声疾呼；强烈抗议 记 来自词组 cry out (大声呼喊) 例 a national *outcry* about the lack of gun control laws 针对缺乏枪支管控法律的全民抗议
cardinal * [ˈkɑːrdɪnl]	*n.* 枢机主教；红衣主教 *a.* 主要的；重要的 记 词根记忆：card(心脏的) + inal → 心脏一样的 → 主要的，重要的 例 As a salesman, your *cardinal* rule is to do everything you can to satisfy a customer. 作为一名销售人员，你的基本职责就是尽全力使客户感到满意。 同 main, chief, primary
immerse [ɪˈmɜːrs]	*vt.* 使沉浸在；使浸没；使陷入 记 联想记忆：与 immerge(*v.* 浸没) 形近，一起记 搭 immerse in(使)沉浸在，专心于 例 The man succeeded because he had been able to *immerse* himself totally in work. 那人取得成功是因为他能够全身心地投入工作。

反对苛捐杂税 outcry

15

aggregate^{*} [ˈæɡrɪɡeɪt]	*v.* 聚集，集合；合计，总计 记 词根记忆：ag + greg(团体，聚结) + ate(使…) → 使成为团体 → 聚集，集合 例 The greedy businessmen were eager to *aggregate* riches. 那些贪婪的商人热衷于聚敛财富。 同 collective, total
regime^{*} [reɪˈʒiːm]	*n.* 政体，政权；制度，统治(方式) 记 词根记忆：reg(统治) + ime → 统治(方式)，制度
cower^{*} [ˈkaʊər]	*vi.* 畏缩，退缩；蜷缩，抖缩 记 联想记忆：cow(牛) + er(表人) → 牛人也会退缩？ → 退缩，畏缩 例 Students *cowered* in the classrooms as the earthquake happened. 地震发生时，这些学生蜷缩在教室里。 同 cringe
hover^{*} [ˈhʌvər]	*v.* (鸟等)翱翔，盘旋；逗留在近旁，徘徊；彷徨，犹豫 例 There are still a lot of fans *hovering* around at the hall of the restaurant. 仍有大量的粉丝逗留在饭店的大厅。
garbled^{*} [ˈɡɑːrbld]	*a.* 含糊不清的，引起误解的 例 The boy was so excited that he just gave a *garbled* explanation about the experiment effect. 男孩太兴奋了，对于实验结果只给了一个含糊不清的解释。 同 confused
recess [rɪˈses]	*n.* 壁凹，凹室，壁龛；暂停；休息；休会；休庭；课间休息 *v.* 把…放进壁龛；暂停；休会；休庭 记 词根记忆：re(反) + cess(走) → 走出去 → 休息；休会 例 All staff can enjoy a *recess* of 5 days by the end of the month. 所有员工在这个月底可以享受五天的休假。
budge [bʌdʒ]	*v.* (使)轻微移动；(使)改变立场，改变主意 例 No one could *budge* Joseph once he made up his mind. 一旦约瑟夫拿定了主意，就没人能改变。
smug [smʌɡ]	*a.* 自满的，自鸣得意的，自命不凡的 例 The young tend to be *smug* once they are praised by others. 年轻人一旦被别人称赞，就很容易自满。
loiter^{*} [ˈlɔɪtər]	*v.* 游荡；徘徊 例 *Loitering* in the street at midnight is very dangerous for youth. 年轻人半夜还在街上游荡是件很危险的事情。
leave^{*} [liːv]	*v.* 离开，出发；丢弃，遗弃；让处于…状态，听任 *n.* 休假，假期；许可，准许 搭 leave alone 让…独自待着；不打扰，不干预；leave behind 不带，忘了带；把…撇在后面；遗留，留下；leave off 停止，中断；leave out 遗漏，省略；把…排除在外；take (one's) leave of 向…告辞 例 Don't *leave* the lights on when you are going to leave the house. 当你准备离开这所房子的时候，别把灯开着。

skeptic * [ˈskeptɪk]	*n.* 怀疑者，怀疑论者；无神论者
	记 联想记忆：s + kept(保留) + ic → 持保留态度的人 → 怀疑者
	例 I don't want to be a *skeptic* in such a place. 在这样一个地方，我不想成为一个无神论者。

🧑‍🎓 备考锦囊

语法知识（四）同位语从句常见用法、同位语从句与定语从句的区别(2)

很多考生区分不清同位语从句与定语从句，下面来看一下这两种从句的主要差别：

同位语从句与前面的名词是同位关系，即从句是用来说明它前面名词的内容的；而定语从句与前面的名词是修饰与被修饰的关系，即限定它前面的名词范围，或补充说明一些情况。如：

The news that I have passed the exam is true.

我通过了考试这一消息是真的。（同位语从句）

The news that he told me just now is true.

他刚才告诉我的消息是真的。（定语从句）

引导同位语从句的 that 是连词，在从句中不充当任何成分；而引导定语从句的 that 是关系代词，除起连接作用外，还在从句中充当主语、宾语或表语等。如：

The idea that computers can recognize human voices surprises many people. 计算机能够识别人声的想法使很多人感到惊讶。（同位语从句，that 在从句中不充当任何成分）

The idea that he gave surprises many people. 他提出的观点令许多人感到吃惊。（定语从句，that 在从句中作 gave 的宾语）

15

Trouble is only opportunity in work clothes.

困难只是穿上工作服的机遇。

——美国实业家 凯泽（H.J. Kaiser, American businessman）

Word List 16

词根预习表

hib	拿住	prohibit vt. 阻止	sist	站立	resistant a. 抵抗的
nom	规则	anomaly n. 不规则	main	手	maintenance n. 保持,维持
loc	地方	allocate vt. 分配,分派	grav	重	aggravate vt. 恶化,加重
port	运,送	deport vt. 放逐	par	出现	transparent a. 透明的
mod	方式	modulate vt. 调整	dict	说话	contradict v. 同…抵触

---

prohibit
[prə'hɪbɪt]

vt. 禁止,不准;阻止,妨碍,使不可能

记 词根记忆:pro(提前) + hib(拿住) + it → 提前拿住 → 阻止

搭 prohibit...from 禁止,阻止;prohibit smoking 禁止吸烟

例 I fear that a prior engagement will *prohibit* me from joining you in dinner. 我有约在先,恐怕不能与你共进晚餐了。

派 prohibition(n. 禁令); prohibitive(a. 禁止使用或购买的,禁止性的)

---

legislate
['ledʒɪsleɪt]

v. 制定法律,通过立法

记 词根记忆:leg(法律) + isl + ate(使) → 使成为法律 → 通过立法

例 The government has *legislated* to enable private financial institutions to offer loans to students on similar terms to those offered by the Student Loans Company. 政府已经制定有关法律,允许私人金融机构在与学生贷款公司同等条件下向学生提供贷款。

---

precarious*
[prɪ'keriəs]

a. 不确定的;不安全的;靠不住的;根据不充足的;不稳的,不安定的

记 联想记忆:pre(前) + car(看作 care, 小心) + ious → 世事难料要当心 → 不确定的

例 a *precarious* life 不安定的生活

---

encyclopedia
[ɪnˌsaɪklə'piːdiə]

n. 百科全书

例 You will find the explanation in the *encyclopedia*. 你可以在百科全书中找到解释。

---

countless
['kaʊntləs]

a. 无数的,数不尽的

记 来自 count(v. 数,计算)

例 *countless* reasons 无数的理由

parallel ['pærəlel]	*a.* 平行的；相同的；类似的 *n.* 平行线；平行面；类似，相似物 记 联想记忆：para(旁边的) + llel → 位于旁边的，与之并列、对比 → 平行的；类似的 搭 parallel to / with 与…平行；in parallel 平行，并列 例 The little boy is moving along *parallel* to the column, stalking the bird. 小男孩贴着柱子向前移动，悄悄地靠近那只鸟。 派 parallelism*(*n.* 平行；平行性)；parallelize(*vt.* 使平行)
archetype* ['ɑ:kitaip]	*n.* 原型 记 词根记忆：arche(最初) + type(类型) → 最初的类型 → 原型 例 the *archetype* of a feudal society 封建社会的原型
strait [streit]	*n.* [常 *pl.*]海峡；困境；窘迫 记 发音记忆：发音和 street(*n.* 街道)相似 例 The man found himself in desperate financial *straits*. 那个男子发觉自己的经济状况极为窘迫。
resistant [ri'zistənt]	*a.* 抵抗的；有抵抗力的 记 词根记忆：re(一再) + sist(站立) + ant → 宁可站着死，不愿跪着生 → 抵抗的 搭 resistant to 抵抗的；抗…的，耐…的 例 Mosquitoes have become increasingly *resistant* to the pesticides. 蚊子对杀虫剂越来越有抵抗力了。
revive [ri'vaiv]	*v.* (使)恢复；(使)复苏；(使)振兴；(使)复活，(使)苏醒 记 词根记忆：re(重新) + viv(生命) + e → (使)苏醒；(使)复苏 搭 revive the economy 振兴经济 例 An ambulance was called but efforts made to *revive* Jane proved unsuccessful. 已经叫了救护车，但是使简复活的努力还是失败了。 派 revival[*n.* 复活，复兴；(健康、力量或知觉的)恢复] 同 restore, revitalize
vocal ['voukl]	*a.* 嗓音的；声音的；有声的；发声的，发音的 记 词根记忆：voc(叫喊) + al(…的) → 发出声音的 → 声音的 例 *vocal* organs 发音器官
discomfit* [dis'kʌmfit]	*vt.* 扰乱，破坏 记 联想记忆：dis(不) + com(e)(来) + fit(合适) → 来了却不合适，还不如不来 → 扰乱 例 Helen's brief poems, most written in the 1880s, sorely *discomfited* some but greatly delighted others. 海伦的短诗大部分写于 19 世纪 80 年代，这些诗扰乱了一些人的生活，却给另一些人带来了快乐。
bygone ['baigɔ:n]	*a.* 过去的，以往的 记 联想记忆：by + gone(离去的) → 离去的 → 以往的，过去的 例 a *bygone* age / era 过去的时代 同 past, outmoded*

□ parallel   □ archetype   □ strait   □ resistant   □ revive   □ vocal
□ discomfit   □ bygone

| **amply** [ˈæmpli] | *ad.* 充足地；详细地；足够的 |
| | 例 He made that point *amply* clear. 他把那一点讲得足够清楚。 |

anomaly* [əˈnɑːməli]	*n.* 不规则；异常，反常
	记 词根记忆：a(不) + nom(规则) + aly → 不规则
	例 gravity *anomaly* 重力异常
	同 irregularity

| **connotation*** [ˌkɑːnəˈteɪʃn] | *n.* (词的)含义，内涵；隐含意义 |
| | 记 词根记忆：con + not(知道) + ation → 经过思考领会的意思 → 含义 |

| **citadel** [ˈsɪtədəl] | *n.* 根据地，大本营；城堡，堡垒；避难处，安全的地方 |
| | 例 the *citadel* in ancient Greek towns 古希腊城镇的根据地 |

instill [ɪnˈstɪl]	*vt.* (慢慢地)灌输，滴注
	记 词根记忆：in(进入) + still(滴) → 滴答滴答掉到里边 → (慢慢地)灌输
	例 Andy's father *instilled* in him the values of hard work and thrift. 安迪的父亲给他灌输了努力工作和勤俭节约的美德。
	同 implant, inculcate, inseminate, infix

foil* [fɔɪl]	*n.* 箔，金属薄片 *vt.* 挫败；阻扰
	记 联想记忆：在金属片(foil)上涂抹油(oil)以减少摩擦
	例 silver *foil* 银箔 // David was *foiled* in his attempt to deceive his classmates. 戴维企图欺骗他的同学，但失败了。
	同 frustrate, thwart, balk, defeat

| **finch** [fɪntʃ] | *n.* 雀类 |
| | 记 联想记忆：这种鸟可以说是精选(pick)出的雀类(finch) |

addle [ˈædl]	*v.* (使)腐败；(使)糊涂；(使)混乱
	记 联想记忆：add(增加) + le → 多则乱 → (使)混乱
	例 I was a bit sleepy today because the burning sun had *addled* my brain. 我今天有点困，因为火热的太阳把我的头晒得糊里糊涂的。

unduly [ˌʌnˈduːli]	*ad.* 不适当地；过度地，过分地；不正当地
	记 拆分记忆：un(不) + duly(适当地) → 不适当地
	同 excessively

slight* [slaɪt]	*a.* 轻微的，微小的
	记 联想记忆：s + light(轻的) → 轻微的
	搭 (not) in the slightest 一点儿也(不)
	例 a *slight* mistake 小错误
	派 slightly(*ad.* 稍微地，稍稍)

| **semiconscious** [ˌsemiˈkɑːnʃəs] | *a.* 半意识的；半清醒的 |
| | 记 词根记忆：semi(半) + con + sci(知道，明白) + ous → 半明白的 → 半意识的；半清醒的 |

| **glacier** [ˈɡleɪʃər] | *n.* 冰川，冰河 |
| | 例 temperate *giacier* 温带冰川 |

perform [pərˈfɔːrm]	*v.* 履行，执行，做；表演，演出 记 联想记忆：per + form(形式) → 表演是将各种艺术形式综合起来 → 表演，演出 例 Oscar will choose to resign when he is no longer able to *perform* his duties. 奥斯卡在不能履行职责时会选择退休。 派 performance(*n.* 表演；执行；绩效)；performer(*n.* 表演者) 同 fulfill, carry out, do
profuse [prəˈfjuːs]	*a.* 极其丰富的，过多的；浪费的 记 词根记忆：pro(许多) + fus(倾注) + e → 多得向外流 → 极其丰富的 例 *profuse* thanks 千恩万谢 同 lavish*, prodigal, luxuriant, lush, exuberant, bountiful, extravagant
commemorate* [kəˈmeməreɪt]	*vt.* 纪念，庆祝 记 词根记忆：com(共同) + memor(记住) + ate → 大家一起记住 → 纪念 例 The museum contained a gallery of paintings *commemorating* great moments in baseball history. 这家博物馆里有一个画廊，里面陈列着纪念棒球史上伟大时刻的油画。 同 observe
mean [miːn]	*v.* 表示…的意思；意指；意味着；意欲，打算；注定；怀有特定用意；具有意义 *a.* 低劣的，卑劣的；平庸的；没有价值的；难看的，破旧的；吝啬的；中等的，平均的；中项的 *n.* 平均(数)，中数 例 a *mean* motive 卑鄙的动机 // the *mean* temperature 平均温度 // 5 is the mean of 2, 4 and 9. 5是2、4、9三个数的平均数。 同 abject, sordid, base
hypocritical* [ˌhɪpəˈkrɪtɪkl]	*a.* 伪善的，虚伪的，伪君子的 例 a *hypocritical* praise 虚伪的夸奖
differentiate* [ˌdɪfəˈrenʃieɪt]	*v.* 区分，区别；(使)不同 记 拆分记忆：different(不同的) + iate(使…) → 使不同 搭 differentiate between 区分，区别 例 The staff must *differentiate* between the mail and the package. 员工必须把邮件和包裹区分开。 派 differentiation(*n.* 区别，差别) 同 discriminate, distinguish
literature [ˈlɪtrətʃər]	*n.* 文学；文学作品；文献 记 词根记忆：liter(文字) + a + ture(表名词) → 与文字相关的事物 → 文学；文学作品 例 pure *literature* 纯文学
perception [pərˈsepʃn]	*n.* 理解；知觉；感受，体会；知觉作用，知觉过程；理解力，洞察力 记 来自 perceive(*v.* 察觉，感知) 例 color *perception* 色觉 派 perceptible(*a.* 可察觉的；看得出来的)；perceptive(*a.* 有感知的；有理解力的；有识别力的)

16

levy* [ˈlevi]	vt. 征收(税等)；征兵 n. 征税；税款；征兵
	记 词根记忆：lev(升，举) + y → 命令上交 → 征收
	例 To *levy* an environmental protection tax on factories will, to some extent, increase their costs. 对工厂征收环境保护税在某种程度上会增加它们的成本。
biennial* [baɪˈeniəl]	a. 两年生的；两年一次的
	记 词根记忆：bi(两个，双) + enn(=ann 年) + ial → 两年一次的
maintenance [ˈmeɪntənəns]	n. 维修，保养；维持，保持
	记 词根记忆：main(手) + ten(拿住) + ance(表状态) → 用手拿住 → 保持，维持
	例 vehicle *maintenance* 车辆的保养
	派 maintain(v. 维持，保持；维修，保养)
tranquil [ˈtræŋkwɪl]	a. 安静的，安详的
	例 a *tranquil* expression 安详的表情
torturous [ˈtɔːrtʃuəs]	a. 折磨的，痛苦的
	记 来自 torture(n. 拷问；痛苦)
	例 *torturous* memories 痛苦的回忆
toxic* [ˈtɑːksɪk]	a. 有毒的；因中毒引起的
	例 *toxic* waste 有毒的垃圾
	派 toxicity(n. 毒性)；toxically(ad. 有毒地；因中毒引起地)
	同 poisonous, noxious
countermand* [ˈkaʊntərmænd]	vt. 取消，撤消；下反对命令召回
	记 联想记忆：counter(反) + mand(命令) → 反对命令 → 下反对命令召回
allocate* [ˈæləkeɪt]	vt. 分配，分派，把…拨给
	记 词根记忆：al(加强) + loc(地方) + ate(做) → 不断分派任务到各地 → 分配，分派
	例 The Senate has *allocated* funds for the history museum project. 参议院已经给历史博物馆工程拨款。
	派 allocation(n. 配给，分配；安置)
	同 distribute
complicity* [kəmˈplɪsəti]	n. 同谋，共犯
	记 词根记忆：com(共同) + plic(重叠) + ity → 共同做 → 同谋
exposure* [ɪkˈspoʊʒər]	n. 暴露，揭露；遭受
	记 词根记忆：ex(出) + pos(放) + ure → 放出 → 揭露
academic* [ˌækəˈdemɪk]	n. 学者；大学教师；学会会员 a. 学院的；学术的
	记 来自 academy(n. 学院)
	例 *academic* certificate 学历证书 // *academic* degree 学位
	派 academia（n. 学术界；学术环境）；academically（ad. 学术上）；academician(n. 院士；学会会员)；academy(n. 研究院，学会)

tranquil

toxic

torturous

innate[*] [ɪˈneɪt]	*a.* 先天的，天生的 记 词根记忆：in(在…中) + nat(出生) + e → 出生就有的 → 天生的 例 the *innate* ability 天生的能力 同 native, inborn
unqualified[*] [ˌʌnˈkwɑːlɪfaɪd]	*a.* 不合格的，不胜任的；无条件限制的；绝对的 记 拆分记忆：un(不) + qualified(有资格的) → 不合格的 例 Clark was totally *unqualified* for his job as a manager. 作为一名经理，克拉克根本不合格。
indiscernible [ˌɪndɪˈsɜːrnəbl]	*a.* 难识别的，难以察觉的，难以辨别的；看不见的 记 来自discern(*v.* 识别；看清楚；辨别) 例 an *indiscernible* difference 难以辨别的差异
tutorship [ˈtuːtərʃɪp]	*n.* 家庭教师；辅导 记 来自tutor(*n.* 家庭教师，私人教师 *v.* 辅导)
punctual [ˈpʌŋktʃuəl]	*a.* 严守时刻的，准时的 记 联想记忆：事实上(actual)，准时(punctual)是必需的礼节 例 a *punctual* start to the meeting 会议准时开始 派 punctually(*ad.* 准时地)；punctuality(*n.* 准时)
falsify [ˈfɔːlsɪfaɪ]	*v.* 伪造；篡改 记 联想记忆：fals(看作false，错误的) + ify(使…) → 篡改 例 Theories that have been *falsified* must be firmly rejected. 必须坚决抵制被篡改的理论。 同 misrepresent
aggravate [ˈæɡrəveɪt]	*vt.* 恶化，加重，加剧 记 词根记忆：ag(加强) + grav(重) + ate → 使加重 → 恶化，加重 例 The financial problem of this country was further *aggravated*. 该国的财政问题进一步恶化。 派 aggravation(*n.* 恶化；激怒；恼人的事物) 同 burden, increase
deport [dɪˈpɔːrt]	*vt.* 放逐，流放；驱逐出境 记 词根记忆：de(除去) + port(运，送) → 为了除去而送走 → 放逐 例 The man, never fully identified, was *deported* out of the country. 这个男子的身份从未得到完全证实，被驱逐出了该国。 同 banish
hinder [ˈhɪndər]	*v.* 阻止，妨碍，阻碍 记 联想记忆：政府阻止(hinder)走私兽皮(hide) 搭 hinder from 阻止，妨碍 例 The harsh weather *hindered* us from traveling any further. 恶劣的天气阻碍了我们继续前行。 派 unhindered(*a.* 不受妨碍的，不受阻碍的)；hindrance(*n.* 阻碍) 同 impede, encumber[*], hamper

16

era [ˈɪrə]	*n.* 时代；年代；阶段；纪元 记 联想记忆：聆听(ear)时代(era)的召唤 例 new *era* 新纪元 // the Victorian *era* 维多利亚时代
stun [stʌn]	*vt.* 使震惊，使目瞪口呆；把…打晕，使昏迷 记 联想记忆：太阳(sun)里面多了一个t，使人震惊(stun) 例 Clare's words *stunned* me so that I stared at her in disbelief. 克莱尔的话令我震惊，以至于我疑惑地看着她。 同 shock, bewilder
transparent* [trænsˈpærənt]	*a.* 透明的；显然的，明显的；清楚的，易懂的 记 词根记忆：trans(穿过，透过) + par(出现) + ent → 透过物体还可以出现 → 透明的 例 The insect's wings are almost *transparent*. 这种昆虫的翅膀几乎是透明的。 // Many readers like her *transparent* style of writing. 很多读者喜欢她清楚易懂的写作风格。 派 transparency(*n.* 透明；透明度；幻灯片)
tolerable [ˈtɑːlərəbl]	*a.* 可容忍的；可以的，尚好的 记 来自tolerate(*v.* 容忍，忍受)
antecedent [ˌæntɪˈsiːdnt]	*n.* 先辈，祖先 *a.* 先行的，先前的 记 词根记忆：ante(前面) + ced(走) + ent(表人) → 走在前面的人 → 先辈，祖先 例 *antecedent* events 先前的事情 同 prior
justify [ˈdʒʌstɪfaɪ]	*v.* 证明…是正当的，认为有理；证明合法；辩解 记 拆分记忆：just(正义的) + ify(使…) → 证明…是正当的 例 The act was barely *justified* by the circumstances. 这些情况不足以证明这一行为是正当的。 派 justifiable(*a.* 有理由的)；justifiably(*ad.* 有理由地，无可非议地)；justification(*n.* 正当理由；辩护，借口)
persuasive [pərˈsweɪsɪv]	*a.* 有说服力的；令人信服的 记 来自persuade(*v.* 劝说) 例 *persuasive* argument 令人信服的论点
modulate* [ˈmɑːdʒəleɪt]	*vt.* 调整；调节 记 词根记忆：mod(方式) + ulate → 调整方式 → 调整 例 Please *modulate* the sound of the TV. 请调节一下电视的音量。 同 adjust
resonance [ˈrezənəns]	*n.* 共鸣；回声，反响；共振 记 来自resonant(*a.* 共鸣的；共振的)
poverty [ˈpɑːvərti]	*n.* 贫穷；缺少，贫乏，不足；(土地的)贫瘠 例 conditions of extreme *poverty* 极度贫穷的状况 派 antipoverty(*a.* 反贫穷的) 同 scarcity, dearth

symptomatic [ˌsɪmptəˈmætɪk]	*a.* 症状的，征候的 记 来自 symptom(*n.* 症状，征兆) 搭 symptomatic of 作为…的症状或征兆 例 The rise in unemployment is *symptomatic* of a general decline in the economy. 失业率的上升是经济普遍衰退的征兆。
conception * [kənˈsepʃn]	*n.* 概念，观念 记 词根记忆：con(一起) + cept(抓住) + ion → 抓住核心概念 → 概念 例 In old days, men tended to believe women were subordinate to them, but it was a wrong *conception*. 过去，男性会认为女性比自己的地位低下，这是一种错误的观念。 同 idea
surround [səˈraʊnd]	*vt.* 包围；围绕 记 联想记忆：sur + round(圆) → 在圆的外边 → 围绕；包围 例 A great deal of controversy has *surrounded* the new regulations. 围绕新条例的争论很多。
monetary * [ˈmʌnɪteri]	*a.* 金融的；货币的 记 来自 money(*n.* 钱，货币) 例 *monetary* policy 货币政策 同 financial
profound * [prəˈfaʊnd]	*a.* 深刻的，意义深远的；渊博的，造诣深的 记 联想记忆：pro(在…前) + found(创立) → 有超前创见性的 → 深刻的，意义深远的 例 a *profound* idea 深刻的思想 派 profoundly(*ad.* 深度地；知识渊博地；深奥地) 同 abstruse, esoteric
arrange [əˈreɪndʒ]	*v.* 整理；排列；布置；安排；筹备 记 联想记忆：ar(加强) + range(排列) → 排列整齐 → 排列；安排 例 Bob wanted to *arrange* a visit to Africa to verify what seemed to be an astonishing story. 鲍勃想安排一次去非洲的旅行，以查证那听上去令人惊异的故事。 派 rearrange(*v.* 重新安排)；arrangement(*n.* [常 *pl.*] 安排；布置)
contradict [ˌkɑːntrəˈdɪkt]	*v.* 同…矛盾；同…抵触 记 词根记忆：contra(相反) + dict(说话) → 说反对的话 → 同…抵触 例 The witness statements *contradict* each other and the facts remain unclear. 目击者的证词相互矛盾，真相依然不明。 同 conflict
transplant [trænsˈplænt]	*v.* 移植；移民 记 拆分记忆：trans(转移) + plant(种植) → 移植 例 You should not *transplant* trees in the summer. 夏天不应该移植树木。 派 transplantation(*n.* 移植；移民)；transplantable(*a.* 可移植的) 同 graft, transfer

16

□ symptomatic   □ conception   □ surround   □ monetary   □ profound   □ arrange
□ contradict   □ transplant

validity [vəˈlɪdəti]	*n.* 有效性；正确性 记 来自 valid(*a.* 有效的) 例 The *validity* of the blood test was disputed in court. 血液检验的有效性在法庭上引起争议。
vague [veɪɡ]	*a.* 不明确的，含糊的；模糊的 记 联想记忆：有时候时尚（vogue）让人很茫然（vague） 例 a *vague* answer 含糊其辞的回答 同 obscure, ambiguous, equivocal*
anesthetic * [ˌænəsˈθetɪk]	*n.* 麻醉剂，麻药 *a.* 麻醉的 记 词根记忆：an(无) + esthet(感觉) + ic → 使无感觉 → 麻醉剂 例 local *anesthetic* 局部麻醉的
vital * [ˈvaɪtl]	*a.* 生死攸关的；重要的，重大的；生命的，生机的 记 词根记忆：vit(生命) + al → 事关生命的 → 生死攸关的 搭 vital to / for sth. 对…极重要的，对…必不可少的 例 Education and literacy were *vital* to improving people's lives. 教育和文学素养对改善人们的生活至关重要。 派 vitalism(*n.* 活力论；生机说); vitalist(*n.* 活力论者); vitality(*n.* 生命力；活力); vitalize(*v.* 激发活力)
unyielding [ʌnˈjiːldɪŋ]	*a.* 坚定的；不屈的；固执的；不弯曲的；坚固的，坚硬的 记 拆分记忆：un(不) + yielding(屈从的，易弯曲的) → 不弯曲的；不屈的 例 the *unyielding* mountainous terrain 坚硬的、多山的地形 // Clare is *unyielding* in her opposition to the plan. 克莱尔坚决反对这项计划。
transcribe * [trænˈskraɪb]	*vt.* 转录，把(资料)改录成另一种形式；改编，改写 记 词根记忆：trans(改变) + scrib(写) + e → 改写，改编 例 The phone conversation had been *transcribed* into phonetic script. 这次电话交谈被转录成了语音版。
advantage [ədˈvæntɪdʒ]	*n.* 优点，长处；有利条件；利益，好处 *v.* 有利于，有益于；获利 记 联想记忆：advant(看作 advance, 前进) + age(年龄) → 年轻就是前进的优势 → 有利条件 搭 take advantage of 趁…之机，利用…；占…的便宜；欺骗…；to advantage 有利地，使优点突出地；gain / have an advantage over 胜过，优于 例 Mary took *advantage* of her husband's family background to enter the upper class of London. 玛丽利用丈夫的家庭背景进入了伦敦的上层社会。
subjective * [səbˈdʒektɪv]	*a.* 主观的，主观上的 记 来自 subject(*n.* 主体；主观意识) 例 Consciousness may be a very kind of *subjective* sort of thing that we have. 意识可能是我们身上所具有的一种相当主观的东西。 同 personal

trickery [ˈtrɪkəri]	*n.* 欺骗；奸计 记 来自 trick(*v.* 欺骗)
insignificant [ˌɪnsɪɡˈnɪfɪkənt]	*a.* 微不足道的，无关紧要的；可忽略的；无意义的 记 词根记忆：in(无) + sign(标记) + ificant → 没有标记下来的价值 → 无关紧要的；无意义的 例 an *insignificant* difference 微不足道的差别
gap [ɡæp]	*n.* 间隙，缺口；隔阂；不足；空白 记 发音记忆："盖铺" → 因为暖气不足，所以得盖上铺盖 → 不足 例 generation *gap* 代沟
rationalize* [ˈræʃnəlaɪz]	*v.* 合理化；进行合理化改革 记 来自 rational(*a.* 理性的，合理的) 例 Since the administrative side of the business has been *rationalized*, all departments have become more efficient. 因为对公司中的行政工作进行了合理化改革，所以各个部门都变得更高效。
righteous [ˈraɪtʃəs]	*a.* 正直的，正当的；公正的，正义的 记 来自 right(*n.* 正当；公正；正义；合法) 例 *righteous* anger 义愤
temporary [ˈtempəreri]	*a.* 暂时的，临时的 记 词根记忆：tempor(时间) + ary → 时间很短 → 暂时的 例 *temporary* employment 临时工作 派 temporarily(*ad.* 临时地，暂时地)
network [ˈnetwɜːrk]	*n.* 网状物；广播网，电视网；网络 例 a rail *network* 铁路网
condense* [kənˈdens]	*v.* (使)压缩；(使)凝结；精简 记 联想记忆：con + dense(密集的) → 变得密集的 → (使)压缩；(使)凝结 例 Professor Hunter *condensed* so much knowledge into a two-hour lecture. 亨特教授把这么多知识压缩在两小时的讲座里。 派 condensation(*n.* 浓缩；凝结)
candidate [ˈkændɪdeɪt]	*n.* 候选人；候补者；报考者；(求职)应聘者 记 联想记忆：can(能) + did(做) + ate → 能做这件事的人 → 候选人 例 *Candidates* should have training and practical experience in basic electronics. 应聘者需要受过基础电子方面的训练，并有实践经验。 派 candidacy(*n.* 候选人的资格)
affix* [əˈfɪks]	*vt.* 使附于；黏上，贴上；把…固定 记 联想记忆：af(加强) + fix(固定) → 黏得很牢固 → 黏上，贴上 例 Arc lights *affixed* to a low ceiling throw harsh shadows across Jane's face. 固定在低矮天花板上的弧光灯在简的脸上投下了一道浓重的阴影。

16

convoluted*
['kɑ:nvəlu:tɪd]
a. 旋绕的; 费解的
记 词根记忆: con + volu(转) + t + ed → 旋绕的
例 a lot of *convoluted* argument 许多费解的论点
同 involved, intricate

covert*
['koʊvɜ:rt]
a. 隐蔽的; 秘密的; 偷偷摸摸的
记 联想记忆: cover(遮盖) + t → 盖住的 → 隐蔽的
例 *covert* operations 秘密行动
同 secret, stealthy, clandestine, surreptitious, underhanded

deduce
[dɪ'du:s]
vt. 推论, 演绎, 推断
记 词根记忆: de(向下) + duc(引导) + e → 向下引 → 推论, 演绎, 推断
搭 deduce from 推断
例 The police was able to *deduce* the probable time of death from the temperature of the body. 警察能通过尸体的温度推断出死者死亡的大概时间。

sufficiency
[sə'fɪʃnsi]
n. 充足, 足量
记 来自 sufficient(a. 充分的, 足够的)
例 There is a *sufficiency* of time allowed for the analysis of data. 有充足的时间来分析数据。

sustainable
[sə'steɪnəbl]
a. 可维持的, 可持续的
记 来自 sustain(v. 支持, 支撑)
例 an environmentally *sustainable* society 环境可持续发展的社会

depreciate*
[dɪ'pri:ʃieɪt]
v. 轻视; 折旧; (使)贬值
记 联想记忆: de(否定) + preciate(看作 appreciate, 欣赏) → 不欣赏 → 轻视
例 For years, the country has deliberately tried to *depreciate* the currency slightly each year to keep its exports competitive. 多年来, 该国为保持出口竞争力, 故意每年将货币稍稍贬值。

legitimize
[lɪ'dʒɪtəmaɪz]
vt. 使合法; 正式批准
例 The new law would be *legitimized* by the end of the year. 新法律在年底将会被正式批准。

rancid*
['rænsɪd]
a. 不新鲜的, 变味的, 变质的
记 联想记忆: ran(跑) + cid(看作 acid, 酸) → 变酸了 → 不新鲜的
例 There is a *rancid* smell when I open the door of the fridge. 我打开冰箱门, 闻到一股不新鲜的味道。

depreciatory
[dɪ'pri:ʃieɪtəri]
a. 轻蔑的; 贬值的
例 It's surprising that the famous commentator gave such a *depreciatory* remark on the case. 令人惊讶的是, 著名的评论家对此事给出了相当轻蔑的评价。

title*
['taɪtl]
n. 标题, 题目; 称号, 头衔 vt. 赋予头衔; 加标题于
例 The *title* of Isak Dinesen's most famous novel was *Out of Africa*. 伊萨克·迪内森最有名的小说名叫《走出非洲》。

182
□ convoluted   □ covert   □ deduce   □ sufficiency   □ sustainable   □ depreciate
□ legitimize   □ rancid   □ depreciatory   □ title

enamored * [ɪˈnæmərd]	*a.* 珍爱的，喜爱的；倾心的，迷恋的
	记 来自 enamor(*v.* 喜爱；迷恋)，词根记忆：en + amor(爱) → 进入爱意 → 喜爱的
	例 Mother told her son if he wasn't *enamored* with the toys, she would give them to his little brother. 妈妈告诉儿子，如果他不喜欢那些玩具，她将把它们送给他弟弟。
bedraggle * [bɪˈdrægl]	*v.* 弄脏，弄湿
	例 The new books were *bedraggled* by the wild rain in the afternoon. 因为下午的一场大雨，新书全都湿透了。
fancy * [ˈfænsi]	*v.* 喜欢；想象 *n.* 爱好，迷恋；想象力；想象之物 *a.* 有精美装饰的，精致的
	记 联想记忆：fan(迷，狂热者) + cy → 爱好，迷恋
	搭 take a fancy to 喜欢上，爱上；fancy doing sth. 喜欢做某事
	例 The singer didn't *fancy* the idea of changing the folk song into a rock song. 歌手并不喜欢把民歌改成摇滚歌曲的想法。
ingrained * [ɪnˈɡreɪnd]	*a.* 根深蒂固的，日久难改的
	记 联想记忆：in(进入) + grain(木头的纹理) + ed → 进入纹理之内 → 根深蒂固的
	例 The belief that people should take care of their parents is deeply *ingrained* in most of us. 人应该孝敬父母，这种信仰在我们大多数人的脑海中根深蒂固。

语法知识(五) 宾语从句(1)

宾语从句中的连接代词主要有 who, whom, whose, what, whoever, whomever, whosever, whatever, whichever 等。连接副词主要有 when, where, why, how, whenever, wherever, however 等。

宾语从句是英语语法中比较简单的一种，但需要注意的是一些非常规性宾语从句。

〔一〕可用形式宾语 it 代替的宾语从句，分为两种情况：

1. 动词 find, feel, consider, make, believe 等后面有宾语补足语的时候，需要用 it 作形式宾语并将 that 宾语从句后置。如：I think it necessary that we take plenty of hot water every day. 我认为每天多喝开水是有必要的。

2. 有些动词带宾语从句时需要在宾语与从句前加 it，这类动词主要有：hate, take, owe, have, see to 等。如：I take it that you will agree with us. 我认为你会同意我们的。

16

词根预习表

claim	呼喊	declaim v. 雄辩，演说	tain	拿住	abstain vi. 放弃
vac	空	vacillate vi. 犹豫不决	pli	充满	compliment n. 恭维
dox	观点	paradox n. 自相矛盾的话	pel	驱逐	dispel vt. 驱散
scend	爬，登	transcend vt. 超越	clud	关闭	exclude v. 排斥
rect	公正的	rectify vt. 纠正	tort	扭曲	distort vt. 扭曲，歪曲

virtual * [ˈvɜːrtʃuəl]	*a.* 实际上的，事实上的；(电脑)虚拟的 记 联想记忆：在虚拟的(virtual)空间中也要讲美德(virtue) 例 *virtual* environment 虚拟环境 // a *virtual* certainty 确实的事情 派 virtually(*ad.* 实际上，事实上)
acclivity * [əˈklɪvətɪ]	*n.* 向上的斜坡或斜面 例 Several soldiers ascended the little *acclivity*. 几名战士爬上了小丘。
declaim [dɪˈkleɪm]	*v.* 雄辩，演说 记 词根记忆：de(表加强) + claim(呼喊) → 大声呼喊 → 雄辩，演说 搭 declaim against 抨击 例 The author wrote an article to *declaim* against the evils of alcohol. 那位作家写了篇文章来抨击酒精的危害。
partition [pɑːrˈtɪʃn]	*n.* 划分，分裂，分割；部分，隔间；隔板，隔墙 记 词根记忆：part(部分) + ition → 分成部分 → 划分 例 a glass *partition* 玻璃隔板
canine * [ˈkeɪnaɪn]	*n.* 犬；犬齿 *a.* 犬的；似犬的；犬科的；犬齿的 记 词根记忆：can(犬) + ine → 犬；犬的
exterminate [ɪkˈstɜːrmɪneɪt]	*vt.* 消除；根除；灭绝 记 词根记忆：ex(出) + termin(终点) + ate(使…) → 使终结 → 消除 例 All who live by lies ought to be *exterminated* like pests. 所有以说谎为生的人都应该像害虫一样被消灭掉。 同 extirpate, eradicate, uproot
celebrated * [ˈselɪbreɪtɪd]	*a.* 著名的，驰名的 记 来自celebrate(*v.* 庆祝；赞扬) 例 a *celebrated* professor 一位著名的教授 同 famous, renowned, noted, distinguished, eminent, illustrious

braggart * [ˈbrægərt]	*n.* 吹牛者，自夸者 记 来自 brag(*v.* 吹嘘，自夸)
combustible * [kəmˈbʌstəbl]	*a.* 易燃的，可燃的；易激动的 记 词根记忆：combus(燃烧) + tible → 易燃的，可燃的 例 *combustible* material 易燃材料
abstain * [əbˈsteɪn]	*vi.* 禁绝，戒除；放弃，弃权(不投票) 记 词根记忆：abs(不) + tain(拿住) → 不拿住 → 放弃 例 Lucia persuaded her husband to *abstain* from drinking and smoking. 露西娅说服丈夫把烟酒都戒了。
antique [ænˈtiːk]	*n.* 古物，古玩，古董 *a.* 古时的，古老的；自古就有的 例 an *antique* shop 古玩店
tendency [ˈtendənsi]	*n.* 倾向，意向；趋势，潮流 记 联想记忆：tend(伸展) + ency → 伸展的方向 → 倾向 例 Inertia is the *tendency* of a body to resist acceleration. 惯性是物体抗拒加速度的倾向。
vacillate * [ˈvæsəleɪt]	*vi.* 摇摆不定，犹豫不决，变化不定 记 词根记忆：vac(空) + ill + ate(使…) → 使脑袋空空，犹豫不决 → 犹豫不决 例 The lady *vacillated* between hope and fear. 这位女士时而抱有希望，时而心存恐惧。
atrocity * [əˈtrɑːsəti]	*n.* 残暴，残忍；[常 *pl.*] 暴行 记 词根记忆：atr(黑色) + ocity → 如黑色般邪恶 → 残暴，残忍 例 wartime *atrocities* 战争期间的暴行
detach [dɪˈtætʃ]	*vt.* 使分开，使分离，拆卸；派遣，分派 记 联想记忆：de(分离) + tach(看作 touch，接触) → 不接触 → 使分开 搭 detach from 从…拆卸，从…分离 例 If the body lay undisturbed for long enough under the sun, the skin might *detach* itself from the body. 如果尸体能够不受任何事物的干扰并完好无损地在烈日下曝晒，皮肤就可能与肉体分离。 派 detachable(*a.* 可分离的；可派遣的)；detachment(*n.* 分开，拆开) 同 disconnect, separate
diversify [daɪˈvɜːrsɪfaɪ]	*v.* (使)多样化，使不同；从事多种经营 记 词根记忆：di + vers(转移) + i + fy(使…) → 使转向不同领域 → (使)多样化 例 An enterprise must try to *diversify* products and to improve its service for further development. 一个企业要想进一步发展，就必须努力使产品多样化并优化服务质量。

17

disrepute [ˌdɪsrɪˈpjuːt]	*n.* 名声不好；不光彩 记 词根记忆：dis(否定) + re(再次) + put(思考) + e → 名声不好，再怎么思考都没用 → 名声不好
inhuman [ɪnˈhjuːmən]	*a.* 无人性的；无同情心的；野蛮的；残酷的 记 来自 human(*a.* 人的；人性的) 例 *inhuman* treatment 非人的待遇
wane* [weɪn]	*vi.* 变小，变弱；衰落，衰败；(月亮)亏，缺 记 联想记忆：天鹅(swan)的数量在减少(wane) 例 Martin's enthusiasm for the whole idea was *waning* rapidly. 马丁对这个想法的热情在迅速地减少。
compulsory [kəmˈpʌlsəri]	*a.* 强制的；有义务的；必修的 记 词根记忆：com(表加强) + puls(驱动，推) + ory(…的) → 不断驱动的 → 强制的 例 *compulsory* course 必修课 同 mandatory, enforced
setback [ˈsetbæk]	*n.* 挫折，阻碍；倒退，失败；(疾病的)复发 记 来自词组 set back (阻碍；使受挫折，使退步) 例 Sam had been depressed over a number of business *setbacks*. 萨姆由于生意上一系列的失败而意志消沉。
compliment [ˈkɑːmplɪmənt]	*n.* 称赞，恭维；致意，问候 *vt.* 称赞，恭维；致敬，祝贺 记 词根记忆：com(表加强) + pli(充满) + ment → 满耳听到的都是恭维 → 恭维，称赞 搭 pay compliments to sb. 称赞某人；恭维某人 同 regards
quaint* [kweɪnt]	*a.* 离奇有趣的，古怪的；古色古香的 记 联想记忆：一个古怪的(quaint)阿姨(aunt) 例 a *quaint* little fishing village 一个古朴的小渔村 同 odd
violent [ˈvaɪələnt]	*a.* 猛烈的，激烈的；由暴力引起的，暴力的；极度的，极端的 例 *violent* crimes 暴力犯罪 派 violence(*n.* 暴力)；nonviolence(*n.* 非暴力)；non-violent(*a.* 非暴力的)
everlasting [ˌevərˈlæstɪŋ]	*a.* 永恒的；无止境的；持久的 同 eternal
frustrate [ˈfrʌstreɪt]	*vt.* 挫败，阻挠；使无效，使失败；使灰心，使沮丧 记 联想记忆：不要因为一时的挫败(frustrate)就不相信(trust)自己了 例 The official made an attempt to *frustrate* the project by any influence he might have. 这位官员试图以自己全部的影响力来阻止这项工程。 派 frustration(*n.* 挫折)；frustrating(*a.* 令人沮丧的)；frustrated(*a.* 失落的，灰心的) 同 obstruct

disguise * [dɪsˈɡaɪz]	*n./vt.* 假装，伪装；掩饰，隐瞒 记 来自 guise(*n.* 假装；伪装) 搭 in disguise 伪装，假扮 例 This will prove to be a blessing in *disguise*, as it will give you a chance to uncover any error you may have made. 这将是因祸得福，因为你将有机会发现之前所有可能犯了的错。// Mary cannot *disguise* her disappointment as no mail from her boyfriend. 玛丽无法掩饰对没有收到男朋友邮件的失望。 同 cloak, mask
multiplicity * [ˌmʌltɪˈplɪsəti]	*n.* 多；多样；多样性 记 词根记忆：multi(多) + pli(重叠) + city(具有…性质) → 多次重叠 → 多样性 例 a *multiplicity* of different factors 各种不同的因素
intermediate [ˌɪntərˈmiːdiət]	*a.* 中间的，居间的；中级的 *n.* 中间人，中间事物 记 词根记忆：inter(在…之间) + medi(中间) + ate(具有…的) → 中间的 例 an *intermediate* stage 中间阶段 // an *intermediate* coursebook 中级课本
paradox * [ˈpærədɑːks]	*n.* 似非而是的隽语；自相矛盾的人、事或话 记 词根记忆：para(脱离) + dox(观点) → 脱离常规的观点 → 自相矛盾的话 例 Nowadays, there's a *paradox* that although we're living longer than ever before, people are more obsessed with health issues than they ever were. 如今有这样一个怪现象：虽然人们活得比过去要长，但是比以前受到更多健康问题的困扰。
reckless [ˈrekləs]	*a.* 不计后果的，不顾危险的，鲁莽的 记 来自 reck(*v.* 顾忌，介意) 例 a *reckless* disregard for safety 对安全问题不计后果的漠视 同 rash, impetuous
dispel * [dɪˈspel]	*vt.* 驱散；清除 记 词根记忆：dis(分离) + pel(驱逐) → 驱逐并使分离 → 驱散；清除 例 The morning sunlight has *dispelled* the last of the night's fog. 清晨的阳光已经驱散了夜晚的残雾。
transcend [trænˈsend]	*vt.* 超出，超越(经验、理性、信念等)的范围；优于，胜过 记 词根记忆：tran(超过，越过) + scend(爬，登) → 爬过，越过 → 超出，超越 例 Our love for the weak *transcends* all races and nationalities. 我们对弱者的爱超越了一切种族和国籍的界限。 同 surpass, exceed
disingenuous * [ˌdɪsɪnˈdʒenjuəs]	*a.* 不真诚的，不坦白的，虚伪的 记 来自 ingenuous(*a.* 不欺骗的，坦率的) 例 a *disingenuous* excuse 虚伪的借口

17

exclude [ɪkˈskluːd]	*v.* 把…排除在外，排斥 记 词根记忆：ex(出) + clud(关闭) + e → 把某人关在门外 → 排斥 搭 exclude sb. / sth. from sth. 把某人/某物排除在某物外 例 Among those children, thus *excluded* from the school, was the boy called Edward. 在那些被学校开除的学生中有一名叫爱德华的男孩。 派 exclusion(*n.* 拒绝，排斥); exclusive(*a.* 排他的)
monarchy * [ˈmɑːnərki]	*n.* 君主制，君主政体；君主国 记 词根记忆：mon(单个) + archy(统治；管理) → 一个人统治 → 君主制 例 a constitutional limited *monarchy* 君主立宪制度
deliberate * [dɪˈlɪbərət]	*a.* 深思熟虑的，小心翼翼的；故意的，蓄意的 记 词根记忆：de(加强) + liber(称重量；权衡) + ate → 反复权衡的 → 深思熟虑的 例 a *deliberate* decision 深思熟虑的决定 派 deliberately(*ad.* 深思熟虑地；故意地); deliberateness / deliberation(*n.* 故意；深思熟虑) 同 intentional
chronological [ˌkrɑːnəˈlɑːdʒɪkl]	*a.* 按年代顺序的，按时间顺序的 记 来自 chronology(*n.* 年代表)
alias * [ˈeɪliəs]	*n.* 别名，化名 记 词根记忆：ali(其他的) + as → 其他的名称 → 别名，化名
abnormal [æbˈnɔːrml]	*a.* 反常的，不正常的；变态的 记 来自 normal(*a.* 常规的) 例 *abnormal* behavior 反常的行为 派 abnormally(*ad.* 反常地) 同 unusual, exceptional*
commit [kəˈmɪt]	*vt.* 把…交托给，提交；犯(错误)，干(坏事)；答应负责 记 词根记忆：com(一起) + mit(送) → 一起送给 → 把…交托给，提交 搭 commit oneself 使承担义务，使承诺；commit to 把…托付给，把…置于 例 This nongovernmental organization is *committed* to the development of a peaceful, prosperous, and open Asia-Pacific region. 这一非政府组织致力于建设一个和平、繁荣和开放的亚太地区。 派 committed(*a.* 忠于…的); commitment(*n.* 承诺，保证；信奉，献身；承担的义务); committee(*n.* 委员会) 同 entrust, confide, consign*, relegate
bland * [blænd]	*a.* 温和的，随和的；乏味的，引不起兴趣的；(食物)清淡的，不油腻的 记 发音记忆："布蓝的" → 布是蓝色的 → 柔和的 例 *bland* food 清淡的食物 // a *bland* statement 乏味的声明 同 dull, insipid

indisputable * [ˌɪndɪˈspjuːtəbl]	*a.* 不可争辩的；不容置疑的；无可否认的 记 来自 disputable(*a.* 有争议的) 例 *indisputable* evidence 毫无争议的证据 同 unquestionable
aphorism [ˈæfərɪzəm]	*n.* 格言，警语，谚语 例 a biting *aphorism* 尖刻的警语
scatter [ˈskætər]	*v.* (使)分散，(使)散开；撒开；驱散 记 联想记忆：牛(cattle)受了惊吓四散开(scatter) 例 At the sound of gunfire, the crowd *scattered* in all directions. 听到枪声，人群向各个方向散去。 派 scattered(*a.* 分散的)
carnage * [ˈkɑːrnɪdʒ]	*n.* (尤指在战场上的) 残杀，大屠杀；流血 记 词根记忆：carn(肉) + age → 大屠杀时血肉横飞 → 大屠杀
minority [maɪˈnɔːrəti]	*n.* 少数；少数派；少数民族；未成年 记 来自 minor(*a.* 较小的；次要的) 例 *minority* language 少数民族语言
constituent * [kənˈstɪtʃuənt]	*n.* 成分，要素；选区的选民 *a.* 构成的，组成的；选举的，任命的 记 词根记忆：con(一起) + stit(站) + uent → 为了获得选票，跟选民站在一起 → 选区的选民 例 the *constituent* parts of an atom 原子的组成成分 // the *constituents* of cement 水泥的成分 派 constituency(*n.* 选区；选区的选民) 同 component
censure * [ˈsenʃər]	*n./vt.* 责难；谴责 记 联想记忆：检查员(censor) 玩忽职守会遭责难(censure) 例 The actor received a public *censure* for his dishonorable behavior. 那名演员因行为不光彩而受到了公众的指责。
burgeon * [ˈbɜːrdʒən]	*vi.* 发芽，萌芽；快速成长；茂盛 记 联想记忆：实习可以使外科医生(surgeon)迅速成长(burgeon) 例 a *burgeoning* population 快速增长的人口 同 sprout, flourish*
instance [ˈɪnstəns]	*n.* 例子，事例，例证 搭 for instance / example 例如，比如；in the first instance 首先，起初
repute [rɪˈpjuːt]	*n.* 名誉，名声 *vt.* 认为，把…称为 记 词根记忆：re(反复) + put(思考) + e → 为了名声，行动之前要反复考虑 → 名声，名誉 例 a hotel of some *repute* 有一些名气的酒店 // Jim is well *reputed* to be an honest man among his classmates. 吉姆的同学都认为他非常诚实。 同 consider

17

polar [ˈpoʊlər]	*a.* 地极的，近地极的；磁极的 记 词根记忆：pol(地轴) + ar(…的) → 地极的 派 polarity(*n.* 极性)；polarize(*vt.* 使极化)
rectify* [ˈrektɪfaɪ]	*vt.* 纠正，改正；精馏，精炼 记 词根记忆：rect(公正的；正当的) + ify(使…) → 使公正 → 纠正，改正 例 Once you get to know your mistakes, you should *rectify* them as soon as possible. 你一旦开始认识到自己的错误，就应该尽快改正。 同 adjust, remedy, amend, correct
graphic* [ˈɡræfɪk]	*a.* 生动的，形象的；绘画的，文字的，图表的 记 词根记忆：graph(写) + ic(…的) → 文字的 例 a *graphic* description 生动的描述 // a *graphic* designer 平面设计师 同 lifelike, vivid, pictorial
fabulous [ˈfæbjələs]	*a.* 极好的，绝妙的；寓言般的，神话般的；惊人的，极为巨大的 记 联想记忆：fabul(看作 fable, 寓言) + ous(…的) → 寓言般的 例 a *fabulous* performance 出神入化的表演 // *fabulous* wealth 巨额的财富
nickname [ˈnɪkneɪm]	*n.* 诨号，绰号 *vt.* 给(某人)起绰号 记 联想记忆：尼克(Nick)除了自己的名字(name)还有绰号(nickname) 例 Harry's classmates *nicknamed* him "Lofty" because he was so tall. 因为哈里很高，所以他的同学给他起了个绰号叫"高个儿"。
cynical* [ˈsɪnɪkl]	*a.* 愤世嫉俗的；冷嘲热讽的 记 来自 cynic(*n.* 愤世嫉俗者) 例 I think singers just do charity work to get publicity—but maybe I'm too *cynical*. 我认为歌手做慈善只是炒作而已，但也许我这么想太愤青了。 同 misanthropic, pessimistic
slick [slik]	*a.* 光滑的；熟练的；圆滑的 记 联想记忆：小狗舔(lick)骨头的动作很熟练(slick) 例 a *slick* road 光滑的道路 // a *slick* salesman 熟练的推销员 同 deft, skillful
adversity* [ədˈvɜːrsəti]	*n.* 不幸，厄运；灾祸，苦难 记 来自 adverse(*a.* 不利的；相反的) 例 personal *adversity* 个人不幸
bridge [brɪdʒ]	*n.* 桥；鼻梁 *vt.* 架桥于；使渡过 例 Ava managed to *bridge* the gap between ballet and modern dance. 埃娃成功地逾越了芭蕾和现代舞之间的鸿沟。
irrational* [ɪˈræʃənl]	*a.* 无理性的，失去理性的 记 来自 rational(*a.* 理性的；理智的) 例 an *irrational* fear 无端的恐惧
persistent [pərˈsɪstənt]	*a.* 坚持不懈的，固执的；持续的，持久的 记 来自 persist(*v.* 坚持) 例 *persistent* pain 持续不断的疼痛 同 continual

□ polar   □ rectify   □ graphic   □ fabulous   □ nickname   □ cynical
□ slick   □ adversity   □ bridge   □ irrational   □ persistent

reluctant [rɪ'lʌktənt]	*a.* 不情愿的，勉强的 记 发音记忆："驴拉坦克" → 真够勉强的 → 勉强的，不情愿的 搭 be reluctant to do sth. 不愿做某事 例 a *reluctant* helper 勉强来帮忙的人 // Some of the older staff were *reluctant* to use the new equipment. 一些老员工不愿意使用新的机器设备。 同 unwilling reluctant
accommodate * [ə'kɑːmədeɪt]	*vt.* 留宿，收容；供应，供给；迎合，适应 记 词根记忆：ac(加强) + com(一起) + mod(适合) + ate(使…) → 使一起适合 → 迎合，适应 例 Those flats were usually not large enough to *accommodate* big families. 那些公寓通常不是很大，不适合人口多的家庭居住。// I hope that I can *accommodate* myself to the changing new situation. 我希望自己能适应变化的新形势。 派 accommodation(*n.* 住宿)
unbiased [ʌn'baɪəst]	*a.* 没有偏见的，不偏不倚的 记 来自 biased(*a.* 有偏见的) 例 an *unbiased* opinion 无偏见的看法
gallop ['gæləp]	*v./n.* 奔驰，飞跑 记 联想记忆：他拼命地飞奔(gallop)，决心不撞南墙不回头 例 To escape from the enemy, I had to *gallop* across the field. 为了摆脱敌人，我不得不飞奔着穿过田野。
ambassador [æm'bæsədər]	*n.* 大使 例 the American *Ambassador* to Greece 美国驻希腊大使
emancipate * [ɪ'mænsɪpeɪt]	*vt.* 解放，释放 记 词根记忆：e(出) + man(手) + cip(拿) + ate → 拿出手，腾出手 → 解放，释放 例 Teachers decided to *emancipate* students from study. 老师们决定把学生们从学习中解放出来。
provocative * [prə'vɑːkətɪv]	*a.* 挑衅的；激起愤怒、恼恨等的；引起性欲的 记 词根记忆：pro(向前) + voc(叫喊) + ative → 向着前面大声喊叫的 → 挑衅的 例 a *provocative* remark 挑衅的言论 派 provocation(*n.* 激怒，刺激，挑衅；恼怒的原因，激怒人的事) 同 tantalizing, stimulating
incite * [ɪn'saɪt]	*vt.* 激励，煽动，鼓动 记 词根记忆：in + cite(驱动) → 驱动人们 → 煽动，鼓动 例 They both are accused of *inciting* and participating in the massacre of hundreds of elephants in Africa. 他们双方均被指控在非洲鼓动并参与屠杀数百头大象。

17

□ reluctant　　□ accommodate □ unbiased　　□ gallop　　□ ambassador　□ emancipate
□ provocative　□ incite

authentic [ɔːˈθentɪk]	*a.* 真正的，真实的；可靠的，可信的 记 联想记忆：这个作家（author）的签名是真的（authentic） 派 authenticity（*n.* 真实性，可靠性）；authenticate（*v.* 证明某物为真） 同 real, actual, genuine
hindrance * [ˈhɪndrəns]	*n.* 妨碍，障碍 记 来自 hinder（*v.* 妨碍，打扰） 例 *hindrance* function 阻抗作用
regulate [ˈreɡjuleɪt]	*vt.* 管理，控制，使遵守规章；调节，控制（温度、速度等）；调整，校准（机器、钟表等） 记 词根记忆：reg（统治）+ ul + ate（使…）→ 管理，控制 搭 regulate the traffic 管制交通；regulate one's spending 控制开支 例 The activities of credit companies are *regulated* by law. 信货公司的业务行为受法律的制约。 派 regulation（*n.* 规章，规则；管理，控制） 同 control, adjust
utmost [ˈʌtməʊst]	*a.* 极度的，极端的；最大的，最远的 *n.* 极限，极度，最大可能 记 联想记忆：ut（看作 at）+ most（最多）→ 到达最多 → 极度的，极端的 搭 at the utmost 顶多，最多 例 Safety and preparation are of the *utmost* importance for the traveler. 对旅游者来说，安全和准备工作是最重要的。 // The workers have done their *utmost* to learn the advanced techniques. 这些工人已经尽了最大的努力来学习这些先进的技术。
distort * [dɪˈstɔːrt]	*vt.* 弄歪（嘴脸等），使（某物）变形；扭曲，歪曲（真理、事实等） 记 词根记忆：dis（表加强）+ tort（扭曲）→ 扭曲，歪曲 例 Fun house mirrors, not flat, will cause images to be *distorted*. 哈哈镜的镜面不平，会使影像扭曲。 同 deform, contort, warp, twist, misrepresent
entrance * [ˈentrəns]	*n.* 进入；进去；入口，通道 记 来自 enter（*v.* 进入） 例 a university *entrance* exam 大学入学考试
confidence [ˈkɑːnfɪdəns]	*n.* 信任，信赖；把握，自信；秘密，私房话 记 词根记忆：con（表加强）+ fid（相信）+ ence → 信任 搭 confidence in / into sb. / sth. 对某人/某物的信赖；lack the confidence of 对…缺乏信心 例 You'll think quickly and memorize easily if you are in high spirit and full of *confidence*. 如果你情绪饱满且信心十足的话，你就会思维敏捷，记起来轻松。 // An expert group is launched to try to boost public *confidence* in the integrity of medical research. 成立专家小组的目的是想要提高公众对医学研究真实性的信心。 派 self-confidence（*n.* 自信）；confident（*a.* 确信的，肯定的；有信心的，自信的）

celebrate [ˈselɪbreɪt]	*v.* 庆祝，祝贺 例 The graduation ceremony allows students to *celebrate* their achievements with family and friends. 学生们可以在毕业典礼上同家人和朋友一起来庆祝自己取得的成绩。
ambrosial [æmˈbrouʒɪəl]	*a.* 芳香的；特别美味的；适于神用的 记 词根记忆：am(不) + bro(凡人) + sial → 不是凡人吃的 → 适于神用的；特别美味的 例 *ambrosial* food 甘美的食物
finite [ˈfaɪnaɪt]	*a.* 有限的，有限制的；(语法)限定的 记 词根记忆：fin(结束) + ite → 时间有限，到此结束 → 有限的，有限制的 例 a *finite* resource 有限的资源
effuse [ɪˈfjuːz]	*v.* 涌出，流出，泻出 记 词根记忆：ef(出) + fus(倾；倒) + e → 涌出，流出，泻出
cacophonous* [kəˈkɑːfənəs]	*a.* 发音不和谐的，刺耳的 记 词根记忆：caco(坏) + phon(声音) + ous(…的) → 声音不好 → 发音不和谐的，刺耳的
selective [sɪˈlektɪv]	*a.* 选择的，选择性的；精挑细选的 记 来自 select(*v.* 选择) 例 You can avoid the indigestion by being *selective*. 有选择性地进食可以避免消化不良。
grip [grɪp]	*v./n.* 紧握，抓紧；掌握，控制 记 联想记忆：这里有条沟(gap)，抓紧(grip)我 搭 come / get to grips(认真)对付或处理 例 Several birds instantly alighted on my arms and head, *gripping* my skin with their bony little claws. 几只小鸟突然落在我的肩膀上和头上，它们用小爪子紧紧抓住我的皮肤。
stir [stɜːr]	*v.* 搅拌，搅动；(使)动，(使)摇动；激动；轰动；煽动；鼓动 搭 stir up 激起，挑起 例 Emma *stirred* sugar in her coffee. 爱玛搅动着咖啡使糖溶化。 // The teacher told Nick to stop *stirring* up trouble. 老师告诉尼克不要再惹麻烦。
clandestine* [klænˈdestɪn]	*a.* 秘密的，保密的，暗中的 记 联想记忆：clan(宗派) + destine(命中注定) → "宗派"和"命中注定"都有一些"秘密"色彩 → 秘密的 例 a *clandestine* meeting 秘密会议 同 covert, stealthy, furtive, surreptitious, underhanded
trial [ˈtraɪəl]	*n.* 审讯，审判；试验，考验 搭 by trial and error 反复试验，不断摸索 例 After several *trials*, the drug was proven to be safe for humans. 许多次试验证明这种药品对人体无害。

17

insure [ɪnˈʃʊr]	*vt.* 保险，给…保险；保证，确保 记 联想记忆：in(向，去) + sur(确定的) + e → 为了确定，去上保险 → 保险，给…保险；保证 例 The teachers should *insure* that each student truly gains from their education. 老师必须保证每一个学生都真正学有所获。
descendent [dɪˈsendənt]	*a.* 派生的；祖传的 *n.* 后裔，子孙 例 He is a *descendent* of Queen. 他是女王的后代。
fragile [ˈfrædʒl]	*a.* 易受伤害的；易碎的；易损的；脆弱的，虚弱的 记 词根记忆：frag(折断) + ile(…的) → 折断的 → 易碎的 例 *fragile* china 易碎的瓷器 派 fragility(*n.* 脆弱)；fragileness(*n.* 脆弱) 同 frangible, brittle, crisp, friable, delicate, frail
grease [griːs]	*n.* (炼出的)动物油脂；油脂；润滑油 *v.* 用油脂涂；给…加润滑油 例 It's not easy to clean these plates covered with *grease*. 清洗这些沾满油渍的盘子，可真不容易。
demystify [ˌdiːˈmɪstɪfaɪ]	*vt.* 弄清楚，使明白易懂 记 联想记忆：de(去掉) + mystify(使迷惑) → 去掉迷惑 → 弄清楚 例 Our department aims to *demystify* the workings of the organization. 我们部门旨在弄清楚机构的工作。
petty [ˈpeti]	*a.* 琐碎的，不重要的；小心眼的，小气的 记 联想记忆：pet(宠物) + ty → 养宠物要注意许多琐碎的事情 → 琐碎的 例 The students are complaining about these *petty* rules and restrictions of the school. 学生一直抱怨这个学校琐碎的规则和限制。
spoof [spuːf]	*n./v.* 揶揄，嘲讽 记 联想记忆：找不到证据(proof)，只好揶揄(spoof) 例 The comedy was a *spoof* of the real political situation. 这出喜剧是对现实的政治形势的嘲讽。
energize [ˈenərdʒaɪz]	*v.* 给予…精力或能量；使充满热情 记 来自 energy(*n.* 精力，能量) 例 Everyone deserves a holiday to *energize* themselves after a whole year's working. 经过一整年的工作，每个人都应该享有一个让自己恢复精力的假期。
evenhanded [ˌiːvnˈhændɪd]	*a.* 公平的，不偏不倚的 记 组合词：even(平的) + hand(手) + ed → 两手放得一样平 → 公平的 例 Husband is very difficult to be *evenhanded* between mother and wife. 丈夫在妈妈和妻子之间是很难保持公平的。
archive [ˈɑːrkaɪv]	*n.* [常 *pl.*] 档案；档案馆 *v.* 存档 例 Peter found the detailed information of the missing antique in the *archives*. 彼得在档案室里发现了那个失窃古董的详细资料。

□ insure   □ descendent   □ fragile   □ grease   □ demystify   □ petty
□ spoof   □ energize   □ evenhanded   □ archive

Word List 18

音频

词根预习表

pens	花费	compensate v. 赔偿	celer	快速的	accelerate v. 加速
sid	坐	assiduous a. 勤勉的，刻苦的	spect	看	spectacle n. 景象
cri	判断	criticize v. 批评；评论	plod	击打	explode v. (使)爆炸
cens	评估	censor vt. 审查，检查	cand	白，发光	candid a. 坦白的
rus	乡村	rustic a. 乡村的	bar	障碍	embargo vt. 禁运

arid * [ˈærɪd]	a. 枯燥的；干旱的 例 an *arid* discussion 枯燥的讨论
compensate [ˈkɑːmpenseɪt]	v. 赔偿，补偿，付报酬；弥补 记 词根记忆：com + pens(花费) + ate → 全部给予花费 → 赔偿 搭 compensate for 弥补；补偿，赔偿 例 Nothing can *compensate* for the loss of one's health. 任何东西都无法弥补失去的健康。 派 compensation(n. 补偿，赔偿)；compensatory*(a. 补偿性的) 同 pay
allusion * [əˈluːʒn]	n. 典故，引用典故；暗示，间接提到 记 来自 allude(v. 间接提到，暗指) 例 literary *allusion* 文学典故
arcade * [ɑːrˈkeɪd]	n. 拱廊，拱廊通道；拱廊商场 记 联想记忆：arc(弧形) + ade(表名词) → 弧形的建筑物 → 拱廊
lament * [ləˈment]	n. 悲伤，哀悼，恸哭；挽诗，悼词 v. 哀悼；悲痛，悔恨 例 Mike *lamented* his carelessness for making a simple mistake and missed the full mark in the exam. 迈克为在考试中因粗心犯了一个简单的错误没得满分而悔恨交加。 记 dirge, elegy*, mourn
cantata [kænˈtɑːtə]	n. 清唱剧；康塔塔；大合唱 记 发音记忆：Can ta ta → 康塔塔
compliant * [kəmˈplaɪənt]	a. 顺从的；适应的 记 词根记忆：com + pli(满) + ant → 满足对方的要求 → 顺从的

□ arid □ compensate □ allusion □ arcade □ lament □ cantata
□ compliant

195

stern [stɜːrn]	*a.* 严厉的，苛刻的；严峻的，难对付的 *n.* 船尾；末端 记 发音记忆："死等" → 命令是严厉的，所以只能死等 → 严厉的 例 a *stern* punishment 严厉的惩罚 // The girl seated herself in the *stern* of the boat. 女孩坐在船尾。 同 harsh, strict, severe
exact [ɪɡˈzækt]	*vt.* 强求；急需，要求 *a.* 准确的，精确的 记 词根记忆：ex(出) + act(做) → 都出来干活，急需人手 → 急需
theorize [ˈθiːəraɪz]	*vi.* 建立理论；理论化 记 来自 theory(*n.* 理论) 例 Some experts *theorize* that there was once a common language for all humanity. 一些专家提出这样的理论：所有的人类曾说同一种语言。
accelerate* [əkˈseləreɪt]	*v.* 加速；促进 记 词根记忆：ac(加强) + celer(快速的) + ate(使…) → 加速 例 Environmental problems may *accelerate* the pace of the car's development. 环境问题可能会加速汽车行业发展的步伐。 派 acceleration(*n.* 加速)；accelerating(*a.* 加速的)
assiduous [əˈsɪdʒuəs]	*a.* 勤勉的，刻苦的 记 词根记忆：as + sid(坐) + uous → 久坐的 → 勤勉的，刻苦的 例 *assiduous* learning 勤奋的学习
provincial [prəˈvɪnʃl]	*a.* 省的，州的；狭隘的 记 来自 province(*n.* 省，州) 例 *provincial* capital 省会 同 narrow
tortuous* [ˈtɔːrtʃuəs]	*a.* 曲折的；拐弯抹角的 记 词根记忆：tort(弯曲) + uous → 弯曲的 → 曲折的 例 a *tortuous* path 曲折的道路
reverent* [ˈrevərənt]	*a.* 尊敬的，虔诚的 记 来自 revere(*vt.* 尊敬，敬畏) 同 worshipful
ingredient [ɪnˈɡriːdiənt]	*n.* 组成部分，成分；要素，因素 记 词根记忆：in(进入) + gred(看作 grad，走) + ient → 走进，使成为一部分 → 组成部分 例 natural *ingredient* 天然成分 同 constituent
revert* [rɪˈvɜːrt]	*v.* 回复，恢复 记 词根记忆：re(重新) + vert(转) → 转回去 → 恢复 例 After a few weeks, everything *reverted* to normal. 几个星期之后，一切恢复正常。

196
□ stern □ exact □ theorize □ accelerate □ assiduous □ provincial
□ tortuous □ reverent □ ingredient □ revert

transmission [trænsˈmɪʃn]	*n.* 播送，发射；传动，传送；传播，传染
	记 词根记忆：trans(越过) + miss(发送) + ion → 传送，传动；发射
	例 live *transmission* 现场直播 // the *transmission* of diseases 疾病的传播
linguist [ˈlɪŋgwɪst]	*n.* 语言学家；通晓数种外语的人
	记 词根记忆：lingu(语言) + ist(表人) → 语言学家
	例 historical *linguist* 历史语言学家
cull * [kʌl]	*vt.* 精选，挑选
	记 联想记忆：斗牛用的公牛(bull)要精选(cull)
	例 The facts were *culled* from various sources. 这些事实是从多个来源中精选出来的。
	同 choose
cryptic * [ˈkrɪptɪk]	*a.* 隐密的；含义模糊的
	记 词根记忆：crypt(隐藏) + ic → 隐密的
	例 *cryptic* remark / comment 含义模糊的评价
spectacle [ˈspektəkl]	*n.* 奇观，景象
	记 词根记忆：spect(看) + acle → 景象
	例 From our tent, we could see the grand *spectacle* of the mountain. 从我们的帐篷可以看到这座山壮丽的景象。
	同 marvel, wonder
redundant * [rɪˈdʌndənt]	*a.* 多余的；过剩的；冗余的
	记 词根记忆：red(=re，一再) + und(=undulate，波动) + ant → 反复波动 → 反复出现 → 多余的
	例 *redundant* information 冗余信息
	派 redundancy(*n.* 裁员；过多，过剩)
	同 superfluous
humid * [ˈhjuːmɪd]	*a.* 潮湿的，湿气重的
	记 联想记忆：湿气重的(humid)环境对人(human)的身体不好
	例 a *humid* atmosphere 潮湿的环境
humane [hjuːˈmeɪn]	*a.* 有人情味的，人道的，仁慈的
	记 来自 human(*n.* 人)
	例 a caring and *humane* society 充满关怀和人道的社会
wittingly [ˈwɪtɪŋli]	*ad.* 有意地，故意地
	记 来自 witting(*a.* 有意的)
caption * [ˈkæpʃn]	*n.* 标题；字幕；说明 *vt.* 加上标题；加上说明
	记 词根记忆：capt(拿，抓) + ion → 抓住主要内容 → 标题
personality [ˌpɜːrsəˈnæləti]	*n.* 人格；个性；人物
	记 来自 personal(*a.* 个人的)
	例 *personality* trend 人格倾向
	派 personal(*a.* 个人的，私人的)

18

□ transmission　　□ linguist　　　□ cull　　　　□ cryptic　　　□ spectacle　　□ redundant
□ humid　　　　　□ humane　　　□ wittingly　　□ caption　　　□ personality

orthodoxy [ˈɔːrθədɑːksi]	*n.* 正统；正统说法 记 来自 orthodox(*a.* 正统的) 例 the idea of *orthodoxy* 正统观念
original [əˈrɪdʒənl]	*a.* 最初的，原始的；原文的；新颖的，有独创性的 *n.* 原物，原作，原文 记 来自 origin(*n.* 起源，由来) 例 *original* handwriting 真迹 // an *original* viewpoint 全新观点 派 originality(*n.* 创意；新奇；独创性)；originally(*ad.* 独创地；最初)
outburst [ˈaʊtbɜːrst]	*n.* (火山、感情等)爆发，突发 记 来自词组 burst out(爆发，突发) 例 an *outburst* of anger
lengthy [ˈleŋθi]	*a.* (演说、文章等)冗长的，过长的 记 来自 length(*n.* 长，长度) 例 a *lengthy* report 冗长的报告 同 overlong
belief [bɪˈliːf]	*n.* 信仰；信条；相信；信念 记 来自 believe(*vt.* 相信) 搭 beyond belief 难以置信；have great belief in sb. 非常信任某人 例 It is a widely-held *belief* that violent crime is increasing. 人们广泛认为暴力犯罪正在不断增加。 // Their proposals are ridiculous beyond *belief*. 他们的提议蠢得令人难以置信。
crestfallen[*] [ˈkrestfɔːlən]	*a.* 垂头丧气的 记 联想记忆：crest(鸟冠) + fallen(倒下的) → 垂头丧气的 例 Sandy looked *crestfallen* when he was told about the layoffs. 当被告知遭到解雇时，桑迪看起来垂头丧气的。 同 dejected
cringe[*] [krɪndʒ]	*vi.* 畏缩；阿谀，奉承 记 联想记忆：c + ring (响铃) + e → 一响铃就退缩 → 畏缩 例 The boy stood at the door, *cringing* in terror. 男孩站在门口畏缩不前。 // I don't like Mark; he always *cringes* before the boss. 我不喜欢马克，他总是在老板面前阿谀奉承。
criticize [ˈkrɪtɪsaɪz]	*v.* 批评；评论 记 词根记忆：cri(判断) + ti + cize → 批评；评论 例 Some people *criticized* the talk shows as "cultural rot". 一些人批评脱口秀是荒唐的文化节目。
global [ˈɡloʊbl]	*a.* 全球的，世界的；球状的，球面的；总括的，普遍的，综合的，全局的 记 来自 globe(*n.* 地球) 例 *global* warming 全球变暖 同 spherical; worldwide

foster * [ˈfɑːstər]	*vt.* 收养，养育；培养，促进 *a.* 收养的，收养孩子的 记 联想记忆：这对老夫妇收养(foster)了一个被遗弃在森林(forest)里的男孩子 例 *Fostering* this ability is fundamental for learning to take risks and find solutions to challenges in life. 培养这种能力是学会冒险和应对人生挑战的基础。// *foster* parents 养父母 派 fosterling(*n.* 养子，养女)；fosterer(*n.* 养育者) 同 nurture, cultivate
ruthless * [ˈruːθləs]	*a.* 残酷的，无情的 记 来自 ruth(*n.* 同情) 例 grim and *ruthless* 残酷无情
reconciliation [ˌrekənsɪliˈeɪʃn]	*n.* 和解，和好，调和，调停；和谐，一致 记 reconcile(*vt.* 使和解，使和好) 例 a *reconciliation* between environment and development 发展与环境之间的和谐
disparate * [ˈdɪspərət]	*a.* 全异的；不同的 记 词根记忆：dis(否定) + par(相等的) + ate → 不相等的 → 全异的 例 a *disparate* group of individuals 乌合之众
ratify * [ˈrætɪfaɪ]	*vt.* 批准；认可 记 联想记忆：rat(看作 rate，评估) + ify(使) → 评估以后才能决定是否批准 → 批准 例 A 1961 treaty *ratified* by 125 nations outlawed the production of cocaine. 在 1961 年，125 个国家共同批准的一项条约规定生产可卡因是非法的。 同 approve
abstemious * [əbˈstiːmiəs]	*a.* 有节制的(尤指在饮食方面)；节约的 记 词根记忆：abs(远离) + tem(切) + ious → 切断恶习 → 有节制的 例 an *abstemious* person 一个有节制的人
befuddle * [bɪˈfʌdl]	*vt.* 使酒醉昏迷；使迷惑；使昏迷 记 联想记忆：be + fuddle(迷惑) → 使迷惑
indiscriminate * [ˌɪndɪˈskrɪmɪnət]	*a.* 不加区别的；任意的 记 词根记忆：in(不) + dis + crimin(分开) + ate → 不加区别的
explode [ɪkˈsploʊd]	*v.* (使)爆炸，(使)爆发 记 词根记忆：ex + plod(击打) + e → 击打油罐 → (使)爆炸 例 Bob's temper flares just like a bomb about to *explode*. 鲍勃的火气上来时就像即将爆炸的炸弹一样。
predominate [prɪˈdɑːmɪneɪt]	*v.* 统治，支配；占优势 记 词根记忆：pre + domin(统治) + ate → 支配，统治；占优势 例 In the poor man's mind, a wish to become rich had always *predominated*. 在那个穷人的心目中，发财一直是他最大的愿望。 同 dominate

18

□ foster □ ruthless □ reconciliation □ disparate □ ratify □ abstemious
□ befuddle □ indiscriminate □ explode □ predominate

legitimate [lɪˈdʒɪtɪmət]	v. (使)合法 a. 正当的，合理的；合法的 记 词根记忆：leg(法律) + itim + ate(使) → 使合法 例 The government is trying to *legitimate* gambling within their country. 该国政府试图使赌博在国内合法化。// a *legitimate* expectation 合理的预测 派 legitimately(ad. 合情合理地)
amputate* [ˈæmpjuteɪt]	vt. 切除(手臂、腿等)，截肢 记 词根记忆：am(看作 arm) + put(切除) + ate(做) → 切除(手臂、腿等) 例 Tom was forced to *amputate* his arm in order to save his own life. 为了保全性命，汤姆被迫切除了一只胳膊。
diffident [ˈdɪfɪdənt]	a. 缺乏自信的；羞怯的；怯懦的 记 联想记忆：di(看作 de，否定) + ffident(看作 confident，自信的) → 不自信的 → 缺乏自信的 例 a *diffident* smile 羞怯的一笑
overwhelming [ˌoʊvərˈwelmɪŋ]	a. 势不可挡的，压倒的 记 来自 overwhelm(v. 压倒) 例 *overwhelming* majority 绝大多数
linguistics [lɪŋˈgwɪstɪks]	n. 语言学 例 applied *linguistics* 应用语言学
adorn* [əˈdɔːrn]	vt. 装饰；使生色 记 词根记忆：ad + orn(装饰) → 装饰 例 The land is *adorned* with flowers in spring. 大地春光明媚，姹紫嫣红。 同 decorate, beautify
discord* [ˈdɪskɔːrd]	n. 不和；不一致，意见不合；嘈杂声；不和谐 记 词根记忆：dis(不) + cord(心) → 不合心意 → 意见不合 例 family *discord* 家庭不和 同 dissension, variance
beset* [bɪˈset]	vt. 困扰，使苦恼；围攻，包围 例 With the amount of traffic nowadays, even a trip across town is *beset* with dangers. 当今，交通流量大，即使是穿越小镇也充满了危险。
overcome [ˌoʊvərˈkʌm]	v. 战胜，克服，胜过；征服 记 来自词组 come over(战胜；支配) 例 Helen has *overcome* difficulties to become a successful painter. 海伦战胜重重困难成为了一名成功的画家。 同 overwhelm
isolate [ˈaɪsəleɪt]	v. (使)隔离，(使)孤立；(使)脱离 记 词根记忆：i + sol(孤独的) + ate(使) → 使感到孤独 → (使)孤立 搭 isolate from 与…隔离 例 Sometimes the UK seems completely *isolated* from the mainstream of European culture. 有时英国似乎完全脱离了欧洲文化的主流。

boycott * [ˈbɔɪkɑːt]	*vt.* 联合抵制；联合排斥某国货物或与某国绝交 记 联想记忆：boy + cott(音似 cut, 剃) → 男孩子们剃头以示抗议 → 联合抵制 例 People were asked to *boycott* goods from companies that employ child labour. 人们被号召去抵制那些雇用童工的公司生产的产品。
contemplation [ˌkɑːntəmˈpleɪʃn]	*n.* 注视；沉思；预期，打算 记 来自 contemplate(*v.* 凝视；沉思) 例 The team reached their decision after a good deal of *contemplation*. 经过慎重思考，这个小组做出了决定。 同 intention, expectation
indubitable * [ɪnˈduːbɪtəbl]	*a.* 不容置疑的，确实的，明白的 记 联想记忆：in(不) + dubit(看作 doubt, 怀疑) + able(能…的) → 不能怀疑的 → 不容置疑的 例 *indubitable* evidence 不容置疑的证据 同 unquestionable
polish [ˈpɑːlɪʃ]	*v.* 磨光，擦亮；使优美，润饰 *n.* 擦光剂，上光蜡 记 联想记忆：波兰产的(Polish) 擦光剂(polish) 搭 polish off (飞快地)完成；polish up 润色 例 The central inscribed part of this stone has been *polished* with the name, while the surrounding remains in its rough, unpolished state. 刻着名字的石碑中央被磨得很光滑，周围没有打磨，还是最初粗糙的样子。 派 polished(*a.* 磨光的，光亮的)
censor * [ˈsensər]	*n.* 检查员 *vt.* 检查，审查 记 词根记忆：cens(评估) + or → 审查，检查 例 The information given to the newspaper was *censored* by the Ministry of Defence. 提供给那份报纸的消息由国防部审查。
concoct * [kənˈkɑːkt]	*vt.* 调制，调和；编造 记 词根记忆：con + coct(=cook, 烹调) → 调制 例 Daisy *concocted* an elaborate excuse for being late. 黛西为她的迟到精心编造了一个理由。 同 fabricate
inject [ɪnˈdʒekt]	*vt.* 注射，注入 记 词根记忆：in(在…内) + ject(投掷) → 投到里面 → 注射，注入 搭 inject into 注入，增添；inject with... 用…注入 例 Traditional handbag makers have *injected* more modern themes into their designs. 传统的手提包制造者在他们的设计中注入了现代主题。 派 injection(*n.* 注射) 同 implant, infuse
spontaneous [spɑːnˈteɪniəs]	*a.* 自发的，自然的；自然产生的 记 词根记忆：spont(自由意志的) + aneous → 自然的，自发的 例 The English romantic poets defined poetry as the *spontaneous* overflow of the true emotions and feelings. 英国浪漫主义诗人把诗歌定义为真情实感的自然流露。 同 inherent, natural

18

□ boycott　　□ contemplation　□ indubitable　　□ polish　　　□ censor　　　□ concoct
□ inject　　　□ spontaneous

adherent* [əd'hɪrənt]	*n.* 信徒，追随者，拥护者 记 词根记忆：ad + her(黏) + ent(表人) → 黏着某人 → 追随者 例 the *adherents* of materialism 唯物主义的拥护者
veritable ['verɪtəbl]	*a.* 真正的，名副其实的 记 词根记忆：ver(真实的) + it + able → 真正的 例 My garden had become a *veritable* jungle when I came back from holiday. 当我度假回来时，我的花园成了一个真正的丛林。
candid ['kændɪd]	*a.* 无偏见的，公正的；坦白的，率直的 记 词根记忆：cand(白，发光) + id → 白的 → 坦白的 例 To be *candid* with you, I think you are making a terrible mistake. 坦白跟你讲，我认为你在犯一个严重的错误。 同 frank, open, plain
affiliate [ə'fɪlieɪt]	*n.* 附属机构，分公司 *vt.* 使隶属(或附属)于 搭 affiliate to 附属于 例 The auto manufacture was *affiliated* to the government. 汽车制造业隶属于政府。
integrate* ['ɪntɪgreɪt]	*v.* (使)成为一体，(使)结合在一起，(使)合并 搭 integrate into / with 与…结合 例 *integrate* traditional Chinese medicine with western medicine 将中西医结合起来 派 integration(*n.* 结合；综合) 同 unite
refute* [rɪ'fjuːt]	*vt.* 反驳，驳斥 搭 refute an opponent 驳倒对方 例 an attempt to *refute* Darwin's theories 试图反驳达尔文的理论 同 confute, contradict
outrageous [aʊt'reɪdʒəs]	*a.* 蛮横的；残暴的；无耻的；可恶的 记 来自 outrage(*n.* 暴行) 例 *outrageous* behavior 无耻的行为 同 violent, unrestrained
clairvoyance [kler'vɔɪəns]	*n.* 透视，洞察力 记 词根记忆：clair(看作 clear, 清楚) + voy(看) + ance → 看清楚 → 洞察力 同 penetration
chattel ['tʃætl]	*n.* 财产，动产 记 联想记忆：在战争(battle)中很多人的财产(chattel)都受到了巨大的损失
corpulent* ['kɔːrpjələnt]	*a.* 肥大的，肥胖的 记 词根记忆：corp(躯体) + ulent(多…的) → 身体多脂肪的 → 肥胖的 例 *corpulent* body 肥胖的身躯 同 obese

现在的我白不白？ 不……不太白 candid

obscure * [əb'skjʊr]	*a.* 暗的，朦胧的；模糊的，晦涩的 *vt.* 使暗；使不明显；隐藏
	记 词根记忆：ob + scur(遮盖) + e → 暗的，朦胧的
	例 an *obscure* poem 一首晦涩的诗 // The cheers from the crowd *obscured* the speaker's voice. 人群里爆发出的欢呼声淹没了演讲者的声音。
	派 obscurity(*n.* 费解，隐晦；晦涩不明的事务)；obscured(*a.* 晦涩的；暗的；朦胧的)
	同 dark; dim, vague, indistinct; confuse
rustic * ['rʌstɪk]	*a.* 乡村的；淳朴的
	记 词根记忆：rus(乡村) + tic → 乡村的
	例 The picture showed a typical *rustic* scene. 这张照片展现的是典型的乡村风光。
	同 rural
respondent [rɪ'spɑːndənt]	*n.* 回答问题的人；被告 *a.* 回答的；反应的
	记 来自 respond(*v.* 反应)
table ['teɪbl]	*n.* 桌子，台子；一桌人；表格 *vt.* 搁置；把…列入议事日程
	例 These proposals were *tabled* for reasons unknown. 不知什么原因，这些提议被搁置。
modify ['mɑːdɪfaɪ]	*vt.* 更改，修改，改造；修饰
	记 词根记忆：mod(方式) + ify(使…) → 使改变方式 → 更改
	搭 modify one's approach 更改方法
	例 In this chatting site, one can *modify* the name of the chat room and the picture of his own. 在这个聊天网站上，人们可以更改聊天室的名字和自己的头像。
specialty ['speʃəlti]	*n.* 专业；专长
	记 来自 special(*a.* 专门的，专用的)
dismantle * [dɪs'mæntl]	*vt.* 拆掉…覆盖物；拆卸(机器等)；拆除；废除，取消
	记 联想记忆：dis(去掉) + mantle(覆盖物) → 拆掉…覆盖物
	例 Jim was in the garage, *dismantling* his bike. 吉姆正在车库里拆他的自行车。
astound [ə'staʊnd]	*vt.* 使惊骇，使大吃一惊
	记 联想记忆：a + stound(看作 stout，肥胖的) → 胖得吓人 → 使惊骇
	例 Everyone in the assembly was *astounded* by the President's behavior. 议会里所有的人都对总统的举止感到吃惊。
embargo * [ɪm'bɑːrgoʊ]	*vt.* 禁止(船只)出入港口；禁止通商；禁运
	记 词根记忆：em + bar(障碍) + go → 设置障碍不让通行 → 禁运
	例 In a week, the ship will be *embargoed* at this port. 一星期后，将禁止该船出入此港口。
credulity * [krɪ'duːləti]	*n.* 易信，轻信
	记 词根记忆：cred(相信) + ulity → 轻信

18

disclaim[*] [dɪsˈkleɪm]	*v.* 放弃，弃权；拒绝
	记 词根记忆：dis(否定) + claim(叫喊) → 不叫喊了 → 放弃
	例 Not only did some people *disclaim* their career, but they even began to question the need for the higher education itself. 一些人不仅放弃了他们的事业，甚至还开始质疑高等教育的必要性。

counselor [ˈkaʊnsələr]	*n.* 顾问；律师
	记 来自 counsel(*v.* 劝告，忠告)

gaiety [ˈɡeɪəti]	*n.* 高兴，快乐；喜庆，庆祝活动
	记 发音记忆："该挨踢" → 他把女朋友惹得不高兴了，该挨踢 → 高兴
	同 festivity

genre [ˈʒɑːnrə]	*n.* 类型；流派；体裁，风格
	例 literary *genre* 文学流派
	同 kind, sort

cauterize [ˈkɔːtəraɪz]	*vt.* 烧灼，烙；使麻木不仁
	例 Laser beams may *cauterize* and heal ulcers. 激光束可以烧灼和治疗溃疡。

legacy[*] [ˈleɡəsi]	*n.* 遗赠的财物，遗产
	记 词根记忆：leg(法律) + acy(表性质) → 遗产的分割具有法律效力 → 遗产，遗赠的财物
	例 *legacy* tax 遗产税
	同 bequest

outcome [ˈaʊtkʌm]	*n.* 结果，成果
	记 来自词组 come out(结果)
	例 the final *outcome* 最终的结果

advantageous [ˌædvənˈteɪdʒəs]	*a.* 有利的，有益的
	记 来自 advantage(*n.* 优势，有利条件)
	例 *advantageous* circumstances 有利的情况
	同 favorable

liberate [ˈlɪbəreɪt]	*vt.* 解放；释放
	记 词根记忆：liber(自由) + ate(使) → 使获得自由 → 释放；解放
	例 Jane should be *liberated* from her dismal mind. 简应该从阴郁的心理状态中解脱出来。

commandeer[*] [ˌkɑːmənˈdɪr]	*v.* 强占，征用；征募
	例 80% of the field in this small village was *commandeered* by the local government. 小村里80%的土地都被当地政府征用。
	同 requisition

purse[*] [pɜːrs]	*v.* 撅起嘴 *n.* 钱包，女用小提包；资金，备用款
	例 The woman bought a leather *purse*, which cost her five hundred yuan. 这个女人花了500元买了一个皮质提包。

arrogance * [ˈærəgəns]	n. 傲慢，自大 记 来自 arrogant(a. 傲慢的，自大的) 例 Tom explains his silence as undertone, but Mary interprets it as *arrogance*. 汤姆把他的沉默解释为低调，但玛丽认为那是傲慢。
misconstrue * [ˌmɪskənˈstruː]	v. 误会，误解，曲解 例 A lot of people *misconstrue* the confidence of James as arrogance. 许多人将詹姆斯的自信误解为傲慢。 同 misinterpret
crafty [ˈkrɑːfti]	a. 狡诈的，诡计多端的 记 来自 craft(n. 诡计，手段) 例 The *crafty* politician tried to avoid answering the enquiries of his rival. 狡猾的政客试图避开回答对手的质询。
protean * [ˈprəʊtiən]	a. 变化多端的，多变的 例 The hero of this novel has a *protean* character. 这部小说的主人公性格多变。
brute [bruːt]	n. 野兽；残忍的人 a. 野兽的；残忍的，粗野的 例 The boy's father was very *brute* and always beat him after drinking. 男孩子的父亲很残忍，喝完酒后总打他。
insulated * [ˈɪnsəleɪtɪd]	a. 绝缘的；隔热的；隔音的 记 来自 insulate(vt. 使绝缘；使隔热；使隔音) 例 To secure the children, it's better to take them away from the electricity or use *insulated* facilities. 为保证孩子们的安全，让他们远离电源或是使用绝缘的设备比较好。

18

备考锦囊

语法知识（六）宾语从句（2）

（二）介词的宾语从句

有时候 except, but, besides 等介词后可见到 that 引导的宾语从句。如：I know nothing about my new neighbor except that he used to work in a company. 对于我的新邻居，我只知道他曾在一家公司上班，其他一无所知。

（三）形容词的宾语从句

常用来引导宾语从句的形容词有：sure, certain, glad, please, happy, sorry, afraid, satisfied, surprised。如：I am sure I will pass the exam. 我确信我会通过考试。

Word List 19

音频

词根预习表

her	黏连	coherent *a.* 连贯的	rid	笑	ridiculous *a.* 可笑的
min	小	minute *a.* 微小的	dign	价值	indignant *a.* 愤愤不平的
buk	打	rebuke *vt.* 指责	naiss(=nas, 出生)		renaissance *n.* 新生
ton	声音	monotonous *a.* 单调的	gen	产生	generate *v.* 产生
pond	重量	ponder *v.* 考虑	prehend	抓住	comprehend *vt.* 理解

---

extensive
[ɪk'stensɪv]

a. 广大的；广阔的；广泛的；大量的
记 词根记忆：ex(出) + tens(延伸) + ive(…的) → 延伸出去的 → 广阔的
例 *extensive* reading 泛读 // *extensive* knowledge 广博的知识（面）// *extensive* efforts 巨大的努力
派 extensively(*ad.* 广泛地)

---

agitate
['ædʒɪteɪt]

v. 鼓动，搅动；搅拌；使激动，使不安
搭 agitate against 反对；agitate for 鼓动
例 The economist has been trying to *agitate* for tax reform. 这位经济学家一直极力鼓吹税制改革。
同 disturb

---

misbehavior
[ˌmɪsbɪ'heɪvjər]

n. 不礼貌；品行不端
记 拆分记忆：mis(坏) + behavior(行为) → 品行不端

---

perspective
[pər'spektɪv]

n. 透视画法；透视图；远景，前途；观点，看法
记 词根记忆：per + spect(看) + ive → 透视图
例 a global *perspective* 全面的看法

---

coherent *
[koʊ'hɪrənt]

a. 黏在一起的，黏附的；一致的；连贯的；条理清楚的
记 词根记忆：co + her(黏连) + ent → 黏连在一起 → 连贯的
例 Managers seem to have no *coherent* plan for saving the company. 管理者似乎没有一个协调一致的计划来挽救公司。// a *coherent* argument 条理清楚的论点
派 coherently (*ad.* 条理清楚地；一致地)；cohere (*vi.* 黏合；凝聚)；coherence(*n.* 一致；连贯性)
同 cohesive, coordinated, consistent

---

latest
['leɪtɪst]

a. 最近的，最新的
例 the *latest* trend 最新动向

---

substantial*	*a.* 实质的, 真实的; 坚固的, 结实的; 丰富的, 多的, 可观的
[səbˈstænʃl]	记 来自 substance(*n.* 物质; 实质)
	例 People and things are *substantial*; dreams and ghosts are not. 人和事物是真实存在的, 而梦与鬼魂则不是。// a *substantial* piece of furniture 一件结实的家具 // a *substantial* salary 丰厚的薪水
	派 substantially(*ad.* 充分地; 可观地; 实质上)
peerless*	*a.* 无可匹敌的, 杰出的, 无双的, 无与伦比的
[ˈpɪrləs]	记 联想记忆: peer(同等的人) + less(无…的) → 找不到同等的人 → 无可匹敌的
	例 a *peerless* performance 无与伦比的表演
	同 matchless, incomparable
ridiculous	*a.* 荒谬的, 可笑的, 荒唐的
[rɪˈdɪkjələs]	记 词根记忆: rid(笑) + icul + ous(…的) → 被人嘲笑的 → 荒唐的, 可笑的
	例 a *ridiculous* idea 荒唐的念头
	派 ridiculously(*ad.* 可笑地; 荒谬地; 荒唐地)
	同 absurd
cabal*	*n.* (政治)阴谋小集团; (尤指政治上的)阴谋 *vi.* 策划阴谋
[kəˈbæl]	记 联想记忆: 阴谋集团(cabal) 通过电报(cable) 通报讯息
leisure	*n.* 空闲, 闲暇; 悠闲, 安逸
[ˈliːʒər]	记 联想记忆: "累哟" → 累了就该有空闲(leisure) 休息一下
	搭 at leisure 有空, 闲暇时; 从容不迫地, 不慌不忙地; at one's leisure 在…有空的时候
	例 *leisure* wear 休闲服 // *leisure* time 闲暇时间
	派 leisurely (*a.* 悠闲的, 不慌不忙的, 从容的); leisureliness(*n.* 悠然, 从容)
camaraderie*	*n.* 同志之爱; 友情
[ˌkɑːməˈrɑːdəri]	记 联想记忆: camarade(看作 comrade, 同志) + rie → 同志之爱
misfortune	*n.* 不幸; 灾祸, 灾难
[ˌmɪsˈfɔːrtʃuːn]	记 拆分记忆: mis(坏) + fortune(运气) → 坏运气 → 不幸
	例 a great *misfortune* 巨大的不幸
	同 adversity
irony*	*n.* 具有讽刺意味的事, 出人意料的结果; 反话, 讽刺, 嘲弄
[ˈaɪrəni]	记 联想记忆: iron(铁) + y → 反话就像一把无形的铁剑 → 反话, 讽刺
	例 a trace of *irony* 一丝讽刺
raze*	*vt.* 夷为平地; 拆毁
[reɪz]	记 联想记忆: 彻底破坏(raze) 一个种族(race) → 拆毁
	例 The old theater will be *razed* and replaced with housing. 旧的电影院被拆毁, 盖上了房屋。
	同 demolish

19

leisure
camaraderie
cabal

engrave [ɪnˈɡreɪv]	*vt.* (在…上) 雕刻；(使) 铭记，深印于(心上)，铭刻 记 拆分记忆：en + grave(雕刻) → 雕刻 例 Dave's father wanted the following words *engraved* in his mind. 戴夫的父亲希望他能在心里牢记下面的话。
stimulus [ˈstɪmjələs]	*n.* ([*pl.*] stimuli) 刺激物；促进因素 记 联想记忆：stimul(ate)(刺激) + us(我们) → 刺激我们 → 促进因素 例 Praise is a *stimulus* for better work. 赞扬可激励人们更加努力地工作。 派 stimulate(*v.* 刺激，激励)；stimulation(*n.* 刺激，激励) 同 motivator, spur
cataclysm * [ˈkætəklɪzəm]	*n.* 灾难；大洪水；(社会政治的) 大变动 记 词根记忆：cata(完全) + clysm(洗) → 清洗全世界 → 大洪水 例 Geophysicists have examined these continental scars to tell the story of *cataclysms* that struck the earth long ago. 地球物理学家通过检测这些大陆断层断定很久之前大洪水袭击过地球。 同 catastrophe
attribute * 	[ˈætrɪbjuːt] *n.* 属性；品质；特征 [əˈtrɪbjuːt] *v.* 把…归于；认为…是…所为(有) 记 词根记忆：at + tribut(给予) + e → 把…归于 搭 attribute to 归结于；归功于；因为 例 The literary technique of personification *attributes* human qualities and feelings to lovely animals. 拟人化的文学手法把人类的品质和感情用在了可爱的动物身上。 派 attribution(*n.* 归属)；attributive(*a.* 归属的；属性的 *n.* 定语) 同 quality, ascribe
minute * 	[ˈmɪnɪt] *n.* 分，分钟；笔记；会议记录 *vt.* 记录；摘要 [maɪˈnjuːt] *a.* 微小的，详细的 记 词根记忆：min(小) + ute → 微小的 例 a *minute* examination 详细的检查
cadaverous * [kəˈdævərəs]	*a.* 像尸体的；苍白的 记 来自 cadaver*(*n.* 死尸，尸体) 同 pallid
collage [kəˈlɑːʒ]	*n.* 抽象拼贴画(用报纸、布、压平的花等碎片拼合而成的) 记 联想记忆：大学(college)学生来自五湖四海，就像一幅综合各地特色的拼贴画(collage)
indignant [ɪnˈdɪɡnənt]	*a.* 愤慨的，愤愤不平的 记 词根记忆：in(否定) + dign(价值) + ant → 因为被否定价值而愤愤不平 → 愤愤不平的 搭 be indignant at / with sth. 对某事气愤 例 The writer was understandably *indignant* at his publisher who insisted on giving his book the French title rather than its own German title. 出版商坚持使用该书的法文名称而非书自己的德文名称，作者对此愤愤不平是可以理解的。

reconsider [ˌriːkənˈsɪdər]	*v.* 重新考虑，重新审议 例 We have *reconsidered* your proposals and we have decided to go ahead with the deal. 我们重新考虑了你的建议，决定做这笔生意。
delineate [dɪˈlɪnieɪt]	*vt.* 描绘，描述 记 联想记忆：《红楼梦》描绘（delineate）了一个大家族的兴衰（decline） 例 Donald had the power to *delineate* faithfully what was before him. 唐纳德可以如实描述发生在他眼前的一切。
humiliate [hjuːˈmɪlieɪt]	*vt.* 使屈辱，使丢脸，羞辱 记 词根记忆：hum（地）+ ili + ate（使…）→ 使趴在地上 → 使屈辱 例 Lewis said her son was *humiliated* by his teacher in front of his class. 刘易斯说老师当着全班同学的面羞辱她的儿子。
independent [ˌɪndɪˈpendənt]	*a.* 独立的，自主的 搭 independent of 独立的，不受约束的 例 The art exhibit was self-supporting and was *independent* of public funding. 这个艺术展览是自费的，没有依赖公众的资助。 派 independently（*ad.* 独立地）
rebellious [rɪˈbeljəs]	*a.* 谋反的，反叛的；反抗的；难控制的 记 来自 rebel（*v.* 造反；反叛；反抗） 例 *rebellious* behavior 反叛的行为
rebuke* [rɪˈbjuːk]	*n.* 指责，谴责 *vt.* 指责，非难，训斥 记 词根记忆：re（反）+ buk（=beat，打）+ e → 反打 → 指责 例 When the extent of the pollution became known, the company was publicly *rebuked* by the Governor. 当污染的程度明朗化，那家公司受到了政府官员的公开指责。 同 reprimand*
realm* [relm]	*n.* 王国，国土；领域 记 联想记忆：我的领域（realm）我做主 搭 expand one's realm 扩大领域 例 new discoveries in the *realm* of science 科学领域中的新发现 同 sphere, domain, kingdom, region
baffle [ˈbæfl]	*vt.* 困惑；阻碍；为难 记 发音记忆："拜服了" → 被难倒，所以拜服了 → 为难 例 The exact nature of black holes continues to *baffle* scientists. 黑洞的本质依然困惑着科学家们。
resistance [rɪˈzɪstəns]	*n.* 反抗，抵抗；抵抗力 搭 resistance to sth. 抵制，抵抗 例 obstinate *resistance* 顽强的抵抗 // disease *resistance* 抗病体

19

rebuke
不忠不义 叛
realm rebellious

拜服吧
baffle
迷语

crude [kruːd]	*a.* 天然的，未加工的；粗糙的，拙劣的；粗鲁的 例 *crude* materials 原料 // *crude* manners 粗鲁的举止
anxious [ˈæŋkʃəs]	*a.* 担忧的；渴望的，盼望的 搭 be anxious to 渴望做，急于做；be anxious for 为…担忧 例 Families of the tourists caught in hurricane in India were *anxious* for their safety. 游客们在印度遭到飓风袭击，他们的家人们都十分担心其安全。
eject [iˈdʒekt]	*v.* 喷射，排出；驱逐 记 词根记忆：e(看作 ex，出) + ject(扔) → 扔出去 → 驱逐 例 The chimneys of the factories in the city *eject* a lot of smoke every day. 城市里工厂的烟囱每天都排放出大量的烟尘。 派 ejection(*n.* 喷出；喷出物) 同 expel, remove, evict, erupt
overwork [ˌoʊvərˈwɜːrk]	*n./v.* (使)工作过度 记 拆分记忆：over(超过) + work(工作，劳动) → 工作过度 例 Catherine is so tired because of *overwork* and poor health. 由于过量的工作和较差的健康状况，凯瑟琳非常疲惫。
violation [ˌvaɪəˈleɪʃn]	*n.* 违反，违背；妨碍，侵害 记 来自 violate(*v.* 违反，侵犯)
educe [iˈdjuːs]	*vt.* 得出，导出，引出；唤起；使显出 同 deduce, evoke, elicit, extract
benevolence [bəˈnevələns]	*n.* 仁爱心；善行；善意 记 词根记忆：bene(好) + vol(意志) + ence → 好意 → 仁爱心；善意 例 out of *benevolence* 出于善意
renaissance [ˈrenəsɑːns]	*n.* 复兴，复活，新生；文艺复兴，文艺复兴时期 记 词根记忆：re(重新) + naiss(=nas，出生) + ance → 新生，复兴 同 revival, renewal
quotation [kwoʊˈteɪʃn]	*n.* 引用语，引文 记 来自 quot(*v.* 引用)
clemency* [ˈklemənsi]	*n.* 温和；仁慈，宽厚 记 联想记忆：和 cement(*n.* 水泥)一起记
exhaust [ɪɡˈzɔːst]	*v.* 使筋疲力尽；耗尽；抽完，汲干 *n.* 排气装置；废气 例 The long war has *exhausted* the strength of both countries. 这场持久战耗尽了两国的国力。// *exhaust* pipe 排气管 派 exhaustive * (*a.* 彻底的)；exhausted (*a.* 精疲力竭的；耗尽的)；inexhaustible(*a.* 无穷无尽的)；exhausting(*a.* 使耗尽的)；exhaustion(*n.* 疲惫，筋疲力尽)；exhaustively(*ad.* 用尽一切地)
apposite* [ˈæpəzɪt]	*a.* 适当的，贴切的 记 联想记忆：ap + posite (看作 position，位置) → 摆正自己的位置 → 适当的 例 an *apposite* quotation 恰如其分的引用

accessory * [əkˈsesəri]	*n.* 附件，配件 *a.* 附属的，附加的 记 联想记忆：access(接近) + ory → 与主体配套的、相近的 → 附件，配件 例 A radio is an *accessory* to a car. 收音机是汽车的配件。
promote * [prəˈmoʊt]	*vt.* 促进，发扬；提升，晋升；增进，助长；宣传 记 词根记忆：pro(向前) + mot(动) + e → 使向前动 → 促进 搭 promote mutual understanding 促进相互理解；promote the sale of sth. 促销 例 Plants absorb useful chemicals to *promote* their growth. 植物吸收有用的化学物质以促进自身的生长。// There are posters all over the place *promoting* the new nightclub. 这地方到处都张贴海报来宣传这家新开的夜总会。 派 promoter (*n.* 发起人，创办人)；promotion (*n.* 提升；推销，宣传)；promotor(*n.* 催化剂)；promotional(*a.* 推销的，宣传的) 同 boost, advance
complement * [ˈkɑːmplɪmənt]	*n.* 补足物，补充物 *vt.* 补助，补足 记 词根记忆：com (表加强) + ple (满，填满) + ment → 将其补满的东西 → 补足物 例 Travel can be an excellent *complement* to one's education. 旅行是个人教育的绝佳补充。 派 complementary(*a.* 互补的) complement
ballad [ˈbæləd]	*n.* 民歌；歌谣；叙事歌；流行歌曲；情歌 记 联想记忆：手拿小球(ball)，嘴唱民歌(ballad)
haughty [ˈhɔːti]	*a.* 傲慢的，高傲的，自负的 记 词根记忆：haught(=haut，高的) + y → 以为自己很高 → 傲慢的 例 a *haughty* manner 自负的态度 同 proud, arrogant, lordly, insolent, overbearing, supercilious, disdainful
commission [kəˈmɪʃn]	*n.* 委任，委托；代办(权)，代理(权)；犯(罪)；佣金 *vt.* 委任，任命，委托；委托制作 记 词根记忆：com(表加强) + miss(送) + ion → 送交给某人 → 委任，委托 例 An independent *commission* is to look at whether the government uses volunteers to get public services "on the cheap". 一个独立委员会就政府是否利用志愿者来降低公众服务的开销展开调查。
celebrity [səˈlebrəti]	*n.* 名声；名人，知名人士 例 a global *celebrity* 全球知名人士
alternate	[ˈɔːltərneɪt] *v.* 交替，轮流 [ˈɔːltərnət] *a.* 交替的，轮流的 记 联想记忆：alter(改变) + n + ate(…的) → 交替改变位置的 → 交替的 搭 alternate with / between A and B 交替，轮流 例 I *alternated* between running and riding in my spare time. 闲暇时，我时而跑步，时而骑马。

19

visualize [ˈvɪʒuəlaɪz]	*v.* 形象，形象化 记 来自 visual(*a.* 视觉的) 例 I remember meeting the girl before but I can't *visualize* her. 我记得我以前见过那个女孩，可是想不起来她的样子了。
competence [ˈkɑːmpɪtəns]	*n.* 胜任，能力 记 联想记忆：compete(竞争) + nce → 竞争需要能力 → 胜任，能力 派 competent(*a.* 能干的)
fuse [fjuːz]	*n.* 保险丝，导火线 *v.* 熔化，熔合；(保险丝)烧断，(电器等)因保险丝烧断而中断工作 记 联想记忆：温度不够高就不会(refuse)熔化(fuse) 例 When the lights *fused*, the library got completely dark. 保险丝烧断使灯灭了，图书馆里一片漆黑。 派 fusion(*n.* 熔解；核聚变)；fusible(*a.* 熔解的，可熔的) 同 smelt
besmirch * [bɪˈsmɜːrtʃ]	*vt.* 弄污；诽谤；玷污 记 联想记忆：be + smirch(污点) → 被弄上污点 → 弄污 例 Nor is it the first time that Neil's good name has been *besmirched*. 这不是尼尔的名声第一次受到玷污。 同 sully, soil
overleap [ˌoʊvərˈliːp]	*v.* 越过；跳过；忽视，忽略 例 Never *overleap* the details. 千万不要忽视细节。
colleague [ˈkɑːliːɡ]	*n.* 同事，同僚 记 联想记忆：col(共同) + league(联盟) → 工作于同一个联盟 → 同事
calculus [ˈkælkjələs]	*n.* 微积分学；结石 记 词根记忆：calcul(计算) + us → 计算的学问 → 微积分学
withstand * [wɪðˈstænd]	*v.* 抵挡，反抗；经得住，耐(磨，穿) 记 联想记忆：with + stand(站起来抵抗) → 抵挡，反抗 例 Undoubtedly the explorers have to *withstand* hardships. 毫无疑问，那些探险家得经得住艰难险阻。
charming [ˈtʃɑːrmɪŋ]	*a.* 令人高兴的；迷人的，有魅力的 记 来自 charm(*n.* 吸引力；魅力)
apostasy [əˈpɑːstəsi]	*n.* 变节；背教；脱党 记 词根记忆：apo(远) + sta(站) + sy → 大难来临，靠边站 → 变节
considerable [kənˈsɪdərəbl]	*a.* 相当大(或多)的，可观的；值得考虑的，重要的 记 联想记忆：consider(考虑) + able(能…的) → 能纳入考虑范围的 → 重要的 例 The scale of this rebuilding process and its *considerable* effect on the cities raise a number of pertinent issues. 重建过程的规模和它给城市带来的巨大影响引发了很多相关问题。// a *considerable* person 重要人物

charming

concurrent [kənˈkɜːrənt]	*a.* 并发的；协作的，一致的 记 来自concur(*v.* 意见相同；同时发生) 例 *concurrent* developments 同步发展 // *concurrent* opinions 一致的看法
cadaver [kəˈdævər]	*n.* 死尸，尸体 记 联想记忆：cad(=fall, 倒下) + aver(看作over) → 生命结束后倒下 → 尸体
cache * [kæʃ]	*n.* 隐藏处所；隐藏的粮食或物资，贮藏物 记 联想记忆：c + ache(痛) → 将痛藏于心 → 隐藏处所；发音和cash(现金)一样，把现金藏起来 例 a *cache* of drugs 毒品藏匿地
cajole * [kəˈdʒoʊl]	*vt.* (以甜言蜜语)哄骗，勾引 记 联想记忆：caj(=cage, 笼子) + ole → 把(鸟)诱入笼子 → 哄骗 例 The most effective technique is to *cajole* rather than to threaten. 最有效的手段是哄骗而不是威胁。 同 coax
swift [swɪft]	*a.* 快速的，快捷的，敏捷的 记 联想记忆：这部电梯(lift) 很快(swift) 例 a *swift* reply 快捷的答复
esteem * [ɪˈstiːm]	*n./vt.* 尊重，敬重 记 联想记忆：我们应该尊重(esteem) 队(team) 里的每位成员 例 The President admired the man's abilities and *esteemed* his character. 总统钦佩那人的能力，敬重他的人品。
suppress * [səˈpres]	*vt.* 镇压，压制；抑制，忍住 记 词根记忆：sup(在下面) + press(压) → 压下去 → 镇压 例 Howard fought to *suppress* the rage in his voice. 霍华德强压住声音里的怒火。 派 suppressant(*n.* 抑制物)；suppression(*n.* 镇压；抑制) 同 squash, restrain, stunt
surpass [sərˈpæs]	*vt.* 超过，超越；胜过 记 词根记忆：sur(超过) + pass(迈步走) → 步伐快，超过别人 → 超越 例 The permanent achievements of her reign were not *surpassed* by any other ruler of the age. 在她统治时期所取得的永久性功绩是同时代的其他任何统治者都无法超越的。 派 surpassingly(*ad.* 超群地，卓越地) 同 exceed, surmount
suspect	[ˌsəˈspekt] *v.* 怀疑，猜疑，疑心 [ˈsʌspekt] *n.* 嫌疑犯 *a.* 令人怀疑的 记 词根记忆：sus(下面) + pect(=spect 看) → 在下面看一看 → 怀疑 例 Some researchers *suspect* the apes may be a branch of giant chimpanzees. 一些研究人员怀疑猿猴可能是大猩猩的一个分支。// The *suspect*'s fingerprints were proof that he had held the gun. 嫌疑犯的指纹就是他曾握过这把枪的证据。

choleric * [ˈkɑːlərɪk]	*a.* 易怒的，暴燥的 记 来自 choler（*n.* 暴怒） 例 The driver was a *choleric* and ill-tempered man. 那名司机是个易怒且脾气暴躁的人。
predict [prɪˈdɪkt]	*v.* 预言，预测，预告 记 词根记忆：pre（预先）+ dict（说）→ 预言，预测 例 Scientists will analyze the current data on earthquakes and explore how to *predict* them exactly. 科学家将对现有的地震数据进行分析并探索如何精确地预测地震。 同 foretell
comprehend [ˌkɑːmprɪˈhend]	*vt.* 理解，了解 记 词根记忆：com（全部）+ prehend（抓住）→ 全部抓住 → 理解 例 Many people can not *comprehend* the subtle difference between segregation in the South and racial imbalance in the North. 很多人无法理解（美国）南方的种族隔离与（美国）北方的种族不平等间存在的微妙差别。
monotonous [məˈnɑːtənəs]	*a.* 单调的，乏味的 记 词根记忆：mono（单个）+ ton（声音）+ ous → 只有一个声音 → 单调的 例 *monotonous* work 单调乏味的工作
aptitude * [ˈæptɪtuːd]	*n.* 能力，才能；天资 记 词根记忆：apt（适合）+ itude（表状态）→ 有能力的才适合 → 能力 例 *aptitude* test 能力测试
disfigure * [dɪsˈfɪɡjər]	*v.* 损毁外貌；使变丑；毁容 记 联想记忆：dis（离开）+ figure（形状）→ 离开本来形状 → 损毁外貌 例 The criminal should be responsible for the injury that permanently *disfigured* the child. 那名罪犯应该对这个孩子受到的永久性毁容伤害负责。
resolute [ˈrezəluːt]	*a.* 坚决的，果断的 记 词根记忆：re（不）+ solu（松开）+ te → 坚持不松懈 → 坚决的 例 a *resolute* attitude 果断的态度 同 resolved
acquisition [ˌækwɪˈzɪʃn]	*n.* 获得；获得物；习得 例 theories of child language *acquisitions* 幼儿语言习得理论
quantity [ˈkwɑːntəti]	*n.* 量，数量 记 联想记忆：量（quantity）变引起质（quality）变 搭 in quantity 大量 例 Buy vegetables in small *quantities* for your immediate use. 一次少买点蔬菜，够当时用的就行。
rob [rɑːb]	*v.* 抢夺，抢掠；剥夺 搭 rob of（非法）剥夺，使丧失；rob sb. of sth. 从某人那里抢走某物 例 Two men tried to *rob* him as Adam left the restaurant. 当亚当离开饭店时，有两个男人企图抢劫他。

□ choleric　　□ predict　　□ comprehend　　□ monotonous　　□ aptitude　　□ disfigure
□ resolute　　□ acquisition　　□ quantity　　□ rob

classify [ˈklæsɪfaɪ]	*vt.* 分类，分等；将…归入某类(或某等级) 记 词根记忆：class(种类) + ify → 分出种类 → 分类 例 California becomes the first US state to *classify* second-hand tobacco smoke as a toxic air pollutant. 加利福尼亚是美国第一个将二手烟烟雾归入有毒空气污染物的州。 派 classification(*n.* 分类，分类法；级别)
benison [ˈbenɪzən]	*n.* 祝福 记 联想记忆：和 pension(*n.* 养老金) 一起记
ponder [ˈpɑːndər]	*v.* 思索，考虑，沉思 记 词根记忆：pond(重量) + er → 掂重量 → 考虑 搭 ponder on/over sth. 仔细思索某事 例 The long holiday gave me enough time to rest and to *ponder* on all that had gone and was to come. 长假期使我有充足的时间休息并考虑过去及未来。
involve [ɪnˈvɑːlv]	*vt.* 使(某人)卷入，陷入，连累；包含，含有，涉及 记 词根记忆：in(使…) + volv(卷)+e → 使卷入 搭 involve in 卷入，参加 例 Twenty vehicles were *involved* in one separate chainreaction accidents Thursday morning because of thick fog. 周四早晨，由于浓雾，20 辆车卷入了一起连环交通事故。 派 involvement(*n.* 卷入，涉及); involved(*a.* 有关的，牵连在内的)
mock* [mɑːk]	*v.* 嘲笑，讥笑 *a.* 仿制的，假装的；模拟的，演习的 *n.* 模拟考试 记 联想记忆：三个和尚 (monk) 没水吃，遭人讥笑(mock) 例 The crowd in the street *mocked* the king's foolish action. 街上的人群嘲笑国王愚蠢的行为。 // a *mock* examination 模拟考试 同 ridicule, deride, taunt, tease
reaction [riˈækʃn]	*n.* 反应；反作用 搭 reaction against 反动，对抗 例 an instantaneous *reaction* 即时反应
idle [ˈaɪdl]	*a.* 空闲的，闲置的；无用的，无效的；懒散的 *v.* 空费；虚度，浪费 记 联想记忆：他成为偶像(idol) 后变懒(idle) 了 搭 idle away 虚度(光阴)；idle about 无所事事 例 a lot of *idle* machinery 许多闲置的机器 // I used to *idle* away the hours watching TV. 我过去常把时间浪费在看电视上。 同 lazy
habituate [həˈbɪtʃueɪt]	*vt.* 使习惯于 记 联想记忆：habit(习惯) + u + ate(使…) → 使习惯于 例 Some patients with severe headache problems have become *habituated* to drugs treatment. 一些患有严重头痛的病人已经习惯了药物治疗。

mock

19

glimpse [glɪmps]	*n./v.* 一瞥，瞥见，看一眼 记 联想记忆：与 glance(一瞥)一起记 例 a keen *glimpse* 敏锐的一瞥 // Lewis *glimpsed* down at his wristwatch and rushed toward the bus station. 刘易斯低头匆匆看了一眼手表，然后冲向了汽车站。
commiserate * [kəˈmɪzəreɪt]	*v.* 怜悯，同情 记 词根记忆：com (=with, 带有) + miser(可怜) + ate → 带有同情之心 → 怜悯，同情 搭 commiserate with sb. 同情某人 例 When Kevin failed his exams, I called him up and *commiserated* with him. 当凯文考试失败后，我打电话向他表示同情。
oratory [ˈɔːrətɔːri]	*n.* 讲演术 记 来自 orate(*vi.* 演讲)
anachronism [əˈnækrənɪzəm]	*n.* 不合时代的人或事；过时现象(或人物) 记 词根记忆：ana(错) + chron(时间) + ism → 生不逢时 → 不合时代的人 例 The way Adam writes something is considered as an *anachronism*. 亚当的写作方法被认为是过时的。
neural [ˈnʊrəl]	*a.* 神经系统的，神经的 例 *neural* transmission 神经传递
fickle * [ˈfɪkl]	*a.* (在感情等方面) 变化无常的，多变的；浮躁的 记 联想记忆：他和她之间的友谊只值五分钱 (nickle)，靠不住 → 变化无常的，多变的 例 a *fickle* friend 靠不住的朋友 同 inconstant, capricious, unstable
unconscious [ʌnˈkɑːnʃəs]	*a.* 无意识的，失去知觉的；不知道的，未发觉的 记 词根记忆：un(无) + con + sci(知道) + ous → 无意识的，失去知觉的 例 The man was quite *unconscious* of the danger. 那名男子没有意识到危险的存在。// an *unconscious* error 无意识的错误
atheism [ˈeɪθiːɪzəm]	*n.* 无神论，不信神 记 联想记忆：a(无) + the(表神) + ism → 无神论
generate * [ˈdʒenəreɪt]	*v.* 生成，产生(光、热、电等)；引起，导致；生育，生殖 记 词根记忆：gen (产生) + er + ate(做) → 产生，生成 例 Our company needs new staff to *generate* energy. 我们公司需要新的工作人员产生活力。
bloat [bloʊt]	*v.* 熏制(鲱鱼等)；(使)肿胀；使自大 例 The basketball player's arm has *bloated* after hurt during the game. 篮球运动员的胳膊在比赛中碰伤后肿了起来。
disaffected * [ˌdɪsəˈfektɪd]	*a.* 抱不平的；有叛意的，不忠的；不服的 例 The teachers in high school found it difficult to deal with the *disaffected* teenagers. 高中的老师们发现叛逆的青少年很难管教。

amalgamate * [əˈmælgəmeɪt]	*v.* 合并，联合 例 To enhance the competitive power, several colleges have *amalgamated* to form a new university. 为了增强竞争力，一些学院合并组建了一所新的大学。 同 merge, mix
rent * [rent]	*v.* 租，出租，租赁 *n.* 租金；出租；裂缝，裂口 例 The landlord asked me to pay more *rent* because my room was bigger. 房东要我付更多的租金，因为我的屋子比较大。
fell * [fel]	*n.* 兽皮 *v.* 砍伐；打到，击倒 *a.* 凶猛的 记 联想记忆：和 fall(*v.* 落下)的过去式 fell 区别记忆 例 According to this program, the caveman wore *fell* and ate cooked food. 根据这个节目的说法，穴居人穿兽皮，吃熟食。
concomitant * [kənˈkɑːmɪtənt]	*a.* 同时发生的，伴随而来的 *n.* 同时发生的事；伴随的事物 记 联想记忆：con(共同) + com(看作 come) + itant → 一起来 → 伴随而来的 例 Loss of memory and hearing are *concomitants* of old age. 随着年龄增大，会出现记忆力和听力的丧失。 同 accompaniment
willful * [ˈwɪlfl]	*a.* 任性的，固执的；故意的 例 No one can believe that the *willful* girl becomes a polite and elegant woman. 没人相信，那个任性的小女孩变成了一个礼貌优雅的女子。

19

语法知识（七）宾语从句（3）

（四）if, whether 在宾语从句中的区别：

1. if 和 whether 在作"是否"讲时，引导宾语从句常放在动词 know, ask, care, wonder, find out 等之后，介词后一般不用 if。

2. 少数动词，如：leave, put, discuss, doubt 后的宾语从句常用 whether 引导。

3. whether 后可以加 or not，但是 if 不可以。

4. 在不定式前只能用 whether，如：I can't decide whether to stay. 我不能决定是否留下。

5. 可能出现歧义时，我们常用 whether 而不用 if。

词根预习表

fer	搬运	defer *vi.* 推迟	lect	选择	intellect *n.* 智力
sip	扔	dissipate *v.* 消散	lut	冲，洗	ablution *n.* 清洗
per	安排	imperative *a.* 强制的	scrib	写	subscribe *v.* 签字
front	额头，脸	confront *vt.* 使面临	culp	罪行	culpable *a.* 该谴责的
tempor	时间	contemporary *a.* 同时代的	ferv	沸腾	fervent *a.* 热烈的

explicit * [ɪkˈsplɪsɪt]	*a.* 清晰的，明确的，详述的；直率的，毫不隐瞒的 记 词根记忆：ex + plic(重) + it → 重复了几次 → 明确的 例 *explicit* directions 详尽明确的指示
estrange [ɪˈstreɪndʒ]	*vt.* 使疏远，使感情失和 记 来自 strange(*a.* 生疏的，不亲近的)
factual [ˈfæktʃuəl]	*a.* 根据事实的；事实的；真实的 记 来自 fact(*n.* 事实，真相) 例 *factual* information 真实的信息
defer * [dɪˈfɜːr]	*vi.* 推迟，延期；听从，服从 *vt.* 使推迟，使延期 记 词根记忆：de(向下) + fer(搬运) → 向下搬运 → 推迟 搭 defer to 听从，顺从 例 College loan payments are *deferred* until students finish their degrees. 大学助学贷款可以等到学生完成学业后再偿还。// I will be happy to *defer* to your advice on these matters. 关于这些事情，我乐意听从您的建议。
burnish * [ˈbɜːrnɪʃ]	*v.* 磨光；擦亮(金属) 记 联想记忆：burn(烧) + ish → 烧得发亮 → 磨光；擦亮(金属) 例 The corporation is trying to *burnish* its socially responsible image. 这家公司正试图打造出一个对社会负责的光辉形象。// *burnished* gold/copper 经过抛光的金子/黄铜
outlaw [ˈaʊtlɔː]	*n.* 罪犯，歹徒 记 来自 law(*n.* 法律) 例 a hunted *outlaw* 逃犯
catalog / catalogue [ˈkætəlɔːɡ]	*n.* 目录；目录册 例 Do you have a *catalog* or something that tell me about your company? 你有没有产品目录或者向我们介绍贵公司的材料？

ameliorate [əˈmiːliəreɪt]	*v.* 改善，改进
	记 词根记忆：a + melior(=better, 更好) + ate(使) → 使更好 → 改善，改进
	例 The reform aimed at *ameliorating* the economic and social environment. 这次改革旨在改善经济和社会环境。
socialize [ˈsoʊʃəlaɪz]	*v.* 交往，交际；使适应社会生活
	记 来自 social(*a.* 社会的)
	搭 socialize with 和…交往
	例 People in big cities don't *socialize* with their neighbours as much as they used to. 大城市的人们和邻居间的交往没有过去多。
awkward [ˈɔːkwərd]	*a.* 笨拙的，不灵活的；棘手的；尴尬的；使用不便的
	记 发音记忆："拗口的" → 笨拙的，不灵活的
	例 an *awkward* teenager 一位笨拙的少年 // an *awkward* silence 一阵尴尬的沉默
	派 awkwardly(*ad.* 笨拙地；不协调地)；awkwardness(*n.* 笨拙；尴尬)
	同 clumsy, gauche*
annual [ˈænjuəl]	*n.* 年刊，年鉴；一年生植物 *a.* 年度的，每年的；按年度计算的
	记 词根记忆：ann(年) + ual(…的) → 年度的
	例 an *annual* report 年度报告 // *annual* rainfall 全年降雨量
carrion [ˈkæriən]	*n.* 死肉；腐肉
	记 词根记忆：carr(=carn, 肉) + ion → 腐肉
charter [ˈtʃɑːrtər]	*vt.* 租，包(船、车等) *n.* 特许状；章程；宪章
	记 联想记忆：chart(航图，图表) + er → 租船要准备好航行图 → 租，包
	例 royal *charter* 皇家特许状
mythology [mɪˈθɑːlədʒi]	*n.* 神话；神话学；神话集
	记 来自 myth(*n.* 神话)
	例 classical *mythology* 经典神话
idealist [aɪˈdiːəlɪst]	*n.* 理想主义者
	例 a musical *idealist* 一位音乐理想主义者
trivial [ˈtrɪviəl]	*a.* 琐碎的；无足轻重的
	例 *trivial* matters 琐事
	同 trifling, petty*
casual [ˈkæʒuəl]	*a.* 偶然的；临时的；随便的，非正式的
	记 联想记忆：平常的(usual) 时候可以穿非正式的(casual) 服装
	例 a *casual* meeting 邂逅 // a *casual* worker 临时工
askew [əˈskjuː]	*a.* 歪斜的 *ad.* 歪地，斜地
	记 联想记忆：ask(问) + ew(看作 we, 我们) → 我们歪着脑袋问问题 → 歪斜的
	例 Shirley's hat was *askew*, so she adjusted it in the mirror. 雪莉的帽子戴歪了，于是她对着镜子把它扶正了。

20

acerbity * [əˈsɜːrbəti]	*n.* 涩，酸；刻薄 记 来自 acerb (*a.* 酸涩的；刻薄的)
dissolve [dɪˈzɑːlv]	*v.* (使) 溶解；(使) 融化；(使) 分解 记 词根记忆: dis (分离) + solv (松开) + e → 使松开，使分离 → (使) 分解 搭 dissolve in 融解于 例 The sugar has completely *dissolved* in the milk. 糖完全融化在牛奶里。 派 dissolution* (*n.* 分解，溶解) 同 melt, liquefy, eliminate
circulate [ˈsɜːrkjəleɪt]	*v.* (使) 流通；(使) 循环；(使) 传播 记 词根记忆: circ (环) + ul + ate (使…) → 使绕环走 → (使) 循环，(使) 流通 例 The company's intranet allows information to *circulate* rapidly. 这家公司的内部互联网可以迅速地传播信息。
clumsy [ˈklʌmzi]	*a.* 笨拙的；设计粗陋的；无策略的 记 词根记忆: c + lum (看作 lumin，亮度) + sy → 没有亮光，不灵光 → 笨拙的 例 a *clumsy* attempt 笨拙的尝试
asinine [ˈæsɪnaɪn]	*a.* 愚笨的，愚蠢的 记 联想记忆: a + sin (过错) + ine → 愚蠢的人容易犯错 → 愚蠢的 例 *asinine* behavior 愚蠢的行为
intellect * [ˈɪntəlekt]	*n.* 智力，才智；有高智慧和推理能力的人 记 词根记忆: intel (在…之间) + lect (选择) → 选择的能力 → 智力 例 a man of considerable *intellect* 相当有才智的人 同 intelligence
conviction * [kənˈvɪkʃn]	*n.* 信念，信仰；定罪，判罪 记 来自 convince (*vt.* 使确信，使信服) 例 Americans hold the *conviction* that anyone will become rich if they work hard. 美国人深信，人只要努力工作，就能变得富有。
discount * [ˈdɪskaʊnt]	*n.* 折扣；贴现率 *v.* 打折；贴现 记 词根记忆: dis (不) + count (计算) → 有一部分不计算在内 → 折扣；打折 搭 make a discount 打折
amass * [əˈmæs]	*vt.* 收集，积累，积聚 (尤指财富) 记 来自 mass (*n.* 堆，大量) 例 The old man saw no pleasure in life but to *amass* riches. 这个老人将敛财看作生活的唯一乐趣。 同 accumulate
champion * [ˈtʃæmpiən]	*n.* 冠军，优胜者；斗士，拥护者 记 发音记忆: "产品" → 冠军是付出无数汗水后的"产品" → 冠军 同 warrior, fighter

coup* [kuː]	*n.* 意外而成功的行动；政变 记 联想记忆：以摔杯子（cup）为信号发动的政变（coup） 例 It was a *coup* for the local paper to get an exclusive interview with the President. 对那家当地的报纸而言，能够独家采访总统真是出人意料的事。
charge [tʃɑːrdʒ]	*n.* [*pl.*] 费用；指控；掌管；电荷，充电量 *v.* 收费；控告，指控；充电 记 联想记忆：要改变（change）就得付出代价（charge） 搭 in charge of 管理，负责；take charge of 担任，负责 例 Two men were *charged* with the murder of a man who suffered a heart attack. 两名男子被控杀害了一名心脏病患者。// Any defective item will be replaced free of *charge* if it is returned within 30 days. 残次品可在 30 天内免费更换。// Senator Orrin will be in *charge* of a new Senate panel responsible for writing copyright laws. 议员奥林将主管负责撰写版权法的议会小组。
ubiquitous* [juːˈbɪkwɪtəs]	*a.* （似乎）普遍存在的，无处不有的 例 Internet bars are *ubiquitous* these days. 如今到处都有网吧。
dissipate* [ˈdɪsɪpeɪt]	*v.* （使）消散，（使）消失；浪费，挥霍 记 词根记忆：dis（分离）+ sip（扔）+ ate → 一扔就分离了 → 消散，消失 例 Little by little, the smoke is *dissipated* by the breeze. 烟被风渐渐吹散了。// Julian's savings will soon be *dissipated*. 朱利安的积蓄不久就会被挥霍光的。 同 dispel, scatter, squander
influential [ˌɪnfluˈenʃl]	*a.* 有影响的；有权势的 记 来自 influence（*n.* 影响；势力） 例 an *influential* figure 有影响力的人物
averse [əˈvɜːrs]	*a.* 厌恶的；反对的；不喜欢 记 词根记忆：a（离去）+ vers（转）+ e → 脱离某物转移的 → 厌恶的；反对的 搭 be averse to sth. / doing sth. 不喜欢（反对）某事/做某事 例 I'm not *averse* to the occasional glass of champagne myself. 我本人不反对偶尔喝上一杯香槟。
ablution [əˈbluːʃn]	*n.* 清洗；沐浴；洗礼 记 词根记忆：ab（去）+ lut（冲，洗）+ ion → 洗去 → 清洗，沐浴
malignant* [məˈlɪɡnənt]	*a.* 恶性的，致命的；恶意的，恶毒的 记 词根记忆：mali（坏）+ gn（产生）+ ant → 使产生恶性后果的 → 恶性的；恶意的 例 *malignant* cells 恶性癌细胞
imperative* [ɪmˈperətɪv]	*a.* 强制的；必要的；紧急的 *n.* 必要的事，必须完成的事；祈使语气 记 词根记忆：im（加强）+ per（安排）+ ative → 强制的；紧急的 例 an *imperative* duty 紧急任务 // social *imperatives* 社会职责 同 necessary, urgent

20

adverse * [ˈædvɜːrs]	*a.* 不利的；有害的 记 词根记忆：ad(向) + vers(转) + e → 向不好的方向转 → 不利的；有害的 例 *adverse* circumstances 逆境 派 adversely(*ad.* 不利地，有害地)；adversity(*n.* 逆境) 同 unfavorable, harmful
subscribe [səbˈskraɪb]	*v.* 订购，订阅；签字，签署；同意，赞同 记 词根记忆：sub(下面) + scrib(写) + e → 在文件下面签字 → 签字，签署 搭 subscribe to 订阅；签署；同意 例 Many parents *subscribed* to the view that children should be given responsibility from an early age. 很多父母都赞成应该从小培养孩子的责任感。
cognitive * [ˈkɑːɡnətɪv]	*a.* 认知的，认识的，有感知的 记 词根记忆：co(一起) + gn(知道) + itive → 认知的，认识的 例 As children grow older, their *cognitive* processes become sharper. 随着孩子们逐渐长大，他们的认知方法也会变得更加敏锐。 派 cognitively(*ad.* 认知地)
disrupt [dɪsˈrʌpt]	*vt.* 使分裂，使瓦解；使陷于混乱；使中断 记 词根记忆：dis(分开) + rupt(断) → 使断裂开 → 使分裂，使瓦解 例 Climate change is *disrupting* the regularity of the seasons. 气候的变化使得季节的规律性被打乱了。 同 interrupt, disturb
hurricane [ˈhɜːrəkən]	*n.* 飓风 记 联想记忆：飓风(hurricane) 能够(can) 一下子(hurry) 把树木连根拔起
advert 	[ædˈvɜːrt] *vi.* 注意，留意 [ˈædvɜːrt] *n.* 广告 记 词根记忆：ad(强调) + vert(转) → 转移视线 → 注意，留意 例 I shall particularly *advert* to the contents that I disapprove of. 我会特别留意我不赞成的内容。
decent [ˈdiːsnt]	*a.* 体面的，像样的；正派的，合乎礼仪的；合适的 记 联想记忆：体面的(decent) 人不在乎那点美分(cent) 例 This movie is not *decent* for children to see, because it contains too much violence. 这部电影不适合小孩子观看，因为影片中包含太多的暴力场面。 同 honorable, suitable, satisfactory
limitation [ˌlɪmɪˈteɪʃn]	*n.* 限制，局限 记 来自 limit(*vt.* 限制) 例 *limitation* of actions 诉讼时效
confront [kənˈfrʌnt]	*vt.* 使面临，使遭遇；使面对(危险等) 记 词根记忆：con(一起) + front(额头，脸) → 使面对面 → 使面临，使遭遇 搭 be confronted with 面对 例 Customers are *confronted* with a bewildering amount of choices. 消费者面临着很多让人困惑的选择。 派 confrontation(*n.* 对抗)；confrontational(*a.* 对抗的；抵触的)

suspense [səˈspens]	*n.* 焦虑，担心；悬念，悬而不决 记 词根记忆：sus(下面) + pens(悬挂) + e → 心在下面悬着 → 担心 例 The author tried to add an element of *suspense* and mystery to his novel. 作者试图给他的小说添加一些悬念和神秘色彩。
intermittent* [ˌɪntərˈmɪtənt]	*a.* 间歇的，断断续续的 记 来自 intermit(*v.* 暂停，中断) 例 *intermittent* rain 阵雨
gesture [ˈdʒestʃər]	*n.* 姿势；手势 例 *gesture* language 手语
avocation [ˌævoʊˈkeɪʃn]	*n.* (个人) 副业；业余爱好 记 来自 vocation(*n.* 职业) 同 hobby
degenerate* [dɪˈdʒenəreɪt]	*v.* (体力或精神)衰退；堕落；恶化 *a.* 堕落的，退化的 记 来自 generate(*v.* 产生，发生) 例 Inactivity can make your joints stiff, and the bones may begin to *degenerate*. 缺少活动会使你的关节变得僵硬，骨骼也可能会开始软化。 派 degeneration(*n.* 恶化，退化的过程) 同 vicious
theorist [ˈθiːərɪst]	*n.* 理论家；空谈家 记 来自 theory(*n.* 理论)
culpable [ˈkʌlpəbl]	*a.* 该谴责的；难辞其咎的 记 词根记忆：culp(罪行) + able → 该谴责的 例 Lynn was held *culpable* for all that had happened. 林恩对所发生的所有事情要负责。 同 blamable, guilty
pamphlet [ˈpæmflət]	*n.* 小册子 记 来自拉丁文 pamphilus，是一首爱情名诗 例 a single-article *pamphlet* 单行本 同 booklet, brochure
commodity [kəˈmɑːdəti]	*n.* 商品；物品 记 词根记忆：com(一起) + mod(种类) + ity → 各种各样的东西放在一起卖 → 商品 例 *commodity* economy 商品经济 同 goods
contemporary* [kənˈtempəreri]	*a.* 现代的，当代的；同时代的 记 词根记忆：con(共同) + tempor(时间) + ary(…的) → 同时代的 例 *contemporary* literature 当代文学
callow* [ˈkæloʊ]	*a.* 既不成熟又无经验的；(鸟) 未生羽毛的 记 联想记忆：未长羽毛的(callow) 鸟叫声(call) 低(low) 例 a *callow* young man 一个没有经验的年轻人 同 immature

gesture

20

□ suspense　　□ intermittent　　□ gesture　　　△ avocation　　□ degenerate　　□ theorist
□ culpable　　□ pamphlet　　□ commodity　　□ contemporary　□ callow

223

jeopardize * [ˈdʒepərdaɪz]	*vt.* 危害，危及 例 Many feared that the continuing insecurity would *jeopardize* the chances of elections being held successfully. 许多人担心持续的不安定现状可能会危及选举的成功举行。 同 imperil
schedule [ˈskedʒuːl]	*n.* 目录，清单，一览表；计划表，时间表，课程表 搭 ahead of schedule 提前；on schedule 按照预定时间，准时；behind schedule 晚点；be scheduled for 定在某时（进行）
audacious * [ɔːˈdeɪʃəs]	*a.* 大胆的；鲁莽的 记 联想记忆：观众 (audience) 中有几个大胆的 (audacious) 例 *audacious* behavior 无礼的行为 同 adventurous, rash
autonomy [ɔːˈtɑːnəmi]	*n.* 自治，自治权；人身自由，自主权 记 词根记忆：auto(自己) + nomy → 自治，自治权 例 a campaign in Wales for greater *autonomy* 在威尔士爆发的要求更大自治权的游行运动 // Being in employment has given these women personal confidence, a sense of independence, *autonomy* and pride. 上班会让女性觉得有自信、有独立感、有自主权及自豪感。 派 autonomous(*a.* 自治的；独立自主的)
amity * [ˈæməti]	*n.* 友好，亲善关系 记 词根记忆：am(爱) + ity → 友爱 → 友好 例 Alfred's parents hoped to see some sign of *amity* between him and his brother. 艾尔弗雷德的父母希望他们兄弟之间能和睦相处。
badger * [ˈbædʒər]	*n.* 獾；獾皮，獾毛 *vt.* 烦扰；纠缠 记 联想记忆：老烦扰(badger)别人是不好的(bad)行为 例 Reporters constantly *badger* the singer about her private life. 记者一直纠缠着那位歌手，想要打听她的私生活。
fervent * [ˈfɜːrvənt]	*a.* 热心的，热诚的；热烈的，强烈的 记 词根记忆：ferv(沸腾) + ent → 热心的；热烈的 例 *fervent* believer 虔诚的信徒
accumulate [əˈkjuːmjəleɪt]	*v.* 积累，堆积，积聚 记 词根记忆：ac （加强） + cumul （堆积） + ate （使） → 使堆积起来 → 积累 例 It is worthwhile to invest savings when they *accumulate* to a certain sum. 当储蓄积攒到一定数量的时候，拿它们来投资是值得的。 派 accumulation (*n.* 积累，堆积物)；accumulated(*a.* 积聚的，积累的)

alchemy * [ˈælkəmi]	*n.* 炼金术 记 词根记忆：al + chem(灌注) + y → 把普通金属灌注到容器里炼金 → 炼金术
scrutiny [ˈskruːtəni]	*n.* 详细检查，仔细观察 记 联想记忆：scru(音似：四顾) + tiny(细微的) → 连细微的东西都要顾到 → 详细检查 例 Airlines have increased their *scrutiny* of the size and amount of carry-on luggage. 航空公司增加了对手提行李的尺寸和数量的审查。 同 examination
coalition * [ˌkoʊəˈlɪʃn]	*n.* 合并；接合；联合 记 来自 coalize(*v.* 加入联盟) 例 a *coalition* government 联合政府 同 union
transition * [trænˈzɪʃn]	*n.* 转变，过渡，变迁 记 来自 transit(*v.* 转变) 例 the *transition* from school to full-time work 由学校生活向全职工作的转变 派 transitional(*a.* 变迁的，过渡期的) 同 transformation, change
exceptional * [ɪkˈsepʃənl]	*a.* 异常的；特殊的；杰出的 记 来自 exception (*n.* 例外，除外) 例 an *exceptional* achievement 卓越的成就 // *exceptional* children 残障儿童 同 rare, extraordinary, outstanding, unusual
immortal [ɪˈmɔːrtl]	*a.* 不朽的；不会消亡的；流芳百世的 记 词根记忆：im(不) + mort(死) + al(…的) → 不朽的 例 an *immortal* soul 不朽的灵魂 同 imperishable
enterprise [ˈentərpraɪz]	*n.* (艰巨、复杂或冒险的)事业；企业；事业心，进取心；冒险精神 记 联想记忆：enter(进入) + prise(看作 prize，奖品) → 想进入决赛拿到奖品需要冒险精神 → 冒险精神 例 a backbone *enterprise* 骨干企业
imaginative [ɪˈmædʒɪnətɪv]	*a.* 富有想象力的，想象的；幻想的，虚构的 记 来自 imagination (*n.* 想象，想象力) 例 an *imaginative* approach 有创意的方法 同 fanciful
clutter [ˈklʌtər]	*n.* 混乱，凌乱 记 联想记忆：人们为了抢购黄油(butter)，场面一片混乱(clutter) 例 There was a *clutter* of bottles on the floor. 地板上有一堆凌乱的瓶子。
diversion * [daɪˈvɜːrʒn]	*n.* 转向，转移；消遣，娱乐 记 词根记忆：di + vers(转移) + ion(表名词) → 转向，转移 例 a river *diversion* project 河流改道工程 同 deviation

20

extravagance [ɪkˈstrævəgəns]	*n.* 奢侈，铺张；过度，无节制 记 联想记忆：extra(超过) + vaga(流浪) + nce → 因为铺张过度超过预算，不得不破产而到处流浪 → 铺张；过度 例 the *extravagance* of music 音乐的富丽堂皇
clamorous [ˈklæmərəs]	*a.* 吵闹的，喧哗的，吵吵嚷嚷的 记 来自 clamor(*n.* 喧闹) 例 *clamorous*, excited voices 吵闹而激动的声音
extraordinary [ɪkˈstrɔːrdəneri]	*a.* 不平常的，出众的；特别的 记 来自 ordinary (*a.* 平常的) 例 an *extraordinary* achievement 卓越的成就
complacent [kəmˈpleɪsnt]	*a.* 自满的；自鸣得意的 记 和 complaisant(*a.* 顺从的，殷勤的) 区分记忆 例 Justin had become *complacent* after years of success. 多年的成功让贾斯廷变得自满起来。
arraign* [əˈreɪn]	*vt.* 控告；传讯；责难，指责 记 联想记忆：请尽快安排(arrange)传讯(arraign)犯人 例 Eric, who rose to fame as the leading actor of a series of TV plays, was *arraigned* on charges of tax evasion. 在一部电视连续剧中出演男主角而声名鹊起的埃里克被指控逃税。
anthropoid [ˈænθrəpɔɪd]	*n.* 类人猿 *a.* 似人类的 记 词根记忆：anthrop(人类) + oid(像…一样) → 似人类的
dilemma* [dɪˈlemə]	*n.* (进退两难的) 窘境，困境 记 联想记忆：di(双) + lemma(主题) → 两个主题选哪个好呢？ → 进退两难的窘境 搭 be / caught in a dilemma 处于(陷入)进退两难的境地 例 Charles, on hearing the manger's acerbic words, was in a sad *dilemma*. 听到经理那些尖刻的话，查尔斯陷入了进退维谷的窘境。
inborn [ˌɪnˈbɔːrn]	*a.* 天生的，生来的，先天的 记 来自 born(*a.* 出生) 例 an *inborn* talent for art 天生的艺术才能
arrogant [ˈærəgənt]	*a.* 傲慢的；自大的 记 词根记忆：ar(加强) + rog(要求) + ant(…的) → 不断增加要求的 → 傲慢的；自大的 例 an *arrogant* person 一个骄傲自大的人 派 arrogance(*n.* 傲慢，自大)；arrogantly(*ad.* 傲慢地，自大地) 同 proud, cocky
beneficent [bɪˈnefɪsnt]	*a.* 有益的，受益的；行善的，慈善的 记 词根记忆：bene(善，好) + fic(做) + ent → 做善事的 → 行善的，慈善的 例 *beneficent* bacteria 有益菌

arrogant

□ extravagance □ clamorous □ extraordinary □ complacent □ arraign □ anthropoid
□ dilemma □ inborn □ arrogant □ beneficent

advent * ['ædvent]	*n.* 到来，来临，出现 记 词根记忆：ad + vent(来到) → 到来，来临，出现 搭 with the advent of 随着…的到来 例 Historians have assumed that calendars came into being with the *advent* of agriculture. 历史学家推测历法是随着农业的出现而产生的。 同 arrival, emergence
novel ['nɑːvl]	*n.* (长篇)小说 *a.* 新奇的，新颖的 记 词根记忆：nov(=new，新) + el → 新奇的，新颖的 例 detective *novel* 侦探小说 // a *novel* idea 新颖的观点 同 new, original, fresh
distinguished [dɪ'stɪŋgwɪʃt]	*a.* 著名的，卓越的 例 a *distinguished* guest 贵宾
outcast ['aʊtkæst]	*n.* 被抛弃的人；被驱逐者，流浪者 记 来自词组 cast out (驱逐) 例 a social *outcast* 被社会所摈弃的人
cordial * ['kɔːrdʒəl]	*a.* 诚恳的，亲切的，热诚的 记 词根记忆：cord(心脏) + ial → 发自内心的 → 诚恳的,热诚的 例 a *cordial* reception 热忱的接待 同 gracious
deluge * ['deljuːdʒ]	*vt.* 使泛滥；淹没，浸没；压倒 记 词根记忆：de(往下) + lu(冲，洗) + ge → 洪水冲下堤坝 → 使泛滥；淹没 例 Parts of the western region were *deluged* with the flood. 西部地区的一些地方被洪水淹没了。
corrupt [kə'rʌpt]	*vt.* 贿赂，收买；(使)腐败，(使)败坏 *a.* 堕落的；贪污的 记 词根记忆：cor(彻底地) + rupt(打破) → 彻底地打破道德边界 → 堕落的；贪污的 例 The higher the profits, the easier it is to *corrupt* government agents. 得到的利益越大，政府官员就越容易走向腐败。// a *corrupt* government 腐败的政府 同 spoil
mimic ['mɪmɪk]	*vt.* 模仿，学…的样子；与…极相似 记 联想记忆：mimi(音似：秘密) + c → 偷偷摸摸地模仿 例 People have always been fascinated by the parrot's ability to *mimic* human speech. 人们常会被鹦鹉模仿人说话的能力吸引住。 同 copy, imitate, ape, mock
generic * [dʒə'nerɪk]	*a.* 一般的，普通的；类属的，总称的 记 注意不要和 genetic(*a.* 遗传的；起源的)相混淆 例 *generic* brand 类似品牌
mottled * ['mɑːtld]	*a.* 有杂色的；斑驳的 例 The biologist said that he had never seen such kind of *mottled* skin of the snake. 生物学家说，他从未见过这种花纹的蛇皮。

20

wake [weɪk]	*v.* 醒来，唤醒；唤起(记忆)；警觉，认识到 *n.* (葬礼前的)守夜；航迹 记 in the wake of 紧紧跟随；随着…而来，作为…的结果；wake (up) to 认识到，意识到 例 The noise outside *waked* me up several times last night. 昨晚，外面的噪音把我吵醒了好几次。
passport * [ˈpæspɔːrt]	*n.* 护照 记 组合词：pass(通过) + port(港口) → 通过港口所需的文件 → 护照 例 Please show your *passport* and visa when you pass through the customs counter. 当您通过海关服务台时，请出示您的护照和签证。
flirt [flɜːrt]	*v.* 不认真地考虑(或对待)；挑逗，调情 *n.* 调情的人 例 The woman has been *flirting* with another man regardless of her husband's feeling. 这个女人一直在跟另一个男人调情，根本不考虑她丈夫的感受。
mannered * [ˈmænərd]	*a.* 矫饰的，做作的 例 Shrek's performance in the show was criticized by his teacher for being very *mannered*. 史瑞克在剧中的表演很做作，遭到了老师的批评。
ape * [eɪp]	*n.* 猿 *v.* 模仿 例 The students deliberately *aped* their English teacher's western accent for fun. 学生们闹着玩，故意模仿他们英语老师的西部口音。
awe * [ɔː]	*n.* 敬畏；惊惧 *vt.* 使敬畏；使惊惧 记 发音记忆："噢" → 表示敬畏的声音 → 敬畏 例 Sandy speaks of his tutor with *awe* and respect. 桑迪提到他的导师时充满了敬畏。
conversant * [kənˈvɜːrsnt]	*a.* 精通的，熟知的；亲近的，有交情的 记 词根记忆：con + vers(转) + ant → 全方位转 → 精通的，熟知的 例 Amy was confused why Jim was not *conversant* with the rules of basketball. 埃米很困惑为什么吉姆不熟悉篮球的比赛规则。

备考锦囊

语法知识（八）主谓一致原则（1）

主谓一致原则是指主语人称和谓语动词的"数"上一致的关系。一般主谓一致由三个原则来支配：就近原则、语法一致原则和意义一致原则。

（一）主谓一致中的"就近原则"，指的是由离谓语较近的主语决定谓语的单复数。在以下句型中，需要遵循"就近原则"：

1. neither...nor... 既不…也不…，如：

　　Neither the eggs nor the apple is fresh. 鸡蛋和苹果都不新鲜了。

Word List 21

音频

词根预习表

aer	空气	aerial *a.* 空气的	cast	投	forecast *v.* 预测
fract	打破	fracture *n.* 断裂，破裂	gest	运，载	digest *v.* 消化
grad	走	gradual *a.* 逐步的	uni	单一	unify *vt.* 使统一
bas	降低	abase *vt.* 使卑下	plex	重叠	complex *a.* 复杂的
sert	放置	assert *vt.* 断言，声称	crat	统治	autocrat *n.* 独裁者

---

aerial
[ˈeriəl]

n. 天线 *a.* 从飞行器上的；从空中的；空气的；空中的
记 词根记忆：aer(空气) + ial(…的) → 空气的
例 *aerial* photography 空中摄影术 // TV broadcast *aerial* 电视天线

---

underscore*
[ˌʌndərˈskɔːr]

vt. 在…下划线；强调
记 联想记忆：under(在…下) + score(刻痕) → 在…下划线
例 The speech *underscores* the importance of childhood immunizations. 这个演讲强调了儿童时期进行免疫的重要性。
同 emphasize, stress, underline

---

incontrovertible*
[ˌɪnkɑːntrəˈvɜːrtəbl]

a. 无可辩驳的，无疑的，明白的
记 来自 controvert (v. 争论，反驳)
例 *incontrovertible* proof 不容置疑的证据
同 indisputable

---

separate
[ˈseprət]

a. 分开的；单独的；各自的 *v.* 分开，分隔
记 词根记忆：se(分开) + par(相等) + ate → (使)分成等份 → 分开
例 The children sleep in *separate* bedrooms. 孩子们睡在各自的卧室。// *Separating* prisoners from each other is sometimes the only way of preventing riots. 把犯人分开有时候是阻止暴动的唯一方法。

---

sacrifice
[ˈsækrɪfaɪs]

n. 牺牲；供奉
记 词根记忆：sacr(神圣的) + i + fic(做) + e → 供奉是很神圣的 → 供奉；牺牲
搭 sacrifice for / to 献祭；牺牲；make a sacrifice to 为…牺牲；为…献身
例 personal *sacrifices* 个人牺牲
派 sacrificial [*a.* 供奉(品)的，献祭(品)的，牺牲(品)的]

---

despair [dɪˈsper]	*n.* 绝望 *vi.* 对…绝望 記 词根记忆：de(否定) + spair(看作 sper，希望) → 没有希望 → 绝望 搭 in despair 处于绝望之中，绝望地；despair of 对…绝望 例 Whenever I *despair*, I remember that all through history truth and love have always won. 每当我感到绝望时，就会想起古往今来真理与爱终将通向胜利。
belligerent* [bəˈlɪdʒərənt]	*a.* 好战的，好斗的；交战国的，交战的 記 词根记忆：bell(战争) + i + ger(带来) + ent(…的) → 带来战争的 → 好战的 例 *belligerent* attitude 好斗的态度 // *belligerent* nations 交战国 同 pugnacious, bellicose, quarrelsome, contentious
initiate* [ɪˈnɪʃieɪt]	*vt.* 开始实施(计划等)；发起，开创 記 词根记忆：in(进入) + it(去) + iate(使…) → 使进去 → 开始实施 例 The country has *initiated* a plan that ensures all employees are equally treated. 该国已启动一个方案，该方案可以确保所有员工都受到平等对待。 同 originate, commence, establish
exhaustive* [ɪgˈzɔːstɪv]	*a.* (论述等)详尽的，彻底的；完全的，全面的 記 联想记忆：听完教授详尽的（exhaustive）论述后，他已经筋疲力尽（exhausted） 例 *exhaustive* research 彻底的调查 同 thorough
candor* [ˈkændər]	*n.* 坦白，直率 記 词根记忆：cand(白) + or(表状态) → 坦白 例 Paula spoke with remarkable *candor* about her experiences. 保拉谈起她的经历异常坦率。 同 fairness
counteract [ˌkaʊntərˈækt]	*vt.* 抵消，中和；阻碍，对抗 記 词根记忆：counter(反) + act(做) → 反着做 → 抵消；对抗 例 This pill will *counteract* the effects of poison. 这种药能中和毒药的毒性。
forecast [ˈfɔːrkæst]	*v./n.* 预测，预报 記 词根记忆：fore（在…之前） + cast（投） → 在之前投下赌注预测结果 → 预测 例 weather *forecast* 天气预报 // The economic report *forecasts* a sharp rise in unemployment for the next year. 经济报告预测，明年的失业人数将会急剧上升。 派 forecaster(*n.* 预报员)；forecasting(*n.* 预测)
foretell [fɔːrˈtel]	*vt.* 预言；预示；预测 記 词根记忆：fore(在…之前) + tell(告诉) → 在之前告诉结果 → 预言 例 The cheat says he can *foretell* a thing that is five hundred years away. 这个骗子说他能预言五百年后发生的事情。

fracture [ˈfræktʃər]	*n.* 断裂，破裂；裂缝，裂痕；骨折 *v.* (使)破裂；(使)折断；(使)骨折 记 词根记忆：fract(打破) + ure → 断裂，破裂 例 The victim reportedly had his skull *fractured* in 15 places, broken fingers and numerous stab wounds. 据报道，受害人颅骨有 15 处断裂，手指折断，身上还有多处刺伤。 同 crack, split
desert	[ˈdezərt] *n.* 沙漠；荒漠 [dɪˈzɜːrt] *vt.* 丢弃，放弃；擅离(职守等)；逃跑；开小差 记 词根记忆：de(分离) + sert(放置) → 分开放置 → 丢弃，放弃 例 Alvin has become so rude that his classmates are *deserting* him. 阿尔文变得十分粗野，同学们都不和他来往了。
abrupt [əˈbrʌpt]	*a.* 突然的，意外的；(言谈等)不流畅的，支离的；(举止等)唐突的，鲁莽的 记 词根记忆：ab(去掉) + rupt(断) → 突然断掉了 → 突然的，意外的 例 an *abrupt* change 突然的变化 // an *abrupt* manner 唐突的举止 派 abruptly(*ad.* 突然地；不连贯地；唐突地) 同 unexpected
assay [əˈseɪ]	*n./v.* 化验，测定，鉴定 记 联想记忆：这篇文章(essay)讲了化验(assay)结果 例 make an *assay* of an ore 对某一矿石做鉴定
navigate [ˈnævɪɡeɪt]	*v.* 航行；横渡；导航，驾驶；〈喻〉设法穿越 记 词根记忆：nav(船) + ig(走) + ate(使) → 使船走→ 驾驶；航行
steadfast * [ˈstedfæst]	*a.* 稳定的；坚定的；忠实的 记 联想记忆：stead(看作 steady，稳定的) + fast(牢固的) → 稳定的；坚定的；忠实的 搭 steadfast in sth. 对某事坚定的 例 Dr. Farley remained *steadfast* in his refusal to sell his property. 法利博士依然坚持拒绝出售他的财产。// a *steadfast* friend 忠实的朋友 同 faithful, loyal, constant, staunch, resolute, immovable
sarcasm * [ˈsɑːrkæzəm]	*n.* 挖苦，讽刺 记 联想记忆：美国两大党派徽章上的驴和象的由来就是互相 sarcasm（讽刺）的结果 同 irony, satire
agility * [əˈdʒɪləti]	*n.* 敏捷，活泼 记 来自 agile (*a.* 敏捷的，灵活的) 例 *agility* of mind 头脑敏捷 同 dexterity
daunt * [dɔːnt]	*vt.* 使沮丧 记 联想记忆：姑妈(aunt)老是批评我，真让人沮丧(daunt) 例 Olive was a brave woman but she felt *daunted* by the task ahead. 奥利芙是位勇敢的女士，但当她面对这项任务时，她沮丧了。 同 dismay

21

affiliation [əˌfɪliˈeɪʃn]	*n.* (与政党、宗教等的) 联系或关系；加入；从属 记 来自 affiliate(*v.* 加入) 例 democrats with no party *affiliation* 无党派人士
abdicate* [ˈæbdɪkeɪt]	*v.* 退位；辞职；放弃(职位、权利等) 记 联想记忆：ab(离去) + dic(说话) + ate → 说完就离去 → 放弃(职位、权利等) 例 The President was forced to *abdicate* and an interim government took over. 总统被迫退位，由一个临时政府接管国家。
cereal [ˈsɪriəl]	*n.* 谷类食品；谷物 记 联想记忆：ce(看似；是) + real(真正的) → 谷类食品是真正的好东西 → 谷类食品
urgent [ˈɜːrdʒənt]	*a.* 急迫的，紧迫的；催促的，坚持要求的 记 来自 urge(*v.* 催促，迫切) 例 *urgent* mission 紧急任务
congenial* [kənˈdʒiːniəl]	*a.* 彼此合得来的，意气相投的；协调的，适合的 记 词根记忆：con(共同) + gen(出生) + ial → 就像共同出生一样 → 意气相投的 例 a *congenial* climate 适宜的气候
apostate* [əˈpɑːsteɪt]	*n.* 变节者；背教者；脱党者 记 联想记忆：apo(远离) + state(国家) → 国家有难，远离国家 → 变节者
apex* [ˈeɪpeks]	*n.* 最高点；顶点 记 联想记忆：a(一个) + pex(看作 peaks，山峰) → 一个山峰只有一个顶点 → 顶点；最高点 例 *apex* angle 顶角 同 vertex
periodical [ˌpɪriˈɑːdɪkl]	*n.* 期刊，杂志 *a.* 周期的，定期的 记 来自 periodic(*a.* 周期的) 例 *periodical* index 期刊索引 同 journal, magazine
origin [ˈɔːrɪdʒɪn]	*n.* 起源，开端；出身，血统；原点 记 词根记忆：ori(升起) + gin(音似：金) → 金色太阳升起，一天的开始 → 起源，开端 例 the *origins* of civilization 文明的起源
digest	[ˈdaɪdʒest] *n.* 摘要；文摘 [daɪˈdʒest] *v.* 消化(食物)；理解，领会 记 词根记忆：di(移去) + gest(运，载) → 食物被运送到消化器官 → 消化 例 Doctors are searching for a fat that can be *digested* by infants more easily. 医生正在寻找一种更易被婴儿吸收的脂肪。 派 digestion (*n.* 消化，吸收)；digestible (*a.* 易消化的；可吸收的)；digestive(*a.* 消化的，有助消化的) 同 absorb, comprehend

ironic * [aɪˈrɑːnɪk]	*a.* 讽刺的，反讽的 记 来自 irony(*n.* 反话) 例 an *ironic* comment 嘲讽的言语
mediator [ˈmiːdieɪtər]	*n.* 调停者，仲裁人 记 来自 mediate*(*v.* 调停，仲裁)
propriety * [prəˈpraɪəti]	*n.* 适当，正当，得体；礼节，礼仪 记 词根记忆：propr(适当的) + iety → 适当的行为 → 适当，得体 例 Steven knew how to express himself with the greatest *propriety*. 史蒂文知道该如何最得体地表达自己。
annihilate * [əˈnaɪəleɪt]	*vt.* 消灭，歼灭 记 词根记忆：an(表加强) + nihil(无) + ate(使) → 使彻底没有 → 消灭 例 The soldiers are ready to *annihilate* their enemies. 战士们已经做好了歼灭敌人的准备。 派 annihilation(*n.* 灭绝，消灭)
ethics [ˈeθɪks]	*n.* 伦理；伦理学 记 联想记忆：遵守自己所属民族的(ethnic)伦理(ethics) 例 *Ethics* is a branch of philosophy which deals with moral principles. 伦理学是哲学的一个分支，研究道德准则问题。
string [strɪŋ]	*n.* (琴)弦；线，细绳；一串，一行 *v.* (用绳，线)缚，捆；(用线)穿，串起 记 联想记忆：被蚊子叮咬(sting)过以后留下一串(string)包包→ 一串，一行 搭 a string of 一串，一系列的；string sth. out 把某物排成一条线；string sth. / sb. up 把某物/某人挂起来 例 Amusement park rides can be thrilling, but a recent *string* of accidents may have many thrillseekers wondering about the risk. 去游乐园玩会十分刺激，但近来一连串的事故会让寻找刺激的人们考虑一下其中的风险。// During the festival, flags were strung up across the street. 节日期间，沿街挂上了很多旗子。 派 stringed(*a.* 有弦的)；stringer(*n.* 上弦匠；纵梁)；stringy(*a.* 细绳状的；可拉成丝状的；瘦而结实的)
loathe [loʊð]	*vt.* 厌恶，憎恶 记 联想记忆：爱(love)会转变成厌恶(loathe) 例 Alexander *loathed* the repressive State and the system which it supported. 亚历山大痛恨这个压迫人民的国家以及它实行的制度。 同 hate, detest, abhor, abominate
overthrow [ˌoʊvərˈθroʊ]	*n./v.* 推翻，颠覆 记 来自词组 throw over (抛弃，摒弃) 例 The little country has been *overthrown* by the military on charges of corruption. 这个小国家因腐败被军队推翻了。
gradual [ˈɡrædʒuəl]	*a.* 逐渐的，逐步的；不陡峭的，和缓的 记 词根记忆：grad(走) + ual(…的) → 逐步走的 → 逐步的 例 a *gradual* change 逐步的变化 // a *gradual* rise 渐起

21

□ ironic   □ mediator   □ propriety   □ annihilate   □ ethics   □ string
□ loathe   □ overthrow   □ gradual

compulsion [kəmˈpʌlʃn]	*n.* 强迫，强制；(不能克制的)冲动，欲望 记 词根记忆：com(一起) + puls(驱动) + ion → 一起驱动 → 冲动 例 Leith felt an overwhelming *compulsion* to tell them the truth. 利思有一种强烈的冲动，想要告诉他们真相。
utilize [ˈjuːtəlaɪz]	*vt.* 利用，使用 记 词根记忆：util(使用) + ize(使…) → 利用 例 Scientists are trying to find more efficient ways of *utilizing* solar energy. 科学家正在努力寻找能更有效地利用太阳能的方法。 派 utilization(*n.* 利用)
profile [ˈprəʊfaɪl]	*n.* 侧面(像)；轮廓，外形；人物简介 记 词根记忆：pro(前面) + fil(线条) + e → 外部的线条 → 轮廓，外形 例 his handsome profile 他漂亮的侧面轮廓 同 contour
recur [rɪˈkɜːr]	*vi.* 再发生，反复出现；在头脑中重现 记 词根记忆：re(重新) + cur(跑) → 再发生，反复出现 例 Love is a *recurring* theme in the book. 爱是书中反复出现的主题。 同 reproduce, reoccur
virtuous [ˈvɜːrtʃuəs]	*a.* 有道德的；善良的；正直的；贞洁的 记 来自 virtue(*n.* 美德) 例 a *virtuous* and hard-working person 一个善良勤劳的人
affair [əˈfer]	*n.* 事，事务；事件，事情 例 business *affair* 生意上的事
cession* [ˈseʃn]	*n.* 割让，转让(尤指土地或权利) 记 词根记忆：cess (去) + ion → 使离去 → 割让，转让；联想记忆：转让(cession)一部分(section)土地
speculate [ˈspekjuleɪt]	*v.* 推测，推断；思索；做投机买卖 记 联想记忆：spec(看) + u(看作 you, 你) + late (迟到) → 看到你迟到，推测其中原因 → 推测，推断 搭 speculate on / about 考虑；推测；speculate in 投机 例 All the workers *speculated* about the reasons for the manager's resignation. 所有的工人都在猜测经理辞职的原因。 派 speculation (*n.* 思索；推测；投机); speculative (*a.* 推测的；投机的); speculator(*n.* 投机者)
successor [səkˈsesər]	*n.* 继承人；继任者；后继者 记 联想记忆：他是个成功的(successful)后继者(successor) 例 Ms. Farley will be George's *successor* as treasurer. 法利女士将接任乔治的工作，成为财务主管。

□ compulsion　　□ utilize　　　□ profile　　　□ recur　　　□ virtuous　　　□ affair
□ cession　　　□ speculate　　□ successor

versatile * [ˈvɜːrsətl]	*a.* 通用的，多功能的；多才多艺的，多方面的 记 词根记忆：vers(转) + at + ile(易于…的) → 多才多艺的人更容易玩转 这个世界 → 多才多艺的 例 a *versatile* material 有多种用途的材料 // a *versatile* man 多面手 派 versatility (*n.* 多才多艺；多功能性)；versatilely (*ad.* 多才多艺地；多功能地) 同 all-round
somber [ˈsɑːmbər]	*a.* 昏暗的，阴沉的；忧郁的，闷闷不乐的 记 联想记忆：冷静的(sober) 和忧郁的(somber) 只差一个 m 例 Paul was in a *somber* mood. 保罗情绪低落。 同 melancholy
generation [ˌdʒenəˈreɪʃn]	*n.* 产生，发生；一代，一代人 记 来自 generate (*v.* 产生，发生) 例 the older *generation* 老一辈
verdict [ˈvɜːrdɪkt]	*n.* 裁定，裁决；决定，意见 记 词根记忆：ver(真实) + dict(说) → 实事求是地说 → 裁定，裁决 例 court *verdict* 法院的裁定 // the *verdict* of the electors 选举人的决定 同 opinion, judgment
belabor * [bɪˈleɪbər]	*vt.* 作过分冗长的讨论或说明；痛打；辱骂 记 联想记忆：不劳动(labor) 就痛打(belabor) 例 There's no need to *belabor* the point—you don't need to keep reminding me. 不必老讨论这一点——你没必要一直提醒我。
acquire * [əˈkwaɪər]	*vt.* 取得，获得；学到，养成 记 词根记忆：ac + quire(追求) → 不断追求才能够获得 → 取得，获得 例 The new research sought to find out more about how babies learn and *acquire* knowledge. 这项新的研究旨在更多地了解婴儿是如何学习并掌握知识的。 派 acquired (*a.* 后天习得的；已获得的)；acquisition (*n.* 获得；习得)； acquisitive (*a.* 渴望得到的；贪得无厌的)
rail * [reɪl]	*vi.* 责骂，抱怨 记 联想记忆：只会抱怨(rail) 的人注定是要失败(fail) 的 搭 rail at / against 咒骂，严厉责备，抱怨 例 Consumers *rail* against the way companies fix prices. 消费者抱怨公司 定价的方式。 同 scold, upbraid, berate, revile
unify [ˈjuːnɪfaɪ]	*vt.* 使统一；使成一体；使一致 记 词根记忆：uni(单一) + fy(动词后缀) → 使统一 例 Einstein successfully *unified* the theories of electromagnetism and gravity. 爱因斯坦成功地把电磁学和重力学的理论统一到了一起。 同 unite

21

abase * [əˈbeɪs]	*vt.* 降低自己或某人的身份，使卑下
	记 词根记忆：a(表加强) + bas(降低) + e → 使卑下
	例 The knight *abased* himself before the cruel king. 这名骑士在残忍的国王面前卑躬屈膝。
accountant [əˈkaʊntənt]	*n.* 会计，会计师
	记 联想记忆：account(账目) + ant(表人) → 管账的人 → 会计，会计师
	例 certified / registered *accountant* 注册会计师
proclaim [prəˈkleɪm]	*vt.* 宣告，声明；显示，表明
	记 词根记忆：pro(公开地) + claim(叫，喊) → 公开叫喊 → 宣告，声明
	搭 proclaim one's opinion 公开表明自己的见解
	例 The country asserted again to use force against the nearby island if it tried to *proclaim* independence. 该国再次声明：如果邻近的这个小岛试图宣布独立，将考虑对其使用武力。
	派 proclamation(*n.* 公告，布告，声明)
	同 declare, announce, promulgate, show
discipline [ˈdɪsəplɪn]	*n.* 纪律；行为准则；学科；训练 *vt.* 训练，管教；惩罚
	记 联想记忆：宗教信徒(disciple)要遵守一定的行为准则(discipline)
	例 strict *discipline* 严格的训练 // The PE teacher *disciplined* students to do two hours of exercises every day. 体育老师规定学生们每天做两小时运动。
	派 disciplined(*a.* 纪律的); disciplinary(*a.* 有关纪律的); disciplinarian(*n.* 严守纪律者)
paradigm * [ˈpærədaɪm]	*n.* 范例；样式；模式
	记 联想记忆：天堂(paradise)描绘了一个完美的生活模式(paradigm)
	例 a grammatical *paradigm* 语法范例
	同 example, model
aggressive [əˈgresɪv]	*a.* 侵略的，好斗的；敢作敢为的，积极进取的；强有力的
	记 来自 aggress (*v.* 攻击，侵犯)
	例 *aggressive* weapons 攻击性武器 // *aggressive* reaction 积极的反应
	派 aggressively(*ad.* 强劲地；侵略地；放肆地); aggressiveness(*n.* 争斗)
	同 enterprising*, militant
complex [ˈkɑːmpleks]	*n.* 联合体，综合体；情结 *a.* 复杂的，复合的
	记 词根记忆：com(一起) + plex(重叠，交叉) → 重叠交叉到一起的 → 复杂的
	例 These islands contain active volcanoes, a reminder of a *complex* geologic history. 这些岛上有活火山，这标志着其地质演变过程比较复杂。
	派 complexity(*n.* 复杂性)
	同 complicated, intricate, involved
equanimity * [ˌekwəˈnɪməti]	*n.* 平静，沉着，镇定
	记 词根记忆：equ(相等的) + anim(气息) + ity → 气息不变的 → 平静，沉着，镇定
	例 a surprising *equanimity* 令人吃惊的镇定

elevate [ˈelɪveɪt]	*vt.* 举起，抬高；提升，提拔；使精神振奋，使兴高采烈 记 词根记忆：e(出) + lev(升，举) + ate(使…) → 使升起 → 抬高 例 The politician managed to *elevate* himself to a position of some authority. 那名政客设法将自己提升到有权势的地位。 同 boost, raise, lift
excess [ɪkˈses]	*a.* 过量的；额外的 *n.* 过量；过剩；过分；过火 记 词根记忆：ex(出) + cess(走) → 多余的人要走开 → 过量的 搭 in excess of 超过；to excess 过度，过分，过量 例 *excess* food 多余的食物 // *excess* baggage 超重行李
repel* [rɪˈpel]	*v.* 击退，驱除；拒绝，排斥；使厌恶或反感 记 词根记忆：re(反) + pel(驱赶) → 驱除，击退 搭 repel temptation 抵制诱惑；repel cancer 抗癌 例 Sophia's heavy make-up and cheap perfume *repelled* me. 索菲娅浓重的妆容、廉价的香水味让我感到厌恶。// Two positive charges *repel* each other. 两个正极互相排斥。 派 repellent(*a.* 排斥的) 同 disgust, repulse
plaintiff [ˈpleɪntɪf]	*n.* 原告，起诉人 记 词根记忆：plaint(哀诉，抱怨) + iff → 哀诉的一方 → 原告，起诉人
overlook [ˌoʊvərˈlʊk]	*vt.* 未注意到，忽略；俯瞰，眺望；宽容，放任 记 来自词组 look over(从…上面看) 例 The President has moved into a new office in the building, one of the really nice second-floor ones *overlooking* the beautiful garden. 总统搬进了大厦二层的一间新办公室，这一层房间的地理条件非常好，可以俯瞰美丽的花园。
autocrat [ˈɔːtəkræt]	*n.* 独裁者；专横霸道的人 记 词根记忆：auto(自己) + crat(统治) → 独自统治的 → 独裁者
facility [fəˈsɪləti]	*n.* 天资，才能，天赋；[*pl.*] 设备，设施，便利条件 记 词根记忆：fac(做) + ility(表名词) → 用来协助做某事的东西 → 设备 例 communication *facilities* 通讯设施
assert [əˈsɜːrt]	*vt.* 断言，声称；坚持，维护 记 词根记忆：as(加强) + sert(放置) → 把自己坚定地放在某个位置 → 断言，声称 搭 assert oneself 坚持自己的权利(或意见)，显示自己的权威(或威力) 例 Women have began to *assert* themselves politically since last century. 自上世纪以来，妇女们已经开始维护自己在政治上的权利了。 派 assertive (*a.* 言语果断的，断言的)；assertiveness (*n.* 坚定而自信)；assertion(*n.* 坚决断言) 同 declare, protest, avow

excess

你有罪

repel

原告 被告

plaintiff

21

knighthood [ˈnaɪthʊd]	n. 骑士身份，骑士风格，侠义精神 记 来自 knight（n. 骑士）
simplify [ˈsɪmplɪfaɪ]	vt. 单一化，简单化 例 The laws have been *simplified* to shorten the process of divorce. 离婚的法律程序已经简化了。
agrarian [əˈɡreriən]	a. 有关土地的，耕地的 记 词根记忆：agr（田地）+ arian（…的）→ 有关土地的，耕地的 例 an *agrarian* economy 农业经济
appellation* [ˌæpəˈleɪʃn]	n. 名称，称呼 记 来自 appeal（v. 上诉），转化为 appellant（n. 上诉人），再成为 appellation（n. 名称，称呼） 例 a formal *appellation* 正式称谓
invaluable [ɪnˈvæljuəbl]	a. 非常宝贵的，无价的 记 来自 valuable（a. 有价值的） 例 *invaluable* advice 宝贵的意见
postdate [ˌpoʊstˈdeɪt]	vt. (在信件、文件等上面)写上比实际日期晚的日期；继…之后 记 词根记忆：post(在后面) + dat(日期) + e → 写上比实际日期晚的日期
apathy* [ˈæpəθi]	n. 缺乏兴趣；无积极性；漠不关心 记 词根记忆：a(无) + path(感情) + y → 无感情 → 漠不关心 例 The foreigners met with hostility and *apathy* in the village. 外国人在那个村子遭遇了村民们的敌意和冷漠。 同 indifference
glance [ɡlæns]	n. 看一眼，一瞥，扫视 搭 at a glance 一看就；at first glance 乍一看，一看就 例 a casual *glance* 不经意的一瞥
amorous* [ˈæmərəs]	a. 多情的，表示爱情的；性爱的，色情的 记 词根记忆：am(爱) + orous → 多情的，表示爱情的 例 an *amorous* poem 情诗
credo* [ˈkriːdoʊ]	n. 信条 记 词根记忆：cred(相信，信任) + o → 信条
feasible* [ˈfiːzəbl]	a. 可行的；可做的；可能的 记 词根记忆：feas(=fact, 做) + ible(可以…的) → 可以做的 → 可做的 例 a *feasible* plan 可行的计划 // a *feasible* scheme 可行的计划 派 feasibility(n. 可行性，可能性) 同 suitable
acute* [əˈkjuːt]	a. 敏锐的，尖锐的；剧烈的，激烈的；(疾病)急性的 记 词根记忆：ac(尖，锐利) + ute → 尖锐的 例 an *acute* observer 敏锐的观察家 // *acute* pain 剧痛
mirage* [məˈrɑːʒ]	n. 海市蜃楼；幻想，妄想 记 词根记忆：mir(惊奇，看) + age → 使人惊奇之物 → 海市蜃楼 例 an insubstantial *mirage* 虚幻的海市蜃楼

238

□ knighthood □ simplify □ agrarian □ appellation □ invaluable □ postdate □ apathy
□ glance □ amorous □ credo □ feasible □ acute □ mirage

feudal [ˈfjuːdl]	*a.* 封建的；封建制度的 记 来自 feud(*n.* 封地) 例 *feudal* system 封建制度
commencement [kəˈmensmənt]	*n.* 开始；毕业典礼 记 来自 commence(*v.* 开始) 例 Academic degrees are officially given at *commencement* 在毕业典礼上，学位被正式颁发。
acoustic [əˈkuːstɪk]	*a.* 声音的；声学的；听觉的；(指乐器)原声的 例 an *acoustic* guitar 原声吉他 派 acoustics(*n.* 声学)
despoil* [dɪˈspɔɪl]	*vt.* 剥夺；掠夺 记 联想记忆：溺爱(spoil)孩子有时会剥夺(despoil)他的自由 例 The sandy beaches are being *despoiled* by an oil spill. 沙滩正遭受石油泄漏的破坏。
safeguard [ˈseɪfɡɑːrd]	*vt.* 维护，保护，捍卫 *n.* 安全设施，安全措施 记 联想记忆：Safeguard(舒肤佳)，保护健康为全家 例 a program for *safeguarding* the computer system against viruses 保护计算机不受病毒侵扰的程序
intruder [ɪnˈtruːdər]	*n.* 入侵者；闯入者；干扰者 记 来自 intrude*(*v.* 侵入；闯入) 例 an unwelcoming *intruder* 不受欢迎的闯入者
eerie* [ˈɪri]	*a.* 可怕的，怪异的 例 Every midnight, Bob is waked by an *eerie* cry of a cat. 每天午夜，鲍勃都被奇怪的猫叫声吵醒。 同 weird
wriggle [ˈrɪɡl]	*v.* 蠕动，蜿蜒而行；扭动身体 例 The little boy *wriggled* around once he sat on the chair. 小男孩一坐在椅子上就扭来扭去的。
convergent [kənˈvɜːrdʒənt]	*a.* 会聚的，会合的；趋同的 记 来自 converge(*v.* 汇聚，聚集) 例 *Convergent* evolution was studied by a group of college students who majored in biology. 一群生物专业的大学生研究趋同进化。
demonstrative [dɪˈmɑːnstrətɪv]	*a.* 感情外露的；说明的，证明的；【语】指示的 例 The *demonstrative* pronoun in the sentence was wrongly used and should be corrected. 这个句子中的指示代词用错了，应该改正过来。
boundless* [ˈbaʊndləs]	*a.* 无限的，无边无际的 记 拆分记忆：bound(界限) + less(无) → 没有界限的 → 无限的 例 John's enthusiasm and zeal for drawing, singing and everything about art is *boundless*. 约翰对绘画、歌唱以及一切与艺术有关的事情都充满了无限的热情。

21

□ feudal   □ commencement □ acoustic   □ despoil   □ safeguard   □ intruder
□ eerie   □ wriggle   □ convergent □ demonstrative □ boundless

239

civil * [ˈsɪvl]	*a.* 公民的；国内的；民用的，民事的；文明的 🗒 词根记忆：civ(公民) + il(…的) → 公民的 🔖 civil rights 公民权 📝 The expert said that helicopters did not suit for *civil* use. 专家说，直升机不适合民用。
defendant [dɪˈfendənt]	*n.* 被告 🗒 联想记忆：defend(保护，防护) + ant → 保护自己，为自己辩护 → 被告
obligatory * [əˈblɪɡətɔːri]	*a.* 强制性的；义务的 📝 It's *obligatory* for women to wear conservative clothes in Iran. 在伊朗，妇女必须身穿保守的服装。 🟰 compulsory
encipher * [ɪnˈsaɪfər]	*vt.* 把…译成密码 🗒 词根记忆：en(进入) + cipher(密码) → 把…译成密码 📝 People should *encipher* the intelligence to prevent the enemy from stealing them. 人们需要将情报译成密码来防止敌军的窃取。

语法知识(九)主谓一致原则(2)

2. either...or... 或是…或是…，如：

Either you or I am going there tomorrow.

明天要么你去那里，要么我去那里。

3. there be... 有…，如：

There is a book and two pens in my bag. 我的包里有一本书和两支钢笔。

　（二）语法一致原则是指用作主语的名词词组中心词和谓语动词在单、复数形式上的一致。也就是说，如果名词中心词用的是单数，动词就用单数形式；如果名词中心词是复数形式，动词也要用复数形式。如：Mary was watching herself in the mirror. 玛丽注视着镜子中的自己。 // They are divorcing each other. 他们离婚了。

　（三）在一些句子中主语和谓语动词的一致关系取决于主语的单、复数意义，而不是语法上的单、复数形式，这就是意义一致原则。如：Mumps is a kind of infectious disease. 腮腺炎是一种传染性疾病。

Word List 22

音频

dilute * [daɪˈluːt]	*vt.* 冲淡, 稀释 *a.* 冲淡的, 稀释的 记 词根记忆: di(分离) + lu(冲洗) + te → 冲得分开了 → 冲淡 例 The river can *dilute* the small amounts of pollutant discharged by the chemical producer. 河流能冲淡化学制品生产者排放的少量污染物。// a *dilute* solution 稀释溶液 派 dilution(*n.* 稀释) 同 weaken, thin
inexcusable [ˌɪnɪkˈskjuːzəbl]	*a.* 无法原谅的, 不可宽赦的 记 联想记忆: in(不) + excus(e)(原谅) + able(可⋯的) → 无法原谅的
discreet [dɪˈskriːt]	*a.* 言行谨慎的, 小心的, 慎重的, 审慎的 记 联想记忆: 小心谨慎(discreet)地辨认出(discern) 例 a *discreet* silence 谨慎的沉默 同 cautious, prudent
specific [spəˈsɪfɪk]	*a.* 明确的, 具体的; 特定的; 特有的, 特殊的 记 联想记忆: 和 special(*a.* 特别的, 特殊的)一起记 例 a *specific* aim 明确的目标 // at *specific* time 在特定的时间 // *specific* differences 具体的差异
symmetrical [sɪˈmetrɪkl]	*a.* 对称的; 均匀的 记 来自 symmetry(*n.* 对称, 对称性) 例 a *symmetrical* pattern 对称的式样
condescending [ˌkɑːndɪˈsendɪŋ]	*a.* 屈尊的; 表现出优越感的 记 来自 condescend(*v.* 屈尊; 表现出优越感) 例 English critics tended to take a *condescending* view of American writers. 英国评论家趋向于采用屈尊的观点来看待美国的作家。

postwar [ˌpoʊst ˈwɔːr]	*a.* 战后的 记 组合词：post(在后面) + war(战争) → 战后的 例 the *postwar* years 战后的年代
regularity [ˌregju ˈlærəti]	*n.* 规则性，规律性，一致性 记 来自 regular(*a.* 有规律的)
assimilate [ə ˈsɪməleɪt]	*v.* (被) 吸收；(被) 消化；(使或被) 同化 记 词根记忆：as + simil(相同) + ate(使…) → 使相同 → (被) 同化 例 People have more chances to influence and *assimilate* each other along with the globalization and technological development. 全球化和科技的发展使得人们有更多的机会互相影响、彼此同化。 派 assimilation(*n.* 同化；消化) 同 absorb, digest
shiftless [ˈʃɪftləs]	*a.* 无能的；不思上进的；偷懒的 记 来自 shift(*v.* 移动；改变) 同 lazy
stifle[*] [ˈstaɪfl]	*v.* (使) 窒息；扼杀，抑制 记 联想记忆：浓烟让所有的员工(staff) 都窒息(stifle) 了 例 The heavy smoke nearly *stifled* the firemen. 浓烟几乎让消防队员窒息了。// The woman *stifled* a yawn then stood up and went into the kitchen. 那位妇女忍住呵欠，站起来进了厨房。 同 suffocate
script [skrɪpt]	*n.* 剧本；广播稿；(一种语言的)字母系统；笔迹，手迹 记 联想记忆：收视好不好，全靠 script(剧本) 捞 例 a film *script* 电影剧本
vacate [və ˈkeɪt]	*v.* 腾出，空出；离(职)，退(位) 记 词根记忆：vac(空) + ate(使…) → 使空 → 腾出，空出 例 Nell will *vacate* the position on May 19. 内尔将于 5 月 19 号离职。
condemn[*] [kən ˈdem]	*v.* 谴责，指责；判刑，宣告有罪 记 词根记忆：con + demn(=damn，诅咒) → 一再诅咒 → 谴责，指责 搭 condemn sb. to 判决某人某罪 例 The newspaper was quick to *condemn* the expert for his mistake. 那家报纸很快就指责那位专家的错误。// The middle-aged man was *condemned* to death. 那名中年男子被判处了死刑。 派 condemnation(*n.* 谴责；定罪)
allegory[*] [ˈæləgɔːri]	*n.* 寓言；讽喻 记 词根记忆：al + leg(讲) + ory → 讲有寓意的话 → 寓言 例 a political *allegory* 政治讽喻
precedent[*] [ˈpresɪdənt]	*n.* 先例，范例，惯例 记 词根记忆：pre(预先) + ced(前进) + ent → 先发生的事情 → 先例 例 historical *precedent* 历史先例

242
□ postwar   □ regularity   □ assimilate   □ shiftless   □ stifle   □ script
□ vacate   □ condemn   □ allegory   □ precedent

cognizant [ˈkɑːgnɪzənt]	*a.* 认知的 记 词根记忆：co(=com, 完全) + gn(=gno, 知道) + izant → 认知的 搭 cognizant of sth. 知道某事/物 例 The man was not *cognizant* of the importance of the case. 那个男子没有意识到这起案件的重要性。 同 aware, conscious, sensible, mindful
hoarse [hɔːrs]	*a.* 嘶哑的 记 联想记忆：房(house) 中传来嘶哑的(hoarse) 叫声 例 a *hoarse* cry 嘶哑的哭声
elapse [ɪˈlæps]	*vi.* (时间) 消逝，流逝 记 词根记忆：e(看作 ex, 出) + laps(减少) + e → 时间减少 → 流逝 例 Patients could be discharged from hospital if more than 4 weeks had *elapsed* since the initial treatment. 自开始治疗起，病人接受治疗的时间超过四星期就可以获准出院。 同 pass
wily * [ˈwaɪli]	*a.* 老谋深算的，诡计多端的 记 来自 wile(*n.* 诡计) 例 The candidate was outwitted by his *wily* opponent. 这位候选人被他老谋深算的对手给骗了。 同 sly, cunning, crafty, tricky, foxy, artful
barren * [ˈbærən]	*a.* (土地等) 贫瘠的，荒芜的；不结果实的；不(生)育的；无益的，没有结果的 记 发音记忆："巴人" → 下里巴人，生活在贫瘠的土地上 → (土地)贫瘠的，荒芜的 例 We saw the *barren* fields from the window of the train. 透过列车的车窗，我们看到了贫瘠的土地。// The couple wanted to have children, but the wife was *barren*. 那对夫妻想要孩子，但妻子不能生育。 同 fruitless, devoid, lacking
discriminate [dɪˈskrɪmɪneɪt]	*v.* 区别，辨别；有差别地对待，歧视 记 词根记忆：dis(分离) + crimin(分开) + ate(表动词) → 分开找出各自不同 → 区别，辨别 搭 discriminate between... and... 区分…同…；discriminate against 歧视 例 The research shows that newborn babies can *discriminate* between a man's and a woman's voice. 研究表明，新生婴儿能够区分男性和女性的声音。 派 discrimination(*n.* 鉴别力；歧视)；discriminatory(*a.* 歧视的)
integrity * [ɪnˈtegrəti]	*n.* 正直，诚实；完整，完全 记 词根记忆：in(不) + tegr(触摸) + ity(表性质) → 不被触摸的状态 → 完整 例 *integrity* and credibility 诚信 // the territorial *integrity* 领土的完整 同 honesty, completeness

□ cognizant   □ hoarse   □ elapse   □ wily   □ barren   □ discriminate
□ integrity

convenient [kən'viːniənt]	*a.* 方便的, 便利的 记 发音记忆: "肯为你的" → 肯为你着想的 → 方便的 搭 be convenient for 对…来说很方便 例 The meeting time is *convenient* for the public. 会议时间对大众来说非常方便。
accomplice* [ə'kɑːmplɪs]	*n.* 同谋者, 帮凶, 共犯 记 词根记忆: ac + com(共同) + plic(重叠) + e → 共同干 → 同谋者 例 The seeming harmless man might be an *accomplice* of the murderer. 这个看起来毫无歹心的男人可能是那名谋杀犯的帮凶。
literal ['lɪtərəl]	*a.* 文字的; 照字面上的; 无夸张的 记 词根记忆: liter(文字) + al(的) → 文字的 例 *literal* meaning 字面意义
resignation [ˌrezɪɡ'neɪʃn]	*n.* 辞职, 让位, 退职; 屈从, 服从, 听任 记 来自 resign(*v.* 辞职) 例 a letter of *resignation* 一封辞职信
wearisome ['wɪrɪsəm]	*a.* 使人疲倦的, 使人厌倦的, 乏味的 记 联想记忆: 频繁的战争(war)让士兵疲倦(wearisome)
qualitative ['kwɑːləteɪtɪv]	*a.* 质量的; 性质上的; 定性的 记 来自 quality(*n.* 质量; 性质) 例 a *qualitative* study of educational services 关于教学质量的一项定性研究
harass* ['hærəs]	*vt.* 侵扰, 烦扰 记 读音记忆: "好扰死" → 好烦扰啊, 都烦死了 → 烦扰 例 The enemy did not *harass* us much while we were constructing our fort. 敌人在我军筑造堡垒时没有过多侵扰我们。
complaisant* [kəm'pleɪzənt]	*a.* 殷勤的; 柔顺的 记 词根记忆: com + plais(取悦) + ant → 殷勤的 同 amiable, good-natured
impair* [ɪm'per]	*vt.* 损害, 损伤; 削弱, 减少 记 词根记忆: im(使得) + pair(更坏) → 使得更坏 → 损害 例 The amount of alcohol Felix had drunk seriously *impaired* his ability to drive. 费利克斯喝了过量的酒, 严重影响他开车。 派 impairment(*n.* 削弱; 损害) 同 injure, undermine
ban [bæn]	*n.* 禁止, 禁令 *vt.* (法律上)禁止 记 发音记忆: "颁" → 颁布禁令 → 禁令 搭 ban sb. from sth. / doing sth. 禁止某人做某事; a ban on 禁止 例 The driver was *banned* from driving for six months. 这名司机被禁止开车六个月。// The government is considering a total *ban* on cigarette advertising. 该政府正考虑全面禁止香烟广告。
anemia* [ə'niːmiə]	*n.* 贫血, 贫血症 派 anemic (*a.* 贫血的; 患贫血症的)

□ convenient　　□ accomplice　　□ literal　　　□ resignation　　□ wearisome　　□ qualitative
□ harass　　　□ complaisant　□ impair　　　□ ban　　　　　□ anemia

distill * [dɪ'stɪl]	*v.* 蒸馏；用蒸馏法提取；吸取，提炼 例 Carl's father gave him his useful advice *distilled* from his lifetime's experience. 父亲把他一生中得出的有益经验传授给卡尔。
winsome * ['wɪnsəm]	*a.* 迷人的，讨人喜欢的 记 联想记忆：win(赢) + some(…的) → 漂亮的人一般胜算更大 → 迷人的 例 a *winsome* smile 迷人的微笑
pageant ['pædʒənt]	*n.* (选美)比赛；盛会，庆典，游行；盛大壮丽的场景 记 联想记忆：page (页) + ant (蚂蚁) → 一页蚂蚁浩浩荡荡游行 → 盛会，庆典，游行 例 a beauty *pageant* 选美比赛 同 show, exhibition
motto ['mɑːtoʊ]	*n.* 座右铭；格言，箴言 记 词根记忆：mot(行动) + to → 指导行动的语言 → 格言，箴言
devastate ['devəsteɪt]	*vt.* 毁坏，摧毁 记 联想记忆：de(彻底地) + vast(看作 waste，浪费) + ate(表动词) → 彻底地浪费 → 毁坏 例 The bomb *devastated* the downtown area last night. 昨晚，炸弹摧毁了市区。 同 ruin, destroy
escalate ['eskəleɪt]	*v.* (使)逐步增长(或发展)，(使)逐步升级，(使)更紧张，加剧 记 词根记忆：e(向上) + scal(梯子) + ate → 往上爬 → 逐步增长 例 Suicide bombing and airstrikes *escalated* the Gulf state's crisis. 自杀性爆炸和空袭加剧了这个海湾国家的危机。
abbreviate * [ə'briːvieɪt]	*vt.* 缩写；缩短；简化 记 词根记忆：ab(加强) + brev(短) + iate(使) → 使变短 → 缩短 例 Some senators urged to *abbreviate* the constitutional reform process. 一些参议员强烈要求简化修改宪法的程序。 派 abbreviation(*n.* 缩短；缩写) 同 shorten
permeable * ['pɜːrmiəbl]	*a.* 有浸透性的，能透过的 记 来自 permeate(*v.* 弥漫，渗透) 例 *permeable* rocks 渗透性岩石 同 penetrable
facet * ['fæsɪt]	*n.* 方面；(宝石等的)刻面 记 联想记忆：实际(fact) 方面(facet) 例 another *facet* of the problem 问题的另一面
cerebral * [sə'riːbrəl]	*a.* 脑的，大脑的；理智的；智力的 记 来自 cerebrum(*n.* 大脑) 例 Maud's novel is *cerebral*, yet also scary and funny. 莫德的小说很理智，但也不乏恐惧感和趣味性。

22

souvenir [ˌsuːvəˈnɪr]	*n.* 纪念品 例 I bought a T-shirt as a *souvenir* of America. 我买了一件 T 恤，留作对美国的纪念。
innovate [ˈɪnəveɪt]	*v.* 革新，创新 记 词根记忆：in + nov(新的) + ate(使…) → 使新的 → 革新，创新 例 The true wealth of an enterprise lies in its staff's ability to create, communicate and *innovate*. 一个企业真正的财富在于其员工创造、沟通和革新的能力。
promotion [prəˈmoʊʃn]	*n.* 提升，晋升；晋级；(商品的)宣传，推销 记 来自 promote(*v.* 提升；促进) 例 a job with excellent *promotion* prospects 有晋升前景的职位
zealot [ˈzelət]	*n.* 狂热者 记 来自 zeal(*n.* 热心，热情)
fluctuate [ˈflʌktʃueɪt]	*vi.* 波动，起伏 记 词根记忆：flu(流动) + ctu + ate → 流动 → 波动 例 Prices *fluctuated* in response to harvests or natural disasters. 价格随着收成的好坏或有无自然灾害而波动。 派 fluctuation(*n.* 波动，起伏)；fluctuant(*a.* 变动的，波动的)
outrage [ˈaʊtreɪdʒ]	*vt.* 激怒，使震怒 *n.* 暴行，骇人听闻的事件；愤慨，愤怒 记 组合词：out(过度) + rage(狂怒，狂暴) → 过分狂暴 → 暴行，骇人听闻的事件 同 indignation, offend
disagreeable [ˌdɪsəˈɡriːəbl]	*a.* 不愉快的，讨厌的；脾气坏的，难相处的 例 a *disagreeable* smell 难闻的气味 同 peevish
mastermind [ˈmæstərmaɪnd]	*n.* 具有极高才智的人，出谋划策的人，智囊 记 组合词：master(控制) + mind(头脑，智力) → 具有聪明头脑的人，能控制局面的人 → 具有极高才智的人 例 the *mastermind* of a robbery 抢劫的谋划人
admonish [ədˈmɑːnɪʃ]	*vt.* 劝告，劝诫，警告 记 词根记忆：ad(加强) + mon(警告) + ish(使) → 警告 例 Visitors should be *admonished* not to damage our public facilities. 应该告诫游客不要破坏我们的公共设施。
consecrate [ˈkɑːnsɪkreɪt]	*vt.* 把…用作祭祀；使圣化；献身于 记 词根记忆：con + secr(神圣) + ate → 献给神 → 把…用作祭祀
accolade [ˈækəleɪd]	*n.* 赞美，赞扬；奖励 记 词根记忆：ac(加强) + col(脖子) + ade(动作) → 伸长脖子，啧啧称赞 → 赞美，赞扬 例 Awards and *accolades* came to Kate in succession. 凯特接连不断地获得了很多奖项和赞美。

246

□ souvenir　　□ innovate　　□ promotion　　□ zealot　　　□ fluctuate　　□ outrage
□ disagreeable　□ mastermind　□ admonish　　□ consecrate　　□ accolade

diversity* [daɪˈvɜːrsəti]	*n.* 差异；多样性 记 来自 diverse (*a.* 不同的；多种多样的) 例 the biological *diversity* 生物多样性 同 variety
exacting [ɪgˈzæktɪŋ]	*a.* 苛求的，严格的；艰难的，需付出极大努力的 记 词根记忆：exact(强求) + ing(…的) → 强求的 → 苛求的 例 *exacting* work 艰巨的工作 同 onerous*, burdensome
readily [ˈredɪli]	*ad.* 容易地，快捷地；乐意地，欣然地 记 联想记忆：事情预先 ready(准备) 好了，实施起来就 readily(容易) 多了 例 The information is *readily* accessible on the Internet. 这样的信息在网上很容易就能得到。 同 willingly, easily
premonition* [ˌpriːməˈnɪʃn]	*n.* 预先的警告；(不祥的)预感，前兆 记 词根记忆：pre(预先) + mon(警告) + i + tion → 预先的警告 例 a *premonition* of disaster 大祸临头的预感
anthropologist* [ˌænθrəˈpɑːlədʒɪst]	*n.* 人类学家 记 来自 anthropology(*n.* 人类学)
presumption [prɪˈzʌmpʃn]	*n.* 假定，假设 记 来自 presume(*v.* 假定，假设) 例 a false *presumption* 错误的假定
adhere [ədˈhɪr]	*v.* 黏附，胶着；坚持 记 词根记忆：ad(加强) + her(黏附) + e → 黏附 搭 adhere to 黏附，附着；遵守；坚持 例 Jane *adhered* to her resolution that she would not marry the man. 简坚持自己的决定，她不会嫁给那个人。 派 adhesion(*n.* 粘附；坚持，忠于)；adherence(*n.* 粘着；坚持) 同 stick
portray [pɔːrˈtreɪ]	*v.* 画(人物、风景)，画(肖像)；描绘，描写，描述 记 联想记忆：por(看作 pour，倒) + tray(碟) → 将颜料倒在碟子里 → 描绘 例 Romantic poets *portrayed* nature as mild and beautiful. 浪漫派诗人笔下的大自然既温柔又美丽。 同 depict, describe, represent
legislative [ˈledʒɪsleɪtɪv]	*a.* 立法的；立法机关的 记 来自 legislate(*v.* 立法) 例 a *legislative* body 立法机构
adduce [əˈduːs]	*vt.* 引证，举出(例证、理由、证据) 记 词根记忆：ad(做) + duc(引导) + e → 举例做引导 → 举出(例证)

22

adhere

pour
portray

transmit [trænsˈmɪt]	*v.* 传播，发射；传递，传导 记 词根记忆：trans(穿过) + mit(送) → 送过去 → 传递 例 The US Open will be *transmitted* live via satellite. 美国网球公开赛将通过卫星进行现场直播。 派 transmitter(*n.* 传送人；发射机)；transmission(*n.* 发射；传送)
conspiracy [kənˈspɪrəsi]	*n.* 阴谋；共谋 例 He was thrown into jail for taking part in a *conspiracy* to overthrow the government. 他因参与推翻政府的阴谋而被捕入狱。
gleam [gliːm]	*n.* 微光；闪光 *v.* 发微光；闪烁 记 发音记忆："隔离母" → 把孩子和母亲隔离开，泪光在闪烁 → 闪烁 例 The moonlight *gleamed* on the water, which produced a peaceful and romantic atmosphere. 月光照在水面上泛起粼粼波光，营造出一种宁静、浪漫的气氛。
align [əˈlaɪn]	*vt.* 使成一条直线；排整齐；使一致 记 联想记忆：a(看作 at，在) + lign(看作 line，线) → 在一条线上 → 使成一条直线；排整齐 例 Joseph neatly *aligned* those books on the shelf. 约瑟夫把那些书整齐地码在书架上。
novice* [ˈnɑːvɪs]	*n.* 新手，生手，初学者；初学修士(或修女) 记 词根记忆：nov(新) + ice → 新手 例 This book, which provides a step-by-step guideline, is written for *novice* in management. 这本书适合初学管理的人，因为它里面有循序渐进的指导。
ecstasy* [ˈekstəsi]	*n.* 狂喜；陶醉；入迷 记 联想记忆：ec(出) + sta(看作 stand，站) +sy → 站在那里很出众，不由心中狂喜 → 狂喜；陶醉 例 All the fans are in the *ecstasy* of joy when their favorite actor comes onto the stage. 当最喜爱的演员出现在舞台上时，所有的粉丝都欣喜若狂。
waft* [wɑːft]	*v.* (随风)飘荡；吹拂 *n.* 飘荡；(声音、气味等)一阵 记 联想记忆：木筏(raft)只有在童话里才可以在空中飘荡(waft) 例 The gentle breeze *wafted* the scent of flowers to our noses. 清风拂过，一阵花香飘来。
aver [əˈvɜːr]	*v.* 坚称，断言；确认 记 词根记忆：a + ver(真实的) → 说出真相 → 确认 例 The woman *averred* that she was innocent. 这个女人坚称自己是清白无辜的。
berserk* [bərˈzɜːrk]	*a.* 狂怒的，暴跳如雷的 例 Most demonstrators went *berserk* when they had been suppressed by the government troops. 示威者遭到了政府军队的镇压，他们中的大多数人都极其愤怒。

□ transmit　　□ conspiracy　　□ gleam　　□ align　　□ novice　　□ ecstasy
□ waft　　□ aver　　□ berserk

colonial [kə'loʊniəl]	*a.* 殖民的，殖民地的 *n.* 殖民地居民 例 Tunisia was once under French *colonial* rule so that French is one of its official languages. 突尼斯曾经是法国的殖民地，所以法语是其官方语言之一。 派 colony（*n.* 殖民地）；colonist（*n.* 殖民者）；colonize（*vt.* 拓殖；殖民）；colonialism（*n.* 殖民主义）；colonization（*n.* 殖民地化）
bode* [boʊd]	*v.* 预示 例 Commercial conflicts of both countries *bode* evil days for their future relationship. 两国的贸易争端预示着他们未来的关系将恶化。
menial* ['miːniəl]	*n.* [文，常贬]仆人 *a.* 仆人的；卑微的；非技术性的(工作) 记 联想记忆：men(男人) + ial → 恋爱中的男人在女人面前就像仆人 → 仆人；卑微的 例 Tasks such as washing pots and pans and cleaning the floor are usually considered as *menial* works. 洗涮锅碗瓢盆、扫地等差事通常被认为是不需要技术的粗活。
knack [næk]	*n.* 本领，技巧；诀窍；癖好，习惯 记 联想记忆：敲(knock)核桃也是一种技巧(knack) 例 Chandler has a *knack* of making fun, which helps him make friends with others easily. 钱德勒有搞笑的本事，这一点使他很容易交到朋友。
dire* ['daɪər]	*a.* 极度的，紧迫的；可怕的，极糟的 例 People who lost their homes are left in *dire* need of food and tents after the flood. 洪水过后，失去家园的人们急需食物和帐篷。
dirge* [dɜːrdʒ]	*n.* 哀歌，挽歌；凄惨缓慢的歌曲 记 联想记忆：dir(看作 direct，引导) + ge(拼音：歌) → 引导人们凭吊逝者的歌 → 哀歌，挽歌 例 Everybody has to wait for the sound of the funeral *dirge* before proceeding to the viewing point. 大家都要等到挽歌响起后，才可以去瞻仰处观瞻。
actuarial* [ˌæktʃuˈeriəl]	*a.* (保险统计)精算的 记 联想记忆：actua(看作 actual，实际的) + rial → 统计力求与实际相吻合，追求精确的 → (保险统计)精算的
dehydrate* [diːˈhaɪdreɪt]	*v.* 除去水分，脱水 记 词根记忆：de(除去) + hydr(水) + ate → 除去水分，脱水 例 Drinking lots of water could avoid becoming *dehydrated* while walking in the desert. 在沙漠中行进时，多喝水可以防止身体脱水。
mortify* ['mɔːrtɪfaɪ]	*vt.* 使屈辱；使难堪；使羞愧 记 词根记忆：mort(死) + ify → 受了屈辱，让人想死 → 使屈辱 例 I am *mortified* to apologize to the unreasonable customer since I don't want to lose my job. 因为不想失去这份工作，我不得不向这个无理的顾客道歉，但这让我觉得很屈辱。

22

embezzlement* [ɪmˈbezlmənt]	*n.* 贪污，侵吞；盗用，挪用 记 联想记忆：em + bezzle（看作 bezzant，金银币）+ ment → 将金钱据为己有 → 贪污，侵吞 例 He is accused of *embezzlement* of public funds. 他被指控贪污公款。
secession* [sɪˈseʃn]	*n.* 退出，脱离 例 The *secession* of 11 southern states from the Union brought on the U.S. civil war. 南方 11 个州退出联邦引发了美国内战。
ignite* [ɪgˈnaɪt]	*v.* 点燃，使燃烧；着火，开始燃烧 记 词根记忆：ign(点燃，火) + ite → 点燃，使燃烧 例 The bonfire was *ignited* to keep us warm. 我们点燃篝火取暖。 同 light, kindle*
restraint* [rɪˈstreɪnt]	*n.* 抑制，限制，克制；约束措施，制约条件 例 Lack of money is the main *restraint* on the company's expansion plan. 缺少资金是限制公司扩张计划的主要制约因素。 派 self-restraint(*n.* 自制) 同 limitation
taut [tɔːt]	*a.* 拉紧的，绷紧的；紧张的；肌肉紧张的 记 联想记忆：t(形似十字架) + au + t(形似十字架) → au 被两个十字架夹着，绷得紧紧的 → 绷紧的 例 My fishing threads become *taut* suddenly, which might indicate a fish. 我的鱼线突然绷紧了，可能是有鱼上钩了。
scourge* [skɜːrdʒ]	*n.* (用作刑具的)鞭子；惩罚；灾难；天谴 *vt.* 鞭笞；严惩；使痛苦 记 联想记忆：面对灾难(scourge)，要鼓起勇气(courage) 搭 scourge of war 战乱 例 Wars, diseases and natural disasters are all *scourge* of humanity. 战争、疾病和自然灾害都是人类的灾难。
murky* [ˈmɜːrki]	*a.* 昏暗的，朦胧的；隐晦的，含糊的 例 His *murky* statement leaves us confused with his standpoint. 他发表的声明模棱两可，让我们搞不清楚他的立场。
bolt* [boʊlt]	*v.* 冲出；逃走；用螺栓固定 *n.* 螺栓；门闩；逃跑；闪电 记 联想记忆：只有勇敢的(bold)才敢冲出去(bolt) → 冲出；逃走 搭 a bolt from / out of the blue 晴天霹雳；意外事件 例 Frightened by visitors, my rabbit *bolted* back into its burrow. 我的兔子被客人吓到，逃回窝里去了。
overhaul [ˈoʊvərhɔːl]	*vt./n.* 大修；全面检修；改造 记 组合词：over(全部) + haul(拉，拖) → 全部拉上来修理 → 大修 例 A radical *overhaul* of medical system is on the way, which will benefit more poor people. 医疗系统正在进行全面的改革，这将会使更多的穷人从中受益。

steep^{*} [stiːp]	*a.* 陡峭的，险峻的；(价格等)过高的；急剧升降的 *v.* 浸泡，浸透；沉浸 记 联想记忆：step(阶梯)中又加一个 e → 更高了 → 陡峭的 例 A *steep* rise in unemployment would indicate the coming of economic crisis. 失业率的急剧上升预示着经济危机的到来。
prestigious [preˈstɪdʒəs]	*a.* 有威信的，有威望的，有影响力的 例 The *prestigious* professor claims that he has never accepted any bribes. 那位很有声望的教授声称自己从未接受过任何贿赂。 同 honored
relentless [rɪˈlentləs]	*a.* 无情的，残酷的 例 The landlord was *relentless* in demanding triple rent. 房东无情地要求三倍的房租。
delete^{*} [dɪˈliːt]	*v.* 删除，删略 记 联想记忆：电脑键盘上的 Delete(删除)键 例 You can't just *delete* this file from your computer. 你不能只删除电脑中的这个文件。
dispirited^{*} [dɪˈspɪrɪtɪd]	*a.* 气馁的，灰心的 记 联想记忆：dis(不) + spirit(精神) + ed(…的) → 没有精神的 → 气馁的，灰心的 例 Even if you fail the exam, you should not be *dispirited*. 即使挂科，你也不应该灰心丧气。
slipshod^{*} [ˈslɪpʃɑːd]	*a.* 马虎的，草率的 例 The two workers were fired due to their *slipshod* working attitude. 两名工人由于其马虎的工作态度而被解雇了。
debonair^{*} [ˌdebəˈner]	*a.* (通常指男人)潇洒的，自信的；温文尔雅的 例 After training on fashion, Mr. White changed into a *debonair* man. 经过有关时尚的训练之后，怀特先生变成了一个温文尔雅的人。
harbor^{*} [ˈhɑːrbər]	*n.* 海港，港湾；避风港，避难所 *v.* 藏匿；庇护 例 If you want to have a holiday, I recommend you this beautiful *harbor*. 如果你想去度假，我向你推荐这个美丽的海港。
derogatory^{*} [dɪˈrɑːɡətɔːri]	*a.* 侮辱的，不敬的；诽谤的，贬低的 例 The angry employee refused to withdraw *derogatory* remarks about his boss. 愤怒的员工拒绝收回对老板不敬的言论。 同 insulting

22

□ steep　　　□ prestigious　　□ relentless　　□ delete　　　□ dispirited　　□ slipshod
□ debonair　　□ harbor　　　□ derogatory

Word List 23

词根预习表

cret	分开	discrete a. 分离的	pict	描画	depict vt. 描画
fam	说	defame vt. 诽谤	vi	道路	viable a. 切实可行的
pecu	钱	impecunious a. 贫困的	flect	弯曲	deflect v. 偏斜;转向
ebri	醉	inebriated a. 喝醉的	clam	叫喊	clamor n. 吵闹(声)
ag	做	agenda n. 议程	orama	景色	panoramic a. 全景的

---

exalt *
[ɪgˈzɔːlt]

v. 使升高;提拔;赞扬
记 词根记忆:ex(出) + alt(高) → 比原来高出一大截 → 使升高;提拔
例 The best salesman will be *exalted* to the position of manager. 表现最佳的销售人员会被提拔为经理。

---

insurmountable *
[ˌɪnsərˈmaʊntəbl]

a. 不能克服的;不能逾越的
记 词根记忆:in(不) + sur(越过) + mount(山) + able → 不能翻越的高山 → 不能逾越的
例 Faced with an *insurmountable* debt, the company had to declare bankruptcy. 面对无法偿还的债务,这家公司不得不宣布破产。

---

controvert *
[ˈkɑːntrəvɜːrt]

v. 反驳;驳斥;争论;辩论
记 词根记忆:contro(反) + vert(转) → 反转 → 反驳

---

aberrant *
[æˈberənt]

a. 脱离常规的;越轨的;异常的
记 联想记忆:ab + err(错误) + ant(蚂蚁) → 一只蚂蚁犯错误了,因为它出轨了 → 越轨的

---

livid *
[ˈlɪvɪd]

a. (伤)青紫色的;(脸色)苍白的,青灰色的;狂怒的
例 His left leg had large *livid* bruises because of the car accident. 由于车祸,他的左腿大面积淤青。

---

scorn
[skɔːrn]

n. 轻蔑;藐视;嘲笑 v. 轻蔑;藐视;拒绝,不屑(做)
记 联想记忆:s + corn(玉米) → 把别人当成玉米棒子 → 轻蔑;藐视
例 The great writer was *scorned* for his old-fashioned dressing style by those innocent people. 那些无知的人因为这位大作家穿着老土而嘲笑他。

---

discordant *
[dɪsˈkɔːrdənt]

a. 不一致的,不协调的;不和的;不和谐的,不悦耳的
记 来自discord(n. 不和,纷争)
例 The *discordant* noises of automobile horns should be eliminated from this peaceful street. 这条宁静的街道上不应该有汽车刺耳的鸣笛声。

---

horde * [hɔːrd]	*n.* 一大群(人或动物)；游牧部落 记 联想记忆：马(horse)背上的游牧部落(horde) 例 A *horde* of fans rushed into the entrance when the singer showed up. 歌星一出现，一大群歌迷就涌向入口处。
quarry * ['kwɔːri]	*n.* 采石场；被捕猎的动物(或人) *v.* 采石 记 联想记忆：运送(carry)石头到采石场(quarry) 例 The mountain was once used as a *quarry* that provided the best limestone. 这座山曾是一个采石场，出产最好的石灰石。
extirpation [ˌekstərˈpeɪʃn]	*n.* 根除，灭绝 记 来自 extirpate[*v.* 消灭，根除(坏的或不需要的事物)] 例 The Anti-Slavery Society was committed to the *extirpation* of the slave trade all over the world. 反奴隶制协会致力于消除全世界的奴隶贸易。
caulk * [kɔːk]	*vt.* 填塞(船的)缝隙、漏洞 记 联想记忆：在紧急情况下，粉笔(chalk)还可以用来填塞漏洞(caulk) → 填塞漏洞 例 Tarred ropes are normally used for *caulking* ships. 人们常用涂满柏油的绳子来填塞船上的缝隙。
discrete * [dɪˈskriːt]	*a.* 各不相同的；分离的；不连接的 记 词根记忆：dis(分离) + cret(分开) + e → 一个个分开的 → 分离的；不连接的 例 Each movement is divided into three *discrete* sections, always with the same theme. 每个乐章都分为相对独立的三个部分，但主题是一致的。 同 separate
grotesque * [groʊˈtesk]	*a.* 怪诞的，荒唐的；奇形怪状的；可笑的 *n.* 怪诞的图案、风格；怪异的东西 例 Halloween is featured with *grotesque* costume. 怪异的服装是万圣节的一大特色。
buffet * ['bʌfeɪ]	*n.* 自助餐；饮食柜台；快餐部；击打；冲击 *v.* 反复击打；连续冲击 例 My wedding will serve a cold *buffet*, not a sit-down meal. 我的婚礼上会提供自助冷餐，而不摆桌宴。
footnote ['fʊtnoʊt]	*n.* 脚注；补充说明 记 组合词：foot(脚) + note(注解) → 脚注 例 You may refer to the *footnotes* on each page while meeting a new term. 遇到新的术语请参考每页的脚注。
indigent * ['ɪndɪdʒənt]	*a.* 贫困的，贫穷的 记 联想记忆：in(没有) + dig(挖) + ent(= ant, 蚂蚁) → 家里连一只蚂蚁也挖不出来 → 贫困的，贫穷的 例 These medical aids aim to help the elderly and the handicapped and the *indigent*. 这项医疗救助主要面向老年人、残疾人和贫困人群。

23

grotesque

253

| **expropriate**＊ [eks'prouprieit] | *vt.* 没收(财产)；征用(土地等的)使用权 |
| | 记 词根记忆：ex(出) + propr(自己的) + iate → 拿出自己的，变成别人的 → 没收(财产)；征用(土地等的)使用权 |

imputation＊ [ˌimpju'teiʃn]	*n.* (常指不公正的)归咎，归罪
	记 联想记忆：把错归咎(imputation)于我，损坏了我的名誉(reputation)
	例 The *imputation* that it's all my fault is unfair. 把所有的错都归咎于我是不公平的。

piety＊ ['paiəti]	*n.* 虔诚；孝行
	记 联想记忆：因为心存怜悯(pity)，才会虔诚(piety)向佛 → 虔诚
	例 She was drawn to the church not by *piety* but by curiosity. 她被吸引到教会来不是因为对上帝的虔诚，而是出于好奇。

| **loath**＊ [louθ] | *a.* 不情愿的；勉强的 |
| | 例 Henry is *loath* to take uncooperative Amy into his team. 亨利不愿意让埃米加入他的团队，因为埃米很难相处。 |

gnaw [nɔː]	*v.* 啃，啮，咬；使苦恼，折磨
	搭 gnaw at 啃，咬；折磨
	例 Mice like *gnawing* wooden furnitures. 老鼠喜欢啃木质家具。

defile＊ [di'fail]	*v.* 弄脏；玷污 *n.* (山间)小道
	记 联想记忆：de + file(给文件归档) → 没给文件归档所以弄脏了 → 弄脏
	例 It is pity that such a beautiful area has been *defiled* by industrial waste water. 这么美丽的地方却被工业废水污染了，真是太可惜了。

| **trek**＊ [trek] | *vi.* 长途跋涉；徒步旅行 *n.* 长途跋涉；艰难的旅程 |
| | 记 联想记忆：tre(看作 tree，树) + k(音似：棵) → 拉着一棵小树进行长途跋涉 → 长途跋涉 |

polemic [pə'lemik]	*n.* 激烈争论；论战 *a.* 好争论的
	记 词根记忆：polem(战争) + ic → 激烈争论；论战
	例 Rona launched a fierce *polemic* against educational policies. 罗娜猛烈地抨击了教育政策。

| **angular**＊ ['æŋɡjələr] | *a.* 有角的，有尖角的；(指人)消瘦的，骨瘦如柴的 |
| | 记 来自 angle(*n.* 角) |

consort＊	[kən'sɔːrt] *v.* 厮混，鬼混；结交，陪伴 ['kɑːnsɔːrt] *n.* (统治者的)配偶
	记 联想记忆：con(共同) + sort(类型) → 物以类聚 → 结交，陪伴
	例 Albert is claimed to be *consorting* with drug dealers. 据说艾伯特和毒贩混在一起。

sham＊ [ʃæm]	*n.* 虚假；伪装；骗局；假冒者 *v.* 伪装；假冒 *a.* 虚假的
	记 联想记忆：做虚假(sham)广告的人真可耻(shame)
	例 The couple next door are accused of conducting *sham* marriage involving illegal immigrants. 隔壁的夫妇被指控假结婚，涉嫌非法移民。

stem *
[stem]

n. 茎, 干; 把, 柄; 词干 v. 起源于; 封堵

搭 stem from 起源于

例 This report *stems* from what we have talked about during last meeting. 这个报告源于我们在上次会议上讨论的内容。

---

splice *
[splaɪs]

vt. 接合, 胶接, 黏结

记 联想记忆: 将薄片(slice)接合(splice)起来

---

depict *
[dɪˈpɪkt]

vt. 描绘, 描画; 描述, 描写

记 词根记忆: de(加强) + pict(描画) → 描绘, 描画

例 These paintings *depict* beautiful Mediterranean scenes. 这些画作描绘了美丽的地中海风光。

派 depiction(n. 描写, 叙述)

同 describe, represent, portray

---

hoax *
[houks]

n. 骗局; 欺骗; 恶作剧 v. 欺骗; 愚弄

记 联想记忆: 哄骗(coax)他进入骗局(hoax)

例 *Hoax* calls to the fire service in Jamestown has dropped by 40% since 2008. 2008 年以来, 发生在詹姆斯顿的虚假火灾报警电话的数量已经下降了 40%。

---

expertise *
[ˌekspɜːrˈtiːz]

n. 专门知识(或技能); 专长

例 It will be of great help to find staff with the level of *expertise* when you start a business. 开始创业时, 如果能招募到有专长的人, 将会很有帮助。

---

manual
[ˈmænjuəl]

a. 手工的; 体力的 n. 手册, 指南

记 词根记忆: manu(手) + al(…的) → 手工的; 手册

例 My car is equipped with a five-speed *manual* transmission. 我的车配有五档手动变速装置。

派 manually(ad. 用手地, 手工地)

---

sear
[sɪr]

v. 烧烤; 打烙印于; (使)枯萎 a. 干焦的 n. 烙印; 烧焦的痕迹

记 联想记忆: 灼烧(sear)使人无法忍受(bear)

例 Heat the pan and *sear* the beefsteak for three minutes on both sides. 把锅烧热, 将牛排的上下两面各煎 3 分钟。

---

festive *
[ˈfestɪv]

a. 欢乐的, 欢闹的; 节日的, 欢宴的

例 The atmosphere is really *festive* and friendly. 气氛真是又欢乐又友好。

---

defame *
[dɪˈfeɪm]

vt. 诽谤, 中伤

记 词根记忆: de(坏) + fam(说) + e → 说别人的坏话 → 诽谤, 中伤

例 The right to free speech does not imply the right to *defame* anyone you dislike freely. 言论自由并不意味着可以随意诋毁自己讨厌的人。

---

dupe *
[duːp]

n. 上当者, 容易受骗的人

记 发音记忆: "丢谱" → 乱摆谱, 结果上了当 → 上当者

---

chaff *
[tʃæf]

n. 糠, 谷壳 v. 戏弄, 开玩笑

记 发音记忆: "车夫" → 车夫回家后只能吃点米糠 → 糠

23

tarry * [ˈtæri]	*vi.* 耽搁；逗留；等候 记 联想记忆：tarr（看作 tar，柏油）+ y → 脚粘在柏油上，结果给耽搁了 → 耽搁 例 Students are often told not to *tarry* on their way to school as well as back home. 学生们经常被叮嘱上学放学都不要在路上耽搁。
glaze * [gleɪz]	*v.* 给…装玻璃；给…上釉，给…上光；变光滑，变光亮 *n.* 釉，釉料 记 发音记忆："各类泽" → 给瓷器上各类釉料，会出现各类光泽 → 给…上釉；釉，釉料 例 All windows are double *glazed* to keep inside warm. 所有的窗户都装上了双层玻璃，以使室内保持温暖。 派 glazing(*n.* 上釉)；glazed(*a.* 上过釉的；表面光滑的)
distant * [ˈdɪstənt]	*a.* 在远处的；久远的；疏远的；远亲的 记 联想记忆：移步幻影术可以在瞬间(instant)让人到很远的(distant)地方 → 在远处的 例 Engineers carried out a very difficult repair on the most *distant* space station. 工程师们在最遥远的空间站上进行了一项极其困难的维修工作。
sublime * [səˈblaɪm]	*a.* 宏伟的，壮丽的；崇高的，令人崇敬的 *n.* 壮观；崇高 记 联想记忆：sub(接近) + lime(看作 limit, 限制) → 接近极限的 → 宏伟的；崇高的 例 Man with *sublime* virtue like honesty and kindness should be respected. 具备诚实、善良等高尚品德的人值得尊敬。
viable * [ˈvaɪəbl]	*a.* 切实可行的；(胎儿)能养活的，能生长发育的；能独立生存发展的 记 词根记忆：vi(=via, 道路) + able → 有路可走的 → 切实可行的 例 I am afraid that your plan is not financially *viable* since we do not have that much money. 从财务的角度来看，恐怕您的计划不可行，因为我们没有那么多资金。
inebriated * [ɪˈniːbrieɪtɪd]	*a.* 喝醉的，醉醺醺的 记 词根记忆：in(进入) + ebri(醉) + ated → 进入醉的状态 → 喝醉的，醉醺醺的 例 The *inebriated* driver was given a breath test by the police. 警察给这个醉醺醺的司机做了酒精测试。
anguish * [ˈæŋgwɪʃ]	*n./v.* (使)极度痛苦 记 词根记忆：angu(痛苦) + ish → 极度痛苦 例 Recalling her *anguish* in those terrible days, Emma bursts into tears again. 回想起那些可怕的日子里经历的痛苦，埃玛再次泪流满面。
fraud * [frɔːd]	*n.* 诈骗，欺骗；骗子；假货 记 发音记忆："扶弱的" → 济贫扶弱的口号是骗人的 → 诈骗，欺骗 例 Martin is arrested for credit card *fraud* and imprisoned for 6 years. 马丁因信用卡诈骗被捕入狱，并被判了 6 年刑。 同 deception, trickery

panoramic * [ˌpænəˈræmɪk]	*a.* 全景的，全貌的 记 来自 panorama(*n.* 全景，全貌)，词根记忆：pan(全部) + orama(景色) → 全景，全貌 例 This series of photographs show a *panoramic* view of the Montgomery Castle. 这组照片展示了蒙哥马利城堡的全景。
wither * [ˈwɪðər]	*v.* (使)枯萎；(使)消亡；(使)衰亡；使畏缩 记 联想记忆：天气(weather)太恶劣了，树木都枯萎(wither)了 例 Flowers *withered* in the hot sun. 炙热的阳光把花都晒蔫了。
temperament [ˈtemprəmənt]	*n.* 性情；气质 例 Poets always bear romantic *temperament*. 诗人通常具有浪漫的气质。
impecunious * [ˌɪmpɪˈkjuːniəs]	*a.* 一文不名的，贫困的 记 词根记忆：im(无) + pecu(钱) + nious → 无钱的 → 贫困的 例 The student is *impecunious* but independent, refusing any help from others. 那个学生虽贫穷却自立，从不接受别人的帮助。
exclaim * [ɪkˈskleɪm]	*v.* 惊叫，呼喊 记 词根记忆：ex(出) + claim(大叫，大喊) → 惊叫，呼喊 例 The children *exclaim* in delight upon hearing the news that they are the champion. 孩子们听到他们自己获得冠军的消息时，兴奋得大喊大叫。
famish [ˈfæmɪʃ]	*v.* (使)挨饿 例 The child shouted, "I am *famished*！" 孩子嚷道："我饿死了！"
document * [ˈdɑːkjumənt]	*n.* 公文，文件；证件；单据 *vt.* 用文件证明；提供文件(或证据等) 例 Relevant *documents* should be presented at court to support your point. 你要在法庭上出示相关的文件以支持你自己的观点。
musty * [ˈmʌsti]	*a.* 有霉味的；过时的；没有活力的 记 联想记忆：must(一定) + y → 一定是发霉了 → 有霉味的 例 Old books often give off a *musty* smell. 旧书通常有一股霉味。
vengeful [ˈvendʒfl]	*a.* 心存报复的，复仇心重的 例 As a *vengeful* man, Allen came back to kill those who had turned their backs on him. 艾伦报复心很重，他回来是为了把那些背叛他的人都杀掉。
turbid [ˈtɜːrbɪd]	*a.* 浑浊的；紊乱的，混乱的 记 发音记忆："特比的" → 能把美国球星"科比"的名字写成"特比"的人，思维真混乱！ → 混乱的，紊乱的
rebate [ˈriːbeɪt]	*n.* 折扣，贴现；回扣 *v.* 对…贴现；退还部分款项 记 词根记忆：re(回) + bat(打) + e → 打回去的(钱) → 回扣；贴现 例 It is said that buyers are offered a cash *rebate*. 据说买方可以收取现金回扣。
spur [spɜːr]	*n.* 刺激，激励；马刺 *vt.* 激励；鞭策；(策马)急速向前 记 联想记忆：美国 NBA 2003 赛季的总冠军是 Spurs(马刺队) 搭 on the spur of the moment 一时冲动之下；当即 例 The thought of champion is the *spur* for every player. 夺取冠军的想法是每个运动员的动力。

23

subsidy * [ˈsʌbsədi]	*n.* 津贴；补贴；补助金 记 发音记忆："舍不舍得" → 舍不舍得把津贴分我一半？ → 津贴；补贴；补助金 例 Farmers get an agricultural *subsidy* check every year based on the area of land they are working. 农民每年根据耕地面积领取农业补贴。 同 allowance
gorge * [gɔːrdʒ]	*n.* 咽喉；山峡，峡谷；大吃 *v.* 塞饱；狼吞虎咽 记 发音记忆："过急" → 吃东西过急 → 狼吞虎咽 搭 the Three Gorges 三峡 例 The hungry boy *gorged* himself on any food he got. 那个饥饿的男孩把所有能得到的食物都塞到肚子里去了。
evince * [ɪˈvɪns]	*vt.* 表明；显示 记 联想记忆：证据(evidence)表明(evince)他无罪 例 Both countries never *evince* desire to negotiate. 两国都从未表示出协商的意愿。
empirical * [ɪmˈpɪrɪkl]	*a.* 经验主义的；经验的；以经验为依据的 记 联想记忆：empir (看作 empire，帝国) + ical → 参照帝国以前的经验 → 经验主义的；以经验为依据的 例 Each theory should be backed up with *empirical* evidence. 每一种理论都需要实践经验的证明。
burly * [ˈbɜːrli]	*a.* 魁梧的，强壮的；粗鲁的；直率的 记 发音记忆："不累" → 身体强壮，干活不累 → 强壮的，魁梧的 例 We prefer *burly* construction workers with great skills. 我们需要技术娴熟、体格健硕的建筑工人。
inopportune * [ɪnˌɑːpərˈtuːn]	*a.* 不合时宜的；不恰当的 记 拆分记忆：in(不) + opportune(适宜的) → 不合时宜的 例 I am sorry, you've arrived at an *inopportune* moment so that we cannot let you in. 不好意思，你们来得很不巧，我们不能让你们进去。
hoodwink * [ˈhʊdwɪŋk]	*vt.* 欺骗，哄骗 记 联想记忆：hood(帽兜) + wink(眨眼) → 眨眼之间从帽兜中变出一朵花，不过魔术都是骗人的 → 欺骗，哄骗 例 Many visitors had been *hoodwinked* into buying those worthless necklaces. 很多游客被蒙骗而买下了那些廉价的项链。
rambunctious [ræmˈbʌŋkʃəs]	*a.* 骚乱的；难以控制的 记 联想记忆：ram(公羊) + bunctious(音似：棒磕血丝) → 骚乱的公羊被棒磕出了血丝 → 骚乱的 例 The social gathering became *rambunctious* and out of control after police came. 警察出现后，集会人群变得骚动不安，难以控制。
rapport * [ræˈpɔːr]	*n.* 和睦(关系)，(意见)一致 记 联想记忆：家庭成员互相支持(support)，家庭才能和睦(rapport) 例 Cindy has developed a good *rapport* with her staff after working together for 5 years. 辛迪和她的员工一起工作了 5 年以后，关系已经非常和睦融洽了。

agenda * [ə'dʒendə]	*n.* 议程，议程表
	记 词根记忆：ag(做) + enda(表名词) → 要做的事情 → 议程
	例 The first item on the *agenda* is women rights. 议程上的第一项是关于妇女权利。

prospectus [prə'spektəs]	*n.* (学校的)简章，简介；(企业的)招股章程
	记 联想记忆：pro(在…前) + spect(看) + us(我们) → 放在前面让我们看的东西 → 简章，简介
	例 A college *prospectus* was sent to me including brief introduction to its history and achievements. 我收到了一份大学简章，里面简要介绍了该学校的历史和成就。

impart * [ɪm'pɑːrt]	*vt.* 给予；传授；告知，透露
	记 词根记忆：im + part(部分) → 给予一部分 → 给予
	例 Facial expressions and gestures help a lot in communicating and *imparting* information to others. 面部表情和手势在交流和传递信息时起到很大的作用。
	同 inform, tell

| **divisive** [dɪ'vaɪsɪv] | *a.* 造成分裂的；区分的；引起不和的 |
| | 记 来自 division(*n.* 分开；分配) |

dawdle * ['dɔːdl]	*v.* 闲荡，闲混；虚度，浪费 (时间等)
	记 发音记忆："多得" → 有时间来闲荡真是不可多得 → 闲荡
	例 It is a waste of time and life to *dawdle* over work. 磨洋工既浪费时间，又浪费生命。

23

propose [prə'pəʊz]	*v.* 建议；提名；求婚；打算
	记 联想记忆：pro(前) + pose(摆姿势) → 建议拍照前先摆好姿势 → 建议
	搭 propose sb. for 提名某人为…；propose to do/doing sth. 打算做某事
	例 Jessica *proposed* changing the theme of their party. 杰茜卡建议换一个聚会主题。
	派 proposal(*n.* 建议；提案)
	同 suggest, project

propose

allure * [ə'lʊr]	*v.* 诱惑，吸引 *n.* 诱惑力，魅力
	记 联想记忆：a(一个) + llure(=lure，诱惑物) → 一个诱惑物 → 诱惑，吸引
	例 Paris's *allure* lies in its fashion and romance. 巴黎的魅力在于它的时尚和浪漫。
	派 alluring(*a.* 吸引人的，迷人的)
	同 charm, attract

| **lunge** * [lʌndʒ] | *n./v.* 猛冲；猛扑；(突然)刺、戳 |
| | 例 He suddenly took out a knife and *lunged* at his wife. 他突然拿出一把刀，向他的妻子刺去。 |

gush [gʌʃ]	*v.* (使)喷出，(使)涌出；滔滔不绝地说(话) *n.* 喷，涌；迸发，发作；滔滔不绝的讲话 记 发音记忆：gu(音似：故) + sh(音似：事) → 讲故事 → 滔滔不绝地说 例 As crude oil continues to *gush* off the coast of Louisiana, the criticism of BP rises. 随着原油持续沿路易斯安那海湾泄露，对 BP 公司的指责声越发高涨。
militant* ['mɪlɪtənt]	*a.* 好战的；激进的 *n.* 好战者；激进分子 记 联想记忆：milit(打架的) + ant(蚂蚁) → 参与打架的蚂蚁很好战 → 好战的；好战者 同 combative, agitator, firebrand
irretrievable* [ˌɪrɪ'triːvəbl]	*a.* 不能补救的；不可挽回的 记 联想记忆：ir(不) + retriev(e)(*v.* 补救，挽回) + able(能…的) → 不能补救的；不可挽回的 例 The couple announced that they were to divorce on the ground of *irretrievable* breakdown. 这对夫妇宣布，由于感情破裂且无法挽回，他们即将离婚。
hedge [hedʒ]	*n.* 树篱；防备；模棱两可的话 *v.* 用篱笆围住；设障碍于；避免直接回答 记 联想记忆：h(看作 he, 他) + edge(边缘) → 他站在边缘处设防 → 防备；设障碍于 例 We have built dams as a *hedge* against flood. 我们修筑堤坝是为了防止洪水的侵袭。
regal* ['riːgl]	*a.* 帝王的，王室的；华丽的，庄严的 记 联想记忆：帝王的(regal)至尊地位是法定的(legal)吗？ 例 The *regal* banquet is exclusive to the royal. 只有皇室成员才可以参加这次盛宴。
gape* [geɪp]	*v.* 张开；裂开；目瞪口呆地看 *n.* 裂缝；张口结舌 记 联想记忆：贫富差距(gap)之巨大让世人目瞪口呆(gape) 例 We all *gaped* in shock on hearing the bad news. 听到这个可怕的消息，我们全都目瞪口呆。
conclusive* [kən'kluːsɪv]	*a.* 最后的；确凿的；结论性的，决定性的 记 来自 conclude(*v.* 结束) 例 More *conclusive* evidence is needed to prove his crime. 需要更多确凿的证据才能证明他的罪行。
glossy* ['glɑːsi]	*a.* 有光泽的，光滑的；浮华的，虚有其表的 记 来自 gloss(*n.* 光泽；虚饰) 例 The beautiful girl has a wonderful long *glossy* black hair. 那个漂亮的女孩拥有一头乌黑亮丽的长发。
fluster* ['flʌstər]	*n.* 紧张，不安；焦虑，慌乱 *v.* (使)慌乱；(使)紧张不安 记 联想记忆：flust(看作 flush, 脸红) + er → 因为紧张，所以脸红 → 紧张，不安 例 In a *fluster*, I forgot my words on stage. 我在台上一紧张，就忘词了。

entice * [ɪnˈtaɪs]	*vt.* 怂恿；引诱 🔑 联想记忆：整个的(entire)被引诱(entice)了 → 引诱；怂恿 🔍 entice sb. into doing sth. 怂恿某人做某事 📝 The hungry elephant refused to be *enticed* into the cage although there was much delicious food. 尽管笼子里有很多美味的食物，人们还是很难把这头饥饿的大象引到笼子里去。
default * [dɪˈfɔːlt]	*n.* 违约，拖欠；(中途)弃权；(计算机系统)预设值 *v.* 不履行，拖欠；不出场，不参加 🔑 联想记忆：de + fault(错误) → 违约、拖欠都是错误 → 违约，拖欠 🔍 in default of 缺少…；在缺乏…时 📝 Everyone should try his best not to *default* on his commitment. 每个人都应该尽全力不违反自己的承诺。
contemplate [ˈkɑːntəmpleɪt]	*vt.* 思量，仔细考虑，苦思冥想；盘算，预期；注视，凝视 🔑 联想记忆：con + templ (看作 temple, 庙) + ate → 像庙里的和尚一样思考 → 思量，仔细考虑 📝 I am *contemplating* changing my job to a less stressful one. 我在考虑换个压力小一点的工作。 🔀 contemplation(*n.* 沉思，思考); contemplative(*a.* 爱思考的) 🔁 consider, ponder
catholic * [ˈkæθlɪk]	*a.* 普遍的；包容一切的；(C-) 天主教的 *n.* (C-) 天主教徒 🔑 联想记忆：作为一个天主教徒(Catholic)，应该包容一切(catholic)
preside [prɪˈzaɪd]	*vi.* 担任主席，主持(会议等)；管辖，指挥 🔑 词根记忆：pre(前) + sid(坐) + e → 坐在前面主持会议 → 主持(会议) 🔍 preside at/over 主持；主管 📝 The Prime Minister is invited to *preside* at the meeting. 首相被请去主持这次会议。
clamor * [ˈklæmər]	*n.* 吵闹(声)，喧哗(声) *v.* 喧嚷着说出；发出喧哗声 🔑 词根记忆：clam(叫喊) + or → 吵闹(声)，喧哗(声) 📝 A crowd of people *clamored* around the car that had just caused an accident. 一群人围着这辆刚刚引发交通事故的肇事车辆吵吵嚷嚷的。
impudence * [ˈɪmpjədəns]	*n.* 厚颜无耻；放肆，无礼 🔑 来自 impudent(*a.* 厚颜无耻的；放肆的，无礼的) 📝 Nobody can stand Austin's *impudence* of correcting others all the time. 奥斯汀一直在纠正别人，他这种傲慢无礼的行为没有人能够忍受。
accord * [əˈkɔːrd]	*n.* 一致，符合；条约，协议 *v.* 调解，使一致，与…一致；授予，赠予 🔍 of one's own accord 自愿地，主动地；with one accord 一致地；in accord with 按照…，与…一致 📝 The documents are in complete *accord* with the relevant laws. 这些文件完全符合相关法律。
crave [kreɪv]	*v.* 渴望得到；恳求，请求 📝 The little boy *craves* his teacher's attention. 小男孩渴望得到老师关注。

23

optimum * [ˈɑːptɪməm]	*a.* 最好的；最适宜的 *n.* 最佳结果；最好的条件 记 联想记忆：数值最小的(minimum)是最好的(optimum) 同 optimal, ideal
deflect * [dɪˈflekt]	*v.* (使)偏斜；(使)转向 记 词根记忆：de(离开) + flect(弯曲) → 弯到一边 → 偏斜；转向 例 All attempts failed to *deflect* attention from his divorce. 他的离婚成了众人关注的焦点，所有试图转移人们视线的努力都失败了。
abysmal * [əˈbɪzməl]	*a.* 极端的，极度的；糟透的，极坏的；深不可测的 记 联想记忆：abys(看作 abyss，深渊，深坑) + mal → 深不可测的 例 His *abysmal* behavior provoked deep hatred among people. 他的极端恶行引发了人们深深的仇恨。
recession * [rɪˈseʃn]	*n.* 经济衰退，衰退时期；撤回，退回 记 词根记忆：re(反) + cess(行走) + ion → 向后走 → 撤回，退回 搭 economic recession 经济衰退 例 The increase of the price sent the country into deep economic *recession*. 物价的上涨使国家陷入严重的经济衰退中。
slant [slænt]	*v.* (使)倾斜，(使)歪斜；有倾向性地报道 *n.* 倾斜，歪斜；斜面，斜线；观点，看法；倾向，偏向 例 The findings of the report were *slanted* just because the government had involved in it. 由于政府的介入，报道的事实被歪曲了。
insubstantial * [ˌɪnsəbˈstænʃl]	*a.* 非实体的，虚幻的；薄弱的，不坚固的 记 来自 substantial(*a.* 实在的；坚固的) 例 The *insubstantial* evidence shown to the judge is not enough to prove the defendant's innocence. 向法官呈现的证据不充分，不足以证明被告是无辜的。
threadbare * [ˈθredber]	*a.* 磨破的，破旧的；陈腐的 记 组合词：thread(线) + bare(露出) → 露出线头 → 磨破的 例 Many *threadbare* policies were abolished during the reformation. 许多陈腐的政策在这次改革中被废除了。
lionize * [ˈlaɪənaɪz]	*v.* 把(某人)视为名人、要人；崇拜，看重 记 联想记忆：lion(狮子) + ize → 把人看作狮子 → 崇拜，看重 例 After the success of the author's first book, he was *lionized* by young people who loved beauty and fashion. 这个作者的第一本书大获成功之后，他成为所有爱美、爱时尚的年轻人崇拜的对象。
stereotype * [ˈsteriətaɪp]	*n.* 陈规；刻板模式，老套；模式化的观念或形象；铅版印刷 *vt.* 使…模式化；对…形成固定看法；把…浇铸成铅版 例 The characters in this play were just *stereotyped* and hollow. 这部话剧中的人物既老套又缺乏内涵。
enterprising * [ˈentərpraɪzɪŋ]	*a.* 有事业心的；有魄力的 例 This company was started and operated by a couple of *enterprising* young women. 这个公司是由两个有事业心的年轻女人创办并经营的。

fraternize *	*vi.* 亲如兄弟，友善交往；和敌方亲善
[ˈfrætərnaɪz]	**例** The armies do *fraternize* much with the local residents here. 部队和这里的本地居民亲如兄弟。

备考锦囊

语法知识（十）主谓一致中需要注意的几点情况(1)

主谓一致原则有以下几种情况需要注意：

（一）形式上为复数，但意义上为单数的名词作主语时，其谓语动词通常用单数形式。这类名词有以 -s 结尾的表示学科、专业、疾病等术语的名词及其他名词。如：economics, linguistics, politics, mathematics, physics, measles（麻疹）, news, works, brains（智慧）等。例如：

Physics is a difficult subject. 物理是有难度的学科。

Brains is very important to a person. 智慧对一个人来说很重要。

（二）表示时间、距离、重量、价格、度量衡等的复数名词或短语作为主语表示一个整体概念时，谓语一般用单数。例如：

Five hours is a short time for such a difficult job.

对于这么困难的工作来说，5 个小时的时间不长。

Ten miles is a long way to walk. 十英里对于步行来说不短。

（三）people, police, cattle 等集合名词作主语时，谓语动词要用复数；而集合名词 army, class, club, committee, crowd, crew, family, gang, herd, jury, public, congress, assembly, band 等作主语时，如指整体，谓语动词用单数；如指整体中的各个成员，谓语动词用复数。例如：

The family is going to move to Beijing. 我家要搬到北京去。

The family have different opinions about their going abroad.

家人对他们出国的看法不一。

（四）分数、百分数以及 all, part, some, most, half, the rest of 等表示部分的词或短语作主语时，谓语动词的单复数取决于 of 后的名词。例如：

Most of the university students have part-time jobs to finance their tuition.

大多数大学生为了筹集学费做兼职。

Most of the work hasn't been finished yet. 大多数工作还没有完成。

Word List 24

词根预习表

imit	模仿	inimitable a. 无法仿效的	ponder	衡量	imponderable a. 无法衡量的
centr	中心	concentric a. 有同一中心的	vig	生命	vigor n. 活力
curs	跑	discursive a. 不着边际的	dom	家	domicile n. 住处
stip	压	stipulate v. 规定	super	超越	insuperable a. 难以克服的
cel	天空	celestial a. 天空的	cub	躺	incubate v. 孵卵

maniacal* [məˈnaɪəkl]	*a.* 狂热的，发狂的 记 来自 mania(*n.* 狂热)
authenticate [ɔːˈθentɪkeɪt]	*vt.* 鉴别；证明…是真的 记 来自 authentic(*a.* 真正的) 例 The letter has been *authenticated* by experts as that of Milton. 这封信被专家鉴定是弥尔顿的手迹。
engage* [ɪnˈɡeɪdʒ]	*v.* 吸引(注意力等)；占用(时间、精力等)；使从事于，使忙于；与…交战 记 联想记忆：en(使…) + gage(挑战) → 使从事于，使忙于 搭 engage in 参加，从事于 例 Housework *engages* most of my time. 家务事占据了我大部分时间。 派 engagement(*n.* 订婚，婚约；约会)
inimitable* [ɪˈnɪmɪtəbl]	*a.* 无法仿效的，不可比拟的，独特的 记 词根记忆：in(不) + imit(模仿) + able(可…的) → 不可模仿的 → 无法仿效的 例 Clarissa appeared on the party, dressing in her own *inimitable* style. 克拉丽莎出席了晚会，穿衣打扮风格独特。
schematic* [skiːˈmætɪk]	*a.* 图解的；纲要的 记 来自 schema(*n.* 纲要) 例 *Schematic* diagrams are of great help while doing presentations with powerpoint. 使用幻灯片做演讲时，图表有很大的帮助。
barrage* [bəˈrɑːʒ]	*n.* 弹幕；火力网 记 联想记忆：barr(看作 bar, 阻挡) + age → 阻挡进攻 → 弹幕
lumber* [ˈlʌmbər]	*n.* 木材；杂物 *v.* 笨拙地移动；伐木；用杂物堆满 例 A herd of elephants are *lumbering* across the forest. 一群大象拖着笨重的身体穿过森林。

imponderable * [ɪmˈpɑːndərəbl]	*a.* 无法衡量的；不能判定的 记 词根记忆：im(不) + ponder(衡量) + able → 无法衡量的 例 The result of an election is influenced by many *imponderable* factors. 选举结果会受到很多无法衡量的因素的影响。
canvass * [ˈkænvəs]	*v.* 拉选票；游说；调查(民意)，征求(意见) 记 联想记忆：can(能) + v(胜利的标志) + ass(驴子) → 能让驴子得胜 → 拉选票；游说 例 The Labour Party has spent three months in *canvassing* for votes. 工党花了三个月的时间拉选票。 canvass 请投我一票 票
slake * [sleɪk]	*vt.* 解渴，消渴；消解，使满足 记 联想记忆：s + lake(湖) → 一湖水 → 解渴 例 Daniel will never manage to *slake* his lust for power and money. 丹尼尔对权力和金钱的欲望永远无法满足。
corrosive * [kəˈroʊsɪv]	*a.* 腐蚀性的，侵蚀性的；逐渐起破坏作用的 记 来自 corrode(*vt.* 使腐蚀，侵蚀) 例 Corruption has a *corrosive* effect on society. 贪污腐败对社会有腐蚀性作用。
nicety * [ˈnaɪsəti]	*n.* 精确，准确 记 联想记忆：nice(精细的) + ty → 精确，准确
limpid * [ˈlɪmpɪd]	*a.* 清澈的，透明的 记 发音记忆："林僻的" → 林子僻静，河水透明 → 清澈的，透明的 例 We could see the bottom of the *limpid* river. 这条河流清澈见底。
personable * [ˈpɜːrsənəbl]	*a.* 英俊的，风度翩翩的 例 His brother is a tall and *personable* young man. 他弟弟是个高个子、风度翩翩的年轻人。
quirky * [ˈkwɜːrki]	*a.* 诡诈的；古怪的，离奇的 记 来自 quirk(*n.* 怪癖) 例 Nobody could get his *quirky* sense of humor. 没人能够理解他那怪异的幽默感。
mellow [ˈmeloʊ]	*a.* 醇香的；柔和的；成熟的 *v.* (使)醇香；(使)柔和；(使)成熟 记 联想记忆：mel(甜) + low(低) → 散发出幽幽的甜香 → 醇香的 例 A few years will *mellow* the wine. 酒的年头越久越醇香。
tug [tʌg]	*v.* 用力拖，拉，拽 *n.* 拖船；猛拉，猛拽 记 发音记忆："探戈" → 跳探戈时脚步拖拉要有力 → 用力拖 搭 tug of war 拔河 例 The child *tugs* at my arm to get my attention. 那个孩子拽了拽我的胳膊，让我注意他。 tug
concentric [kənˈsentrɪk]	*a.* (指数个圆)有同一中心的 记 词根记忆：con(共同) + centr(中心) + ic → 有同一中心的 concentric martyr

24

□ imponderable □ canvass   □ slake   □ corrosive   □ nicety   □ limpid
□ personable   □ quirky   □ mellow   □ tug   □ concentric

265

martyr* [ˈmɑːrtər]	*n.* 烈士；殉道者，殉教者 记 联想记忆：mar(损伤) + tyr(看作 tyre，轮胎) → 驾车进行自杀式袭击 → 殉教者 例 Byron was known as a celebrated *martyr* to the cause of liberty. 众所周知，拜伦是著名的自由殉道者。
elite [eɪˈliːt]	*n.* 精英，中坚分子 记 联想记忆：e(出) + lit(看作词根 lig，选择) + e → 精心选出来的人 → 精英 搭 the elite of coffees 极品咖啡 例 The country's economic policies are influenced by the small *elite*. 国家的经济政策受一小部分精英人士的影响。
badinage* [ˌbædənˈɑːʒ]	*n./v.* 开玩笑，打趣 记 联想记忆：bad(坏的) + inage(看作 image，形象) → 破坏形象 → 打趣 例 Don't be mad. I am *badinaging* for you. 别生气！我和你开玩笑的。
enduring [ɪnˈdʊrɪŋ]	*a.* 持久的，持续的 记 来自 endure(*v.* 持续，持久) 例 India has left me *enduring* memories which I will never forget for the rest of my life. 印度给我留下了永久的、终生难忘的记忆。
emend* [iˈmend]	*vt.* 订正，校订 记 词根记忆：e + mend(改正) → 订正，校订 例 The book being *emended* now will be published next month. 本书正在修订，将于下月出版。
ideology* [ˌaɪdiˈɑːlədʒi]	*n.* 思想体系，思想意识，意识形态 记 联想记忆：ideo(看作 idea，思想) + logy(…学) → 思想体系
consequential* [ˌkɑːnsəˈkwenʃl]	*a.* 结果的，相应而生的 例 You should adapt yourself to the state of retirement and the *consequential* reduction in income. 你应该适应退休生活以及由此产生的收入减少的现状。
deface* [dɪˈfeɪs]	*v.* 损坏…的外貌；损坏，污损 记 联想记忆：de(变坏) + face(脸面) → 把脸面弄坏 → 损坏…的外貌 例 Jason was criticized for *defacing* the honorable monument. 杰森由于损坏光荣的纪念碑遭到批评。
cede* [siːd]	*vt.* 割让(土地权利)；放弃 记 词根记忆：ced(走) + e → 让土地离开 → 割让(土地权利)
vigor* [ˈvɪɡər]	*n.* 活力，精力 记 词根记忆：vig(生命) + or → 有生命就有活力 → 活力 例 After a vacation, Shelton flung himself into his work with great *vigor*. 休假后，谢尔顿又精力充沛地投入到工作中。
exude* [ɪɡˈzuːd]	*v.* (使)流出，渗出；流露，显露 记 词根记忆：ex + ud(看作 sud，汗) + e → 出汗 → 慢慢流出 例 Betty *exuded* great maternal warmth after giving birth to her baby. 生了孩子后，贝蒂散发着母性的温暖。

☐ martyr ☐ elite ☐ badinage ☐ enduring ☐ emend ☐ ideology
☐ consequential ☐ deface ☐ cede ☐ vigor ☐ exude

dingy * ['dɪndʒi]	*a.* 黑暗的；肮脏的 例 The little boy has been locked up in a dark and *dingy* basement for 3 months until rescued by policeman. 警察把那个小男孩儿救出来时，他已经在一个又黑又脏的地下室被关了 3 个月了。
finesse * [fɪ'nes]	*n.* 手段，策略 *v.* 用手段对付 记 联想记忆：fine(好的，巧妙的) + sse → 巧妙的手段 → 手段，策略 例 Herbert is a man with great *finesse* in dealing with tough problems. 赫伯特处理棘手问题很有手段。
enunciate * [ɪ'nʌnsieɪt]	*v.* 清晰地发音；清楚地表达 记 词根记忆：e(出) + nunci(=nounce，说) + ate → 清晰地发音 例 Jack *enunciates* each word carefully to make himself understood. 杰克把每个词都念得很清楚，好让别人能听懂。
discursive * [dɪs'kɜːrsɪv]	*a.* (文章、说话等)离题的，不着边际的，不得要领的 记 词根记忆：dis + curs(跑) + ive → 到处乱跑 → 不着边际的 例 I cannot get the point from his *discursive* speech. 他的演讲杂乱无章，听得我一头雾水。
domicile * ['doʊmɪsaɪl]	*n.* 住处，住所 记 词根记忆：dom(家) + icile → 住处，住所
ravel * ['rævl]	*v.* 缠结，使纠缠，变得复杂 记 联想记忆：纠缠不清(ravel)以至咆哮(rave) 例 My cat likes *raveling* the ball of thread up. 我的猫总喜欢把线团弄乱。
adversary * ['ædvərseri]	*n.* 对手，敌手 记 联想记忆：ad + vers(转) + ary(表人) → 对手通常围着你转，和你周旋 → 对手 例 Obama defeated his *adversary* McCain to be the 44th President of the United States. 奥巴马击败对手麦凯恩成为美国历史上第 44 任总统。
strand [strænd]	*n.* (线、绳的)股，缕；(观点、计划等的)部分，方面 *vt.* 使搁浅；使滞留 记 联想记忆：只有一股绳(strand)是站(stand)不起来的 例 I am left *stranded* without a penny in a foreign country. 我流落在陌生的国度，身无分文。 同 string, thread
glut * [glʌt]	*n./v.* 过多；供过于求 例 The *glut* of apple may cause the fall in its price. 供过于求可能会导致苹果价格下降。
turncoat * ['tɜːrnkoʊt]	*n.* 背叛者，变节者 记 联想记忆：turn(翻转) + coat(外套) → 将外套翻转，露出真面目 → 背叛者，变节者
muster ['mʌstər]	*n.* 召集，集合；检验，检阅；花名册，清单 *v.* 集合，召集(士兵等)；搜集，聚集 记 联想记忆：老大(master)召集(muster)手下 例 The scientist *mustered* all his confidence to try again. 科学家重拾信心，再次尝试。

24

exceptionable [ɪkˈsepʃnəbl]	*a.* 会引起反感的；可提出异议的 例 It is believed that this *exceptionable* piece of painting would offend feminist. 人们相信这幅令人反感的画会冒犯到女权主义者。
stipulate * [ˈstɪpjuleɪt]	*v.* 规定；明确要求 记 词根记忆：stip(压) + ulate → 压下一个一个条件来 → 规定 例 A contract has been signed *stipulating* when the project must be finished. 合同已经签了，上面规定了工程完工的日期。
expunge * [ɪkˈspʌndʒ]	*v.* 抹去，除去，删除 记 词根记忆：ex(出) + punge(刺) → 把刺挑出 → 删除 例 Names of my friends and relatives are mostly *expunged* from my mind because of the car accident. 由于这场车祸，我忘记了大部分亲友的姓名。
manipulate * [məˈnɪpjuleɪt]	*v.* (熟练地)操作，使用；控制，操纵 记 联想记忆：mani(手) + pul(看作 pull, 拉) + ate → 用手拉 → (熟练地)操作，使用 例 This is the guideline on how to *manipulate* this machine. 这是机器操作的说明书。 派 manipulation(*n.* 操纵) 同 handle, maneuver
irreproachable * [ˌɪrɪˈprəʊtʃəbl]	*a.* 无可指责的 记 联想记忆：ir(不，无) + reproach(指责) + able(可…的) → 无可指责的 例 His conduct and speech are *irreproachable* and should not be blamed. 他的言行都没有过失，不应该受到指责。
quell * [kwel]	*vt.* 制止，镇压，压制；消除，平息 例 The disturbance in downtown was soon *quelled* by the police. 闹市区的骚乱很快就被警察平息了。
concur * [kənˈkɜːr]	*v.* 同时发生；意见一致，赞成 记 词根记忆：con(共同) + cur(跑) → 一起跑 → 同时发生 例 Delegates *concurred* with each other in this statement. 对于这个说法，代表们意见一致。
glib * [glɪb]	*a.* 油腔滑调的；善辩的 例 The secretary of the chairman is a *glib* talker. 董事长的秘书说话总是油腔滑调的。
figment * [ˈfɪgmənt]	*n.* 虚构的事物 记 词根记忆：fig(形成) + ment → 通过想象形成的东西 → 虚构的事物 例 The roommate Reed is talking about is just a *figment* of his imagination. 里德说的那个室友只是他想象出来的人。
melodramatic [ˌmelədrəˈmætɪk]	*a.* 情节剧式的；夸张的 记 来自 melodrama(*n.* 情节剧) 例 Her love story sounds like a *melodramatic* plot full of surprise and excitement. 她的爱情故事听起来就像一部戏剧，情节充满惊奇和刺激。

abrasive * [əˈbreɪsɪv]	*n.* 磨料 *a.* 有研磨作用的，研磨的；伤人感情的，粗鲁的 记 来自 abrase(*v.* 磨损，擦去) 例 Nick's *abrasive* tone annoys me. 尼克粗鲁的语气让我很恼怒。
antic [ˈæntɪk]	*a.* 古怪的，奇特的；滑稽的 记 联想记忆：ant(蚂蚁) + ic(…的) → 长得像蚂蚁的 → 古怪的
implacable * [ɪmˈplækəbl]	*a.* 难平息的，难和解的；不能缓解的 记 联想记忆：im(不) + placable(易抚慰的) → 不能抚慰的 → 难平息的，难和解的 例 His grandmother suffers from an *implacable* disease for 30 years. 他祖母遭受疾病折磨 30 年了，一直没有缓解。
infatuate [ɪnˈfætʃueɪt]	*vt.* 使迷恋；使着迷；冲昏头脑 记 词根记忆：in(使) + fatu(愚蠢的) + ate → 使人愚蠢 → 冲昏头脑 例 People are easily *infatuated* when they achieve success. 人们取得成功后就容易飘飘然。
rout * [raʊt]	*n.* 大败，溃败 记 联想记忆：route(道路)去掉 e → 成功的道路上一个小失误就可能会溃败 → 溃败 例 It is the goalkeeper that prevents his team from turning into a *rout*. 多亏了守门员，他们队才没有一败涂地。
renounce * [rɪˈnaʊns]	*vt.* 声明放弃；宣布中止 记 词根记忆：re(反) + nounc(讲话) + e → 声明放弃 例 The rich man *renounced* his claim to the property and donated all to the charities. 那个富豪声明放弃自己的财产，全部捐给慈善事业。
insuperable * [ɪnˈsuːpərəbl]	*a.* (问题、困难等)难以克服的 记 词根记忆：in(不) + super(超越) + able → 不可超越的 → 难以克服的 例 We are confronted with *insuperable* difficulties. 我们面临着难以克服的困难。
leery * [ˈlɪəri]	*a.* 怀疑的；机警的 记 联想记忆：你目送秋波(leer)，我怀疑(leery)你的动机 例 I am a bit *leery* of his rare kindness. 我对他少见的友好表示怀疑。
resigned * [rɪˈzaɪnd]	*a.* 逆来顺受的，顺从的 记 联想记忆：re(收回) + sign(标志) + ed → 收回反对的标志 → 顺从的 例 She had to agree with her husband with a *resigned* smile on her face. 她不得不同意了丈夫的意见，脸上挂着无可奈何的微笑。
hypothetical * [ˌhaɪpəˈθetɪkl]	*a.* 假设的 记 词根记忆：hypo(在下面) + thet(放置) + ical → 放置在下面作推论的基础 → 假设的
riddle * [ˈrɪdl]	*n.* 谜(语)；猜不透的难题，难解之谜；粗筛，格筛 *v.* 出谜；把…打得满是窟窿；充满，充斥 记 联想记忆：谜语(riddle)的答案就在题中间(middle) 例 Stop talking the *riddles* and get to the point. 不要打哑谜，直入主题吧。

24

□ abrasive □ antic □ implacable □ infatuate □ rout □ renounce
□ insuperable □ leery □ resigned □ hypothetical □ riddle

gratis * ['grætɪs]	*a.* 不付款的，免费的 例 Do you know any *gratis* car exhibitions since we have no money for the ticket? 你知道有哪些免费的车展吗，因为我们没有钱买门票。
balmy ['bɑːmi]	*a.* (空气、天气等)温和的，温暖的；芳香的；能止痛的 记 来自 balm(*n.* 止痛的香膏) 例 I got married on a warm and *balmy* spring day. 我是在一个温暖宜人的春日结婚的。
celestial * [sə'lestʃl]	*a.* 天空的；天上的；精妙的，似天国的 记 词根记忆：cel(天空) + est + ial → 天空的；天上的 例 Everybody in the concert is deeply attracted by her *celestial* voice. 音乐会上的每个人都被她的天籁之音深深吸引。
convene * [kən'viːn]	*v.* 开会；召集，集合 记 词根记忆：con(共同) + ven(来) + e → 大家一起来开会 → 开会 例 The committee will be *convening* in the morning of 25th. 委员会将于 25 日早晨开会。 同 summon
toddler ['tɑːdlər]	*n.* 蹒跚而行的人；学步小孩 记 来自 toddle(*v.* 东倒西歪地走，蹒跚学步) 例 The *toddler* keeps falling down when he tries to walk. 那个刚学走路的小孩儿总是摔跤。
martial * ['mɑːrʃl]	*a.* 战争的，军事的；好战的，尚武的 记 联想记忆：mar(毁坏) + tial → 战争常常意味着毁灭 → 战争的 例 The ancient Roman is considered as *martial* people. 古罗马人被认为是骁勇善战的民族。
scamp * [skæmp]	*v.* 草率地做 *n.* 恶棍，流氓；[谑]淘气鬼，捣乱鬼 例 Don't *scamp* your work. Take it serious. 不要草率做事！认真对待工作！
decorative ['dekəreɪtɪv]	*a.* 装饰性的，做装饰用的 记 来自 decorate(*v.* 装饰) 例 The mirror is designed both functional and *decorative*. 这个镜子设计得既实用又有装饰性。
chary * ['tʃeri]	*a.* 小心的，谨慎的，仔细的 记 联想记忆：小心(chary)，如果丢了 y 就会烧焦(char) 例 My father is very serious and *chary* of giving praises. 我父亲非常严肃，很少表扬人。
submissive * [səb'mɪsɪv]	*a.* 恭顺的；顺从的；服从的 记 词根记忆：sub(在下面) + miss(放) + ive → 乖乖放在下面 → 顺从的 例 Brooke married a *submissive* wife who obeyed his every word. 布鲁克娶了一个对他言听计从的老婆。

270
□ gratis □ balmy □ celestial □ convene □ toddler □ martial
□ scamp □ decorative □ chary □ submissive

incapacitate[*] [ˌɪnkəˈpæsɪteɪt]	*vt.* 使不能，使失去(生活或工作的)能力 记 词根记忆：in(不) + cap(抓住) + acit + ate(使) → 使抓不住某种能力 → 使不能 例 Dick was totally *incapacitated* by old age and illness. 年纪大了，再加上疾病折磨，迪克已经完全丧失了自理能力。
memento[*] [məˈmentoʊ]	*n.* 纪念品 记 联想记忆：mement(看作 moment，时刻) + o → 记住那一时刻 → 纪念品 例 The photos are permanent *memento* of your trip around the world. 这些照片会成为你环球旅行的永久纪念。
incubate[*] [ˈɪŋkjubeɪt]	*v.* 孵卵；培养(细胞、细菌等)；(疾病)潜伏 记 词根记忆：in(里面) + cub(躺) + ate → 躺在里面 → 孵卵
perch [pɜːrtʃ]	*n.* (鸟类的)栖息处，栖枝；高处，较高的位置 *v.* (鸟)飞落，暂栖，停留；(在较高处或物体边缘)坐着；把…置于较高或危险处 记 联想记忆：per(每个) + ch(音似：车) → 每人一车 → 居高位的人，每人都有车 → 较高的位置
outskirts[*] [ˈaʊtskɜːrts]	*n.* 郊区，郊外；外围地区 记 组合词：out(出) + skirts(裙子) → 裙子外边 → 外围地区 例 Most factories are located in the *outskirts* of a city or a town. 大多数工厂都位于城镇的郊区。
profusion[*] [prəˈfjuːʒn]	*n.* 大量，丰富；慷慨；挥霍，浪费 记 词根记忆：pro(向前) + fus(倾倒) + ion(表名词) → 水流倾泻而出 → 大量，丰富
indeterminate[*] [ˌɪndɪˈtɜːrmɪnət]	*a.* 不确切的，不明确的，难以识别的 记 来自 determinate(*a.* 确定的) 例 Tom has been imprisoned for an *indeterminate* term, but will serve a minimum of three years. 汤姆的刑期还不确定，但是至少服刑 3 年。
orient[*] [ˈɔːriənt]	*n.* (the Orient)东方，亚洲 *a.* 东方的，亚洲的 *v.* 确定方向；使适应，使熟悉情况 记 词根记忆：ori(升起) + ent → 太阳升起的地方 → 东方 搭 orient to/toward 以…为方向(或目标) 例 We'd better *orient* our marketing strategy to the need of new situation. 我们需要调整营销战略，以适应新的形势。 同 adjust, acclimate, accustom
buxom[*] [ˈbʌksəm]	*a.* (女子)体态丰满的 例 *Buxom* actresses are popular in that country. 在那个国家，丰满的女演员很受欢迎。
oval [ˈoʊvl]	*n./a.* 椭圆形(的) 记 联想记忆：o(音似：喔) + val(音似：哇哦) → 发这些声音，嘴都张成椭圆形 → 椭圆形(的) 例 Mango is a kind of *oval* tropical fruit. 芒果是一种椭圆形的热带水果。

24

ordeal * [ɔːr'diːl]	*n.* 折磨；磨难；煎熬；严峻考验 记 发音记忆："恶地儿" → 险恶之地 → 严峻考验 例 This terrible disease is an *ordeal* to a new born baby. 这场大病对于刚出生的婴儿来说是个严峻的考验。
flagrant * ['fleɪɡrənt]	*a.* 不能容忍的；骇人听闻的；恶名昭彰的 例 The man has committed *flagrant* crime for killing 8 children. 这个人杀害了 8 名儿童，犯下了滔天罪行。
lash [læʃ]	*v.* (用绳索等)将(物品)系牢；鞭打，抽打，(风、雨等)猛烈打击；猛烈抨击，严厉斥责 *n.* 鞭打；眼睫毛；责难 记 联想记忆：l + ash(灰) → 敌人的鞭打似有挫骨扬灰之势 → 鞭打，抽打 搭 lash out (at) 猛烈抨击 例 The waves *lash* against rocks on the shore. 海浪拍打着岸边的岩石。 同 whip, flog
sheathe * [ʃiːð]	*v.* 将(刀、剑等)插入鞘；覆盖；包，套 *n.* 剑鞘 例 Draw the sword from the *sheathe*. 将剑从剑鞘里拔出来。
brochure * [broʊ'ʃʊr]	*n.* 小册子；说明书 记 发音记忆："不用求" → 一册在手，不用求人 → 小册子 例 You can refer to the *brochure* on vacation abroad while deciding how to spend your holiday. 当你决定如何度假的时候可以参考一下这本国外度假指南。
manifesto * [ˌmænɪ'festoʊ]	*n.* 宣言；声明 记 联想记忆：manifest(显然的) + o → 宣言；声明 例 The candidate issued a magnificent *manifesto* to win more support. 那位候选人发表了一篇气壮山河的宣言，以赢得更多的支持。
defray * [dɪ'freɪ]	*vt.* 付款，支付(已开支的款项) 记 联想记忆：de + fray(冲突) → 付了钱冲突也就消失了 → 付款 例 The company will *defray* all your expenses on a business trip. 公司会支付公务出差的所有费用。
hostile ['hɑːstl]	*a.* 敌对的，敌意的；敌方的；强烈反对的 记 联想记忆：host(主人) + ile → 鸿门宴的主人 → 敌对的，敌意的 例 The conservative people are usually *hostile* to change. 保守的人通常强烈反对变化。 派 hostility(*n.* 敌意，敌对)
dislodge * [dɪs'lɑːdʒ]	*vt.* (将某人强行)逐出，赶出；(将某物强行)去除，取出 记 联想记忆：dis(不) + lodge(小屋) → 不能再在小屋居住 → 逐出，赶出 例 People in this small town were *dislodged* out of it by their enemy. 镇上的居民被敌军赶出了小镇。
cater * ['keɪtər]	*v.* 迎合，满足需要；提供饮食及服务 记 联想记忆：cat + er → 小猫看见主人回来就迎了上去 → 迎合 搭 cater for 迎合；提供服务；cater to 供应伙食 例 His restaurant *caters* for weddings and parties. 他的饭店承办婚礼和宴会酒席。

tendentious * [ten'denʃəs]	*a.* (文章、评论等)有偏见的；有倾向性的；有争议的 记 联想记忆：tend(趋势，倾向) + ent + ious → 有倾向性的 例 This is a *tendentious* account of the revolution which does not present an overall picture. 这篇关于革命的报道充满偏见，并没有全面展开所有的事实。
intractable * [ɪn'træktəbl]	*a.* 倔强的；难管的；棘手的 记 词根记忆：in(不) + tract(拉) + able → 10头牛都拉不动的 → 倔强的 例 The new manager is challenged with *intractable* problems. 新上任的经理遇到了棘手的问题。
betray * [bɪ'treɪ]	*v.* 背叛，出卖；失信于；泄露(秘密等)；(非故意地)暴露，显露 记 发音记忆："被踹" → 朋友暗地里踹他一脚，出卖了他 → 背叛，出卖 例 He was offered a large amount of money to *betray* business secrets to another company. 他收受了大笔金钱，将商业机密泄露给另一家公司。 派 betrayal(*n.* 出卖，背叛)
creed * [kriːd]	*n.* 信念；信条，教义 例 People of different races and *creeds* would suffer from culture shock when they go abroad. 不同种族、不同信仰的人在出国后都会经历文化冲击。
bate * ['beɪt]	*v.* 压制，屏息；减弱，减少 例 Jack and Mandy *bated* their breath when they watched the end of the horror film. 杰克和曼迪在看那部恐怖片结局时都屏住了呼吸。 同 restrain, diminish
disinterested * [dɪs'ɪntrəstɪd]	*a.* 公正的，客观的 例 A lawyer is thought as a person to provide *disinterested* advice and evidence. 律师被认为是提供公正客观的建议和证据的人。 同 objective, impartial
address *	['ædres] *n.* 地址；演说；称呼 [ə'dres] *vt.* 写地址；演说；向…说话；称呼(某人) 例 Our company will have a new website *address* next month. 下个月我们公司将有一个新的网址。
glaring * ['glerɪŋ]	*a.* 耀眼的，令人目眩的；生气的，愤怒的；不能或不应忽视的，明显的 例 The most *glaring* problem of this dictionary is its high price. 这本词典最显著的问题是价格太高。
discerning * [dɪ'sɜːrnɪŋ]	*a.* 有识别力的，眼光敏锐的 例 This *discerning* tourist recognized the famous movie star from the crowd at the first sight. 这位目光敏锐的游客一眼就在人群中认出了那个有名的电影明星。

24

□ tendentious   □ intractable   □ betray   □ creed   □ bate   □ disinterested
□ address   □ glaring   □ discerning

studied * ［ˈstʌdid］	*a.* 刻意的，精心安排的；深思熟虑的，慎重的 例 After consideration, the student gave a *studied* answer, which was praised by the teacher. 考虑之后，这名学生给出一个慎重的答案，得到了老师的称赞。
list * ［lɪst］	*n.* 一览表；目录；名单；清单 *v.* 把…编列成表；列举；列清单 例 Please make a *list* before you go shopping. 请在去购物之前，先列出一个单子。
marshal * ［ˈmɑːrʃl］	*n.* 元帅，最高指挥官；司仪，典礼官；(美国的)执法官；(美国)警察局长；消防队长 *v.* 整理；排列；集结 例 Students should *marshal* their thoughts and get ready for school when the new term is coming. 新学期来临之际，学生们应该整理思绪，做好上学的准备。

备考锦囊

语法知识（十一）主谓一致中需要注意的几点情况（2）

（五）名词或代词后跟 with, along with, like, accompanied by, except, besides, as well as, together with, in addition to, including, no less than, rather than, as much as 等引导的结构做主语时，谓语动词随结构前的名词或代词的形式而定。例如：

You, rather than your sister, are responsible for the matter.

你，而非你姐姐对这件事负责。

（六）由 and 连接的名词的主谓一致有以下几种情况：

1. 当 and 连接的两个名词指同一人、同一事或同一概念时，它后面的名词前不用冠词，谓语动词用单数。例如：

   The teacher and writer is respected by all the people around.

   当老师的作家受到周围人的尊敬。

2. 当 and 连接两个都有冠词的名词作主语时，表示不同的概念，谓语动词用复数。例如：

   The teacher and the writer are respected by all the people around.

   老师和作家受到周围人的尊重。

3. 用 and 连接的两个形容词修饰名词时，谓语动词用复数。例如：

   Social and political freedom are limited there.

   社会和政治自由在这里是受到限制的。

词根预习表

duc	引导	traduce v. 诽谤	iqu	公正	iniquitous a. 不公正的
cert	确定	ascertain v. 确定	lumin	光	luminous a. 发光的
mob	移动	mobile a. 活动的	integr	完整	integral a. 完整的
ambul	行走	ambulatory a. 步行的	mea	通过	permeate v. 渗透
vail	力量	prevail v. 战胜	augur	占卜	inaugurate v. 为…举行就职典礼

---

huddle
[ˈhʌdl]

v. 聚集在一起，挤作一团；把身子蜷成一团，蜷缩 n. 挤在一起的人；一堆杂乱的东西

记 联想记忆：聚集在一起(huddle)处理(handle)问题

例 We had to *huddle* together to keep warm in that cold winter night. 在那个寒冷的冬夜，我们不得不聚在一起取暖。

同 bunch, crowd, mass

---

spike
[spaɪk]

n. 长钉；尖状物；尖刺

例 There are many *spikes* on the top of wall to stop people from climbing over it. 墙头上有很多大钉子，用来防止人们翻越。

---

convivial*
[kənˈvɪviəl]

a. 欢乐的，狂欢的；联欢的

记 词根记忆：con(一起) + viv(活) + ial → 一起活跃的 → 欢乐的

例 I would love to spend a *convivial* Christmas night with friends. 我很想和朋友们度过一个狂欢的圣诞夜。

---

amble*
[ˈæmbl]

n./v. 漫步，缓行

记 发音记忆："安步" → 安心地漫步 → 漫步

例 I feel that my world is full of happiness when I am *ambling* along the beach with my family. 和家人一起在海边散步的时候，我感到我的世界充满了幸福。

---

obsessive*
[əbˈsesɪv]

a. 着迷的；迷恋的；难以释怀的

记 来自 obsess(vt. 使着迷)

例 The young girl was *obsessive* about her appearance. 那个年轻的女孩儿过分关注自己的外表。

---

traduce*
[trəˈduːs]

v. 中伤，诽谤

记 词根记忆：tra(=trans, 越过) + duc(引导) + e → 将人们对他的看法导向错误，越过客观的界线 → 诽谤

例 Alan is *traduced* as a friend of drug dealers. 有人诽谤艾伦和毒贩子是朋友。

---

strut * [strʌt]	*n.* 支柱；撑杆；趾高气扬的步态 *v.* 趾高气扬地走 🔤 联想记忆：在大街(street)上趾高气扬地走(strut) 🔤 The boys are *strutting* around to get the attention of girls. 男孩子们趾高气昂地走来走去，以引起女孩们的注意。
assembly [əˈsembli]	*n.* 立法机构，议会；集会，集合；集会者；组装，装配 🔤 The United Nations General *Assembly* will open next month. 联合国大会下个月开幕。
façade * [fəˈsɑːd]	*n.* (建筑物的)正面；(虚假的)表面，外表 🔤 Squalor and poverty lay behind the city's glittering *façade*. 表面的繁华掩盖了这座城市的肮脏和贫穷。
acceptable [əkˈseptəbl]	*a.* 可接受的 🔤 His suggestion is *acceptable* and we could further discuss some details. 他的建议可以接受，我们需要进一步讨论一下细节。
irreconcilable * [ɪˈrekənsaɪləbl]	*a.* 不能妥协的，不能协调的；矛盾的 🔤 拆分记忆：ir(不) + reconcilable(可协调的) → 不能协调的 🔤 The partners' differences become *irreconcilable* since both sides refuse to compromise. 合伙人的分歧变得无法调节，因为双方都不肯让步。
prevail * [prɪˈveɪl]	*v.* 战胜，获胜；盛行，流行；说服，劝说 🔤 词根记忆：pre(前) + vail(=val，力量) → 力量在别人之前 → 战胜 🔤 prevail over 获胜，占优势；prevail on/upon 说服，劝说 🔤 Country music has been *prevailing* for 30 years. 乡村音乐已经流行了30年。
gaudy * [ˈɡɔːdi]	*a.* 花哨的，俗气的 🔤 发音记忆："高低" → 花衣服高高低低地挂满一整条晾衣绳 → 花哨的 🔤 The country girl considered those *gaudy* clothes as fashionable. 那个乡下姑娘认为这些花哨的衣服很时尚。
canter * [ˈkæntər]	*n./v.* (指马)慢跑，小跑；骑马慢跑 🔤 联想记忆：cant(倾斜) + er → 马向前跑时要倾斜身体 → (指马)慢跑，小跑 🔤 The horse *cantered* down the street. 马沿着街道慢跑。
cursive * [ˈkɜːrsɪv]	*a.* 草书的；连笔的 *n.* 草书 🔤 词根记忆：curs(跑) + ive → (写字)像跑一样 → 草书的
swindler * [ˈswɪndlər]	*n.* 骗子 🔤 来自 swindle(*v.* 诈骗) 🔤 *Swindlers* never tell truth. 骗子从不说实话。
console * [kənˈsoʊl]	*vt.* 安慰，抚慰 🔤 联想记忆：con(共同) + sole(孤单的) → 大家孤单，彼此安慰 → 安慰 🔤 I try to *console* the crying boy with a bar of chocolate. 我试着用巧克力安慰那个哭泣的男孩儿。 🔤 consolation(*n.* 安慰，起安慰作用的人或物) 🔤 comfort

resolution* [ˌrezəˈluːʃn]	*n.* 正式决定，决议；坚决，决心；解决，解答 记 来自 resolve(*v.* 决议，决定) 例 The public is pressing for an early *resolution* to the dispute. 公众迫切要求尽早解决争端。
disgorge* [dɪsˈɡɔːrdʒ]	*v.* 吐出；大量涌出，倾泻出 记 联想记忆：dis(不) + gorge(吞入) → 吐出 例 The broken pipe is *disgorging* oil into sea. 破损的管道正向海洋里泄漏石油。
concord* [ˈkɑːŋkɔːrd]	*n.* 和睦；协调，一致；公约，协定 记 词根记忆：con(共同) + cord(心) → 同心 → 和睦 例 These nations have lived in *concord* for centuries. 这些国家几个世纪以来一直都和睦相处。
saunter* [ˈsɔːntər]	*n./v.* 闲逛，漫步 记 联想记忆：s(看作 see) + aunt(姑姑) + er → 闲逛着去看姑姑 → 闲逛 例 My aunt *sauntered* in the business street for a day, going window shopping. 我姑姑一整天都在商业街闲逛，只看不买。
dapper* [ˈdæpər]	*a.* (尤指男子)整洁漂亮的；短小精悍的 例 The young man looks *dapper* in appearance. 这个年轻的小伙子看起来风度翩翩。
porous* [ˈpɔːrəs]	*a.* 能穿透的，能渗透的；有毛孔或气孔的 记 来自 pore(*n.* 毛孔；气孔)
ascertain* [ˌæsərˈteɪn]	*v.* 弄清，查明；确定 记 词根记忆：as + cert(确定) + ain → 确定 例 The cause of explosion is not *ascertained* yet and further investigation is on the way. 爆炸原因尚不清楚，进一步调查正在展开。 同 discover, clarify
tinge [tɪndʒ]	*vt.* 着色于，微染 *n.* (较淡的)色调，色彩；气息；微量，少许 记 联想记忆：tin(音似：听) + ge(歌) → 好的色调和色彩，让人感觉像是在听一首动人的歌 → 色调，色彩 例 Red *tinged* her face in embarrassment. 她尴尬得脸红了。
compatible* [kəmˈpætəbl]	*a.* 兼容的；相容的；能和睦相处的 记 词根记忆：com(共同) + pat(=path，感觉) + ible → 有共同感觉的 → 能和睦相处的 例 The new software should be *compatible* with old operating system. 新的软件要与旧的系统兼容。 派 compatibility(*n.* 兼容；和谐相处); incompatible(*a.* 不协调的；不兼容的)
dabble* [ˈdæbl]	*v.* 弄湿，溅湿；涉足，浅尝 记 联想记忆：刚涉足(dabble)新领域就不要说蠢话(babble)丢人了 例 He *dabbled* in the art of painting at the age of 15. 他 15 岁时涉足绘画艺术。

25

whiff [wɪf]	*n.* 一股气味；一点点，些许 例 I got a *whiff* of perfume as she passed by. 她路过的时候，我闻到一丝香水的味道。
overwrought* [ˌoʊvərˈrɔːt]	*a.* 紧张过度的；激动兴奋的；过分烦忧的 记 联想记忆：over(过分) + wrought(兴奋的) → 激动兴奋的 例 The little girl has been in *overwrought* situation for months after losing her parents. 失去双亲后的几个月里，小女孩一直处于神经过度紧张的状态。
skimp* [skɪmp]	*v.* 少给，克扣；节约，吝啬；不够用心，马马虎虎 记 联想记忆：草草浏览(skim)为了节约(skimp)时间 例 Ben's parents *skimp* to send him to college. 本的父母省吃俭用供他上大学。
renege* [rɪˈniːg]	*v.* 背信，违约；食言 记 词根记忆：re(反) + neg(否认) + e → 反过来不承认 → 背信，违约 例 Any party which *reneges* the deal will be suited to the court. 任何一方违背合约都会被告上法庭。
thrive* [θraɪv]	*v.* 兴旺，繁荣；茁壮成长 记 联想记忆：th + rive(r)(河) → 古时有河的地方大都是文明的发源地 → 兴旺，繁荣 例 High-tech business has been *thriving* since 1990s in China. 20 世纪 90 年代以来，中国的高科技产业持续繁荣。
ripple [ˈrɪpl]	*n.* 细浪，涟漪，波纹 *v.* (使)泛起涟漪 记 联想记忆：谜语(riddle)变 dd 为 pp → 细浪(ripple) 搭 ripple effect 连锁反应 例 The pebble she threw caused *ripples* on the surface of lake. 她扔了一个石子，使湖面泛起一道道涟漪。
traverse* [trəˈvɜːrs]	*v.* 横穿，横跨 记 词根记忆：tra(横) + vers(转) + e → 横穿 例 It is of great danger and difficulty to *traverse* tropical forest alone. 独自穿越热带雨林既危险又困难重重。
adventitious* [ˌædvenˈtɪʃəs]	*a.* 偶然的，偶发的 例 Kids do not know how to deal with *adventitious* events. 孩子们不知道如何应对突发事件。
drench [drentʃ]	*vt.* 使湿透 记 联想记忆：drench(=drink，喝) → 使衣物喝饱 → 使湿透 例 I was caught in the rain and got *drenched*. 我刚巧碰上下雨，浑身都湿透了。
marital* [ˈmærɪtl]	*a.* 婚姻的；夫妻的 记 联想记忆：marit(=marriage，婚姻) + al → 婚姻的 例 It is impolite to ask a young lady her *marital* status. 询问年轻女士的婚姻状况是不礼貌的。

278
□ whiff   □ overwrought   □ skimp   □ renege   □ thrive   □ ripple
□ traverse   □ adventitious   □ drench   □ marital

thrifty [ˈθrɪfti]	*a.* 节省的 记 来自 thrift(*n.* 节约) 例 The mother tells her daughter to be *thrifty* and never gets into debt. 母亲告诉女儿要节俭，永远不要欠债。
scroll [skrəʊl]	*n.* 卷轴；纸卷，画卷 *v.* 滚屏，滚动 例 This ancient Chinese *scroll* presents people's daily life in Song Dynasty. 这幅中国古代画卷展示了宋朝人的日常生活。
deviate * [ˈdiːvieɪt]	*v.* (使)偏离，(使)脱离；越轨 记 词根记忆：de(偏离) + vi(道路) + ate → 偏离道路 → (使)偏离 搭 deviate from 背离，偏离 例 The Christian has never *deviated* from his belief. 那个基督徒从未偏离他的信仰。 同 swerve
bait * [beɪt]	*n.* 鱼饵，诱饵；引诱物，诱惑 *vt.* 装饵于 记 联想记忆：等(wait)鱼吃饵(bait) 例 Bowen is lured with the *bait* of higher commissions by another company. 另一家公司以更高的佣金引诱鲍恩。
capacity * [kəˈpæsəti]	*n.* 能力；容量；身份 记 词根记忆：cap(拿) + acity → 能拿住 → 能力 例 The new stadium has a seating *capacity* of 5,000 persons. 新体育场可容纳 5000 人。 派 capacitance(*n.* [电]电容；电容量); capacitor(*n.* [电]电容器)
clamber * [ˈklæmbər]	*v.* 攀爬，攀登 例 The naughty boys *clambered* up the hillside. 淘气的男孩们爬上了山坡。
astral [ˈæstrəl]	*a.* 星的，星状的；星际的；【生】星状体的；精神世界的 记 词根记忆：astr(星星) + al(…的) → 星的；星际的
integral * [ˈɪntɪɡrəl]	*a.* 构成整体所必需的；不可或缺的；完整的 记 词根记忆：integr(完整) + al(…的) → 完整的 例 Tony is an *integral* part of our team and we won't win without him. 托尼是我们队伍中不可或缺的一员，没有他我们赢不了比赛。 同 essential, basic, fundamental
kindle [ˈkɪndl]	*v.* 点燃，开始燃烧；激起，引起 例 It was her teacher who *kindled* her interest in music. 是她的老师激发了她对音乐的兴趣。
offset [ˈɔːfset]	*n./v.* 补偿；抵消 记 来自词组 set off(补偿；抵消) 例 Messi's speed and skill will be an *offset* to his small size. 梅西的速度和技巧可以弥补他身材矮小的不足。

25

indices * [ˈɪndɪsiːz]	n. (物价、工资、就业、生产的)指数 记 index(n. 指数)的复数
invulnerable * [ɪnˈvʌlnərəbl]	a. 不会受伤害的;无懈可击的 记 拆分记忆:in(不) + vulnerable(易受攻击的) → 不会受伤害的 例 Jerry's confidence and ability made him feel *invulnerable*. 杰里的自信和能力让他觉得自己无懈可击。
reject 	[rɪˈdʒekt] *vt.* 拒绝,抵制;抛弃,丢弃 [ˈriːdʒekt] *n.* 被拒货品,不合格产品 记 词根记忆:re(反) + ject(扔) → 被扔回来 → 拒绝 例 His proposal of opening a new factory in Philippines is firmly *rejected*. 他提议在菲律宾新设一家工厂,但被断然否决了。 派 rejection(n. 拒绝)
cherubic * [tʃəˈruːbɪk]	a. (尤指孩子)胖乎乎而天真无邪的 记 联想记忆:cherub(小天使) + ic → 像天使的脸 → 胖乎乎而天真无邪的 例 My nephew is a lovely little boy with big eyes and *cherubic* face. 我的外甥很可爱,有着大大的眼睛,胖乎乎的脸。
interminable * [ɪnˈtɜːrmɪnəbl]	a. 无止境的;冗长的 记 词根记忆:in(不) + termin(结束) + able → 不会结束的 → 无止境的 例 Many audience are bored with his *interminable* speech and start to fall asleep. 很多观众都觉得他冗长的报告很无聊,开始昏昏欲睡。
swap [swɑːp]	n./v. 交换 例 I *swapped* her my sweater for her coat. 我拿我的毛衣换了她的外套。
truncate [ˈtrʌŋkeɪt]	vt. 截短;修剪;删减,缩短 记 联想记忆:trunc(看作 trunk,树干) + ate → 截去树干 → 截短 例 My article has been *truncated* two times to fit the space before published. 我的文章在出版前删减了两次,以适应版面大小。
rave * [reɪv]	n./v. 热切赞扬;胡言乱语;咆哮,大喊 搭 rant and rave 咆哮,大喊 例 The old woman *raved* in great anger. 那个老妇人气得大喊大叫。
scuffle * [ˈskʌfl]	n./vi. 扭打,混战 记 联想记忆:scu(看作 scar,伤疤) + ffle → 伤疤是混战的结果 → 混战 例 The interviewee who caused a car accident refuses to answer any questions and *scuffles* with the reporter. 交通肇事者拒绝回答任何问题,还和记者扭打在一起。
discernible * [dɪˈsɜːrnəbl]	a. 可辨别的 记 来自 discern(v. 觉察,识别) 例 There is often no *discernible* difference between rival brands. 相互竞争的品牌之间往往看不出明显的区别。
counterpart * [ˈkaʊntərpɑːrt]	n. 职位(或作用)相当的人;对应的事物 例 The French official called his Chinese *counterpart* to discuss the issue. 法国官员致电中方同级官员讨论这一事件。

infer* [ɪnˈfɜːr]	*vt.* 推论，推断，推知 记 词根记忆：in(进入) + fer(带来) → 带来结果 → 推断，推知 搭 infer from 推断 例 I *infer* from her refusal that she does not like me. 我从她的拒绝中看出她不喜欢我。
evasive* [ɪˈveɪsɪv]	*a.* 回避的，躲避的；推托的，推诿的 记 来自 evade (*v.* 规避，躲避) 例 The politician gives an *evasive* explanation for his mistake. 那个政客对自己的错误解释得含糊不清。
practical* [ˈpræktɪkl]	*a.* 切合实际的；实用的 例 From a *practical* point of view, it isn't a good job for life earning. 实际一点看，这并不是一份可以维持生计的工作。
glitter [ˈɡlɪtər]	*vi.* 闪烁，闪耀 *n.* 闪光，闪耀；诱惑力，魅力 记 联想记忆：g(看作 gold，黄金) + litter(杂物) → 杂物中有金子在闪烁光芒 → 闪烁，闪耀 例 Her diamond ring *glittered* in the sunlight. 阳光下，她的钻戒闪闪发光。
charismatic [ˌkærɪzˈmætɪk]	*a.* 有超凡魅力的；有号召力的 记 来自 charisma (*n.* 魅力) 例 Martin Luther King is a *charismatic* leader. 马丁·路德·金是一位具有超凡魅力的领袖。
iniquitous* [ɪˈnɪkwɪtəs]	*a.* 邪恶的，不公正的 记 词根记忆：in(不) + iqu(=equ，公正) + it + ous → 不公正的 例 It is an *iniquitous* bill to charge us 50 dollars for a glass of water. 一杯水要 50 美元，这账单简直就是讹人。
flick* [flɪk]	*n./v.* 轻拍，轻打 记 联想记忆：fli(看作 fly，飞) + ck → 轻拍翅膀，展翅高飞 → 轻拍 搭 flick through (快速)翻阅，浏览 例 The cleaner *flicked* dust off the couch. 保洁员将沙发上的灰尘轻轻掸掉。
verge* [vɜːrdʒ]	*v.* 倾向于，濒临 *n.* 边缘，边界 搭 on the verge of 接近于，濒临于；verge on 接近，濒临 例 Fanny was on the *verge* of tears when criticized by her teacher. 被老师批评的时候，范妮眼中噙着泪水。
permeate* [ˈpɜːrmieɪt]	*v.* 扩散，弥漫；渗透，渗入 记 词根记忆：per(贯穿) + mea(通过) + te → 贯穿通过 → 渗透 例 The smell of lilies *permeate* the hall. 整个大厅都弥漫着百合花的香味。 派 permeation (*n.* 浸入，渗透)；permeant (*a.* 浸透的) 同 penetrate, saturate
extrinsic* [eksˈtrɪnsɪk]	*a.* 外来的；外在的；非固有的，非本质的 例 These are all *extrinsic* factors that are not important. 这些都是不重要的外在因素。

25

devout * [dɪˈvaʊt]	*a.* 虔敬的；忠诚的；真诚的 例 Alick is a *devout* Christian and has devoted all his life to missionary work. 阿利克是个虔诚的基督徒，他把一生都献给了传教事业。
espionage * [ˈespɪənɑːʒ]	*n.* 间谍活动 例 Jacques was accused of guilty of *espionage* during WWII. 雅克被指控在二战期间从事间谍活动。
sportive * [ˈspɔːrtɪv]	*a.* 嬉戏的，欢闹的；运动的 例 He always talks to others in a *sportive* or playful way. 他总是以开玩笑或戏谑的方式和他人说话。
defiance * [dɪˈfaɪəns]	*n.* 藐视；违抗，反抗；挑衅 记 来自 defy(*v.* 公然反抗) 搭 in defiance of 违抗；无视 例 The resister declared open *defiance* to the government. 叛乱者公然反抗政府。
firebrand * [ˈfaɪərbrænd]	*n.* 火把；引起(社会或政治)动乱的人，煽动叛乱者 记 组合词：fire(火) + brand(打烙印) → 被打过烙印的人 → 煽动叛乱者 例 The journalist is known as a dangerous political *firebrand*. 众所周知，那个记者是个煽动政治叛乱的危险分子。
impermeable * [ɪmˈpɜːrmiəbl]	*a.* 不可渗透的，不透水的 记 拆分记忆：im(不) + permeable(可渗透的) → 不可渗透的 例 This coat is made by *impermeable* materials. 这件外套是由防水材料制成的。
severity * [sɪˈverəti]	*n.* 严肃，严厉；严重；朴素 记 来自 severe(*a.* 严肃的；严重的；朴素的) 例 The chances of a full recovery will depend on the *severity* of her injuries. 能否彻底康复取决于她受伤的严重程度。
cow * [kaʊ]	*v.* 威胁，恐吓 *n.* 母牛 例 The young man was easily *cowed* by people in authority. 这个年轻人容易被有权势的人吓住。
cleave * [kliːv]	*v.* 劈开；砍开；穿过，通过 记 联想记忆：c + leave(离开) → 使分开 → 劈开 例 The ambulance *cleaved* a path through traffic jam with the help of policeman. 在交警的协助下，救护车在交通堵塞中开出了一条路。
trumpet [ˈtrʌmpɪt]	*n.* 喇叭 *v.* 鼓吹；大肆宣扬 记 联想记忆：trump(喇叭) + et → 喇叭 例 The result of presidential election was *trumpeted* by radio across the country. 广播向全国大肆宣扬了总统大选的结果。
fleece * [fliːs]	*n.* 羊毛；绒头织物 *vt.* 骗取 记 联想记忆：flee(逃跑) + ce → 骗完钱就跑 → 骗取 例 Some local shops are *fleecing* visitors with those worthless souvenirs. 当地一些商店用不值钱的纪念品骗取游客的钱。

282
□ devout □ espionage □ sportive □ defiance □ firebrand □ impermeable
□ severity □ cow □ cleave □ trumpet □ fleece

apocryphal * [ə'pɑːkrɪfl]	*a.* 传闻但不足为凭的；虚构的 例 Most of stories about this newcomer are *apocryphal*. 关于这个新来的人的传闻多属虚构。
universal * [ˌjuːnɪ'vɜːrsl]	*a.* 普遍的；通用的；宇宙的，全世界的 记 词根记忆：uni(单一) + vers(转) + al → 全部转为单一的 → 普遍的 例 This is a *universal* principle which can be applied to all human societies. 这是一个适用于所有人类社会的普遍准则。 派 universality(*n.* 普遍性，一般性); universally(*ad.* 普遍地，全体地)
inaugurate * [ɪ'nɔːgjəreɪt]	*v.* 开始，开创；为…举行就职典礼；为…举行开幕式 记 词根记忆：in(进入) + augur(占卜) + ate → 用占卜算出就职典礼吉辰 → 为…举行就职典礼 例 Barack Obama was *inaugurated* as President in January, 2009. 巴拉克•奥巴马总统于 2009 年 1 月宣誓就职。 派 inauguration(*n.* 就职，就职典礼); inaugural (*a.* 就职的；开幕的) 同 commence, initiate*
offensive * [ə'fensɪv]	*a.* 冒犯的；使人不快的；进攻的 *n.* 进攻，攻势 例 These jokes are highly *offensive* to all women. 这些笑话是对所有女性的极大冒犯。 派 inoffensive(*a.* 无害的)
mobile * [moʊ'biːl]	*a.* 活动的；多变的；流动的 记 词根记忆：mob(移动) + ile(易…的) → 易的 → 活动的；多变的 搭 mobile phone 手机 例 The *mobile* library benefits more than 4 million farmers in the town. 流动图书馆使乡镇 400 多万农民获益。
arrest * [ə'rest]	*n./v.* 逮捕；停止，阻止；吸引 记 联想记忆：ar(加强) + rest(休息) → 让人休息 → 停止，阻止 例 Samuel is *arrested* for murdering his wife. 塞缪尔因杀妻被捕。
focal ['foʊkl]	*a.* 焦点的；在焦点上的 记 来自 focus(*v.* 聚焦) 例 The *focal* point of our discussion lies in how to reduce unemployment. 我们谈论的焦点在于如何降低失业率。
construe * [kən'struː]	*v.* 理解，领会；分析；解释 记 联想记忆：con + strue (=struct) → construct (结构) → 弄清结构 → 分析；解释 例 His words are *construed* as an apology. 人们认为他的话表达了歉意。
fret [fret]	*v.* 不愉快；烦躁 *n.* (吉他等指板上定音的)品 记 联想记忆：心灵不自由(free)，所以不愉快，烦躁(fret) 例 Babies often *fret* when they feel uncomfortable. 婴儿一不舒服就会显得烦躁。

25

□ apocryphal   □ universal   □ inaugurate   □ offensive   □ mobile   □ arrest
□ focal   □ construe   □ fret

incursion * [ɪnˈkɜːrʒn]	*n.* 袭击，侵犯，侵入 记 词根记忆：in(进入) + curs(跑) + ion → 跑进来犯罪 → 侵入 例 I dislike people's *incursion* upon my personal stuff without permission. 我不喜欢别人不经允许乱动我的东西。
flinch * [flɪntʃ]	*n./v.* 退缩，畏缩 记 联想记忆：fl(看作 fly，飞) + inch(寸) → 一寸一寸向后飞 → 退缩 例 Nobody is excused for *flinching* from difficulties. 在困难前退缩的人不可以原谅。
biannual [baɪˈænjuəl]	*a.* 一年两次的 记 联想记忆：bi(两) + annual(每年的) → 一年两次的
luminous * [ˈluːmɪnəs]	*a.* 发光的，发亮的 记 词根记忆：lumin(光) + ous → 发光的 例 The little girl stared at her favorite animal with *luminous* eyes. 小女孩儿盯着她喜欢的动物，双眼闪着光。 同 bright, shining
quiver * [ˈkwɪvər]	*n.* 颤动，抖动；箭筒，箭囊 *v.* 颤动，抖动 例 Mary shouted at her husband *quivering* with anger. 玛丽冲她的丈夫大叫着，气得发抖。
infernal * [ɪnˈfɜːrnl]	*a.* 地狱的，阴间的；可恶的 记 联想记忆：infern(低) + al → 低的地方 → 地狱的 例 I cannot sleep well because of the *infernal* noise. 该死的噪音吵得我睡不好觉。
cleft * [kleft]	*n.* 裂缝 *a.* 劈开的 记 联想记忆：c + left(左边) → 玉佩左边有了一道裂缝 → 裂缝 例 This kind of bird nests in *clefts* of the rock. 这种鸟在岩缝里筑巢。
halting * [ˈhɔːltɪŋ]	*a.* 踌躇的，吞吞吐吐的 例 In a *halting* voice Salina told her mother that she wanted to take a break. 赛琳娜吞吞吐吐地跟妈妈说，她想要休息一下。 同 hesitant
sling [slɪŋ]	*v.* 抛，掷，扔；吊挂，悬挂 *n.* 悬带，吊腕带；吊索；(旧时的)投石器，弹弓 例 The man was very angry and *slung* his bag on the ground. 这人非常生气，把包扔在地上。 同 chuck
physiological * [ˌfɪziəˈlɑːdʒɪkl]	*a.* 生理的；生理学上的 记 来自 physiology(*n.* 生理机能；生理学) 例 The scientists have studied *physiological* effects of the astronauts when they traveled in space. 科学家研究了宇航员进行太空旅行时产生的生理影响。
ambulatory * [ˈæmbjələtɔːri]	*a.* 步行的，能走的；【医】适宜下床走动的，不必卧床的 记 词根记忆：ambul(行走) + atory → 步行的 例 The hospital will supply some new *ambulatory* care for those patients. 医院将给那些病人提供一些新的步行护理。

□ incursion　　□ flinch　　□ biannual　　□ luminous　　□ quiver　　□ infernal
□ cleft　　□ halting　　□ sling　　□ physiological　　□ ambulatory

extroverted [ˈekstrəvɜːrtid]	*a.* 性格外向的，喜社交的
	例 The boy is ten years old with *extroverted* personality. 这男孩 10 岁了，性格外向。
feverish [ˈfiːvərɪʃ]	*a.* 发烧的，发热的；狂热的，兴奋的
	记 来自 fever(*n.* 发烧，发热；狂热，兴奋)
	例 The young couple were quite *feverish* when they moved in their new apartment. 年轻夫妇俩搬到新公寓里时，相当兴奋。
incarcerate* [ɪnˈkɑːrsəreɪt]	*v.* 关押，监禁
	例 Mike has been *incarcerated* in prison for 20 years. 迈克已经被关押在监狱里 20 年了。
	同 imprison
ramp* [ræmp]	*n.* 坡道，斜坡；活动舷梯，轻便梯
	记 联想记忆：野营(camp)去爬坡(ramp)
	例 The man helped an old lady push the wheelchair up the *ramp*. 那人帮一位老太太把轮椅推上斜坡。

25

🎓 备考锦囊

语法知识（十二）主谓一致中需要注意的几点情况(3)

4. 用 and 连接的单数名词，当前面有 each, every, many a, no 等修饰语时，谓语动词要用单数。例如：
Every man, woman, and child is entitled to take part in the activity.
每个男人、妇女和儿童都有资格参加这项活动。

（七）不定式短语、动名词或从句等作主语时，谓语动词一般用单数。例如：
Reading in the morning is good for learning English. 早上读英语对英语学习有帮助。
但是，如果 and 连接两个相同的结构时，谓语动词要用复数。例如：
Reading books and playing table tennis are my great pleasure. 看书和打乒乓球是我很喜欢的活动。

（八）当主语由 or, either... or, neither... nor, not only... but (also) 等连接的两个名词或代词组成时，其谓语动词应与最近的名词一致。例如：
Either you or I am wrong. 你我中有一个人错了。

（九）当"one or two＋名词复数"或"one or more＋名词复数"作主语时，谓语动词用复数。当"one / a＋单数名词 or two"作主语，谓语动词可用单数也可用复数。例如：
One or two books are needed. 需要一本或两本书。
One book or two is / are needed. 需要一本或两本书。

Word List 26

音频

词根预习表

vis	看	envision v. 展望	**anim**	声名	inanimate a. 没生命的
jac	扔	adjacent a. 邻近的	**tain**	支撑	sustain v. 支撑;保持
cre	增加	increment n. 增加	**cid**	落下	incidence n. 发生率
pound	放置	propound v. 建议	**pel**	推	impel vt. 推动,驱使
ceit	拿	conceit n. 自负	**arm**	武器	disarm v. 缴(某人的)械

delve * [delv]	*v.* 钻研,深入探索 记 联想记忆:整天埋在书架(shelves)里钻研(delve) 例 Historians are *delving* into the social background of this event. 历史学家正在深入探究这一事件的社会背景。
bicker * ['bɪkər]	*n./v.* 争吵,口角 记 联想记忆:bick(看作 brick,砖头)+ er → 互相扔砖头 → 争吵 例 The children often *bicker* about insignificant things, but forget them soon. 孩子们总是因为一些小事争吵,但很快就忘了。
spiral ['spaɪrəl]	*a.* 螺旋形的,螺旋式的 *v.* 盘旋上升(或下降);(物价等)急剧地上升(或下降) *n.* 螺旋(线),螺旋式的上升(或下降) 记 来自 spire(*n.* 塔尖,尖顶) 例 The *spiral* stairs take less space than traditional ones. 旋转楼梯相比传统的楼梯占据更小的空间。 同 twist, coil
loom * [lu:m]	*v.* (尤指)令人惊恐地隐现;赫然耸现 *n.* 织布机 记 联想记忆:屋(room)里只有一架布满蜘蛛网的织布机(loom) 例 A dark shadow *loomed* on the wall and looked like a horse. 墙上隐隐出现了一个黑影,看起来像一匹马。 同 appear, emerge
grapple * ['græpl]	*v.* 抓住;扭打,搏斗 记 联想记忆:gra(看作 grab,抢夺)+ pple(看作 apple,苹果)→ 抢苹果 → 抓住 例 Passers-by *grappled* with the robber after he ran out of the bank. 抢劫犯从银行跑出来后,路人与他展开了殊死搏斗。

dexterous * [ˈdekstrəs]	*a.* 灵巧的；敏捷的；惯用右手的 记 词根记忆：dexter(右边的) + ous → 惯用右手的 例 Evelina is *dexterous* with paper folding. 埃维莉娜手很巧，擅长折纸。
gait * [geɪt]	*n.* 步法，步态 记 联想记忆：等(wait)别人注意自己的步法(gait) 例 Fielding walked in a slow *gait* after breaking his ankle. 脚踝受伤之后，菲尔丁走路很慢。
rend * [rend]	*v.* 分离；撕裂，猛拉；抢去，强夺 记 联想记忆：撕裂(rend)了就要修补(mend) 例 His clothes were *rent* into pieces in the fight. 打仗的时候他的衣服被撕成了碎片。
fitful * [ˈfɪtfl]	*a.* 一阵阵的；断断续续的；间歇的 例 I was so worried about my husband that I had a *fitful* night's sleep. 我非常担心我的丈夫，一晚上时睡时醒。
drab * [dræb]	*a.* 枯黄色的；无生气的；单调的，乏味的 记 联想记忆：dr(看作 dry，干) + ab → 叶子干燥后变成枯黄色 → 枯黄色的 例 Sitting in this cold and *drab* office, I have no inspiration to write. 坐在冰冷而毫无生气的办公室里，我找不到丝毫写作的灵感。
amoral * [ˌeɪˈmɔːrəl]	*a.* 与道德无关的 记 联想记忆：a(无) + moral(道德的) → 与道德无关的 例 The instinct for survival that guides people is *amoral*. 指引人类的生存本能与道德无关。
reek * [riːk]	*v.* 散发臭味；发出难闻的气味 *n.* 恶臭；难闻的气味 例 His breath *reeked* of tobacco. 他满嘴烟臭味。
unravel * [ʌnˈrævl]	*v.* 解开，拆散；弄清，阐明 记 联想记忆：un(不) + ravel(纠缠) → 不纠缠 → 解开，拆散 例 Scientists didn't *unravel* the mystery of UFO. 科学家们并未揭开不明飞行物的谜团。
pummel * [ˈpʌml]	*v.* (用拳)接连地打；连续猛击 例 His girlfriend *pummeled* at his back in anger. 他女朋友气得不停地用拳头打他的背。
seemly * [ˈsiːmli]	*a.* 得体的，适宜的；合乎礼仪的 例 This behavior is not *seemly* for a lady. 种行为对于一个淑女来说是不合礼仪的。
envision [ɪnˈvɪʒn]	*v.* 想象；展望 记 词根记忆：en + vis(看) + ion → 展望 例 Martin *envisioned* a world free of war and disease. 马丁向往一个没有战争、没有疾病的世界。

26

diminish [dɪ'mɪnɪʃ]	*v.* (使)变小, (使)减少; 降低 记 词根记忆: di + mini(小) + sh → (使)变小, (使)减少 例 Nothing could stop the world's resources from *diminishing* with time. 什么都无法阻止地球上的资源日渐减少。 派 diminishment(*n.* 变少, 变小) 同 curtail, decrease, debase
enclave* ['enkleɪv]	*n.* 被包围的领土, 飞地 (某国或某市境内隶属外国或外市, 具有不同宗教、文化或民族的领土)
diffuse* [dɪ'fjuːs]	*v.* 散布, 传播; (光等)漫射; (液体等)弥漫 *a.* (文章等)冗长的; 漫射的 记 词根记忆: dif(不同) + fus(流) + e → 向不同方向流动 → 弥漫 例 The business of teachers is *diffusing* knowledge. 教师的职责是传播知识。 派 diffusely(*ad.* 广泛地); diffusion(*n.* 扩散, 传播); diffused(*a.* 普及的) 同 wordy
inanimate* [ɪn'ænɪmət]	*a.* 没生命的; 无生气的; 单调的 记 词根记忆: in(无) + anim(生命) + ate → 没生命的 例 His face is *inanimate* after working days and nights for a week. 日夜不停地工作了一周, 他的脸上显得毫无生气。
abolish* [ə'bɑːlɪʃ]	*vt.* 废止, 废除 记 联想记忆: ab(相反) + (p)olish(优雅) → 不优雅的东西就应该废除 → 废止, 废除 例 I think death penalty should be *abolished* because it is too cruel. 我认为应该废除死刑, 因为它太残忍了。 派 abolition(*n.* 废除, 废止) 同 annul
infallible* [ɪn'fæləbl]	*a.* 不会犯错的; 极精确的; 绝对可靠的 记 联想记忆: in(不) + fall(跌倒) + ible(可…的) → 不会犯错的 例 Nobody is *infallible*. 任何人都会犯错。
incense* ['ɪnsens]	*n.* 香 *v.* 焚香; 激怒, 使愤怒 记 联想记忆: in(里面) + cense(=sense, 感觉) → 在寺院里感觉到特殊的气味 → 香 例 The fans are *incensed* at the organizer's decision that they will give away 500 tickets instead of 1,000 as promised. (主办方)决定只发放 500 张门票, 而不是承诺的 1000 张, 这激怒了歌迷们。
incidental* [ˌɪnsɪ'dentl]	*a.* 伴随而来的; 不可避免的; 附带发生的 记 来自 incident(*n.* 事件) 例 These risks are *incidental* to the scientific research. 这些风险是实施这项科学研究的过程中不可避免的。

evocative * [ɪ'vɑːkətɪv]	*a.* 引起回忆的，唤起感情的 例 The songs are *evocative* of my childhood. 这些歌曲唤起了我对童年的记忆。
corrode * [kə'roʊd]	*v.* 腐蚀，侵蚀 记 词根记忆：cor + rode(腐蚀) → 腐蚀，侵蚀 例 The medal *corrodes* easily in salty atmosphere like sea. 金属在像海水这样盐分高的环境中易腐蚀。
peculiar [pɪ'kjuːliər]	*a.* 奇怪的，古怪的；特有的，独特的 例 I cannot appreciate her *peculiar* dressing style. 我欣赏不了她独特的穿衣风格。 派 peculiarly(*ad.* 特有地，特别地)；peculiarity(*n.* 特性)
haggle * ['hægl]	*n./v.* 争论；讨价还价 例 Denver spent two hours *haggling* over the price of this dress. 丹佛为买这条裙子花了两个小时讨价还价。
genteel * [dʒen'tiːl]	*a.* 显得彬彬有礼的；假斯文的；上流社会的 例 Her *genteel* accent irritated everyone around her. 她矫揉造作的腔调使周围的每个人都感到难受。
cohere [koʊ'hɪr]	*v.* 黏合；联合；(逻辑上)连贯，一致 记 词根记忆：co(一起) + her(黏着) + e → 黏合在一起 → 黏合 例 His argument fails to *cohere* with his point. 他的论据与论点不一致。
exhort * [ɪg'zɔːrt]	*v.* 劝告，规劝，告诫 记 词根记忆：ex(强烈) + hort(=urge，主张) → 劝告，规劝 例 I *exhorted* him to stop smoking. 我劝他戒烟。
betroth * [bɪ'troʊð]	*vt.* 许配；和…订婚 记 联想记忆：be + troth(誓言；婚约) → 和…订婚 例 The princess is *betrothed* to a duke from a neighboring country. 公主被许配给了邻国的一位公爵。
infiltrate * ['ɪnfɪltreɪt]	*v.* (使)透过，(使)渗透；悄悄进入，潜入 记 联想记忆：in(进入) + filtrate(过滤) → 过滤进去 → (使)渗透 例 A brave policeman has *infiltrated* into the terrorist organization. 一名勇敢的警察已经潜伏到那个恐怖组织里。
amiss * [ə'mɪs]	*a./ad.* 有毛病的(地)，出差错的(地) 记 联想记忆：a + miss(过错) → 有毛病的(地)，出差错的(地) 例 There is nothing *amiss* in his data. 他的数据没有什么问题。
corporeal * [kɔːr'pɔːriəl]	*a.* 肉体的，身体的；物质的 记 词根记忆：corp(身体) + oreal → 身体的
invert * [ɪn'vɜːrt]	*vt.* 使倒转，使倒置，使颠倒 记 词根记忆：in(进入) + vert(转向) → 由里转到外 → 使倒置 例 M is similar to the *inverted* W. M 和倒转的 W 很相似。

26

□ evocative   □ corrode   □ peculiar   □ haggle   ☑ genteel   □ cohere
□ exhort   □ betroth   □ infiltrate   □ amiss   □ corporeal   □ invert

289

artificial [ˌɑːrtɪˈfɪʃl]	*a.* 人工的，人造的；虚假的，矫揉造作的 记 词根记忆：art（=skill，技术）+ i + fic（做）+ ial（…的）→ 人造技术的 → 人造的 例 These *artificial* flowers are very popular in decorating houses. 用这种假花装饰房间很受欢迎。 派 artificialness（不自然；造作）；artificiality（*n.* 人造物）
meek* [miːk]	*a.* 温顺的；驯服的 记 联想记忆：脸颊（cheek）上全是温顺的（meek）表情 例 His wife is as *meek* as a lamb and obeys all his words. 他的妻子像只温顺的小羔羊，什么都听他的。
delectable* [dɪˈlektəbl]	*a.* 美味可口的；（指人）有吸引力的 记 联想记忆：d + elect（选）+ able（可…的）→ 能被选出来的 → 有吸引力的 例 The room is full of the *delectable* smell of freshly baked bread. 房间里充满了新烤出来的面包的香味。
antiquated* [ˈæntɪkweɪtɪd]	*a.* 陈旧的，过时的；废弃的 记 联想记忆：antiqu（看作 antique，古董）+ ated → 古董的 → 陈旧的，过时的 例 Those *antiquated* equipments should be replaced with new ones. 那些陈旧的设备需要换成新的了。
bluster* [ˈblʌstər]	*n./v.* 气势汹汹地说话，咄咄逼人，威吓（但效果不大）；（指风）猛刮；咆哮 记 联想记忆：blu（看作 blue，蓝色）+ ster（看作 sister）→ 姐姐故意把脸涂成蓝色 → 威吓（但效果不大） 例 The kidnapper *blustered* to kill our child if we called the police. 绑架者威胁说，如果报警就杀掉我们的孩子。
arcane* [ɑːrˈkeɪn]	*a.* 秘密的，神秘的；晦涩难懂的 例 They are the first people to reach the *arcane* fortress. 他们是到达这个神秘要塞的第一批人。
headlong* [ˈhedlɔːŋ]	*a./ad.* 轻率的(地)，仓促的(地)；迅猛的(地) 记 组合词：head（头脑）+ long（长）→ 做事不假思索，总是长驱直入 → 轻率的(地) 例 The leader made a *headlong* decision without serious consideration of the problem. 那位领导人没有仔细地考虑这个问题，就做了草率的决定。
nosy [ˈnoʊzi]	*a.* 大鼻子的；好打听(管)闲事的 *n.* 大鼻子的人；好管闲事的人 记 来自 nose（*n.* 鼻子） 例 My neighbor is very *nosy*, so that nobody likes her. 我邻居是个包打听，没人喜欢她。
exertion* [ɪɡˈzɜːrʃn]	*n.* 发挥，行使，运用；尽力，努力 记 来自 exert（*v.* 发挥；努力） 例 She was hot and breathless from the *exertion* of cycling uphill. 她用力骑车上山，累得全身发热，喘不过气来。

captive [ˈkæptɪv]	*a.* 被俘掳的，被捕获的 *n.* 俘虏 记 词根记忆：capt(抓) + ive(…的) → 被抓捕的 → 被俘掳的 搭 hold sb. captive 将某人俘虏 例 80 soldiers from the enemy troops were taken *captive*. 80 名敌军士兵被俘。 派 captivity(*n.* 囚禁；被俘)
pendant [ˈpendənt]	*n.* (项链上的)垂饰，吊坠 记 词根记忆：pend(悬挂) + ant → 悬挂着的东西 → 垂饰 例 The bride wears a necklace with a diamond *pendant*. 新娘戴了一条项链，上面有一个钻石挂坠。
solitude* [ˈsɑːlətuːd]	*n.* 孤独；与外界隔绝；独居 记 词根记忆：sol(独自) + i + tude → 孤独；独居 例 Frank lived in *solitude* for a lifetime in the deep mountain. 弗兰克在深山里孤独地生活了一辈子。
uncouth* [ʌnˈkuːθ]	*a.* 粗野无礼的 记 联想记忆：un(不) + couth(有礼貌的) → 粗野无礼的 例 Nobody likes the *uncouth* young man. 没人喜欢这个粗野无礼的年轻人。
besiege* [bɪˈsiːdʒ]	*v.* 围困，围攻 记 联想记忆：be + siege(围攻) → 围困，围攻 例 The famous singer is *besieged* at the hotel by his fans. 那个著名的歌星被粉丝围在酒店里。
adjacent* [əˈdʒeɪsnt]	*a.* 邻近的；毗连的 记 词根记忆：ad(近) + jac(扔) + ent → 扔得很近的 → 邻近的 搭 be adjacent to 与…邻近，毗连 例 The hotel is *adjacent* to a railway which makes great noise. 这家酒店挨着一条铁路，非常吵。 同 adjoining, contiguous
sleigh [sleɪ]	*n.* (马拉的)雪橇 *v.* 乘雪橇；用雪橇运输 例 When you get there, don't forget to have a *sleigh* ride. 你到了那里的时候，别忘了乘一下雪橇。
apprehend* [ˌæprɪˈhend]	*v.* 领会，理解；逮捕；担心，忧虑 记 词根记忆：ap + prehend(抓住) → 逮捕 例 The killer was *apprehended* in a small hotel in his hometown. 杀人犯在家乡的一个小旅馆内被逮捕。
sustain* [səˈsteɪn]	*v.* 保持，维持；承受，支撑；经受，忍受 记 词根记忆：sus(下面) + tain(支撑) → 支撑；保持 例 It is love from family that *sustained* him when he went bankruptcy. 当他破产的时候，是家人的爱一直支撑他走下去。 派 self-sustaining(*a.* 自给自足的); sustainable(*a.* 可持续的；可支撑的); sustained(*a.* 持久的；持续不变的); sustaining(*a.* 支持的)

26

unearth * [ʌnˈɜːrθ]	*v.* 挖掘；发掘；使出土；(偶然或经搜寻)发现，找到 记 联想记忆：un(打开) + earth(土地) → 从地下弄出来 → 挖掘；使出土 例 Many jewelries are *unearthed* from the ancient businessman's tomb. 从这位古代商人的墓中发掘了很多珠宝。
converse * [kənˈvɜːrs]	*v.* 谈话，会谈 *a.* 相反的 *n.* 相反的事物；(事实或陈述的)反面 记 词根记忆：con(一起) + vers(转换方向) + e → 一起转换方向 → 相反的 例 Two newly met women are *conversing* on fashion. 两个刚认识的女人正在谈论时尚。 派 conversation(*n.* 交谈，谈话)
converge * [kənˈvɜːrdʒ]	*v.* 会合，会聚；集中于一点 记 词根记忆：con(一起) + verg(转向) + e → 一起转向某个地点 → 会合，会聚 例 The two teams *converge* at the stadium to fight for championship. 两个队在体育馆会面，准备为争夺冠军而战。 同 meet, assemble
adapt * [əˈdæpt]	*v.* (使)适合，(使)适应；改编，改写 记 联想记忆：ad + apt(适当的) → (使)适合 搭 adapt to 适应；adapt...for 将…改编成 例 Our tour could be *adapted* to suit all tastes and budgets. 我们的旅游路线可以修改，以满足人们的不同喜好和预算。 派 adaptation(*n.* 适应；改编)；adaptable(*a.* 能适应的；可改编的)；adaptive(*a.* 适应的；适合的)
irrepressible * [ˌɪrɪˈpresəbl]	*a.* 无法约束或阻止的；不可压制的；难以征服的 记 联想记忆：ir + repress (压制，约束) + ible(可…的) → 无法约束的；不可压制的 例 We burst into *irrepressible* laugh on hearing his ridiculous story. 听了他荒谬的故事，我们都抑制不住大笑起来。
heyday * [ˈheɪdeɪ]	*n.* 全盛时期，最繁荣的时期 记 联想记忆：hey(音似：嗨！欢乐地打招呼) + day(日子，时期) → 在国家繁荣时期，人们都互相欢乐地打招呼 → 最繁荣的时期 例 In the *heyday* of Britain, its navy is unbeatable. 在英国的全盛时期，它的海军是所向无敌的。
increment * [ˈɪŋkrəmənt]	*n.* 增加，增量；定期的加薪 记 词根记忆：in + cre(增加) + ment → 增加 例 The new job provides a salary of US $30,000 per year with annual *increments*. 这份新工作的年薪是 3 万美元，并且逐年增加。
breadth * [bredθ]	*n.* 宽度；(知识、兴趣等)广泛 记 联想记忆：bread(看作 broad，宽的) + th → 宽度 例 This bed is 2 meters in length and 1.8 meters in *breadth*. 这张床长 2 米，宽 1.8 米。

muggy * [ˈmʌgi]	*a.* (指天气)闷热而潮湿的 记 联想记忆: mugg(看作 mug, 杯子) + y → 世界像被一个大杯子罩住, 所以天气又闷又湿 → 闷热而潮湿的 例 Chongqing is suffering from a *muggy* August day. 重庆的八月份又闷热又潮湿。
gentry * [ˈdʒentri]	*n.* 贵族, 绅士; 上流社会人士 例 He was so eager to be one of the local *gentry* that he forgot who he really was. 他如此渴望成为当地上流社会的一份子, 已经忘了自己是谁。
incidence * [ˈɪnsɪdəns]	*n.* (事情的)影响范围; 发生率 记 词根记忆: in(进) + cid(落下) + ence → 落下的机率 → 发生率 例 The Hawick town is a peaceful place with very low *incidence* of crime. 霍伊克是个犯罪率极低的平静的小镇。
gaunt * [gɔːnt]	*a.* (常因疾病、饥饿或忧虑而)瘦削憔悴的 记 联想记忆: 因被嘲弄(taunt), 所以憔悴(gaunt) 例 Engineers are all *gaunt* and exhausted when this project is completed. 工程完工的时候, 工程师们都憔悴瘦削, 疲惫不堪。
articulate * [ɑːrˈtɪkjuleɪt]	*a.* 善于表达的; 发音清晰的 *v.* 清楚有力地表达; 清楚地吐字发音 记 词根记忆: art (艺术, 技巧) + i + cul + ate → 说话要有技巧才能表达清楚 → 清楚有力地表达 例 I have no chance to *articulate* my opinion. 我没有机会表达自己的想法。
propound [prəˈpaʊnd]	*v.* 提出(问题、计划等)供考虑, 建议 记 词根记忆: pro(在…前) + pound(放置) → 好建议放在前 → 建议 例 A compromising solution is *propounded* for further discussion. 有人提出了一个折中的解决办法供大家进一步讨论。
swagger * [ˈswægər]	*v.* 大摇大摆地走; 昂首阔步; 吹嘘, 说大话 记 联想记忆: swag(摇晃) + ger → 摇晃着身体走 → 大摇大摆地走 例 John *swaggered* out of the field after winning the game. 赢了比赛之后, 约翰大摇大摆地走出场地。
reinforce [ˌriːɪnˈfɔːrs]	*v.* 加强, 增强; 加固; 增援 记 联想记忆: re + inforce(强化) → 加强, 增强 例 People's prejudice against religion would be *reinforced* by the media's misleading. 媒体的误导会加重民众对宗教的偏见。 派 reinforcement(*n.* 增援; 加强) 同 strengthen
daub * [dɔːb]	*v.* (用颜料、油漆等)涂抹, 乱画 例 The walls on the campus are *daubed* with green paint by some naughty students. 校园里的墙上被一些淘气的学生用绿色涂料乱涂了一气。
deterrent * [dɪˈtɜːrənt]	*n.* 威慑物; 遏制力 *a.* 威慑的; 制止的 记 词根记忆: de + terr(使…惊吓) + ent → 威慑物; 威慑的 例 His punishment would be a *deterrent* to other employees. 对他的处分可以对其他员工起到威慑作用。

26

categorical * [ˌkætəˈgɔːrɪkl]	*a.* 无条件的，绝对的；明确的 例 The government should make a *categorical* statement about this problem. 政府应该就这个问题发表明确声明。
muse * [mjuːz]	*v.* 沉思，冥想 *n.* (作家、画家等的)灵感；创作的源泉 记 联想记忆：Muse(缪斯女神，古希腊和罗马神话中执掌诗歌、音乐和其他文学艺术分支的九位女神之一) → 创作的源泉 例 Catherine is *musing* over life in the past. 凯瑟琳正在缅怀过去的日子。
pertain [pərˈteɪn]	*v.* (to)属于，附属；符合于，适合于；有关，关于 记 词根记忆：per(完全) + tain(拿住) → 完全拿住，符合要求 → 符合于 例 Her conduct *pertained* to a noble lady. 她的行为与贵妇人的身份相符。
conducive [kənˈduːsɪv]	*a.* 有助于，有益于 记 词根记忆：con + duc(引导) + ive → 引导到好的一面 → 有助于 例 Encouragement is *conductive* to children's making progress. 鼓励有助于孩子取得进步。
idiom * [ˈɪdiəm]	*n.* 习语，语言的习惯用法；(在艺术等方面所表现的)风格，特色 例 "Teach fish to swim" is an *idiom*. "班门弄斧"是个习语。
wedge [wedʒ]	*n.* 楔子，楔形物 *v.* 楔入，塞入 记 联想记忆：楔子(wedge)的边缘(edge)很尖锐
agonize [ˈægənaɪz]	*v.* (使)痛苦，担心，忧虑 记 来自 agony(*n.* 苦恼) 例 Alice has *agonized* over whether to change her job or not for days. 艾丽斯为是否换工作烦恼了好多天。
conjure * [ˈkʌndʒər]	*v.* 用咒语使…出现；变魔术，变戏法 记 词根记忆：con + jur(念咒语) + e → 用咒语使…出现 例 Most magicians have shown how to *conjure* a dove on stage. 很多魔术师都表演过在台上变出一只鸽子。
impel * [ɪmˈpel]	*vt.* 推动，驱使；敦促，激励 记 词根记忆：im(在里面) + pel(推) → 推动，驱使 例 I am *impelled* to take my stand against his proposal. 我被迫表明立场，反对他的提议。
ambiguity [ˌæmbɪˈgjuːəti]	*n.* 歧义；模棱两可；模糊，不清楚 例 Inconsistencies and *ambiguities* are often found in his article. 他的文章里经常会有前后不一致和含混不清的表达。
uniformity * [ˌjuːnɪˈfɔːrməti]	*n.* 一致；无差异 记 来自 uniform(*a.* 相同的) 例 All the rooms in this hotel are decorated in *uniformity*. 酒店里所有房间的装修都是一样的。
metropolis * [məˈtrɑːpəlɪs]	*n.* 首府，都会；大城市 记 联想记忆：metro(地铁) + polis(城市) → 有地铁的城市 → 大城市 例 Shanghai is considered as an international *metropolis*. 上海被认为是一个国际化大都市。

294

□ categorical   □ muse   □ pertain   □ conducive   □ idiom   □ wedge
□ agonize   □ conjure   □ impel   □ ambiguity   □ uniformity   □ metropolis

glutton * [ˈɡlʌtn]	*n.* 贪食者；对…入迷的人，酷爱…的人 记 联想记忆：glut(充斥) + ton(吨) → 胃里充满了吨级的食物 → 贪食者 例 Amenda is a *glutton* for books. 阿曼达是个书虫。
orientation * [ˌɔːriənˈteɪʃn]	*n.* 方向，目标；(个人的)基本信仰，观点；(开学前、任职前等的)情况介绍，培训 例 This job calls for ability regardless of candidates' political *orientation*. 这份工作不考虑申请者的政治取向，只需要他们有能力。
heckler * [ˈheklər]	*n.* 质问者 记 发音记忆："骇客了" → 他的质问把客人吓到了 → 质问者 例 The chairman answered the *heckler*'s question skillfully. 主席巧妙地回答了质疑者的提问。
conceit * [kənˈsiːt]	*n.* 自负，自大；巧妙但不实用的东西 记 词根记忆：con(一起) + ceit(=ceive，拿) → 独自拿定所有问题的解决方案，不考虑他人的意见 → 自负 例 The young man in the white shirt has a little *conceit* of himself. 那个穿白衬衫的年轻人有点自命不凡。
disarm [dɪsˈɑːrm]	*v.* 缴(某人的)械；解除武装；裁军；消减(某人的)怒气 记 词根记忆：dis(分开) + arm(武器) → 去掉武器 → 缴(某人的)械 例 I find it difficult to persuade the enemy to *disarm*. 我觉得很难说服敌人缴械投降。
rally * [ˈræli]	*n.* 集会，(群众)大会；公路汽车赛 *v.* 召集，集合；恢复健康，振作精神 记 联想记忆：r + all(所有) + y → 所有人都参加的大会 → 集会 例 The candidate will address the *rally* at the end of this month. 那名候选人将于本月末在群众集会上致辞。 同 assembly
expansive * [ɪkˈspænsɪv]	*a.* (指人)友善健谈的，开朗的；广阔的，辽阔的 记 来自 expand(*v.* 扩张) 例 It's obvious that Susan relaxed herself and was in an *expansive* mood. 很显然，苏珊放松了下来，心情很开朗。
convex * [ˈkɑːnveks]	*a.* 凸出的；凸面的 搭 a convex lens / mirror 凸透镜
allege * [əˈledʒ]	*vt.* 断言，宣称 记 词根记忆：al(加强) + leg(读) + e → 大声读 → 断言，宣称 例 The media *alleged* that the police mistreated the prisoners. 媒体宣称警方虐待囚犯。
luscious * [ˈlʌʃəs]	*a.* 美味的，可口的；性感的 例 Mary likes the *luscious* taste of ripe apples. 玛丽喜欢熟苹果的美味可口。
aftermath * [ˈæftərmæθ]	*n.* (战争、事故、不愉快的事情的)后果，创伤 记 联想记忆：after(后) + math(数学) → 做完数学后一塌糊涂的结果 → 后果 例 A lot of reconstruction will take place in the *aftermath* of the earthquake. 地震过后需要进行大规模的重建工作。

26

swathe[*] [sweɪð]	*v.* 包，绑，裹 例 Many people were *swathed* in scarves due to the sudden cold weather. 天气突然变冷，许多人围上了围巾。
exhilarating[*] [ɪɡ'zɪləreɪtɪŋ]	*a.* 使人兴奋的，令人高兴的 记 来自 exhilarate(*vt.* 使兴奋，使高兴) 例 It is an *exhilarating* thing to go hiking on the mountains and breathe the fresh air at weekends. 周末在山间徒步旅行，呼吸一下新鲜空气是一件令人兴奋的事。
underlying[*] [ˌʌndər'laɪɪŋ]	*a.* 在下面的；潜在的；根本的 记 来自 underlie(*v.* 位于…下面；构成…基础) 例 Although the dispute was settled, the *underlying* problem still existed. 尽管争端已经解决，但潜在的问题仍然存在。
stance [stæns]	*n.* 站姿，姿势；观点，立场 记 词根记忆：stan(站) + ce → 站姿 例 The spokesman didn't give the *stance* of the government on the conflict. 发言人并未就此冲突给出政府的立场。
graduated[*] ['ɡrædʒueɪtɪd]	*a.* 分等级的，分层次的；已取得学位的，毕业的 例 Many *graduated* students are difficult to get a job these years. 近年来，许多大学毕业生很难找到工作。
counterfeit ['kaʊntərfɪt]	*v.* 伪造，仿造 *a.* 伪造的，假冒的 *n.* 赝品，仿制品 记 词根记忆：counter(反) + feit(=fact，做) → 和真的对着干 → 伪造 例 You'd better buy the antique with some experts in case of buying the *counterfeits*. 你最好跟着专家去买古董，以免买到假货。
disenfranchise[*] [ˌdɪsɪn'fræntʃaɪz]	*v.* 剥夺…的权利(尤指选举权或公民权) 记 来自 enfranchise(*v.* 赋予…权利) 例 A person's basic rights can't be allowed to be *disenfranchised*. 一个人的基本权利是不容许被剥夺的。
exorcise[*] ['eksɔːrsaɪz]	*v.* 驱魔；去除(坏念头等) 例 Time is the only way which can *exorcise* the memory of the terrible accident. 消除脑海中对可怕事故的记忆，时间是唯一的方法。

The supreme happiness of life is the conviction that we are loved.
生活中最大的幸福是坚信有人爱我们。

——法国小说家 雨果(Victor Hugo, French novelist)

□ swathe   □ exhilarating   □ underlying   □ stance   □ graduated   □ counterfeit
□ disenfranchise □ exorcise

音频

词根预习表

post	放	postulate v. 假定，假设	vibr	振动	vibrant a. 振动的
pli	弯，折	pliable a. 易弯的	fid	相信	confidant n. 知己
cip	拿	recipient n. 接受者	sat	足够	saturate vt. 使充满
pact	系紧	compact a. 紧密的	serv	服务	subservient a. 恭顺的
fug	逃跑	fugitive a. 逃跑的	opt	视力	optician n. 眼镜商

---

collate *
[kə'leɪt]

v. 对照，核对，校勘(不同来源的信息)；整理(文件或书页等)
记 词根记忆: col(一起) + lat(拿) + e → 搜集资料，一起核对 → 核对

cuisine *
[kwɪ'zi:n]

n. 烹饪，烹调法，烹调风格；(尤指昂贵饭店中的)菜肴
记 发音记忆: "口味新" → 烹饪出新口味 → 烹饪
例 The old restaurant is famous for its Italian *cuisine*. 这家老餐馆以其意大利式烹饪而闻名。

embark *
[ɪm'bɑːrk]

v. 上船(或飞机、汽车等)
记 联想记忆: em + bark (狗吠) → 狗在后面追着咬，不得不上船 → 上船(或飞机、汽车等)
搭 embark on / upon 从事，着手
例 Passengers with children are able to *embark* first. 带孩子的乘客可以先上车。

empress
['emprəs]

n. 女皇；皇后
例 The young prince fell in love with the *empress* of England. 这位年轻的王子爱上了英格兰女皇。

disconcert *
[ˌdɪskən'sɜːrt]

vt. 使困惑；使不安；使尴尬
记 联想记忆: dis(不) + concert(一致) → 和别人不一致 → 使尴尬
例 Henry's answer rather *disconcerted* his teacher and classmates. 亨利的回答令他的老师和同学相当尴尬。

cement
[sɪ'ment]

n. 水泥；胶合剂 *v.* 黏结；加强，巩固
记 联想记忆: ce + ment(看作 mend, 修补) → 用水泥修补坑坑洼洼的地面 → 水泥
例 You must be careful not to step on the wet *cement* floor. 你一定要小心，不要踩到湿水泥地上。

☐ collate   ☐ cuisine   ☐ embark   ☐ empress   ☐ disconcert   ☐ cement

incoherence * [ˌɪnkoʊ'hɪrəns]	*n.* 不连贯；语无伦次，无条理 记 拆分记忆：in(不) + coherence(连贯) → 不连贯
stint * [stɪnt]	*v.* 吝惜；节省 记 联想记忆：贫穷刺激(sting)他变得吝啬(stint) 例 The old couple *stinted* on new clothes. 这对老夫妇舍不得花钱买新衣服。
yield * [jiːld]	*v.* 屈服，顺从；倒塌，垮掉；生产，产出 *n.* 产量；收益 记 联想记忆：这片田地(field)盛产(yield)西瓜 搭 yield to 屈服，让步 例 The fat man *yielded* to the temptation of delicious food. 那个胖男人禁不住美食的诱惑。 派 yielding(*a.* 弯曲自如的，柔软的；柔顺的)
douse * [daʊs]	*v.* 把…浸入水中；熄灭(火、灯)；弄湿；放松 例 The firefighters *doused* the fire with water. 消防队员用水扑灭大火。
forlorn * [fər'lɔːrn]	*a.* 孤独的；凄凉的；荒芜的 记 词根记忆：for(完全) + lorn(失去) → 完全失去依靠 → 孤独的；凄凉的 例 The little girl looked so *forlorn*, standing alone in the snow. 小女孩一个人站在雪中，看上去非常孤独。
postulate * ['pɑːstʃələt]	*n./v.* 假定，假设(尤指作推理或论证的依据) 记 词根记忆：post(放) + ul + ate → 放出观点 → 假定，假设 例 They *postulated* a 100-year lifespan for the new building. 他们假定这幢新建筑的寿命是 100 年。
fissure * ['fɪʃər]	*n.* (岩石、土地等中深长的)裂缝，裂隙 记 词根记忆：fiss(裂开) + ure → 裂缝
confiscate * ['kɑːnfɪskeɪt]	*v.* 没收，查抄，充公；征用 记 词根记忆：con(全部) + fisc(钱箱子) + ate → 把钱箱全部拿走 → 没收，查抄 例 The police have *confiscated* all the rich man's money. 警方已没收了那个富人的全部钱财。
disabuse * [ˌdɪsə'bjuːz]	*vt.* 纠正(某人的)错误念头；使醒悟 记 联想记忆：dis(不) + abuse(滥用，误用) → 去掉错误 → 使醒悟
vibrant ['vaɪbrənt]	*a.* 振动的；活泼的，充满生气的；(声音)洪亮的 记 词根记忆：vibr(振动) + ant → 振动的 例 Children are at their most *vibrant* time during the Christmas Day. 孩子们在圣诞节期间最活跃。
problematic * [ˌprɑːblə'mætɪk]	*a.* 成问题的；有疑问的；未定的 记 来自 problem(*n.* 问题) 例 The event was more *problematic* than Joe expected. 事情比乔预料的要难。

smirk * [smɜːrk]	*v.* 假笑，傻笑；得意地笑 记 联想记忆：smi(le)(微笑) + rk(看作 clerk，店员) → 店员的微笑 → 假笑 例 Harry *smirked* when he was told the good news. 哈里听到这个好消息，得意地笑了。
tiresome [ˈtaɪərsəm]	*a.* 令人疲劳的；令人厌倦的；讨厌的，烦人的 记 联想记忆：tire(疲劳) + some(…的) → 令人疲劳的 例 It will be a *tiresome* business to buy a new house. 买新房子是一件麻烦的事。
obsession [əbˈseʃn]	*n.* 牵挂，惦念；迷住，困扰；萦绕于心的事物或人 记 来自 obsess(*vt.* 迷住，使困扰) 例 Mr. Green has an *obsession* with stamp collection. 格林先生对集邮很着迷。
jostle * [ˈdʒɑːsl]	*v.* 推挤；挤开通路 搭 jostle for 争夺，争抢 例 Passengers *jostled* for the seats when the bus came. 当公交车到达时，乘客们推挤着抢座位。
discombobulate * [ˌdɪskʌmˈbɑːbjuleɪt]	*vt.* 使混乱；使困惑 例 The plan was completely *discombobulated* by the naughty boys. 计划被这些调皮的男孩完全打乱了。
subversive * [səbˈvɜːrsɪv]	*a.* 颠覆性的；暗中破坏的 *n.* 破坏分子 例 It's said that the new leader of the party has *subversive* intention. 据说，这个政党的新领导人有暗中破坏的意图。
pliable * [ˈplaɪəbl]	*a.* (指人或思想)容易受影响的；顺从的；易弯的，柔韧的 记 词根记忆：pli(=ply 弯，折) + able(能…的) → 能弯曲的 → 易弯的 例 The weeping willow has long *pliable* branches. 垂柳的枝条长而柔韧。
confidant * [ˈkɑːnfɪdænt]	*n.* 心腹朋友；知己，密友 记 词根记忆：con(表加强) + fid(相信) + ant → 非常信任的人 → 知己，密友 例 The President thought Bill was a close *confidant* of the vice-President. 总统认为比尔是副总统的心腹。
contaminate * [kənˈtæmɪneɪt]	*vt.* 污染，弄脏 记 词根记忆：con + tamin(接触) + ate → 接触脏东西 → 污染 例 The water source near the village has been *contaminated* with lead. 村庄附近的水源受到了铅污染。 派 contamination(*n.* 污染); contaminant(*n.* 致污物，污染物)
offhand * [ˌɔːfˈhænd]	*a.* 漫不经心的，不在乎的 *ad./a.* 事先无准备地(的)；未假思索地(的)；不经考虑地(的) 例 He was an expert in this field and was able to find out mistakes in our work *offhand*. 他是这个领域的专家，一下子就可以发现我们工作中的错误。
cognizance * [ˈkɑːgnɪzəns]	*n.* 认识，获知；审理，认定 记 词根记忆：co(=con，完全) + gn(=gno，知道) + iz + ance → 认识，获知 搭 take cognizance of 认知，获知

27

dramatize [ˈdræmətaɪz]	v. (使)戏剧化；改编成为剧本 **记** 联想记忆：drama(戏剧) + tize(…化) → (使)戏剧化 **例** Austen's *Pride and Prejudice* will be **dramatized** on television next week. 根据奥斯丁的《傲慢与偏见》改编的戏剧将于下周在电视上播放。
seasoned* [ˈsiːznd]	a. 富有经验的；(食物)调好味道的 **例** Linda became a **seasoned** singer after three years. 三年后，琳达成为一名经验丰富的歌手。
reserve* [rɪˈzɜːrv]	n. 自然保护区；保留(物)，储备(物)，储藏量，储备金 v. 保留，储备；预订，预约 **记** 联想记忆：re(反复) + serve(供应) → 可以反复供应 → 储备 **搭** reserve a seat 预订座位 **例** The writer **reserves** the right to cut his literary works. 作者保留删减自己的文学作品的权利。 **派** reservation(n. 预订，保留)；reserved(a. 预订的)；reservoir(n. 水库，蓄水池；知识、人才等的储备) **同** save, book
infirmity* [ɪnˈfɜːrməti]	n. (身体)虚弱；衰弱；(意志等)薄弱 **记** 来自 infirm(a. 虚弱的) **例** As is known, people all fear that they suffer from **infirmity**. 众所周知，人们都担心自己身体虚弱。
intrigue [ɪnˈtriːg]	v. 密谋，施诡计；激起…的好奇心(或兴趣) n. 阴谋，诡计，密谋 **记** 联想记忆：in(进入) + trig(=trick, 诡计) + ue → 进入诡计中 → 施诡计 **例** The idea of travelling abroad **intrigued** the young man. 去国外旅行的想法激起了这个年轻人极大的兴趣。 **派** intriguing(a. 迷人的，吸引人的) **同** attract, captivate, appeal, plot
recipient* [rɪˈsɪpiənt]	n. 接受者，收受者 **记** 词根记忆：re(反) + cip(拿) + ient(表人) → 不主动拿而是被动地接受的人 → 接受者 **例** The **recipients** of the first prize was Lily's brother. 拿一等奖的人是莉莉的哥哥。 **同** receiver recipient
destitute* [ˈdestɪtuːt]	a. 贫乏的，穷困的；缺少的，没有的 **记** 词根记忆：de(下面) + stit(站) + ute → 位于中等水平以下的 → 贫乏的，穷困的 **例** After his father died, Jim's family was left **destitute**. 父亲去世后，吉姆一家陷入贫困之中。
saturate* [ˈsætʃəreɪt]	vt. 使湿透，浸透；使充满，使饱和 **记** 词根记忆：sat(足够) + ur + ate(使…) → 使充满，使饱和 **例** The market has been **saturated** with good second-hand cars in recent years. 近年来，市场上质量好的二手车供过于求。

restore [rɪ'stɔːr]	*vt.* 恢复，使回复；修复，整修；归还，交还 记 联想记忆：re(重新) + store(储存) → 重新储存能量 → 恢复，使回复 例 People wonder if this precious painting can be *restored*. 人们想知道这幅珍贵的画是否能修复。 派 restoration(*n.* 恢复；修复) 同 renovate
outwit [ˌaʊt'wɪt]	*v.* 以智取胜；用智谋击败某人；骗过 记 联想记忆：out(超过) + wit(机智) → 以机智超出别人 → 以智取胜 例 It's reported that a prisoner *outwitted* the police and escaped. 据报道，一名囚犯骗过警方，逃跑了。
sporadic [spə'rædɪk]	*a.* 偶尔发生的；间或出现的；零星的，断断续续的 记 联想记忆：spor(看作 sport, 体育) + ad(广告) + ic → 体育广告不定时地出现 → 间或出现的 例 Thousands of children die every year because of *sporadic* outbreaks of the disease. 每年，数以千计的儿童死于偶然的疾病发作。
deploy [dɪ'plɔɪ]	*v.* 部署(军队等)，调度(武器等) 记 联想记忆：de(加强) + ploy(策略) → 运用策略部署军队 → 部署(军队) 例 A lot of soldiers were *deployed* along the border between the two countries. 大量的士兵被部署在两国的边界沿线。
expeditious [ˌekspə'dɪʃəs]	*a.* 迅速有效的；迅速完成的 记 来自 expedite(*v.* 加速) 例 Scientists have found the *expeditious* method of dealing with oil spill. 科学家已经找到了快速有效处理石油泄露的方法。
bandy ['bændi]	*a.* 双腿向外弯曲的 *v.* 来回投掷(球)；(尤指恶意地)议论 例 The girl I met yesterday has a very beautiful face but with *bandy* legs. 昨天我遇到的那个女孩有一张非常美丽的脸，但双腿向外弯曲。
noteworthy ['noʊtwɜːrði]	*a.* 显著的，值得注意的 例 I think there is nothing *noteworthy* in this new economic policy. 我觉得这项新的经济政策没有什么显著之处。
stigmatize ['stɪɡmətaɪz]	*vt.* 污辱；指责 记 来自 stigma(*n.* 耻辱；污名) 例 Ben's classmates *stigmatized* him as a thief. 本的同学污蔑他是小偷。
resonant ['rezənənt]	*a.* (声音)洪亮的；共鸣的；引起联想的，产生共鸣的 记 词根记忆：re + son(声音) + ant → (声音)洪亮的 例 Professor Lee made the speech with a deep *resonant* voice. 李教授用深沉洪亮的声音发表演讲。
compact ['kɑːmpækt]	*a.* 紧密的，坚实的；体积小的；简洁的 *n.* 契约，合同 *vt.* 使紧密；使简洁 记 词根记忆：com(用力) + pact(系紧) → 用力压紧 → 紧密的，坚实的 例 The bedroom was *compact* but well decorated. 这个卧室空间小，但装修精致。 同 compress

27

extent * [ɪkˈstent]	*n.* 范围，面积，大小；程度，限度 记 词根记忆：ex(出) + tent(伸展) → 伸展出的距离 → 范围 搭 to a certain extent 在一定程度上 例 The President's decision is false to a certain *extent*. 总统的决定在一定程度上是错误的。
clout * [klaʊt]	*n.* 击，打；权力，影响力 *v.* (尤指用手)猛击，重打 例 The candidate had a lot of *clout* at the congress. 那名候选人在国会里很有影响力。
confluence * [ˈkɑːnfluəns]	*n.* (河流的)汇流处，交汇处；汇合，汇集 记 词根记忆：con(一起) + flu(流) + ence → 流到一起 → 汇合，汇集 例 Scientists want to find the *confluence* of the two rivers. 科学家想找到两条河流的交汇处。
perquisite * [ˈpɜːrkwɪzɪt]	*n.* 额外补贴；利益；特权 记 词根记忆：per(完全) + quis(要求) + ite → 要求全部利益 → 利益 例 Politics used to be the *perquisite* of the property-owning classes in many countries. 过去，政治在许多国家是有产阶级的特权。
officious * [əˈfɪʃəs]	*a.* 爱发号施令的；爱指手画脚的 记 联想记忆：offici(al)(官员) + ous → 当官的爱发号施令 → 爱发号施令的
impermanent [ɪmˈpɜːrmənənt]	*a.* 非永久的；短暂的，暂时的 记 拆分记忆：im(不) + permanent(永久的) → 非永久的 例 Some people are pessimistic and think that everything in the world is *impermanent* and illusory. 有些人是悲观的，认为世界万物都是暂时的、虚幻的。
plight * [plaɪt]	*n.* 困境，苦境 记 联想记忆：p(音似：不) + light(轻松的) → 不轻松的处境 → 困境，苦境 例 I think that the writer is in sympathy with the poor's *plight*. 我认为作者很同情穷人的困境。 同 predicament*, dilemma
equable * [ˈekwəbl]	*a.* (天气等)稳定的，变动小的；(脾气)温和的 记 词根记忆：equ(平等) + able → 重视平等社会才能稳定 → 稳定的 例 It's fortunate that the new boss is very *equable*. 值得庆幸的是新老板性情非常温和。
nominal * [ˈnɑːmɪnl]	*a.* 名义上的；(费用等)很少的；名词性的 记 词根记忆：nomin(名称) + al → 名义上的 例 Henry was still in *nominal* control of the whole company. 亨利名义上仍然掌管整个公司。 派 nominally(*ad.* 有名无实地，名义上地)
venturesome * [ˈventʃərsəm]	*a.* 冒险的，好冒险的 记 联想记忆：venture(冒险) + some(…的) → 冒险的；好冒险的 例 In modern society, many young people are doers who are vital, aggressive and *venturesome*. 在现代社会里，许多年轻人都是有朝气、有冲劲、敢冒险的实践者。

□ extent　　□ clout　　□ confluence　　▣ perquisite　　□ officious　　□ impermanent
□ plight　　□ equable　　□ nominal　　▽ venturesome

multilingual * [ˌmʌltaɪˈlɪŋgwəl]	*a.* 使用多种语言的 记 联想记忆：multi(多) + lingual(语言的) → 使用多种语言的 例 Lucy wanted to be a *multilingual* translator after graduation. 露西毕业后想做一名多语言翻译人员。
predecessor * [ˈpredəsesər]	*n.* 前任；前辈；(被取代的)原有事物，前身 记 词根记忆：pre(前) + de + cess(走) + or(表人) → 前面走的人 → 前辈 例 Our new manager was kinder than his *predecessor*. 我们的新经理比他的前任友善。 同 forerunner, antecedent
barricade * [ˌbærɪˈkeɪd]	*n.* 路障；栅栏；障碍 *vt.* 设路障于；挡住 记 发音记忆："办绿卡的" → 办绿卡障碍重重 → 障碍 例 The police put up the *barricade* at the middle of the road. 警方在路中央设置了路障。 同 barrier, obstacle barricade
compile * [kəmˈpaɪl]	*vt.* 汇编；编辑，编纂 记 联想记忆：com(一起) + pile(堆) → 堆积一起 → 汇编；编辑 搭 compile a dictionary 编纂字典 例 It takes the experts three years to *compile* the English dictionary. 编纂这本英语词典花了专家三年的时间。
simulate * [ˈsɪmjuleɪt]	*v.* 模仿，模拟；假装，冒充 记 词根记忆：simul(类似) + ate(使…) → 使某物类似于某物 → 模拟 例 Ann tried to *simulate* surprise at the news that she got high marks. 得知自己考了高分，安假装很惊讶的样子。 派 simulation(*n.* 假装，模仿)；simulator(*n.* 模拟器，模拟装置) 同 imitate, ape
taint * [teɪnt]	*v.* 使腐坏；使感染；污染；玷污 *n.* 污点；感染；污染 记 联想记忆：tain(看作 stain, 污点) + t → 使有污点 → 玷污 例 *Tainted* food can poison people in hot summer. 在炎热的夏季，变质的食物会使人中毒。
virtue * [ˈvɜːrtʃuː]	*n.* 美德，德行；优点，长处 记 联想记忆：virtu(艺术品爱好) + e → 懂得爱护艺术品 → 美德；优点 搭 by virtue of 借助，由于 例 In ancient China, diligence was regarded as one of the *virtues*. 在中国古代，勤劳被认为是美德之一。
bequeath * [bɪˈkwiːð]	*vt.* 遗赠 记 词根记忆：be + queath(说) → 说出来把东西留给谁 → 遗赠 例 The rich man *bequeathed* all his money to his son. 那个有钱人把他全部的钱都遗赠给了儿子。

27

prompt * [prɑ:mpt]	*v.* 激起，促使，推动；鼓励；提示，(给演员)提词 *a.* 敏捷的；及时的，迅速的 *n.* (给演员的)提词，提示 记 词根记忆：pro(前) + mpt(拿) → 最先拿到 → 及时的，迅速的 例 A series of crimes *prompted* the police to take actions immediately. 一连串的犯罪促使警方立即采取行动。
brunt * [brʌnt]	*n.* 首当其冲；承受主要压力；冲击 记 联想记忆：b + run(跑) + t → 迎着跑过去 → 首当其冲 例 Universities can't bear the *brunt* of decrease in government spending. 大学无法承受政府削减投资的冲击。
tender * ['tendər]	*a.* 嫩的，柔软的；疼痛的，一触即痛的；温柔的，和善的；脆弱的，纤弱的 *v.* (正式)提出；投标 *n.* 投标 记 联想记忆：tend(照料) + er → 婴儿太脆弱了，需悉心照料 → 脆弱的 搭 tender for 投标 例 I think the dish is *tender* and delicious. 我觉得这道菜鲜嫩可口。
renegade * ['renɪgeɪd]	*n.* 叛教者；变节者，叛徒；叛逆者 记 词根记忆：re + neg(否定) + ade → 回头否定的人 → 叛徒
secrete * [sɪ'kri:t]	*vt.* 藏匿，躲藏；分泌 记 联想记忆：secret(秘密) + e → 隐藏在秘密的地方 → 藏匿，躲藏 例 Some insects can *secrete* a certain kind of sticky fluid that allows them to catch food. 有些昆虫能够分泌某种黏性物质，帮助它们捕捉食物。
subservient * [səb'sɜːrviənt]	*a.* 恭顺的，驯服的；卑躬屈膝的；次要的，从属于 记 词根记忆：sub(下面) + serv(服务) + ient → 恭顺的 例 Many people think that the mass media play a *subservient* role in society. 很多人认为大众媒体在社会中扮演着顺从的角色。
fugitive * ['fju:dʒətɪv]	*a.* 逃跑的，逃亡的；短暂的，易逝的 *n.* 逃跑者，逃亡者 记 词根记忆：fug(逃跑) + itive → 逃跑的 例 The *fugitive* was found to hide in an old house. 人们发现逃犯藏在一间旧房子中。
clench * [klentʃ]	*v.* 攥紧(拳头等)；咬紧(牙齿等)；握牢，抓牢 *n.* 牢牢抓住；钉紧 例 Harry's father *clenched* his fists in anger when he was told that his son was absent from school. 当哈里的父亲得知儿子逃学后，气得攥紧拳头。
suborn * [sə'bɔːrn]	*vt.* 收买，贿赂；唆使 记 联想记忆：su(下面) + born(出生) → 出生低微，通过贿赂向上爬 → 收买，贿赂 例 Paul *suborned* the witness to cover up the murder of his secretary. 保罗收买证人想掩盖他谋杀自己秘书的事实。
clump * [klʌmp]	*n.* (树、灌木等的)丛，簇；(人的)群，组；沉重的脚步声 *v.* 用沉重的脚步行走；聚集 例 The old man *clumps* about in his heavy leather shoes every morning. 那个老人每天早上穿着厚皮鞋，迈着沉重的步子到处走。

brew [bru:]	*v.* 酿造(啤酒); 冲泡(茶、咖啡等); 酝酿, 行将发生 *n.* (茶)一次冲泡量; (尤指某地酿制的)啤酒
	记 联想记忆: 喝下自酿(brew)的苦酒, 他紧皱起眉头(brow)
	例 I like drinking beer *brewed* in the European countries. 我喜欢喝欧洲国家酿造的啤酒。
eavesdrop [ˈiːvzdrɑːp]	*v.* 偷听, 窃听
	记 组合词: eaves(屋檐) + drop(滴水) → 在屋檐下听滴水 → 偷听, 窃听
	例 Henry *eavesdropped* on teachers' conversation out of the office. 亨利在办公室外面偷听了老师们的谈话。
incontinent * [ɪnˈkɑːntɪnənt]	*a.* 不能自制的, 无节制的; 荒淫的;【医】失禁的
	记 拆分记忆: in(不) + continent(自制的, 克制的) → 不能自制的
	例 Doctors say many people are ill because of *incontinent* lifestyles. 医生称很多人生病是因为无节制的生活方式。
correspond [ˌkɔːrəˈspɑːnd]	*v.* 相一致, 相符合; 通信; 相当, 相应
	记 联想记忆: cor(共同) + respond(作出反应) → 作出相同的反应 → 相一致, 相符合
	搭 correspond with 相符合, 相一致; correspond to 相当, 类似
	例 The toy you sent does not *correspond* to the one we book. 你送来的玩具与我们订的不一样。
	派 corresponding(*a.* 相应的; 符合的); correspondent(*a.* 符合的 *n.* 记者); correspondence(*n.* 通信; 符合)
squash [skwɑːʃ]	*v.* 压软, 挤压, 压变形; 挤进, 塞入 *n.* 软式墙网球, 壁球; 果汁饮料
	记 联想记忆: squ(看作 squeeze, 挤) + ash(灰) → 挤成灰 → 挤压
	例 Bill tried to *squash* into the small car. 比尔试着想挤进那辆小汽车。
imperceptible * [ˌɪmpərˈseptəbl]	*a.* 觉察不到的
	记 拆分记忆: im(没有) + perceptible(觉察到的) → 觉察不到的
	例 It's difficult for people to feel *imperceptible* changes in temperature. 人们很难觉察到温度的细微变化。
deify * [ˈdeɪɪfaɪ]	*vt.* 奉为神, 崇拜
	记 词根记忆: dei(神) + fy(…化) → 奉为神, 崇拜
	例 People often *deified* their king in ancient times. 在古代, 人们往往把他们的国王奉为神。
yoke * [jouk]	*n.* 轭, 牛轭 *v.* 给(动物)上轭; 控制, 束缚; 奴役;(强行)使结合
	记 联想记忆: 听个笑话(joke), 摆脱忧郁的束缚(yoke)
	例 Young people are *yoked* by their parents in some Asian countries. 在一些亚洲国家, 年轻人受到父母的束缚。
inverse * [ɪnˈvɜːrs]	*a.* 倒转的, 反转的; 相反的 *n.* 反面; 相反的事物
	记 词根记忆: in(反) + vers(转) + e → 反转 → 相反的; 倒转的
	例 If the direct method doesn't work, you can try the *inverse*. 如果直接的方法不起作用, 你可以尝试用相反的方法。

eavesdrop

27

□ brew   □ eavesdrop   □ incontinent   □ correspond   □ squash   □ imperceptible
□ deify   □ yoke   □ inverse

connubial * [kəˈnuːbiəl]	*a.* 婚姻的；夫妻的 记 词根记忆：con(一起) + nub(结婚) + ial → 婚姻的；夫妻的
disband * [dɪsˈbænd]	*v.* 散伙，解体；裁减 记 联想记忆：dis(离开) + band(乐队) → 解散乐队 → 散伙，解体 例 The club is going to *disband* the band next month. 俱乐部打算下月解散乐队。
confirm * [kənˈfɜːrm]	*v.* 证实，确定；批准，使有效 记 联想记忆：con(加强) + firm(坚定) → 十分坚定 → 证实，确定 例 This tax-cut policy still need *confirming* by the Congress. 这项减税政策尚需国会批准。 派 confirmation(*n.* 确认；批准); confirmed(*a.* 根深蒂固的)
flourish * [ˈflɜːrɪʃ]	*v.* 昌盛，繁荣；(为引起注意)挥舞，挥动；茁壮成长 记 词根记忆：flour(=flor，花) + ish → 花一样开放 → 昌盛，繁荣 例 Few companies *flourished* in the past financial crisis. 在过去的金融危机中，很少有企业繁荣。
optician * [ɑːpˈtɪʃn]	*n.* 眼镜商；光学仪器制造商 记 词根记忆：opt(视力) + ician → 靠改善视力做生意的人 → 眼镜商
bluff * [blʌf]	*n.* 虚张声势；(尤指海边或河边的)峭壁 *v.* 虚张声势，吓唬 *a.* 直率的，坦率的 搭 bluff sb. into doing sth. 靠吹牛哄某人做某事；bluff your way in / through 蒙混过关 例 All of us wondered whether John *bluffed* or not. 我们大家都想知道约翰是不是在吓唬人。
lope * [loʊp]	*n.* 大步慢跑 *v.* 大步慢跑；跳跃地跑 例 The cute little dog *loped* along behind Ben. 那条可爱的小狗跟在约翰身后跳跃地跑。
attentive [əˈtentɪv]	*a.* 注意的，专心的；留心的；关心的 记 联想记忆：at(在旁边) + tent(帐篷) + ive → 在帐篷旁边伸长脖子听 → 注意的，专心的 例 The young nurse was *attentive* to her patients and therefore was highly praised. 那个年轻的护士关心病人，因此受到高度的赞扬。
defuse * [ˌdiːˈfjuːz]	*v.* 卸除(炸弹的)引信；缓和，平息(紧张状态或危急局面) 记 联想记忆：de(去掉) + fuse(保险丝) → 去掉…的雷管 → 卸除(炸弹的)引信 例 The brave policeman *defused* a bomb in the supermarket. 那个勇敢的警察在超市拆除了一枚炸弹。
reverential [ˌrevəˈrenʃl]	*a.* 可敬的，令人肃然起敬的；虔敬的，恭敬的 例 Every person could sense a *reverential* atmosphere once he came into the church. 每一个人走进这个教堂，都能感受到一种虔敬的气氛。
husband * [ˈhʌzbənd]	*n.* 丈夫 *vt.* 节俭使用 例 The woman didn't want others to know that her *husband* had an affair. 这个女人不想让别人知道她丈夫有了婚外情。 派 husbandry(*n.* 节约使用，精打细算)

insular [ˈɪnsələr]	*a.* 海岛的，岛屿的；心胸狭窄的，狭隘的 记 词根记忆：insul(岛) + ar → 岛屿的 例 The appraisal on the ancient culture is a little *insular* compared with other appraisals. 这篇关于古代文化的评论和其他评论相比有些狭隘。
marginal [ˈmɑːrdʒɪnl]	*a.* 边缘的；书页空白处的；小的，不重要的 例 Gaelic, which was used in Ireland, was considered a *marginal* language. 在爱尔兰使用的盖尔语被认为是一种边缘化的语言。
disincline [ˌdɪsɪnˈklaɪn]	*v.* (使)讨厌，(使)不感兴趣，(使)不愿意 例 The acute sense of art *disinclines* him from reading this book. 敏锐的艺术感使他对这本书不感兴趣。
calculated [ˈkælkjuleɪtɪd]	*a.* 有计划的；精心策划的，蓄意的 记 来自 calculate(*v.* 计算) 例 This *calculated* crime was well designed and arranged by the killer. 这次蓄意犯罪是杀手精心策划和安排的。
contrived [kənˈtraɪvd]	*a.* 不自然的，做作的 例 The novel with a *contrived* ending disappointed me. 这部小说做作的结局令我失望。
migratory [ˈmaɪɡrətɔːri]	*a.* 迁移的，移居的；迁徙的；流浪的 记 来自 migrate(*v.* 迁移，移居) 记 词根记忆：migr(移动) + atory → 迁移的 例 The government should pay much attention to the problem of *migratory* people. 政府应该多多关注移民的问题。
sneer [snɪr]	*n./v.* 嗤笑，嘲笑 例 The young man who came from the country didn't deny himself even if he was *sneered* by others. 从农村来的这个年轻人即使受到别人的嘲笑，也从不自暴自弃。

27

And gladly would learn, and gladly teach.
勤于学习的人才能乐于施教。

——英国诗人 乔叟(Chaucer, British poet)

□ insular   □ marginal   □ disincline   □ calculated   □ contrived   □ migratory
□ sneer

Word List 28

音频

词根预习表

fin	结束	confine v. 监禁，禁闭	spers	散播	disperse v. 散播
secr	神圣	desecrate v. 亵渎（神灵）	trit	摩擦	contrite a. 痛悔的
put	思考	compute vt. 计算	tag	接触	contagious a. 接触传染性的
cur	跑	incur v. 引起	pit	寻求	propitiate v. 讨好
minu	变小	diminution n. 减少	phen	出现	phenomena n. 现象

---

spatial*
[ˈspeɪʃl]

a. 空间的，与空间有关的
记 联想记忆：spa(ce)（空间）+ tial(…的) → 空间的
例 Professor Green has studied the *spatial* distribution of the population for three years. 三年来，格林教授一直在研究人口的空间分布。

---

lap*
[læp]

n. (坐着时的)大腿部；(跑道的)一圈；(旅程的)一段 *v.* (动物)舔，舔食；(轻微而有规律地)拍打
搭 lap up 舔食；欣然接受
例 Martin picked up his little boy and put him on his *lap*. 马丁抱起小儿子，把他放在腿上。

---

quench*
[kwentʃ]

v. 熄灭，扑灭(火)；止(渴)；抑制(欲望)
记 联想记忆：quen(看作 queen, 女王) + ch → 女王的统治欲望被压制 → 抑制(欲望)
搭 quench hatred 消除仇恨；quench the flames 扑灭火焰
例 Distant water can't *quench* a present thirst. 远水解不了近渴。
同 extinguish, squelch

---

usher
[ˈʌʃər]

n. 领座员，招待员 *v.* 引领，陪同，招待
例 The secretary *ushered* us into the meeting room. 秘书把我们领进会议室里。

---

swarm*
[swɔːrm]

v. 密集，云集，挤满；成群地飞行 *n.* 群，蜂群；一大群
搭 a swarm of 一大群
记 联想记忆：s + warm(暖和的) → 大家挤在一起取暖 → 云集，挤满
例 The lake *swarms* with children skating in winter. 冬天，湖面上挤满了溜冰的孩子。

---

flaccid * [ˈflæsɪd]	*a.* 松弛的；软弱的；无活力的，没有精神的 记 联想记忆：flac(=flab，松弛) + cid → 松弛的 例 The doctor told the patient that he suffered from *flaccid* muscle. 医生告诉病人他患有肌肉松弛症。
debris * [dəˈbriː]	*n.* 废墟；残骸；散落的碎片；【地】岩屑 记 联想记忆：de(向下) + bris(看作 brick，砖) → 砖都碎了，堆在下面 → 废墟；散落的碎片 例 The rescue teams have cleared the *debris* from the earthquake. 救援队清理了震后的废墟。 同 ruin, fragment, remain
purchase * [ˈpɜːrtʃəs]	*n.* 购买，购买的物品 *vt.* 买，购买 记 联想记忆：pur + chase(追逐) → 零售商为了得到紧俏的商品而竞相追逐生产商 → 购买 例 Ben has some *purchases* to make in the downtown tomorrow. 本明天要去市中心买些东西。 派 purchaser(*n.* 购买者)
linger * [ˈlɪŋɡər]	*v.* (因不愿离开而)继续逗留，留恋徘徊；继续存留；缓慢消失 记 联想记忆：那位歌手(singer)留恋徘徊(linger)于曾经的舞台 搭 linger on 流连忘返，逗留 例 The Whites *lingered* away the whole winter at the seashore. 怀特一家在海滨消磨了整个冬天。 同 dawdle, hover*
depiction [dɪˈpɪkʃn]	*n.* 描写，描述 记 来自 depict(*v.* 描述) 例 The writer gave a real *depiction* of social life in America. 作者真实地描述了美国的社会生活。
ineffable * [ɪnˈefəbl]	*a.* 不可言喻的，妙不可言的 记 拆分记忆：in(不) + effable(可表达的) → 不可表达的 → 不可言喻的 例 Tom was admitted into the famous university he dreamed of with *ineffable* joy. 汤姆被他梦想中的那所名校录取，心里充满了难以形容的喜悦。
synonymous [sɪˈnɑːnɪməs]	*a.* 同义的；等同于 记 来自 synonym(*n.* 同义词) 例 Money cannot be *synonymous* with happiness. 金钱不能与快乐等同。
patronize * [ˈpeɪtrənaɪz]	*v.* 以高人一等的态度对待；光顾，惠顾；赞助，资助 记 联想记忆：patron(赞助人) + ize → 光顾，惠顾 例 The shop was mainly *patronized* by rich young men. 该商店主要是有钱的年轻人光顾。
eccentricity * [ˌeksenˈtrɪsəti]	*n.* 怪异，怪癖；古怪行为，反常 记 来自 eccentric(*a.* 古怪的，反常的) 例 We couldn't understand the *eccentricity* of Jim's behavior. 我们无法理解吉姆的古怪举止。

28

pivotal * [ˈpɪvətl]	*a.* 关键的，中心的 *n.* 关键事物 记 来自 pivot(*n.* 枢轴；枢纽) 例 Friendship plays a *pivotal* role in our daily life. 友谊在我们的日常生活中起着重要的作用。
odor [ˈoʊdər]	*n.* (香的或臭的)气味；名声，声誉 记 发音记忆："呕的" → 气味不好，想呕 → (臭的)气味 例 The air was filled with the *odor* of flowers in the room. 房间的空气中弥漫着花香。
reproach * [rɪˈproʊtʃ]	*n.* 谴责，责骂；耻辱 *v.* 斥责，批评；使丢脸 记 联想记忆：re(反) + proach(靠近) → 以反对的方式靠近 → 谴责，批评 例 Jane can't bear his husband's bitter *reproaches* every day. 简无法忍受她丈夫每天对她进行尖酸的指责。
gambit * [ˈgæmbɪt]	*n.* 开局让棋法（国际象棋开局时牺牲一、二棋子以求取得优势的棋法）；开局；开头一招；开场白 记 联想记忆：赌博(gamble)需要开头一招(gambit)
despise * [dɪˈspaɪz]	*vt.* 鄙视，看不起 记 联想记忆：不管(despite)你多有钱，我都一样鄙视(despise)你 例 We shouldn't *despise* our enemy at any time. 我们任何时候不应该轻视我们的敌人。 同 disdain*, scorn, contemn
propitiate * [prəˈpɪʃieɪt]	*v.* 讨好；抚慰；使息怒 记 词根记忆：pro(向前) + pit(=pet，寻求) + i + ate → 主动寻求和解 → 讨好；抚慰 例 The local people provided sacrifices to *propitiate* the mighty gods. 当地人供奉祭品以使万能的神息怒。
lineage * [ˈlɪniɪdʒ]	*n.* 宗系，世系；家系；血统 记 联想记忆：line(线) + age(年龄) → 宗系中各年龄的人像线一样一脉相承 → 宗系；血统 例 It is said that Bill's entire *lineage* was brave soldiers. 据说，比尔的整个家族都是英勇的战士。
confine * [kənˈfaɪn]	*v.* 限制，限定；监禁，禁闭 *n.* 界限，边界 记 词根记忆：con(加强) + fin(结束) + e → 结束自由 → 监禁，禁闭 例 The old man was *confined* to bed with the bad cold. 老人因患上重感冒而卧床不起。
disperse * [dɪˈspɜːrs]	*v.* (使)分散，疏散；散布，传播 记 词根记忆：di(分开) + spers(散播) + e → 分散开 → (使)分散，散播 例 The police fired so as to *disperse* the wild elephants. 警察鸣枪想驱散野象。 派 dispersible(*a.* 可分散的) 同 distribute, scatter

□ pivotal   □ odor   □ reproach   □ gambit   □ despise   □ propitiate
□ lineage   □ confine   □ disperse

array * [əˈreɪ]	v. 部署(兵力); 布置, 排列 n. (军队)阵列; 大批, 大量
	记 联想记忆: ar + ray(光线) → 像光线一样整齐排列 → 部署; 排列
	例 Tens of thousands of soldiers have been *arrayed* along the border between the two countries. 数以万计的士兵已经在两国间的边界沿线部署就绪。

yelp [jelp]	v. (因疼痛)发出短而尖的叫声; 犬吠 n. 短而尖的叫声
	记 联想记忆: 求救(help)时发出短而尖的叫声(yelp)

gawk * [gɔːk]	n. 笨人, 呆头呆脑的人 v. 痴呆地看; 无礼地瞪眼看
	例 I think that the pretty girl doesn't like being *gawked* at by other people. 我想那个漂亮女孩不喜欢被别人愣愣地盯着看。

gawk

communal * [kəˈmjuːnl]	a. 全体共用的, 共享的; 社区的
	记 联想记忆: com (=con, 一起) + mun (看作 man, 人们) + al → 人们在一起 → 社区的
	例 The old couple moved out of the *communal* living areas one month ago. 这对老夫妇一个月前从社区的居所搬了出去。

apolitical * [ˌeɪpəˈlɪtɪkl]	a. 不关心政治的; 不重视政治的; 与政党无关的
	记 联想记忆: a(非) + political(政治的) → 不关心政治的
	例 Several young people sharing the similar interest set up an *apolitical* organization. 几个志趣相投的年轻人成立了一个非政治组织。

inarticulate * [ˌɪnɑːrˈtɪkjələt]	a. 发音不清楚的, 口齿不清的; 不善于表达的; 词不达意的
	记 联想记忆: in(不) + articulate(发音清晰的) → 发音不清楚的

unique * [juˈniːk]	a. 唯一的, 独一无二的; 独特的, 极好的
	记 词根记忆: uni(单一) + que(…的) → 唯一的
	例 The tour offers a *unique* chance to see the world around you. 这次旅行为你提供了一次发现周围世界的独一无二的机会。
	派 uniquely(ad. 独特地; 唯一地); uniqueness(n. 独一无二)

28

patriarchy * [ˈpeɪtriɑːrki]	n. 父系社会; 男权政治; 男性统治的社会
	记 词根记忆: patri(父亲) + arch(=rule, 统治) + y → 男性统治的社会

vent * [vent]	n. 通风口, 排放口 vt. 表达, 发泄(情感等)
	搭 give vent to 表达, 发泄(感情等)
	例 The sad man *vented* his anger on his wife and son. 那个伤心的男人把情绪发泄在他妻儿身上。
	派 ventilate(vt. 使通风); ventilation(n. 通风)
	同 express

desecrate * [ˈdesɪkreɪt]	v. 玷辱; 亵渎(神灵)
	记 词根记忆: de(贬低) + secr(神圣) + ate → 亵渎(神灵)
	例 Nobody was allowed to *desecrate* the church in this town at that time. 那时候, 镇里的任何人都不允许亵渎那个教堂。

□ array   □ yelp   □ gawk   □ communal   □ apolitical   □ inarticulate
□ unique   □ patriarchy □ vent   □ desecrate

311

simper * [ˈsɪmpər]	*v.* 傻笑；假笑；假笑着说 *n.* 傻笑；假笑 例 The stupid man *simpered* an absurd excuse for his absence. 那个愚蠢的男人假笑着为他的缺席编造了一个荒谬的借口。
inured * [ɪˈnjʊrd]	*a.* 习惯的 记 联想记忆：in + u(你) + red(红色) → 你习惯穿红色 → 习惯的 例 The husband has become *inured* to his wife's selfishness. 丈夫已经习惯了妻子的自私。
hardy * [ˈhɑːrdi]	*a.* 强壮的，能吃苦耐劳的；适应力强的；(植物等)耐寒的 例 Only a *hardy* man can take part in track and field. 只有强壮的人才能参加田径比赛。 同 tough
whittle * [ˈwɪtl]	*v.* 削木头；削减，减少，降低 记 联想记忆：wh(看作 whet，磨刀) + ittle(看作 little，小) → 磨刀把木头削小 → 削木头 例 The little boy *whittled* a simple toy gun from a piece of wood. 那个小男孩用一段木头削了一把简单的玩具枪。
mire * [ˈmaɪər]	*n.* 泥沼；困境 *v.* (使)陷入泥沼，困境 记 联想记忆：烈火(fire)使人陷入困境(mire) 例 Bill found himself in the *mire* but no one helped him. 比尔发现自己陷入了困境，但是没有人帮助他。
rousing * [ˈraʊzɪŋ]	*a.* (使)觉醒的；鼓励的，使兴奋的；充满活力的 记 来自 rouse(*vt.* 唤醒，激起) 例 I was greatly impressed by the *rousing* music. 那鼓动人心的音乐给我留下了深刻的印象。
authoritative * [əˈθɔːrəteɪtɪv]	*a.* 权威性的，可信的；专断的；命令式的 例 The teacher advised students to read the most *authoritative* books on the subject. 老师建议学生们阅读有关该科目最权威的书。 同 official, dictatorial
heed * [hiːd]	*n./v.* 注意，留心；听从(劝告或警告) 记 联想记忆：需要(need)的东西要格外注意(heed) 例 Henry took no little *heed* of other people's criticism. 亨利不留意别人的指责。
nip * [nɪp]	*v.* 啃咬；掐；夹住 搭 nip off 掐去；剪掉 例 The cat *nipped* the little boy on the arm. 那只猫咬了小男孩的胳膊。
spurn * [spɜːrn]	*n./v.* (尤指傲慢地)拒绝；摈弃 记 联想记忆：spur(激励) + n(看作 no) → 不再激励 → (尤指傲慢地)拒绝；摈弃 例 The new generation *spurned* the traditional lifestyle surrounding them. 新的一代摈弃了他们周围传统的生活方式。

hermetic＊ [hɜːˈmetɪk]	*a.* 密封的; 不透气的; 封闭的; 不受外界影响的 记 联想记忆: her(她) + met(遇到) + ic(看作 ice, 冰) → 她遇到了冰封的门, 进不去 → 密封的 例 The strange man lived in a *hermetic* world he imagined. 那个古怪的人生活在他想象的封闭世界中。
solitary [ˈsɑːləteri]	*a.* 单独的, 独自的; 单个的, 唯一的; 孤独的, 隐居的 记 词根记忆: solit(单独) + ary → 单独的 例 The old man was quite fond of a *solitary* life in the country. 老人很喜欢在乡间独自生活。
sever＊ [ˈsevər]	*v.* 切割; 割断; 断绝; 中断; 隔开, 使分离 记 联想记忆: server(服务器)少了 r → 切断了(sever)联系 搭 sever oneself from 脱离, 和…分离 例 The difference between father and son cannot *sever* their blood ties. 父子之间的分歧割断不了他们之间的血脉关系。
assail [əˈseɪl]	*vt.* 攻击, 袭击; 抨击, 指责; 使苦恼 记 联想记忆: as + sail(帆) → 扬帆起航向前攻 → 攻击 例 The new policy was violently *assailed* by the congress. 这项新政策遭到国会的猛烈抨击。
contrite＊ [kənˈtraɪt]	*a.* 悔罪的, 痛悔的 记 词根记忆: con + trit(摩擦) + e → (心灵)摩擦 → 痛悔的 例 Jim looked so *contrite* that all his classmates believed he was really sorry. 吉姆看上去如此懊悔, 他所有的同学都相信他真的有悔意。
disinter＊ [ˌdɪsɪnˈtɜːr]	*vt.* 从地下挖出(尤指尸体); 发现(丢失或藏了很久的东西); 使显现 记 联想记忆: dis(不) + inter(埋葬, 尤指尸体) → 把埋葬的(尸体)掘出来 → 从地下挖出(尤指尸体) 例 The king allowed the victim's relatives to *disinter* his body. 国王批准受害人的亲属掘出其尸体。
render＊ [ˈrendər]	*v.* 使成为, 使变得; 给予, 提供; 呈报, 递交; 翻译 记 联想记忆: 出借人(lender)自然要给予(render)某物 例 Thousands of people are *rendered* homeless by the flood. 洪水致使数千人无家可归。 派 rendering(*n.* 表演; 翻译)
caliber＊ [ˈkælɪbər]	*n.* 口径; 才干, 能力 记 联想记忆: ca(看作 can, 能) + liber(看作 liberty, 自由) → 有能力就能获得自由 → 能力
impenetrable＊ [ɪmˈpenɪtrəbl]	*a.* 不能穿透的; 不可理解的 记 拆分记忆: im(不) + penetrable(可穿透的) → 不可穿透的 例 In my opinion, the motive for the street crime is *impenetrable*. 在我看来, 那起街头罪行的作案动机让人捉摸不透。

28

bestow[*] [bɪˈstoʊ]	*vt.* 赠与；授予 记 联想记忆：be + stow(收藏) → 将收藏好久的物品赠给他人 → 赠与 例 Bob thought that he deserved those praises *bestowed* on him. 鲍勃认为别人给予他的那些赞扬是他应得的。
recast[*] [ˌriːˈkæst]	*vt.* 重新铸造；彻底改造；更换演员；改动 记 联想记忆：re(重新) + cast(演员表) → 更换演员 例 The professor *recast* his lecture as a television talk. 教授把讲稿重新修改后用作电视讲话。
apprise[*] [əˈpraɪz]	*v.* 通知，告知 记 联想记忆：app + rise(升起) → 结果出来，向大众宣布 → 通知，告知 例 Susan came in to *apprise* me that I passed the final exam. 苏珊进来通知我，说我通过了期末考试。
criteria [kraɪˈtɪriə]	*n.* [criterion 的复数]标准，准则 记 词根记忆：cri(判断) + te + ria → 根据一定标准做判断 → 标准，准则 例 Beside Scores, other factors should be used as the *criteria* for assessing a student's ability. 分数不能作为评价学生能力的唯一标准，还应考虑其他因素。
irrefutable[*] [ˌɪrɪˈfjuːtəbl]	*a.* 无可辩驳的；不可否认的 记 拆分记忆：ir(不) + refut (e)(反驳) + able(可…的) → 不可辩驳的 例 In front of *irrefutable* evidence, the criminal had nothing to say. 在确凿的证据面前，罪犯哑口无言。
phenomena[*] [fəˈnɑːmɪnə]	*n.* [phenomenon 的复数]现象 记 词根记忆：phen(=phan, 出现) + omena → 现象 例 Some natural *phenomena* have not yet been explained. 一些自然现象仍然无法解释。
throng[*] [θrɔːŋ]	*n.* 一大群人，聚集的人群 *v.* 群集；拥挤 记 发音记忆："死拥" → 一大群人死命拥挤 → 一大群人；拥挤 例 The train station was *thronged* with students back home. 火车站挤满了回家的学生。
portend[*] [pɔːrˈtend]	*vt.* 预兆，预示(尤指坏事的发生) 记 联想记忆：port(港口) + end(尽头) → 港口到了尽头，预示海洋来临 → 预示 例 As we all know, black clouds *portend* a heavy rain. 众所周知，乌云是大雨的前兆。
multifarious[*] [ˌmʌltɪˈferiəs]	*a.* 多种的，各式各样的 记 联想记忆：multi(多) + fari(看作 fair, 集市) + ous → 集市上有各式各样的物品 → 各式各样的 例 There are vast and *multifarious* organizations and associations at universities. 大学里有各种组织和协会。

tempo[*] [ˈtempoʊ]	*n.* (音乐的)速度, 节奏; (运动或活动的)速度 记 联想记忆: tem(看作 time, 时间) + po → 速度, 节奏 例 The first piece of the music is difficult, with numerous changes of *tempo*. 这段音乐的第一节很难, 节奏变化很多。
quash [kwɔːʃ]	*vt.* 取消, 撤销; 镇压, 平息, 制止 记 联想记忆: qu + ash(灰烬) → 化成灰烬 → 取消; 镇压 例 The uprising was quickly *quashed* by the army. 起义被军队迅速平息。
optional[*] [ˈɑːpʃənl]	*a.* 可自由选择的; 非强制的; 随意的; 选修的 记 来自 option(*n.* 选择) 例 At universities, some courses are compulsory while others are *optional*. 在大学里, 一些课程是必修的, 一些是选修的。
concave[*] [kɑːnˈkeɪv]	*a.* 凹的, 凹面的 记 词根记忆: con + cav(空的) + e → 表面凹进去的部分是空的 → 凹的, 凹面的
secular[*] [ˈsekjələr]	*a.* 现世的; 世俗的; 非宗教的 记 联想记忆: secu(跟随) + lar → 做事总是跟随别人, 随波逐流 → 世俗的 例 I hear children singing *secular* music in the classroom. 我听见孩子们在教室中唱世俗的音乐(非宗教音乐)。
credibility [ˌkredəˈbɪləti]	*n.* 可信性, 可靠性 记 词根记忆: cred(相信) + ibility(可…性) → 可信性, 可靠性 例 A *credibility* crisis is almost unavoidable between employers and employees. 老板与员工之间的信任危机几乎是不可避免的。
compute[*] [kəmˈpjuːt]	*vt.* 计算, 估算 记 词根记忆: com(加强) + put(思考) + e → 计算, 估算 例 The developer *computed* the cost of the new building. 开发商计算出了建那座新大厦的费用。 同 reckon
tyrannical [tɪˈrænɪkl]	*a.* 暴君的; 专横的; 残暴的 记 联想记忆: tyran(看作 tyrant, 暴君) + nical → 暴君的; 残暴的 例 Henry VIII was a cruel and *tyrannical* king in the history of England. 亨利八世是英国历史上一位冷酷而又残暴的国王。
histrionic[*] [ˌhɪstriˈɑːnɪk]	*a.* 演员的; 表演的; 演戏式的; 矫揉造作的 记 注意不要和 historic(*a.* 有历史意义的)相混 例 Susan is used to her father's *histrionic* style. 苏珊习惯了她父亲的表演风格。
comatose[*] [ˈkoʊmətoʊs]	*a.* 不省人事的, 昏迷的; 酣睡的; 困乏的 例 The doctor saved the *comatose* drunken man. 医生挽救了那个昏迷的醉汉。

28

reinterpret [ˌriːɪnˈtɜːrprɪt]	*vt.* 重新解释，重新诠释 例 The director *reinterpreted* the classical play with a new view. 导演以新的视角重新诠释了这部经典的戏剧。
slither * [ˈslɪðər]	*v.* 蛇行；滑行；爬行；(因地面潮湿等)跌跌撞撞地溜行 记 联想记忆：slit(裂缝) + her(她) → 她像蛇一样滑进裂缝 → 蛇行；滑行 例 The poisonous snake *slithered* away as the hunter went near. 当猎人走近时，那条毒蛇滑行而去。
estrangement [ɪˈstreɪndʒmənt]	*n.* 疏远(的一段时间)；分居(期) 记 来自 estrange(*vt.* 使疏远) 例 The *estrangement* resulted from the misunderstanding between two friends. 两个朋友间的隔阂是由误会而起。
pore * [pɔːr]	*n.* 毛孔；气孔 *v.* 钻研，熟读 搭 pore over 认真研读；审视 例 Henry spent a whole night *poring* over the information. 亨利花了一整夜钻研情报。
predispose * [ˌpriːdɪˈspouz]	*v.* 使倾向于；使受…的影响；(使)易受感染(患病) 记 联想记忆：pre(预先) + dispose(处理，安排) → 预先处理安排了 → (使)预先有倾向 → 使倾向于 例 Working overtime regularly *predisposes* one to flu. 经常加班使人容易患流感。
wax * [wæks]	*n.* 蜡；石蜡 *v.* 给…打蜡；(月亮)渐圆，渐满 例 Helen used *wax* polish on new wooden furniture she bought yesterday. 海伦给昨天新买的木制家具上光蜡。 派 waxy(*a.* 蜡色的；光滑的)
frail * [freɪl]	*a.* (指人)体弱的，虚弱的；易破碎的，易损的 记 联想记忆：体弱的(frail)人做事较容易失败(fail) 例 The *frail* wooden bridge was broken after a heavy rain. 一场大雨过后，这座不牢固的木桥坏了。
premeditate * [ˌpriːˈmedɪteɪt]	*v.* 预先考虑，预谋 记 联想记忆：pre(预先) + meditate(想，考虑) → 预先考虑，预谋 例 The police didn't know whether the murder had been *premeditated*. 警方不知道这起谋杀案是否经过事先策划。
monotony * [məˈnɑːtəni]	*n.* 单调，千篇一律 例 The new employee has become accustomed to the *monotony* of his work. 这名新员工已经适应了单调的工作。
irreverence * [ɪˈrevərəns]	*n.* 不敬，非礼；不敬的行为 记 拆分记忆：ir(不) + reverence(尊敬) → 不敬 例 In modern society, many young people are rebellious and show *irreverence* to the tradition. 在当代社会里，许多年轻人很叛逆，对传统表现出不敬。

316
□ reinterpret   □ slither   □ estrangement   □ pore   □ predispose   □ wax
□ frail   □ premeditate   □ monotony   □ irreverence

dappled[*] [ˈdæpld]	*a.* 有斑点的，斑驳的 记 联想记忆：有斑点的(dappled)苹果(apple) 例 The small room was *dappled* with silver moonlight. 这个小房间中银色的月光斑驳陆离。
diminution[*] [ˌdɪmɪˈnuːʃn]	*n.* 减少，缩减；降低 记 词根记忆：di + minu(=min，变小) + tion → 减少 例 There has been a *diminution* of population in the developing country. 这个发展中国家的人口减少了。
incur[*] [ɪnˈkɜːr]	*v.* 招致；遭受；引起 记 词根记忆：in(进入) + cur(跑) → 跑进去，引起麻烦 → 引起 例 People who often drink a lot may *incur* a great damage to their health. 常常大量饮酒的人可能导致健康受损。
embed[*] [ɪmˈbed]	*v.* 把…嵌入(或插入) 记 联想记忆：em(进入…中) + bed(床) → 把…嵌入床中 → 把…嵌入 医 例 The doctor successfully removed bullet *embedded* in Henry's leg. 医生成功取出了嵌在亨利腿部的子弹。 派 embedment(*n.* 嵌入) 同 wedge, fix
disarray[*] [ˌdɪsəˈreɪ]	*n.* 混乱，漫无秩序 *vt.* 使混乱 记 联想记忆：dis(离开) + array(排列) → 离开排列 → 混乱，漫无秩序 例 Some naughty boys *disarray* the class. 一些调皮的男孩扰乱了班级秩序。
intemperate[*] [ɪnˈtempərət]	*a.* 无节制的；放纵的；酗酒的 记 联想记忆：in(不) + temper(脾气) + ate → 脾气不加控制 → 无节制的；放纵的 例 No matter what the situation is, try to avoid *intemperate* language. 无论在什么情况下，都要避免使用过激的言辞。
snicker[*] [ˈsnɪkər]	*v./n.* 窃笑，暗笑 例 I don't know what she is *snickering* at. 我不知道她在偷笑什么。
concise[*] [kənˈsaɪs]	*a.* 简洁的；简明的，简练的 记 词根记忆：con + cis(切掉) + e → 把(多余的)全部切掉 → 简洁的 例 The teacher asked students to make a *concise* summary after reading. 老师让学生阅读后做一个简要的总结。 同 compact, brief, succinct
prone[*] [proʊn]	*a.* 俯卧的；易于做…的，倾向于…的 记 联想记忆：pr(看作 pro，向前) + on(在…上) + e → 向前卧倒在地上 → 俯卧的 搭 prone to 易于…的 例 Staying up regularly lets you *prone* to making mistakes at work. 经常熬夜会让你在工作中易于犯错误。 派 proneness(*n.* 俯伏；倾向) 同 inclined, apt

28

grill* [grɪl]	*v.* 烧烤；拷问，盘问 *n.* 烤架；烧烤食物；烧烤店 记 联想记忆：gr + ill(生病) → 严刑拷打会打出病 的 → 拷问 例 The meat on the *grill* was burning. 烤架上的 肉烧焦了。
chide* [tʃaɪd]	*v.* 叱责，指责 记 联想记忆：c + hide(躲藏) → 躲起来免受叱责 → 叱责，指责 例 Anny *chided* herself for not being so patient with her students. 安妮指 责自己对学生不够耐心。
goad* [goʊd]	*n.* (赶牛等牲畜用的)尖头棒 *n./v.* 刺激；激励 记 联想记忆：用尖头棒(goad)赶山羊(goat) 例 The poor boy was *goaded* by hunger into stealing food from the shop. 那个可怜的男孩因饥饿所迫而从商店里偷食物。
fraught* [frɔːt]	*a.* 充满…的(指不愉快)；担心的，烦恼的 记 联想记忆：fr + aught(任何事物) → 任何事物都有 → 充满…的 例 The expedition into the tropical rainforest is *fraught* with danger. 到热 带雨林去考察充满了危险。
parable* ['pærəbl]	*n.* 寓言；比喻 例 I consider the short story as a *parable*. 我认为这个短篇小说是个寓言。
molten* ['moʊltən]	*a.* 熔化的，熔融的 记 联想记忆：molt(动物换毛，外表改变) + en(使…的) → 使物体外表改变 的极端办法是熔化 → 熔化的 例 The product is cast from *molten* iron. 这种产品是由铁水烧铸而成。
provisional* [prə'vɪʒənl]	*a.* 暂时的，临时的；暂定的 例 The *provisional* government didn't have much effect on the local public security. 临时政府对当地的公共治安没有起到多大作用。 同 temporary
quizzical* ['kwɪzɪkl]	*a.* (表情等)疑问的，好奇的；戏弄的，揶揄的；古怪可笑的 例 The journalist gave the spokesman a *quizzical* stare after the press conference. 新闻发布会后，记者给发言人投去揶揄的一瞥。
egotistical* [ˌegə'tɪstɪkl]	*a.* 自负的，自大的 例 Mike is the most *egotistical* individual I have ever known. 迈克是我认识 的人当中最自负的一个。
economy* [ɪ'kɑːnəmi]	*n.* 经济，经济制度；节俭，节约 记 词根记忆：eco(住房) + nom(名义上的) + y → 名义上的住房问题实质上 是经济问题 → 经济 搭 market economy 市场经济 例 The government took measures to improve the *economy* of the country. 政府采取措施改善国家的经济状况。

□ grill   □ chide   □ goad   □ fraught   □ parable   □ molten
□ provisional   □ quizzical   □ egotistical   □ economy

lurk * [lɜːrk]	*vi.* 潜伏，埋伏；潜藏着；鬼鬼祟祟地活动 例 George was shocked by the wounded kitty *lurking* behind the garbage bin. 乔治被躲在垃圾箱后面的受伤的小猫吓了一跳。 同 slink, sneak
inclined * [ɪnˈklaɪnd]	*a.* 有…倾向的；倾向赞成的；准备做某事的；倾斜的 例 The old lady is *inclined* for a walk after a serious sick. 老妇人大病初愈，想出去散散步。
lout * [laʊt]	*n.* 举止粗鄙的人(尤指男人)，粗人 *v.* 愚弄 例 Steven is usually a nice guy, but once he is drunk, he becomes a *lout*. 史蒂文平常是一个很好的人，可一旦喝醉了，就变得行为粗鄙。
agent * [ˈeɪdʒənt]	*n.* 代理人，代理商；经纪人；间谍，特工；动因，原动力；(化学)剂 例 You'll need someone to be your *agent* if you want to be an actor. 如果你想当演员，就需要一个人作你的经纪人。
contagious [kənˈteɪdʒəs]	*a.* 接触传染性的；(感情等)感染力的 记 词根记忆：con + tag(接触) + ion → 接触传染性的 例 The girl's tinkling laughter was so *contagious* that many people laughed with her. 女孩银铃般的笑声如此具有感染力，以至于许多人跟她一同笑起来。

备考锦囊

语法知识（十三）倒装句(1)

英语倒装句可分为全部倒装和部分倒装两类。全部倒装是将句子中谓语动词完全放置在主语之前。通常需使用全部倒装的结构有：

（一）here, there, now, then, thus 等副词在句首时，需要全部倒装，例如：Then came a student. 然后一名学生走来。

（二）表示运动方向的副词或地点状语在句首时，需要全部倒装，例如：In front of the house stood a man. 房子前面站着个男人。

部分倒装是将谓语动词的一部分，如情态动词、助动词等放置在主语前，如果句子谓语动词没有情态动词或助动词，则添加助动词 do, does 或 did，放到主语前。一般使用部分倒装的结构有：

（一）以 not, no, never, seldom, hardly, little, at no time 等表示否定意义的单词、短语开头的句子，例如：Never have I read such a story. 我从来没有看过这样的故事。

（二）only 在句首修饰状语或宾语从句时需要部分倒装，但修饰主语时不倒装，例如：Only in this way can they find the boy. 只有用这种方法他们才能找到那个男孩。

□ lurk □ inclined □ lout □ agent □ contagious

Word List 29

音频

词根预习表

later	边	collateral *a.* 附属的	palp	感觉	palpitate *vi.* 悸动
trud	推,冲	intrude *v.* 侵入	fil	儿子	filial *a.* 子女的
medi	中间	mediate *v.* 调解	ampl	大	amplify *v.* 放大,增强
veng	惩罚	avenge *v.* 复仇,报仇	gress	出去	egress *n.* 外出
geal	冻结	congeal *v.* 冻结,凝固	verg	转向	diverge *v.* 分开

---

gale *
[geɪl]
> *n.* 大风,强风;(突发的)一阵(笑声)
> 记 联想记忆:一阵狂风(gale)吹倒了大门(gate)
> 例 The old house is shaking in the *gale*. 这所老房子在大风中摇摇欲坠。

grunt
[grʌnt]
> *v.* 咕哝着说;(猪等)作呼噜声 *n.* 嘀咕声;(猪等的)呼噜声
> 记 联想记忆:他的姑姑(aunt)老喜欢咕哝(grunt)个不停
> 例 No one could hear clearly what Susan said when she *grunted*. 当苏珊嘟囔着说话时,没人听得清她在说什么。

winnow *
['wɪnoʊ]
> *v.* 簸,扬,风选(以去掉谷壳);精选,除去;识别真伪
> 记 联想记忆:打开窗户(window),让风把谷壳吹走(winnow)
> 例 Granny stood *winnowing* grain yesterday afternoon in the field. 昨天下午,奶奶站在田里扬谷子。

girth *
[gɜːrθ]
> *n.* (树干、腰身等的)围长,周长
> 记 联想记忆:女孩们(girls)都特别在乎自己的腰围(girth)
> 例 We find a huge tree in the forest, which is 5 meters in *girth*. 我们在森林中发现了一棵周长5米的大树。

exult *
[ɪg'zʌlt]
> *vi.* 狂喜,欢腾,欢欣鼓舞
> 记 联想记忆:这个结果(result)让大家欢欣鼓舞(exult)
> 例 After the debate competition, we *exulted* in our team's victory. 辩论赛结束后,大家为我队的胜利欢欣鼓舞。

notoriety *
[ˌnoʊtə'raɪəti]
> *n.* 声名狼藉;臭名远扬
> 记 联想记忆:not(表否定) + oriety(看作 variety,种种) → 因为种种坏事而臭名远扬 → 臭名远扬;声名狼藉
> 例 Kate achieved *notoriety* for her affair with her boss. 凯特因其与老板的风流韵事而声名狼藉。

---

inane[*] [ɪˈneɪn]	*a.* 无意义的；愚蠢的 记 联想记忆：这个疯狂的(insane)人觉得活着毫无意义(inane) 例 Audience are sleepy because the speakers are making *inane* remarks. 观众都困了，因为演讲人说的话都很无聊。
stalk [stɔːk]	*n.* (植物的)茎；(花)梗；(叶)柄 *v.* 偷偷地接近(猎物或人等)；(非法)跟踪；高视阔步地走；蔓延，猖獗 记 联想记忆：偷偷接近(stalk)猎物的时候不能说话(talk) → 偷偷地接近；(非法)跟踪 例 There were sharks *stalking* in these waters from time to time. 过去在这片水域时有鲨鱼出没。 同 stem, sneak
culminate[*] [ˈkʌlmɪneɪt]	*v.* (使)达到最高点；(使)告终 记 联想记忆：这块地最终(culminate)退耕(cultivate)还林了 搭 culminate in 以…告终 例 Their marriage *culminated* their long relationship last month. 他们俩交往数年，上个月终成眷属。
improvident[*] [ɪmˈprɑːvɪdənt]	*a.* 不节俭的，挥霍的；无远见的，无长远打算的 记 联想记忆：来自 provident (*a.* 深谋远虑的) 例 Karen criticized the generous but *improvident* welfare provision of the 1970s in that country. 卡伦批评了 20 世纪 70 年代该国慷慨但无远见的福利供应。
disruptive [dɪsˈrʌptɪv]	*a.* 制造混乱的；分裂性的 记 来自 disrupt(*v.* 扰乱) 例 Unfortunately, this issue had a *disruptive* influence on the rest of the neighborhood. 不幸的是，这起事件搅扰了居民区的其他人。
corollary[*] [ˈkɔːrəleri]	*n.* 必然的结果；推论 记 联想记忆：co(一起) + roll(滚) + ary → 山石一起滚动的必然结果就是泥石流 → 必然的结果
fracas[*] [ˈfreɪkəs]	*n.* (通常有好几个人的)吵闹，打斗 记 联想记忆：frac(看作 franc，法郎) + as → 为了几张法郎就大打出手 → 打斗；吵闹 例 There was a *fracas* outside the courtroom as the suspect emerged yesterday. 昨天嫌疑犯出现时，法庭外一阵骚乱。
chivalrous[*] [ˈʃɪvlrəs]	*a.* 骑士风范的，骑士时代的；(尤指对女人)彬彬有礼的，殷勤的 记 词根记忆：chival(骑马的) + rous → 骑士风范的，骑士时代的 例 The proud prince became so disinterested and *chivalrous* when he fell in love with a girl. 骄傲的王子爱上了一个女孩以后，竟然变得如此无私、殷勤体贴。
broach[*] [broʊtʃ]	*v.* 开启(瓶、桶等)；开始谈论，开始提及 记 联想记忆：他们准备开启瓶子(broach)喝酒，却在里面发现一只蟑螂(roach) → 开启(瓶子)

29

unbridled * [ʌn'braɪdld]	*a.* 无节制的，奔放的；(马等)无笼头的 记 联想记忆：un(解开) + bridle (笼头) + d(音似：的) → 解开笼头的 → 无节制的，奔放的 例 The African residents displayed *unbridled* enthusiasm to the tourists. 非洲居民对游客表现出了奔放的热情。
punch [pʌntʃ]	*v.* 重击，猛击；戳，刺；穿孔，打孔 *n.* 猛击；冲床；打孔器 记 联想记忆：吃完午餐(lunch)，就在饭卡上打孔(punch) 例 All of a sudden, Joey swung around and *punched* me hard in the head. 突然，乔伊蓦地转身朝我的头部猛击一拳。
furor * ['fjʊrɔːr]	*n.* 轰动；盛怒；狂热 记 联想记忆：fur (毛) + or(=er，表人) → "毛人"引起了轰动 → 轰动 例 The security problems have caused a *furor* among the public recently. 安全问题最近已经在公众中引起了骚动。
scoff * [skɔːf]	*n./v.* (at) 嘲笑，嘲弄 记 联想记忆：蔑视(scorn)别人与嘲笑(scoff)别人都不太好 例 Why do you *scoff* at the idea that I will retire next month? 为什么你要嘲笑我打算下个月退休的想法？
sodden * ['sɑːdn]	*a.* 浸透的 *vt.* 使浸透 记 联想记忆：突然(sudden)下了一场雨，全身都浸透了(sodden) 例 Wilson's shirt was *sodden* with sweat, so he took a shower and changed his clothes. 威尔逊的衬衫被汗水浸湿了，所以他洗了个澡，换了身衣服。
reprove * [rɪ'pruːv]	*v.* 责备，指责，非难 记 联想记忆：小孩做错事要有父母的责备(reprove)才会进步(improve) 例 The mother *reproved* the child for spending too much time on computer games. 妈妈责备孩子玩电脑游戏的时间太长了。
idiosyncratic [ˌɪdiəsɪŋ'krætɪk]	*a.* 特殊的，异质的 记 来自 idiosyncrasy[*n.* (个人的)特性，癖好]
exemplify * [ɪg'zemplɪfaɪ]	*vt.* 作为…的典型(或榜样)；例示，举例证明 记 来自 example (*n.* 例子；榜样)，注意中间的 a 变成了 e 例 It should be noted that Sydney *exemplifies* Australia's diversity. 应当指出的是，悉尼是澳大利亚文化多元性的典范。 派 exemplification(*n.* 例证，范例) 同 demonstrate, illustrate
summit * ['sʌmɪt]	*n.* (山等的)最高点；峰顶，极点；最高级会议 记 联想记忆：矮小的山峰臣服于(submit)最高峰(summit) 例 The President will attend the *summit* that is going to be held in Canada next month. 总统将出席下个月在加拿大举行的峰会。

scurry* ['skɜːri]	*v.* 急匆匆地跑，疾行 *n.* 急促奔跑 记 联想记忆：因为匆忙(hurry)，所以疾行(scurry) 例 The little mouse *scurried* into a hole when the cat appeared in the room. 猫一出现在房间里，小老鼠便匆匆地跑进洞里去。
import*	['impɔːt] *n.* 进口，输入；进口商品；意义，要旨；重要性 [im'pɔːt] *vt.* 进口，输入；引进；意味着 记 联想记忆：im(进入) + port(港口) → 进入港口 → 进口，输入 例 The government eventually banned the *import* of all household electrical appliances. 最终，政府禁止进口所有的家用电器。
avid ['ævɪd]	*a.* 渴望的，渴求的；热衷的，酷爱的 记 联想记忆：画中人渴望的(avid)眼神很逼真(vivid) 例 Mr. Green is an *avid* stamp collector, which is known to everybody. 众所周知，格林先生是一名狂热的集邮爱好者。
forebear* ['fɔːrber]	*n.* 祖宗，祖先 记 联想记忆：fore(前面) + bear(出生) → 在前面出生的 → 祖宗，祖先
spit [spɪt]	*v.* 吐(唾沫、食物等)；口出(恶言、粗话等)；表示唾弃 *n.* 唾液 记 联想记忆：因为有人口出恶言(spit)，团队破裂(split) → 口出(恶言、粗话等)
imprison [ɪm'prɪzn]	*vt.* 关押，监禁；束缚，禁锢 记 联想记忆：im(进入) + prison(监狱) → 使进入监狱 → 关押，监禁 例 It is reported that a 16-year-old boy was *imprisoned* for murder. 据报道，一个16岁的男孩因谋杀罪而入狱。
prestige* [pre'stiːʒ]	*n.* 名望，声望，威望 记 联想记忆：pres(看作 president，总统) + tige(看作 tiger，老虎) → 总统和老虎都是有威信的 → 威望，声望，名望 例 Do you think Mary have enough *prestige* to win the nomination this time? 你认为玛丽有足够的威望赢得这次提名吗？ 同 reputation
grid [grɪd]	*n.* 格子；格栅；(地图上的)坐标方格；输电网，煤气输送网 记 联想记忆：g(看作 get) + rid = 人们总想摆脱(get rid of)人生的格子(grid) → 格子；格栅
imply* [ɪm'plaɪ]	*vt.* 暗示；意味着；必然包含 记 联想记忆：老板的话意味着(imply)他会雇用(employ)我 例 Jack managed to *imply* that he had contributed the money without saying so directly at the meeting. 在会上，杰克设法暗示钱是他捐的，而没有直接说出来。
shirk* [ʃɜːrk]	*v.* 逃避(义务、责任等)；偷懒 记 联想记忆：假笑(smirk)是为了逃避(shirk) 例 I heard that discipline in that company was so strict that no one *shirked*. 听说那家公司的纪律非常严格，所以没有人偷懒。

29

□ scurry □ import □ avid □ forebear □ spit □ imprison
□ prestige □ grid □ imply □ shirk

gloss [glɑːs]	*n.* 光泽，光亮；注解，阐释 *vt.* 上光；作注释 记 联想记忆：玻璃（glass）的光泽（gloss）温润如玉
singular* [ˈsɪŋgjələr]	*a.* 单数的；单一的；非凡的；异常的 例 Lily is acknowledged to be a girl of *singular* beauty. 莉莉是个公认的大美女。
indefatigable* [ˌɪndɪˈfætɪgəbl]	*a.* 不知疲倦的；不畏困难的 记 拆分记忆：in(不) + de(表强调) + fatig(ue)(疲倦) + able(…的) → 不知疲倦的 例 John was a great and *indefatigable* campaigner for human right in the 20th century. 约翰是 20 世纪一位伟大的、不屈不挠的人权运动者。
omit [əˈmɪt]	*vt.* 遗漏，省去；疏忽，忘记 记 联想记忆：om(音似：呕) + it(它) → 把它呕出去 → 省去，遗漏 例 Ross *omitted* to explain why he had been late for class yesterday. 罗斯没有解释他昨天为什么上课迟到。
wrench* [rentʃ]	*vt.* 猛拧，猛扭；扭伤；折磨；歪曲 *n.* 猛扭；扭伤；(离别等的)痛苦；歪曲；扳手 记 发音记忆："人曲" → 人变得扭曲 → 猛拧，猛扭 例 Peter can't go out because he *wrenched* his ankle when he jumped down from the table yesterday. 彼得不能出去，因为他昨天从桌子上跳下来时扭伤了脚踝。
gory* [ˈgɔːri]	*a.* 沾满鲜血的；残酷的；描述流血和暴力的 例 That film was too *gory* for Kate. 凯特觉得那部电影太过暴力。
loll* [lɑːl]	*v.* 懒洋洋地坐或卧；(头、舌等)耷拉，下垂 记 联想记忆：loll 中的三个 l 就像三棵树，o 像一个人懒洋洋地坐或卧在树下 → 懒洋洋地坐或卧 例 She is *lolling* on a sofa, with a game player in her hands. 她懒洋洋地躺在沙发上，手里拿着一个游戏机。
unwarranted* [ʌnˈwɔːrəntɪd]	*a.* 无根据的；无保证的；未经授权的 记 拆分记忆：un(表否定) + warrant(授权) + ed → 未经授权的
hazy* [ˈheɪzi]	*a.* 有薄雾的；朦胧的，模糊的 例 Looking from here, the mountains are *hazy* in the distance. 从这里看过去，远处的山显得朦朦胧胧的。
swoop [swuːp]	*n./v.* 猛扑，俯冲；突然袭击，突然行动 记 联想记忆：歹徒一弯腰(stoop)就猛扑(swoop)了过来 例 The hawk hovered for a while, and then *swooped* down and seized a rabbit. 鹰盘旋了一阵子，然后突然俯冲下来抓住了一只兔子。
grovel* [ˈgrɑːvl]	*vi.* 匍匐；卑躬屈膝；屈服 记 联想记忆：不见墓地(grave)不屈服(grovel) 例 As far as I am concerned, there is nothing worse than seeing a man *grovel* for some money. 就我而言，没有什么比看到一个人为了钱卑躬屈膝更糟糕的了。

adjoin [ə'dʒɔɪn]	*v.* (与…)贴近，(与…)毗连 记 拆分记忆：ad(附近，向) + join(连接) → 毗连，贴近 例 In his house, the bedroom *adjoins* the sitting room and kitchen. 在他家里，卧室紧挨着客厅和厨房。
intimate* ['ɪntɪmət]	*a.* 亲密的；私人的 *n.* 至交，密友 *vt.* 暗示；透露 记 联想记忆：inti + mate(配偶) → 像配偶一样亲密 → 亲密的 搭 be intimate with sb. 与某人关系密切 例 This article revealed some *intimate* details about his family life. 这篇文章曝光了他的家庭生活中的一些隐私。 派 intimacy*(*n.* 熟悉；亲密)；intimation(*n.* 暗示，提示)；intimately(*ad.* 熟悉地；亲密地)
babble* ['bæbl]	*n./v.* 含糊不清地说；胡言乱语 记 联想记忆：说话含糊不清(babble)，好像满嘴在吹泡泡(bubble) 例 I was confused because Lucy only *babbled* a few words to me. 我很困惑，因为露西只是含糊不清地对我说了几句话。
expedient [ɪk'spiːdɪənt]	*n.* 权宜之计，紧急措施 *a.* (指行动)有用的，适宜的，有利的 记 联想记忆：啃老族依赖(dependent)父母只应是权宜之计(expedient) 例 I thought it *expedient* to tell her about what actually happened the day before yesterday. 我觉得还是把前天实际发生的事告诉她比较好。
canoe [kə'nuː]	*n.* 独木舟 *v.* 乘独木舟；划独木舟；用独木舟载运 记 联想记忆：can(罐头) + oe → 苍鼠把罐头当独木舟 → 独木舟
collateral* [kə'lætərəl]	*a.* 附属的；(亲戚)旁系的；担保的 记 词根记忆：col(一起) + later(边) + al → 站在边上的 → 附属的
vantage* ['vɑːntɪdʒ]	*n.* 优势，有利地位 例 From the *vantage* point on the mountain, I could look down the whole valley. 站在山上的有利位置，我可以俯瞰到整个山谷。
clip* [klɪp]	*n.* 夹，回形针；弹夹；修剪 *v.* (用夹子等)夹住，钳牢；修剪；削减，缩短 例 Kate was asked to *clip* these sheets of paper together by her mother. 凯特的母亲让她把这些纸用回形针别在一起。 派 clipping(*n.* 修剪；剪报；剪下来的东西)
mar [mɑːr]	*v.* 损坏，毁损 记 发音记忆："骂" → 因为损坏东西，所以挨骂 → 损坏，毁损 例 The girl's appearance was *marred* by a scar on her right cheek. 这个女孩的相貌被右脸颊上的一块疤给毁了。
patronage ['pætrənɪdʒ]	*n.* 赞助；资助；恩惠 记 来自patron(*n.* 赞助人)
vehemently ['viːəməntli]	*ad.* 热烈地，热情地；激烈地，暴烈地 记 来自vehement(*a.* 激烈的，热烈的) 例 The charge was *vehemently* denied. 这一指责遭到了断然否认。

29

shear * [ʃɪr]	*v.* 剪(羊毛、头发等)；切断，剪切 *n.* (剪羊毛、树枝等的)大剪刀；修剪 记 联想记忆：sh(看作 she, 她) + ear(耳朵) → 她剪了个齐耳的短发 → 剪(头发) 例 Joey found a job of *shearing* wool from sheep when he was 18 years old. 18 岁的时候，乔伊找到了一份剪羊毛的工作。
anomalous * [əˈnɑːmələs]	*a.* 异常的；不规则的；不协调的 记 联想记忆：a(不) + nomal(看作 normal, 正常的) + ous → 不正常的 → 异常的 例 Mike was in an *anomalous* position as the only part-time worker in the company. 迈克的职位很特别，他是该公司唯一的兼职人员。
burlesque * [bɜːrˈlesk]	*n.* 讽刺滑稽表演或作品 记 发音记忆："不如乐死去"(拼音) → 讽刺滑稽表演或作品
maternal * [məˈtɜːrnl]	*a.* 母亲的；母系的 记 联想记忆：母亲的(maternal)爱不能只体现在物质的(material)方面 例 In recent years, scientists have paid attention to the relationship between *maternal* age and infant mortality. 最近几年，科学家在关注生育年龄与婴儿死亡率之间的关系。
chafe * [tʃeɪf]	*v.* (将皮肤等)擦热，擦痛；(使)恼怒，(使)焦躁 记 联想记忆：在 cafe 中加了一个 h(看作 hot) → 热咖啡 → 摩擦生热 例 Jack's shirt collar *chafed* his neck, so he felt quite uncomfortable. 杰克的衬衫领口把脖子弄疼了，所以他觉得很不舒服。
stoke * [stoʊk]	*v.* 给…添加燃料；拨旺(炉火)；煽动，激起 记 联想记忆：给火炉(stove)添加燃料(stoke)
batch [bætʃ]	*n.* 一批，一组，一群；一批生产量 记 发音记忆："白痴" → 一群白痴 → 一群，一组，一批 例 The teacher said that the first *batch* of student homework was due in at 5:00 p.m. 老师说第一批学生作业下午 5 点就该交了。
blare * [bler]	*vi.* 高声发出；发出响而刺耳的声音 *n.* 响而刺耳的声音 记 发音记忆："布莱尔" → 首相布莱尔(Blair)在高声演讲(blare) → 高声发出 例 I didn't sleep well last night because sirens *blared* in the street outside my house. 昨晚我没睡好，因为我家门外的街上响着刺耳的警笛声。
incline * [ɪnˈklaɪn]	*v.* (使)倾斜，(使)偏向；(使)倾向于，赞同 *n.* 斜坡，斜面 记 联想记忆：拒绝(decline)偏向(incline)任何一方 例 Joey has always *inclined* to the idea that everyone in this world are capable of great evil. 乔伊一直倾向于认为世界上每个人都可能犯下弥天大罪。

□ shear □ anomalous □ burlesque □ maternal □ chafe □ stoke
□ batch □ blare □ incline

browse * [braʊz]	*v.* (牲畜)吃(嫩叶或草); 浏览, 翻阅 *n.* 嫩叶; 吃草; 浏览 记 联想记忆: brow(眉毛) + se → 婴儿的眉毛像嫩叶一样 → 嫩叶 例 Peter was *browsing* through a magazine when he spotted his brother's name. 彼得在翻阅一本杂志时, 突然瞥见了他哥哥的名字。 派 browser(*n.* 浏览器; 浏览图书报刊者)
imperial * [ɪmˈpɪriəl]	*a.* 帝国的, 帝王的; 至尊的, 最高(权力)的; 专横的, 威严的 例 At that time, Britain, as a great *imperial* power, was declining. 那个时期的英国是个伟大的帝国, 但他正在衰落。
restive * [ˈrestɪv]	*a.* 难驾驭的; 不听话的; 焦躁不安的 记 联想记忆: re(再) + stive(看作 strive, 反抗) → 不断反抗 → 难驾驭的; 不听话的 例 Those little boys were becoming *restive* after sitting at the table for only 10 minutes. 小男孩们在桌旁才坐了十分钟, 就坐不住了。
egress * [ˈiːɡres]	*n.* 外出; 出路 记 词根记忆: e(出) + gress(出去) → 外出
gist * [dʒɪst]	*n.* 主旨, 要点 记 联想记忆: 他有概括主旨(gist)的天赋(gift) 例 The *gist* of the student's argument is that full employment is impossible in the near future. 该学生的论点是, 在不久的将来, 全部就业是不可能的。
palpitate * [ˈpælpɪteɪt]	*vi.* (心脏)悸动, 扑扑地跳 记 词根记忆: palp(感觉) + itate → 感觉心跳跳得很快 → (心脏)悸动, 扑扑地跳
harness [ˈhɑːrnɪs]	*n.* 马具, 挽具 *vt.* 治理, 利用; 给(马等)套上挽具 记 联想记忆: har(看作 hard, 结实的) + ness → 马具通常很结实 → 马具, 挽具 例 It is estimated that it will take about three or four years to *harness* this river. 据估计, 治理那条河流要花大概三四年的时间。
burrow [ˈbɜːroʊ]	*v.* 挖掘(地洞等); 钻进(洞穴等); 寻找 *n.* 地洞, 地道 记 联想记忆: 用犁(furrow)挖(burrow)地洞 例 The rabbit *burrowed* two or three holes near the haystack soon. 那只兔子很快就在草堆附近挖出了两三个洞。
intrude [ɪnˈtruːd]	*v.* 把(思想等)强加于; 侵入, 闯入; 打扰, 侵扰 记 词根记忆: in(进入) + trud(推, 冲) + e → 推进来, 冲进来 → 侵入, 闯入 例 The girl *intruded* herself into our conversation without a word of apology. 那个女生连声抱歉都没说就插入了我们的谈话中。
indoctrinate * [ɪnˈdɑːktrɪneɪt]	*vt.* 教导, 教训; 向…灌输(思想、学说等) 记 联想记忆: in(进入) + doctrin(e)(教条, 思想) + ate → 使思想进入 → 向…灌输 例 When Joey was still a child, he was *indoctrinated* not to question his teachers. 乔伊还小的时候, 就被灌输不得对老师进行置疑的观念。

29

□ browse　　□ imperial　　□ restive　　□ egress　　□ gist　　□ palpitate
□ harness　　□ burrow　　□ intrude　　□ indoctrinate

brisk [brɪsk]	*a.* 快的，敏捷的；干练的，麻利的；(风和天气)清新的，凉爽的 记 联想记忆：b + risk(冒险) → 爱冒险的人都身手敏捷 → 敏捷的；麻利的 同 lively, fresh, energetic, quick
infantile* [ˈɪnfəntaɪl]	*a.* 婴儿的；幼稚的 记 联想记忆：infant(婴儿) + ile → 婴儿的；幼稚的
incompatible* [ˌɪnkəmˈpætəbl]	*a.* 不能和谐共存的，合不来的；不兼容的 *n.* 互不相容的人(或物) 记 拆分记忆：in(不) + compatible(能共处的；兼容的) → 不兼容的 例 The two are totally *incompatible*, but they got married last year!　这两个人根本合不来，但他们去年结婚了！
constraint* [kənˈstreɪnt]	*n.* 限制，约束；强迫，强制；拘束的事物 记 来自 constrain(*v.* 限制；强迫) 例 Bob found that a lack of infrastructure was a very important *constraint* to that city's development. 鲍勃发现，基础设施薄弱是限制那个城市发展的一个重要的因素。
totter* [ˈtɑːtər]	*vi.* 摇摇欲坠，动摇；(步履)蹒跚，跟跄 记 联想记忆：tot(小杯烈酒) + ter → 喝了一小杯酒 → (步履)蹒跚，跟跄 例 Katherine managed to *totter* back to her seat after drinking several glasses of whisky. 喝了几杯威士忌后，凯瑟琳摇摇晃晃地回到了座位上。
tedium [ˈtiːdiəm]	*n.* 厌倦，无聊；单调，乏味 记 联想记忆：受管制的媒体(medium)很乏味(tedium) 例 Life is so boring that I longed for something exciting to relieve the *tedium* of daily life. 生活太无聊了，我渴望一些令人兴奋的事情能排解我日常生活中的烦闷。
entail* [ɪnˈteɪl]	*vt.* 牵涉；使(某事物)成为必要；限定继承 记 联想记忆：零售(retail)牵涉(entail)到很多方面 例 This part-time job would *entail* your learning how to communicate with others well. 这份兼职将需要你学会怎样与人顺畅地沟通。
implicit* [ɪmˈplɪsɪt]	*a.* 不言明的，含蓄的；内含的，固有的；无疑问的，无保留的 记 联想记忆：含蓄的(implicit)话里暗示着(imply)很多东西 例 *Implicit* in Harry's speech was that the woman was guilty and should be punished. 哈利的言外之意是那个女人有罪，而且应该受到惩罚。 同 suggested, unspoken
flippant* [ˈflɪpənt]	*a.* 无礼的；轻率的；不认真的 记 联想记忆：穿双拖鞋(slipper)来开会，很无礼(flippant)
instrumental [ˌɪnstrəˈmentl]	*a.* 起作用的，有帮助的；用乐器演奏的 记 来自 instrument(*n.* 器具；手段) 搭 instumental in 对…有帮助的，对…起作用的 例 Kelly was *instrumental* in putting an end to the quarrel between her parents. 凯利对于结束她父母之间的争吵起了重要作用。 同 helpful, useful

indicative * [ɪnˈdɪkətɪv]	*a.* 指示的，象征的；陈述的 *n.* 陈述语气 记 来自 indicate（*v.* 指出，象征） 搭 be indicative of 标示的，象征的 例 Susan's reaction was *indicative* of how scared she was when the door was opened. 门被打开的时候，苏珊的反应显示出她有多么的害怕。
impertinent * [ɪmˈpɜːrtnənt]	*a.* 不恰当的；不礼貌的；不切题的 记 来自 pertinent（*a.* 恰当的） 例 You should know that it was quite *impertinent* of you to behave like that. 你应该知道，你那种举止是很不礼貌的。
torrent * [ˈtɔːrənt]	*n.* 奔流，洪流；（情感等）爆发；（话语等）连发 记 联想记忆：细小的水流（current）变成了洪流（torrent）→ 洪流，奔流 例 After seven days of heavy rain, the river became a raging *torrent*. 下了7天的大雨之后，这条河成了汹涌的洪流。
enumeration [ɪˌnuːməˈreɪʃn]	*n.* 列举，枚举；计数；细目 记 来自 enumerate（*v.* 列举）
filial * [ˈfɪliəl]	*a.* 子女的；孝顺的 记 词根记忆：fil（儿子）+ ial → 儿子的 → 子女的
haphazard * [hæpˈhæzərd]	*a.* 偶然的，任意的；无计划的；无秩序的 *n.* 偶然，随意 记 联想记忆：hap（运气）+ hazard（危险）→ 或有运气或有危险，这都是偶然的 → 偶然的，任意的 例 You shouldn't have put the textbooks that you are going to use tomorrow in *haphazard* order. 你不应该把明天要用的教科书放得杂乱无章的。
mediate [ˈmiːdieɪt]	*v.* 调解，调停 *a.* 间接的，居间的 记 词根记忆：medi（中间）+ ate → 在中间调解，调停 → 调解，调停 搭 mediate in/between 调解，斡旋 例 The auction house said that it would try and *mediate* between sellers and buyers if problems emerged. 这家拍卖行表示，如果出现问题，它将努力在买家和卖家之间调停。 同 reconcile
amplify * [ˈæmplɪfaɪ]	*v.* 放大（声音等）；增强，扩大；详述，进一步阐述 记 词根记忆：ampl（大）+ ify（使…）→ 放大，增强 例 You may need to *amplify* this point further, for few of us have got your point. 你可能需要进一步说明这一点，因为我们几乎都没听懂。 同 expand, increase
impediment * [ɪmˈpedɪmənt]	*n.* 妨碍，阻碍（物）；（口吃，结巴等）语言障碍 记 来自 impede（*v.* 妨碍） 例 The huge foreign debt is a main *impediment* to the country's economic recovery. 巨额外债是影响该国经济复苏的主要障碍。

29

diverge * [daɪ'vɜːrdʒ]	*v.* (道路等)分开，叉开；分歧，差异；偏离，背离 记 词根记忆：di(离开) + verg(转向) + e → 转向 → 分开，叉开 例 We went through middle school and high school together, but then our path *diverged* in college. 我们初中和高中一直在一起，但后来上了大学就各走各路了。
congeal * [kən'dʒiːl]	*v.* (使)冻结，(使)凝固；(使)固定；(使)瘫痪 记 词根记忆：con(一起) + geal(=gel, 冻结) → 冻结到一起 → 冻结，凝固
illusory * [ɪ'luːsəri]	*a.* 虚幻的，梦幻的；虚假的，不实际的 例 Any power you may seem to have now is just *illusory* in my mind. 现在你看上去拥有的任何权势在我看来都只是一种虚幻。
lax * [læks]	*a.* 松弛的；懒散的；不严格的 记 联想记忆：因为放松(relax)，所以松弛(lax)
avenge * [ə'vendʒ]	*v.* 复仇，报仇 记 词根记忆：a(=ad, 去) + veng(惩罚) + e → 复仇，报仇 例 Susan decided to *avenge* herself on her boyfriend who had betrayed her. 苏珊决定报复背叛了她的男友。
founder * ['faʊndər]	*n.* 建立者，缔造者 *v.* (船)沉没；(计划等)失败，垮掉 例 I was informed that this firm is now managed by the daughter of the *founder*. 有人告诉我这家公司现在是由创立人的女儿在经营。
ghastly * ['gæstli]	*a.* 可怕的，恐怖的；极坏的，糟透的 例 Living in this *ghastly* little hotel made Joseph sleepless during the whole night. 住在这个糟透的小旅馆里，约瑟夫整夜无眠。
waterborne ['wɑːtərbɔːrn]	*a.* 水上的，漂浮着的；水运的；水传播的，饮水感染的 例 Chinese *waterborne* trade originally started in Ming Dynasty. 中国的水上贸易最早始于明朝。
meddle ['medl]	*v.* 干预，干涉；管闲事；瞎弄，乱动 例 The elder sister asked the younger not to *meddle* her new piano. 姐姐要妹妹别乱动她的新钢琴。 同 interfere
discriminating * [dɪ'skrɪmɪneɪtɪŋ]	*a.* 有辨别能力的，有识别力的 记 来自 discriminate(*v.* 区别，辨别) 例 After 10 years' collecting, Tommy has become a *discriminating* collector of stamps. 收集了 10 年的邮票，汤米已经成为一个有鉴别能力的收藏家。
absolute * ['æbsəluːt]	*a.* 十足的，地道的；绝对的，完全的 记 联想记忆：电影《冰河末世纪》*Absolute Zero* 例 The TV program broadcasted last night was *absolute* rubbish. 昨晚播放的电视节目是十足的垃圾。

□ diverge □ congeal □ illusory □ lax □ avenge □ founder
□ ghastly □ waterborne □ meddle □ discriminating □ absolute

Word List 30

音频

词根预习表

tig	接触	contiguous *a.* 相接的	**ubiqu**	到处	ubiquity *n.* 无处不在
dol	痛苦	condole *v.* 吊慰	**rig**	直的	rigid *a.* 不易弯曲的
port	搬运	transport *vt.* 运输	**bit**	去	arbitrary *a.* 任意的
post	放	impostor *n.* 冒充者	**tract**	拉，拖	distract *vt.* 使分心
tort	扭曲	extort *vt.* 勒索	**min**	突出	eminent *a.* 杰出的

preeminent * [ˌpriː'emɪnənt]	*a.* 卓越的；显著的 记 联想记忆：pre(前面) + eminent(著名的) → 比著名的人还著名 → 卓越的；显著的 例 Shakespeare was *preeminent* among English writers of his day. 莎士比亚在同时期的英国作家中最为卓越。
slur * [slɜːr]	*v.* 含糊地发(声)；忽略；诋毁 *n.* 毁谤；污点；含糊的发音 记 联想记忆：喉咙发音变模糊(blur)了，所以含糊地发音(slur) → 含糊地发(声) 例 Bob drank too much and his speech was *slurred* when I was talking with him. 鲍勃喝得太多了，我和他交谈的时候他话都说不利索了。
knotty * ['nɑːti]	*a.* 有结的；有节的；棘手的，难解决的 记 来自knot(*n.* 结；节疤) 例 Jack likes to discuss *knotty* questions of Montesquieu and Kant with his daughter. 杰克喜欢和他女儿讨论孟德斯鸠和康德的那些深奥的问题。
warranty * ['wɔːrənti]	*n.* 担保书，保单；担保；认可；根据 记 来自warrant(*n.* 授权 *v.* 担保) 例 The air-conditioner comes with a full one-year *warranty* and it's cheap. 这台空调有整一年的保修期，而且很便宜。
solicit * [sə'lɪsɪt]	*v.* 勾引，诱惑；请求，恳求；征求，征集；招揽(生意)，拉客 记 联想记忆：so(音似：色) + li(音似：利) + cit → 用色和利诱惑 → 诱惑，勾引 例 The governor sent three government officials to Washington to *solicit* aid from the White House. 州长派出三名官员去华盛顿向白宫请求援助。

extravagant [ɪk'strævəɡənt]	*a.* 奢侈的，铺张的；过度的，过分的；(言行等)放肆的 例 It is very *extravagant* of your sister to spend $1,000 on a pair of shoes. 花 1000 美元买一双鞋，你妹妹真是太奢侈了。 派 extravagantly(*ad.* 挥霍无度地); extravagance (*n.* 奢侈，铺张)
reconcile * ['rekənsaɪl]	*vt.* 使和解；使一致；使甘心(于) 记 联想记忆：re + concile(看作 council，协调会) → 召开协调会 → 使和解；使一致 搭 reconcile sb. to 使某人顺从于 例 It was hard to *reconcile* her career ambitions with her role as a mother. 她很难兼顾事业上的抱负和母亲的角色。
collaborative [kə'læbəreɪtɪv]	*a.* 合作的，协作的，协力完成的 记 来自 collaborate(*v.* 合作，协作)
blurt * [blɜːrt]	*vt.* 脱口而出，不经意地说出 记 联想记忆：说话不经过思考就脱口而出(blurt)很容易伤(hurt)人 → 脱口而出，不经意地说出 例 Linda *blurted* the secret out before her mother could stop her. 她妈妈还没来得及阻止她，琳达就把那个秘密说出去了。
methodical * [mə'θɑːdɪkl]	*a.* 有条理的；有条不紊的；讲究方法的 例 Sherlock Holmes made a *methodical* search of the house. 夏洛克·福尔摩斯有条不紊地搜查了这所房子。
glower * ['ɡlaʊər]	*vi.* 怒目而视 *n.* 怒视 记 联想记忆：glow(发光，发热) + er → 眼睛发光地看着对方 → 怒目而视 例 Lily glared at Ivy, who *glowered* back immediately. 莉莉愤怒地看了看艾维，艾维也马上愤怒地瞪了莉莉两眼。
perpetual * [pər'petʃuəl]	*a.* 永远的，长期的；无休止的，连续不断的；终身的 记 发音记忆："不怕糠" → 追求长期的成功要不怕糠 → 长期的，永久的 例 My parents hope I can go to the best university, but I am tired of their *perpetual* nagging. 父母希望我能上最好的大学，但他们无休止的唠叨让我很烦。 派 perpetually(*ad.* 永恒地；终身地) 同 eternal, permanent, continuous
impending * [ɪm'pendɪŋ]	*a.* 即将发生的，逼近的 记 来自 impend(*v.* 即将发生) 例 Tom is inadequately prepared for the *impending* final examination. 汤姆对即将举行的期末考试准备得不够充分。
coalesce * [ˌkoʊə'les]	*vi.* 联合，合并，结合 记 词根记忆：co(一起) + alesc(成长) + e → 一起成长，联合壮大 → 联合，合并，结合 例 I find that these two themes *coalesce* at the end of the novel. 我发现这两个主题在这篇小说的结尾合二为一了。

aristocratic [əˌrɪstəˈkrætɪk]	*a.* 贵族的，有贵族气派的；贵族统治的 记 词根记忆：aristo(最好) + crat(统治) + ic → 贵族被称为是最好的阶层，有资格统治整个国家 → 贵族统治的；贵族的 例 Julie is not spoiled though she comes from an *aristocratic* family. 尽管朱莉出身贵族，但她并没有被宠坏。
resolve [rɪˈzɑːlv]	*v.* 解决，解答；决心，决定；分解 *n.* 决心，决意；坚决，刚毅 记 联想记忆：re(再) + solve(解决，解答) → 解决，解答 搭 resolve into 分解 例 My brother and I *resolved* to visit America at least twice a year. 我和弟弟决定每年至少去美国玩两次。 同 solve
incorporeal [ˌɪnkɔːrˈpɔːriəl]	*a.* 无实体的，无形的；灵魂的，精神的 记 联想记忆：in(无) + corpo(=corpse 尸体) + real(真实的) → 没有真实的尸体 → 无实体的，无形的
climactic [klaɪˈmæktɪk]	*a.* 高潮的；顶点的；非常激动人心的 例 The novel builds up to a final *climactic* scene between mother and son. 该小说逐步把母子间的情节推向了最后的高潮。
confound [kənˈfaʊnd]	*vt.* 使困惑惊讶；证明…有错；挫败，战胜 例 The sudden falling in share prices had *confounded* the public, even the economists. 股价的骤然下跌让公众甚至经济学家们都大惑不解。
contiguous [kənˈtɪɡjuəs]	*a.* 相接的；相邻的；接壤的 记 词根记忆：con(和…) + tig(接触) + uous → 和…相接触的 → 相接的；相邻的 例 USA is *contiguous* with the Canada along much of its border. 美国和加拿大在很长一段边界上是相互接壤的。
migrant [ˈmaɪɡrənt]	*n.* (为工作)移居者；移民；候鸟，迁徙动物 记 联想记忆：mi(=my 我的) + grant(同意) → 同意我的移民申请 → 移民；(为工作)移居者 例 There were thousands of *migrant* workers in the depression of the 1930s in USA. 在 20 世纪 30 年代的经济萧条时期，美国有成千上万的移民工人。
sovereign [ˈsɑːvrən]	*n.* 君主；元首 *a.* 拥有最高统治权的；具有独立主权的；至高无上的 记 联想记忆：s + ove(看作 over，在…上) + reign(统治) → 在统治的层面之上 → 君主；元首 同 emperor, supreme
gusty [ˈɡʌsti]	*a.* 阵风的，多阵风的，起大风的 记 来自 gust(*n.* 强风)
shimmer [ˈʃɪmər]	*v.* 闪烁；微微发亮 记 联想记忆：夏天(summer)的夜空星星闪烁(shimmer) 例 The sea *shimmered* in the moonlight. 海水在月光下闪闪发光。

30

□ aristocratic　　□ resolve　　　□ incorporeal　　□ climactic　　□ confound　　□ contiguous
□ migrant　　　　□ sovereign　　□ gusty　　　　□ shimmer

implore* [ɪmˈplɔːr]	*vt.* 哀求，恳求，乞求 记 词根记忆：im(使) + plor(哭) + e → 哭着哀求 → 哀求，恳求，乞求 例 Tom, I *implore* you, stop what you are doing before it is too late. 汤姆，我求你停下正在做的事吧，否则就太迟了。
eminent [ˈemɪnənt]	*a.* 卓越的，显赫的；杰出的，非凡的 记 词根记忆：e(出) + min(突出) + ent → 向外突出的 → 杰出的，非凡的 例 Lincoln was one of the most *eminent* statesmen in America's past history. 在美国历史上，林肯是最卓越的政治家之一。 同 outstanding, distinguished
trifling* [ˈtraɪflɪŋ]	*a.* 琐碎的，微小的；微不足道的，不重要的 记 来自 trifle(*n.* 琐事，小事) 例 Never let this *trifling* matter affect our relationship. 千万别为小事伤了我们之间的和气。
necessitate [nəˈsesɪteɪt]	*vt.* (使)成为必要，需要 记 来自 necessity (*n.* 必需品；必要性) 例 Katherine's first job in this city *necessitated* her getting up at 6:30 every morning. 凯瑟琳在这个城市的第一份工作要求她每天早上六点半就得起床。
confrontational [ˌkɑːnfrənˈteɪʃnl]	*a.* 对抗的，冲突的 记 来自 confrontation(*n.* 对峙) 例 The spokesman denied that Britain had been taking a *confrontational* approach in diplomacy. 发言人否认英国在外交上采取了比较强硬的手段。
flit* [flɪt]	*v.* (鸟等)轻快地从一处飞到另一处；掠过 *n.* (为躲债)夜间逃走；掠过 记 联想记忆：fl(看作 fly) + it → 飞过它 → 掠过
colossal* [kəˈlɑːsl]	*a.* 巨大的，庞大的 搭 a colossal error 弥天大错 例 Their secret to make money was producing cheap goods on a *colossal* scale. 他们赚钱的秘诀就是大量地生产廉价商品。
extort* [ɪkˈstɔːrt]	*vt.* 勒索，敲诈 记 词根记忆：ex(出) + tort(扭曲) → 勒索表现出人性的扭曲 → 勒索，敲诈 例 The couple were accused of trying to *extort* money from their business associates. 这对夫妻因企图敲诈生意合伙人而被指控。
bourgeois* [ˌbʊrˈʒwɑː]	*a.* 中产阶级的；贪图享受的 *n.* 追求物质享受的人；中产阶级分子 例 After Mary bought a house in the downtown, her friends began to call her a *bourgeois*. 自从玛丽在市中心买了套房子以后，朋友们就开始叫她中产阶级了。
finagle [fɪˈneɪgl]	*v.* 骗取，骗得，欺骗 记 联想记忆：最后(finally)，她没动一根手指(finger)就骗来(finagle)很多钱

novelty * [ˈnɑːvlti]	*n.* 新奇，新颖；新奇的事物(或经验、人等)；(廉价的)小物件，小饰品 记 来自 novel(*a.* 新颖的，新奇的) 搭 Christmas novelty 圣诞小饰物 例 The musical *The Phantom of the Opera* is a *novelty* to me, and I enjoy it very much. 音乐剧《歌剧魅影》对我来说很新奇，我很喜欢看。
composite [kəmˈpɑːzət]	*n.* 合成物；复合材料 *a.* 合成的，复合的，混成的 例 This language is a *composite* of many other languages, so it's difficult to understand. 这门语言是由多种语言混合而成的，所以很难懂。
stray [streɪ]	*vi.* 走失；走神；偏离；犯错误，入歧途 *a.* (常指宠物)走失的，无主的；孤立的，漂泊的 *n.* 走失的家畜(或宠物)；离群者 记 联想记忆：待着(stay)别动，否则会迷路(stray)
sunder * [ˈsʌndər]	*v.* 分开；切断；分离，断开 记 联想记忆：雷电(thunder)把树切断(sunder)了 例 When we graduated from college, we promised that time and distance should never *sunder* us. 大学毕业的时候，我们承诺永远不会因为时间和距离而产生隔阂。
host * [hoʊst]	*n.* 东道主；节目主持人；一大群，许多 *vt.* 以主人身份招待；主办，主持 例 The website is *hosted* by a large Canadian access provider. 该网站是由加拿大一家大型网络服务供应商主办的。 派 hostess(*n.* 女主人；女主持人)
pine * [paɪn]	*vi.* (因思念等)憔悴，衰弱；怀念，渴望 *n.* 松树；松木 记 联想记忆：因怀念(pine)家乡的松树(pine)而憔悴(pine) 搭 pine away (因思念等)衰弱，憔悴；pine for 渴望，思念 例 After my grandmother died last year, my grandfather just *pined* away. 去年我祖母死后，我祖父就变得憔悴了。 pine
frugality * [fruˈɡæləti]	*n.* 节约，节俭；朴素 记 来自 frugal(*a.* 节约的，节俭的) 例 Industry is fortune's right hand, and *frugality* her left. 勤劳是财富的右手，节俭则是她的左手。
detergent * [dɪˈtɜːrdʒnt]	*a.* 净化的，去污的 *n.* 清洁剂，去污剂 记 联想记忆：决定(determine)买这个清洁剂(detergent) 例 Most *detergents* we can buy in the store are in the form of liquid. 我们在商店能买到的大多数清洁剂都是液体的。
denouement * [ˌdeɪnuːˈmɑŋ]	*n.* (小说、戏剧等的)收尾，结局 例 Harry knows the end of the novel, though he is still deeply moved by the *denouement* of the movie. 哈里知道小说的结局，但电影的结局仍使他深受感动。

30

□ novelty   □ composite   □ stray   □ sunder   □ host   □ pine
□ frugality   □ detergent   □ denouement

335

forestall * [fɔːrˈstɔːl]	*vt.* 预先阻止；先发制人 记 联想记忆：fore(前面) + stall(拖延) → 一开始就拖延 → 预先阻止 例 I *forestalled* the attempt to steal the diamond by having it removed last night. 昨晚我把钻石转移了，以防有人想偷。
wince * [wɪns]	*vi.* 避开，畏缩；(因痛苦或尴尬)龇牙咧嘴，皱眉蹙额 记 发音记忆："瘟死" → 因为害怕瘟死，所以避开 → 避开，畏缩 例 Katherine still *wince* at the thought of that terrible horror movie. 凯瑟琳一想到那部可怕的恐怖电影，就不寒而栗。
ubiquity [juːˈbɪkwəti]	*n.* 普遍存在，无处不在 记 词根记忆：ubiqu(=everywhere，到处) + ity → 无处不在，普遍存在
entreat * [ɪnˈtriːt]	*v.* 乞求，恳求，请求 记 联想记忆：en + treat(款待) → 请求别人款待自己 → 请求 例 Wilson *entreated* his wife to forgive him after she found out he was seeing another woman. 被妻子发现有了外遇后，威尔逊恳求她的原谅。
merger * [ˈmɜːrdʒər]	*n.* (企业等的)归并，合并 例 There has been a lot of talk about a *merger* with another leading bank. 我们已经就与另一家大银行的合并事宜谈论过多次了。
maladroit * [ˌmæləˈdrɔɪt]	*a.* 笨拙的；不聪明的；不熟练的；粗劣的 记 联想记忆：mal(坏) + adroit(灵巧的) → 不灵巧的 → 笨拙的 例 His handling of the negotiations was *maladroit*. 他的谈判技巧十分拙劣。
strew * [struː]	*vt.* 撒满，散播，点缀 例 When I came back home after a business trip, I found the yard *strewn* with garbage. 我出差后回到家，发现院子里丢满了垃圾。
assign [əˈsaɪn]	*vt.* 指派，选派；分配，布置(作业)；指定(时间、地点等) 记 联想记忆：as + sign(签名) → 在指派的任务单上签名 → 指派，选派 例 The teacher *assigned* a different task to each of the student last class. 上节课老师给每个学生布置了不同的作业。 派 assignment (*n.* 分派的任务；作业)；assignable (*a.* 可指定的，可委派的)；assigned(*a.* 指定的，委派的) 同 prescribe
expenditure * [ɪkˈspendɪtʃər]	*n.* 花费，支出 例 The total *expenditure* on defence has dropped a lot since 1990s in that country. 20 世纪 90 年代以来该国的国防总开支已经有了大幅的下降。
rhetoric * [ˈretərɪk]	*n.* 修辞；修辞学；[常贬]花言巧语，虚夸的言辞 记 来自 rhetor(*n.* 修辞学者) 例 The speech was dismissed by some people as merely political *rhetoric*. 这番言论被有些人当作虚夸的政治言论而摒弃。
chisel * [ˈtʃɪzl]	*n.* 凿子 *v.* 凿，雕 记 发音记忆："锤凿" → 用锤子凿 → 凿，雕 例 The sculptor *chiselled* the figure of a child out of that huge rock. 雕塑家把那块大岩石凿成了一个孩子的雕像。

□ forestall   □ wince   □ ubiquity   □ entreat   □ merger   □ maladroit
□ strew   □ assign   □ expenditure   □ rhetoric   □ chisel

ambience * [ˈæmbiəns]	*n.* 环境，气氛 例 This restaurant has tried to create the French romantic *ambience*. 这个餐厅想尽量营造出法国的浪漫氛围。
doodle * [ˈduːdl]	*vi.* 乱画(或乱写)，涂鸦；混时间，闲混 记 联想记忆：边吃面条(noodle)边涂鸦(doodle) 例 Kate always *doodles* when she has nothing to do at home. 凯特在家没事做时，总喜欢随手乱画点什么。
aloft * [əˈlɔːft]	*ad.* 在高处，在空中 记 联想记忆：a(一个) + loft(阁楼) → 阁楼在高处 → 在高处 例 The pollen can be carried *aloft* and travel long distance in the air stream. 花粉能被气流带到高处，并传播得很远。
grouse * [ɡraʊs]	*vi.* 发牢骚，抱怨 *n.* 松鸡 记 联想记忆：松鸡（grouse）抱怨（grouse）说，它总是在大清早被叫醒（arouse） 例 My only *grouse* about this class is that the teacher can speak louder. 我对这堂课只有一点不满，那就是老师的声音不够大。
subsidiary * [səbˈsɪdieri]	*a.* 次要的；辅助的，附设的；贴补的 *n.* 子公司；附属机构 记 词根记忆：sub(在下面) + sid(坐) + iary → 坐在下面的 → 次要的 搭 a subsidiary payment 补贴费 同 subordinate, affiliate
falter * [ˈfɔːltər]	*v.* (声音)颤抖；结巴地说；摇晃，蹒跚 记 联想记忆：f + alter(改变) → 改变立场不再理直气壮 → (声音)颤抖；结巴地说 例 Ivy's voice *faltered* as she tried to apologize to her boss. 艾维结结巴巴地向老板道了歉。
aromatic * [ˌærəˈmætɪk]	*a.* 芬芳的，芳香的 例 The seeds of the plant is strongly *aromatic*. 这株植物的籽香气扑鼻。
condole * [kənˈdoʊl]	*v.* 吊慰，吊唁，哀悼 记 词根记忆：con(一起) + dol(痛苦) +e → 一起痛苦 → 吊慰，吊唁 例 We *condole* with you upon the loss of your grandfather. 我们对令祖父的过世表示哀悼。
prey * [preɪ]	*n.* 被捕食的动物，捕获物；牺牲品，受害者；战利品 *vi.* 捕食；折磨 记 联想记忆：祈祷(pray)不要成为牺牲品(prey) 搭 fall prey to 成为…的牺牲品，深受…之害；prey on 捕食 例 In recent years, more and more people have fallen *prey* to drugs in America. 近年来，在美国有越来越多的人受到毒品的侵害。 同 quarry, victim, afflict, bother
audit * [ˈɔːdɪt]	*v.* 审计，稽核(账目)；旁听 *vi.* 审计，查账 记 联想记忆：aud(听) + it(它) → 审计的时候要听取意见 → 审计，稽核 例 The *audit* office refuted claims that the Beijing Olympics was the most expensive ever. 审计署反驳了北京奥运会是史上最贵奥运会的说法。

30

□ ambience   □ doodle   □ aloft   □ grouse   □ subsidiary   □ falter
□ aromatic   □ condole   □ prey   □ audit

forswear[*] [fɔːrˈswer]	*v.* (发誓)放弃 记 联想记忆：for(为) + swear(发誓) → 为抛弃某物而发誓 → (发誓)放弃 例 The country has never *forsworn* the use of weapons to solve the problem. 该国从未保证过要放弃使用武力来解决这个问题。
hurtle[*] [ˈhɜːrtl]	*v.* (朝某个方向)猛冲，飞驰 例 A piece of rock went *hurtling* down the mountainside. 一块岩石沿着山坡飞快地滚落下来。
phoenix[*] [ˈfiːnɪks]	*n.* 凤凰；长生鸟 记 发音记忆："非你可死" → 长生鸟不是你可以让它死的 → 长生鸟
manipulative [məˈnɪpjəleɪtɪv]	*a.* 操纵别人的；老于世故的 例 This woman is extremely *manipulative*, so don't let her convince you. 别听她的，她这个人很会摆弄人。
knit[*] [nɪt]	*v.* 针织，编织；使人(或事物)紧密地结合；(断骨)愈合 记 联想记忆：妈妈织(knit)的毛衣上有个蝴蝶结(knot) → 针织，编织 例 The mother, sitting on the sofa, was *knitting* her baby a scarf. 母亲坐在沙发上，正在给自己的宝宝织围巾。
rigid[*] [ˈrɪdʒɪd]	*a.* 严格的，严厉的；死板的，刻板的；刚硬的，不易弯曲的 记 词根记忆：rig(直的) + id → 笔直的 → 不易弯曲的 例 The teacher's adherence to the *rules* makes her quite unpopular among students. 那位老师对规则的刻板坚持使她在学生中很不受欢迎。 派 rigidly(*ad.* 严格地)；rigidity(*n.* 坚硬)
dispute [dɪˈspjuːt]	*n.* 争论，争端；辩论，争吵 *v.* 对…表示异议；争论，争吵 记 联想记忆：dis(不) + put(放) + e → 东西应该放在哪里，大家争论不休 → 争论，争端 搭 in dispute 在争论中，处于争议中 例 The couple have *disputed* for days over the place to spend their vacation. 夫妻俩为去哪儿度假已经争了好几天了。 派 disputable(*a.* 有争议的；有讨论余地的) 同 argument, debate dispute
transport[*]	[trænsˈpɔːrt] *vt.* 运送，运输 [ˈtrænspɔːrt] *n.* 运送，运输；运输系统，运输工具 记 词根记忆：trans(转移) + port(搬运) → 搬运转移 → 运送，运输 例 My car is being repaired so I'm without *transport* at the moment. 我的车正在修理，所以我现在没有代步工具了。 派 transportation(*n.* 运输；交通)
divine [dɪˈvaɪn]	*a.* 上帝(或神)的；如同神灵的；上帝(或神)赐予的 *n.* 牧师，神学家 例 Many religions stand on the claims that *divine* reality can't be experienced by man. 许多宗教都立足这一论断，即神的真实存在是人无法感知的。

☐ forswear ☐ hurtle ☐ phoenix ☐ manipulative ☐ knit ☐ rigid
☐ dispute ☐ transport ☐ divine

garish * [ˈɡerɪʃ]	*a.* 俗丽的，过于艳丽的，花哨的 记 联想记忆：这件衣服(garment)太花哨(garish)了 例 The rugs I have chosen are too *garish* for my mother's taste. 我选的地毯都太艳丽了，不适合我妈妈的品味。
arbitrary [ˈɑːrbətreri]	*a.* 专断的，专横的；任意的，主观的，反复无常的 记 词根记忆：ar(=to 向) + bit(=go 去) + rary → 自己想去哪就去哪 → 任意的，主观的 例 I heard that Susan married a man with an *arbitrary* character. 我听说苏珊嫁给了一个性格反复无常的男人。
impostor * [ɪmˈpɑːstər]	*n.* 冒充者；骗子 记 词根记忆：im(进入) + post(放) + or → 把自己放进别人的角色 → 冒充者；骗子 例 The nurse was soon discovered to be an *impostor*. 这个护士很快被发现是个骗子。
refrain * [rɪˈfreɪn]	*v.* 抑制，克制；戒除 *n.* (诗歌或歌曲的)叠句，反复句；副歌 搭 refrain from 抑制，克制 例 Let's hope they will *refrain* from hostile action. 希望他们不会采取敌对行动。
faze * [feɪz]	*vt.* 使惊慌失措；使困窘 例 Serena seems to be rather *fazed* by the new computer system. 塞雷娜好像被新的电脑系统搞得手足无措了。
gaffe * [ɡæf]	*n.* (社交上的)失礼，失言，失态 记 联想记忆：在重要场合弄洒咖啡(coffee)是一种失态(gaffe) 例 It is commented that the ambassador's remarks were a major diplomatic *gaffe*. 有人评论，该大使的发言是一次重大的外交失言。
dote * [doʊt]	*v.* 溺爱；(因年老而)昏聩 记 联想记忆：溺爱(dote)就是把爱集中到一点(dot)
distract [dɪˈstrækt]	*vt.* 使分心，使分散注意力；使苦恼，使困扰 记 词根记忆：dis(分开) + tract(拉，拖) → (精神)被拉开 → 使分心，使分散注意力 例 The movie *distracted* my mother from these problems for a while. 这部电影分散了我妈妈的注意力，让她暂时忘记了这些难题。 派 distracted(*a.* 心烦意乱的)；distraction(*n.* 分心；娱乐)
assessment [əˈsesmənt]	*n.* 评估，评定；估价；核定的付款额 例 Wilson concluded that we'd better retreat after a careful *assessment* of the situation. 对形势做了细致的评估以后，威尔逊得出我们最好撤退的结论。
devise * [dɪˈvaɪz]	*vt.* 发明，设计；策划，谋划；想出，做出 记 联想记忆：发明(devise)设备(device) 例 She *devised* a method for quicker communications between departments. 她设计出一种可以让部门之间沟通更有效率的方法。 同 contrive *, invent

30

□ garish   □ arbitrary   □ impostor   □ refrain   □ faze   □ gaffe
□ dote   □ distract   □ assessment   □ devise

fluffy [ˈflʌfi]	*a.* 绒毛的，毛茸茸的；蓬松的，松软的 记 来自 fluff(*n.* 绒毛) 例 I have watched Tom paint *fluffy* little kitten and vivid goldfish. 我见过汤姆画毛茸茸的小猫和活灵活现的金鱼。
conciliate [kənˈsɪlieɪt]	*vt.* 安抚，劝慰；使调和，使意见一致 记 联想记忆：concil(看作 council，协商) + iate → 协商(解决) → 使调和，使意见一致 例 Negotiators from the United Nation are called in to *conciliate* between the two countries. 联合国的谈判人员被请来在两国之间进行调和。
viscous * [ˈvɪskəs]	*a.* (常指液体)黏滞的，黏稠的 例 As the liquid cools, it becomes *viscous*. 液体冷却以后变得黏稠了。
tickle [ˈtɪkl]	*v.* (使)发痒；(使)高兴 *n.* 呵痒；痒感 记 联想记忆：买张电影票(ticket)逗她高兴(tickle)呗 → (使)高兴 例 The clown *tickled* the children with his funny movements. 小丑用他滑稽的动作把孩子们逗笑了。
fetter * [ˈfetər]	*n.* 脚镣；束缚 *vt.* 给…戴上脚镣；束缚 记 联想记忆：变更胖(fatter)就成了束缚(fetter)了 例 Steven longed to escape from the *fetters* of such an unhappy marriage, but he couldn't. 史蒂文渴望逃脱这场不幸婚姻的束缚，但是他无法做到。
vagrant * [ˈveɪgrənt]	*a.* 漂泊的，流浪的 *n.* 流浪者；无业游民 记 联想记忆：靠补助(grant)生活的无业游民(vagrant) 例 The police was gone and the *vagrant* was left alone in the street, helpless. 警察走了，留下那个流浪汉独自一人无助地呆在街上。
slacken [ˈslækən]	*v.* (使)松弛，放松；(使)放慢，迟缓；减弱 记 来自 slack(*v.* 松弛，放松) 例 Once we are outside the school, we *slackened* the pace. 一出学校，我们就放慢了脚步。
impersonal [ɪmˈpɜːrsənl]	*a.* [常贬]冷淡的，没有人情味的；[常褒]客观的，非特指某个人的 记 联想记忆：im(不) + personal(个人的) → 不带个人感情的 → 客观的 例 This morning, I found a short *impersonal* note from my girlfriend, saying that she was leaving. 今早，我发现了女友留下的一张冷冰冰的便条，说她要走了。
consolidate [kənˈsɑːlɪdeɪt]	*v.* 巩固，加强；合并，联合 记 联想记忆：con(一起) + solid(坚固的) + ate → 使坚固 → 巩固，加强 例 With this movie, Tom Cruise *consolidated* his position as the country's leading actor. 这部电影巩固了汤姆·克鲁斯作为该国一线男演员的地位。 同 unite, strengthen

certitude[*] [ˈsɜːrtɪtuːd]	*n.* 确信；确定无疑 记 词根记忆：他的态度(attitude)确定无疑(certitude) 例 "We will like Canada," Lucy said, with absolute *certitude*. "我们会喜欢加拿大的"，露西深信不疑地说道。
roil[*] [rɔɪl]	*vt.* 搅浑，搅动；煽动，激怒 记 联想记忆：火上浇油(oil)似的煽动(roil)
blanch[*] [blæntʃ]	*v.* (使)变白；漂白；(使)(脸色)变苍白 记 联想记忆：紧张的时候会头脑空白(blank)面色苍白(blanch) 例 Robin *blanched* at the sight of blood, and said "Oh, my God! What happened?" 罗宾看到鲜血吓得脸色煞白，说道："天啊！发生了什么事？"
countenance[*] [ˈkaʊntənəns]	*vt.* 赞成；同意 *n.* 表情；面容 记 联想记忆：count(有价值) + enance → 认为有价值，所以赞成 → 赞成；同意
dissimulate[*] [dɪˈsɪmjuleɪt]	*v.* 掩饰，掩盖(情感或动机) 记 词根记忆：dis(不) + simul(相同) + ate → 不和本来面目相同 → 掩饰，掩盖 例 George didn't know how to *dissimulate*, so maybe he should not be a leader. 乔治不知道如何掩饰，所以可能他不应该当领导。
disembark[*] [ˌdɪsɪmˈbɑːrk]	*v.* 下(车、船、飞机等)；(使)登陆，上岸 记 拆分记忆：dis(不) + embark(上船) → (人)离船或下飞机 例 You'll stay here tonight. Please take all your belongings and prepare to *disembark* in a minute. 你们今晚将住这儿，请拿好随身物品准备马上下飞机。
clasp[*] [klæsp]	*n.* 扣子，钩子；紧抱，紧握 *v.* 抱紧，握紧；扣住，扣紧 记 联想记忆：毕业时，同班(class)同学紧抱(clasp)在一起 例 I saw a baby bear *clasp* its mother's fur tightly yesterday in the zoo. 昨天在动物园里，我看到一只小熊紧紧地抓着母熊的毛。
portable [ˈpɔːrtəbl]	*a.* 轻便的，便于携带的，手提式的 记 词根记忆：port(搬运) + able → 方便搬运的 → 轻便的，便于携带的 搭 a portable computer 便携式电脑 例 Monica swapped a black and white television for a *portable* washing machine. 莫尼卡用一台黑白电视机换了一台便携式洗衣机。 派 portability(*n.* 可携带，轻便)
decelerate[*] [ˌdiːˈseləreɪt]	*v.* (使)减速，(使)放慢 记 词根记忆：de(变慢) + celer(迅速的) + ate → (使)减速，(使)放慢 例 India's economic growth *decelerated* sharply in August and September. 印度八月份和九月份的经济增长急剧减缓。
dank[*] [dæŋk]	*a.* 潮湿的，阴冷的 记 联想记忆：房间又黑暗(dark)又阴冷(dank) 例 The basement in your house was so dark and *dank* that it was full of mold. 你们家的地下室又暗又潮湿，里面都长满霉了。

30

subdued * [səb'duːd]	*a.* (光线、色彩、声音)柔和的，缓和的；闷闷不乐的，抑郁的；屈服的，抑制的 例 I really like the *subdued* blue and green of this painting. 我很喜欢这幅画的淡蓝与淡绿色。
random * ['rændəm]	*n./a.* 任意(的)，随机(的) 记 联想联想：ran(跑) + dom(领域) → 可以在各种领域跑的 → 任意的 搭 at random 随机地，任意地 例 You should choose a card at *random* before I play the magic. 在我变这个魔术之前，你随意选一张牌。
compensatory * [kəm'pensətɔːri]	*a.* 补偿性的；赔偿的 记 来自 compensate(*v.* 补偿；赔偿) 例 The doctor was given a *compensatory* day off when he worked all night. 这个医生工作了一整晚后得到一天的补偿性假期。
temporize * ['tempəraɪz]	*v.* 拖延时间；敷衍，应付 记 词根记忆：tempor(时间) + ize → 拖延时间 例 The police attempted to *temporize* the time of releasing the journalists. 警方企图拖延释放记者的时间。
lush [lʌʃ]	*a.* 繁茂的，茂盛的 例 The government exploited the *lush* valley to be a tourist attraction. 政府把这个繁茂的峡谷开发成了旅游景点。 同 prosperous, thriving
cynosure ['sɪnəʃʊr]	*n.* 注意的焦点；指针，目标；【天】小熊座；北极星
minor ['maɪnər]	*a.* 较小的，较少的；次要的 *n.* 未成年人；辅修科目 *v.* 辅修 记 词根记忆：min(小) + or(表人、物) → 未成年人 搭 minor planet 小行星

 备考锦囊

语法知识 (十四) 倒装句(2)

(三) so... that 句型中 so 在句首时需倒装，例如：So frightened was the girl that she didn't dare to move. 女孩太害怕了以至于不敢动弹。

(四)在一些表示祝福的句子中，例如：May you have a good day! 祝你一天快乐！

(五)一些表示强调的句子需要部分倒装，例如：A very honest person John is. 约翰是个很诚实的人。

□ subdued　　□ random　　□ compensatory □ temporize　　□ lush　　　□ cynosure
□ minor

votary	［'voʊtəri］ *n.* 信徒；崇拜者 记 词根记忆：vot(宣誓) + ary → 宣誓忠诚于信仰的人 → 信徒
pinnacle	［'pɪnəkl］ *n.* 山顶；顶点；尖顶 记 联想记忆：pin(针) + nacle → 山顶上长满树叶像针一样尖的 pine(松树) → 山顶
egocentric *	［ˌiːgoʊ'sentrɪk］ *a.* 自我中心的，自私自利的 记 词根记忆：ego(自我) + centr(中心) + ic → 以自我为中心的 → 自我中心的 同 self-centered, selfish
carouse *	［kə'raʊz］ *vi.* 痛饮，狂饮欢闹 记 联想记忆：car(汽车) + (r)ouse(唤起) → 在汽车里狂饮欢闹以至于惊动了警察 → 狂饮欢闹
progeny *	［'prɑːdʒəni］ *n.* 后裔 记 词根记忆：pro(前) + gen(出生) + y → 前人所生下的 → 后裔
nebula	［'nebjələ］ *n.* 星云
epitomize	［ɪ'pɪtəmaɪz］ *vt.* 作…的摘要；成为…的典型
epitome *	［ɪ'pɪtəmi］ *n.* 摘要；象征 记 词根记忆：epi(在…上) + tom(剪切) + e → 从文章上剪切出来 → 摘要
presentiment *	［prɪ'zentɪmənt］ *n.* 预感，不祥之感 记 词根记忆：pre(预先) + sent(感觉) + iment → 预感
sacrosanct *	［'sækroʊsæŋkt］ *a.* 不可侵犯的；极神圣的 同 inviolable*
anthropology	［ˌænθrə'pɑːlədʒi］ *n.* 人类学 记 词根记忆：anthrop(人类) + ology(…学) → 人类学
anachronistic *	［əˌnækrə'nɪstɪk］ *a.* 时代错误的；过时的 记 词根记忆：ana(错) + chron(时间) + istic(…的) → 时间发生错误 → 时代错误的

resplendent *	[rɪˈsplendənt] *a.* 灿烂的; 光辉的; 华丽的
	记 词根记忆: re(表加强) + splend(闪光) + ent → 不断发光的 → 辉煌的
	同 splendid, gorgeous, glorious, superb
visage	[ˈvɪzɪdʒ] *n.* 面貌, 容貌
	记 词根记忆: vis(看) + age → 最先看到的一般都是一个人的容貌 → 容貌
effigy *	[ˈefɪdʒi] *n.* (尤指丑化某人的用木、纸、土等制作的)肖像, 雕像; 模拟像
	记 词根记忆: ef(出) + fig(形状) + y → 按照形状造出的 → 肖像, 雕像
grandeur *	[ˈɡrændʒər] *n.* 庄严, 宏伟, 壮观
	记 词根记忆: grand(大的, 豪华的) + eur → 宏伟
clan	[klæn] *n.* 部落; 氏族, 宗族; 帮派
	记 联想记忆: 家族(clan)形成的前提是女娲用泥土(clay)造出人 → 家族
	同 family
archaeologist	[ˌɑːrkiˈɑːlədʒɪst] *n.* 考古学家
	记 来自 archaeology(*n.* 考古学)
hoary *	[ˈhɔːri] *a.* (头发)灰白的; 古老的, 古色古香的
	记 联想记忆: 梁羽生笔下的白发魔女一边 roar(嚎叫)一边头发就变 hoary(灰白的)了
	同 ancient
icon *	[ˈaɪkɑːn] *n.* 圣像; 偶像; 雕像
	记 联想记忆: i(我) + con(看作 can, 能) → 通过努力, 我一定能看到我的偶像 → 偶像
choir	[ˈkwaɪər] *n.* (教堂的)唱诗班; 合唱团
	记 联想记忆: 唱诗班(choir)的人坐在椅子(chair)上唱圣歌
egalitarian	[iˌɡælɪˈteriən] *a.* 平等主义的
sinuous *	[ˈsɪnjuəs] *a.* 蜿蜒的; 曲折的
	记 词根记忆: sinu(弯曲) + ous → 弯曲的 → 蜿蜒的
	同 intricate, complex
polygamy	[pəˈlɪɡəmi] *n.* 一夫多妻制, 一妻多夫制
	记 词根记忆: poly(多) + gam(婚姻) + y → 一夫多妻制, 一妻多夫制
embellish *	[ɪmˈbelɪʃ] *vt.* 装饰, 美化; 添加细节
	记 词根记忆: em(使…) + bell(美) + ish → 使…美 → 装饰
	同 decorate
monogamy	[məˈnɑːɡəmi] *n.* 一夫一妻制
	记 词根记忆: mono(单个) + gam(婚姻) + y → 一夫一妻制
dome	[doʊm] *n.* 圆屋顶; 半球形物; 苍穹
	记 联想记忆: 很少有人把 home(家)修成 dome(圆屋顶)

effigy

秦桧

呸!

preamble*	[pri'æmbl] *n.* 序文；前言
	记 词根记忆：pre(前) + amble(走) → 一本书中跑在最前面的话 → 前言
poignant	['pɔɪnjənt] *a.* 强烈的；尖刻的
	记 词根记忆：poign(刺) + ant → 说话带刺的 → 尖刻的
	同 piercing
mordent	['mɔːrdənt] *n.* 波音
retroactive*	[ˌretroʊ'æktɪv] *a.* 追溯的；涉及以往的
abridgement	[ə'brɪdʒmənt] *n.* 删节，节略
	记 来自 abridge(v. 削减，删节)
Calvinism	['kælvɪnɪzəm] *n.*(基督教)加尔文教义，加尔文主义
ultramontane	[ˌʌltrə'mɑːnteɪn] *a.* 山那边的(人)；阿尔卑斯山以南的(人)
augur	['ɔːgər] *n.*(古罗马用观察飞鸟行动等方法预卜未来的)占兆官，占卜师，预言者 *v.* 占卜，预言
	记 联想记忆：占卜师(augur)预言八月(august)是个好兆头
materialist	[mə'tɪriəlɪst] *n.* 唯物主义者
	记 来自 material(a. 物质的)
indigenous*	[ɪn'dɪdʒənəs] *a.* 本地的；土产的；土著的
	记 来自 indigene(n. 土著)
occult	[ə'kʌlt] *v.* 掩蔽，隐藏 *a.* 神秘的，玄妙的；超自然的；隐蔽的
	记 词根记忆：oc(加强) + cul(隐藏) + t → 隐藏的 → 神秘的；隐蔽的
	同 cover, eclipse, secret
ribaldry	['rɪbldri] *n.* 下流，下流的话
quagmire*	['kwægmaɪər] *n.* 沼泽；困境
	记 组合词：quag(沼泽) + mire(泥潭) → 沼泽
hedonism	['hiːdənɪzəm] *n.* 享乐主义
	记 来自 hedon(n. 快乐)
pomp	[pɑːmp] *n.* 壮观；盛况；炫耀
	记 联想记忆：pom (砰砰响) + p → 砰砰响起的烟花使得场面很盛大 → 盛况
	同 splendor
wavelet	['weɪvlət] *n.* 小浪；微波
nomadic*	[noʊ'mædɪk] *a.* 游牧的；流浪的
	记 来自 nomad(n. 游牧民；流浪者)
voluptuous*	[və'lʌptʃuəs] *a.* 性感的；纵欲的
	记 词根记忆：vol(意志) + up (向上) + tuous → 任意志随意向上升 → 放纵意志的 → 纵欲的

quagmire

sermonize	[ˈsɜːrmənaɪz] *v.* 讲道，布道；对…说教
	记 来自 sermon(*n.* 说教，布道)
repository＊	[rɪˈpɑːzətɔːri] *n.* 仓库；学识渊博的人
	记 词根记忆：re + pos(放) + itory → 放东西的地方 → 仓库
mercurial＊	[mɜːrˈkjʊriəl] *a.* 墨丘利神的；水星的；精明的；(情绪)易变的；水银的
	n. 汞制剂
	记 来自 mercury(*n.* 水银)
bibulous	[ˈbɪbjʊləs] *a.* 饮酒的；嗜酒的；吸水的
hallowed＊	[ˈhæloʊd] *a.* 神圣的，奉为神圣的
brethren	[ˈbreðrən] *n.* 弟兄；教友
interpolate	[ɪnˈtɜːrpəleɪt] *vt.* 篡改；插入(新语句)
volitive	[ˈvɑːlətɪv] *a.* 意志的；表示祈望或准许的
pontiff	[ˈpɑːntɪf] *n.* 罗马教皇；主教
	同 bishop, pope
tenable	[ˈtenəbl] *a.* (城市、阵地、堡垒等)守得住的，可防守的；(学说等)站得住
	脚的
	记 词根记忆：ten(拿住) + able(能…) → 能够拿住的 → 站得住脚的
ignoble＊	[ɪɡˈnoʊbl] *a.* 不光彩的；卑鄙的；可耻的
	记 来自 noble(*a.* 高贵的)
	同 mean, sordid
pecuniary＊	[pɪˈkjuːnieri] *a.* 金钱的，金钱上的
	记 词根记忆：pecu(钱财) + niary → 金钱的
celibacy	[ˈselɪbəsi] *n.* 独身生活；禁欲
tawdry＊	[ˈtɔːdri] *a.* 俗丽的；花哨而庸俗的
	记 联想记忆：taw(看作 raw，生的) + dry(干的) → 仔细推敲有些华丽的辞
	藻，会发现它们很干巴、生硬 → 俗丽的
	同 gaudy
sequester＊	[sɪˈkwestər] *vt.* 使隐退；使隔绝；扣押(债务人的财产)
	记 联想记忆：隐居(sequester)是为了寻求(quest)平静
	同 seclude, segregate
gloaming	[ˈɡloʊmɪŋ] *n.* 黄昏；薄暮
	同 twilight, dusk
lexicon＊	[ˈleksɪkən] *n.* 词典
	同 dictionary
baton	[bəˈtɑːn] *n.* 司令棒；指挥棒；警棍
	记 词根记忆：bat (打) + on → 警察打人的东西
	→ 警棍

baton

beatify	[biˈætɪfaɪ] *vt.* 使享福；(天主教)为(死者)行宣福礼
macabre	[məˈkɑːbrə] *a.* 恐怖的, 令人毛骨悚然的
	记 联想记忆：ma(拼音：妈) + cab(出租车) + re → 妈呀! 这么多的出租车 → 恐怖的
stratagem *	[ˈstrætədʒəm] *n.* 计策, 计谋, 策略
	记 联想记忆：stratagem 和 strategy 长得差不多, 意思也相近
voracious *	[vəˈreɪʃəs] *a.* 狼吞虎咽的；贪婪的
	记 词根记忆：vor(吃) + acious → 吃得快的 → 狼吞虎咽的
propitious *	[prəˈpɪʃəs] *a.* 吉利的；顺利的
	记 词根记忆：pro (向前) + pit (=pet, 寻求) + ious → 不断向前寻求的 → 吉利的
	同 auspicious
antemeridian	[ˌæntɪməˈrɪdɪən] *a.* 上午的
atonement	[əˈtoʊnmənt] *n.* 赎罪, 弥补过失
jocular	[ˈdʒɑːkjələr] *a.* 诙谐的；打趣的
	记 联想记忆：话说得诙谐(jocular)独特(peculiar)很难
	同 playful, witty, humorous, facetious
recreant	[ˈrekrɪənt] *n.* 懦夫
sanctimonious *	[ˌsæŋktɪˈmoʊnɪəs] *a.* 假装神圣的
	记 联想记忆：san (音似：圣) + cti + moni (音似：模拟) + ous(…的) → 模拟神圣的 → 假装神圣的
vernacular *	[vərˈnækjələr] *n.* 方言, 本地话；本国语
	记 发音记忆："我奶哭了" → 我奶奶听到熟悉的乡音激动地哭了 → 方言
bight	[baɪt] *n.* 海岸线(河岸)的宽缓弯曲；海湾
verity *	[ˈverəti] *n.* 真实；事实；真理
eschew *	[ɪsˈtʃuː] *vt.* 避开, 回避
	记 联想记忆：牙齿过敏者避开(eschew)咀嚼(chew)酸冷食物
	同 escape, avoid, evade, elude, shun
pristine *	[ˈprɪstiːn] *a.* 纯洁的, 质朴的；清新的；原始的
	同 original
zephyr *	[ˈzefər] *n.* 西风；微风
prototype *	[ˈproʊtətaɪp] *n.* 原型；标准；模范
	记 词根记忆：proto(最初) + typ(形状) + e → 最初的形状 → 原型
	同 archetype, original
vacuous *	[ˈvækjuəs] *a.* 空虚的；茫然若失的, 无所事事的
	记 词根记忆：vac(空的) + uous → 空虚的
	同 idle, inane

lexicographer *	[ˌleksɪ'kɑːgrəfər] *n.* 词典编纂者
	记 词根记忆：lex(单词) + ico + graph(写) + er(表人)→ 词典编纂者
empiricism	[ɪm'pɪrɪsɪzəm] *n.* 经验论；经验主义
	记 来自 empirical(*a.* 经验主义的)
Anglo-Saxon	[ˌæŋgloʊ'sæksn] *n.* 盎格鲁—撒克逊人
harbinger *	['hɑːrbɪndʒər] *n.* 先驱；先兆
inscrutable *	[ɪn'skruːtəbl] *a.* 不可理解的；高深莫测的
	记 词根记忆：in(不) + scrut(调查) + able(能…) → 调查不出结果的 → 高深莫测的；不可理解的
	同 mysterious
domineer *	[ˌdɑːmə'nɪr] *vi.* 跋扈，作威作福
	记 词根记忆：domin(支配) + eer(表人) → 支配别人 → 作威作福
antonym	['æntənɪm] *n.* 反义词
brazier	['breɪziər] *n.* 火盆；黄铜匠
	记 联想记忆：围着火盆(brazier)看巴西(Brazil)足球队的比赛
ignominious	[ˌɪgnə'mɪniəs] *a.* 可耻的；不光彩的
	记 来自 ignominy(*n.* 耻辱)
	同 dishonorable, despicable
illustrious	[ɪ'lʌstriəs] *a.* 杰出的，著名的；辉煌的，灿烂的
	记 词根记忆：il(进入) + lus(光泽) + trious → 有光泽的 → 辉煌的
	同 eminent
ingrate *	[in'greɪt] *n.* 忘恩负义者
	记 词根记忆：in(不) + grat(感激) + e → 不知感激的人 → 忘恩负义者
aristocrat	[ə'rɪstəkræt] *n.* 贵族
	记 词根记忆：aristo(最好) + crat(统治) → 最好的统治者 → 贵族
verisimilitude *	[ˌverɪsɪ'mɪlɪtuːd] *n.* 逼真；逼真的事物
	记 来自 verisimilar(*a.* 好像真实的)
grandiose *	['grændioʊs] *a.* 宏伟的；堂皇的；浮夸的
	记 词根记忆：grand(大的) + iose → 宏伟的；浮夸的
plagiarism	['pleɪdʒərɪzəm] *n.* 剽窃，抄袭；剽窃物
grandiloquent	[græn'dɪləkwənt] *a.* 夸张的，浮夸的，华而不实的
	记 词根记忆：grand(大的) + i + loqu(讲话) + ent → 夸夸其谈的 → 夸张的，浮夸的
solecism *	['sɑːlɪsɪzəm] *n.* 语言错误，语病；失礼

illustrious   ingrate

卖恩主

ignominious

labyrinth *	[ˈlæbərɪnθ] *n.* 迷宫；(事物的)错综复杂，曲折
	记 词根记忆：labyrinth 本身就是一个词根，表示"迷宫"
	同 intricacy, perplexity
addendum	[əˈdendəm] *n.* 附录；补遗
	记 联想记忆：add(增加) + end(结尾) + um(表名词) → 在书的结尾处增加内容 → 附录
abbess	[ˈæbes] *n.* 女修道院院长；尼姑庵住持
	记 来自 abbey(*n.* 修道士)
panegyric *	[ˌpænəˈdʒɪrɪk] *n.* 颂词；颂文
	记 词根记忆：pan(全部) + egyr(集中) + ic → 把赞扬的话集中在一起 → 颂词；颂文
penchant *	[ˈpentʃənt] *n.* (强烈的)倾向；趣味；嗜好
	记 词根记忆：penc(挂) + hant → 对某件事情总是挂着一颗心，看来是对此事非常感兴趣 → (强烈的)倾向；趣味；嗜好
	同 liking
nimble	[ˈnɪmbl] *a.* 敏捷的，灵巧的
	记 来自 nim(*v.* 偷窃)
effulgence	[ɪˈfʌldʒəns] *n.* 光辉，灿烂
viceroy	[ˈvaɪsrɔɪ] *n.* 总督
riddance	[ˈrɪdns] *n.* 摆脱；解除
	记 来自 rid(*vt.* 使摆脱)
luminary *	[ˈluːmɪneri] *n.* 发光体；才智出众的人
	记 词根记忆：lumin(光) + ary(表人) → 光芒四射的人 → 才智出众的人
altruism	[ˈæltruɪzəm] *n.* 利他主义，无私
	记 词根记忆：altru(其他) + ism(主义) → 对于其他人有利的主义 → 利他主义
mawkish *	[ˈmɔːkɪʃ] *a.* 令人作呕的；无味的
	记 联想记忆：maw(看作 raw，生的，不熟的) + kish(看作 fish, 鱼) → 吃生鱼很令人作呕 → 令人作呕的
naturalistic	[ˌnætʃrəˈlɪstɪk] *a.* 自然的；自然主义的
	记 来自 naturalist(*n.* 自然主义者)
fugue	[fjuːg] *n.* 赋格曲
sophism	[ˈsɑːfɪzəm] *n.* 诡辩；谬论
	记 词根记忆：soph(智慧) + ism → 诡辩中也充满了智慧 → 诡辩；谬论
subterfuge *	[ˈsʌbtərfjuːdʒ] *n.* 托辞；借口
	记 联想记忆：subt(看作 subtle, 微妙的) + erfuge(看作 refuge, 躲避) → 用微妙的借口躲避搜查 → 托辞；借口

文史
地理

bonanza	[bə'nænzə] *n.* 富矿带; 致富之源; 幸运 记 联想记忆: 美国有一部电影叫作《大淘金》(BONANZA) → 淘金的地方当然是富矿带了 → 富矿带
posthumous*	['pɑːstʃəməs] *a.* 死后的 记 词根记忆: post(以后) + hum(土) + ous(⋯的) → 入土后的 → 死后的
prescient	['presiənt] *a.* 预知的; 有先见的 记 词根记忆: pre(预先) + sci(知道) + ent → 预先知道的 → 预知的
dogmatist	['dɑːgmətɪst] *n.* 武断论者; 教条主义者
annalist	['ænəlɪst] *n.* 编年史编者 记 词根记忆: ann(年) + al + ist(⋯的人) → 按年份编纂历史的人 → 编年史编者
serendipity*	[ˌserən'dɪpəti] *n.* 意外发现珍奇(或称心)事物的本领
stanza*	['stænzə] *n.* 诗的一节 记 词根记忆: st(站住) + anza → 诗停止的地方 → 诗的一节
omnipresent*	[ˌɑːmnɪ'preznt] *a.* 无所不在的; 普遍存在的 记 来自 present(*a.* 出席的, 在场的)
valediction	[ˌvælɪ'dɪkʃn] *n.* 告别; 告别辞 记 词根记忆: val(价值) + e + dict(说) + ion → 告别时说的话总是很有价值 → 告别辞 同 valedictory
guise*	[gaɪz] *n.* 外观, 装束; 伪装, 假装 记 发音记忆: "盖子" → 外观, 装束
utilitarian	[ˌjuːtɪlɪ'teriən] *a.* 功利的; 功利主义的 记 来自 utility(*n.* 效用)
equestrian	[ɪ'kwestriən] *a.* 骑马的, 骑术的; 马的 记 词根记忆: equ(马) + estr + ian(表人) → 善于骑马的人 → 骑马的
temerity*	[tə'merəti] *n.* 鲁莽; 冒失 记 联想记忆: 改改脾气(temper)吧, 别再冒失(temerity)了
penitent*	['penɪtənt] *a.* 忏悔的; 悔过的
sinister*	['sɪnɪstər] *a.* 险恶的; 左边的 记 词根记忆: sinist(=sinistr, 左手) + er → 左边的
miscreant	['mɪskriənt] *n.* 恶棍; 歹徒 记 词根记忆: mis(坏) + cre(做) + ant → 做坏事者 → 恶棍 同 depraved, villainous, heretical, infidel*, heretic
epistolary*	[ɪ'pɪstəleri] *a.* 书信的; 书信体的

miscreant

350

belle	[bel] *n.* 美女，美人 记 联想记忆：有一个美女(belle)喜欢的鞋子品牌就是百丽(BELLE)
colloquialism	[kə'loʊkwɪəlɪzəm] *n.* 口语体；口语用法 记 来自 colloquial(*a.* 口语的，会话的)
punitive *	['pjuːnətɪv] *a.* 刑罚的；惩罚(性)的 记 词根记忆：pun(惩罚) + itive → 刑罚的；惩罚(性)的
potentate *	['poʊtnteɪt] *n.* 君主，统治者 记 来自 potent(*a.* 有权势的)
trite *	[traɪt] *a.* 陈腐的 记 联想记忆：太注重仪式(rite)是陈腐的(trite)做法
guile	[gaɪl] *n.* 狡猾，诡计，奸诈 记 发音记忆：gui(拼音：贵) + le(拼音：了) → 东西买贵了，感觉受骗了 → 诡计
lucid *	['luːsɪd] *a.* 清楚易懂的，明晰的；清澈的；透明的 记 词根记忆：luc(光) + id → 能透过光的 → 清澈的；透明的 同 translucent
statuesque	[ˌstætʃu'esk] *a.* 雕像般的；庄严而优雅的 记 来自 statue(*n.* 雕像)
jocose *	[dʒə'koʊs] *a.* 诙谐的；开玩笑的 同 witty, humorous, facetious, jocular *
sacrilege	['sækrəlɪdʒ] *n.* 亵渎圣物
recant *	[rɪ'kænt] *v.* 放弃，撤回 记 词根记忆：re(反) + cant(唱) → 唱反调 → 放弃
lecherous *	['letʃərəs] *a.* 淫荡的；好色的
typography	[taɪ'pɑːɡrəfi] *n.* 排印；印刷(术) 记 来自 typo(*n.* 印刷工)
ancestry *	['ænsestri] *n.* [总称]祖先；世系，血统
foolhardy *	['fuːlhɑːrdi] *a.* 鲁莽的，有勇无谋的 记 组合词：fool(傻子) + hardy(勇敢的) → 傻乎乎的勇敢 → 有勇无谋的 同 venturesome, rash, reckless
resurrection	[ˌrezə'rekʃn] *n.* 复苏 记 来自 resurrect(*v.* 复苏)
omnipotent *	[ɑːm'nɪpətənt] *a.* 全能的 记 来自 potent(*a.* 有力的)
anthology *	[æn'θɑːlədʒi] *n.* 选集；文选 记 词根记忆：anth(花) + ology → 像花一样的文章 → 选集，文选

文史
地理

foreshadow[*]	[fɔːrˈʃædoʊ] *vt.* 预示 记 来自 shadow(*n.* 影子)
battalion	[bəˈtæliən] *n.* 军营；军队 记 联想记忆：battal(看作 battle，战争) + ion → 军营，军队
figurine	[ˌfɪgjəˈriːn] *n.* 小雕像 记 来自 figure(*n.* 雕像) 同 statuette
truculent	[ˈtrʌkjələnt] *a.* 好战的；凶狠的 记 联想记忆：好战的(truculent)双方都不肯休战(truce)
predestine	[ˌpriːˈdestɪn] *v.* 注定；预先确定 记 来自 destine(*v.* 注定)
seminary[*]	[ˈsemɪneri] *n.* 神学院 记 联想记忆：神学院(seminary)是研究讨论(seminar)神学的地方
paradoxical	[ˈpærədɑːksɪkl] *a.* 似非而是的；自相矛盾的 记 来自 paradox(*n.* 似非而是的说法)
exuberant	[ɪgˈzuːbərənt] *a.* 繁茂的；丰富的；兴高采烈的，热情洋溢的 同 plentiful
nadir[*]	[ˈneɪdɪr] *n.* 最低点；深渊
plasticity[*]	[plæˈstɪsəti] *n.* 可塑性 记 来自 plastic(*a.* 弹性的；可塑的)
disciple	[dɪˈsaɪpl] *n.* 信徒，门徒；追随者 记 联想记忆：门徒（disciple）必须遵守纪律（discipline ）
valedictory[*]	[ˌvælɪˈdɪktəri] *a.* 告别的 *n.* 告别辞 记 词根记忆：val(价值) + e + dict(说) + ory → 有价值的说辞 → 告别辞
residue[*]	[ˈrezɪduː] *n.* 残余；渣滓；滤渣 记 联想记忆：re + sidue(看作 side，一边) → 把余下的放在一边 → 残余 同 remnant
psychic	[ˈsaɪkɪk] *a.* 精神的；超自然的 记 来自 psyche(*n.* 精神，灵魂)
zenith[*]	[ˈzenɪθ] *n.* 最高点；顶点 记 联想记忆：zen(禅，禅宗) + ith → 禅宗的功力达到了顶点 → 顶点 同 acme
fatalism[*]	[ˈfeɪtəlɪzəm] *n.* 宿命论 记 来自 fatal(*a.* 命运的，命中注定的)
tenet[*]	[ˈtenɪt] *n.* 原则；信条；教义 记 词根记忆：ten(握住) + et → 牢牢握住的理念 → 原则；信条

disciple

terse*	［tɜːrs］*a.* 简练的，扼要的 记 联想记忆：诗歌（verse）力求简洁明了（terse） 同 concise, summary
euphonious*	［juːˈfoʊniəs］*a.* 悦耳的，声音和谐的 记 词根记忆：eu（好）+ phon（声音）+ ious → 好听的声音 → 悦耳的
libel*	［ˈlaɪbl］*n.*（利用文字、图画等的）中伤、诽谤 *vt.* 诽谤，中伤，诬蔑 记 词根记忆：lib（=libr, 书）+ el → 在书中诽谤 → 诽谤，中伤
maverick*	［ˈmævərɪk］*n.* 未烙印的小牛（或其他牲口）；持异议者
incognito*	［ˌɪnkɑːgˈniːtoʊ］*a.* 隐姓埋名的
presage*	［ˈpresɪdʒ］*v.* 预示；预知 记 词根记忆：pre（预先）+ sag（感知）+ e → 预先感知 → 预知
foreordain	［ˌfɔːrɔːˈdeɪn］*vt.* 注定；预先决定
recondite	［ˈrekəndaɪt］*a.* 深奥的；隐藏的 记 词根记忆：re（往回）+ cond（隐藏）+ ite → 隐藏的 同 deep, concealed
assonance	［ˈæsənəns］*n.* 谐音；半谐音
altruist	［ˈæltruɪst］*n.* 利他主义者 记 词根记忆：altru（其他）+ ist（表人）→ 毫不利己，专门利人（其他人）→ 利他主义者
garner*	［ˈgɑːrnər］*vt.* 收藏，储藏；取得，获得 记 发音记忆："家纳" → 家里收纳下来 → 收藏
perpetuate*	［pərˈpetʃueɪt］*vt.* 使长存，使不朽 记 词根记忆：per（贯穿）+ pet（追求）+ uate → 一直追求 → 使长存
bibliophile	［ˈbɪbliəfaɪl］*n.* 爱书者；藏书家 记 词根记忆：biblio（书）+ phil（爱）+ e → 爱书者；藏书家
dominance	［ˈdɑːmɪnəns］*n.* 优势；统治（地位） 记 来自 dominant（*a.* 优势的，有统治权的）
obesity	［oʊˈbiːsəti］*n.* 肥胖；过胖
sordid*	［ˈsɔːrdɪd］*a.* 肮脏的；卑鄙的 记 发音记忆："扫地的" → 扫地的人把肮脏变成清洁 → 肮脏的
spartan*	［ˈspɑːrtn］*n.* 斯巴达人；强悍勇敢、结实强壮的人 记 联想记忆：2007 年上映了影片《斯巴达三百勇士》
stellar*	［ˈstelər］*a.* 星的；星形的；主要的；主角的 记 词根记忆：stell（星星）+ ar → 星的；星形的 同 principal, leading

stellar
堂堂斯巴达
男人扫大街
spartan →
sordid

文史
地理

chateau	[ʃæˈtoʊ] *n.* 城堡；别墅；庄园 📝 联想记忆：chat(聊天) + (t)ea(茶) + u(看作 you，你) → 你梦想过自己是住在城堡里的公主，天天的工作就是喝茶、聊天吗？ → 城堡
meander*	[miˈændər] *v.* 蜿蜒而流；漫步 📝 联想记忆：me(我) + and(和) + er(看作 her，她) → 我和她一起漫步在河边，看河水蜿蜒而流 → 蜿蜒而流
doctrinaire*	[ˌdɑːktrəˈner] *n.* 空谈家；教条主义者 📝 来自 doctrine(*n.* 教条)
crepuscular	[krɪˈpʌskjələr] *a.* 朦胧的；拂晓的；黄昏的 📝 来自 crepuscle(*n.* 黄昏，黎明)
neology	[nɪˈɑːlədʒi] *n.* 新词的使用，旧词新义
grimy	[ˈɡraɪmi] *a.* 污秽的 📝 来自 grime(*n.* 污垢) 同 dirty
altar	[ˈɔːltər] *n.* 祭坛，(基督教教堂的)圣坛 📝 发音记忆："饿他" → 饿得他连祭坛上的供品也吃 → 祭坛
purport	[pərˈpɔːrt] *n.* (文章等的)意义，涵义，主旨 📝 联想记忆：作者引经据典的目的(purpose)是引出文章的主旨(purport) 同 substance, gist
overlord	[ˈoʊvərlɔːrd] *n.* 最高统治者；封建君主 📝 组合词：over(在…上) + lord(统治者) → 在统治者之上 → 最高统治者
inalienable*	[ɪnˈeɪliənəbl] *a.* (指权利等)不能让与的，不可剥夺的 📝 词根记忆：in(不) + ali(其他的) + en + able → 不能变成他人的东西 → 不能让与的
preposterous*	[prɪˈpɑːstərəs] *a.* 荒谬的，可笑的 📝 联想记忆：pre(前) + post(后) + erous → "前、后"两个前缀放在一起 → 荒谬的，可笑的
obliterate*	[əˈblɪtəreɪt] *v.* 消灭，冲刷(掉)；涂抹，擦去；忘却 📝 词根记忆：ob(去掉) + liter(文字) + ate → 去掉文字 → 忘却
obese*	[oʊˈbiːs] *a.* 肥胖的；过胖的 📝 发音记忆："藕必是" → 藕必是圆圆的，肥大的 → 肥胖的
valor*	[ˈvælər] *n.* 英勇，勇猛 📝 词根记忆：val(强壮的) + or → 勇武，英勇
morass	[məˈræs] *n.* 湿地，沼泽；困境 📝 联想记忆：mor(看作 more) + ass(驴子) → 被更多驴子围住 → 陷入困境 → 困境 同 marsh, swamp

prowess *	[ˈpraʊəs] n. 英勇；非凡的能力 记 来自 prow(a. 英勇的)
misanthropy	[mɪˈsænθrəpi] n. 厌世；不愿与人来往
inveterate *	[ɪnˈvetərət] a. 根深蒂固的；积习的 记 词根记忆：in(进入) + vet(老) + erate → 年轻时的想法到老了都没变 → 根深蒂固的；积习的
canon	[ˈkænən] n. (教会的)教规；(教会认定的)正典，经典圣经；(某作家的)真作集 记 联想记忆：著名的数码品牌佳能就是 CANON → 佳能之于数码界相当于经典圣经之于宗教 → 经典圣经
embitter	[ɪmˈbɪtər] vt. 使有苦味；使受苦，使难受；使怨恨 记 来自 bitter(n. 苦味；辛酸)
butte	[bjuːt] n. (尤指美国西部的)孤山，孤峰 记 联想记忆：孤山(butte)的形状像一块黄油(butter)
prosaic *	[prəˈzeɪɪk] a. 散文的，散文体的；乏味的，平凡的 记 来自 prose(n. 散文) 同 dull
pseudonym *	[ˈsuːdənɪm] n. 假名；笔名 记 词根记忆：pseud(假的) + onym(名字) → 假名
prologue *	[ˈproʊlɔːg] n. 序幕；开场白 记 词根记忆：pro(在前) + log(说) + ue → 在前面说的话 → 开场白
lave	[leiv] v. 为…沐浴；洗 记 词根记忆：lav(洗) + e → 洗
sophistical	[səˈfɪstɪkl] a. 诡辩的；强词夺理的
burgher	[ˈbɜːrgər] n. 自治市(或城镇)居民，市民
palatial	[pəˈleɪʃl] a. 富丽堂皇的；宫殿般的 记 来自 palace(n. 宫殿)
chastity	[ˈtʃæstəti] n. 纯洁；贞节；简洁 记 来自 chaste(a. 贞节的)
tenacity *	[təˈnæsəti] n. 坚韧；固执 记 词根记忆：ten(拿住) + acity → 拿住不放 → 坚韧
sardonic *	[sɑːrˈdɑːnɪk] a. 嘲笑的，挖苦的，讥讽的
salacious	[səˈleɪʃəs] a. 猥亵的，好色的
parse	[pɑːrs] v. 从语法上分析 记 联想记忆：对短语(phrase)作语法分析(parse)
recuperate *	[rɪˈkuːpəreɪt] v. 复原，恢复(健康) 记 词根记忆：re(重新) + cuper(=gain, 获得) + ate → 复原，恢复(健康)

ponderous *	[ˈpɑːndərəs] *a.* 笨重的; 冗长的, 沉重的; 呆板的 记 来自 ponder(*v.* 沉思)
topography *	[təˈpɑːgrəfi] *n.* 地形, 地形学 记 词根记忆: top(地方) + o + graphy(写; 图) → 地形, 地形学
purgatory	[ˈpɜːrgətɔːri] *n.* 炼狱, 暂时的苦难 记 来自 purge(*v.* 清洗)
recluse *	[ˈrekluːs] *n.* 隐居者, 隐士 记 词根记忆: re(一再) + clus(关闭) + e → 一再闭门 → 隐居者, 隐士
concordant	[kənˈkɔːrdənt] *a.* 协调的; 一致的 记 词根记忆: con(共同) + cord(心) + ant(…的) → 同心的 → 一致的, 协调的
monocracy	[məˈnɑːkrəsi] *n.* 独裁政治
melodrama	[ˈmelədrɑːmə] *n.* 情节剧; 音乐剧 记 组合词: melod(y)(曲调) + drama(戏剧) → 音乐剧 → 情节剧
kismet	[ˈkɪzmet] *n.* 命运
temporal *	[ˈtempərəl] *a.* 时间的; 暂时的; 世俗的 记 词根记忆: tempor(时间) + al → 时间的
prodigal *	[ˈprɑːdɪgl] *a.* 浪费的 *n.* 挥霍者 记 词根记忆: prod(向前) + ig(驱使) + al → 驱使不断超前消费 → 浪费的
whimsical *	[ˈwɪmzɪkl] *a.* 异想天开的; 反复无常的
regnant	[ˈregnənt] *a.* 在位的; 占优势的; 流行的 同 dominant
sapiential	[ˌseɪpiˈenʃl] *a.* 明智的
braze	[breiz] *vt.* 用黄铜镀或制造
abyss *	[əˈbɪs] *n.* 深渊 记 词根记忆: a(不) + bys(深) + s → 深得看不到底 → 深渊
aborigine	[ˌæbəˈrɪdʒəni] *n.* 土著居民 记 来自 origin(*n.* 起源)
abbey	[ˈæbi] *n.* 大修道院; [总称]修道士 记 联想记忆: a + bbey(看作obey, 遵守) → 需要遵守很多清规戒律的地方 → 大修道院
ravine	[rəˈviːn] *n.* 沟壑; 峡谷 记 联想记忆: 满是葡萄树(vine)的峡谷(ravine)
homonym	[ˈhɑːmənɪm] *n.* 同音异义字, 同名异物/人 记 词根记忆: homo(同类的) + (o)nym(名字) → 同名异物(人)

abbey aborigine

abyss

voluminous *	[vəˈluːmɪnəs] *a.* 多卷的；容量大的；庞大的 📖 来自 volume(*n.* 卷，册)
neophyte *	[ˈniːəfaɪt] *n.* 新入修道院者；新信徒 📖 词根记忆：neo(新) + phyt(植物) + e → 新入教者被比作一株新的植物 → 新信徒 📖 novice
troubadour	[ˈtruːbədɔːr] *n.* 行吟诗人
harangue *	[həˈræŋ] *n.* 长篇大论，热烈的演说 📖 联想记忆：har(看作 hard，困难的) + angue(看作 argue，辩论) → 辩论时想长篇大论很难 → 长篇大论
pompous	[ˈpɑːmpəs] *a.* 华而不实的；自命不凡的；浮华的 📖 来自 pomp(*n.* 盛况；浮华)
assonate	[ˈæsəuneɪt] *vt.* (使)音相谐，(使)成为准押韵
rebut	[rɪˈbʌt] *v.* 反驳；揭穿 📖 联想记忆：re(反复) + but(但是) → 不断地说"但是…"以反驳 → 反驳
inviolable	[ɪnˈvaɪələbl] *a.* 神圣的；不可亵渎的；不可侵犯的 📖 来自 inviolate(*a.* 未受侵犯的；纯洁的)
pedestal	[ˈpedɪstl] *n.* (柱子或雕像的)基座，台座 📖 词根记忆：ped(脚) + estal → 脚是站立的基座 → 基座
replica *	[ˈreplɪkə] *n.* 复制品 📖 词根记忆：re(反复) + plic(重叠) + a → 复制品
impeccable *	[ɪmˈpekəbl] *a.* 完美的；无懈可击的 📖 词根记忆：im(无) + pecc(罪过) + able → 没有罪过的 → 完美的 📖 flawless
unisonous	[juːˈnɪsənəs] *a.* 和谐的；同音的
polyglot *	[ˈpɑːliglɑːt] *a.* 通晓多种语言的；多种语言的 *n.* 精通数国语言的人，数种文字的对照本 📖 词根记忆：poly(多) + glot(语言) → 多种语言的 📖 multilingual
treatise *	[ˈtriːtɪs] *n.* 论文；论述 📖 联想记忆：为了论文(treatise)过关，请(treat)导师吃饭
miser	[ˈmaɪzər] *n.* 守财奴；吝啬鬼 📖 联想记忆：守财奴(miser)实际上很痛苦(misery)
gypsy	[ˈdʒɪpsi] *n.* 吉普赛人
refulgent	[rɪˈfʌldʒənt] *a.* 辉煌的；灿烂的 📖 词根记忆：re(加强) + fulg(发光) + ent → 辉煌的；灿烂的 📖 brilliant

文史
地理

aurora	[ɔːˈrɔːrə] *n.* 曙光；极光
	记 发音记忆：奥罗拉，古希腊传说中的曙光女神
bibliomania	[ˌbɪbliouˈmeɪniə] *n.* 藏书癖
	记 词根记忆：biblio(书) + mania(狂热) → 对收藏书籍非常狂热 → 藏书癖
retouch	[ˌriːˈtʌtʃ] *v.* 润饰；修整
	记 联想记忆：re(反复) + touch(用画笔轻画) → 一再用画笔轻画 → 润饰
aforesaid	[əˈfɔːrsed] *a.* 上述的，前述的(常用于法律文件)
scurrilous*	[ˈskɜːrələs] *a.* 说话粗鄙恶劣的；下流的
wile	[waɪl] *n.* 诡计，阴谋，欺骗
ensconce*	[ɪnˈskɑːns] *vt.* 使隐藏；安置
	记 联想记忆：en(进入) + sconce(烛台) → 把情报放进烛台 → 隐藏
	同 establish, settle, shelter, conceal
scribe	[skraɪb] *n.* 抄写员
	记 词根记忆：scrib (写) + e (表人) → 抄写员
facsimile*	[fækˈsɪməli] *n.* 复制品；摹本
	记 词根记忆：fac(做) + simil(相同) + e → 做出相同的东西 → 复制品
rebuff*	[rɪˈbʌf] *vt.* 回绝；冷落
ominous	[ˈɑːmɪnəs] *a.* 预兆的；不祥的，不吉的
	记 联想记忆：omin(看作 omen，预兆) + ous(…的) → 预兆的
	同 portentous, inauspicious
egregious*	[ɪˈɡriːdʒiəs] *a.* 异乎寻常的；震惊的；极坏的
	记 词根记忆：e(出) + greg(群众) + ious(…的) → 出乎群众预料的 → 异乎寻常的
	同 flagrant*
parochial*	[pəˈroʊkiəl] *a.* 教区的；地方性的；狭隘的，偏狭的
	记 来自 parish(*n.* 教区)
	同 provincial*, narrow
precipice*	[ˈpresəpɪs] *n.* 悬崖；危急的处境
	记 联想记忆：请悬崖(precipice)勒马，回归原则(principle)吧
platitude*	[ˈplætɪtuːd] *n.* 陈词滥调；陈腐
	记 联想记忆：plat(看作 flat, 平的) + itude(看作 attitude, 态度) → 平庸的态度用陈词滥调来表达 → 陈词滥调
matriarchy*	[ˈmeɪtriɑːrki] *n.* 母权制；母系社会
	记 词根记忆：matri(母亲) + arch(统治) + y → 由母亲统治的社会 → 母系社会
angelic	[ænˈdʒelɪk] *a.* 天使的；天使般的
	记 来自 angel(*n.* 天使)
specious	[ˈspiːʃəs] *a.* 华而不实的，徒有其表的；似是而非的
	记 词根记忆：spec(看) + ious → 用来看的 → 华而不实的

volition*	[vəˈlɪʃn] *n.* 意志；选择
	记 词根记忆：vol(意志) + ition → 意志；决断力
enigmatic*	[ˌenɪɡˈmætɪk] *a.* 谜一般的，高深莫测的
	同 mysterious
hermit	[ˈhɜːrmɪt] *n.* 隐士
	记 联想记忆：不允许(permit)隐士(hermit)的存在是很荒谬的
polytechnic	[ˌpɑːliˈteknɪk] *a.* 各种工艺的；综合技术的
	记 联想记忆：poly(多) + technic(技术) → 各种技术 → 各种工艺的
neologism*	[niˈɑːlədʒɪzəm] *n.* 新语；新词；旧词新义
	记 词根记忆：neo(新) + log(话语) + ism → 新话语 → 新语
virile*	[ˈvɪrəl] *a.* 男人的；强壮的；刚健的
	记 词根记忆：vir(男人) + ile → 男人的
	同 vigorous
heterodox*	[ˈhetərədɑːks] *a.* 异端的；非正统的
	记 词根记忆：hetero(其他) + dox(思想) → 除正统思想以外的其他思想 → 非正统的
laconic*	[ləˈkɑːnɪk] *a.* 简洁的，简明的
	同 concise
verbose*	[vɜːrˈboʊs] *a.* 冗长的；啰嗦的
	记 词根记忆：verb(单词) + ose(多…的) → 单词很多的 → 冗长的；啰嗦的
	同 wordy
homily	[ˈhɑːməli] *n.* 布道；说教
	记 联想记忆：向家庭(family)布道(homily)
	同 preach
peninsular	[pəˈnɪnsələr] *a.* 半岛(状)的；半岛的
	记 来自 peninsula(*n.* 半岛)
ribald*	[ˈrɪbld] *a.* 下流的，粗鄙的
herald	[ˈherəld] *n.* 传令官；使者，报信者；先驱，前锋 *vt.* 传达，通告；预示…的来临
mariner	[ˈmærɪnər] *n.* 水手
	同 seaman, sailor
homologous	[hoʊˈmɑːləɡəs] *a.* 相应的；一致的
assonant	[ˈæsənənt] *a.* 谐韵的，母韵的
artistry	[ˈɑːrtɪstri] *n.* 艺术技巧；艺术性
	记 来自 artist(*n.* 艺术家)
forerun	[ˌfɔːrˈrʌn] *vt.* 预示；跑在…之前
	记 联想记忆：fore(前面，预先) + run(跑) → 跑在…之前

preordain	[ˌpriːɔːrˈdeɪn] *vt.* 预定; 注定 同 foreordain
wrest	[rest] *n.* 夺取, 强夺; 歪曲, 曲解
nomad	[ˈnoʊmæd] *n.* 游牧民; 流浪者 记 联想记忆: no(不) + mad(疯) → 这个流浪汉并没有疯, 他只是喜欢这样的生活 → 流浪者
prescience *	[ˈpresiəns] *n.* 预知; 先见 记 来自 prescient(*a.* 有先见之明的)
ogle *	[ˈoʊgl] *v.* 抛媚眼 记 发音记忆: "偶(我)钩" → 我用抛媚眼的方式勾帅哥 → 抛媚眼
recalcitrant *	[rɪˈkælsɪtrənt] *a.* 反抗的; 顽强的; 不顺从的 记 词根记忆: re(反对) + calc(倾向) + itr + ant → 具有反对的倾向 → 不顺从的 同 unruly, ungovernable
venerable *	[ˈvenərəbl] *a.* 值得尊敬的 记 来自 venerate(*v.* 崇敬)
lascivious	[ləˈsɪviəs] *a.* 好色的, 淫荡的; 挑动情欲的 记 联想记忆: l + as(像) + civi(看作 civil, 文明的) + ous → 她看起来很文明, 实际上很淫荡 → 淫荡的 同 lewd, lustful
antiquary	[ˈæntɪkweri] *n.* 古文物研究者; 收藏古文物者; 古董商
resuscitate	[rɪˈsʌsɪteɪt] *v.* (使)复苏; (使)复活
florid *	[ˈflɔːrɪd] *a.* (过分)华丽的; (脸色)红润的 记 词根记忆: flor(花) + id → 像花一样的 → 华丽的 同 ruddy*
avant-garde	[ˌævɑːˈɡɑːrd] *n.* (艺术界)先锋派, 前卫派
indicant	[ˈɪndɪkənt] *n.* 指示; 指示物
waif *	[weɪf] *n.* 流浪者 记 联想记忆: 家就是有一扇门在等(wait)你, 使你不再是流浪者(waif)
chivalry	[ˈʃɪvəlri] *n.* (中世纪)骑士精神; 骑士制度 记 联想记忆: chival(马) + ry → 骑马的骑士 → 骑士精神; 骑士制度
replenish *	[rɪˈplenɪʃ] *vt.* 补充 记 词根记忆: re(重新) + plen(注满) + ish → 重新注满 → 补充 同 supplement
colossus	[kəˈlɑːsəs] *n.* 巨像; 巨人

nebulous *	[ˈnebjələs] a. 星云的，云状的；模糊的，朦胧的 同 indistinct, vague
judicious *	[dʒuˈdɪʃəs] a. 明智的；审慎的 记 词根记忆：jud(判断) + icious → 做事先判断的 → 明智的；审慎的 同 discreet
truism	[ˈtruːɪzəm] n. 公认的真理，自明之理 记 来自 truth(n. 真相)
archbishop	[ˌɑːtʃˈbɪʃəp] n.【宗】大主教 记 来自 bishop(n. 主教)
belay	[bɪˈleɪ] v. 用绳索拴住；中止
auspice	[ˈɔːspɪs] n. 预兆，吉兆；(以飞鸟行动为根据的)占卜；赞助；支持 记 词根记忆：au(鸟) + spic(看) + e → (以飞鸟行动为根据的)占卜
recapitulate *	[ˌriːkəˈpɪtʃuleɪt] v. 扼要重述；概括 记 联想记忆：概括(recapitulate)一下就是他们投降(capitulate)了！ 同 summarize
nemesis *	[ˈneməsɪs] n. 报应；复仇者
obsolescent	[ˌɑːbsəˈlesnt] a. 逐渐被废弃的；即将过时的 同 obsolete
iridescent *	[ˌɪrɪˈdesnt] a. 彩虹色的；闪光的 记 词根记忆：irid(彩虹) + escent → 彩虹色的
pillory	[ˈpɪləri] n. (古代刑具)颈手枷 记 联想记忆：著名戏曲《苏三起解》中苏三戴着的刑具就是 pillory(颈手枷)
quintessence *	[kwɪnˈtesns] n. 精华；典型 记 组合词：quint(五) + essence(精华) → 组成世界的五大精华物质 → 精华
quixotic *	[kwɪkˈsɑːtɪk] a. 唐吉诃德式的；狂想的 记 联想记忆：qui + xotic (看作 exotic，奇异的) → 唐吉诃德是个奇异的人物 → 唐吉诃德式的 同 visionary, fantastic, chimerical, quixotic
iconoclast	[aɪˈkɑːnəklæst] n. 偶像破坏者；反对传统观念和习俗的人 记 词根记忆：icono(圣像) + clas(打破) + t → 打破圣像者 → 偶像破坏者
omniscient *	[ɑːmˈnɪsiənt] a. 全知的，无所不知的 记 词根记忆：omni(全) + sci(知道) + ent → 全知的
jingoism	[ˈdʒɪŋɡoʊɪzəm] n. 沙文主义，侵略主义 记 联想记忆：jingo(音似：军国) + ism(主义) → 军国主义 → 沙文主义，侵略主义
virtu	[ˈvɜːrtʃuː] n. 古董类；美术品

whim	［wɪm］*n.* 一时的兴致；幻想 记 联想记忆：不要在意他(him)一时的兴致(whim) 同 fancy*
almanac	［ˈɔːlmənæk］*n.* 历书；年鉴 记 联想记忆：alma(舞女，歌女) + nac → 关于歌女的年鉴 → 年鉴
melodious	［məˈloʊdiəs］*a.* 旋律优美的，悦耳动听的
meteorology	［ˌmiːtiəˈrɑːlədʒi］*n.* 气象学 记 来自 meteor(*n.* 流星；大气现象)
chronology	［krəˈnɑːlədʒi］*n.* 年代学；年表 记 词根记忆：chron(时间) + ology(…学) → 时间学 → 年代学
usurp*	［juːˈzɜːrp］*v.* 篡夺；篡位；侵占 记 联想记忆：us(我们) + urp(看作 up，上去) → 我们上去占了那块阵地！→ 侵占
bacchanalia	［ˌbækəˈneɪliə］*n.* ［*pl.*](古罗马)酒神节；狂饮作乐
antiquarian	［ˌæntɪˈkweriən］*n.* 古文物研究者，收藏古文物者
vicissitude*	［vɪˈsɪsɪtuːd］*n.* 变换；兴衰
brae	［breɪ］*n.* 斜坡；山坡
witchcraft	［ˈwɪtʃkræft］*n.* 魔法；魔力 记 组合词：witch(巫婆) + craft(手艺) → 巫婆的手艺 → 魔法；魔力
zeitgeist	［ˈzaɪtɡaɪst］*n.* 时代精神，时代思潮
insurgent*	［ɪnˈsɜːrdʒənt］*a.* 起义的；暴动的；叛乱的 记 词根记忆：in(内部) + surge(升起) + nt → 内部起浪潮 → 起义的 同 rebellious
chromatic	［krəˈmætɪk］*a.* 彩色的；半音的 记 词根记忆：chrom(颜色) + atic → 彩色的
anterior	［ænˈtɪriər］*a.* 前面的；(逻辑上)在前的
precursor*	［priːˈkɜːrsər］*n.* 先驱 记 词根记忆：pre(前) + curs(跑) + or(表人) → 跑在前面的人 → 先驱
ethereal*	［iˈθɪriəl］*a.* 飘逸的；天上的，超凡的 记 来自 ether(*n.* 太空；苍天)
epitaph*	［ˈepɪtæf］*n.* 墓志铭，碑文 记 词根记忆：epi(在…上) + taph(墓) → 在墓碑上刻的字 → 墓志铭
monk	［mʌŋk］*n.* 和尚；僧侣；修道士 记 联想记忆：一个和尚(monk)牵着一只猴(monkey)

My craft~

witchcraft

trenchant *	[ˈtrentʃənt] *a.* (言辞等)锐利的, 锋利的 记 联想记忆: trench(沟渠) + ant(蚂蚁) → 千里之堤, 溃于蚁穴 → 这话说得真是锐利 → 锐利的
tyranny *	[ˈtɪrəni] *n.* 暴政; 专政 记 发音记忆: "踢了你" → 谁施暴政老百姓 "踢了你" → 暴政
rhetorical *	[rɪˈtɔːrɪkl] *a.* 修辞学的 记 来自 rhetoric(*n.* 修辞学)
heretical	[ˈherətɪkl] *a.* 异教的; 异端的 同 unorthodox
esoteric *	[ˌesəˈterɪk] *a.* 难理解的; 隐秘的 记 联想记忆: es(出) + oter(看作 outer) + ic → 不出外面的 → 隐秘的
succinct *	[səkˈsɪŋkt] *a.* 简洁的; 精炼的 记 词根记忆: suc(下面) + cinct(束起) → 把衣服的下摆束起来以方便干活 → 衣着简洁的 → 简洁的
pithy *	[ˈpɪθi] *a.* 有髓的; 简练的 记 来自 pith(*n.* 要点) 同 concise, succinct, laconic, summary, compendious
scribble	[ˈskrɪbl] *n.* 潦草的笔迹 记 词根记忆: scrib(写) + ble(小的) → 潦草的笔迹
errant	[ˈerənt] *a.* 周游的; 迷途的 记 词根记忆: err(流浪; 漂泊) + ant → 周游的 同 fallible*
borough	[ˈbɜːroʊ] *n.* 自治市镇; (纽约市的)区
parody *	[ˈpærədi] *n.* (文章或音乐)诙谐性的模仿作品; 拙劣的模仿 记 词根记忆: par(在旁边) + ody(歌) → 同样的歌, 拙劣的模仿只能靠边站 → 拙劣的模仿
littoral	[ˈlɪtərəl] *a.* 海岸的, 沿岸的 记 联想记忆: litt(看作 little, 小的) + oral(口头的) → 一个小小的口头承诺: 周末去海边玩! → 海岸的, 沿岩的
secretive	[ˈsiːkrətɪv] *a.* 隐隐藏藏的; 爱保密的 记 来自 secret(*a.* 秘密的)
enthrone	[ɪnˈθroʊn] *vt.* 使登基; 崇拜, 尊崇 记 来自 throne(*n.* 宝座) 同 exalt
truncated	[ˈtrʌŋkeɪtɪd] *a.* 缩短了的; 截形的 同 curtailed
precession	[prɪˈseʃn] *n.* 先行; 领先

machination	[ˌmæʃɪ'neɪʃn] *n.* 诡计；阴谋
	记 联想记忆：以前的工人认为使用机器(machine)是一个阴谋(machination)
witticism＊	[ˈwɪtɪsɪzəm] *n.* 妙语；俏皮话
	记 来自 wit(*n.* 智慧)
inexplicable	[ˌɪnɪk'splɪkəbl] *a.* 无法说明的；难以理解的
	记 来自 explicable(*a.* 可以解释的)
presentient	[prɪ'zenʃiənt] *a.* 有预感的
nihilism	[ˈnaɪɪlɪzəm] *n.* 虚无主义；怀疑论；无政府主义
	记 来自 nihil(*n.* 无，虚无)
Catholicism	[kə'θɑːləsɪzəm] *n.* 天主教义、信仰及组织；天主教
antemundane	[ˌænti'mʌndeɪn] *a.* 世界形成以前的
vagabond＊	[ˈvæɡəbɑːnd] *a.* 流浪的；漂泊的 *n.* 流浪者
	记 联想记忆：vag(走) + a(一个) + bond(音似：邦德) → 邦德一个人行走天下 → 流浪的；漂泊的
interface	[ˈɪntərfeɪs] *n.* 界面，分界面；接口
	记 联想记忆：inter(在…之间) + face(面) → 在面与面之间 → 界面，分界面
latitude＊	[ˈlætɪtuːd] *n.* 纬度；[*pl.*]纬度地区；(言行、行动等的)自由
	记 词根记忆：lat(宽) + itude(抽象名词词尾) → 地球仪上的横线圈 → 纬度
	同 freedom, liberty
recount＊	[rɪ'kaʊnt] *vt.* 描述，叙述 *n./vt.* 再数，重计(投票等)
	记 来自 count(*v.* 数)
odyssey＊	[ˈɑːdəsi] *n.* 长途的冒险旅行
	记 源自希腊史诗 *Odyssey*《奥德赛》，相传为荷马所作，描述了奥德修斯在特洛伊战争后，辗转十年返回家园的种种经历。
dictum＊	[ˈdɪktəm] *n.* 名言，格言；声明，宣言
	记 词根记忆：dict(说，宣布) + um → 声明，宣言
improvisation	[ɪmˌprɑːvə'zeɪʃn] *n.* 即席创作；即兴演说；即兴作品
	记 词根记忆：im(不) + pro(前) + vis(看) + ation → 事先不看就做出某事 → 即兴创作
adage＊	[ˈædɪdʒ] *n.* 格言，谚语
	记 联想记忆：ad + age(年龄；时代) → 经过时代考验的 → 格言，谚语
landslide	[ˈlændslaɪd] *n.* 山崩，滑坡；压倒性胜利
	记 组合词：land(地) + slide(滑行) → 地向下滑 → 崩塌，滑坡
prairie	[ˈpreri] *n.* (尤指北美的)大草原
	记 联想记忆：pr + air(空气) + ie → 大草原上空气好 → 大草原

ranch	[rænt∫] *n.* 大牧场，大农场 记 联想记忆：在大牧场(ranch)用午餐(lunch) 派 rancher(*n.* 牧场主；牧场工人)
terrace	['terəs] *n.* (通常外表结构一样的)排屋；(房屋或庭院中的)露天平台，阳台；[*pl.*](足球场四周的)露天阶梯看台；梯田 记 词根记忆：terr(地) + ace → 梯田
metaphor[*]	['metəfər] *n.* 隐喻，暗喻 记 词根记忆：meta(变化) + phor(带有) → 意义隐约带有变化 → 隐喻
epoch[*]	['epək] *n.* 时期，时代 记 联想记忆：时代(epoch)的回响(echo) 同 era, age
saga[*]	['sɑːgə] *n.* 冒险故事；传奇，英雄事迹；传说 记 联想记忆：sag(漂流) + a → 像鲁宾逊漂流一样 → 冒险故事
amalgam	[ə'mælgəm] *n.* 混合物 记 联想记忆：am + alg + am → 前后两个 am 和中间的 alg 结合 → 混合物
centennial	[sen'teniəl] *n./a.* 百年纪念(的) 记 词根记忆：cent(百) + enn(年) + ial → 百年纪念(的)
shard[*]	[∫ɑːrd] *n.* (玻璃、陶器等的)碎片 记 联想记忆：鲨鱼(shark)将猎物撕成碎片(shard)
verbosity	[vɜːr'bɑːsəti] *n.* 冗长；唠叨 记 来自 verbose(*a.* 冗长的；唠叨的)
ridge	[rɪdʒ] *n.* 山脊，山脉；屋脊；垄，埂 记 联想记忆：桥梁(bridge)没了 b，只剩一个脊(ridge)
epic[*]	['epɪk] *n.* 叙事诗，史诗；史诗般的电影(或书籍) *a.* 史诗般的；宏伟的，壮丽的
episodic[*]	[ˌepɪ'sɑːdɪk] *a.* 偶然发生的，不定期的；(故事等)由松散片段组成的 记 来自 episode(*n.* 片断)
navigable[*]	['nævɪgəbl] *a.* (河、海等)可通航的 记 词根记忆：nav(船) + ig(驾驶) + able(能…的) → 船能驾驶的 → 可通航的
rehash	[ˌriː'hæ∫] *vt.* 以新形式处理旧内容；(稍微改动后)重新推出 记 联想记忆：re(再) + hash(推敲) → 重新推敲 → 以新形式处理旧内容
foliage	['foʊliɪdʒ] *n.* (植物的)叶；枝叶 记 词根记忆：foli(树叶) + age → (植物的)叶
arable[*]	['ærəbl] *a.* 可耕作的，适于耕作的 *n.* 耕地 记 联想记忆：ar(看作 art，艺术) + able → 耕地也是一门艺术 → 耕地

bard*	[bɑːrd] *n.* 吟游诗人
	记 联想记忆: bar(酒吧) + d → 常在酒吧里给人讲故事的人 → 吟游诗人
verbalize*	[ˈvɜːrbəlaɪz] *v.* 用言语表达(思想或感情等)
	记 来自 verbal (*a.* 口头的)
doctrine*	[ˈdɑːktrɪn] *n.* 教义, 主义, 信条; 学说
	记 联想记忆: 博士(doctor)整天念叨这个主义(doctrine)那个主义
	同 dogma, tenet, creed
azure*	[ˈæʒər] *n./a.* 天蓝色(的), 蔚蓝色(的)
	记 联想记忆: 蔚蓝的(azure)天空是对鸟儿的诱惑(lure)
encroachment*	[ɪnˈkroʊtʃmənt] *n.* 蚕食, 侵占, 侵蚀
seismic*	[ˈsaɪzmɪk] *a.* 地震的, 地震引起的
	记 词根记忆: seism(震动) + ic → 地震的
clime*	[klaɪm] *n.* 地区, 地带; 气候带
rift*	[rɪft] *n.* 裂缝, 断裂; 不和, 分裂, 分歧 *v.* (使)开裂, (使)断裂
flora*	[ˈflɔːrə] *n.* (某地区或时期的)植物群
	记 词根记忆: flor(花) + a → 花属于植物群的一种 → 植物群
epigram*	[ˈepɪɡræm] *n.* 警句; 隽语; 机智短诗, 讽刺短诗
	记 词根记忆: epi(在旁边) + gram(写) → 旁敲侧击写的东西 → 讽刺短诗
calligraphy*	[kəˈlɪɡrəfi] *n.* 书法
	记 词根记忆: calli(美丽) + graphy(写) → 写美丽的字 → 书法
guru	[ˈɡuruː] *n.* 古鲁(印度的宗教领袖); (受尊敬的)专家, 权威, 大师
Jurassic	[dʒʊˈræsɪk] *n./a.* 侏罗纪(的)
mermaid	[ˈmɜːrmeɪd] *n.* 美人鱼
	记 词根记忆: mer(=mari, 海洋) + maid(少女) → 美人鱼
slough*	[slaʊ] *n.* 沼泽; 泥潭; 蛇蜕下的皮 *v.* 蛇蜕皮; (使)脱落; 摆脱, 抛弃
pulsar	[ˈpʌlsɑːr] *n.* 【天】脉冲星
cellular	[ˈseljələr] *a.* 细胞的; (纺织材料)松织的
aggressor*	[əˈɡresər] *n.* 侵略者, 攻击者, 挑衅者
doggerel*	[ˈdɔːɡərəl] *n.* 歪诗, 打油诗
eulogy*	[ˈjuːlədʒi] *n.* 颂辞, 颂文; 悼辞, 悼文
equinox*	[ˈiːkwɪnɑːks] *n.* 昼夜平分点; 春分或秋分
baroque*	[bəˈroʊk] *n./a.* 巴洛克风格(的); (艺术、建筑等)高度装饰(的)
geomagnetic	[ˌdʒiːoʊmæɡˈnetɪk] *a.* 地磁的
cellulose	[ˈseljuloʊs] *n.* 细胞膜质, 纤维质; 纤维素

conspirator	[kən'spɪrətər] n. 阴谋者，谋叛者 同 plotter
exodus *	['eksədəs] n. 大批离去，成群外出 记 联想记忆：exo(外面) + d + us(我们) → 我们都走到外面去 → 成群外出
lampoon *	[læm'puːn] n. 讽刺文章 v. 讽刺，嘲讽 记 词根记忆：lamp(灯) + oon → 用灯照别人的缺点 → 讽刺
despotism	['despətɪzəm] n. 专制，专制统治；独裁制；暴政
consul	['kɑːnsl] n. 领事；(古罗马帝国的)执政官
doldrums *	['douldrəmz] n. (赤道)无风带；情绪低落，消沉；停滞，萧条 记 联想记忆：d + ol(d) + drum(鼓) + s → 老鼓 → 已敲不响的鼓 → 战鼓 不响，士气低落 → 情绪低落
chauvinist *	[ˈʃouvɪnɪst] n. 沙文主义者 a. 沙文主义的
progenitor *	[prou'dʒenɪtər] n. 祖先，始祖；先驱；创始人 记 词根记忆：pro(前) + gen (产生) + it + or(表人) → 生在前面的人 → 祖先 同 ancestor
androgynous	[æn'drɑːdʒənəs] a.【植】雌雄同序的；【动】雌雄同体的
despot *	['despɑːt] n. 专制统治者；暴君 记 词根记忆：des(出现) + pot(力量) → 展示力量的人 → 暴君
epilogue *	['epɪlɔːg] n. 尾声，后记，收场白 记 词根记忆：epi(在…后) + log(说话) + ue → 说在后面的话 → 尾声
cavalier *	[ˌkævə'lɪr] n. 骑士；武士 a. 漫不经心的
quasar	['kweɪzɑːr] n.【天】类星体
aria *	['ɑːriə] n. 咏叹调；独唱曲
fauna *	['fɔːnə] n. (某地区或某时期的)动物群
monumental *	[ˌmɑːnju'mentl] a. 纪念碑的；巨大的；不朽的；重要的，意义深远的

文史
地理

Victory won't come to me unless I go to it.
胜利是不会向我走来的，我必须自己走向胜利。
——美国女诗人 穆尔（M. Moore, American poetess）

学校教育

音频

polemics	[pə'lemɪks] *n.* 辩论术，论证法
oration	[ɔː'reɪʃn] *n.* 演说 记 词根记忆：or(说话) + ation(表名词) → 演说
lucubration	[ˌluːkjuː'breʃn] *n.* 刻苦钻研
perusal	[pə'ruːzl] *n.* 熟读，精读
surmount *	[sər'maʊnt] *vt.* 战胜；超越；克服 记 联想记忆：sur(在…下) + mount(山) → 将山踩在脚下，要克服很多困难 → 克服，战胜
academician	[ˌækədə'mɪʃn] *n.* 学会会员；院士；学者 记 来自 academic(*a.* 学院的)
mediocre *	[ˌmiːdi'oʊkər] *a.* 平凡的，平庸的 记 词根记忆：medi(中间的) + ocre → 处于中间的 → 平凡的，平庸的 同 ordinary, so-so
admissible	[əd'mɪsəbl] *a.* 容许的；可采纳的 记 来自 admission(*n.* 许可；准入)
admittance	[əd'mɪtns] *n.* 入场许可；准入 记 来自 admit(*v.* 容许)
prodigy *	['prɑːdədʒi] *n.* 天才(尤指神童)；奇观，奇事
stripling	['strɪplɪŋ] *n.* 年轻人
perspicuity	[ˌpɜːspɪ'kjuːəti] *n.* 明了，简明 记 词根记忆：per(完全地) + spic(看) + ui + ty(表名词) → 完全看明白 → 明了
conditional	[kən'dɪʃənl] *a.* 有条件的；以…为条件的
virtuoso *	[ˌvɜːrtʃu'oʊsoʊ] *n.* 艺术大师；音乐名手 记 发音记忆："我听尔奏" → 您是大师，我洗耳恭听您的演奏 → 艺术大师
bowler	['boʊlər] *n.* 玩保龄球的人；(板球的)投手 记 来自 bowl(*v.* 打保龄球)

pundit *	[ˈpʌndɪt] *n.* 博学的人；权威人士 记 联想记忆：与 pedant(学究)一起记
ceremonial	[ˌserɪˈməʊnɪəl] *n.* 仪式 *a.* 仪式的；礼仪的 记 来自 ceremony(*n.* 仪式)
pedestrian *	[pəˈdestrɪən] *n.* 步行者 *a.* 徒步的；呆板的；平庸的 记 联想记忆：徒步(pedestrian)沿街叫卖(peddle) 同 walker, unimaginative
optimal	[ˈɑːptɪməl] *a.* 最佳的，最理想的 记 词根记忆：optim(最好的) + al(…的) → 最佳的，最理想的
perspicuous	[pərˈspɪkjuəs] *a.* (文章等)明白易懂的，表达得清楚的 记 词根记忆：per(完全地) + spic(看) + u + ous(…的) → 能完全看明白的 → 明白易懂的
percipient	[pərˈsɪpiənt] *a.* 感知的；有觉察力的 记 词根记忆：per(完全地) + cip(拿住) + ient → 完全拿住了要点的 → 有觉察力的 同 discerning
inventive	[ɪnˈventɪv] *a.* 善于创造的；发明的 记 来自 invent(*v.* 发明)
vapid *	[ˈvæpɪd] *a.* 索然无味的 记 联想记忆：水蒸气(vapor)是索然无味的(vapid)
perspicacity	[ˌpɜːrspɪˈkæsəti] *n.* 聪明；敏锐；洞察力
forte *	[fɔːrt] *n.* 特长；专长 记 词根记忆：fort(强的) + e → 强的地方 → 特长；专长
commitment	[kəˈmɪtmənt] *n.* 委任；许诺
tirade *	[ˈtaɪreɪd] *n.* 长篇的攻击性演说 记 联想记忆：某国为了实现贸易 (trade) 顺差，发表了长篇的攻击性演说 (tirade)
nocturnal *	[nɑːkˈtɜːrnl] *a.* 夜的，夜间发生的 记 词根记忆：noct(夜) + urn + al(…的) → 夜的
paragon *	[ˈpærəgɑːn] *n.* 模范 记 词根记忆：para(在旁边) + gon(比较) → 在模范旁边，就要跟模范多比较比较 → 模范
palette *	[ˈpælət] *n.* 调色板 记 联想记忆：pale(灰白色) + tte → 用调色板调出灰白色 → 调色板
pedagogue	[ˈpedəgɑːg] *n.* 教师；学究 同 teacher

pedagogue

palette

paragon

onus *	[ˈoʊnəs] *n.* 责任；负担
	记 联想记忆：on（在）+ us（我们）→ 在我们身上的"责任" → 责任
synopsis	[sɪˈnɑːpsɪs] *n.* 大纲
	记 词根记忆：syn（共同）+ op（眼）+ sis → 写出大纲让大家一起看 → 大纲
invidious *	[ɪnˈvɪdiəs] *a.* 易招嫉妒的；有害的；诽谤的
	记 词根记忆：in（反对）+ vid（看见）+ ious → 被别人看见就会遭到反对的 → 易招嫉妒的
orator *	[ˈɑːrətər] *n.* 演说者，演讲者
	记 词根记忆：or（说话）+ a + tor（…的人）→ 说话的人 → 演说者
chronometer	[krəˈnɑːmɪtər] *n.* 计时器
	记 词根记忆：chron（时间）+ o + meter（测量）→ 测量时间 → 计时器
dilettante *	[ˌdɪləˈtænti] *n.* （艺术等的）业余爱好者；浅薄的涉猎者
	记 词根记忆：di（去，从）+ let（诱使）+ tante → 被诱使离开刚涉足的领域的人 → 浅薄的涉猎者
contestant	[kənˈtestənt] *n.* 竞争者；参赛者
	记 来自contest（*n.* 竞赛）
scanty *	[ˈskænti] *a.* 缺乏的，不足的
	同 scant, skimpy, sparse
collegian	[kəˈliːdʒən] *n.* 大学生
flair *	[fler] *n.* 天赋；天资
	记 联想记忆：不要羡慕别人的天赋（flair），上帝对每个人都是公平的(fair) → 天赋
	同 talent
timbre	[ˈtæmbər] *n.* 音色，音质
	记 联想记忆：做音色(timbre)好的乐器必须用好木材(timber)
probation	[proʊˈbeɪʃn] *n.* 试用，见习；鉴定，检验；缓刑
	记 来自probate（*v.* 处以缓刑）
cadenza	[kəˈdenzə] *n.* （音乐的）装饰乐段，华彩乐段
scholastic	[skəˈlæstɪk] *a.* 学校的；学者的
	记 来自scholar（*n.* 学者）
blemish	[ˈblemɪʃ] *n.* 污点，缺点，瑕疵 *vt.* 弄脏，玷污，损害
apprentice	[əˈprentɪs] *n.* 学徒；初学者
	同 novice
antagonize	[ænˈtæɡənaɪz] *vt.* （使）敌对；（使）对抗
	记 词根记忆：ant + agon（挣扎）+ ize（使…）→ 使挣扎 → （使）对抗
	同 counteract

antagonize
apprentice

blemish

370

bilingual	[ˌbaɪˈlɪŋgwəl] *a.* 能说两种语言的
	记 词根记忆：bi(双) + lingu(语言) + al(…的) → 双语的 → 能说两种语言的
elocution	[ˌeləˈkjuːʃn] *n.* 演说术；演讲艺术，演讲风格
wanton*	[ˈwɔːntən] *a.* 顽皮的，嬉戏的；恣意的，胡乱的
	记 发音记忆："顽童" → 顽皮的
mediocrity	[ˌmiːdiˈɑːkrəti] *n.* 平凡；平庸之才
pantomime*	[ˈpæntəmaɪm] *n.* 哑剧；童话剧
	记 词根记忆：panto(所有的) + mim(模仿) + e → 所有的模仿形式都可以在哑剧中找到 → 哑剧
antagonism*	[ænˈtægənɪzəm] *n.* 对抗；敌对
	记 词根记忆：ant + agon(挣扎) + ism(表状态) → 对抗；敌对
reputable*	[ˈrepjətəbl] *a.* 声誉好的
	记 来自 repute(*n.* 名声)
ductile*	[ˈdʌktaɪl] *a.* 易延展的；易教导的
	记 词根记忆：duct(引导) + ile(能…的) → 能引导的 → 易教导的
	同 plastic
tabulate	[ˈtæbjuleɪt] *vt.* 把…制成表格
	记 来自 table(*n.* 表格)
perspicacious*	[ˌpɜːrspɪˈkeɪʃəs] *a.* 有洞察力的
	记 词根记忆：per(完全地) + spic(看) + ac + ious(…的) → 完全看清的 → 有洞察力的
peruse*	[pəˈruːz] *v.* 熟读，细读
	记 联想记忆：per(加强) + use(用) → 通过一次次的细读达到会用的目的 → 细读
ascendant	[əˈsendənt] *n.* 优越，支配力 *a.* 上升的；优势的
	记 词根记忆：a(向上) + scend(爬) + ant → 向上爬的 → 上升的
	同 superior
foible*	[ˈfɔɪbl] *n.* 小缺点；弱点
	同 weakness, fault
centenary	[senˈtenəri] *n.* 一百年 *a.* 百年的
	记 联想记忆：一个世纪(century)是一百年(centenary)
	同 centennial
nestle	[ˈnesl] *v.* 舒适地安顿下来
	记 联想记忆：nest(鸟窝) + le → 像鸟一样安顿下来 → 舒适地安顿下来
erudite*	[ˈeru_daɪt] *a.* 博学的
	记 词根记忆：e(出) + rud(粗鲁的) + ite → 离开粗鲁的 → 有文化的 → 博学的
	同 learned

学校
教育

tyro *	［ˈtaɪroʊ］ *n.* 生手；初学者；新手
studious	［ˈstuːdiəs］ *a.* 好学的；刻苦的，勤奋的 记 来自 study(*v.* 学习)
portfolio	［pɔːrtˈfoʊlioʊ］ *n.* 文件夹；公事包 记 词根记忆：port（拿）+ foli（树叶）+ o → 猴子拿树叶当文件夹 → 文件夹；公事包
rendezvous	［ˈrɑːndɪvuː］ *n.* 约会；约会地点
prehension	［prɪˈhenʃn］ *n.* 抓住；理解
synchronous	［ˈsɪŋkrənəs］ *a.* 同时的 记 词根记忆：syn(相同的)+ chron(时间)+ ous(…的)→ 相同时间的 → 同时的
laborious *	［ləˈbɔːriəs］ *a.* (指工作)艰苦的，费力的；(指人)勤劳的 记 来自 labor(*n.* 劳动) 同 labored, industrious
sapid	［ˈsæpɪd］ *a.* (食物等)有味道的，滋味好的；(书等)有趣味的 同 flavorful
impromptu *	［ɪmˈprɑːmptuː］ *n.* 即席演出，即兴之作 记 联想记忆：乐队迅速(prompt)准备好了即兴演出 (impromptu) 同 improvisation
elucidate *	［iˈluːsɪdeɪt］ *vt.* 阐明；说明 记 词根记忆：e(出)+ luc(光)+ id + ate(使…)→ 说出来使明白 → 阐明；说明 同 explain, expound, explicate
cadent	［ˈkeɪdənt］ *a.* 有节奏的；降落的
backstage	［ˌbækˈsteɪdʒ］ *ad.* 在后台；向后台 记 组合词：back(在后面)+ stage(舞台)→ 在舞台后面 → 在后台
accompaniment	［əˈkʌmpənimənt］ *n.* 伴随物；伴奏/唱 记 来自 accompany (*vt.* 陪伴；伴奏)
pellucid *	［pəˈluːsɪd］ *a.* 透明的，澄清的；易懂的 记 词根记忆：pel(完全地)+ luc(光)+ id → 很清澈，所以光可以完全透过去 → 透明的
provident	［ˈprɑːvɪdənt］ *a.* 有远见的 记 词根记忆：pro(向前)+ vid(看)+ ent → 向前看的 → 有远见的
preeminence	［priːˈemɪnəns］ *n.* 卓越，杰出 记 来自 preeminent(*a.* 卓越的) 同 superiority
diminutive	［dɪˈmɪnjətɪv］ *a.* 小的；小型的 记 词根记忆：di(分开)+ min(小的)+ u + tive(…的)→ 小的；小型的

canonical	[kə'nɑːnɪkl] *a.* 规范的；权威的 同 orthodox
plaudit＊	[plɔːdɪt] *n.* [常 *pl.*]喝彩
tutelage＊	['tuːtəlɪdʒ] *n.* 指导，教导；保护，监护 记 词根记忆：tu(教导；监督) + tel + age → 指导
pedagogy＊	['pedəgɑːdʒi] *n.* 教学；教育学 记 词根记忆：ped(儿童) + agog(引导) + y → 儿童教育的主要目的就是引导孩子 → 教育学
bass	[beɪs] *n.* 低音部；男低音；低音乐器 *a.* 男低音的
paramount＊	['pærəmaʊnt] *a.* 最重要的；至高无上的 记 词根记忆：para(在旁边) + mount (山) → 在山的旁边，与山齐高的 → 至高无上的
assiduity	[ˌæsɪ'djuːəti] *n.* 勤勉，刻苦 记 词根记忆：as(加强) + sid(坐) + uity → 坐着一动不动地学习 → 刻苦 同 diligence＊
ensemble＊	[ɑːn'sɑːmbl] *n.* 整体；整套服装；小型合奏团 记 词根记忆：en(进入) + sembl(相同，平等) + e → 进入整体，就意味着大家是平等的 → 整体
forgo＊	[fɔːr'goʊ] *vt.* 抛弃，放弃 记 联想记忆：for(为了) + go(走) → 为了出走，放弃很多 → 放弃
sedulous＊	['sedʒələs] *a.* 勤勉的 记 词根记忆：sed(坐) + ulous → 坐得久学得多 → 勤勉的
soliloquy＊	[sə'lɪləkwi] *n.* 自言自语；独白 记 词根记忆：sol(单独的) + i + loqu(说) + y → 单独说 → 自言自语
syllabus	['sɪləbəs] *n.* 课程大纲 记 联想记忆：课程大纲(syllabus)里规定了讲多少音节(syllable)
besmear	[bɪ'smɪr] *vt.* 涂抹；弄脏
expurgate＊	['ekspərgeɪt] *vt.* 删除 记 词根记忆：ex(出) + purg(洗，清洁) + ate → 清洁垃圾 → 删除
salutatory	[sə'luːtətəri] *n.* 贺词；欢迎辞
hodgepodge＊	['hɑːdʒpɑːdʒ] *n.* 大杂烩；杂烩菜 记 联想记忆：hodge(庄稼汉) + podge(矮胖的人) → 这个矮胖的庄稼汉爱做大杂烩 → 大杂烩 同 jumble
tactician	[tæk'tɪʃn] *n.* 有谋略的人 记 词根记忆：tact(接触) + ic + ian(表人) → 有谋略的人很善于与人接触 → 有谋略的人

expurgate

学校
教育

tactician

山人乃
孔明也~

alto	[ˈæltoʊ] *n.* 女低音；女低音歌手
buffoon	[bəˈfuːn] *n.* 丑角；滑稽有趣的人 记 联想记忆：buf(看作 but，只) + foon(看作 fool，傻瓜) → 丑角就只是傻瓜吗? → 丑角
prate *	[preɪt] *v.* 唠叨；闲聊 记 联想记忆：私人(private)间的闲聊(prate) 同 chatter
procure	[prəˈkjʊr] *v.* 取得，获得
antagonist	[ænˈtæɡənɪst] *n.* 敌手，对手 记 词根记忆：ant + agon(挣扎) + is(表人) → 挣扎的人 → 对手 同 adversary, opponent
divers	[ˈdaɪvərz] *a.* 各种各样的
sloth	[sloʊθ] *n.* 怠惰 记 联想记忆：怠惰(sloth)地很久没洗衣服(cloth)了 同 indolence
vie *	[vaɪ] *v.* 竞争 记 联想记忆：竞争(vie)中勿掺杂谎言(lie)
rapt *	[ræpt] *a.* 全神贯注的
interlocutor	[ˌɪntərˈlɑːkjətər] *n.* 对话者 记 词根记忆：inter(在一起) + locut(说话) + or(…的人) → 在一起说话的人 → 对话者
pedantic *	[pɪˈdæntɪk] *a.* 学究式的，书生气的 记 词根记忆：ped(儿童) + ant + ic → 没有儿童那么活泼的 → 学究式的 同 unimaginative
debut	[deɪˈbjuː] *n.* 初次登台；首次露面 记 联想记忆：这位欠了一身债(debt)的年轻人初次登台(debut)演出
extemporaneous	[ɪkˌstempəˈreɪniəs] *a.* 无准备的，即席的 记 词根记忆：ex(出) + tempor(时间) + ane + ous(…的) → 不在时间安排内的 → 无准备的
edify *	[ˈedɪfaɪ] *vt.* 启发；教化 记 联想记忆：他编(edit)了本可以启发(edify)思维的书 同 enlighten
accompanist	[əˈkʌmpənɪst] *n.* 伴奏者；伴唱者 记 来自 accompany (*v.* 伴奏，伴唱)
custodian	[kʌˈstoʊdiən] *n.* 管理人；保管人；监护人 记 来自 custody(*n.* 监管，照看)

idolatry *	[aɪˈdɑːlətri] *n.* 偶像崇拜；盲目崇拜
	记 联想记忆：idol(偶像) + a + try(尝试) → 尝试将其作为自己的偶像 → 偶像崇拜
acquainted	[əˈkweɪntɪd] *a.* 认识的；通晓的
	记 来自 acquaint(*v.* 使熟知；使了解)
trove	[troʊv] *n.* 被发现的东西；收藏的东西
	记 联想记忆：一生中最应收藏的东西(trove)是真爱(true love)
pedant	[ˈpednt] *n.* 学究，书呆子
	记 词根记忆：ped(儿童) + ant(…的人) → 就知道教育小孩的人 → 学究
reparable *	[ˈrepərəbl] *a.* 可修缮的；可赔偿的
	记 来自 repair(*v.* 修补)
elocutionist	[ˌeləˈkjuːʃnɪst] *n.* 雄辩家，演说家
unwitting *	[ʌnˈwɪtɪŋ] *a.* 不知情的
	记 来自 witting(*a.* 知晓的；故意的)
afoot	[əˈfʊt] *a.* 徒步的；进行中的
	记 来自 foot(*n.* 脚)
flounder *	[ˈflaʊndər] *vi.* 挣扎，踌躇；笨拙而错乱地说或做 *n.* 比目鱼
	记 联想记忆：他发现(found)前方有很多障碍，他只能挣扎(flounder)着往前走 → 挣扎，踌躇
	同 flatfish
reprimand	[ˈreprɪmænd] *n.* 谴责，惩戒
	记 词根记忆：re(重新) + pri(施加) + mand(命令) → 再次施加惩戒的命令 → 惩戒
hilarious	[hɪˈleriəs] *a.* 欢闹的
	记 词根记忆：hilar(高兴) + ious → 高兴的 → 欢闹的
laggard *	[ˈlæɡərd] *a.* 落后的 *n.* 落后者
	记 来自 lag(*v.* 落后)
rampart	[ˈræmpɑːrt] *n.* 垒，壁垒；城墙
toilsome	[ˈtɔɪlsəm] *a.* 劳苦的，劳累的
urchin	[ˈɜːrtʃɪn] *n.* 顽童；小淘气
	记 发音记忆："恶惩" → 要狠狠地惩罚一下这个顽童才行 → 顽童；小淘气
justifiable	[ˈdʒʌstɪfaɪəbl] *a.* 有理由的；可辩护的
	记 来自 justify(*v.* 证明…有理)
imprudent *	[ɪmˈpruːdnt] *a.* 不谨慎的；轻率的
	记 来自 prudent(*a.* 谨慎的)
encore	[ˈɑːŋkɔːr] *n.* 要求再演；加演
	记 联想记忆：演唱会结束时歌迷一般都会叫"encore"表示想要歌手返场 → 加演

adjutant	[ˈædʒʊtənt] *a.* 辅助的 *n.* 副官
mentor*	[ˈmentɔːr] *n.* 顾问；导师；指导者 记 词根记忆：ment(思考) + or(表人) → 启发学生思考的人 → 导师
infusion*	[ɪnˈfjuːʒn] *n.* 注入，灌输 记 来自 infuse(*v.* 灌输；泡制草药等)
lore	[lɔːr] *n.* (某一方面的)学问；(某一群体的)传说，传统 记 联想记忆：l + ore(矿石) → 矿石上流传下来的传说 → 传说，传统
pedantry	[ˈpedntri] *n.* 迂腐；卖弄学问 记 联想记忆：ped(脚) + ant(蚂蚁) + ry → 怕脚踩到蚂蚁 → 迂腐
faculty*	[ˈfæklti] *n.* 天赋；技能；(高等院校中的)全体教员 记 联想记忆：去工厂(factory)工作需要技能(faculty)
sage	[seɪdʒ] *a.* 贤明的；睿智的 *n.* 贤人，哲人；德高望重的人 记 联想记忆：s(音似：是) + age(年龄) → 年龄大的人是要睿智一点 → 睿智的
industrious*	[ɪnˈdʌstriəs] *a.* 勤奋的，勤勉的，勤劳的 记 来自 industry(*n.* 勤奋，勤劳)
inculcate*	[ɪnˈkʌlkeɪt] *vt.* 谆谆教诲；反复灌输 记 词根记忆：in(进入) + culc(踩踏) + ate → 让知识进入学习者的内心并不断加强 → 反复灌输
linguistic*	[lɪŋˈgwɪstɪk] *a.* 语言的，语言学的 记 词根记忆：lingu(语言) + istic → 语言的
agnostic*	[æɡˈnɑːstɪk] *a.* 【哲】不可知论的 *n.* 不可知论者 记 词根记忆：a(不) + gno(知道) + stic(…的) → 认为不可能知道的 → 不可知论的
thematic*	[θɪˈmætɪk] *a.* 题目的；主题的 记 来自 theme(*n.* 主题)
plagiarize*	[ˈpleɪdʒəraɪz] *vt.* 剽窃，抄袭 记 词根记忆：plagi(斜的) + ar + ize → 斜着眼睛看别人的考卷 → 抄袭
matriculate*	[məˈtrɪkjuleɪt] *v.* (正式)被大学录取；录取…入大学
polemical*	[pəˈlemɪkl] *a.* 好辩的；挑起争论的
lateral*	[ˈlætərəl] *a.* 侧面的；横的，横向的 记 词根记忆：later(侧面) + al → 侧面的
horticultural*	[ˌhɔːrtɪˈkʌltʃərəl] *a.* 园艺的，园艺学的 记 来自 horticulture(*n.* 园艺；园艺学)
extemporize	[ɪkˈstempəraɪz] *v.* 即席演说；即兴表演 同 improvise

plagiarize

didactics	[daɪ'dæktɪks] *n.* 教学法，教学论
etymology *	[ˌetɪ'mɑːlədʒɪ] *n.* 词源学；词源
anthropomorphic *	[ˌænθrəpə'mɔːrfɪk] *a.* 拟人化的
interdisciplinary	[ˌɪntər'dɪsəplɪnerɪ] *a.* 跨学科的
tendril	['tendrəl] *n.* (攀援植物的)卷须，卷须状物
anthem *	['ænθəm] *n.* 圣歌，赞美歌 记 联想记忆：an + them → 一首他们一起唱的歌 → 圣歌
vandal	['vændl] *n.* (文化艺术等的)破坏者；故意破坏他人(或公共)财产者
rodent	['roʊdnt] *n.* 啮齿目动物
axiom *	['æksɪəm] *n.* 公理，定理 记 联想记忆：ax(斧子) + iom → 斧子之下出公理 → 公理
hibernal *	[haɪ'bɜːrnəl] *a.* 冬季的；寒冷的
elitist	[eɪ'liːtɪst] *n.* 杰出人物统治论者 *a.* 杰出人物的；精英的
dialectical *	[ˌdaɪə'lektɪkl] *a.* 辩证(法)的；方言的
mammoth *	['mæməθ] *n.* 猛犸，毛象 *a.* 巨大的
aerie *	['ɪri] *n.* (在岩石高处筑的)鹰巢，猛禽巢
ideologue	['aɪdɪəlɔːg] *n.* 理论家，观念学家，思想家
formulaic	[ˌfɔːrmju'leɪɪk] *a.* 由固定套话堆砌的；公式的，刻板的
nihilistic *	[ˌnaɪɪ'lɪstɪk] *a.* 虚无主义的 记 来自 nihilist(*n.* 虚无主义者)
diatonic	[ˌdaɪə'tɑːnɪk] *a.* 全音阶的，自然音阶的
locution	[lə'kjuːʃn] *n.* 语言风格；惯用语
credential	[krə'denʃl] *n.* 可以信任的证明；证明书；证件
pedagogical	[ˌpedə'gɑːdʒɪkl] *a.* (=pedagogic)教育学的；教学法的
metaphysical *	[ˌmetə'fɪzɪkl] *a.* 形而上学的，玄学的 记 来自 metaphysics(*n.* 形而上学；玄学)
savant *	[sæ'vɑːnt] *n.* 博学之士；大学士；学者，专家 记 词根记忆：sav(=sap，智慧) + ant → 有智慧之人 → 博学之士
chloride	['klɔːraɪd] *n.* 【化】氯化物
hermitage *	['hɜːrmɪtɪdʒ] *n.* 隐士住处；修道院
hovel *	['hʌvl] *n.* 茅舍；肮脏简陋的住所
nepotism *	['nepətɪzəm] *n.* 裙带关系 记 词根记忆：nepot(=nephew，侄甥) + ism → 裙带关系

学校
教育

hue *	[hjuː] *n.* 颜色，色彩；色调，色度
atheistic *	[ˌeɪθiˈɪstɪk] *a.* 无神论(者)的 记 来自 atheist(*n.* 无神论者)
nonsensical *	[nɑːnˈsensɪkl] *a.* 无意义的，不合理的，荒谬的 同 absurd
asymmetric *	[ˌeɪsɪˈmetrɪk] *a.* 不对称的，不均匀的
ellipsis *	[ɪˈlɪpsɪs] *n.* 省略
glossary *	[ˈɡlɑːsəri] *n.* 词汇表；术语表
hyperbole *	[haɪˈpɜːrbəli] *n.* 夸张，夸张的说法
fluency *	[ˈfluːənsi] *n.* 流利，通顺
simplistic *	[sɪmˈplɪstɪk] *a.* 过分简单化的
terminology *	[ˌtɜːrməˈnɑːlədʒi] *n.* (某学科的)术语；专门用语

📖 备考锦囊

语法知识（十五）虚拟语气（1）

虚拟语气表示一种假想或主观愿望，一般有以下几种情况：

（一）用动词原形表示虚拟，如：
God bless you. 愿上帝保佑你。

（二）用过去时表虚拟，表示与现在事实相反；这种情况中如谓语为系动词 be，则一律用 were 代替，如：
If only I were not so nervous. 我要是不那么紧张就好了。

（三）用过去完成时表虚拟，表示与过去的事实相反，如：
I wish I hadn't done so. 真希望我当时没那样做。

音频

社会现象

retrench*	[rɪˈtrentʃ] *v.* 节省；减少；缩减
	记 联想记忆：re(一再) + trench(切，刻) → 一切再切 → 节省；减少；缩减
	同 cut down, reduce
dissonant	[ˈdɪsənənt] *a.* 不和谐的
	记 词根记忆：dis(分开) + son(声音) + ant → 声音四分五裂 → 不和谐的
travesty*	[ˈtrævəsti] *n.* 滑稽模仿；歪曲
	记 联想记忆：tra(横) + vest(背心) + y → 模仿小丑横着穿背心 → 滑稽模仿
	同 caricature, burlesque
intransigent	[ɪnˈtrænzɪdʒənt] *a.* 不妥协性的 *n.* 不妥协的人
	记 词根记忆：in(不) + trans(越过) + ig(驱使) + ent → 不会被轻易地驱使着越过原则的 → 不妥协性的
	同 uncompromising
uproarious*	[ʌpˈrɔːriəs] *a.* 骚动的；喧嚣的
	记 来自 uproar (*n.* 骚动)
renunciation	[rɪˌnʌnsiˈeɪʃn] *v.* 放弃，弃权；脱离关系
	记 联想记忆：re + nun（尼姑） + ciation → 看破红尘做尼姑，抛开一切 → 放弃
hoard*	[hɔːrd] *n.* 储藏物；储藏，积蓄 *v.* 贮藏，囤积，积蓄
	记 联想记忆：橱柜（cupboard）里储藏（hoard）着食物
expatriate	[ˌeksˈpeɪtriət] *v.* 逐出国外；放弃国籍
	记 词根记忆：ex(出) + patr(国家) + i + ate(使…) → 逐出国外
facile*	[ˈfæsl] *a.* 易做到的，易得到的；熟练的，流畅的；(性格)柔顺的，温和的
	记 词根记忆：fac(做) + ile(易…的) → 易做到的
	同 ready, fluent
invoke*	[ɪnˈvoʊk] *vt.* 唤起，引起；恳求，祈求
	记 词根记忆：in(进入) + vok(喊，唤) + e → 唤起

mishap *	['mɪshæp] *n.* 灾祸
	记 词根记忆：mis(坏) + hap(运气) → 坏运连连 → 灾祸
commotion	[kə'moʊʃn] *n.* 骚动；暴乱
	记 词根记忆：com(共同) + mot(动) + ion → 一起 暴动 → 骚动；暴乱
occlude	[ə'kluːd] *v.* 使闭塞；(牙齿)咬合
	记 词根记忆：oc + clud(关闭) + e → 使闭塞
preferential	[ˌprefə'renʃl] *a.* 先取的，特惠的
	记 来自 preference(*n.* 优先选择)
unconscionable *	[ʌn'kɑːnʃənəbl] *a.* 不合理的；过度的
	记 来自 conscionable(*a.* 公正的)
abidance	[ə'baɪdəns] *n.* 居住；遵守
preponderate	[prɪ'pɑːndərət] *v.* 占优势，超过，胜过
	记 词根记忆：pre(前) + pond(重量) + erate → 重量超过前面 → 超过
inclement *	[ɪn'klemənt] *a.* 险恶的；严酷的
	记 来自 clement(*a.* 仁慈的，温和的)
dullard	['dʌlɑːrd] *n.* 傻瓜，笨蛋
	记 联想记忆：dull(迟钝的) + ard → 这个傻瓜太迟钝了 → 傻瓜
renascent	[rɪ'næsnt] *a.* 新生的；复活的；复兴的
	记 词根记忆：re(重新的) + nasc(出生) + ent → 复活的
knavery *	['neɪvrɪ] *n.* 流氓行为，无赖作风
impend	[ɪm'pend] *vi.* 即将发生；逼近，迫近
	记 词根记忆：im + pend(悬) → 悬在空中，即将落下 → 即将发生
divulge *	[daɪ'vʌldʒ] *vt.* 泄露；暴露
	记 词根记忆：di(离开) + vulg(人) + e → 走出人群，暴露身份 → 暴露
loot	[luːt] *v.* 掠夺，抢劫，劫掠
	记 联想记忆：loot (看作 lot，大量) → 阿里巴巴拿走了四十大盗抢劫来的大量珠宝 → 抢劫
knave	[neɪv] *n.* 流氓；无赖
	记 联想记忆：流氓(knave)江湖飘，哪有不带刀(knives)
secede	[sɪ'siːd] *vi.* 脱离，分离
	记 词根记忆：se(分开) + ced(走) + e → 分开走 → 分离，脱离
neutralize	['nuːtrəlaɪz] *vt.* 使中立；抵消
	记 来自 neutral(*a.* 中立的)
underling	['ʌndərlɪŋ] *n.* 部下，下属；走卒
	记 词根记忆：under(下面的) + ling(小) → 下面的小副手 → 部下，下属

succor *	[ˈsʌkər] *n.* 救援；援助者 *vt.* 援助，救援
	记 联想记忆：succ(看作 success，成功) + or(人) → 救援人员成功救助受伤的人 → 救援
squalid	[ˈskwɑːlɪd] *a.* 肮脏的；卑劣的
	记 联想记忆：squ + alid(看作 valid，正当的) → 卑劣的小人不会干正当的事 → 卑劣的
	同 sordid
reimburse *	[ˌriːɪmˈbɜːrs] *vt.* 偿还
	记 词根记忆：re(回) + im(进入) + burs(钱包) + e → 借出的钱重新进入钱包 → 偿还
misgiving	[ˌmɪsˈɡɪvɪŋ] *n.* 疑惧，疑虑
	记 联想记忆：mis(错误) + giving(礼物) → 送礼送错了 → 疑虑
expulsion	[ɪkˈspʌlʃn] *n.* 逐出；开除
	记 词根记忆：ex(出) + puls(推) + ion → 推出去 → 逐出；开除
mitigate *	[ˈmɪtɪɡeɪt] *v.* 减轻，缓和
	同 relieve, alleviate, assuage, allay, mollify
obsequies	[ˈɑːbsəkwiz] *n.* [复数] 葬礼
	记 词根记忆：ob(碍路) + sequ(跟随) + ies → 别跟着大人参加葬礼，只会碍路 → 葬礼
betide	[bɪˈtaɪd] *v.* 发生；预示
subvert	[səbˈvɜːrt] *vt.* 推翻；搅乱，暗中破坏
	记 词根记忆：sub(下面) + vert(转) → 转到地下工作 → 暗中破坏
tenure *	[ˈtenjər] *n.* (财产、职位等的)占有，(土地的)使用(权，期)，所有权；保有，享有
	记 词根记忆：ten(拿住) + ure → 拿到的终身职位，铁饭碗 → 占有
	同 grasp, hold
stagnate	[ˈstæɡneɪt] *vt.* (使)停滞，(使)变萧条
	记 词根记忆：stagn(水池) + ate → 水停滞了，蓄成了水塘 → (使)停滞
puissant	[ˈpwɪsənt] *a.* 强大的；有势力的
	记 联想记忆：puis(看作 puisne，年少的) + sant → 初生牛犊不怕虎，自以为很强大 → 强大的
	同 powerful
tumultuous	[tuːˈmʌltʃuəs] *a.* 喧嚣的，动乱的；激动的
	记 来自 tumult(*n.* 吵闹，骚动)
kinsfolk	[ˈkɪnzfoʊk] *n.* 亲属，家属
preempt *	[priˈempt] *v.* 抢在…之前做或说；预先制止
	记 词根记忆：pre(预先) + empt(拿) → 抓住机会预先做 → 预先制止

社会现象

propaganda	[ˌprɑːpəˈɡændə] *n.* 宣传 记 联想记忆: prop(看作 proper, 合适的) + aganda(看作 agenda, 议程) → 宣传合适的议程 → 宣传
infamous *	[ˈɪnfəməs] *a.* 声名狼藉的 记 联想记忆: in(不) + fam(e)(声誉) + ous → 声誉不好的 → 声名狼藉的
embezzle	[ɪmˈbezl] *v.* 盗用; 挪用
stratify *	[ˈstrætɪfaɪ] *vt.* 使成层, 使分层; 使形成阶层 记 词根记忆: strat(展开, 张开) + ify(使) → 成为一层层 → 使分层
protagonist	[prəˈtæɡənɪst] *n.* 主人公, 主角; 领导者; 积极参加者 记 词根记忆: prot(首先) + agon(打, 行动) + ist → 首先行动者 → 积极参 加者
ostracize *	[ˈɑːstrəsaɪz] *vt.* 放逐; 排斥
dishevel	[dɪˈʃevl] *vt.* 使蓬乱; 使头发蓬松; 使衣服弄皱; 弄乱 记 联想记忆: dish(盘子) + eve(前日) + l → 前天的盘子没洗 → 弄乱
promulgate *	[ˈprɑːmlɡeɪt] *v.* 宣布, 发布; 传播 记 词根记忆: pro(前面) + mulg(人们) + ate → 站在人们面前发布 → 宣 布, 发布 同 proclaim
autocracy	[ɔːˈtɑːkrəsi] *n.* 独裁政治; 独裁政府 记 词根记忆: auto(自己) + cracy(统治) → 自己一个人统治 → 独裁政治
undermine *	[ˌʌndərˈmaɪn] *vt.* 暗中破坏, 逐渐削弱; 侵蚀…的基础 记 联想记忆: under(在…下) + mine(挖) → 挖墙角 → 暗中破坏 派 underminer(*n.* 暗中破坏者) 同 weaken, enfeeble, debilitate
usurious	[juːˈʒʊriəs] *a.* 高利的; 高利贷的 记 来自 usury(*n.* 高利贷)
vortex *	[ˈvɔːrteks] *n.* 旋涡, 旋风, 涡流; (动乱、争论等)的中心 记 联想记忆: vor(吃) + tex → 吃东西狼吞虎咽如风卷残云 → 旋风
mendacious *	[menˈdeɪʃəs] *a.* 虚伪的; 说谎的 记 联想记忆: mend(修补) + acious → 漏洞太多, 需要修补 → 说谎的 同 dishonest, untruthful
inflammatory	[ɪnˈflæmətɔːri] *a.* 煽动性的 记 词根记忆: in(进入) + flam(燃烧) + matory → 火上浇油 → 煽动性的 同 seditious
kudos *	[ˈkuːdɑːs] *n.* 名望; 荣誉; 声誉
bilateral	[ˌbaɪˈlætərəl] *a.* 有两边的, 双边的 记 词根记忆: bi(双) + later(侧面) + al(的) → 双边的

surcharge	[ˈsɜːrtʃɑːrdʒ] *n.* 额外费用 *v.* 额外收费
	记 拆分记忆：sur(超过) + charge(收费) → 额外收费
tempestuous*	[temˈpestʃuəs] *a.* 有暴风雨的；剧烈的，狂暴的
	记 来自 tempest(*n.* 暴风雨)
	同 turbulent, stormy
melee	[ˈmeɪleɪ] *n.* 混战，搏斗，格斗
	记 发音记忆："慢来" → 来迟一步，一片混乱 → 混战
accession	[ækˈseʃn] *n.* 就职，就任；添加物，增加物；接近；到达
	记 来自 access(*v.* 接近；到达)
outlandish*	[aʊtˈlændɪʃ] *a.* 异国风格的；古怪的，奇异的
	记 联想记忆：out(出) + land(国家) + ish(…的) → 走出国门观外国 → 异国风格的
	同 bizarre, foreign
regenerate*	[rɪˈdʒenəreɪt] *v.* 使再生；重建；使振兴
	记 词根记忆：re(重新) + gen(产生) + erate → 重新产生 → 使再生
	同 restore
proponent*	[prəˈpoʊnənt] *n.* 建议者；支持者
	记 词根记忆：pro(向前) + pon(放) + ent(人) → 把建议放在领导面前的人 → 建议者
	同 supporter, advocate
abnegate	[ˈæbnɪgeɪt] *v.* 放弃；拒绝
	记 词根记忆：ab + neg(反对，否认) + ate → 否认拥有 → 放弃
	同 deny, renounce
rationalization	[ˌræʃnələˈzeɪʃn] *n.* 合理化
	记 来自 rationalize(*vt.* 使合理化)
prostrate*	[ˈprɑːstreɪt] *vt.* 使屈服
	记 联想记忆：pro(向前) + strate(看作 state，状态) → 身体向前倾的状态 → 卑躬屈膝 → 使屈服
retinue*	[ˈretənuː] *n.* 随员，扈从
	记 词根记忆：re + tin(拿住) + ue → 拿东西的人 → 随员
impoverish*	[ɪmˈpɑːvərɪʃ] *vt.* 使贫穷；使枯竭
	记 词根记忆：im(进入) + pover(贫困) + ish(使) → 使进入贫困 → 使贫穷
arrogate	[ˈærəgeɪt] *v.* 冒称
	记 联想记忆：狐假虎威 → 狐狸冒称(arrogate)有老虎撑腰变得傲慢(arrogant)无理 → 冒称
squelch	[skweltʃ] *v.* 压制；制止；遏制
	记 联想记忆：s + quelch(看作 quench，熄灭，平息) → 平息怒火 → 压制
	同 quell

arrogate
＝俺大哥

extraneous *	[ɪk'streɪnɪəs] *a.* 外来的；无关的 记 词根记忆：extra(以外) + neous(看作 nervous，紧张的) → 初来乍到，分外紧张 → 外来的
rookie	['rʊki] *n.* 新手 记 联想记忆：新手(rookie)爱吃小点心(cookie) 同 recruit
proscribe *	[prəʊ'skraɪb] *vt.* 禁止 记 词根记忆：pro(前面) + scrib(写) + e → 写在前面，声明禁止 → 禁止
impunity *	[ɪm'pjuːnəti] *n.* 不受惩罚 记 词根记忆：im(不) + pun(罚) + ity → 不受惩罚
travail *	['træveɪl] *n.* 辛苦；艰苦劳动 记 联想记忆：旅行(travel)很辛苦(travail)
spurious *	['spjʊrɪəs] *a.* 伪造的，假的 同 false
medley *	['medli] *n.* 混合，混杂；集成曲 同 mix
undersell	[ˌʌndər'sel] *vt.* 以低于市价售出；抛售
implicate *	['ɪmplɪkeɪt] *vt.* 使受牵连；暗示 记 词根记忆：im(进入) + plic(重叠) + ate → 重叠进去 → 卷进去 → 使受牵连
nefarious *	[nɪ'ferɪəs] *a.* 邪恶的，穷凶极恶的 记 词根记忆：ne(不) + fa(说) + rious → 面露凶光，不言不语 → 邪恶的 同 vicious, evil
transact	[træn'zækt] *v.* 交易；处理 记 词根记忆：trans(交换) + act(行为) → 物物交换 → 交易
pauper *	['pɔːpər] *n.* 乞丐；贫民 记 词根记忆：paup(贫穷) + er(表人) → 贫穷的人 → 乞丐；贫民
contingency	[kən'tɪndʒənsi] *n.* 偶然事件；可能性；意外事故 记 来自 contingent(*a.* 可能发生的)
supplicant	['sʌplɪkənt] *n.* 恳求者，恳请者 记 来自 supplicate(*v.* 恳求，恳请)
accouter	[ə'kuːtər] *v.* 装备，配备
preemption	[pri'empʃn] *n.* 优先购买(权)；抢先占有
hut	[hʌt] *n.* 小屋，棚屋 同 shack

奉旨讨饭

pauper

salutation	[ˌsæljuˈteɪʃn] *n.* 招呼
	记 来自 salute(*v.* 敬礼)
vicarious*	[vaɪˈkeriəs] *a.* 代理的；间接感受到的
	记 联想记忆：vicar(牧师) + ious → 牧师是上帝的代言人 → 代理的
forfeit	[ˈfɔːrfət] *vt.* 被没收(财物等)，丧失(权力等)
	记 联想记忆：for(因为) + feit(看作 fect，做) → 因为做了不法勾当，所以被没收财产 → 被没收(财物等)
terminus	[ˈtɜːrmɪnəs] *n.* 终点；目标
	记 词根记忆：termin(结束) + us → 结束地 → 终点
havoc	[ˈhævək] *n.* 大破坏，大浩劫
	记 联想记忆：hav(看作 have，有) + oc(看作 occur，发生) → 有大坏事要发生 → 大破坏
ostentatious*	[ˌɑːstenˈteɪʃəs] *a.* 摆阔的；卖弄的；招摇的
	记 词根记忆：os(越过) + tent(延伸) + atious → 越过常规 → 卖弄的
sedition*	[sɪˈdɪʃn] *n.* 煽动，叛乱
	记 词根记忆：sed(=se，分开) + it(走) + ion → 分道扬镳；煽动叛乱 → 煽动，叛乱
overpower	[ˌoʊvərˈpaʊər] *vt.* 制服，压倒
	记 联想记忆：over(在…之上) + power(力量) → 压制力量 → 压倒
afterthought	[ˈæftərθɔːt] *n.* 事后的想法
	记 联想记忆：after(后来) + thought(想法) → 事后的想法
succumb	[səˈkʌm] *v.* 屈服，屈从；死
	记 词根记忆：suc(下面) + cumb(躺) → 躺在黄土下 → 死
	同 yield, submit, capitulate
requite	[rɪˈkwaɪt] *vt.* 报答，酬谢
	记 联想记忆：re + quit(免除) + e → 免除农业税，报答老百姓 → 报答
irreverent	[ɪˈrevərənt] *a.* 不敬的
	记 词根记忆：ir(不) + re + ver(敬畏) + ent → 不敬的
sleight*	[slaɪt] *n.* 技巧，手法
	记 联想记忆：sl(看作 sly，狡猾) + eight → 八面玲珑 → 技巧，手法
embroil*	[ɪmˈbrɔɪl] *vt.* 使卷入(纠纷)；使纠缠于
	记 联想记忆：em (进入…之中) + broil (争吵) → 进入争吵之中 → 使卷入(纠纷)
bombard	[bɑːmˈbɑːrd] *v.* 炮轰，轰炸；大肆抨击
	记 联想记忆：bomb(炸弹) + ard → 炮击，以(连珠炮式)攻击某人 → 大肆抨击
stagnant*	[ˈstæɡnənt] *a.* 停滞的；不发展的；迟钝的
	记 联想记忆：stagn(=stand，站住) + ant → 站住不动的 → 停滞的

disengage*	[ˌdɪsɪnˈɡeɪdʒ] *v.* (使)脱离，松开 记 联想记忆：dis(不) + engage(从事) → 不再从事 → 脱离
bestride	[bɪˈstraɪd] *vt.* 骑 记 联想记忆：be + stride(跨) → 跨到马上 → 骑
humbug	[ˈhʌmbʌɡ] *n.* 欺骗；谎言；欺骗行为 记 联想记忆：hum(嗡嗡声) + bug(小虫) → 小虫嗡嗡叫，欺骗少不了 → 欺 骗；欺骗行为
restitution*	[ˌrestɪˈtuːʃn] *n.* 归还；赔偿 记 词根记忆：re(重新) + stit(站立) + ut + ion → 重新站过去 → 归还
semblance	[ˈsembləns] *n.* 外表；伪装；假象 记 词根记忆：sembl(相像) + ance → 外表相似 → 伪装
intervene*	[ˌɪntərˈviːn] *v.* 干涉，干预；插入，介入 派 intervention（*n.* 干涉，干预）；intervening（*a.* 发生于其间的）； interventionist(*n.* 干涉主义者)
pillage*	[ˈpɪlɪdʒ] *v.* 掠夺，抢劫 同 ravage, sack, despoil
epicure*	[ˈepɪkjʊr] *n.* 美食家
retaliate*	[rɪˈtælieɪt] *v.* 报复 记 词根记忆：re(回) + tali(惩罚) + ate → 以恶制恶，以牙还牙 → 报复
pragmatic*	[præɡˈmætɪk] *a.* 实际的；注重实效的 记 词根记忆：prag(做) + matic → 做事要实际 → 实际的
surreptitious*	[ˌsɜːrəpˈtɪʃəs] *a.* 暗中的，秘密的，偷偷摸摸的 记 词根记忆：sur(下面) + rept(拿) + itious → 在下面偷偷地拿 → 偷偷摸 摸的 同 secret, covert, stealthy, clandestine, underhanded
gratuity	[ɡrəˈtuːəti] *n.* 赠物；赏钱，小费 记 联想记忆：滴水之恩(gratitude)当以涌泉相报 → 赠物(gratuity)
polarize*	[ˈpoʊləraɪz] *v.* (使)两极分化 记 来自 polar(*a.* 两极的)
mollify*	[ˈmɑːlɪfaɪ] *vt.* 使平息；减轻，缓和 记 词根记忆：moll(软) + ify(使) → 软化矛盾 → 平息
vitiate	[ˈvɪʃieɪt] *v.* 损害，削弱 记 联想记忆：viti（看作 vitamin，维生素）+ ate (使) → 服用过多维生素会损害健康 → 损害
odious*	[ˈoʊdiəs] *a.* 令人作呕的，令人讨厌的 记 联想记忆：od(看作 odor，气味) + ious → 气味 不好 → 令人作呕的

subjugate＊	［ˈsʌbdʒugeɪt］ vt. 征服，镇压 记 词根记忆：sub(下面) + jug(捆) + ate → 捆绑在下面 → 征服 同 conquer
submission	［səbˈmɪʃn］ n. 屈服，投降 记 词根记忆：sub(下面) + miss(放) + ion → 位居其下 → 屈服
sully＊	［ˈsʌli］ vt. 玷污 记 联想记忆：横行霸道的人（bully）常常玷污 (sully)他人的名声 同 defile
appalling	［əˈpɔːlɪŋ］ a. 令人震惊的，骇人听闻的 记 来自 appall(vt. 使惊骇)
armory	［ˈɑːrməri］ n. 兵工厂，军械库 记 词根记忆：arm(武器) + ory(表地点) → 有武器的地方 → 军械库
impugn＊	［ɪmˈpjuːn］ v. 质疑 记 词根记忆：im(进入) + pugn(打斗) → 因质疑而引起打斗 → 质疑
prepossess	［ˌpriːpəˈzes］ vt. 使先有好感，使偏爱；预先拥有
bedaub	［bɪˈdɔːb］ vt. 涂污；过分地装饰
retrace	［rɪˈtreɪs］ vt. 折回，退回；回顾 记 词根记忆：re(重新) + trace(踪迹) → 发现可疑踪迹，重新退回原路 → 折回；退回
thrall	［θrɔːl］ n. 奴隶；束缚；奴役 记 联想记忆：丢弃(throw)一切束缚(thrall)
swindle	［ˈswɪndl］ v. 诈骗 记 联想记忆：s + wind(风) + le → 四处吹风，搞诈骗 → 诈骗
remunerate	［rɪˈmjuːnəreɪt］ v. 给…酬劳 记 词根记忆：re + mun(礼物) + erate → 千里送鹅毛，礼轻情义重 → 给…酬劳
unsavo(u)ry	［ʌnˈseɪvəri］ a. 声名狼藉的，寡廉鲜耻的；难吃的
stratum＊	［ˈstreɪtəm］ n. (［pl.］ strata) 层(尤指岩层)，地层；社会阶层
supersede＊	［ˌsuːpərˈsiːd］ vt. 代替，取代 记 词根记忆：super(在…上面) + sed(坐) + e → 坐在龙椅上，改朝换代 → 代替，取代 同 replace, displace, supplant
perambulate	［pəˈræmbjuleɪt］ v. 巡行；散步；漫步 记 词根记忆：per(贯穿) + ambul(行走) + ate → 警察四处走 → 巡行

subjugate · sully
submission

懦弱！
无能！

社会现象

387

redoubtable *	[rɪˈdaʊtəbl] *a.* 可怕的
	记 联想记忆: re (反复) + doubt (疑虑) + able → 千古奇案, 疑云迭起 → 可怕的
	同 formidable*
subjection	[səbˈdʒekʃn] *n.* 征服, 制服; 屈从, 隶属
	记 来自 subject(*vt.* 使服从, 使隶属)
boon *	[buːn] *n.* 恩惠; 实惠; 利益
	记 联想记忆: 从月亮(moon)那里得到恩惠(boon)
rampant *	[ˈræmpənt] *a.* 猖獗的; 蔓生的; 猛烈的, 狂暴的
	记 来自 ramp(*v.* 蔓延, 蔓生)
ado	[əˈduː] *n.* 纷扰; 忙乱
philanthropy	[fɪˈlænθrəpi] *n.* 慈爱; 慈善事业
	记 词根记忆: phil(爱) + anthrop(人) + y → 老吾老以及人之老, 幼吾幼以及人之幼 → 慈爱
refurbish *	[ˌriːˈfɜːrbɪʃ] *vt.* 再磨光; 刷新
	记 拆分记忆: re(重新) + furbish(磨光) → 再磨光
	同 redecorate
rapprochement	[ˌræproʊʃˈmɑːn] *n.* 友好关系的恢复, 和解, 亲善
	记 联想记忆: r(看作 re, 重新) + approche(看作 approach, 接近) + ment → 重新接近, 以示友好 → 和解
stymie *	[ˈstaɪmi] *v.* 从中作梗, 妨碍, 阻挠
	记 发音记忆: "十袋米" → 为了十袋米从中作梗 → 从中作梗
foment *	[foʊˈment] *vt.* 煽动, 激起
	记 联想记忆: fom (看作 form, 形成) + ent → 煽风点火, 助纣为虐 → 煽动; 注意不要和 ferment(*n.* 酵母, 酵素)混淆
	同 incite, instigate, abet
seditious	[sɪˈdɪʃəs] *a.* 煽动的; 煽动叛变的
	记 来自 sedition(*n.* 煽动)
preparatory	[prɪˈpærətɔːri] *a.* 预备的
	记 联想记忆: prepara(看作 prepare, 准备) + t + ory(有…的性质) → 有准备的 → 预备的
bedeck	[bɪˈdek] *vt.* 装饰, 修饰
	记 拆分记忆: be(加强) + deck(装饰) → 装饰
proxy *	[ˈprɑːksi] *n.* 代理人
politic *	[ˈpɑːlətɪk] *a.* 精明的; 有策略的
	记 联想记忆: 制定政策(policy)的人都是很有策略的(politic)
ruinous	[ˈruːɪnəs] *a.* 破坏性的, 灾难性的, 毁灭性的; 已成废墟的
	记 来自 ruin(*v.* 毁灭)
	同 dilapidated*, ruined

impasse *	［ˈɪmpæs］ *n.* 僵局，绝境
	🔲 联想记忆：im(不) + pass(通过) + e → 此路不通 → 死路 → 绝境
proctor	［ˈprɑːktər］ *n.* (大学的)学监
	🔲 联想记忆：学监(proctor)是学校纪律的保护者(protector)
incumbent *	［ɪnˈkʌmbənt］ *a.* 职责所在的，负有…义务的
	🔲 词根记忆：in + cumb(躺) + ent → 躺在(职位)上的 → 职责所在的
tumor	［ˈtuːmər］ *n.* 肿瘤
tumult *	［ˈtuːmʌlt］ *n.* 骚动；烦乱
	🔲 联想记忆：tumu(看作 tumour，肿瘤) + lt → 恶性肿瘤，让人烦 → 烦乱
surrogate *	［ˈsɜːrəgət］ *n.* 代理者；代用品
	🔲 词根记忆：sur(外) + rog(要求) + ate(使) → 要求将某物品排除在外，使用代用品 → 代用品
extricate *	［ˈekstrɪkeɪt］ *vt.* 救出；使脱离
	🔲 词根记忆：ex(出) + tric(小障碍) + ate(使) → 脱离小障碍 → 使脱离
trammel	［træml］ *n.* 拘束；阻碍物，束缚物
	🔲 联想记忆：tram(有轨电车) + mel → 脱离不开轨道 → 束缚
stigma *	［ˈstɪgmə］ *n.* 污名，耻辱
	🔲 联想记忆：stig(看作 sting，刺痛) + ma(看作 me，我) → 污名深深刺痛我的心 → 污名
pyromania	［ˌpaɪroʊˈmeɪniə］ *n.* 放火癖，放火狂
invalidate *	［ɪnˈvælɪdeɪt］ *vt.* 使无效
	🔲 词根记忆：in(不，无) + val(价值) + idate → 使没有价值 → 使无效
respite *	［ˈrespɪt］ *v.* 暂缓
	🔲 联想记忆：re(一再) + spite(烦扰) → 一拖再拖，一再烦扰 → 暂缓
	🔲 put off, delay
shroud *	［ʃraʊd］ *v.* 遮蔽；隐藏
	🔲 联想记忆：sh + roud（看作 around，四处）→ 遭遇敌机轰炸，人们四处隐藏 → 隐藏
	🔲 conceal
procrastinate *	［proʊˈkræstɪneɪt］ *v.* 延迟，耽搁
	🔲 词根记忆：pro(在前) + crastin(明天) + ate(使) → 今朝有酒今朝醉，勿到明日无酒喝 → 延迟，耽搁
discontinue	［ˌdɪskənˈtɪnjuː］ *v.* 停止，中断
	🔲 拆分记忆：dis(不) + continue(继续) → 不再继续 → 停止，中断
exorbitant *	［ɪgˈzɔːrbɪtənt］ *a.* 过度的；过高的；昂贵的
	🔲 联想记忆：ex(出) + orbit(轨道；常规) + ant → 越轨 → 过度的

社会
现象

389

catastrophic	[ˌkætə'strɑːfɪk] *a.* 悲惨的；灾难的 记 来自 catastrophe(*n.* 突如其来的大灾难)
surety	[ˈʃʊrəti] *n.* 担保，保证；担保人；保证金 记 来自 sure(*a.* 可靠的；有把握的)
palliate*	[ˈpælieɪt] *vt.* 减轻，缓和 同 abate
servile*	[ˈsɜːrvl] *a.* 奴隶的；卑屈的；屈从的；逢迎的 记 词根记忆：serv(服务) + ile → 无条件服务的 → 奴隶的 同 subservient, slavish
autarchy	[ˈɔːtɑːrki] *n.* 独裁；专制
extortion	[ɪkˈstɔːrʃn] *n.* 勒索；敲诈；强求 记 来自 extort(*v.* 强取；敲诈)
onrush	[ˈɑːnrʌʃ] *n.* 奔流；猛冲 记 联想记忆：on(上) + rush(冲) → 猛冲
populace	[ˈpɑːpjələs] *n.* 平民 记 词根记忆：popul(人民) + ace → 平民 同 masses
thwart*	[θwɔːrt] *v.* 反对，阻碍 记 联想记忆：th(看作 throw, 扔) + war(战争) + t → 不惜发动战争来阻挠 → 反对，阻碍 同 contravene
presumptuous*	[prɪˈzʌmptʃuəs] *a.* 自以为是的；专横的 记 来自 presume(*v.* 擅自，冒昧地做)
termination*	[ˌtɜːrmɪˈneɪʃn] *n.* 结局；末端，终点 记 词根记忆：termin(结束) + ation → 终点 同 conclusion
hackney	[ˈhækni] *v.* 役使；出租 *n.* 乘用车；出租车；出租汽车
votive	[ˈvoʊtɪv] *a.* 奉献的；向上帝还愿的，表示谢恩的
perverse*	[pərˈvɜːrs] *a.* 执拗的，任性的，不通情理的 记 词根记忆：per(始终) + vers(转) + e → 想法转来转去 → 任性的
levee	[ˈlevi] *n.* 防洪堤，大堤 记 联想记忆：lev(提高) + ee → 暴风雨来临前要加高大堤(levee) → 防洪堤，大堤
skirmish*	[ˈskɜːrmɪʃ] *n.* 小冲突；小争执 记 联想记忆：skir(看作 skirt, 裙子) + mish(看作 famish, 饥饿) → 女人会为了裙子而争吵，为了穿漂亮的裙子宁可饿肚子 → 小冲突
profiteer	[ˌprɑːfəˈtɪr] *n.* 奸商，乘机获暴利者 记 联想记忆：profit(利润) + eer(人) → 只追求利益之人 → 奸商

mellifluous *	[meˈlɪfluəs] *a.* 嗓音如蜜般的；甜美的；流畅的
	记 词根记忆：melli(蜜) + flu(流) + ous → 流蜜的 → 如蜜般的
reciprocate *	[rɪˈsɪprəkeɪt] *v.* 互给；回报；报答
	记 来自 reciprocal(*a.* 相互的)
mendicant *	[ˈmendɪkənt] *n.* 乞丐 *a.* 行乞的
	记 词根记忆：mendic(乞求) + ant → 乞求的人 → 乞丐
squander *	[ˈskwɑːndər] *v.* 浪费，挥霍
	记 联想记忆：squand(看作 squad，军队) + er → 军队杜绝浪费 → 浪费
	同 dissipate
superintend	[ˌsuːpərɪnˈtend] *v.* 主管，指挥，监督
	记 联想记忆：super(在…上面) + intend(意图做) → 高级别管理人员按照自己的意图管理、监督下属 → 监督
linchpin *	[ˈlɪntʃpɪn] *n.* 关键(人或事物)
inundate *	[ˈɪnʌndeɪt] *v.* 淹没
	记 词根记忆：in(进入) + und(波浪) + ate(使) → 使进入波浪 → 淹没
	同 overflow
agitation	[ˌædʒɪˈteɪʃn] *n.* 煽动；搅动；不安
	记 来自 agitate(*v.* 搅动；煽动；使不安)
posse	[ˈpɑːsi] *n.* 武装队
	记 联想记忆：武装队(posse)摆造型(pose)
rampage	[ˈræmpeɪdʒ] *v.* 横冲直撞；暴跳 *n.* 狂暴行为
	记 来自 ramp(*v.* 狂跳乱蹦)
purloin	[pɜːrˈlɔɪn] *v.* 偷窃，盗取
	记 联想记忆：兔子不吃窝边草，小偷不偷(purloin)自家邻(purlieu)
reconnoiter	[ˌrekəˈnɔɪtər] *v.* 侦察；勘查
	记 词根记忆：re + connoiter(观察，源自法语) → 侦察
dispensation	[ˌdɪspenˈseɪʃn] *n.* 分配；豁免
	记 来自 dispense(*v.* 分配，分发)
brigand	[ˈbrɪgənd] *n.* 土匪，强盗
	记 联想记忆：bri(看作 bright，明亮的) + gand(看作 gang，一帮) → 一帮人光天化日之下抢劫 → 土匪，强盗
rehabilitate *	[ˌriːəˈbɪlɪteɪt] *v.* (使)恢复名誉；(使)复原
	记 联想记忆：re + h + abilit (看作 ability，能力) + ate → 重新恢复能力 → 使复原
requital	[rɪˈkwaɪtl] *n.* 报酬；报复

reconnoiter

俺的钱包！

purloin

rampage

rowdy	['raʊdi] *n.* 无赖，凶暴的人 *a.* 吵闹的，惹事生非的 记 联想记忆：row(吵闹) + dy(看作 dry) → 无赖之人吵得口干舌燥 → 无赖
assignee	[ˌæsaɪ'niː] *n.* 受让人；受托人 记 来自 assign(*v.* 分配；指派)
obtrusive	[əb'truːsɪv] *a.* 突出的；强迫的；引人注意的 记 联想记忆：obtru(de)(挤出) + sive → 从门缝里挤出来 → 引人注意的
pervert	[pər'vɜːrt] *vt.* 使堕落；诱惑；使反常 记 词根记忆：per(全部) + vert(转) → 全部转到(邪路上) → 使堕落
aye	[aɪ] *n.* 赞成票；投赞成票者 记 联想记忆：a + ye(看作 yes，是) → 一张同意的票 → 赞成票
shrivel	['ʃrɪvl] *v.* 干枯；(使)皱缩 记 联想记忆：衣服缩水(shrink)皱缩(shrivel)了
rife*	[raɪf] *a.* (不好的事物)普遍的，盛行的 记 联想记忆：和 life(*n.* 生命；生活)一起记
fraudulent*	['frɔːdʒələnt] *a.* 欺诈的，欺骗性的 记 来自 fraud(*n.* 欺骗)
filch*	[fɪltʃ] *v.* 偷窃(不贵重的东西)，窃取 记 联想记忆：fil(看作 file，文件) + ch → 窃取文件 → 偷窃 同 steal, pilfer, purloin
furtive*	['fɜːrtɪv] *a.* 偷偷摸摸的，鬼鬼祟祟的 记 联想记忆：fur (毛皮) + tive → 偷猎者为获得毛皮在保护区鬼鬼祟祟的 → 鬼鬼祟祟的
supplicate*	['sʌplɪkeɪt] *v.* 恳求，哀求，恳请 记 词根记忆：sup(下面) + plic(重叠) + ate → 双膝跪下 → 哀求
prerogative*	[prɪ'rɑːɡətɪv] *n.* 特权 记 词根记忆：pre(预先) + rog(要求) + ative → 事先要求的权力 → 特权
blockade	[blɑː'keɪd] *n.* 阻塞；包围，封锁；障碍物 *v.* 封锁 记 来自 block(*v.* 阻碍) 同 obstruction
precedence	['presɪdəns] *n.* 优先，居先 记 来自 precedent(*a.* 先前的)
inure	[ɪ'njʊr] *vt.* 使习惯于；使坚强，使加固 记 联想记忆：in(不) + ure(看作 cure，治愈) → 疾病久治不愈，已经习以为常 → 使习惯于
bedlam	['bedləm] *n.* 混乱；吵闹的地方 记 联想记忆：bed(床) + lam(音似："乱") → 衣服袜子扔一床 → 混乱
beau	[boʊ] *n.* 好打扮者；花花公子；男朋友

亲爱的，我在陪客户~

fraudulent

furtive   filch

| **opportune** * | [ˌɑːpərˈtuːn] *a.* (指时间)凑巧的，恰好的；(指行动或事件)及时的，适宜的 |
| | 记 联想记忆：op(进入) + port(港口) + une → 刚进入港口就遇上暴风雨 → 凑巧的，恰好的 |

superlative	[suːˈpɜːrlətɪv] *a.* 最高的；最优秀的
	记 词根记忆：super(在…上面) + lat(放) + ive → 放在最上面 → 最高的
	同 excellent

| **infest** | [ɪnˈfest] *v.* 扰乱，骚扰；大批出没于 |
| | 记 词根记忆：in(使) + fest(抓住) → 无法抓住的 → 大批出没于 |

opprobrium	[əˈproubriəm] *n.* 耻辱；责骂
	记 词根记忆：op(否定) + pro(向前) + br(=fer，搬运) + ium → 不往前搬运，往后倒退，受到责骂 → 责骂
	同 contempt, reproach

| **encumber** * | [ɪnˈkʌmbər] *v.* 阻碍 |
| | 记 拆分记忆：en(使) + cumber(阻碍) → 阻碍 |

| **sinecure** * | [ˈsɪnɪkjʊr] *n.* 工作清闲而报酬丰厚的职位，挂名职务，闲职 |
| | 记 联想记忆：secure(无虑的)中间加个 in → 处于无忧无虑的状态 → 闲职 |

immoderate	[ɪˈmɑːdərət] *a.* 无节制的，不适度的
	记 拆分记忆：im(不) + moderate(适度的) → 不适度的
	同 excessive, extravagant, exorbitant, extreme

| **plebeian** | [pləˈbiːən] *n.* 平民，庶民 *a.* 平民的；卑贱的 |
| | 记 词根记忆：plebe(平民，源自古罗马语) + ian → 平民的 |

| **expiate** * | [ˈekspieɪt] *v.* 赎罪；补偿 |
| | 记 联想记忆：ex(出) + pi(=pious，虔诚) + ate → 虔诚地拿出 → 补偿 |

fortuitous *	[fɔːrˈtuːɪtəs] *a.* 偶然的，意外的
	记 联想记忆：fortu(看作 fortune，运气) + it + ous(…的) → 靠运气的 → 偶然的
	同 sudden, casual

aggrieve	[əˈɡriːv] *v.* 使委屈；使苦恼；侵害
	记 词根记忆：ag + griev(看作 grav，重) + e → 重负让人很苦恼 → 使苦恼
	同 distress

| **attache** | [ˌætəˈʃeɪ] *n.* 随员；大使馆馆员 |

| **xenophobe** | [ˈzenəˌfoub] *n.* 畏惧或憎恨外国人或事物的人 |
| | 记 词根记忆：xeno(外国人) + phobe(恨) → 憎恨外国人的人 |

| **bestrew** | [bɪˈstruː] *v.* 散布，布满 |

unscrupulous	[ʌnˈskruːpjələs] *a.* 肆无忌惮的；无道德的
	记 词根记忆：un(不) + scrupulous(小心的) → 肆无忌惮的
	同 unprincipled

社会
现象

annex *	[əˈneks] n. 附件；附加物 v. 并吞；附加
	记 联想记忆：an + nex(看作 next, 与…邻接的) → 将邻国并吞→ 并吞
	同 appendix
peremptory *	[pəˈremptəri] a. 断然的；专横的；强制的
	记 词根记忆：per(全部) + empt(拿) + ory → 全部拿走 → 专横的
assessor	[əˈsesər] n. (财产的)估价员, (收入金额的)审核员；估税员
	记 来自 assess(v. 估价；评定)
brokerage	[ˈbroʊkərɪdʒ] n. 经纪业务；经纪人佣金或回扣
	记 联想记忆：broker(经纪人) + age(费用) → 经纪人做事挣钱 → 经纪业务；经纪人佣金
usury	[ˈjuːʒəri] n. 高利贷；高利
	记 联想记忆：us(我们) + ury(看作 wry, 歪的) → 向我们放高利贷的人心长歪了 → 高利贷
mundane *	[mʌnˈdeɪn] a. 世界的, 世俗的；平凡的
	记 联想记忆：mun(看作 mud, 泥；尘) + dane(看作 dance) → 在泥中跳舞 → 世俗的；来自拉丁语 mundus(世界)
	同 commonplace
federate	[ˈfedəreɪt] v. (使)联合, (使)结成同盟
	记 来自 federal(a. 联邦的；联合的)
prepossessing	[ˌpriːpəˈzesɪŋ] a. 讨人喜欢的；给人好感的
	记 联想记忆：prepossess(使先拥有) + ing → 最先拥有，格外引人注意 → 讨人喜欢的
	同 attractive
extenuate *	[ɪkˈstenjueɪt] v. (用借口)减轻
	记 联想记忆：exten (看作 extend, 延伸) + uate → 向外扩张减轻国内压力 → 减轻
satiate *	[ˈseɪʃieɪt] vt. 使充分满足；享用过度；使厌腻
	记 拆分记忆：sat(e)(使厌腻) + iate(使) → 使厌腻
salvageable	[ˈsælvɪdʒəbl] a. 可抢救的；可打捞的；可挽救的
	记 来自 salvage(v. 抢救)
scathe	[skeɪð] vt. 损伤, 损害, 伤害
wreak	[riːk] v. 发泄；报仇
	记 联想记忆：身体虚弱(weak), 无力发泄(wreak)怒火
indecipherable	[ˌɪndɪˈsaɪfrəbl] a. 破译不出的；难领悟的；难辨认的
	记 拆分记忆：in(不) + decipher(破译) + able(可…的) → 破译不出的
pandemic *	[pænˈdemɪk] a. (疾病)全国流行的
	记 词根记忆：pan(全部) + dem(人民) + ic → 疾病流行，全国人民都害怕 → (疾病)全国流行的

loophole	[ˈluːphoʊl] *n.* 枪眼；观察孔；漏洞，空子
	记 组合词：loop(圈，环) + hole(洞) → 枪眼
ostensible*	[ɑːˈstensəbl] *a.* 可公开的；(指理由等)表面的，虚假的
	记 词根记忆：os(越过) + tens (伸展) + ible(可…的) → 伸展开，显现出来 → 表面的
	同 apparent, seeming
inebriate	[ɪˈniːbrieɪt] *vt.* 灌醉；使陶醉，使兴奋
	记 词根记忆：in(使) + ebri(醉) + ate → 使醉 → 灌醉
	同 intoxicate
turmoil*	[ˈtɜːrmɔɪl] *n.* 骚动；混乱
	记 联想记忆：tur(=turbulent，混乱的) + moil(混乱) → 混乱
rudimentary*	[ˌruːdɪˈmentri] *a.* 基础的；未发展的
	记 词根记忆：rudi(无知的；粗鲁的) + ment(心智) + ary → 心智还处于无知的状态 → 未发展的
	同 fundamental
preponderant	[prɪˈpɑːndərənt] *a.* 占有优势的；主导的
	记 来自preponderate(*v.* 占优势；压倒)
wean*	[wiːn] *vt.* 使断奶；使丢弃，使断念
	记 联想记忆：那孩子会自己穿衣(wear)，早该断奶(wean)了
scapegoat*	[ˈskeɪpɡoʊt] *n.* 替罪羊
	记 联想记忆：scape(看作 escape，逃跑) + goat(羊) → 狼逃跑了找羊替罪 → 替罪羊
chaotic*	[keɪˈɑːtɪk] *a.* 混乱的，杂乱的，无秩序的
	记 联想记忆：chao(看作 chaos，混乱) + tic → 混乱的
discrepancy*	[dɪsˈkrepənsi] *n.* 差异，不一致
	记 词根记忆：dis(分开) + crep(出声) + ancy → 分别出声 → 不一致
mutinous*	[ˈmjuːtənəs] *a.* 不驯服的，桀骜不驯的；叛乱的，暴动的
	记 联想记忆：mutin(e)(反叛) + ous → 叛乱的
demagogue*	[ˈdeməɡɑːɡ] *n.* 蛊惑民心的政客
	记 来自demagogy(*n.* 煽动，鼓惑民心)；词根记忆：dem + agog(领导) + ue → 领导民众叛乱 → 蛊惑民心的政客
renovation	[ˌrenəˈveɪʃn] *n.* 修复，整修；革新；恢复活力
	记 来自renovate(*v.* 整修，更新；恢复)
insolvent*	[ɪnˈsɑːlvənt] *a.* 破产的；无力偿付债务的
	记 拆分记忆：in(不) + solvent(有偿付能力的) → 没有偿付能力的 → 破产的；无力偿付债务的
speculative	[ˈspekjələtɪv] *a.* 推测的；揣摩的；投机的
	记 词根记忆：spec(看) + ul + ative(…的) → 凭借看到的进行推测 → 推测的

社会
现象

contributory	[kən'trɪbjətɔːri] *a.* 贡献的；捐助的；促进的，起作用的
	记 来自 contribute(*v.* 贡献)
derail	[dɪ'reɪl] *vt.* 使(火车等)出轨，使脱轨
	记 联想记忆：de(离开) + rail(铁轨) → 使出轨
curtsy	['kɜːtsi] *n.* (女子的)屈膝礼 *v.* 行屈膝礼
	记 联想记忆：curt(简略的) + sy → 一种简略的礼节 → 屈膝礼
innovation*	[ˌɪnə'veɪʃn] *n.* 新方法，新事物，新思想；革新，创新，改革
	记 来自 innovate(*v.* 革新，创新)
	派 innovative(*a.* 革新的，创新的)
	同 novelty, reformation
etiquette	['etɪket] *n.* (社会或行业中的)礼节，礼仪，规矩
	记 联想记忆：e + tiquette(=ticket 票) → 凭票出入 → 规矩
toady*	['toʊdi] *n.* 谄媚者，马屁精 *v.* 谄媚，拍马屁
	记 联想记忆：toad(癞蛤蟆) + y → 像蛤蟆一样趴在地上的人 → 马屁精
ethos*	['iːθɑːs] *n.* (个人、团体或民族)道德思想，道德观，信仰
	记 词根记忆：eth(性格特性) + os → 道德观
adulation*	[ˌædʒə'leɪʃn] *n.* 称赞，吹捧，奉承
	记 来自 adulate(*v.* 奉承)
uncanny*	[ʌn'kæni] *a.* 异乎寻常的；难以解释的
	记 联想记忆：un(不) + can(能) + ny → 行为不能理解的 → 异乎寻常的
podium*	['poʊdiəm] *n.* 讲台；讲坛；(乐队的)指挥台
	记 词根记忆：pod(脚) + ium → 站脚的地方 → 讲台；讲坛
gentility*	[dʒen'tɪləti] *n.* 文雅，有教养；出身高贵
	记 词根记忆：gen(出生) + til + ity → 出生在富贵人家 → 出身高贵
posterity*	[pɑː'sterəti] *n.* 后代；后世；子孙；后裔
	记 词根记忆：poster(后来的) + ity → 后来的人 → 后代，子孙
pliant*	['plaɪənt] *a.* (人的身体)柔软的，易弯的；柔顺的；容易摆布的
	记 词根记忆：pli(弯曲) + ant → 易弯的
escapade*	[ˌeskə'peɪd] *n.* (危险而愚蠢的)冒险行为；恶作剧
	记 联想记忆：escap(看作 escape, 逃跑) + ade → 做了恶作剧后逃跑 → 恶作剧
dissonance*	['dɪsənəns] *n.* 不和谐，不一致；不和谐音
	记 词根记忆：dis(不) + son(声音) + ance → 声音不一致 → 不和谐音
pilfer	['pɪlfər] *v.* 小偷小摸；(尤指员工)偷窃
	记 联想记忆：pilf(看作 pelf, 钱财) + er → 拿人钱财 → 偷窃
animus*	['ænɪməs] *n.* 愤怒；敌意，憎恨
	记 词根记忆：anim(生命) + us(我们) → 我们大家的生命中应该少一些愤怒和仇恨 → 愤怒；憎恨

anoint *	[əˈnɔɪnt] v. 涂油或膏于某人；(尤指作为一种宗教仪式)为某人施涂油礼
	记 联想记忆：过生日涂(anoint)蛋糕太过分把人惹怒(annoyed)了
bicameral *	[ˌbaɪˈkæmərəl] a. 两院制的(如美国的参议院和众议院)
	记 联想记忆：bi(两，双) + cameral(立法或司法机构的) → 两院制的
deadlock *	[ˈdedlɑːk] n. 僵持，僵局
	记 组合词：dead(死的) + lock(锁) → 沟通的门被锁死了 → 僵持，僵局
debauch *	[dɪˈbɔːtʃ] vt. 使堕落，使颓废 n. 放荡
	派 debauched(a. 道德败坏的；放荡的)
decadence *	[ˈdekədəns] n. 堕落，颓废；贪图享乐
	记 来自decadent(a. 颓废的)；词根记忆：de(向下) + cad(落) + ence → 堕落
connivance *	[kəˈnaɪvəns] n. 默许，纵容；共谋
	记 来自connive(v. 默许，纵容)
depravity *	[dɪˈprævəti] n. 堕落，腐化；恶习
	记 来自deprave(v. 堕落)
disjointed *	[dɪsˈdʒɔɪntɪd] a. 不连贯的；支离破碎的；杂乱无章的
	记 联想记忆：dis(不) + joint(连接) + ed → 不连贯的
enormity *	[ɪˈnɔːrməti] n. 罪大恶极；(问题等的)严重性
	记 词根记忆：e(出) + norm(规范) + ity(表名词) → 超出正常规范的行为 → 罪大恶极
remunerative *	[rɪˈmjuːnərətɪv] a. 报酬高的；有利润的
proclivity *	[prəˈklɪvəti] n. (常指对坏事的)倾向，癖好
	记 词根记忆：pro(向前) + cliv(弯曲) + ity → 向前弯曲 → 倾向
precept *	[ˈpriːsept] n. 箴言，格言；(思想、行为等的)准则，规范
	记 词根记忆：pre(前) + cept(拿) → 拿在前面，指导思想和行为 → 准则，规范
magnate *	[ˈmæɡneɪt] n. 权贵；要人；富人；(尤指)产业大亨
	记 词根记忆：magn(大) + ate → 财富和权力都很大的 → 权贵
kindred *	[ˈkɪndrəd] n. (统称)家人，亲属；亲属关系，血缘关系 a. 种族的；有血缘关系的
	记 联想记忆：kind(种类) + red(红色) → 祖国江山一片红，中华儿女是一家 → 家人，亲属
polygamist	[pəˈlɪɡəmɪst] n. 一夫多妻论者
	记 来自polygamy(n. 一夫多妻制)
factional	[ˈfækʃnəl] a. 派系的，派别的
parish	[ˈpærɪʃ] n. 教区；教区居民，(尤指)教徒

magnate

pandemonium	[ˌpændə'moʊniəm] *n.* 喧嚣，大混乱 同 chaos
hedonist	['hiːdənɪst] *v./n.* 享乐主义者 记 联想记忆：he + don（看作 done）+ ist → 他做自己想做的一切 → 享乐主义者
beseem	[bɪ'siːm] *v.* 适合于，对…适合 同 befit
penitentiary	[ˌpenɪ'tenʃəri] *n.* 监狱；教养所，感化院 同 prison
utopia	[juː'toʊpiə] *n.* 乌托邦，理想国
jingoist	['dʒɪŋgoʊɪst] *n.* 沙文主义者，侵略主义者
dismember	[dɪs'membər] *v.* 肢解；分割，瓜分
propensity	[prə'pensəti] *n.* 倾向，习性
bayonet	['beɪənət] *n.* 枪刺；刺刀
sainthood	['seɪnthʊd] *n.* 圣徒的地位；圣徒
personage	['pɜːrsənɪdʒ] *n.* 名人，要人；(戏剧、小说等的)角色 记 联想记忆：person(人) + age → 名人，要人
heresy	['herəsi] *n.* 异端邪说；异教 记 联想记忆：here(这里) + sy → 这里不允许异端邪说的存在 → 异端邪说
pariah	[pə'raɪə] *n.* 贱民，被社会遗弃者
deform	[dɪ'fɔːrm] *v.* 毁坏形状或外观；(使)变形
opportunist	[ˌɑːpər'tuːnɪst] *n.* 机会主义者，投机取巧者
philanderer	[fɪ'lændərər] *n.* 挑逗女子或与女子调情的男子 记 来自 philander(*v.* 与女人调情；玩弄女性)
docudrama	['dɑːkjudrɑːmə] *n.* 文献纪录片 记 联想记忆：docu(看作 document，文献) + drama(戏剧) → 文献纪录片
smite	[smaɪt] *v.* 猛打，重击；惩罚；使深感不安；(疾病等)侵袭
periphery	[pə'rɪfəri] *n.* 不重要的部分；外围，边缘 记 词根记忆：peri(周围) + pher(带) + y → 带到周围 → 外围
milieu	[miː'ljɜː] *n.* 周围环境；社会环境；背景 同 environment, background
necromancy	['nekroʊmænsi] *n.* 通灵术，巫术
dissident	['dɪsɪdənt] *n.* 唱反调者；持不同政见的人 记 词根记忆：dis(分开) + sid(坐) + ent → 分开坐的人 → 唱反调者
apprenticeship	[ə'prentɪʃɪp] *n.* 学徒身份，学徒资格；学徒的年限 记 来自 apprentice(*n.* 学徒，徒弟)

genealogy	[ˌdʒiːniˈælədʒi] *n.* 家谱，宗谱；家谱学，宗谱学 记 联想记忆：gene(基因) + alogy(=ology，学科) → 家谱学
fallacy	[ˈfæləsi] *n.* 谬论，谬见 同 misconception
prophecy	[ˈprɑːfəsi] *n.* 预言，预言能力
saboteur	[ˌsæbəˈtɜːr] *n.* 从事破坏活动者，蓄意破坏者
sectarian	[sekˈteriən] *a.* 宗派的；派系的；闹宗派的
apocalyptic	[əˌpɑːkəˈlɪptɪk] *a.* 有启示的；预示世界末日的 记 来自 apocalypse(*n.* 天启，启示)
partisan	[ˈpɑːrtəzn] *n.* 党徒；(党派等的)坚定支持者；游击队员 *a.* 过分支持的；盲目拥护的 记 联想记忆：parti(看作 party，党) + san(表人) → 党徒 同 follower
consortium	[kənˈsɔːrtiəm] *n.* (国际性)集团，财团；社团，协会 同 association
seamy	[ˈsiːmi] *a.* 丑恶的；卑鄙的；污秽的，肮脏的 同 sordid
sacrilegious	[ˌsækrəˈlɪdʒəs] *a.* 亵渎神圣的，该受天谴的 记 联想记忆：sacr(神圣的) + i + leg(读) + ious → 说神的坏话 → 亵渎神圣的
desolation	[ˌdesəˈleɪʃn] *n.* 废墟；荒凉，凄凉；悲哀，孤独 记 来自 desolate(*vt.* 使荒芜；使孤寂)
choreographer	[ˌkɔːriˈɑːɡrəfər] *n.* 舞蹈指导
sanctity	[ˈsæŋktəti] *n.* 神圣，圣洁；尊严；庄严 同 godliness
novitiate	[noʊˈvɪʃiət] *n.* 见习期；【宗】修道士(或修女)的见习期
theocracy	[θiˈɑːkrəsi] *n.* 神权政治；神权国家 记 词根记忆：theo(神) + cracy(统治) → 神权政治
persona	[pərˈsoʊnə] *n.* 人格面貌，表象人格
societal	[səˈsaɪətl] *a.* 社会的 记 来自 society(*n.* 社会)
archangel	[ˈɑːrkeɪndʒl] *n.* 天使长，大天使 记 拆分记忆：arch(主要的) + angel(天使) → 天使长
materialism	[məˈtɪriəlɪzəm] *n.* 物质主义，实利主义；唯物主义
sect	[sekt] *n.* (宗教等)宗派，教派，派系，流派
bifurcation	[ˌbaɪfərˈkeɪʃn] *n.* 分叉，分枝；分歧 记 来自 bifurcate [*v.* (使)分叉，(使)分枝]

anarchist	[ˈænərkɪst] *n.* 无政府主义者
byzantine	[ˈbɪzəntiːn] *a.* 拜占庭帝国的；拜占庭式的
ascendancy	[əˈsendənsi] *n.* 支配地位；权势；优势 同 domination
attire	[əˈtaɪər] *n.* 服装，衣着
monastic	[məˈnæstɪk] *n.* 僧侣；修道士 *a.* 僧侣的；寺院的；宁静简朴的；遁世的；禁欲的
shackle*	[ˈʃækl] *n.* 桎梏；镣铐；束缚（物）*vt.* 给…带上镣铐；束缚，羁绊
outmoded*	[ˌaʊtˈmoʊdɪd] *a.* 过时了的，不再流行的
touchstone*	[ˈtʌtʃstoʊn] *n.* 试金石；检验标准

备考锦囊

语法知识（十六）虚拟语气（2）

（四）一些主语从句需要使用虚拟语气

1. 在 It is（was）+ 形容词（或过去分词）+ that...结构中，使用表请求、愿望、命令、可能、适当、紧急、重要等的形容词时，后面的主语从句中谓语要用虚拟语气，形式为 should + 动词原形，should 可以省去，这类形容词和过去分词有 advisable（合理的），appropriate（适当的），better（更好的），crucial（紧急的），desirable（极好的），essential（本质的），important（重要的），incredible（惊人的），natural（自然的），necessary（必须的），possible（可能的），preferable（更可取的），probable（很可能的），strange（奇怪的），urgent（急迫的），required（需要的），demanded（要求的），requested（被请求的），desired（要求），suggested（建议），recommended（推荐），orderd（命令）。列举部分例句：

   It is natural that the boy should pick up the ball. 男孩捡起球很自然。

   It is required that nobody（should）smoke here. 任何人不准在此抽烟。

2. 在 It is + 名词 + that...结构中如表示建议、请求、命令、怀疑、道歉等时，需使用虚拟语气。这种情况下常用的名词有 advice（建议），decision（决定），demand（命令），desire（期望），order（命令），pity（遗憾），proposal（建议），recommendation（推荐），requirement（需求），resolution（决心），shame（羞愧），suggestion（建议），surprise（惊奇），wish（愿望），wonder（惊奇）等。

音频

solder	[ˈsɑːdər] *n.* 焊料 *v.* 焊接
	记 联想记忆：士兵(soldier)帮助焊接(solder)大桥
yummy	[ˈjʌmi] *a.* 美味的；赏心悦目的
prankster	[ˈpræŋkstər] *n.* 顽皮的人，爱开玩笑的人
fraternal	[frəˈtɜːrnl] *a.* 兄弟的；兄弟般的；友爱的
	记 词根记忆：frater(兄弟) + nal → 兄弟的
arbor	[ˈɑːbər] *n.* 树阴处；(树枝等形成的)藤架，凉亭
vegetate	[ˈvedʒəteɪt] *v.* 过单调乏味的生活
alley	[ˈæli] *n.* 小路，巷，小径
aliment	[ˈælimənt] *n.* 食物；养料
needlework	[ˈniːdlwɜːrk] *n.* 刺绣，缝纫
	记 组合词：needle(针) + work(工作) → 针线活儿 → 刺绣，缝纫
zany*	[ˈzeɪni] *n.* 小丑，丑角
velvety	[ˈvelvəti] *a.* 像天鹅绒的，柔软的
ungainly*	[ʌnˈɡeɪnli] *a.* 难看的；不雅的；笨拙的
	记 拆分记忆：un(不) + gainly(优雅的) → 不雅的；难看的
gluttonous*	[ˈɡlʌtənəs] *a.* 暴食的，饕餮的，贪吃的
guzzle	[ˈɡʌzl] *v.* 狂饮；暴食
	记 联想记忆：真不明白(puzzle)他们狂饮(guzzle)是为了什么
parsimonious	[ˌpɑːrsəˈmoʊniəs] *a.* 吝啬的；过于节省的
	同 stingy, niggardly, penurious, miserly
bide	[baɪd] *v.* 居住；等待，停留；忍受
	同 withstand
needy	[ˈniːdi] *a.* 贫困的，贫穷的
	记 联想记忆：need(需要) + y(…的) → 什么都需要的 → 贫穷的
solicitude	[səˈlɪsɪtuːd] *n.* 关怀，挂念；担心

prattle *	[ˈprætl] v. 说孩子气的话; 闲聊
	记 联想记忆: 和 rattle(v. 喋喋不休地说话)一起记
recumbent *	[rɪˈkʌmbənt] a. 靠着的, 斜躺着的; 休息的
	记 词根记忆: re + cumb(倚靠) + ent(…的) → 斜躺着的
replete *	[rɪˈpliːt] a. 充分供应的; 饱足的; 充满的
	记 词根记忆: re + plet(满) + e → 充满的
germane *	[dʒɜːrˈmeɪn] a. 有密切关系的; 恰当的
	记 联想记忆: 这次的成果与德国(Germany)有密切关系(germane)
	同 relevant, pertinent
sumptuous *	[ˈsʌmptʃuəs] a. 奢侈的, 豪华的
	记 词根记忆: sumpt(拿; 取) + uous → 把钱都拿出来享受 → 奢侈的
serviceable	[ˈsɜːrvɪsəbl] a. 耐用的; 有用的
	记 拆分记忆: service(服务) + able(能…的) → 还能服务的 → 耐用的
gusto *	[ˈɡʌstoʊ] n. 趣味, 兴味, 热情
meddler	[ˈmedlər] n. 爱管闲事的人
scour	[ˈskaʊər] v. 擦洗; 冲刷
	记 联想记忆: 看谁擦洗(scour)得干净, 要打分(score)的
	派 scourer(n. 洗锅等用的尼龙丝或金属丝; 去污剂)
palatable *	[ˈpælətəbl] a. 美味的
	记 拆分记忆: palat(e)(味觉) + able → 迎合味觉的 → 美味的
witling	[ˈwɪtlɪŋ] a. 玩弄小聪明的人
tipsy	[ˈtɪpsi] a. 喝醉的, 微醉的
garnish *	[ˈɡɑːrnɪʃ] v. 装饰
	记 联想记忆: 利用废物(rubbish)装饰(garnish)房间
	同 decorate, embellish
subsist	[səbˈsɪst] v. 生存, 维持生活; 供养
	记 词根记忆: sub(在…下) + sist(站) → 站下去, 活下去 → 维持生活
prank *	[præŋk] n. 胡闹, 开玩笑, 恶作剧
	记 联想记忆: 坦白(frank)说, 他这次有点胡闹(prank)了
plummet *	[ˈplʌmɪt] n. 铅锤 v. 垂直落下
	记 联想记忆: 李子(plum)熟了会垂直落下(plummet)
opulent	[ˈɑːpjələnt] a. 富裕的, 丰富的
	记 词根记忆: op(财富) + ul + ent(…的) → 有财富的 → 富裕的
	同 rich, wealthy, affluent
sedentary *	[ˈsednteri] a. 久坐不动的; 定居一处的
	记 词根记忆: sed(坐) + entary → 久坐不动的

intercede	[ˌɪntərˈsiːd] *v.* 调解，调停；求情
	记 词根记忆：inter(在…之间) + ced(走，去) + e → 走向中间 → 调解
itinerary*	[aɪˈtɪnəreri] *n.* 行程表；路线；旅行路线
	记 词根记忆：it(走) + iner + ary → 行走路线 → 路线
stipend*	[ˈstaɪpend] *n.* 薪金；定期生活津贴
	记 联想记忆：sti + pend(花费) → 在别人身上花费 → 薪金
regiment	[ˈredʒɪmənt] *n.* 团；一大群，大量
	记 词根记忆：regi(=reg，统治) + ment → 团长统治一个团 → 团
tripod	[ˈtraɪpɑːd] *n.* 三脚桌；三脚架
	记 词根记忆：tri(三) + pod(脚) → 三脚架
perspire	[pərˈspaɪər] *v.* 出汗，流汗
	记 词根记忆：per + spir(呼吸) + e → 皮肤的呼吸 → 出汗
	同 sweat
quibble*	[ˈkwɪbl] *n.* 谬论；双关话；俏皮话；吹毛求疵的意见
	记 联想记忆：quib(嘲讽) + ble → 吹毛求疵的意见
punctuate	[ˈpʌŋktʃueɪt] *v.* 加标点；不时打断；强调
	记 词根记忆：punct(刺) + uate → 通过锥刺股来提醒自己学习的重要
	性 → 强调
	同 accentuate, emphasize
merriment	[ˈmerimənt] *n.* 欢乐；嬉戏
	记 来自 merry(*a.* 欢乐的，愉快的)
	同 hilarity
monotone	[ˈmɑːnətoʊn] *n.* 单调 *a.* 单调的
	记 词根记忆：mono(单) + ton(声音) + e → 单一的声音 → 单调
protract*	[prəˈtrækt] *v.* 延长
	记 词根记忆：pro(向前) + tract(拉) → 向前拉 → 延长
risible	[ˈrɪzəbl] *a.* 可笑的，滑稽的
amusement	[əˈmjuːzmənt] *n.* 娱乐，消遣，娱乐活动
	记 来自 amuse (*v.* 娱乐，消遣)
vaudeville	[ˈvɔːdəvɪl] *n.* 歌舞杂耍；轻歌舞剧
malinger	[məˈlɪŋgər] *v.* 装病
	记 联想记忆：mal(坏) + (l)inger(逗留；磨蹭) → 假装身体不好而逗留 →
	装病
protrude*	[proʊˈtruːd] *v.* (使)伸出，(使)突出
	记 词根记忆：pro(向前) + trud(推) + e → 推出去 → (使)突出
album	[ˈælbəm] *n.* 集邮簿；相册
	记 发音记忆："爱我爸妈" → 相册是我们全家爱的汇集 → 相册

生活
百态

403

regress	[rɪˈgres] v. 复原；逆行；倒退
	记 词根记忆：re(向后) + gress(行走) → 向后走 → 使倒退
unkempt *	[ˌʌnˈkempt] a. (衣服、外表)不整洁的，凌乱的，(头发)蓬乱的
	记 拆分记忆：un(不) + kempt(整洁的) → 不整洁的
brotherhood	[ˈbrʌðərhʊd] n. 手足情谊，兄弟关系
pare	[per] v. 剥皮，削皮；修剪
	记 联想记忆：和 pear(n. 梨)一起记，削(pare)梨(pear)
keepsake	[ˈkiːpseɪk] n. 纪念品
regale *	[rɪˈgeɪl] vt. 使愉悦，使高兴
	记 拆分记忆：re(使) + gale(高兴) → 使高兴
redirect	[ˌriːdəˈrekt] v. 更改(信件等)姓名地址；使改变方向；使改道
	记 联想记忆：re(重新) + direct(指引) → 重新指引 → 使改变方向
penury *	[ˈpenjəri] n. 贫困，贫穷
	记 联想记忆：pen(笔) + ury → 以前靠笔生活的人一般很贫困 → 贫困
parch	[pɑːrtʃ] v. 烘烤，烤干，焦干
	记 联想记忆：用火把(torch)来烘烤(parch)
frowzy	[ˈfraʊzi] a. 不整洁的，肮脏的
	记 联想记忆：和 frown(v. 皱眉)一起记，看到不整洁的(frowzy)地方就皱眉(frown)
fanfare *	[ˈfænfer] n. 喇叭或号角嘹亮的吹奏声；吹牛
	记 联想记忆：歌迷(fan)们用号角吹奏(fanfare)告别(farewell)偶像
emergent	[iˈmɜːrdʒənt] a. 突现的；意外的；紧急的
	记 联想记忆：出现(emergent)紧急(urgency)情况
	同 urgent
frugal	[ˈfruːɡl] a. 节俭的，朴素的
	记 发音记忆："腐乳过日" → 吃腐乳过日子 → 节俭的
	同 thrifty, economical
primp *	[prɪmp] v. 细心打扮，精心装饰
	记 词根记忆：prim(最早，最好) + p → 向最好处打扮 → 细心打扮
raucous *	[ˈrɔːkəs] a. 沙哑的；刺耳的
	记 发音记忆："若咳死" → 声音沙哑的好像要咳死了 → 沙哑的
quarrelsome	[ˈkwɔːrəlsəm] a. 喜欢吵架的，好争论的
	记 拆分记忆：quarrel(争吵) + some(充满…的) → 她的生活中充满了争吵 → 喜欢吵架的
	同 contentious

fanfare

紧急冲锋

frugal   emergent

raucous

嘎

从前有只公

鸭爱吵架

quarrelsome

raconteur

raconteur *	[ˌrækɑːnˈtɜːr] n. 善谈者
	记 联想记忆：racont（看作 recount，描述）+ eur（表人）→ 善谈者
tantalize *	[ˈtæntəlaɪz] v. 挑逗，慈弄
	记 联想记忆：tan（晒黑）+ tal（看作 tall，高）+ ize → 海滩上晒成棕黑色的高挑美女很撩人 → 挑逗
drudgery *	[ˈdrʌdʒəri] n. 苦差事，苦工
	记 联想记忆：喂小孩子吃药（drug）可是个苦差事（drudgery）
gastronomy	[gæˈstrɑːnəmi] n. 美食学，烹饪法
	记 词根记忆：gastr（胃，引申为食物）+ onom（规则）+ y → 烹制各种食物的规则 → 美食法
kiosk	[ˈkiːɑːsk] n. 亭子，（出售报纸、饮料等的）售货亭
	记 联想记忆：亭子（kiosk）里浸（soak）了水
knead	[niːd] v. 揉（面等）成团，捏制
	记 联想记忆：揉面团（knead）做面包（bread）
salubrious *	[səˈluːbriəs] a. 环境宜人的，有益健康的
	记 发音记忆："是溜百岁" → 是经常遛弯儿让这位老人活到了百岁 → 有益健康的
	同 healthful, wholesome, salutary
amenity *	[əˈmenəti] n.（环境等）舒适宜人；[pl.] 生活福利设施，便利设施
	记 联想记忆：amen（阿门，祈祷结束语）+ ity → 人祈祷完一般很适意、愉快 → 舒适宜人
requisite *	[ˈrekwɪzɪt] a. 需要的，必不可少的，必备的
	记 词根记忆：re + quisit（询问）+ e → 反复询问是必要的 → 必要的
	同 necessary
reparation	[ˌrepəˈreɪʃn] n. 赔偿，弥补；修理
	记 联想记忆：repara（看作 repair，修理）+ tion（表名词）→ 修理
hustle	[ˈhʌsl] v. 催促；猛推；急速前进
plumb *	[plʌm] n. 铅锤
	记 联想记忆：管道工人（plumber）常会用到铅锤（plumb）
humdrum *	[ˈhʌmdrʌm] a. 单调的
	记 联想记忆：hum（嗡嗡声）+ drum（击鼓）→ 一直嗡嗡地击鼓太单调了 → 单调的
	同 monotonous, dull
tricycle	[ˈtraɪsɪkl] n. 三轮车
	记 联想记忆：tri（三）+ cycle（自行车）→ 三个轮子的自行车 → 三轮车
monologue	[ˈmɑːnəlɔːg] n. 独白；独角戏
	记 词根记忆：mono（单）+ log（说话）+ ue → 单独说话 → 独白
anteroom	[ˈæntɪruːm] 接待室，前厅

abed	[ə'bed] *ad.* 在床上
pluralism	['plʊrəlɪzəm] *n.* 多元化，多元性；兼职 记 拆分记忆：plural(复数的；多元的) + ism(表名词) → 多元化
pedigree	['pedɪgriː] *n.* 血统；家谱 记 联想记忆：ped(脚) + ig + ree(看作 tree, 树) → 家族树 → 家谱
subsistence *	[səb'sɪstəns] *n.* 生存；生活 同 existence
indigence	['ɪndɪdʒəns] *n.* 贫乏；穷困 记 联想记忆：in(无) + dig(挖) + ence → 挖不出东西 → 贫乏
surfeit *	['sɜːrfɪt] *vt.* 使饮食过度 *n.* 过量，过度；饮食过度 记 发音记忆："奢分的" → 奢侈过分的 → 使饮食过度
recreate	[ˌriːkri'eɪt] *v.* (使)得到休养，(使)得到娱乐 记 联想记忆：re(重复) + create(创造) → 重新产生力气 → 得到休养
gourmet *	['gʊrmeɪ] *n.* 美食家 记 发音记忆："顾而美" → 看看菜色尝尝美味 → 美食家 同 epicure, gastronome
gregarious *	[grɪ'geriəs] *a.* 社交的；群居的 记 词根记忆：greg(群) + ari + ous(…的) → 群的 → 群居的 同 social
salutary *	['sæljəteri] *a.* 有益健康的；有益的 记 词根记忆：sal(健康) + ut + ary(…的) → 健康的 → 有益健康的
gratuitous *	[grə'tuːɪtəs] *a.* 免费的；无偿的 记 词根记忆：grat(感谢) + uit + ous(…的) → 无偿获助，非常感谢 → 无偿的
vista	['vɪstə] *n.* 景色，景观 记 词根记忆：vis(看) + ta → 景色
repertory	['repərtɔːri] *n.* 保留剧目汇演 记 联想记忆：及时汇报(report)保留剧目汇演(repertory)的情况 同 repertoire *
furlough *	['fɜːrloʊ] *n.* (军人等的)休假
prim *	[prɪm] *a.* 整齐的，端庄的；一本正经的，呆板的
racy *	['reɪsi] *a.* 有活力的；有原来风味的，天然的；地道的 记 联想记忆：赛跑(race)运动员个个充满活力(racy)
salient *	['seɪliənt] *a.* 显著的，卓越的；凸出的，突起的 记 词根记忆：sal(跳) + ient → 跳起来 → 突起的

predicament *	[prɪˈdɪkəmənt] *n.* 困境
	记 联想记忆：预测(predict)困境(predicament)对今后有好处
obviate *	[ˈɑːbvieɪt] *v.* 消除；排除；预防，避免
	记 词根记忆：ob(反的) + vi(路) + ate → 将路上所有反向的东西都清除 → 消除
farce *	[fɑːrs] *n.* 滑稽戏(剧本)；闹剧(剧本)；荒唐的事情
	记 联想记忆：far(远) + ce → 与现实相差太远 → 滑稽戏；闹剧
luxurious	[lʌgˈʒʊriəs] *a.* 奢侈的，极舒适的；豪华的；骄奢淫逸的
	记 词根记忆：lux(灯光) + ur + ious → 无数灯光闪耀 → 豪华的
abstinence *	[ˈæbstɪnəns] *n.* (因宗教、道德或健康原因对酒、色、饮食等的)节制；禁欲
	记 词根记忆：abs(不) + tin(拿住) + ence → 再也不拿烟酒 → 节制
repast *	[rɪˈpæst] *n.* 膳食，餐，宴
	记 联想记忆：re(又) + past(看作 pasta，意大利面) → 又要吃意大利面了 → 膳食
decorum *	[dɪˈkɔːrəm] *n.* 礼貌得体；端庄稳重
	记 词根记忆：decor(装饰) + um → 装饰房间，礼貌待人 → 礼貌得体
crypt *	[krɪpt] *n.* 地下室，土窖；【解】腺窝，小囊
cubicle *	[ˈkjuːbɪkl] *n.* (大房间中隔出的)小室，隔间
	记 联想记忆：cub(e)(立方体) + icle → 小室像一个小的立方体 → 小室
cumbersome *	[ˈkʌmbərsəm] *a.* 大而笨重的；累赘的；麻烦的
potable *	[ˈpoʊtəbl] *a.* 适于饮用的
	记 联想记忆：pot(罐) + able → 罐子里的水是可以喝的 → 适于饮用的
grate *	[greɪt] *v.* 发出吱嘎的摩擦声；磨碎，摩擦；使人烦躁，使人难受
	记 联想记忆：g + rat(耗子) + e → 耗子发出吱嘎声 → 使人烦躁
visionary *	[ˈvɪʒəneri] *a.* 空想的，幻想的；有远见卓识的 *n.* 空想家；有远见的人
	记 联想记忆：vision(想象力) + ary → 空想的，幻想的
missive *	[ˈmɪsɪv] *n.* 信件；公函
	记 词根记忆：miss(发送) + ive → 发送信件 → 信件
nuptial *	[ˈnʌpʃl] *a.* 婚姻的，婚礼的
pasta	[ˈpɑːstə] *n.* 意大利面食
	记 发音记忆："怕死它" → 吃够了意大利面食，一听就害怕 → 意大利面食
fiasco *	[fiˈæskoʊ] *n.* 惨败，彻底的失败；可耻的失败
	记 联想记忆：敦煌的壁画(fresco)被外国人掠夺，对我们来说是一个可耻的失败(fiasco)
recrimination *	[rɪˌkrɪmɪˈneɪʃn] *n.* 反诉，反控
	记 来自 recriminate(*v.* 反诉，反控)

tiller *	[ˈtɪlər] *n.* 耕作者，农夫 记 来自 till (*v.* 耕种)
derision	[dɪˈrɪʒn] *n.* 嘲笑，嘲弄 记 词根记忆：de + ris (笑) + ion → 嘲笑，嘲弄
sluggard *	[ˈslʌɡərd] *n.* 懒鬼 记 联想记忆：slugg (=slug 蛞蝓，一种行动缓慢的 虫) + ard (人) → 懒鬼
saucy	[ˈsɔːsi] *a.* 无礼的；调皮的；俏丽的
lambaste	[læmˈbeɪst] *vt.* 痛打；痛骂 记 组合词：lam (鞭打) + baste (狠揍) → 用鞭子狠揍 → 痛打
mottle	[ˈmɑːtl] *vt.* 使成杂色；使显得斑驳陆离 *n.* 杂色；斑驳
lethargic *	[ləˈθɑːrdʒɪk] *a.* 瞌睡的，爱睡的；昏睡的；萎靡不振的
aplomb *	[əˈplɑːm] *n.* 自信；沉着，镇静；泰然自若 记 联想记忆：apl (看作 apple) + omb (看作 tomb) → 看到坟墓中居然有一 个完好无损的苹果，他依然保持镇静 → 沉着，镇静
arrears *	[əˈrɪrz] *n.* 欠款；未做完的工作 记 联想记忆：ar (加强) + rear (后面的) + s → 拖在后面的事情 → 未做完 的工作
bogus *	[ˈboʊɡəs] *a.* 伪造的，假的 记 联想记忆：bog (看作 big, 大的) + us (我们) → 用一些夸大的、假的东 西来骗我们 → 伪造的，假的
bombastic *	[bɑːmˈbæstɪk] *a.* 浮夸的，夸夸其谈的 记 来自 bombast (*n.* 夸大的言辞)
charisma *	[kəˈrɪzmə] *n.* (超凡的)领袖气质；个人魅力 记 联想记忆：cha (看作 China, 中国) + ris (看作 rise, 升起) + ma (看作 mao, 引申为毛泽东) → 中国有了毛泽东 → (超凡的)领袖气质
coterie *	[ˈkoʊtəri] *n.* (有共同兴趣的)小团体 记 联想记忆：cote (小屋) + rie → 一个小屋的人 → 小团体
dolt *	[doʊlt] *n.* 傻瓜，呆子，笨蛋 记 联想记忆：傻瓜 (dolt) 像玩偶 (doll) 一样无头脑
dowdy *	[ˈdaʊdi] *a.* 衣衫褴褛的，不整洁的；(女人)缺乏魅 力的，不时髦的；(物体)不雅致的，不美观的 记 发音记忆："到底" → 从上到下脏透了 → 不整洁的
droll *	[droʊl] *a.* 滑稽古怪的，离奇好笑的 记 发音记忆："倔老儿" → 倔老头又古怪又好笑 → 滑稽古怪的
martinet *	[ˌmɑːrtnˈet] *n.* 要求他人严格执行纪律的人 记 联想记忆：marti (看作 martial, 军事的) + net → 军事化要求 → 要求严格 纪律的人

scorch	[skɔːrtʃ] v. 烤(烘，烫，烧)焦 n. 焦，焦痕(尤指布上的)
tinged	[tɪndʒd] a. 淡色的，轻微的色泽
	记 来自 tinge(v. 轻微着色)
alum	[ˈæləm] n. 明矾，白矾
retribution *	[ˌretrɪˈbjuːʃn] n. 应得的惩罚，报应
	记 词根记忆：re + tribut(给予) + ion → 反过来给予 → 报应
	同 punishment
lobe	[loʊb] n. 耳垂；(脑、肺、肝等的)叶；【植】裂片
sojourn *	[ˈsoʊdʒɜːrn] n./v. 逗留；暂住；旅居
	记 联想记忆：so + journ(=journey，旅行) → 旅行到此 → 逗留
emphatic	[ɪmˈfætɪk] a. 坚决的，决然的；重视的，强调的；明显的，显著的
resurge *	[rɪˈsɜːrdʒ] vi. 复活；苏醒
unseemly *	[ʌnˈsiːmli] a. (行为等)不适当的，不适宜的，不得体的
stilted *	[ˈstɪltɪd] a. (谈话、写作等)不自然的，夸张的
trappings *	[ˈtræpɪŋz] n. (与背景、职业或社会地位有关的)外部标志，外表装饰
phantom	[ˈfæntəm] n. 鬼怪，幽灵；幻觉，幻象
	记 词根记忆：phan(显现) + tom → 幽灵显现 → 幽灵
	派 phantomlike(a. 幽灵似的，鬼魂似的)
	同 ghost
largess *	[lɑːrˈdʒes] n. 赠送，慷慨的赠与；赠礼
	记 联想记忆：large(大的) + ss → 大方 → 慷慨的赠与
sophistry *	[ˈsɑːfɪstri] n. 诡辩，诡辩术
sanctuary *	[ˈsæŋktʃueri] n. 圣殿，圣坛；庇护所，避难所；禁猎区，动物保护区
tycoon *	[taɪˈkuːn] n. (企业界的)巨头，大亨
	记 发音记忆："太酷" → 有钱的大亨经常装酷 → 大亨
	同 magnate
unerring	[ʌnˈɜːrɪŋ] a. 不犯错误的，万无一失的，一贯准确的
	记 拆分记忆：un(不) + err(犯错误) + ing(…的) → 不犯错误的
jeer	[dʒɪr] n./v. 嘲笑，嘲弄，讥讽，奚落
responsiveness *	[rɪˈspɑːnsɪvnəs] n. 应答，响应
décolleté *	[ˌdeɪkɑːlˈteɪ] a. (女服)露肩的；(女人)穿露肩衣服的
embroider *	[ɪmˈbrɔɪdər] v. (在布上)刺绣；(给故事等)添枝加叶
carp	[kɑːrp] n. 鲤鱼 vi. 找茬儿，挑小毛病
culinary *	[ˈkʌlɪneri] a. 厨房的；烹调的
	记 发音记忆："家里努力" → 在厨房里努力 → 厨房的

blacksmith	[ˈblæksmɪθ] *n.* 铁匠；锻工
cornucopia*	[ˌkɔːrnjuˈkoʊpiə] *n.* 象征丰收的羊角(羊角装饰器内装满花、果、谷物等以示富饶)；丰饶，丰富 记 词根记忆：corn(角) + u + copia(丰富) → 丰饶之角 → 象征丰收的羊角
vendetta*	[venˈdetə] *n.* 世仇，宿怨 记 词根记忆：vend(=vindic，复仇) + etta → 世仇 同 feud
callus	[ˈkæləs] *n.* 老茧，胼胝
treacly*	[ˈtriːkli] *a.* 甜蜜的，像糖蜜似的
grubby*	[ˈɡrʌbi] *a.* 污秽的，肮脏的；卑鄙的
numismatist*	[nuːˈmɪzmətɪst] *n.* 钱币学家；钱币收藏家
acidic	[əˈsɪdɪk] *a.* 酸性的；酸味的 记 来自 acid(*n.* 酸；*a.* 酸性的)
salvo*	[ˈsælvoʊ] *n.* 数炮齐发；(尤指)礼炮齐鸣；齐声欢呼喝彩
clique*	[kliːk] *n.* 朋党派系，小集团
jibe	[dʒaɪb] *v.* 嘲讽，嘲弄；与…一致，相符
misconception*	[ˌmɪskənˈsepʃn] *n.* 误解，错误想法
scenario*	[səˈnærioʊ] *n.* (电影、戏剧等的)脚本、剧情概要；设想，预测 记 词根记忆：scen(=scene，场景) + ario → 场景介绍 → 剧情概要
intimacy*	[ˈɪntɪməsi] *n.* 熟悉，亲密，亲近；亲密的言语(或行为) 同 familiarity
fanaticism*	[fəˈnætɪsɪzəm] *n.* (尤指宗教、政治上的)狂热，入迷
jaunt*	[dʒɔːnt] *n./v.* 短程旅游
risqué	[rɪˈskeɪ] *a.* 下流的，淫秽的；有伤风化的
beige	[beɪʒ] *a./n.* 米黄色(的)
purveyor*	[pərˈveɪər] *n.* 供应商 记 来自 purvey(*v.* 提供，供应)
mosaic*	[moʊˈzeɪɪk] *n.* 马赛克；镶嵌图案(把小块玻璃、石头等镶嵌成图画)
solemnity*	[səˈlemnəti] *n.* 庄严，肃穆，庄重 记 来自 solemn(*a.* 庄严的，庄重的)
pub	[pʌb] *n.* 酒吧；酒馆
unescorted	[ˌʌnɪˈskɔːrtɪd] *a.* 无人护送的，无人陪同的
retaliation*	[rɪˌtæliˈeɪʃn] *n.* 报复，反击 记 来自 retaliate(*v.* 报复)

counterproductive	[ˌkaʊntərprəˈdʌktɪv] *a.* 产生相反效果的；事与愿违的
	记 联想记忆：counter(相反) + productive(产生效益的) → 无法产生效益的 → 事与愿违的
sobriety＊	[səˈbraɪəti] *n.* (饮酒等)有节制，适度；冷静，持重
unsightly＊	[ʌnˈsaɪtli] *a.* 不雅观的，难看的
mischance＊	[ˌmɪsˈtʃæns] *n.* 不幸，坏运气
	记 联想记忆：mis(不) + chance(时机，机会) → 没有遇到好的时机 → 不幸，坏运气
	同 misfortune
coiffure＊	[kwɑːˈfjʊr] *n.* (尤指女子的)发式，发型
locale	[loʊˈkæl] *n.* 事件发生的地点
	记 词根记忆：loc(地方) + ale → 事件发生的地点
	同 locality
jocularity	[ˌdʒɑːkjəˈlærəti] *n.* 滑稽，戏谑；诙谐的言行
	记 来自 jocular(*a.* 幽默的，诙谐的)
quack＊	[kwæk] *n.* 冒充内行之人；庸医，江湖郎中
tightwad＊	[ˈtaɪtwɑːd] *n.* 吝啬鬼，守财奴
misapprehension＊	[ˌmɪsæprɪˈhenʃn] *n.* 误会，误解
	记 词根记忆：mis(不) + ap + prehens(抓住) + ion(表名词) → 没有抓住其中的意思 → 理解错误 → 误会，误解
tranquility	[trænˈkwɪləti] *n.* 宁静，安静
	记 来自 tranquil(*a.* 安静的，宁静的)
unproductive	[ˌʌnprəˈdʌktɪv] *a.* 没有产物的，产量少的；非生产性的；没有效果的
reaper＊	[ˈriːpər] *n.* 收割者；收割机

You never know what you can do till you try.
除非你亲自尝试一下，否则你永远不知道你能够做什么。
——英国小说家 马里亚特(Frederick Marryat, British novelist)

生活
百态

法律法规

音频

nullify *	[ˈnʌlɪfaɪ] *vt.* 使无效，取消 记 拆分记忆：null(无效的) + ify(使) → 使无效 同 negate *, annul, abrogate, invalidate
quorum *	[ˈkwɔːrəm] *n.* 法定人数；选出的团体 记 联想记忆：选出的团体(quorum)将参加论坛(forum)讨论
abduction *	[æbˈdʌkʃn] *n.* 诱拐，诱导 记 词根记忆：ab(变坏) + duct(引导) + ion → 向坏处引导 → 诱导
venal *	[ˈviːnl] *a.* 贪污的，腐败的 记 联想记忆：ven(来) + al(看作 all，所有的) → 贪官对金钱来者不拒 → 贪污的
claimant	[ˈkleɪmənt] *n.* 要求者；主张者；原告 记 来自 claim(*v.* 要求，主张)
rectitude *	[ˈrektɪtuːd] *n.* 正直；公正 记 词根记忆：rect(直) + itude(表性质) → 正直
onerous *	[ˈɑːnərəs] *a.* 繁重的；麻烦的；负有法律责任的 记 词根记忆：oner(负担) + ous(…的) → 有负担 → 繁重的 同 troublesome
suffrage	[ˈsʌfrɪdʒ] *n.* 投票；选举权，参政权 记 词根记忆：suf + frag(打破) + e → 打破传统的"终身制" → 选举权
alderman	[ˈɔːldərmən] *n.* 市府参事，市议员 记 联想记忆：alder(看作 older，年长的) + man → 市参议员大多是年长的人 → (某些城市中的)市议员
aggress	[əˈgres] *v.* 攻击；侵犯
transgression *	[trænzˈgreʃn] *n.* 侵越，超过；违背；犯罪；犯规 记 来自 transgress(*v.* 犯罪)
oust *	[aust] *v.* 剥夺；驱逐；革职 记 联想记忆：out(出去)中加上 s → 死也要让他出去 → 驱逐

rectitude

审判长

被告 venal

原告 claimant

rapacious *	[rə'peɪʃəs] *a.* 掠夺的；贪婪的
	记 词根记忆：rap(掠夺) + acious(多的) → 不断抢的 → 掠夺的；贪婪的
	同 voracious, gluttonous, ravenous
prosecutor	['prɑːsɪkjuːtər] *n.* 公诉人；检察官；起诉人
	记 来自 prosecute(*v.* 起诉；告发)
birthright	['bɜːrθraɪt] *n.* 与生俱来的权利
	记 合成词：birth(出生) + right(权利) → 与生俱来的权利
appellate	[ə'pelət] *a.* 有权受理上诉的，上诉的
	记 联想记忆：和 appeal(*v.* 上诉；呼吁)一起记
inculpable	[ɪn'kʌlpəbl] *a.* 无罪的，无辜的
	记 词根记忆：in(无) + culp(过错) + able → 无罪的
	同 blameless
moratorium *	[ˌmɔːrə'tɔːriəm] *n.* 延期偿付
	记 词根记忆：morat(延误) + orium → 延期偿付
bigamy	['bɪɡəmi] *n.* 重婚，重婚罪
	记 词根记忆：bi(两) + gam(婚姻) + y → 重婚；重婚罪
ratification	[ˌrætɪfɪ'keɪʃn] *n.* 批准；承认
	记 来自 ratify(*v.* 正式批准)
	同 confirmation
testimonial	[ˌtestɪ'moʊniəl] *n.* 证明书
	记 来自 testimony(*n.* 证明)
jurisprudence *	[ˌdʒʊrɪs'pruːdns] *n.* 法律学
	记 词根记忆：juris(法律) + prudence(审慎) → 法律知识 → 法律学
absolution	[ˌæbsə'luːʃn] *n.* 免罪，赦免
	记 词根记忆：ab(离开) + solu(松) + tion → 松绑允许离开 → 免罪，赦免
ensnare	[ɪn'sner] *v.* 诱捕
	记 联想记忆：en(使进入) + snare(陷阱) → 狐狸落入聪明猎人设置的陷阱 → 诱捕
exculpate *	['ekskʌlpeɪt] *vt.* 为(某人)开脱；证明(某人)无罪
	记 词根记忆：ex(出) + culp(过错) + ate → 为(某人)开脱
peccadillo *	[ˌpekə'dɪloʊ] *n.* 轻罪，小过失
	记 词根记忆：pecca(过失，罪行) + dillo(小) → 小过失
statute *	['stætʃuːt] *n.* 成文法；法令，法规；章程，规则；条例
	记 联想记忆：地位(status)是身份的象征，这是不成文法(statute)的规定
bigamist	['bɪɡəmɪst] *n.* 重婚者
	记 词根记忆：bi(两) + gam(婚姻) + ist(表人) → 重婚者
acquit	[ə'kwɪt] *vt.* 宣告无罪；脱卸义务和责任；还清(债务)
	记 联想记忆：ac + quit(放弃) → 放弃追究责任 → 宣告无罪

法律
法规

malfeasance *	[mæl'fiːzəns] *n.* 违法行为；渎职
	词根记忆：mal(坏) + feas(做，行为) + ance → 坏的行为 → 违法行为
infringe	[ɪn'frɪndʒ] *v.* 破坏，侵犯，违反
	联想记忆：in(进入) + fringe(界限，边缘) → 越境 → 侵犯
plunder	['plʌndər] *n./v.* 抢劫，掠夺
	联想记忆：pl(看作 place，放) + under(在⋯下面) →《加勒比海盗》中海盗们将抢劫的宝藏埋在孤岛上 → 抢劫
	同 pillage, loot
exonerate *	[ɪg'zɑːnəreɪt] *vt.* 免罪；免除
	词根记忆：ex(出) + oner(负担) + ate(使) → 使从沉重的税务负担中走出 → 免除
	同 exculpate, absolve, acquit
protocol *	['prəʊtəkɔːl] *n.* 草案；协议
probate	['prəʊbeɪt] *n.* 遗嘱；遗嘱检验 *vt.* 检验遗嘱
	联想记忆：遗嘱中(probate)禁止(prohibit)你动用财产
larceny *	['lɑːrsəni] *n.* 盗窃罪
malign *	[mə'laɪn] *v.* 诽谤 *a.* 恶毒的
	联想记忆：mal(坏) + ign(看作 sign，记号) → 冠以恶名 → 诽谤
	同 baleful, malignant, malevolent
judicature	['dʒuːdɪkətʃər] *n.* 司法；司法系统
transgress	[trænz'gres] *v.* 违反；犯罪；越轨
	词根记忆：trans(横向) + gress(走) → 螃蟹横行 → 违反
incriminate *	[ɪn'krɪmɪneɪt] *vt.* 控告⋯有罪；使负罪；牵连
	词根记忆：in(进入) + crimin(罪行) + ate → 控告⋯有罪；使负罪
murderous	['mɜːrdərəs] *a.* 行凶的，凶恶的；非常危险的
	来自 murder(*v.* 谋杀，凶杀)
testament	['testəmənt] *n.* 作为确实的证据或实证的事物；遗嘱
	词根记忆：test(见证) + ament → 作为确实的证据或实证的事物
liquidate *	['lɪkwɪdeɪt] *v.* 清算；偿还；清除
	联想记忆：liquid(液体) + ate → 用液体洗干净 → 清除污渍 → 清除
litigant	['lɪtɪgənt] *n.* 诉讼人
	词根记忆：lit(争端) + ig(做) + ant(表人) → 陷入争端的人 → 诉讼人
bailiff	['beɪlɪf] *n.* 法庭监守，法警
	联想记忆：法警(bailiff)前往悬崖(cliff)执行公务

不要横穿马路！

transgress

remiss *	[rɪ'mɪs] *a.* 玩忽职守的
	记 词根记忆：re(一再) + miss(发送) → 一再发送手机短信聊天 → 玩忽职守的
relegate *	['relɪgeɪt] *vt.* 贬职，降级；放逐；丢弃；委托；移交
	记 词根记忆：re + leg(送) + ate → 把某事物送出去 → 委托；移交
	同 banish, delegate
rescind *	[rɪ'sɪnd] *vt.* 废除；取消
	记 词根记忆：re + scind(=cut，砍) → 砍掉 → 废除
	同 repeal
litigious	[lɪ'tɪdʒəs] *a.* 好诉讼的；好争论的
	记 词根记忆：lit(争端) + ig(做) + itous(多…的) → 好引起争端的 → 好诉讼的
oversee	[ˌoʊvər'siː] *vt.* 监视；检查；视察
	记 联想记忆：over(在…之上) + see(看) → 高高在上地看 → 视察
validate *	['vælɪdeɪt] *vt.* 使有效，使有法律效力；批准；确认
	记 来自 valid(*a.* 有效的)
bipartisan *	[ˌbaɪ'pɑːrtɪzn] *a.* 两党的
	记 联想记忆：bi(两) + parti(看作 party，政党) + san → 两党的
assassin	[ə'sæsn] *n.* 暗杀者；刺客
	记 联想记忆：ass(驴) + as + sin(罪过) → 暗地卸磨杀驴的人 → 暗杀者
assassinate	[ə'sæsəneɪt] *vt.* 暗杀，行刺；中伤，诋毁
	记 来自 assassin(*n.* 暗杀者)
rapine	['ræpaɪn] *n.* 抢夺，掠夺
licit	['lɪsɪt] *a.* 合法的，正当的
equitable *	['ekwɪtəbl] *a.* 公平的，公正的
	记 词根记忆：equit(公平) + able → 公正的
	同 fair, just, impartial, unbiased, objective
mutilate	['mjuːtɪleɪt] *vt.* 毁伤，切断(手、足等)，使残废
	记 词根记忆：mutil(砍掉) + ate → 毁伤
enfranchise *	[ɪn'fræntʃaɪz] *vt.* 解放，给予自由；给予…公民权
	记 联想记忆：en(使…) + franchise(公民权) → 使…有公民权 → 给予…公民权
assailant	[ə'seɪlənt] *n.* 攻击者
	记 来自 assail(*vt.* 攻击)
perjure	['pɜːrdʒər] *vt.* 发假誓，作伪证
	记 词根记忆：per(假) + jur(发誓) + e → 发假誓

法律
法规

demagoguery	[ˈdeməgɑːgəri] *n.* 煽动群众，煽动行为
	记 联想记忆：de(加强) + mago(音似："瞒过") + guery → 煽动群众，瞒天过海 → 煽动群众，煽动行为
vendor	[ˈvendər] *n.* 小贩
	记 词根记忆：ven(来) + dor(看作 door，门) → 上门来兜售的人 → 小贩
reprieve*	[rɪˈpriːv] *n./v.* 暂缓，缓期执行
	记 词根记忆：re(重新) + priev(拿) + e → 重新捉拿归案 → 不执行死刑 → 缓刑
legislation	[ˌledʒɪsˈleɪʃn] *n.* 法律，法规；立法
	派 legislative (*adj.* 立法的；根据法规执行的；立法机关的 *n.* 立法机关)；legislator(*n.* 立法者)；legislature(*n.* 立法机关)
codify*	[ˈkɑːdɪfaɪ] *vt.* 编辑成书；编成法典
	记 联想记忆：cod(看作 code，编码) + ify(使…化) → (使)书编码化 → 编辑成书
indenture*	[ɪnˈdentʃər] *v.* 以契约约束 *n.* (旧时的)师徒契约；契约，合同
	记 联想记忆：in(进入) + dent(牙齿) + ure(表状态) → 原指古代师徒间分割成锯齿状的契约 → 师徒契约
forensic*	[fəˈrensɪk] *a.* 法庭的；与法庭有关的
contraband*	[ˈkɑːntrəbænd] *n.* 违禁品，走私货；违法交易 *a.* 禁运的；非法买卖的
	记 联想记忆：contra(相反) + band(束缚) → 违反禁令得到的东西 → 违禁品，走私货
indict*	[ɪnˈdaɪt] *vt.* 控诉，起诉
	记 词根记忆：in + dict(说) → (在法庭上)把…说出来 → 控告，起诉
forum*	[ˈfɔːrəm] *n.* 公共讨论场所；论坛；讨论会
	记 联想记忆：for + u(看作 you) + m(看作 me，我) → 让你我说话的地方 → 论坛；讨论会
endorsement	[ɪnˈdɔːrsmənt] *n.* 背书；支持，赞同
	记 来自 endorse(*v.* 背书；支持，赞同)
ordinance*	[ˈɔːrdɪnəns] *n.* 法令，法规，条例；宗教仪式(尤指圣餐礼)
	记 词根记忆：ordin(命令) + ance → 法令，法规
impeach*	[ɪmˈpiːtʃ] *vt.* 指责；控告，弹劾；怀疑，提出异议
	记 联想记忆：im(使) + peach(告发) → 控告
contravene*	[ˌkɑːntrəˈviːn] *vt.* 违反(法律或规则)
	记 词根记忆：contra(反) + ven(来) + e → 告诉来偏不来 → 违反(规则)
petition	[pəˈtɪʃn] *n.* 请愿书；申请书 *v.* 祈求，请求，请愿
	记 词根记忆：pet(寻求) + ition → 寻求(帮助) → 请求，请愿
	同 appeal, plea, request

mortgage	[ˈmɔːrɡɪdʒ] n. 抵押贷款；抵押契据 vt. 用…作抵押
	记 词根记忆：mort(死亡) + gage(担保) → 用死亡作担保 → 用…作抵押
perpetrate *	[ˈpɜːrpətreɪt] v. 做坏事，犯罪
	记 联想记忆：per + petr(石头) + ate → 做坏事不悔改，就像石头一样顽固 → 做坏事
illicit *	[ɪˈlɪsɪt] a. 违法的，不正当的
	记 来自 licit(a. 合法的)；联想记忆：il + licit(合法的) → 不合法的 → 违法的
lawsuit	[ˈlɔːsuːt] n. 诉讼
	记 组合词：law(法律) + suit(起诉，诉讼) → 诉讼
vow	[vaʊ] n. 誓约 v. 发誓，起誓
depose *	[dɪˈpoʊz] vt. 罢免，废黜；免职
	记 联想记忆：她老是装腔作势(pose)结果被炒了(depose)
ordain *	[ɔːrˈdeɪn] vt. 授予(神职)；(神、法律等)命令，规定
	记 词根记忆：ord(命令) + ain → 命令
pact *	[pækt] n. 协定，条约，公约
	记 联想记忆：p + act(行为) → 签订条约是为了约束行为 → 协定，条约
duplicitous	[duːˈplɪsɪtəs] a. 欺骗的，欺诈的
	记 来自 duplicity(n. 欺骗，欺诈)
covenant *	[ˈkʌvənənt] n. 契约，合同；承诺 v. 立约承诺
	记 词根记忆：co + ven(来) + ant → 来一起立约 → 契约
grueling *	[ˈɡruːəlɪŋ] a. 使人筋疲力尽的，繁重而累人的
	记 联想记忆：gruel(稀粥) + ing → 喝着稀粥干活 → 繁重而累人的
pacifist *	[ˈpæsɪfɪst] n. 和平主义者，反战主义者
affidavit *	[ˌæfəˈdeɪvɪt] n. 宣誓书
	记 词根记忆：af(加强) + fid(相信) + avit(表名词) → 让人相信的东西 → 宣誓书
alimony *	[ˈælɪmoʊni] n. (离婚以后一方付给另一方的)生活费，赡养费
	记 发音记忆："爱离莫泥" → 想离婚别拖泥带水，同意给赡养费就行 → 赡养费
patent *	[ˈpætnt] a. 有专利的；受专利保护的；专利生产的；明显的 n. 专利权；专利证书 vt. 取得…专利
	搭 a patent device 专利发明
	派 patency(n. 明显)；patentee(n. 专利权的获得者)
amnesty *	[ˈæmnəsti] n. (对政治犯的)大赦，赦免
	记 联想记忆：am (我) + nest (巢) + y → 我获大赦终于可以回巢了 → 大赦，赦免

法律
法规

annul[*]	[ə'nʌl] *vt.* 宣告无效；取消 记 联想记忆：an + nul(看作 null，无效) → 宣告无效
untenable[*]	[ʌn'tenəbl] *a.* (理论、地位等)无法防守的，站不住脚的，不堪一击的 记 拆分记忆：un(不) + tenable(站得住脚的) → 站不住脚的
trespass[*]	['trespəs] *v.* 非法侵入(他人土地或建筑物)；侵占；犯过失 记 词根记忆：tres(越过) + pass(大步走) → 越过去大步走 → 非法侵入
dossier[*]	['dɔːsieɪ] *n.* 卷宗，档案 记 联想记忆：doss(睡觉) + ier → 为了查资料，他累得趴在一堆卷宗中睡着了 → 卷宗，档案
duress[*]	[du'res] *n.* 胁迫，强迫 记 联想记忆：硬要给人穿衣服(dress)是胁迫(duress)别人
edict[*]	['iːdɪkt] *n.* 命令，法令，敕令 记 词根记忆：e + dict(说) → 说出 → 命令
excise	['eksaɪz] *vt.* 切除，删去 记 词根记忆：ex(出去) + cis(切) + e → 切出去 → 切除
denizen[*]	['denɪzn] *n.* 居民；外籍居民 记 联想记忆：den(兽穴，窝) + izen → 住在窝里的人 → 居民
franchise[*]	['fræntʃaɪz] *n.* 公民权，选举权，参政权；特权，特许；特许经销权，特许经营权 *v.* 授…参政权、公民权或经营权
litigation[*]	[ˌlɪtɪ'geɪʃn] *n.* 诉讼，打官司 记 来自 litigate(*v.* 诉讼，打官司) 同 dispute
perjury[*]	['pɜːrdʒəri] *n.* 作伪证，伪证罪
exoneration	[ɪɡˌzɑːnə'reɪʃn] *n.* 免除责任，确定无罪 同 exculpation
subpoena[*]	[sə'piːnə] *n.* (传唤出庭作证的)传票 *v.* 传讯 记 词根记忆：sub(下面) + poen(= pen，惩罚) + a → 在惩罚下 → 传讯
excruciate	[ɪk'skruːʃieɪt] *vt.* 施酷刑，拷问；折磨 同 torture
formality[*]	[fɔːr'mæləti] *n.* 遵循规范、礼节；例行公事；正式手续 记 来自 formal(*a.* 正式的；正规的；形式上的)
arbitrator[*]	['ɑːrbɪtreɪtər] *n.* 仲裁者，公断者 记 来自 arbitrate(*v.* 仲裁，公断)
suffragist[*]	['sʌfrədʒɪst] *n.* 参政权扩大论者；妇女参政权论者
decapitate[*]	[dɪ'kæpɪteɪt] *vt.* 杀头，斩首
exhortation	[ˌeɡzɔːr'teɪʃn] *n.* 规劝，告诫；讲道词，训词
masochist[*]	['mæsəkɪst] *n.* 性受虐狂；受虐狂

科技医疗

音频

bronchitis	[brɑːŋˈkaɪtɪs] *n.*支气管炎
asexual	[ˌeɪˈsekʃuəl] *a.*无性的；无性生殖的
	记 词根记忆：a(看作 ab，不) + sex(性) + ual(…的) → 不存在性的 → 无性的
abrade*	[əˈbreɪd] *vt.*磨损，摩擦
	记 词根记忆：ab(分离) + rad(刮擦) + e → 刮擦得已经破了 → 磨损
cyclical	[ˈsaɪklɪkl] *a.*轮转的，循环的，周期的
	记 来自 cycle(*n.* 周期，循环)
abdomen	[ˈæbdəmən] *n.*腹，腹部
	记 联想记忆：人体(men)中部偏上(above)的地方是腹部(abdomen)
twinge	[twɪndʒ] *n.* 阵痛，刺痛，剧痛
	记 发音记忆："痛阵" → 阵痛
soporific*	[ˌsɑːpəˈrɪfɪk] *a.*催眠的；想睡的
	记 来自 sopor(*n.* 沉睡)
cholera	[ˈkɑːlərə] *n.*霍乱
detonate	[ˈdetəneɪt] *v.*(使)爆炸；引爆
	记 词根记忆：de + ton(声音；打雷) + ate → 突然发出打雷般的爆炸声 → (使)爆炸
paroxysm*	[ˈpærəksɪzəm] *n.*发作；突发
	记 词根记忆：par(加强) + oxy(尖利) + sm → 突发疾病，浑身刺痛 → 发作，突发
rejuvenate*	[rɪˈdʒuːvəneɪt] *v.*(使/变)年轻；(使)复原
	记 词根记忆：re(重新) + juven(看作 juvenile，青少年) + ate(使) → 使重新成为少年 → 使年轻
	同 refresh
senile	[ˈsiːnaɪl] *a.*高龄的，衰老的
	记 词根记忆：sen(老的) + ile(…的) → 老的 → 高龄的

regimen *	[ˈredʒɪmən] *n.* 养生之道 记 词根记忆：regi (=reg, 统治) + men → 自我统治之道 → 养生之道
sanguine *	[ˈsæŋgwɪn] *a.* 血红的；红润的；乐观的，怀有希望的 同 optimistic
bumper	[ˈbʌmpər] *n.* 缓冲器；减震物
pallid *	[ˈpælɪd] *a.* 苍白的；暗淡的 记 词根记忆：pall(=pale, 苍白) + id → 苍白的 同 wan, dull
upshot *	[ˈʌpʃɑːt] *n.* 结果 记 联想记忆：up(起来) + shot(射击) → 射击起来看结果 → 结果
efficacious	[ˌefɪˈkeɪʃəs] *a.* 有效的；灵验的
fumigate	[ˈfjuːmɪgeɪt] *vt.* 熏蒸(消毒) 记 词根记忆：fum(=fume, 烟) + igate(用) → 用烟消毒 → 熏蒸(消毒)
effectual *	[ɪˈfektʃuəl] *a.* 奏效的，有效的 记 来自effect(*n.* 效果)
unctuous *	[ˈʌŋktʃuəs] *a.* 油脂的；油滑的；假装虔诚的，假殷勤的 记 来自unction(*n.* 油膏) 同 oily
ailment	[ˈeɪlmənt] *n.* 疾病(尤指微恙)；小病 记 联想记忆：a(一个) + il(看作 ill) + ment → 一个连 ill 都算不上的小病 → 微恙
revitalize	[riːˈvaɪtəlaɪz] *vt.* 使恢复生气 记 联想记忆：re(再次) + vital(充满生机的) + ize(使…) → 使再次充满生机 → 使恢复生气
cartilage	[ˈkɑːrtɪlɪdʒ] *n.* 软骨，软骨组织 记 发音记忆："咔踢得折" → 软骨咔一踢就折了 → 软骨
nugatory	[ˈnuːgətɔːri] *a.* 无价值的；无效的
cardiac	[ˈkɑːrdiæk] *a.* 心脏的；心脏病的 记 词根记忆：card(心) + iac(与…有关的) → 与心有关的 → 心脏的
abdominal	[æbˈdɑːmɪnl] *a.* 腹部的
pernicious *	[pərˈnɪʃəs] *a.* 有害的，有毒的 记 词根记忆：per(完全地) + nic(伤害) + ious(…的) → 有害的 同 baneful, noxious, deleterious, detrimental
sanguineous	[sæŋˈgwɪniəs] *a.* 血的；血红的

lunatic	[ˈluːnətɪk] *a.* 精神错乱的，疯狂的；极端愚蠢的
practitioner＊	[prækˈtɪʃənər] *n.* 开业者(医生、律师等)；从业者 记 联想记忆：pract(看作 practice，实践) + ition + er(表人) → 实践者 → 从业者
censorship	[ˈsensərʃɪp] *n.* 审查；审查制度 记 来自 censor(*v.* 审查)；发音记忆："审查四遍" → 审查得够仔细 → 审查
pediatrics	[ˌpiːdiˈætrɪks] *n.* 小儿科 记 词根记忆：ped(儿童) + iatr(治疗) + ics(学科) → 儿童治疗学科 → 小儿科
antidote＊	[ˈæntidoʊt] *n.* 解毒药，解毒剂 记 发音记忆："暗剔多的" → 把多余的毒素都剔除 → 解毒剂
endemic＊	[enˈdemɪk] *n.* 地方病 *a.* (疾病等)地方性的 记 词根记忆：en(在…中) + dem(地区) + ic(…的) → 在某一地区流传的 → 地方性的
torpid	[ˈtɔːrpɪd] *a.* 麻木的；迟钝的；(动物)冬眠的
panacea＊	[ˌpænəˈsiːə] *n.* 万灵药 记 词根记忆：pan(全部) + acea(治疗) → 全部病都可以治疗 → 万灵药
excoriate＊	[ˌeksˈkɔːrieɪt] *vt.* 擦伤(皮)，磨掉(皮)；痛斥，责骂
languor＊	[ˈlæŋgər] *n.* 身心疲惫 记 词根记忆：langu(松弛，倦怠) + or → 身心疲惫
recrudescent	[riːkruːˈdesnt] *a.* 复发的
enervate＊	[ˈenərveɪt] *vt.* 使衰弱；使无力 记 词根记忆：e(出) + nerv(神经) + ate(使…) → 使神经失效了 → 使衰弱
wiry	[ˈwaɪəri] *a.* 金属丝般的；瘦而结实的
sebaceous	[sɪˈbeɪʃəs] *a.* 脂肪的，脂肪分泌的，脂肪过多的
blockbuster	[ˈblɑːkbʌstər] *n.* 风靡一时之物；(破坏力极大的)巨型炸弹 记 组合词：block(块) + buster(庞然大物，破坏者) → 巨型炸弹
artifact＊	[ˈɑːrtɪfækt] *n.* 人工制品 记 词根记忆：art(技巧) + i + fact(制作) → 人工用技巧制作出类似自然的物品 → 人工制品
laxative	[ˈlæksətɪv] *a.* 通便的 记 词根记忆：lax(松) + ative → 放松的；轻泻药 → 通便的
incubus	[ˈɪŋkjʊbəs] *n.* 梦魇；沉重的负担 记 词根记忆：in(在…) + cub(躺) + us → 在躺着睡觉时脑中发生的事情 → 梦魇 同 nightmare

incubus

spasmodic *	[spæz'mɑːdɪk] *a.* 痉挛的；间歇性的 记 来自 spasm (*n.* 痉挛；一阵阵发作)
nausea	['nɔːziə] *n.* 反胃，恶心 记 发音记忆："闹死啊" → 老是反胃，闹心死啊 → 反胃
diagnostic	[daɪəg'nɑːstɪk] *a.* 诊断的 记 来自 diagnose (*v.* 诊断)；词根记忆：dia (通过) + gno (了解) + stic (… 的) → 通过诊断了解 → 诊断的
accredit	[ə'kredɪt] *v.* 信任，认可 记 联想记忆：因为信任 (accredit) 才发给你信用卡 (credit)
emaciated *	[ɪ'meɪʃieɪtɪd] *a.* 瘦弱的；衰弱的
corpse	[kɔːrps] *n.* 尸体 记 联想记忆：corp (身体) + se (谐音："死") → 死的身体 → 尸体
replicate *	['replɪkeɪt] *vt.* 复制；折叠 记 来自 replica (*n.* 复制品) 同 duplicate
impinge *	[ɪm'pɪndʒ] *v.* 撞击；侵犯
desiccant	['desɪkənt] *n.* 干燥剂 *a.* 使干燥的，去湿的
hallmark	['hɔːlmɑːrk] *n.* (金银纯度的) 检验标记；质量证明；特点 记 联想记忆：这座礼堂 (hall) 已经经过质量证明 (hallmark)，贴上了优秀的标记 (mark)
turgid *	['tɜːrdʒɪd] *a.* 肿胀的；浮夸的 记 发音记忆："特肿的" → 肿胀的 同 swollen, tumid
swerve *	[swɜːrv] *v.* 突然转向 同 veer *
abrasion	[ə'breɪʒn] *n.* 磨损 记 来自 abrade (*v.* 磨损)
tonic *	['tɑːnɪk] *a.* 激励的；滋补的 *n.* 滋补品 同 refreshing
acne	['ækni] *n.* 【医】痤疮；粉刺
infirmary	[ɪn'fɜːrməri] *n.* 医院；医务室 记 联想记忆：infirm (虚弱的) + ary (场所) → 治疗虚弱的 → 医院；医务室
aqueous	['eɪkwiəs] *a.* 水的；水般的 记 词根记忆：aqu (看作 aqua, 水) + e + ous (… 的) → 水的
inefficacious *	[ˌɪnefɪ'keɪʃəs] *a.* 无效力的，无用的

verisimilar	[ˌveri'sɪmələr] *a.* 好像真实的
	记 联想记忆：veri(看作 very，非常) + similar(相似的) → 与真实非常相似 的 → 好像真实的
writhe*	[raɪð] *v.* (因疼痛或悲伤而)扭曲，扭歪；翻腾(身体等)
	记 联想记忆：和 write(*v.* 写作)一起记，写作(write)有时要经受精神上的痛 苦(writhe)
corporal	['kɔːrpərəl] *a.* 肉体的；身体的
	记 词根记忆：corp(身体) + or + al(…的) → 身体的
antenatal	[ˌænti'neɪtl] *a.* 产前的
moribund*	['mɔːrɪbʌnd] *a.* 垂死的
	记 词根记忆：mori(看作 mort，死) + bund(即将) → 即将死的 → 垂死的
rabid*	['ræbɪd] *a.* 狂暴的，激烈的；患有狂犬病的
	同 furious
pharmacy	['fɑːrməsi] *n.* 药房；药剂学；配药业，制药业
coagulant	[kəʊ'æɡjulənt] *n.* 凝结剂；凝血剂
wizen	[wizn] *a.* 枯萎的；凋谢的
airy	['eri] *a.* 空气的；空中的；通风的；轻快的
	记 来自 air(*n.* 空气)
mordacious	[mɔːr'deɪʃəs] *a.* 辛辣的；锐利的
morbid*	['mɔːrbɪd] *a.* 病态的；疾病的
	记 词根记忆：morb(病) + id → 疾病的
hemorrhage	['hemərɪdʒ] *n.* (大)出血
	记 词根记忆：hemo(血) + rrhage(超量流出) → 超量流血 → (大)出血
relapse	[rɪ'læps] *v.* 旧病复发
	记 词根记忆：re + laps(滑倒) + e → 老人不小心滑倒，旧病复发 → 旧病复发
ineffectual*	[ˌɪnɪ'fektʃuəl] *a.* 无效的；不成功的
	记 联想记忆：in(不) + effect(效果) + ual(…的) → 没有效果的 → 无效的
quietus	[kwaɪ'iːtəs] *n.* 死；(债务)偿清，解除
	同 death
aggravation	[ˌæɡrə'veɪʃn] *n.* 加重，恶化；恼怒
emulate*	['emjuleɪt] *v.* 仿效；努力赶上，同…竞争
	派 emulation(*n.* 竞争，好胜；仿效)
	同 imitate
torpor	['tɔːrpər] *n.* 麻痹，迟钝；懒散
	记 联想记忆：他真可以说是最(top)迟钝的(torpor)一个人了
disinfect	[ˌdɪsɪn'fekt] *v.* 消毒
	记 联想记忆：dis(分离) + infect(感染) → 使不被病菌感染 → 消毒

科技 医疗

423

hypnotic	[hɪpˈnɑːtɪk] *a.* 催眠的，易被催眠的 *n.* 安眠药 同 soporific
subliminal *	[ˌsʌbˈlɪmɪnl] *a.* 下意识的；潜意识的 记 词根记忆：sub(下面) + limin(界限) + al(…的) → 在意识的界限之下的 → 下意识的；潜在意识的
circumnavigate	[ˌsɜːrkəmˈnævɪɡeɪt] *v.* 环航 记 联想记忆：circum(绕) + navigate(航海) → 绕着航海 → 环航
bronchus	[ˈbrɑːŋkəs] *n.* 支气管
plethora	[ˈpleθərə] *n.* 过剩，过多；多血症 记 词根记忆：plet(满) + hora → 过剩，过多 同 excess, superfluity, profusion, abundance
expedite *	[ˈekspədaɪt] *v.* 加速 记 词根记忆：ex(出) + ped(脚) + ite → 加快迈出脚步的速度 → 加速
buffer	[ˈbʌfər] *n.* 缓冲器，减震器 记 联想记忆：buff(软皮) + er → 用软的东西来充当缓冲器 → 缓冲器
implausible	[ɪmˈplɔːzəbl] *a.* 难以置信的；不像真实的 记 拆分记忆：im(不) + plausible(可信的) → 不可信的 → 难以置信的
aqueduct	[ˈækwɪdʌkt] *n.* 沟渠；导水管 记 词根记忆：aque(=aqu, 水) + duct(引导) → 导水管
venous	[ˈviːnəs] *a.* 静脉的 记 联想记忆：ven(看作 vein, 静脉) + ous → 静脉的
petrify *	[ˈpetrɪfaɪ] *vt.* 使石化；使僵硬；使惊呆 记 词根记忆：petr(石头) + ify(使…) → 使石化
stupor *	[ˈstuːpər] *n.* 昏迷，神志不清，恍惚 记 联想记忆：stup(看作 stop, 停止) + or → 停止活动 → 昏迷
lethargy	[ˈleθərdʒi] *n.* 无生气；懒洋洋 记 词根记忆：leth(死) + argy → 像死一样睡 → 无生气
antitoxin	[ˌæntɪˈtɑːksɪn] *n.* 抗毒素
impervious *	[ɪmˈpɜːrviəs] *a.* 不可渗透的；不受影响的 记 词根记忆：im(不) + per + vi(路) + ous(…的) → 路障把路围得水泄不 通 → 不可渗透的 同 impenetrable
hypodermic	[ˌhaɪpəˈdɜːrmɪk] *a.* 皮下的 *n.* 皮下注射 记 词根记忆：hypo(在…之下) + derm(皮) + ic(…的) → 皮下的
dehydration	[ˌdiːhaɪˈdreɪʃn] *n.* 干燥；脱水(作用) 记 来自 dehydrate(*vt.* 使脱水)
apothecary	[əˈpɑːθəkeri] *n.* 药剂师；药材商

myopia	[maɪˈoʊpiə] *n.* 近视；缺乏远见
	记 联想记忆：my(我的) + op(看作 opt, 视力) + ia(表疾病) → 我的视力不好 → 近视
malaise *	[məˈleɪz] *n.* 不舒服
	记 发音记忆："每累死" → 每次生病都不舒服，没有力气，很累 → 不舒服
incorrigible *	[ɪnˈkɔːrɪdʒəbl] *a.* 无药可救的；不能被纠正的
	记 联想记忆：in(不) + corrig(看作 correct, 正确的) + ible(可以…的) → 不能被纠正的
relent *	[rɪˈlent] *v.* 变温和；减弱，缓和
	记 联想记忆：re + lent(借) → 借钱给人缓和他的经济困难 → 缓和
	同 soften, mollify
pestilence	[ˈpestɪləns] *n.* 瘟疫
	记 来自 pestilent(*a.* 致命的；瘟疫的)
cipher *	[ˈsaɪfər] *n.* 密码
sustenance *	[ˈsʌstənəns] *n.* 食物；营养(品)；支持，维持，扶持；生计
	记 联想记忆：sus + ten(看作 tain, 保持) + ance(表名词) → 能够保持生命的事物 → 食物
	同 food, nourishment
excavate	[ˈekskəveɪt] *v.* 挖掘，开凿；挖洞
	记 词根记忆：ex(出) + cav(空的) + ate(做…) → 挖出一个空洞 → 挖洞
stanch *	[stɔːntʃ] *v.* 止(血)
	记 词根记忆：stan(=sta, 站) + ch → 血停下来不再流 → 止(血)
remission *	[rɪˈmɪʃn] *n.* (疾病等)减轻；豁免
	记 词根记忆：re(重新) + miss(送) + ion → 重新送物资给灾区，以减轻损失 → 减轻
efficacy *	[ˈefɪkəsi] *n.* 功效
	记 词根记忆：ef(看作 ex, 出) + fic(做) + acy(表名词) → 做出了效果 → 功效
somnolent *	[ˈsɑːmnələnt] *a.* 想睡的；催眠的
	记 词根记忆：somn(睡) + olent → 想睡的
overdose	[ˈoʊvərdoʊs] *n.* 配药量过多
	记 联想记忆：over(过多) + dose(剂量) → 剂量过多 → 配药量过多
lassitude *	[ˈlæsɪtuːd] *n.* 疲乏；没精打采
	记 发音记忆："累死踢球的" → 踢球太累了，搞得很疲乏 → 疲乏
	同 fatigue, languor
latency	[ˈleɪtənsi] *n.* 潜伏，潜在；潜伏物；潜在因素
	记 联想记忆：他潜伏(latency)在那里直到很晚(late)

myopia

apothecary   malaise

hectic	[ˈhektɪk] *a.* 发烧的，发热的；兴奋的 记 发音记忆："害咳的" → 发烧的
haggard*	[ˈhægərd] *a.* 憔悴的，形容枯槁的；野性的 记 联想记忆：hag（凶恶的丑老太婆）+ g + ard → 野性的
impotent*	[ˈɪmpətənt] *a.* 无力的，虚弱的；无效的 记 词根记忆：im(不) + potent(有力的) → 无力的
analyst	[ˈænəlɪst] *n.* 分析家；分解者 记 来自 analysis(*n.* 分析)
sedative	[ˈsedətɪv] *a.* 镇静的，止痛的 *n.* 镇静剂，止痛药
anatomy	[əˈnætəmi] *n.* 解剖学；解剖结构 记 发音记忆："爱挪拖移" → 挪、拖、移身体各部分 → 解剖学 同 dissection*
denude	[dɪˈnuːd] *vt.* 使裸露；剥夺 记 拆分记忆：de(使…) + nude(赤裸的) → 使赤裸 → 使裸露；剥夺
torrid	[ˈtɔːrɪd] *a.* 炎热的 记 词根记忆：torr(燃烧) + id → 炎热的
hereditary	[həˈredɪteri] *a.* 遗传(性)的；世袭的 记 词根记忆：her(继承人) + edit + ary(…的) → 继承下来的 → 遗传的
inordinate*	[ɪnˈɔːrdɪnət] *a.* 紊乱的；过分的，过度的 记 词根记忆：in(不) + ordin(顺序) + ate → 不符合正常顺序的 → 紊乱的 同 immoderate, excessive, disorderly, unregulated
abeyance	[əˈbeɪəns] *n.* 搁置；中止 记 词根记忆：a(看作 at, 在) + bey(等待) + ance(表名词) → 中止了，在等待结果 → 中止
emollient	[iˈmɑːliənt] *a.* (使皮肤组织等)柔软的；有缓和作用的 *n.* 润肤剂 记 词根记忆：e + moll(=soft, 软) + ient → 使肌肤变柔软的东西 → 润肤剂 同 mollifying
vertigo*	[ˈvɜːrtɪɡoʊ] *n.* 眩晕，晕头转向 记 词根记忆：vert(转) + i + go → 转晕了 → 眩晕
visceral*	[ˈvɪsərəl] *a.* 内脏的；出自内心的
vestige*	[ˈvestɪdʒ] *n.* 退化器官；残余，遗迹 记 联想记忆：二战士兵的背心（vest）残留部分（vestige）
lurid*	[ˈlʊrɪd] *a.* 苍白的，可怕的；火红的；耸人听闻的 同 gruesome, shocking
stodgy*	[ˈstɑːdʒi] *a.* (食物)稠厚不可口的，难消化的；枯燥乏味的

synthetic	[sɪnˈθetɪk] *a.* 合成的，人造的；综合的 记 词根记忆：syn(一起) + thet(看作 thes，放置) + ic(…的) → 把许多成分放置在一起 → 合成的 派 synthetically(*ad.* 综合地，合成地)
recipe	[ˈresəpi] *n.* 烹饪法，食谱；方法，秘诀，诀窍 记 词根记忆：re + cip(抓) + e → 抓耳挠腮，方法来 → 方法，诀窍 同 secret, knack
polygraph	[ˈpɑːligræf] *n.* 测谎器；复写器 记 词根记忆：poly(多) + graph(写) → 多次写的仪器 → 复写器
intern	[ɪnˈtɜːrn] *vt.* (战争期间或因为政治原因未经审讯)拘禁，软禁 *n.* 实习生 记 联想记忆：政治犯被拘禁(intern)在 internal(内部的)小牢房里
crux *	[krʌks] *n.* 关键，症结所在 记 联想记忆：在关键的(crux)地方打个叉(cross)
purge *	[pɜːrdʒ] *n.* (政党、国家等之)清洗行动，整肃；泻药 *v.* 清除(组织中的异己)；净化(风气、心灵等) 记 词根记忆：purg(干净的) + e → 使干净 → 净化
remedial *	[rɪˈmiːdiəl] *a.* 治疗的；挽回的，补救的，纠正的；(为后进学生)补习的 记 来自 remedy(*n.* 药物；治疗) remedial
microcosm *	[ˈmaɪkroʊkɑːzəm] *n.* 小宇宙；微观世界；缩影 记 词根记忆：micro(微，小) + cosm(宇宙，世界) → 小宇宙；微观世界
curative	[ˈkjʊrətɪv] *a.* 有助于治疗的，有疗效的；医疗的 *n.* 药品 记 词根记忆：cur(治愈，治疗) + ative → 有助于治疗的，有疗效的
wan	[wæn] *a.* 苍白的，无血色的；虚弱的，病态的
schizophrenia	[ˌskɪtsəˈfriːniə] *n.* 精神分裂症
nutrient *	[ˈnuːtriənt] *n.* 滋养物，营养品 *a.* 滋养的，营养的 记 词根记忆：nutri(营养) + ent → 滋养物，营养品
catharsis *	[kəˈθɑːrsɪs] *n.* 情感宣泄；精神净化；【医】导泻(尤指通便) 记 词根记忆：cath(清洁) + ar + sis → 清洁灵魂 → 精神净化
irremediable *	[ˌɪrɪˈmiːdiəbl] *a.* 不可治愈的；无法纠正的 记 来自 remediable(*a.* 可纠正的；可治愈的)；联想记忆：ir + remedi(看作 remedy 治疗，纠正) + able(…的) → 不可治愈的；无法纠正的
undernourished	[ˌʌndərˈnɜːrɪʃt] *a.* 营养不良的 记 联想记忆：under(不足) + nourish(滋养) + ed → 营养不良的
pathological *	[ˌpæθəˈlɑːdʒɪkl] *a.* 不理智的，无法控制的；病态的；病理学的 记 来自 pathology(*n.* 病态；病理学)

exuberance *	[ɪg'zu:bərəns] *n.* (植物等)繁茂，苗壮；精力充沛，热情洋溢 记 来自 exuberant(*a.* 繁茂的；精力充沛的)
malaria	[mə'leriə] *n.* 疟疾；瘴气 记 词根记忆：mal(坏) + ar + ia(病) → 坏病 → 疟疾
piquant *	['pi:kənt] *a.* 辛辣的，开胃的；刺激的，令人兴奋的 记 词根记忆：piqu(刺激) + ant → 刺激的 → 辛辣的，开胃的
malady *	['mælədi] *n.* 疾病；严重问题
myopic *	[maɪ'ɑːpik] *a.* 近视眼的；缺乏远见的；缺乏辨别力的
occlusion	[ə'kluːʒn] *n.* 闭塞；(牙)咬合；闭合 记 来自 occlude(*vt.* 使闭塞)
sprain	[spreɪn] *vt.* 扭伤 记 联想记忆：sp + rain(雨) → 雨天路滑，扭伤了脚 → 扭伤
maim *	[meɪm] *vt.* 使残废；使受重伤 记 联想记忆：m(音似：没) + aim(目标) → 残疾了也不能没目标 → 使残废
tactile *	['tæktl] *a.* 触觉的；有触觉的；能触知的 记 词根记忆：tact(接触) + ile → 触觉的
flank	[flæŋk] *n.* 肋，肋腹，(四足动物身体的)侧边；(军队等的)侧翼，翼侧 *vt.* 位于…的侧面
dosage	['doʊsɪdʒ] *n.* 剂，剂量，服用量 记 词根记忆：dos (给) + age → 医生给开的药量 → 剂量，服用量
abortive *	[ə'bɔːrtɪv] *a.* 落空的，失败的 记 联想记忆：abort(中止) + ive → 无结果的 → 失败的
prognosis *	[prɑːg'noʊsɪs] *n.* (对病情的)预测；预测，预言 记 词根记忆：pro (前) + gno(知道) + sis → 知道前面要发生的事情 → 预测
acuity *	[ə'kjuːəti] *n.* (尤指思想或感官的)敏锐 记 词根记忆：ac (锐利的) + u + ity(表性质) → 锐利 → 敏锐
atrophy	['ætrəfi] *n.* 【医】(肌肉)萎缩；衰退，退化 记 词根记忆：a(无) + troph(营养) + y → 肌肉营养不良 → (肌肉)萎缩
balm	[bɑːm] *n.* (止痛疗伤的)香脂油，药膏 记 联想记忆：b + alm(看作 arm，手臂) → 把药膏涂于手臂 → 药膏
aseptic *	[ˌeɪ'septɪk] *a.* 洁净的；无菌的 *n.* 防腐剂 记 词根记忆：a(无) + sept(菌) + ic → 无菌的
chronic *	['krɑːnɪk] *a.* (尤指疾病)慢性的，长期的；积习难改的 记 词根记忆：chron(时间) + ic → 长期的 同 inveterate
traumatic *	[traʊ'mætɪk] *a.* 外伤的；(造成)创伤的；(指经历)痛苦的，不愉快的 记 来自 trauma(*n.* 外伤，创伤)

tract *	[trækt] *n.* 传单，小册子；大片(土地、森林或海洋) 同 leaflet, pamphlet
throes *	[θrouz] *n.* 剧痛；阵痛
tensile *	['tensl] *a.* 拉力的，张力的；可延展的，可伸长的 记 词根记忆：tens(伸展) + ile → 可延展的，可伸长的
swelter *	['sweltər] *n./v.* 热得难受 记 联想记忆：热得难受(swelter)，脱下毛衫(sweater)
catapult *	['kætəpʌlt] *n.* 弹弓；(导弹或飞机的)弹射器 记 词根记忆：cata(向) + pult(投，抛) → 弹弓， 弹射器
decipher *	[dɪ'saɪfər] *vt.* 破译(密码)；解释(古代文字等) 记 联想记忆：de(去掉) + cipher(密码) → 解开 密码 → 破译(密码)
delirium *	[dɪ'lɪriəm] *n.* 精神错乱；说胡话；极度兴奋，发狂 记 联想记忆：deli(看作 dell，戴尔电脑) + rium(看作 ruin，破坏) → 电脑遭 到破坏后，重要数据全部丢失，精神错乱 → 精神错乱
demented *	[dɪ'mentɪd] *a.* 疯狂的，精神错乱的；失去本性的 记 来自 dement(*vt.* 使发狂)
demoniac *	[dɪ'mouniæk] *a.* 魔鬼的，邪恶的；凶恶的 记 联想记忆：demon(魔鬼) + iac → 魔鬼的，邪恶的
cortisone	['kɔːrtəzoun] *n.* 【药】可的松；肾上腺皮质酮
euphoria *	[juː'fɔːriə] *n.* 极度愉快和兴奋的感觉；欣快症 记 词根记忆：eu(好) + phor(带来) + ia(病) → 带来好处的病 → 欣快症
acrophobia *	[ˌækrou'foubiə] *n.* 恐高症 记 词根记忆：acro(高) + phob(恐惧) + ia(病) → 恐惧高的病 → 恐高症
insalubrious *	[ˌɪnsə'luːbriəs] *a.* 有损健康的；不卫生的 记 来自 salubrious(*a.* 有益健康的)
fathom *	['fæðəm] *n.* 英寻(量水深的单位，等于 1.8 米) *vt.* 测量(水的)深度；彻底 了解，弄明白
matrix *	['meɪtrɪks] *n.* 铸模，模型 (如字模、唱盘原模等)；母岩，脉石，基岩； 【数】矩阵 同 network
misdemeanor *	[ˌmɪsdɪ'miːnər] *n.* 轻罪；品行不端
astronomical *	[ˌæstrə'nɑːmɪkl] *a.* 天文的，天文学的；极大的，庞大的 记 来自 astronomy(*n.* 天文学)；词根记忆：astro(星星) + nomy → 星星，星 体 → 天文学
atavism *	['ætəvɪzəm] *n.* 【生】隔代遗传

empiric	[ɪmˈpɪrɪk] *n.* 经验主义者
monochromatic *	[ˌmɑːnəkrouˈmætɪk] *a.* 单色的
	记 词根记忆：mono(单个) + chrom(颜色) + atic → 单色的
placebo *	[pləˈsiːbou] *n.* (给无实际治疗需要者的)安慰剂
	记 词根记忆：plac(安慰，使平静) + ebo → 安慰剂
hydrophobia *	[ˌhaɪdrəˈfoubiə] *n.* 恐水症；狂犬病
metallurgical *	[ˌmetlˈɜːrdʒɪkl] *a.* 冶金的，冶金学的
	记 来自 metallurgy(*n.* 冶金学)
satellite *	[ˈsætəlaɪt] *n.* 卫星，人造卫星
aneurysm	[ˈænjərɪzəm] *n.* 动脉瘤
schism *	[skɪzəm] *n.* 分裂，组织分裂(尤指宗派)
suture *	[ˈsuːtʃər] *n.* (伤口的)缝线，缝合 *v.* 缝合(伤口)
hypochondriac *	[ˌhaɪpəˈkɑːndriæk] *a.* 疑病症的 *n.* 疑病患者
	记 来自 hypochondria(*n.* 疑病症)
asthmatic	[æzˈmætɪk] *a.* 气喘的，患气喘病的 *n.* 气喘患者
	记 来自 asthma(*n.* 气喘，哮喘)
fester *	[festər] *v.* (指伤口)溃烂，化脓
calorific *	[ˌkæləˈrɪfɪk] *a.* (产生)热量的
	记 来自 calorie(*n.* 卡，热量单位)
phobia *	[foubiə] *n.* 恐惧症
	记 词根记忆：phob(恐惧) + ia(病) → 恐惧症
opiate *	[ˈoupiət] *n.* 鸦片制剂；麻醉剂；镇静剂
	记 来自 opium(*n.* 鸦片)

Activity is the only road to knowledge.
行动是通往知识的唯一道路。
——英国剧作家 肖伯纳(George Bernard Shaw, British dramatist)

impenitent *	[ɪmˈpenɪtənt] *a.* 不悔悟的；顽固的
	记 拆分记忆：im(不) + penitent(悔恨的) → 不悔悟的
pugnacious	[pʌɡˈneɪʃəs] *a.* 好斗的，爱争执的
	同 truculent
hypocrisy	[hɪˈpɑːkrəsi] *n.* 伪善；虚伪
	记 联想记忆：hypo(在…下面) + crisy(看作 criticize，批评) → 在背后批评别人，当着面却不断夸奖 → 伪善；虚伪
sycophant *	[ˈsɪkəfænt] *n.* 拍马屁的人，谄媚者，奉承者
	记 联想记忆：syco + phant(看作 elephant，大象) → 硬说人腿壮如象腿 → 拍马屁的人，谄媚者
	同 toady
querulous *	[ˈkwerələs] *a.* 爱发牢骚的；易怒的；爱挑剔的
	记 联想记忆：发着发着牢骚(querulous)就变成吵架(quarrel)了
	同 fretful
inexorable *	[ɪnˈeksərəbl] *a.* 无情的，毫不宽容的
	记 词根记忆：in(不) + ex + or(说) + able → 不可说服的，铁石心肠 → 无情的
	同 relentless
intrepid *	[ɪnˈtrepɪd] *a.* 无畏的；勇猛的
	记 拆分记忆：in(不) + trepid(胆小) → 无畏的；勇猛的
penurious	[pəˈnʊriəs] *a.* 吝啬的；缺乏的
	记 来自 penury (*n.* 贫穷；吝啬)
priggish	[ˈprɪɡɪʃ] *a.* 自负的
guileless *	[ˈɡaɪlləs] *a.* 坦率的，厚道的，诚实的
	记 联想记忆：没犯过罪(guiltless)，所以很坦率(guileless)
	同 frank
hypocrite	[ˈhɪpəkrɪt] *n.* 伪君子
	记 词根记忆：hypo(下面；次等) + crite(看作 criticize，批评) → 在背后批评别人的人 → 伪君子

性格
特点

irascible *	[ɪˈræsəbl] *a.* 易怒的，暴躁的 记 词根记忆：irasc(生气) + ible → 一生气就发怒 → 易怒的
composed	[kəmˈpoʊzd] *a.* 镇静的；沉着的 同 calm
peevish	[ˈpiːvɪʃ] *a.* 易怒的，暴躁的 记 来自 peeve(*vt.* 使气恼，怨恨)
obstinate *	[ˈɑːbstɪnət] *a.* 倔强的；顽固的 记 词根记忆：ob(反对) + stin(看作 stit，站立) + ate(⋯的) → 偏要反着站 → 顽固的
fractious *	[ˈfrækʃəs] *a.* 易怒的，乖张的 记 词根记忆：fract(打破) + ious(易⋯的) → 容易打破情绪的 → 易怒的 同 unruly
obdurate *	[ˈɑːbdərət] *a.* 冷酷无情的；顽固的，执拗的 记 联想记忆：持续的(durable)顽固(obdurate) 同 inflexible, adamant
callosity	[kæˈlɑːsəti] *n.* 无情，冷酷
poise	[pɔɪz] *n.* 平衡，均衡；姿势；镇静，沉着自信 记 联想记忆：在噪音(noise)中泰然自若(poise)
unaffected	[ˌʌnəˈfektɪd] *a.* 不矫揉造作的，真诚自然的；未受影响的 记 拆分记忆：un(不) + affected(做作的) → 不矫揉造作的
tractable *	[ˈtræktəbl] *a.* 易驾驭的，驯良的；易处理的 记 词根记忆：tract(拉) + able(能够⋯的) → 能够拉的 → 易驾驭的 同 docile
effeminate	[ɪˈfemɪnət] *a.* 柔弱的；女人气的，娇气的 记 词根记忆：ef(看作 ex，出) + femin(女) + ate → 展现出女人的一面 → 女人气的
dexterity	[dekˈsterəti] *n.* 灵巧，机敏 记 来自 dexterous(*a.* 灵巧的，熟练的)
obtuse *	[əbˈtuːs] *a.* 愚蠢的；迟钝的 记 联想记忆：又荒谬(absurd)又愚蠢(obtuse) 同 insensitive, stupid
unruly *	[ʌnˈruːli] *a.* 不受拘束的，难驾驭的 记 联想记忆：un(不) + rule(控制) + y → 难以控制的 → 难驾驭的
reticent	[ˈretɪsnt] *a.* 沉默寡言的 记 词根记忆：re(重新) + tic(=silent，安静) + ent → 重新安静 → 沉默寡言的 同 silent, taciturn, reserved

composed peevish

obstinate

philanthropic	[ˌfɪlənˈθrɑːpɪk] *a.* 博爱的
	记 词根记忆：phil(爱) + anthrop(人) + ic → 爱人的 → 博爱的
garrulous *	[ˈɡærələs] *a.* 饶舌的，多嘴的
	同 talkative, loquacious, voluble
sluggish *	[ˈslʌɡɪʃ] *a.* 懒散的；反应迟钝的
morose *	[məˈrəʊs] *a.* 郁闷的；乖僻的
	记 联想记忆："没扰死" → 太郁闷了，我差点没被他烦扰死 → 郁闷的
	同 glum, surly, sulky, gloomy
prudent *	[ˈpruːdnt] *a.* 谨慎的，深谋远虑的
	记 词根记忆：pr(看作 pro，之前) + ud(看作 vid，看见) + ent(…的) → 办事之前仔细看的 → 谨慎的
	同 discreet
prudential	[pruːˈdenʃəl] *a.* 谨慎的
kleptomaniac *	[ˌkleptəˈmeɪniæk] *n.* 有盗窃癖的人
insatiable *	[ɪnˈseɪʃəbl] *a.* 不知足的，贪得无厌的
	记 词根记忆：in(不) + sat(充足的) + i + able(能够…的) → 不充足的 → 不知足的
pretentious *	[prɪˈtenʃəs] *a.* 自负的
	同 boastful
tenacious *	[təˈneɪʃəs] *a.* 坚强的，顽强的；坚忍不拔的
	记 词根记忆：ten(保持) + aci + ous(…的) → 始终保持的 → 顽固的
hypercritical *	[ˌhaɪpəˈkrɪtɪkl] *a.* 吹毛求疵的，过分苛刻的
	记 词根记忆：hyper(过分地) + crit(判断) + ical(…的) → 过分地讲求判断 → 吹毛求疵的
probity	[ˈprəʊbəti] *n.* 正直；诚实
	记 联想记忆：prob(e)(检查) + ity → 真金不怕火炼，正直的人经得起考验 → 正直
	同 uprightness
levity *	[ˈlevəti] *n.* 轻率；轻浮；变化无常
	记 词根记忆：lev(升起) + ity → 轻浮的人总是易变的，像是升起的烟一样 → 轻浮
	同 changeableness
dilatory *	[ˈdɪlətɔːri] *a.* 拖拉的，延误的
	记 联想记忆：di + lat(看作 late，迟的) + ory(…的) → 因为拖拉而迟到 → 拖拉的
effrontery *	[ɪˈfrʌntəri] *n.* 厚颜无耻
	记 词根记忆：ef(出) + front(前额，脸) + ery → 脸面都扔了 → 厚颜无耻

性格
特点

veracity *	[vəˈræsəti] *n.* 真实；诚实 记 词根记忆：ver(真实的) + acity → 诚实
agile	[ˈædʒl] *a.* 敏捷的，轻快的；灵活的，机敏的 记 词根记忆：ag(做) + ile(…的) → 擅长做的 → 敏捷的
niggardly	[ˈnɪɡərdli] *a.* 吝啬的，小气的 记 来自 niggard(*a.* 吝啬的)
fastidious *	[fæˈstɪdiəs] *a.* 难取悦的；挑剔的；苛求的 记 联想记忆：fast(禁食) + idious(=tedious，乏味的) → 因厨师做的饭乏味而禁食 → 挑剔的
timorous *	[ˈtɪmərəs] *a.* 胆小的，胆怯的 记 词根记忆：tim(胆怯) + orous → 胆怯的 同 fearful
valorous	[ˈvælərəs] *a.* 勇敢的，无畏的 记 词根记忆：val (强大) + orous → 强大的人都很无畏 同 valiant
vile	[vail] *a.* 卑鄙的，可耻的，恶劣的；坏透的 记 发音记忆："歪哟" → 卑鄙的人总往歪处想 → 卑鄙的
pusillanimous *	[ˌpjuːsɪˈlænɪməs] *a.* 懦弱的，胆小的，优柔寡断的 同 craven, dastardly
narcissism	[ˈnɑːrsɪsɪzəm] *n.* 自我陶醉；自恋
fatuous *	[ˈfætʃuəs] *a.* 愚昧的；昏庸的 记 联想记忆：fat(胖的) + uous → 四肢发达(引申为 fat)，头脑简单 → 愚昧的 同 silly
insipid *	[ɪnˈsɪpɪd] *a.* 淡而无味的，无情趣的；枯燥的；乏味的 记 词根记忆：in(不) + sip(=sap，味道) + id → 没有味道的 → 淡而无味的；乏味的 同 dull, flat, tasteless
vainglorious	[ˌveɪnˈɡlɔːriəs] *a.* 虚荣的；自吹自擂的 同 boastful
taciturn *	[ˈtæsɪtɜːrn] *a.* 沉默寡言的 记 词根记忆：tac(安静的) + iturn → 安静的，不说话 → 沉默寡言的 同 silent
obstreperous *	[əbˈstrepərəs] *a.* 喧嚣的；任性的 记 词根记忆：ob + streper(喊叫) + ous → 喧嚣的 同 vociferous, clamorous, blatant, boisterous

prolix	[ˈprəʊlɪks] *a.* 冗长的；说话啰嗦的
	记 词根记忆：pro(许多) + lix(来自 lex，话语) → 话语太多 → 啰嗦的
pious *	[ˈpaɪəs] *a.* 虔诚的
punctilious *	[pʌŋkˈtɪliəs] *a.* 拘泥细节的，谨小慎微的，一丝不苟的
	记 联想记忆：punct(点，尖) + ilious → 注意到每一点 → 谨小慎微的
frivolity	[frɪˈvɑːləti] *n.* 轻薄，轻率；无聊的举动
	记 来自 frivolous*(*a.* 轻薄的，轻佻的)
prudish	[ˈpruːdɪʃ] *a.* 过分拘谨的
stolid *	[ˈstɑːlɪd] *a.* 不易激动的，感觉迟钝的，神经麻木的
	记 联想记忆：脑袋都硬(solid)了，感觉迟钝(stolid)
	同 unemotional
insidious *	[ɪnˈsɪdiəs] *a.* 阴险的，狡诈的
	记 词根记忆：in(里面) + sid(坐) + ious → 坐在黑暗的角落里秘谈 → 小人之交甘如饴 → 阴险的
unwieldy *	[ʌnˈwiːldi] *a.* 笨拙的；(体制或团体)尾大不掉，运转不灵；笨重的
	记 词缀记忆：un(不) + wieldy(易于使用的) → 不易于使用的 → 难使用的
intriguing	[ɪnˈtriːgɪŋ] *a.* 迷人的，有迷惑力的；引起兴趣(或好奇心)的
	记 来自 intrigue(*v.* 激起…的兴趣)
	同 fascinating
lewd *	[luːd] *a.* 好色的，淫荡的
	记 联想记忆：lew(看作 few，很少的) + d → 好色之人很少害羞 → 好色的
duplicity *	[duːˈplɪsəti] *n.* 奸诈，狡猾
	记 词根记忆：du(双) + pli(重) + city → 有双重态度 → 狡猾
despotic *	[dɪˈspɑːtɪk] *a.* 专制的；专横的；暴虐的
fainthearted	[ˈfeɪntˈhɑːrtɪd] *a.* 懦弱的，胆小的
	同 timid
narcissistic *	[ˌnɑːrsɪˈsɪstɪk] *a.* 自恋的，自我陶醉的
skittish	[ˈskɪtɪʃ] *a.* 易惊的，胆小的；多变的，反复无常的
	同 capricious
munificent *	[mjuːˈnɪfɪsnt] *a.* 宽宏的，慷慨的
	记 词根记忆：muni(礼物) + fic(做) + ent → 做礼物送人 → 慷慨的
	同 liberal, generous, bountiful
fallible *	[ˈfæləbl] *a.* 易错的，可能犯错的
	记 联想记忆：fall(跌倒) + ible(可…的) → 易跌倒的 → 易错的
stagy	[ˈsteɪdʒi] *a.* 做作的
	记 联想记忆：stag(e)(舞台) + y → 舞台上做作的表演 → 做作的

despotic 杀杀杀
奸臣 暴君
王
duplicity
fainthearted

stoic*	[ˈstoʊɪk] *n.* 禁欲者；恬淡寡欲之人 *a.* 坚忍克己的；禁欲的
	记 联想记忆：坚忍克己(stoic)，像石头(stone)一样顽强
puerile*	[ˈpjʊrəl] *a.* 不成熟的；孩子气的，幼稚的
	记 联想记忆：她太单纯(pure)了，有点不成熟(puerile)
	同 juvenile, childish
hardihood	[ˈhɑːrdɪhʊd] *n.* 大胆；鲁莽
	记 来自 hardy(*a.* 勇敢的；鲁莽的)
genial	[ˈdʒiːniəl] *a.* 亲切的
	记 联想记忆：老人很慷慨(generous)，也很亲切(genial)
	同 gracious, affable
gullible*	[ˈgʌləbl] *a.* 易受骗的
immaculate*	[ɪˈmækjələt] *a.* 纯洁无瑕的；完美的
	记 词根记忆：im(无) + macul(斑点) + ate → 无斑点的 → 纯洁无瑕的
	同 pure
stringent*	[ˈstrɪndʒənt] *a.* 严厉的；迫切的
	记 联想记忆：string(线绳) + ent → 绳之以法 → 严厉的
profligate*	[ˈprɑːflɪgət] *a.* 放荡的，荒淫的；挥霍浪费的
	记 联想记忆：pro(很多) + fli(看作 flow，流) + gate(门) → 花钱如流水 → 挥霍浪费的
supercilious*	[ˌsuːpərˈsɪliəs] *a.* 自大的，傲慢的，目空一切的
	记 词根记忆：super(之上) + cili(眼皮) + ous(…的) → 在眼皮之上，所以看不见 → 目空一切的
	同 proud, arrogant, haughty, insolent, overbearing
slovenly*	[ˈslʌvnli] *a.* 懒散的；不修边幅的
	记 来自 sloven(*n.* 不整洁的人，懒鬼)
apathetic	[ˌæpəˈθetɪk] *a.* 缺乏兴趣的，缺乏感情的；无动于衷的
	记 词根记忆：a(无) + path(感觉) + e + tic(…的) → 对一件事情没有感觉 → 缺乏兴趣的
	同 spiritless, impassive, indifferent
loquacious*	[ləˈkweɪʃəs] *a.* 多话的
	记 词根记忆：loqu(说话) + aci + ous(…的) → 老说话的 → 多话的
communicative	[kəˈmjuːnɪkeɪtɪv] *a.* 爱说话的，畅谈的
	记 词根记忆：commun(共同的) + icat + ive(…的) → 因为有共同话题，所以畅谈 → 畅谈的
	同 talkative
slothful*	[ˈsloʊθfl] *a.* 偷懒的
	记 来自 sloth(*n.* 怠惰)
staid*	[steid] *a.* 认真的，沉着的
	记 联想记忆：沉着的(staid)战士在敌人面前勇敢地说(said)不

fortitude *	[ˈfɔːrtətuːd] *n.* 坚忍；刚毅，勇气
	记 词根记忆：fort(强壮的) + itude(表抽象) → 坚忍
factious	[ˈfækʃəs] *a.* 闹派别的；好捣乱的
lavish *	[ˈlævɪʃ] *a.* 非常大方的；过分丰富的；浪费的
	记 词根记忆：lav(洗) + ish(…的) → 花钱如流水的 → 浪费的
	同 profuse, prodigal
villainous	[ˈvɪlənəs] *a.* 恶毒的，凶恶的，恶劣的
	记 联想记忆：villa(别墅) + in(进入) + ous → 恶毒的歹徒闯入别墅行凶 → 恶毒的，凶恶的
stultify *	[ˈstʌltɪfaɪ] *vt.* 使显得愚笨；使变无效，使成为徒劳
	记 联想记忆：stult(看作 stupid, 愚蠢的) + ify → 使显得愚蠢
munificence	[mjuːˈnɪfɪsns] *n.* 宽宏大量；慷慨
	记 来自 munificent(*a.* 慷慨的，大方的)
perfidious *	[pərˈfɪdiəs] *a.* 背信弃义的
	记 词根记忆：per(假，坏) + fid(相信) + ious → 假诚信的 → 背信弃义的
	同 faithless, disloyal, treacherous
precocious *	[prɪˈkoʊʃəs] *a.* 早熟的
	记 词根记忆：pre(预先) + coc(成熟) + ious(…的) → 预先成熟的 → 早熟的
pretension	[prɪˈtenʃn] *n.* 借口；自命，声称；做作，虚夸
	记 词根记忆：pre + tens(张开) + ion(表名词) → 摊开自己的要求 → 要求
	同 claim
pertinacity	[ˌpɜːrtnˈæsəti] *n.* 顽固
disdainful *	[dɪsˈdeɪnfl] *a.* 轻蔑的；蔑视的，鄙视的
	记 来自 disdain(*v.* 轻蔑)
outspoken *	[aʊtˈspoʊkən] *a.* 直言不讳的，坦率的
	记 组合词：out(出) + spoken(口头的，说的) → 说出来的 → 直言不讳的
snide	[snaɪd] *a.* 伪造的；不诚实的，卑鄙的；讽刺的，含沙射影的
	记 联想记忆：把 n 藏在一边(side) → 伪造的；不诚实的
courteous	[ˈkɜːrtiəs] *a.* 谦恭的，有礼貌的
	记 联想记忆：court(向…献殷勤) + eous → 谦恭的
surly *	[ˈsɜːrli] *a.* 脾气暴躁的，性情乖戾的；(天气)阴沉的
	记 联想记忆：sur(看作 sir, 先生) + ly → 军队中被称呼 sir 的一些军官脾气暴躁 → 脾气暴躁的
imperturbable *	[ˌɪmpərˈtɜːrbəbl] *a.* 冷静的，沉着的，不易生气的
	记 联想记忆：im + perturb(使焦虑) + able → 情绪不易焦虑 → 冷静的，沉着的

有人要出卖我

Judas

Jesus
perfidious

性格
特点

437

headstrong *	[ˈhedstrɔːŋ] a. 顽固的，刚愎自用的，倔强任性的 记 联想记忆：head(脑袋) + strong(硬) → 脑袋硬 → 顽固的
optimist *	[ˈɑːptɪmɪst] n. 乐观的人，乐观主义者 记 词根记忆：optim(最好) + ist → 什么都往最好处想的人 → 乐观的人
diffidence *	[ˈdɪfɪdəns] n. 缺乏自信，怯懦，羞怯 记 来自 diffident(a. 缺乏自信的)
insolence *	[ˈɪnsələns] n. 傲慢，无礼 记 词根记忆：in(不) + sol(舒服) + ence → 言行举止令人不舒服 → 傲慢，无礼
introspective *	[ˌɪntrəˈspektɪv] a. (好)内省的，(好)自省的，(好)反省的 记 来自 introspect(v. 内省，反省)
overweening	[ˌoʊvərˈwiːnɪŋ] a. 自负的，过于自信的 记 联想记忆：over(过分) + ween(想象) + ing → 过分想像自己的伟大 → 自负的
sultry *	[ˈsʌltri] a. 闷热的；(女子)姿色迷人的，风情万种的；易怒的，粗暴的
obstinacy	[ˈɑːbstɪnəsi] n. 固执，倔强 记 词根记忆：ob + stin(=stand 站) + acy → 坚决站着 → 固执，倔强
hubris	[ˈhjuːbrɪs] n. 过分自傲，目中无人 记 联想记忆：hub(中心) + ris(看作 rise) → 中心升起 → 以(自我)为中心 → 目中无人
impetuosity	[ɪmˌpetʃuˈɑːsəti] n. 冲动；冲力；急躁；狂热 记 来自 impetuous(a. 冲动的；激烈的)
overbearing *	[ˌoʊvərˈberɪŋ] a. 专横的，独断的，飞扬跋扈的 记 联想记忆：overbear(镇压，压服) + ing → 专横的，独断的
precipitous *	[prɪˈsɪpɪtəs] a. 陡峭的；急躁的，仓促的 记 联想记忆：precipit(ate)(使突然发生) + ous → 急躁的，仓促的
stalwart *	[ˈstɔːlwərt] a. 健壮的；坚定的；忠诚的 n. 健壮的人；(政党等组织的)忠诚拥护者 记 联想记忆：s + tal(看作 tall，高大的) + wart(看作 war，战争) → 战争中高大的士兵们 → 健壮的人
bigotry *	[ˈbɪɡətri] n. 持偏见的行为(态度)等；顽固，执拗；偏狭 记 联想记忆：bi + go(去) + try(试) → 不听取意见，非要去自己试 → 顽固，执拗
spry *	[spraɪ] a. 充满生气的，活泼的，活跃的
bilious *	[ˈbɪliəs] a. 胆汁(质)的；易怒的，坏脾气的 记 联想记忆：bil(看作 bile，胆汁) + ious → 胆汁质的 → 易怒的，坏脾气的
bovine *	[ˈboʊvaɪn] a. 牛的，与牛有关的；愚笨的，迟钝的 记 词根记忆：bov(牛) + ine → 牛的

waggish＊	[ˈwægɪʃ] *a.* 诙谐的，滑稽的；爱恶作剧的
	记 联想记忆：wagg(=wag，爱闹着玩的人) + ish → 诙谐的，滑稽的
touchy＊	[ˈtʌtʃi] *a.* 易怒的；棘手的；(指问题、情况等)需要小心处理的(因可能引起争议或者不悦)
	记 联想记忆：touch(触摸) + y → 一触即发的 → 易怒的
raspy＊	[ˈræspi] *a.* (声音)刺耳的，恼人的
	记 联想记忆：rasp(刺耳声) + y → (声音)刺耳的，恼人的
testy＊	[ˈtesti] *a.* 性急的，暴躁的
	记 联想记忆：test(考试) + y → 为考试伤脑筋 → 暴躁的
dispassionate＊	[dɪsˈpæʃənət] *a.* 平心静气的；冷静的；不带偏见的
	记 联想记忆：dis(不) + passion(激情) + ate → 不表现激情的 → 平心静气的
dissolute＊	[ˈdɪsəluːt] *a.* 放荡的，放纵的；无节制的
	记 联想记忆：dis(除去) + sol(孤独) + ute → 想要排解寂寞，所以放荡 → 放荡的
circumspection＊	[ˌsɜːrkəmˈspekʃn] *n.* 小心，谨慎
	记 来自 circumspect(*a.* 小心谨慎的)
scurvy＊	[ˈskɜːrvi] *a.* 卑鄙的，下流的 *n.* 坏血病
lachrymose＊	[ˈlækrɪmoʊs] *a.* 好流泪的；引人落泪的
	同 lachrymal
indiscretion＊	[ˌɪndɪˈskreʃn] *n.* 不谨慎的言行；轻率，鲁莽
lackluster＊	[ˈlæklʌstər] *n./a.* 无光泽(的)，呆滞(的)，无生气(的)
	记 组合词：lack(缺少) + luster(光泽) → 无光泽
skinflint＊	[ˈskɪnflɪnt] *n.* 吝啬鬼
poignancy＊	[ˈpɔɪnjənsi] *n.* 强烈，尖刻，辛辣
	记 来自 poignant(*a.* 强烈的，辛辣的)
goof	[ɡuːf] *v.* 犯错误；消磨时间 *n.* 愚蠢的错误；傻瓜，蠢人
fiery	[ˈfaɪəri] *a.* 似火的；易怒的，暴躁的
	记 联想记忆：fier(看作 fire，火) + y → 似火的
saturnine＊	[ˈsætərnaɪn] *a.* 严肃而令人畏惧的；忧郁的，阴沉的
worldly＊	[ˈwɜːrldli] *a.* 尘世的，世俗的；世故的，老练的
	记 来自 world(*n.* 世界；尘世；世故)
infatuated	[ɪnˈfætʃueɪtɪd] *a.* 迷恋的，热恋的，痴情的
	记 来自 infatuate(*vt.* 使热恋，使着迷)
preen＊	[priːn] *v.* 整理羽毛；精心打扮、修饰；洋洋自得，沾沾自喜
	记 联想记忆：整理羽毛(preen)，染成绿色(green)

性格
特点

craftiness *	[ˈkræftinəs] *n.* 狡猾，诡诈；巧妙，熟练 记 来自 craft(*n.* 技能；诡计，手腕) 同 sly, cunning
mercenary *	[ˈmɜːrsəneri] *a.* 唯利是图的，贪财的 *n.* 雇佣兵 记 词根记忆：merc(交易) + en + + ary → 交易的目的只是为了钱 → 唯利是图的
fidgety	[ˈfɪdʒɪti] *a.* 烦躁的，坐立不安的
narcissist *	[ˈnɑːrsɪsɪst] *n.* 自负的人，自恋者
mordant	[ˈmɔːrdnt] *a.* 讥讽的，尖酸的；讽刺幽默的 记 词根记忆：mord(咬) + ant → 咬人的 → 尖酸的
paranoia *	[ˌpærəˈnɔɪə] *n.* 偏执狂，妄想症 记 词根记忆：para(旁边) + no(= noos，精神) + ia(病) → 精神偏向的病 → 偏执狂
prurient *	[ˈprʊriənt] *a.* 好色的，淫乱的 *n.* 好色之徒
preachy	[ˈpriːtʃi] *a.* 爱讲道理的，爱唠叨的，说教的，劝诫的 记 来自 preach(*v.* 说教，唠叨)
misanthrope *	[ˈmɪsənθroʊp] *n.* 愤世嫉俗者，厌世者 记 词根记忆：mis(坏，恨) + anthrope(人) → 恨人类的人 → 愤世嫉俗者
pert *	[pɜːrt] *a.* 无礼的，冒失的，轻佻的
pomposity *	[pɑːmˈpɑːsəti] *n.* 自大的言行；傲慢，自命不凡 记 词根记忆：pomp(炫耀) + osity → 自命不凡
equity *	[ˈekwəti] *n.* 公平，公正 记 来自 equal(*a.* 平等的) 同 fairness
escapism *	[ɪˈskeɪpɪzəm] *n.* 逃避现实 记 来自 escape(*v.* 逃避)
clairvoyant *	[klerˈvɔɪənt] *a.* 透视的；有洞察力的 *n.* 千里眼；有洞察力的人
tardy	[ˈtɑːrdi] *a.* 行动缓慢的；拖拉的；晚的，迟的 同 tardigrade
leniency *	[ˈliːniənsi] *n.* 温和；宽容，仁慈 记 来自 lenient(*a.* 温和的；宽容的，仁慈的)，词根记忆：len(软) + i + ent → 温和的 同 mercy
gingerly *	[ˈdʒɪndʒərli] *a./ad.* 小心的(地)，谨慎的(地)
openhanded	[ˌoʊpənˈhændɪd] *a.* 大方的，豪爽的 记 联想记忆：open(敞开的) + hand(手) + ed → 敞开手的 → 大方的，豪爽的

gamely *	[ˈɡeɪmli] *ad.* 顽强地；勇敢地
	记 联想记忆：game(比赛) + ly → 要赢得比赛就要顽强勇敢 → 顽强地；勇敢地
retiring *	[rɪˈtaɪərɪŋ] *a.* 退休的，退职的；孤僻的；隐居的；不喜欢社交的
	同 reserved
predilection *	[ˌpredɪˈlekʃn] *n.* 偏爱，爱好
uninhibited *	[ˌʌnɪnˈhɪbɪtɪd] *a.* 不受约束的，放荡不羁的
compliance *	[kəmˈplaɪəns] *n.* 顺从，遵从
	记 来自 compliant(*a.* 服从的，顺从的)

备考锦囊

写作备考指南（一）

　　SAT 的写作分为两种题型，一个是考查语法和惯用法的选择题，另一个是作文写作测试。

　　在选择题部分，有句子认错、修改句子和修改段落三种题。句子认错中每个句子只有一个错误，或没有错误，一般语法的难度和高中英语难度类似；修改句子中要求考生识别出简洁无误的说法，做题时需要注意如主谓一致、从句等修辞手法和句型；修改段落相对较难，考生要在通读短文的基础上，结合上下文语境为文章选择最好的修改方案，要注意句子的语法、逻辑关系、修改内容与文章主旨是否相关等。

　　作文写作测试时间为 25 分钟，是 SAT 考试的第一部分。题目中没有对字数进行要求，但一般在 500 字或更多。注意这部分考试的几个要求：

　　1. 用铅笔答卷，用水笔答题将计 0 分；

　　2. 作文要写在指定的答题纸上，只对写在答题纸上的文字记分；

　　3. 作文不得离题，离题作文将计 0 分。

　　这部分考试涉及的话题非常广，包括文学、艺术、运动、政治、技术、科学、历史、时事等，每个话题没有绝对的对与错，考生紧贴话题展开写作即可。

性格
特点

音频

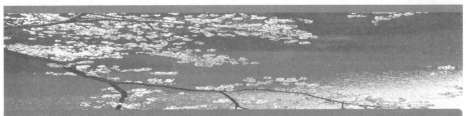

nonplus *	[ˌnɑːnˈplʌs] *vt.* 使困惑，使困窘
	记 联想记忆：non(不) + plus(增加；有利的) → 情况不利 → 使困窘
	同 perplex, puzzle, bewilder, confound
ravenous *	[ˈrævənəs] *a.* 贪婪的，渴望的；狼吞虎咽的
	记 联想记忆：渡鸦(raven)很贪婪(ravenous)
	同 rapacious
misrepresent *	[ˌmɪsˌreprɪˈzent] *v.* 误传；不实报道
	记 联想记忆：mis(错误) + represent(表示) → 表示错误 → 误传
exhilarate	[ɪgˈzɪləreɪt] *vt.* 使高兴；使振奋
	记 词根记忆：ex(出) + hilar(高兴的) + ate → 使显出高兴 → 使高兴
adhesion	[ədˈhiːʒn] *n.* 黏着；固守；皈依
disillusion	[ˌdɪsɪˈluːʒn] *vt.* 使觉醒；使幻灭
	记 词根记忆：dis(无) + il + lus(看作 lud，扮演) + ion → 梦想幻灭，不再假扮坚强 → 使幻灭
impassive *	[ɪmˈpæsɪv] *a.* 冷漠的
	记 词根记忆：im(看作 in，无) + pass(感觉) + ive(…的) → 无感觉的 → 冷漠的
	同 apathetic, phlegmatic*
enrapture *	[ɪnˈræptʃər] *vt.* 使狂喜；使着迷
	记 拆分记忆：en(使…) + rapture(狂喜；着迷) → 使狂喜；使着迷
irksome *	[ˈɜːrksəm] *a.* 令人厌恶的；讨厌的
	记 拆分记忆：irk(使厌倦) + some(…的) → 使厌倦的 → 令人厌恶的
	同 tedious*
squabble *	[ˈskwɑːbl] *v.* 争论，争吵
fulsome *	[ˈfʊlsəm] *a.* (谄媚等)因过分而令人生厌的
	记 联想记忆：ful(看作 full，满的) + some(…的) → 太满的 → 因过分而显得令人生厌的

malediction*	[ˌmælə'dɪkʃn] *n.* 咒骂；坏话
	记 词根记忆：male(坏) + dict(说) + ion(表名词) → 说坏话 → 坏话
	同 curse, execration
espouse*	[ɪ'spaʊz] *vt.* 嫁娶；支持，赞成
	记 联想记忆：e + spouse(配偶) → 配偶之间相互扶持 → 支持
	同 marry
maudlin*	['mɔːdlɪn] *a.* 感情脆弱的
petulant*	['petʃələnt] *a.* 脾气坏的；使性子的
	记 联想记忆：他的宠物(pet)被私自借给(lent)别人，让他很生气(petulant)
	同 peevish
proclamation	[ˌprɑːklə'meɪʃn] *n.* 宣布
	记 词根记忆：pro(之前) + clam(大叫) + ation(表名词) → 大叫着声明 → 宣布
vexation	[vek'seɪʃn] *n.* 恼怒；烦恼；苦恼的原因
	记 来自 vex(*v.* 烦恼；恼怒)
	同 affliction*
impute	[ɪm'pjuːt] *vt.* 归罪于，归咎于，归因于
	记 词根记忆：im(在…) + put(思考) + e → 思考后认为错误在… → 归咎于，归因于
vilify*	['vɪlɪfaɪ] *v.* 诽谤，辱骂；贬低，轻视
	记 来自 vile(*a.* 卑鄙的)
	同 malign, traduce, asperse, calumniate, defame
tacit*	['tæsɪt] *a.* 默许的，默示的
	记 联想记忆：tac(安静的) + it → 安静的，没有任何表示 → 默许的
adoration	[ˌædə'reɪʃn] *n.* 崇拜，爱慕
	记 来自 adore(*v.* 热爱，爱慕)
amatory	['æmətɔːri] *a.* 恋爱的；情人的
gruesome*	['gruːsəm] *a.* 可怕的，恐怖的；可憎的，令人厌恶的
	记 联想记忆：谁在我身上黏了一些(some)胶水(glue)？可恶(gruesome)！
	同 grisly, ghastly*, macabre, lurid
gainsay*	[ˌgeɪn'seɪ] *vt.* 否认；反对
	同 contradict, oppose, deny, contravene
repudiate*	[rɪ'pjuːdieɪt] *v.* 否认；拒绝接受
	记 词根记忆：re(背后) + pudi(羞愧) + ate → 否认事实，背后羞愧 → 否认；拒绝接受
pertinacious*	[ˌpɜːrtn'eɪʃəs] *a.* 固执的
	记 词根记忆：per + tin(保持) + aci + ous → 雷打不动，始终保持一种状态 → 固执的

情感
观点

sentient	[ˈsentiənt] *a.* 有感觉力的
	记 词根记忆：sent(看作 sens，感觉) + i + ent(…的) → 有感觉的 → 有感觉力的
pensive *	[ˈpensɪv] *a.* 沉思的；悲伤的
	记 词根记忆：pens(挂) + ive → 挂在心上 → 沉思的
veracious	[vəˈreɪʃəs] *a.* 说真话的，可靠的；真实的，正确的
	记 词根记忆：ver(真实) + acious(多…的) → 说有多真实，就有多真实 → 可靠的；真实的
scrupulous *	[ˈskruːpjələs] *a.* 小心谨慎的，细心的
	记 联想记忆：scrup(le)(顾忌) + ulous → 有所顾忌的 → 小心谨慎的
serene	[səˈriːn] *a.* 安定的，没有风波的；沉着的；沉静的，安详的
	记 联想记忆：宁静的(serene)场景(scene)
sagacity	[səˈɡæsəti] *n.* 睿智，聪敏
	记 来自 sagacious (*a.* 精明的)
artful	[ˈɑːrtfl] *a.* 巧妙的；狡猾的
	记 词根记忆：art(技巧) + ful(…的) → 有技巧的 → 巧妙的
inkling *	[ˈɪŋklɪŋ] *n.* 暗示；迹象
	记 联想记忆：ink(墨水) + ling(小) → 小墨迹 → 迹象
eulogize	[ˈjuːlədʒaɪz] *vt.* 称赞，颂扬
	记 词根记忆：eu(看作 ex，出) + log(说话) + ize → 说好话 → 称赞，颂扬
	同 extol*
discrepant	[dɪˈskrepənt] *a.* 差异的
distraught *	[dɪˈstrɔːt] *a.* 发狂的；心烦意乱的
	记 联想记忆：distra(看作 distress，忧伤) + (a)ught(看作 laugh，笑) → 心里忧伤还狂笑不止 → 发狂的
reprehend	[ˌreprɪˈhend] *vt.* 责备
	记 词根记忆：re(反) + prehend(抓住) → 反过来抓住(缺点) → 责备
acrimony	[ˈækrɪmoʊni] *n.* (言谈举止上的)刻毒；讽刺；毒辣
	记 词根记忆：acri(尖酸) + mony(表名词) → 表示尖酸刻薄 → (言谈举止上的)刻薄
downplay	[ˌdaʊnˈpleɪ] *vt.* 不予重视，贬低，低估
	记 联想记忆：down(向下) + play(玩) → 玩下去不理正事 → 不予重视
insolent	[ˈɪnsələnt] *a.* 傲慢的；无礼的
	记 词根记忆：in(不) + sol(安慰) + ent → 不懂得安慰别人，很傲慢 → 傲慢的
drub	[drʌb] *v.* 敲打；彻底打败
enthrall *	[ɪnˈθrɔːl] *vt.* 迷住，使着迷

malodorous[*]	[ˌmælˈoʊdərəs] *a.* 有恶臭的 记 来自 malodor (*n.* 恶臭)
undervalue	[ˌʌndərˈvæljuː] *vt.* 低估，轻视
discountenance	[dɪsˈkaʊntənəns] *n./v.* 不赞成，不支持
bawl	[bɔːl] *n.* 叫骂声；号哭 *v.* 大叫；怒吼 记 联想记忆：不小心打破碗 (bowl)，不禁大叫 (bawl) 一声 同 outcry, yell, bellow
advisory	[ədˈvaɪzəri] *a.* 咨询的；劝告的 记 拆分记忆：advis (看作 advise, 建议) + ory (… 的) → 建议的 → 劝告的
slander[*]	[ˈslændər] *n.* 诽谤，诋毁 记 联想记忆：s + land (地) + er → 用恶毒的话把人贬到地上 → 诽谤，诋毁
inadvertent	[ˌɪnədˈvɜːrtənt] *a.* 不注意的，疏忽的 同 inattentive
equivocate[*]	[ɪˈkwɪvəkeɪt] *v.* 说模棱两可的话；支吾，搪塞 记 来自 equivocal (*a.* 模棱两可的)
felicitous[*]	[fəˈlɪsɪtəs] *a.* (言辞等) 恰当的，巧妙的；幸福的 记 词根记忆：felic (幸福) + itous → 幸福的 同 fit, fitting, suitable, proper, appropriate
caitiff	[ˈkeɪtɪf] *a.* 卑劣的；胆小的
vindicate[*]	[ˈvɪndɪkeɪt] *vt.* 为…而辩护；证实，证明 记 词根记忆：vin (看作 vim, 活力) + dic (说) + ate → 之所以那么有活力地说，是要为自己辩护 → 为…而辩护 同 justify
equivocal	[ɪˈkwɪvəkl] *a.* 意义不明确的；模棱两可的 记 词根记忆：equi (相等的) + voc (声音) + al (…的) → 声音都相同的，但意思表达不明确 → 意思不明确的
venial[*]	[ˈviːniəl] *a.* 可宽恕的 记 联想记忆：出于宽恕 (venial) 之心，不要拒绝 (denial)
qualm[*]	[kwɑːm] *n.* 疑虑，担心 记 联想记忆：争吵 (quarrel) 是因为对对方产生疑虑 (qualm) 同 scruple
nonchalant	[ˌnɑːnʃəˈlɑːnt] *a.* 冷淡的，漠不关心的；冷静的 记 联想记忆：他冷淡地 (nonchalant) 对她说：你没机会 (no chance) 了 同 cool
gnash	[næʃ] *v.* (气得) 咬牙切齿

情感观点

jaded*	[ˈdʒeɪdɪd] *a.* 疲倦不堪的；厌倦的 同 exausted
hackneyed*	[ˈhæknid] *a.* 陈腐的；常见的 记 联想记忆：如今连黑客（hacker）都很常见（hackneyed）了 同 trite, threadbare*
incommodious	[ˌɪnkəˈmoʊdiəs] *a.* 不便的；狭窄的 同 imconvenient
farcical	[ˈfɑːrsɪkl] *a.* 滑稽的，引人发笑的，荒唐的 记 来自 farce（*n.* 笑剧，闹剧）
fallacious*	[fəˈleɪʃəs] *a.* 谬误的；虚妄的 记 词根记忆：fall（犯错）+ aci + ous（充满了…） → 充满了错误 → 谬误的 同 delusive
effervescent	[ˌefərˈvesnt] *a.* 冒泡的，沸腾的；奋发的，愉快的 记 词根记忆：ef（出）+ ferv（沸腾）+ esc + ent（…的）→ 沸腾的
vigilant	[ˈvɪdʒɪlənt] *a.* 警惕的，警醒的 记 词根记忆：vig（生命）+ il + ant → 生命诚可贵，警惕病来袭 → 警惕的 同 watchful, wide-awake, alert
amour	[əˈmʊr] *n.* 奸情；恋情
repartee	[ˌrepɑːrˈtiː] *n.* 巧妙的应答 记 联想记忆：re（反）+ part（辩论的一方）+ ee → 辩论的一方用反问作为应答 → 巧妙的应答
tremor*	[ˈtremər] *n.* 震动；颤动 记 词根记忆：trem（抖动）+ or → 颤动
animadversion	[ˌænəmædˈvɜːrʃn] *n.* 批评，非难
exultant	[ɪɡˈzʌltənt] *a.* 非常高兴的，欢跃的 记 词根记忆：e + xult（看作 sult，跳）+ ant（…的）→ 高兴得跳起来 → 非常高兴的
exigent	[ˈeksədʒənt] *a.* 紧急的，迫切的；苛求的，要求很高的 记 词根记忆：ex（出）+ ig（行动）+ ent（…的）→ 情况紧急，应该尽快做出行动 → 紧急的 同 demanding
acquiescence	[ˌækwiˈesns] *n.* 默许，默认，默默接受 记 词根记忆：ac（加强）+ qui（安静的）+ escence → 安静的同意 → 默许
inveigh	[ɪnˈveɪ] *vi.* 猛烈抨击；痛骂 记 联想记忆：in（使）+ veigh（看作 weigh，重量） → 重重地骂→痛骂

446

reproof	[rɪˈpruːf] *n.* 谴责，非难 记 联想记忆：re(再) + proof(证据) → 重新找到他犯罪的证据，他受到人们的谴责 → 谴责，非难
rue *	[ruː] *v.* 后悔，懊悔
hysterical	[hɪˈsterɪkl] *a.* 情绪异常激动的，歇斯底里的 记 联想记忆：hyster(看作 hyper，过分的) + ical(…的) → 过分的 → 歇斯底里的
obfuscate *	[ˈɑːbfʌskeɪt] *vt.* 使模糊；使混乱；使困惑 记 词根记忆：ob(走向) + fusc(黑暗) + ate → 走向黑暗，感到困惑 → 使困惑
appreciable	[əˈpriːʃəbl] *a.* 可感知的；可评估的 记 词根记忆：ap(看作 ad，向…) + preci(价值) + able(能够…的) → 能够对某事某物给出价值的 → 可评估的
waive *	[weiv] *vt.* 放弃 记 联想记忆：wave 中加入 i → 挥一挥衣袖，不带走一片云彩 → 放弃
vigilance *	[ˈvɪdʒɪləns] *n.* 警戒；警惕 记 来自 vigilant(*a.* 机警的；警惕的)
sedate *	[sɪˈdeɪt] *a.* 安静的；稳重的，泰然自若的 记 词根记忆：sed(=sid，坐下) + ate → 坐下来的 → 安静的
dissentious	[dɪˈsenʃəs] *a.* 好争论的，争吵的
bemoan *	[bɪˈmoʊn] *v.* 哀叹 记 联想记忆：be(加强) + moan(抱怨) → 一再抱怨 → 哀叹
bravo	[ˌbrɑːˈvoʊ] *n.* 亡命徒；喝彩 *int.* 好啊！妙！ 记 发音记忆："不赖哦" → 喝彩，拍手叫好 → 喝彩
bristle	[ˈbrɪsl] *n.* 刚毛，猪鬃 *v.* (毛发等)竖起；发怒 记 联想记忆：b(音似：不) + ris(看作 risk，冒险) + tle → 不听劝告去冒险 → 被激怒 → 发怒
invigorate *	[ɪnˈvɪgəreɪt] *vt.* 鼓舞 记 词根记忆：in(进入) + vig(活力) + or + ate(使) → 使活力进入 → 鼓舞
dumbfound *	[dʌmˈfaʊnd] *vt.* 使人哑然失声；使惊呆 记 联想记忆：dumb(哑的) + found(发现) → 发现一件惊天秘密，不禁哑然失声 → 使人哑然失声
felonious *	[fəˈloʊniəs] *a.* 极恶的，犯重罪的
irk	[ɜːrk] *vt.* 使厌倦；使苦恼 记 发音记忆："饿渴" → 又饿又渴，当然苦恼厌烦 → 使厌倦；使苦恼
gibe *	[dʒaɪb] *v.* 嘲笑 同 scoff, jeer, fleer, sneer, flout*

derange *	[dɪˈreɪndʒ] *vt.* 使精神错乱；使发狂 记 联想记忆：精神错乱(derange)，没法安排(arrange)
reck	[rek] *v.* 顾虑
benediction	[ˌbenɪˈdɪkʃn] *n.* 祝福
intimidate *	[ɪnˈtɪmɪdeɪt] *vt.* 恐吓，威胁，胁迫 记 词根记忆：in + tim(害怕) + id + ate(使…) → 使人害怕的 → 恐吓 同 frighten
importunate *	[ɪmˈpɔːrtʃənət] *a.* 不断要求的，急切的；纠缠不休的 记 联想记忆：因为十分重要(important)，所以一再要求(importunate)
laudation	[lɔːˈdeɪʃn] *n.* 赞美，称赞；颂词
reiterate *	[riˈɪtəreɪt] *v.* 反复地说，重申；重做 记 词根记忆：re(一再) + it(去) + erate → 再一次去，反复说 → 重申
prevaricate *	[prɪˈværɪkeɪt] *v.* 支吾；吞吞吐吐；说谎 同 equivocate
misstate	[mɪsˈsteɪt] *vt.* 说错，作虚伪叙述
repentant	[rɪˈpentənt] *a.* 后悔的，悔改的；有后悔表现的 记 词根记忆：re + pen(处罚) + t + ant(…的) → 因为悔改态度很好，处罚就轻了 → 悔改的
becalm	[bɪˈkɑːm] *vt.* 使安静；因无风而使停航
mandate *	[ˈmændeɪt] *n.* 命令；训令；要求；授权；委托书，授权令 记 词根记忆：mand(命令) + ate → 命令
vociferate	[voʊˈsɪfəreɪt] *v.* 大叫，喊叫
pique *	[piːk] *n.* 不满，生气，恼怒
animadvert	[ˌænəmædˈvɜːt] *v.* 批判，非难，责备
frenetic *	[frəˈnetɪk] *a.* 发狂的；狂热的 记 词根记忆：frenet(精神狂乱) + ic → 发狂的 同 frenzied *, frantic *
exasperate	[ɪgˈzæspəreɪt] *vt.* 激怒，使恼怒 记 词根记忆：ex(非常) + asper(粗鲁) + ate → 非常粗鲁的行为激怒了他 → 激怒 同 enrage
muffle	[ˈmʌfl] *vt.* 包，蒙住；压低(声音) 记 发音记忆："马蜂" → 像马蜂窝一样 → 包裹住马蜂 → 包，蒙住
listless *	[ˈlɪstləs] *a.* 倦怠的；无精打采的；情绪低落的 同 languid *

mystify *	[ˈmɪstɪfaɪ] *vt.* 迷惑；使困惑 同 bewilder
ire *	[ˈaɪər] *n.* 愤怒 记 联想记忆：愤怒(ire)之火(fire)
placate *	[ˈpleɪkeɪt] *vt.* 安抚，抚慰 记 联想记忆：找个地方(place)安抚(placate)一下受伤的心灵 同 appease, pacify*, mollify
mandatory *	[ˈmændətɔːri] *n.* 命令的；强制的，义务的 记 来自 mandate(*n.* 命令)
solace *	[ˈsɑːləs] *vt.* 安慰；平息；抚慰 记 联想记忆：sol(独特的) + ace → 用独特的方法才能安慰她 → 安慰 同 console, soothe
bridle	[ˈbraɪdl] *n.* 马勒，缰绳，马笼头 *v.* 上笼头；昂首(表傲慢、愤怒等)；抑制(欲望)
affront *	[əˈfrʌnt] *n./v.* 公开侮辱，轻蔑 记 词根记忆：af(看作 ad, 向…) + front(面部) → 冲着某人面部叫骂 → 公开侮辱
abhorrent	[əbˈhɔːrənt] *a.* 令人憎恶的 派 abhorrence (*n.* 憎恶)
laudable	[ˈlɔːdəbl] *a.* 值得赞美的，值得称赞的 记 来自 laud(*v.* 赞美) 同 commendable
jocund	[ˈdʒɑːkənd] *a.* 欢乐的，高兴的 同 merry, blithe, jovial*, jolly
adherence *	[ədˈhɪrəns] *n.* 黏着；坚持；忠诚 记 词根记忆：ad(向…) + her(黏着) + ence(表名词) → 黏着
repugnant *	[rɪˈpʌɡnənt] *a.* 令人讨厌的；冲突的；不一致的 记 联想记忆：他居然跟怀孕的(pregnant)妻子起冲突(repugnant) 同 incompatible, inconsistent
abomination	[əˌbɑːmɪˈneɪʃn] *n.* 可憎的事物
relinquish *	[rɪˈlɪŋkwɪʃ] *v.* (尤指不情愿地)放弃 记 词根记忆：re(一再) + linqu(=leave, 离开) + ish → 一再离开 → 放弃
bethink	[bɪˈθɪŋk] *vt.* 使想，使思考；使回忆
imperious *	[ɪmˈpɪriəs] *a.* 专横的，盛气凌人的 同 domineering
laudatory	[ˈlɔːdətɔːri] *a.* 赞美的，赞赏的
assertive	[əˈsɜːrtɪv] *a.* 断言的，肯定的，坚定自信的

情感观点

449

accusation	[ˌækjuˈzeɪʃn] *n.* 谴责；指控
derogate	[ˈderəgeɪt] *v.* 贬损；毁损 记 词根记忆：de(看作 dis，不) + rog(询问) + ate → 不问清楚就乱说 → 贬损
queasy*	[ˈkwiːzi] *a.* 令人作呕的；忧虑的 记 联想记忆：qu(看作 quite，很) + easy(轻松) → 笑一笑，十年少，不必忧虑 → 忧虑的
intercession	[ˌɪntərˈseʃn] *n.* 求情，说情；仲裁，调停
grimace*	[grɪˈmeɪs] *n.* (表示痛苦、轻蔑、厌恶等的)怪相，鬼脸 记 联想记忆：grim(可怕的) + ace(看作 face) → 可怕的脸 → 鬼脸
incongruous*	[ɪnˈkɑːŋgruəs] *a.* 不协调的；不适宜的 记 拆分记忆：in + congruous(全等的，一致的) → 不协调的
dictatorial	[ˌdɪktəˈtɔːriəl] *a.* 独裁的，傲慢的，专横的 记 来自 dictator(*n.* 独裁者)
entreaty	[ɪnˈtriːti] *n.* 恳求；乞求 记 来自 entreat(*v.* 恳求)
inconsequential*	[ɪnˌkɑːnsɪˈkwenʃl] *a.* 不合逻辑的；不合理的 记 词根记忆：in(不) + con(一起) + sequ(跟随) + ent + ial(…的) → 不跟随逻辑一起的 → 不合逻辑的 同 illogical
panorama	[ˌpænəˈræmə] *n.* 全景；概括，综述 记 词根记忆：pan(全部) + orama(景色) → 全部的景色 → 全景
pejorative*	[pɪˈdʒɔːrətɪv] *a.* 轻蔑的；贬抑的 记 词根记忆：pejor(更坏) + ative → 变得更坏的 → 贬抑的
scowl	[skaʊl] *v.* 皱眉头 记 联想记忆：看着分数(score)直皱眉头(scowl)
calumniate	[kəˈlʌmnieɪt] *vt.* 中伤；诽谤
nauseous	[ˈnɔːʃəs] *a.* 令人作呕的；使人厌恶的
insouciance	[ɪnˈsuːsiəns] *n.* 漫不经心，不在乎 记 联想记忆：消息来源(source)很多，所以他漫不经心(insouciance) 同 nonchalance*
invective*	[ɪnˈvektɪv] *a.* 谩骂的，非难的，恶言的 记 词根记忆：in(进入) + vect(运) + ive → 将不好的话运送到某人的心里 → 谩骂的
obtrude*	[əbˈtruːd] *v.* 冲出；强迫；强行闯入 记 词根记忆：ob(向外) + trud(伸出) + e → 怒发冲冠 → 冲出

reprisal*	[rɪˈpraɪzl] *n.* 报复
	记 词根记忆：re + pris(=price，抓住) + al → 抓住对方的弱点进行报复 → 报复
indomitable*	[ɪnˈdɑːmɪtəbl] *a.* 不屈服的，不屈不挠的
	记 词根记忆：in(不) + domit(驯服) + able(…的) → 不能驯服的 → 不屈服的
	同 unconquerable
impassioned	[ɪmˈpæʃnd] *a.* 热情洋溢的，充满激情的
	记 词根记忆：im(进入) + pass(感觉) + ion + ed(…的) → 进入一种强烈的感觉 → 热情洋溢的
	同 passionate, ardent, fervent, fervid*
behold	[bɪˈhoʊld] *v.* 目睹，看见
	记 联想记忆：目睹(behold)犯罪过程，亲手捉拿(hold)罪犯
	同 see
vehement*	[ˈviːəmənt] *a.* 激烈的，猛烈的；(情感)热烈的
	同 powerful, impassioned, fervid
recriminate	[rɪˈkrɪmɪneɪt] *v.* 反责，反唇相讥
laud*	[lɔːd] *n.* 称赞，赞美；颂歌 *v.* 称赞，赞美
	记 联想记忆：大声(loud)赞美(laud)
	同 praise, acclaim
remorseless	[rɪˈmɔːrsləs] *a.* 无恻隐之心的，无情的
	记 拆分记忆：re + morse(懊悔，自责) + less → 毫无仁慈的 → 无恻隐之心的
amok	[əˈmɑːk] *ad.* 狂乱地；杀气腾腾地
vindictive*	[vɪnˈdɪktɪv] *a.* 报复性的
	记 来自 vindicate(*v.* 复仇；为…辩护)
heedless*	[ˈhiːdləs] *a.* 不注意的
	记 联想记忆：不需要(needless)注意，所以不注意(heedless)
solicitous*	[səˈlɪsɪtəs] *a.* 热切的；期望的；关切的
	记 来自 solicit(*v.* 恳求)
	同 eager
frantic*	[ˈfræntɪk] *a.* 狂乱的，疯狂的
	记 联想记忆：frant(看作 front，前面，前线) + ic(…的) → 听说被派往前线，他很慌乱 → 狂乱的
	派 frantically(*ad.* 狂暴地，疯狂似地)
gambol*	[ˈgæmbl] *n.* 欢跳，雀跃，嬉戏
	记 来自 gamb(*n.* 腿)
contrition	[kənˈtrɪʃn] *n.* 悔悟，后悔
	记 联想记忆：违背了宪法(constitution)，现在悔悟(contrition)了
	同 repentance, penitence, compunction, remorse

情感观点

interposition	[ˌɪntərpəˈzɪʃən] *n.* 介入；干涉
disavow	[ˌdɪsəˈvaʊ] *v.* 不承认，否认；否定，抵赖
rile*	[raɪl] *vt.* 搅混；惹怒
	同 upset, irritate, exasperate, provoke, peeve
enamo(u)r	[ɪˈnæmə(r)] *vt.* 使倾心；使迷恋
	同 fascinate
effusive*	[ɪˈfjuːsɪv] *a.* 过分热情的
sterling	[ˈstɜːrlɪŋ] *a.* 纯正的，优秀的
	记 联想记忆：他纯正的(sterling)思想让大家吃惊(startling)
indulgent*	[ɪnˈdʌldʒənt] *a.* 纵容的
	记 来自 indulge(*v.* 纵容)
insinuate*	[ɪnˈsɪnjueɪt] *v.* 含沙射影地说；暗示
	记 词根记忆：in(进入) + sinu(弯曲) + ate → 曲折地进入主题 → 含沙射影地说
infuriate*	[ɪnˈfjʊrieɪt] *vt.* 激怒，使大怒
	记 词根记忆：in + furi(看作 fury，狂怒) + ate(使…) → 使狂怒 → 激怒
inimical*	[ɪˈnɪmɪkl] *a.* 不友好的，敌意的
	记 词根记忆：in(不) + im(爱) + ical → 不会去爱的 → 敌意的
derisive	[dɪˈraɪsɪv] *a.* 嘲笑的，可付之一笑的
	记 来自 deride(*v.* 嘲笑，嘲弄)
jovial*	[ˈdʒoʊviəl] *a.* 愉快的
	记 联想记忆：jov(看作 joy，高兴) + ial → 愉快的
athirst	[əˈθɜːrst] *a.* 渴望的
gallant	[ˈgælənt] *a.* 英勇的，豪侠的
	记 词根记忆：gall(胆) + ant → 有胆的 → 英勇的
reprehensible*	[ˌreprɪˈhensəbl] *a.* 应受责难的
	同 culpable*
unassuming*	[ˌʌnəˈsuːmɪŋ] *a.* 谦逊的；不装腔作势的
	记 拆分记忆：un(不) + assuming(傲慢的) → 不傲慢的 → 谦逊的
	同 modest
intoxicate	[ɪnˈtɑːksɪkeɪt] *vt.* 使陶醉；使中毒
	记 词根记忆：in(进入) + tox(毒) + ic + ate(使…) → 使进入中毒状态 → 使中毒
detest	[dɪˈtest] *vt.* 厌恶，憎恨
	记 词根记忆：de(不) + test(见证) → 看到不道德的事情 → 厌恶，憎恨
	同 hate

discretionary	[dɪˈskreʃəneri] *a.* 任意的，自由决定的
gesticulation*	[dʒeˌstɪkjuˈleɪʃn] *n.* 姿势；做姿势传达；做手势
	记 词根记忆：gest(运) + icula + tion(表名词) → 身体的运动 → 做姿势传达
	同 gesture
heartrending	[ˈhɑːrtrendɪŋ] *a.* 悲惨的；令人心碎的
	同 heartbreaking
coerce	[kouˈɜːrs] *vt.* 强制；强迫
placid*	[ˈplæsɪd] *a.* 平静的，宁静的；温和的
	记 词根记忆：plac(使平和) + id(…的) → 平静的
	同 calm, tranquil, serene, peaceful
accursed	[əˈkɜːrsɪd] *a.* 被诅咒的
trepidation*	[ˌtrepɪˈdeɪʃn] *n.* 颤抖；惊恐，恐惧
	记 词根记忆：trep(害怕) + id + ation → 怕得发抖 → 颤抖
	同 fear, dread, fright, terror
gibber	[ˈdʒɪbər] *v.* 急促不清地说，语无伦次地说
	派 gibberish (*n.* 胡言乱语)
grisly*	[ˈɡrɪzli] *a.* 恐怖的，可怕的，令人毛骨悚然的
	记 联想记忆：g(音似：赶；赶快) + ris(看作 rise，起来) + ly → 看到恐怖的东西，赶紧起身逃跑 → 恐怖的
distressed	[dɪˈstrest] *a.* 哀伤的，忧虑的；苦恼的
barbarian	[bɑːrˈberiən] *a.* 粗鲁无礼的；野蛮的
glamorize	[ˈɡlæməraɪz] *vt.* 使有魔力；使吸引人
	记 来自 glamor(*n.* 魔力；魅力)
adulate	[ˈædʒəleɪt] *vt.* 奉承，献媚
	记 联想记忆：adul(看作 adult，成人) + ate → 奉承是成人常做的事 → 奉承
misnomer*	[ˌmɪsˈnoumər] *n.* 误称；用词不当
	记 词根记忆：mis(错误) + nom(名字) + er → 名字用错了 → 误称
whine	[waɪn] *v.* 哭诉；发牢骚；发呜呜声
	记 联想记忆：酒(wine)后吐真言 → 哭诉(whine)
vociferous*	[vouˈsɪfərəs] *a.* 大声叫的，喊叫的；喧嚷的
	记 词根记忆：voci(看 voc，喊叫) + fer(忍受) + ous → 喊叫声大得叫人不能忍受 → 大声叫的
	同 clamorous, strident*, boisterous, obstreperous
adulatory	[ˈædʒələtɔːri] *a.* 奉承的
	记 来自 adulate (*v.* 奉承)
caprice	[kəˈpriːs] *n.* 反复无常；任性；怪念头

情感
观点

untoward	[ʌn'tɔːrd] *a.* 麻烦的; 不幸的
	记 联想记忆: un(不) + toward(向…走) → 不向正确的道路走 → 误入歧途 → 不幸的
ebullient *	[ɪ'bʌliənt] *a.* 沸腾的; 热情洋溢的
	记 联想记忆: e + bull(公牛) + ient → 像公牛一样的 → 热情洋溢的
	派 ebullience (*n.* 沸腾; 热情洋溢)
	同 boiling, enthusiastic
assertion	[ə'sɜːrʃn] *n.* 主张; 断言, 声明
	记 来自 assert(*v.* 断言)
repine	[rɪ'paɪn] *v.* 抱怨
	记 联想记忆: re + pine(憔悴) → 因苦恼、不满而憔悴 → 抱怨
grievance *	['griːvəns] *n.* 委屈, 冤情, 不平
	记 词根记忆: griev(重) + ance → 受了委屈自然心情沉重 → 委屈
dour	['daʊər] *a.* 固执的; 阴沉的; 严厉的
	同 obstinate, unyielding, gloomy, sullen, stern, harsh
jerky	['dʒɜːrki] *a.* 急动急停的; 颠簸的
unilateral	[ˌjuːnɪ'lætrəl] *a.* 一方的; 单方的; 一侧的, 片面的
	记 词根记忆: uni(单一的) + later(侧面) + al → 单方面的 → 一方的; 单方的
ingratiate *	[ɪn'greɪʃieɪt] *vt.* 迎合, 讨好
	记 词根记忆: in + grat(喜好) + i + ate(使…) → 使别人喜欢自己 → 讨好
elated *	[i'leɪtɪd] *a.* 兴高采烈的, 喜气洋洋的
	同 exultant
vocative	['vɑːkətɪv] *a.* 呼唤的; 【语】呼格
espy	[e'spaɪ] *vt.* 看出; 窥探
	记 联想记忆: e + spy(间谍) → 间谍善长窥探 → 窥探
taunt	[tɔːnt] *vt.* 嘲笑, 奚落
	记 联想记忆: t(音似: 他) + aunt(姑妈) → 他姑妈爱嘲笑人 → 嘲笑, 奚落
blazon	['bleɪzn] *v.* 广布, 宣布; 描绘, 绘制 *n.* 细致准确地绘制或描述(纹章)
	记 联想记忆: 在我的地盘(zone)广布我的言论(blazon)
	同 display
licentious *	[laɪ'senʃəs] *a.* 放肆的
	记 词根记忆: lic(允许) + ent + ious → 得到允许的 → 放肆的
reprobate *	['reprəbeɪt] *v.* 非难
	记 词根记忆: re(一再) + prob(检验) + ate → 故意为难, 一再进行检验 → 非难
turpitude *	['tɜːrpətuːd] *n.* 奸恶, 卑鄙
	记 词根记忆: turp(卑鄙的) + itude → 卑鄙

urbane *	[ɜːrˈbeɪn] *a.* 有礼貌的，文雅的 记 联想记忆：urban(城里的) + e → 城里的人一般较懂礼貌 → 有礼貌的
captivate *	[ˈkæptɪveɪt] *vt.* 迷住；迷惑 记 词根记忆：cap(取) + tiv + ate(使…) → 取得了他的心 → 迷住 同 attract, allure, charm, fascinate, enchant
sonorous *	[ˈsɑːnərəs] *a.* (声)洪亮的，响亮的；能发出响亮声音的 记 词根记忆：son(声音) + orous → 声音洪亮的
remonstrance *	[rɪˈmɑːnstrəns] *n.* 抗议 记 词根记忆：re(反) + monstr(表示) + ance(表名词) → 表示反对 → 抗议
magnanimous *	[mægˈnænɪməs] *a.* 宽宏大量的；高尚的 记 词根记忆：magn(大) + anim(心胸；生命) + ous → 心胸大的 → 宽宏大量的
formidable *	[ˈfɔːrmɪdəbl] *a.* 可怕的，令人畏惧的；难以克服的，难对付的 记 联想记忆：formid(看作 formic，蚂蚁的) + able → 蚂蚁成群骚扰 → 可怕的；难对付的 派 formidably(*ad.* 可怕地；难对付地) 同 dreadful, awesome*, insurmountable
upbraid *	[ʌpˈbreɪd] *v.* 责备，叱责 记 联想记忆：up(向上) + braid(辫子) → 揪辫子 → 责备，叱责
dissension	[dɪˈsenʃn] *n.* 意见分歧，冲突 记 词根记忆：dis(不) + sens(感觉) + ion(表名词) → 不同的感觉 → 意见分歧
embolden	[ɪmˈbəʊldən] *vt.* 壮胆；鼓励 记 拆分记忆：em(使…) + bold(大胆) + en → 使人大胆 → 壮胆
fulminate	[ˈfʊlmɪneɪt] *v.* 使爆炸；以严词谴责 记 词根记忆：fulmin(闪电；雷声) + ate → 像雷电一样 → 以严词谴责
beck	[bek] *n.* 点头示意；招手示意；小溪
sensuous	[ˈsenʃuəs] *a.* 感觉的；愉悦感官的 记 词根记忆：sens(感觉) + u + ous(…的) → 感觉的
gruff *	[grʌf] *a.* (说话、态度等)粗暴的，生硬的 同 crusty
voluble *	[ˈvɑːljəbl] *a.* 流利的，健谈的 记 联想记忆：volu (看作 volume，音量) + ble → 谈话中音量一直没变 → 健谈的
monition	[məʊˈnɪʃn] *n.* 忠告；警告
vex *	[veks] *vt.* 使烦恼，使恼怒 记 联想记忆：惹恼(vex)公牛(ox)麻烦大

vex

fervid*	[ˈfɜːrvɪd] *a.* 热烈的，热情的，激烈的 记 词根记忆：ferv(沸腾) + id(…的) → 内心沸腾的 → 热情的
accusatory	[əˈkjuːzətɔːri] *a.* 非难的，控诉的，指责的
suasion	[ˈsweɪʒn] *n.* 说服；劝告
malignancy	[məˈlɪgnənsi] *n.* 恶意；(指肿瘤)恶性
blaspheme	[blæsˈfiːm] *v.* 亵渎；咒骂，辱骂 记 词根记忆：blas(错误) + phe(说话) + me → 说了些错误的话 → 辱骂
quandary*	[ˈkwɑːndəri] *n.* 困惑，窘境，进退两难 记 发音记忆："渴望得力" → 处于进退两难，渴望得到力量 → 进退两难
beseech*	[bɪˈsiːtʃ] *v.* 恳求；哀求 记 词根记忆：be + seech(=seek，寻求) → 寻求帮助 → 恳求
frolicsome*	[ˈfrɑːlɪksəm] *a.* 爱闹着玩的，嬉戏的 同 playful
sensual*	[ˈsenʃuəl] *a.* 官能的，肉体的；肉感的 记 词根记忆：sens(感觉) + ual(…的) → 官能的
brandish*	[ˈbrændɪʃ] *vt.* 挥舞；炫耀 记 联想记忆：brand(名牌) + ish → 有了名牌就炫耀 → 炫耀
gloat*	[gloʊt] *v.* 幸灾乐祸 记 联想记忆：有了替罪羊(goat)，幸灾乐祸(gloat)
jubilation*	[ˌdʒuːbɪˈleɪʃn] *n.* 庆祝，欢庆 记 来自 jubilate (*v.* 欢呼)
deprecate*	[ˈdeprəkeɪt] *v.* 抗议，不赞成 记 词根记忆：de(看作 dis，不) + prec(祈祷) + ate → 祈祷不… → 不赞成
nauseate*	[ˈnɔːzieɪt] *v.* 产生恶感，厌恶；作呕 记 词根记忆：nau(船) + se + ate(使…) → 晕船 使人作呕 → 作呕
tout	[taʊt] *a.* 绷紧的，拉紧的；紧张的，不自然的
unequivocal*	[ˌʌnɪˈkwɪvəkl] *a.* 明确的；坦白的，直率的 记 词根记忆：un(不) + equi(相等) + voc(说) + al → 不说中立的话 → 明确的
exacerbate*	[ɪgˈzæsərbeɪt] *vt.* 使恶化，使加剧；使发怒 记 词根记忆：ex + acerb(苦) + ate → 形势恶化让他充满苦涩 → 使恶化
pertinent*	[ˈpɜːrtnənt] *a.* 有关的，相干的；中肯的，贴切的 记 词根记忆：per(通过) + tin(保持) + ent → 通过一定方式保持关系 → 有关的，相干的

ardent *	[ˈɑːrdnt] *a.* 热心的，热情洋溢的；激烈的，激动的 记 词根记忆：ard(燃烧) + ent → 热心的；激烈的
disorient	[dɪsˈɔːriənt] *vt.* 使失去方向感；使迷惑 记 联想记忆：dis(无) + orient(确定方向) → 无法确定方向 → 使失去方向 同 confuse
apprehensible	[ˌæprɪˈhensəbl] *a.* 可了解的，可理解的
catholicity	[ˌkæθəˈlɪsɪti] *n.* 普遍性；宽容
jubilant	[ˈdʒuːbɪlənt] *a.* 欢呼的 记 词根记忆：jubil(大叫) + ant → 高兴得大叫 → 欢呼的 同 exultant
negligence *	[ˈneglɪdʒəns] *n.* 疏忽 记 词根记忆：neg(否定) + lig(看作 leg，选择) + ence(表名词) → 不选择 → 疏忽
instigate *	[ˈɪnstɪgeɪt] *vt.* 教唆；怂恿 记 词根记忆：in + stig(看作 sting，刺) + ate(做) → 刺激年轻人做 → 教唆 同 provoke
complacence	[kəmˈpleɪsns] *n.* 满足；自满 记 词根记忆：com + plac(使高兴) + ence → 因 为满足，所以高兴 → 满足 同 self-satisfaction
cajolery	[kəˈdʒoʊləri] *n.* 甜言蜜语；诱骗；谄媚
heinous *	[ˈheɪnəs] *a.* 可憎的，极恶的 同 abominable
misinterpret	[ˌmɪsɪnˈtɜːrprɪt] *v.* 曲解，误解 记 拆分记忆：mis(错误) + interpret(解释) → 解释错误 → 曲解
acerbic	[əˈsɜːrbɪk] *a.* 尖酸的，尖刻的；辛辣的，苦涩的 记 词根记忆：acerb(苦) + ic(…的) → 辛辣的，苦涩的
doleful *	[ˈdoʊlfl] *a.* 悲哀的；阴沉的 同 sad, cheerless
nettle	[ˈnetl] *vt.* 刺激；惹怒
suave	[swɑːv] *a.* 温和的 记 联想记忆：温和的(suave)人才能好好劝说(persuade)你
garble	[ˈgɑːrbl] *vt.* 断章取义；任意篡改；曲解
abominable *	[əˈbɑːmɪnəbl] *a.* 讨厌的，令人憎恶的
empathetic	[ˌempəˈθetɪk] *a.* 移情作用的，感情移入的
languid	[ˈlæŋgwɪd] *a.* 疲倦的；无力的；没精打采的 记 联想记忆：学外国语(language)学多了会累(languid) 同 listless

complacence cajolery

你最美

complaisance

incisive*	[ɪnˈsaɪsɪv] *a.* 深刻的；尖锐的
	记 词根记忆：in(进入) + cis(切) + ive(…的) → 切进去的 → 深刻的
antilogy	[ænˈtɪlədʒi] *n.* (思想、用语)前后矛盾
accentuate*	[əkˈsentʃueɪt] *vt.* 着重强调
	记 联想记忆：靠重音(accent)强调(accentuate)
	同 accent, emphasize
miff	[mif] *n./v.* 发脾气，微怒；小争吵
	记 联想记忆：亲密爱人在一起常有小争吵(miff)，分开又彼此想念(miss)
savor*	[ˈseɪvər] *v.* 欣赏；(使)有味 *n.* 滋味；气味
	记 联想记忆：爱人走了，能保留(save)的只有味道(savor)
	同 enjoy, season
arrant	[ˈærənt] *a.* 彻头彻尾的；声名狼藉的，极恶的
piteous	[ˈpɪtiəs] *a.* 哀怨的，可怜的
	记 来自 pity (*n.* 可怜)
tribulation	[ˌtrɪbjuˈleɪʃn] *n.* 苦难，磨难
	记 词根记忆：tribul(给予) + ation → 上天给予的(惩罚) → 苦难，磨难
facetious*	[fəˈsiːʃəs] *a.* 幽默的，滑稽的；好开玩笑的
	记 联想记忆：face(脸) + tious → 做鬼脸 → 滑稽的
	同 waggish, witty, humourous, jocular, jocose
understate	[ˌʌndərˈsteɪt] *v.* 保守地说，有意轻描淡写
	记 联想记忆：under(不够) + state(说话) → 话有意说的不多 → 有意轻描淡写
remonstrate	[rɪˈmɑːnstreɪt] *v.* 抗议
	记 词根记忆：re (反着) + monstr (表示) + ate (做) → 做表示反对的事情 → 抗议
	派 remonstration (*n.* 抗议)
rant*	[rænt] *v.* 怒气冲冲地叫嚷；夸夸其谈
	记 联想记忆：别惹蚂蚁(ant)，愤怒的蚂蚁会怒气冲冲地叫嚷(rant)
remorse*	[rɪˈmɔːrs] *n.* 懊悔；自责
	记 词根记忆：re(再次) + mors(咬) + e → 后悔得直咬自己 → 懊悔
	同 self-reproach, compunction, contrition, penitence
serenity*	[səˈrenəti] *n.* 平静
	记 来自 serene (*a.* 平静的)
perfunctory*	[pərˈfʌŋktəri] *a.* 马虎的；敷衍的
	记 词根记忆：per(假) + funct(做) + ory(…的) → 假装做事的 → 马虎的，敷衍的

phlegmatic *	[fleg'mætɪk] *a.* 冷淡的，漠然的；冷静的
	记 词根记忆：phlegm(火焰；激情) + atic → 激情被浇灭 → 冷淡的
	同 impassive, apathetic, stolid
intolerable	[ɪn'tɑːlərəbl] *a.* 无法忍受的；难受的
	同 unbearable
braggadocio	[ˌbrægə'doʊtʃioʊ] *n.* 吹牛大王；自夸
	记 发音记忆："不来格斗，欠殴" → 只吹牛不来格斗，欠殴 → 吹牛大王
	同 cockiness
perturb *	[pər'tɜːrb] *vt.* 使感到不安
	记 词根记忆：per + turb(扰乱) → 打扰
sequacious	[sɪ'kweɪʃəs] *a.* 盲从的
	记 词根记忆：sequ(跟随) + aci + ous(…的) → 跟随的 → 盲从的
frenzied	['frenzid] *a.* 狂乱的，激怒的，疯狂的
insensate	[ɪn'senseɪt] *a.* 没有感觉的；无生气的
	记 词根记忆：in(不) + sens(感觉) + ate(…的) → 无感觉的
flaunt *	[flɔːnt] *v.* 夸耀，炫耀
	记 发音记忆："富老特" → 特别富有，老是夸耀 → 夸耀
bale	[beil] *n.* 大包；大捆 *v.* 打包，捆包，包装
	记 联想记忆：和 ball(*n.* 球)一起记
venerate *	['venəreɪt] *vt.* 崇敬
	派 veneration (*n.* 崇敬)
coercive	[koʊ'ɜːrsɪv] *a.* 强制的；强迫的
	记 来自 coerce (*v.* 强制)
meritorious	[ˌmerɪ'tɔːriəs] *a.* 有功绩的
	记 联想记忆：merit(优点) + ori + ous(…的) → 发挥优点立功 → 有功的
complaisance	[kəm'pleɪzəns] *n.* 彬彬有礼；殷勤
	记 词根记忆：com(完全地) + plais(取悦，使高兴) + ance(表名词) → 完全地取悦 → 殷勤
abhorrence	[əb'hɔːrəns] *n.* 痛恨，憎恶
	记 词根记忆：ab(离开) + horr(发抖) + ence → 恨得发抖，决定离开 → 痛恨，憎恶
audacity	[ɔː'dæsəti] *n.* 大胆；厚颜；鲁莽
	记 联想记忆：aud(看作词根 aug，增加) + acity → 不断增加胆量 → 大胆
plaintive *	['pleɪntɪv] *a.* 悲哀的，哀伤的
	同 melancholy*
tantrum *	['tæntrəm] *n.* 发脾气；使性子
	记 发音记忆："太蠢" → 因为觉得儿子太蠢，他才发脾气 → 发脾气

情感
观点

obsequious *	[əbˈsiːkwiəs] *a.* 谄媚的，奉承的，拍马屁的
	记 词根记忆：ob(接近) + sequ(跟随) + i + ous(…的) → 紧跟在上级后面 → 谄媚的
	同 subservient
interpose	[ˌɪntərˈpouz] *v.* 插入
	记 词根记忆：inter(在…之间) + pos(放置) + e → 在两者之间放置 → 插入
unsettle	[ˌʌnˈsetl] *vt.* 使不安
	记 拆分记忆：un(不) + settle(使安宁) → 使不安
contort	[kənˈtɔːrt] *v.* 扭曲，歪曲
	记 词根记忆：con(共同，一起) + tort(卷缠) → 事实和假象缠在一起 → 歪曲，扭曲
	同 deform, distort, warp
sagacious *	[səˈgeɪʃəs] *a.* 有洞察力的，有远见的；精明的，敏锐的
	记 词根记忆：sag(觉察) + a + cious → 觉察力强的 → 有洞察力的
	同 shrewd, perspicacious, astute
gaucherie	[ˌgouʃəˈriː] *n.* 笨拙(举动)
meticulous *	[məˈtɪkjələs] *a.* 小心翼翼的
	记 词根记忆：met(害怕) + ic + ulous(多…的) → 总是害怕出现差错 → 小心翼翼的
extol *	[ɪkˈstoul] *v.* 赞美
	记 词根记忆：ex(完全) + tol(举起；支持) → 都举起手，表示支持 → 赞美
	同 glorify*
lugubrious *	[ləˈguːbriəs] *a.* 可怜的，悲惨的，悲哀的
	记 词根记忆：lugubr(哀伤的) + ious → 悲哀的
	同 mournful
impetuous *	[ɪmˈpetʃuəs] *a.* 冲动，鲁莽的；猛烈的，激烈的
	记 词根记忆：im(里) + pet(冲) + u + ous(…的) → 不顾一切，向里面冲 → 冲动的，鲁莽的
obnoxious *	[əbˈnɑːkʃəs] *a.* 令人不愉快的；讨厌的
	记 词根记忆：ob + nox (伤害) + ious → 造成伤害的 → 令人不愉快的；讨厌的
rankle *	[ˈræŋkl] *v.* 耿耿于怀；怨恨难消
	记 联想记忆：阶级(rank)矛盾引起人民的怨恨(rankle)
debunk *	[ˌdiːˈbʌŋk] *v.* 揭穿，拆穿假面具
comical	[ˈkɑːmɪkl] *a.* 好笑的，滑稽的
	记 来自comic(*a.* 滑稽的；喜剧的)
patter	[ˈpætər] *v.* 轻轻拍打；啪嗒啪嗒地响；喋喋不休
	记 词缀记忆：pat(轻拍) + t + er(反复) → 轻轻拍打

enmity *	[ˈenməti] *n.* 敌意，仇恨，憎恨 记 来自 enemy(*n.* 敌人)
reminiscent	[ˌremɪˈnɪsnt] *a.* 回忆往事的 记 联想记忆：re(重新) + minisc(看作 minister, 部长) + ent → 退休的部长重新审视自己过去的功过 → 回忆往事的
advocacy *	[ˈædvəkəsi] *n.* 拥护；提倡 记 词根记忆：ad(为⋯) + voc(喊叫) + acy → 因为支持所以为其呐喊 → 拥护
rancor *	[ˈræŋkər] *n.* 深仇，怨恨 记 联想记忆：ran(跑) + c + or(人) → 四处奔走找仇人 → 深仇，怨恨
ruminate *	[ˈruːmɪneɪt] *v.* 反刍；沉思 记 联想记忆：不要听信流言(rumor)，自己沉思(ruminate)一下 同 ponder, meditate, muse
ambivalent	[æmˈbɪvələnt] *a.* 有矛盾情绪的 记 词根记忆：ambi(两边) + val(价值) + ent(⋯的) → 双方的价值观不同 → 有矛盾情绪的
lackadaisical *	[ˌlækəˈdeɪzɪkl] *a.* 懒洋洋的，无精打采的 同 languid
blithesome	[ˈblaɪðsəm] *a.* 愉快的，高兴的
atrocious	[əˈtroʊʃəs] *a.* 残暴的，凶恶的 记 词根记忆：atro(阴沉，凶残) + cious → 残暴的
revile *	[rɪˈvaɪl] *v.* 辱骂，斥责 记 联想记忆：re(回) + vile(卑鄙的，邪恶的) → 卑鄙的人应该受到回击 → 辱骂，斥责
befog	[bɪˈfɑːg] *vt.* 罩入雾中；使朦胧；使迷惑 记 联想记忆：be(在⋯中) + fog(雾) → 罩入雾气中，引申为"使迷惑"
concupiscence	[kənˈkjuːpɪsns] *n.* 强烈的性欲
arguable	[ˈɑːrgjuəbl] *a.* 可辩论的，可论证的 记 拆分记忆：argu(看作 argue, 辩论) + able(可以⋯的) → 可辩论的
resentment *	[rɪˈzentmənt] *n.* 愤恨，怨恨 记 来自 resent(*v.* 愤恨)
lighthearted	[ˌlaɪtˈhɑːrtɪd] *a.* 无忧无虑的；愉快的 记 联想记忆：light(轻的) + heart(心) + ed → 没有太多心事的 → 无忧无虑的
negative	[ˈnegətɪv] *a.* 否定的；消极的；负的 *n.* 底片；负数 记 词根记忆：neg(否定) + ative(⋯的) → 否定的 派 negatively(*ad.* 否定地；消极地)

情感
观点

pessimism[*]	[ˈpesɪmɪzəm] n. 悲观；悲观主义
	记 联想记忆：pess(音似："怕死") + im + ism → 老是怕死 → 悲观；悲观主义
lone	[loʊn] a. 孤独的，无伴的；凄凉的，远僻的
	记 发音记忆："漏" → 被遗漏了 → 孤独的，无伴的
partial[*]	[ˈpɑːrʃl] a. 部分的，不完全的；偏爱的，癖好的；偏向一方的，偏心的
	记 联想记忆：part(部分) + ial → 部分的，不完全的
	搭 be partial to 对…偏爱的
	派 partially(ad. 部分地)；impartially(ad. 公平地)；partiality(n. 偏袒，偏心)
indignity[*]	[ɪnˈdɪɡnəti] n. 侮辱，轻蔑；侮辱性的言行
	记 联想记忆：in(不) + dignity(高贵) → 不高贵的言行 → 侮辱性的言行
pathetic[*]	[pəˈθetɪk] a. 可怜的，引起怜悯的；令人难过的
	记 词根记忆：path(感情) + etic → 引起共同感情的 → 引起怜悯的
exasperation	[ɪɡˌzæspəˈreɪʃn] n. 愤怒；激怒；惹人恼怒的事
	记 来自 exasperate (vt. 激怒；使恼怒)，词根记忆：ex + asper(粗鲁) + ation → 举止粗鲁，惹人愤怒 → 愤怒；激怒
callousness	[ˈkæləsnəs] n. 冷酷无情，无同情心，麻木不仁
	记 来自 callous(a. 冷酷无情的)
rancorous	[ˈræŋkərəs] a. 充满愤恨的，仇恨的
	记 来自 rancor(v. 怨恨)
satirical[*]	[səˈtɪrɪkl] a. 讽刺的，嘲讽的
	记 联想记忆：satir(讽刺的)+i+cal→讽刺的
hilarity[*]	[hɪˈlærəti] n. 欢闹；狂欢
ambivalence[*]	[æmˈbɪvələns] n. 矛盾心理；犹豫，举棋不定
	记 词根记忆：ambi(都) + val(强的) + ence → 几种想法很强 → 矛盾心理
dismay	[dɪsˈmeɪ] v./n. (使)失望，(使)气馁
	记 联想记忆：dis(不) + may(可能) → 因为不可能做到，所以失望 → (使)失望，(使)气馁
	同 daunt, deject, discourage
odium[*]	[ˈoʊdiəm] n. 憎恶，反感
disquiet[*]	[dɪsˈkwaɪət] n. 忧虑；不安 vt. 使不安；使忧虑
	记 词根记忆：dis(不) + quiet(安静) → 不安
flout[*]	[flaʊt] v./n. 违抗，蔑视；嘲笑，嘲弄
	记 联想记忆：fl(=fly) + out(出去) → 飞出去 → 不再服从命令 → 违抗
mirth[*]	[mɜːrθ] n. 欢乐，欢笑
	记 发音记忆："没事" → 没事当然很快乐 → 欢乐

pessimism

execrable*	[ˈeksɪkrəbl] *a.* 糟糕的，极坏的
disinterest	[dɪsˈɪntrəst] *n.* 无兴趣，冷漠；客观，公正 记 联想记忆：dis(不) + interest(兴趣，关心) → 无兴趣，冷漠
diatribe*	[ˈdaɪətraɪb] *n.* (无休止的)指责；(长篇)抨击，谴责 记 词根记忆：dia(分开) + tribe(摩擦) → 两方产生摩擦，分开后互相指责 → 指责
lofty*	[ˈlɔːfti] *a.* 高耸的；崇高的；高傲的 记 联想记忆：loft(阁楼) + y → 阁楼是高耸的 → 高耸的
dejection	[dɪˈdʒekʃn] *n.* 沮丧，颓丧，泄气 记 来自 deject(*vt.* 使沮丧，使灰心)
suavity*	[ˈswævəti] *n.* 柔和，温和
downcast*	[ˈdaʊnkæst] *a.* 目光向下的；沮丧的，垂头丧气 的；悲哀的 记 组合词：down(向下) + cast(盯住) → 目光向 下的
jaunty*	[ˈdʒɔːnti] *a.* 愉快的；满足的；轻松活泼的
awestruck	[ˈɔːstrʌk] *a.* 顿生敬畏的；惊奇的
malcontent*	[ˌmælkənˈtent] *a.* 不满的 *n.* 不满的人，牢骚满腹的人；反抗者 记 联想记忆：mal(坏，不) + content(满意的) → 不满的
scornful	[ˈskɔːrnfl] *a.* 轻蔑的；鄙视的 记 来自 scorn(*v.* 轻蔑；鄙视)
abhor*	[əbˈhɔːr] *v.* 憎恨，厌恶 记 词根记忆：ab + hor(发抖) → 恨得全身发抖 → 憎恨，厌恶
acidulous*	[əˈsɪdʒələs] *a.* (味)酸的；(态度)尖酸刻薄的 记 词根记忆：acid(酸) + ulous(…的) → (味)酸的
acrimonious*	[ˌækrɪˈmoʊniəs] *a.* (争论等)尖酸的，刻薄的；激烈的 记 来自 acrimony(*n.* 尖刻，刻薄)
woe*	[woʊ] *n.* 悲哀，悲痛；引起悲痛或苦恼的事物，麻烦事 *int.* (表示悲痛、懊 恼、不幸)唉，咳，呀 记 联想记忆：被敌人(foe)打败了真是悲痛(woe)
vituperative*	[vaɪˈtuːpəreɪtɪv] *a.* 谩骂的，辱骂的
disgruntle*	[dɪsˈɡrʌntl] *vt.* 使不满意，使不高兴
dulcet*	[ˈdʌlsɪt] *a.* 美妙的；悦耳动听的 记 词根记忆：dulc(=sweet, 甜) + et → 声音甜的 → 美妙的
qualm*	[kwɑːm] *n.* 疑虑，担心；内疚，良心不安 记 联想记忆：捧在手掌(palm)怕丢了 → 疑虑，担心(qualm)

dejection

noncommittal *	[ˌnɑːnkə'mɪtl] *a.* 态度暧昧的, 不确定的, 含糊的; 不承担义务的, 不作许诺的
slug	[slʌɡ] *v.* 猛击, 拳击 *n.* 鼻涕虫, 蛞蝓; 慢吞吞的人; 子弹 同 punch
exasperated	[ɪɡ'zæspəreɪtɪd] *a.* 被激怒的, 恼怒的, 愤怒的 记 来自 exasperate(*vt.* 激怒, 使恼怒)
cosset	['kɑːsɪt] *vt.* 宠爱, 溺爱 *n.* 宠儿 同 pamper
defeatist *	[dɪ'fiːtɪst] *n.* 失败主义者 记 来自 defeat(*n./v.* 失败, 打败)
rapturous	['ræptʃərəs] *a.* 着迷的, 痴迷的, 销魂的; 狂喜的, 热烈的 同 ecstatic
unpalatable *	[ʌn'pælətəbl] *a.* 不可口的, 味道不好的; 使人不快的 记 拆分记忆: un(不) + palatable(可口的) → 不可口的 同 distasteful
unobtrusive *	[ˌʌnəb'truːsɪv] *a.* 不显著的, 不引人注目的; 不张扬的 记 拆分记忆: un(不) + obtrusive(显眼的; 炫耀的) → 不引人注目的; 不张扬的
parsimony *	['pɑːrsəmoʊni] *n.* 过分节俭, 吝啬
jollity *	['dʒɑːləti] *n.* 快乐, 欢乐 记 来自 jolly(*a.* 愉快的, 欢乐的)
ghoulish	['ɡuːlɪʃ] *a.* 食尸鬼似的; 残忍的; 令人毛骨悚然的
ferocity	[fə'rɑːsəti] *n.* 凶猛, 残暴
pall *	[pɔːl] *v.* 失去吸引力, 使厌倦, 使腻烦
frenzy	['frenzi] *n.* 狂热, 极度疯狂的状态(行为或活动)
bloated *	['bloʊtɪd] *a.* 肿胀的, 膨胀的; 傲慢的 同 puffy
haughtiness *	['hɔːtinəs] *n.* 傲慢, 不逊 记 来自 haughty(*a.* 傲慢的)
libelous	['laɪbələs] *a.* 诽谤的, 爱诽谤的
mincing *	['mɪnsɪŋ] *a.* 做作的, 装腔作势的, 故作斯文的 记 来自 mince(*v.* 装腔作势, 假装斯文)
panache *	[pə'næʃ] *n.* 神气十足, 炫耀
override	[ˌoʊvər'raɪd] *v.* 否决, 不理会; 比⋯更重要, 凌驾 记 组合词: over(在⋯上) + ride(骑) → 骑在⋯之上 → 凌驾

lamentable	[ˈlæməntəbl] *a.* 令人惋惜的，令人遗憾的；哀伤的
	记 来自 lament(*v.* 悔恨，痛惜)
	同 regrettable
unprepossessing *	[ˌʌnˌpriːpəˈzesɪŋ] *a.* 不吸引人的；让人无良好印象的
	记 拆分记忆：un(不) + prepossess(让人有好印象) + ing(…的) → 让人无良好印象的
bleary	[ˈblɪri] *a.* (因疲倦)视线模糊的，看不清的；朦胧的
insularity *	[ˌɪnsəˈlærəti] *n.* 岛国状态，与外界隔绝的生活状况；(思想，观点等的)偏狭
	记 词根记忆：insul(岛) + arity(表状态) → 岛国状态
effervescence *	[ˌefərˈvesns] *n.* 冒泡；【化】泡腾；活跃，欢腾
	记 来自 effervescent(*a.* 冒泡的；兴高采烈的)
gadfly *	[ˈɡædflaɪ] *n.* 牛虻；讨厌的人
	记 组合词：gad(尖头棒) + fly(蝇) → 牛虻
comeuppance *	[ˌkʌmˈʌpəns] *n.* 应得的惩罚，报应
ignominy *	[ˈɪɡnəmini] *n.* 羞耻，屈辱
	记 词根记忆：ig(不) + nomin(名字) + y → 提起他的名字人们就摇头 → 名声不好 → 羞耻，屈辱
endearment *	[ɪnˈdɪrmənt] *n.* 表示爱慕的话语；亲热的表示
	记 联想记忆：en(使) + dear(亲爱的) + ment(表名词) → 使亲爱的感情表达出来 → 表示爱慕的话语
brazen *	[ˈbreɪzn] *a.* 黄铜制的，黄铜色的；厚颜无耻的
	记 来自 braze(*v.* 用黄铜制造)
exultation	[ˌeɡzʌlˈteɪʃn] *n.* 狂喜，大喜；欢悦
ennui *	[ɑːnˈwiː] *n.* 无聊；倦怠
bantering *	[ˈbæntərɪŋ] *a.* 开玩笑的，打趣的，诙谐幽默的
	记 来自 banter(*v.* 开玩笑，打趣)
grudging *	[ˈɡrʌdʒɪŋ] *a.* 不情愿的，勉强的
	同 reluctant
glum	[ɡlʌm] *a.* 阴郁的，闷闷不乐的，愁苦的
	同 gloomy
swoon	[swuːn] *n./v.* 昏倒，昏厥；痴迷，对某人神魂颠倒
	同 faint
vitriolic *	[ˌvɪtriˈɑːlɪk] *a.* (言语或评论)深怀恶意的，尖酸刻薄的
	同 venomous
sate *	[seɪt] *vt.* 使心满意足；使饱享；使厌腻
	同 satisfy, satiate

情感
观点

allegiance *	[ə'liːdʒəns] *n.* 拥护；忠诚，效忠 记 词根记忆：al(加强) + leg(选择) + iance → 坚决选择某一方 → 拥护
partiality *	[ˌpɑːrʃi'æləti] *n.* 偏袒，偏心 记 来自 partial(*a.* 偏心的，偏袒的) 同 bias
moodiness *	['muːdinəs] *n.* 喜怒无常；闷闷不乐 记 来自 moody(*a.* 喜怒无常的；郁郁寡欢的)
viper *	['vaɪpər] *n.* 蝰蛇；毒如蛇蝎的人，险恶的人
mirthful	['mɜːrθful] *a.* 愉快的，高兴的 记 来自 mirth(*n.* 愉快，欢乐)
nonchalance *	[ˌnɑːnʃə'lɑːns] *n.* 冷漠，漠不关心；沉着，冷静 记 词根记忆：non (不) + chal (关心，热心) + ance → 不关心，不热心 → 冷漠，漠不关心
gloating	['gloutɪŋ] *a.* 心满意足的，沾沾自喜的；幸灾乐祸的 记 来自 gloat(*v.* 沾沾自喜；幸灾乐祸)
pander *	['pændər] *v.* 迎合；逢迎；投其所好
fudge	[fʌdʒ] *n.* 乳脂软糖 *v.* 歪曲或捏造；敷衍应付
lilliputian *	[ˌlɪli'pjuːʃn] *a.* 微型的，微小的
complacency *	[kəm'pleɪsnsi] *n.* 满足，安心；自满 记 词根记忆：com + plac(平静，安心) + ency → 满足，安心
carping *	['kɑːrpɪŋ] *a.* 找岔子的，挑剔的，吹毛求疵的 同 critical
smarmy	['smɑːrmi] *a.* 虚情假意的，过分殷勤的
indignation *	[ˌɪndɪg'neɪʃn] *n.* 愤怒，愤慨 同 anger
miffed	[mɪft] *a.* 恼怒的，生气的 记 来自 miff[*v.* (使)恼怒，(使)生气]
lummox *	['lʌməks] *n.* 笨蛋，愚蠢不中用者
attune	[ə'tuːn] *vt.* 使调和，使协调 记 联想记忆：at + tune(调子) → 使调子一致 → 使调和，使协调
jaundiced *	['dʒɔːndɪst] *a.* 有偏见的，狭隘的；患黄疸病的 记 来自 jaundice(*n.* 偏见；黄疸)
banishment	['bænɪʃmənt] *n.* 放逐，驱逐，流放 记 来自 banish(*v.* 放逐，驱逐，流放)
prudence	['pruːdns] *n.* 谨慎，小心
empathy *	['empəθi] *n.* 心意相通；同感，共鸣；同情
psyche *	['saɪki] *n.* 心智，精神

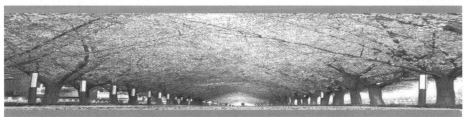

upturn	[ˈʌptɜːrn] *v.* 向上翻转
collier	[ˈkɑːliər] *n.* 矿工；运煤船
	记 联想记忆：coll(看作 coal, 煤) + ier(表人) → 挖煤的人 → 矿工
pervious	[ˈpɜːrviəs] *a.* 能被通过的；可被渗透的
	记 来自 pervade (*v.* 渗透，弥漫)
detract	[dɪˈtrækt] *v.* 转移(注意)
	记 词根记忆：de(离开) + tract(拉) → 把视线拉走 → 转移
ambulate	[ˈæmbjʊleɪt] *v.* 走动
entrench	[ɪnˈtrentʃ] *v.* 以壕沟防护
	记 联想记忆：en(用…做…) + trench(沟) → 用沟做掩护 → 以壕沟防护
transitory *	[ˈtrænsətɔːri] *a.* 瞬间的，一时的，昙花一现的
	记 联想记忆：transit(通过；转变) + ory → 转瞬即逝的 → 瞬间的
upheaval	[ʌpˈhiːvl] *v.* 举起，抬起，隆起；动乱，大变动
	记 来自 upheave(*v.* 举起，鼓起)
subjacent	[sʌbˈdʒeɪsənt] *a.* 在底下的，在下方的；在下级的
incipient *	[ɪnˈsɪpiənt] *a.* 初始的
noxious *	[ˈnɑːkʃəs] *a.* 有害的
	记 词根记忆：nox(伤害) + ious → 有害的
athwart	[əˈθwɔːrt] *ad.* 横跨着，斜穿过；逆，相反 *prep.* 横过；反对，逆
refractory *	[rɪˈfræktəri] *a.* 难控制的；难驾驭的
	记 词根记忆：re + fract(断裂) + ory → 宁折不弯 → 难控制的
influx *	[ˈɪnflʌks] *n.* 流入
	记 联想记忆：in(进入) + flux(流动) → 流入
equipoise	[ˈiːkwɪpɔɪz] *n.* 平衡；均衡
	同 counterbalance
dwindle *	[ˈdwɪndl] *v.* 减少；缩小
	记 联想记忆：d + wind(风) + le → 随风而去越来越小 → 缩小

appertain	[ˌæpərˈteɪn] v. 属于；涉及；关系到
impregnable *	[ɪmˈpregnəbl] a. 无法攻取的，坚不可摧的 记 词根记忆：im(不) + pregn(拿住) + able → 无法拿下的 → 无法攻取的
spate *	[speɪt] n. 大水；大量 记 联想记忆：宇宙空间(space)有大量(spate)星体 同 freshet, flood
veneer *	[vəˈnɪr] n. 薄板，单板；外表，虚饰 记 联想记忆：嘲笑(sneer)别人的外表(veneer)
alienable	[ˈeɪliənəbl] a. 可让与的
revocation	[ˌrevəˈkeɪʃn] n. 撤回，撤消，废除
butt	[bʌt] n. 粗大的一端；笑柄 v. 以头抵撞，碰撞 记 联想记忆：把"但是"(but)这么简单的单词错写成 butt 会沦为别人的笑柄 (butt)
impalpable *	[ɪmˈpælpəbl] a. 感触不到的，摸不到的 记 词根记忆：im(不) + palp(感觉，触摸) + able → 感触不到的，摸不到的 同 intangible*
precipitate *	[prɪˈsɪpɪteɪt] v. 猛地落下；使…突然降临；加速(坏事的)发生 派 precipitation(n. 降水；降雨量)；precipitous(a. 突然的)
resurgent *	[rɪˈsɜːrdʒənt] a. 复活的 记 联想记忆：re(重新) + surg(看作 surge，汹涌澎湃) + ent → 长江后浪 推前浪，一代新人换旧人 → 新生的力量复活了 → 复活的
indelible *	[ɪnˈdeləbl] a. 去不掉的，不能拭除的 记 联想记忆：in(不) + del(=delete，擦掉) + ible(…的) → 去不掉的，不 能拭除的
actuary	[ˈæktʃueri] n. 保险精算师，保险(业务)计算员 记 联想记忆：保险计算员(actuary)要求计算准确(accuracy)
fortify	[ˈfɔːrtɪfaɪ] v. 在…设要塞，在…建防御工事；加强 记 词根记忆：fort(强大) + ify(使) → 使强大 → 加强
orifice	[ˈɔːrɪfɪs] n. 孔，口，洞 记 词根记忆：or(=ora，嘴) + ifice → 口
acreage	[ˈeɪkərɪdʒ] n. 英亩数；面积 记 拆分记忆：acre(英亩) + age(集合名词后缀) → 英亩数
subtlety *	[ˈsʌtlti] n. 微妙，敏锐，细微的区别 记 来自 subtle(a. 微妙的)
nautical *	[ˈnɔːtɪkl] a. 船员的；船舶的；海上的，航海的 记 词根记忆：naut(船) + ical → 船舶的

plenitude＊	['plenɪtuːd] *n.* 充分
	记 词根记忆：plen(满) + itude → 充分
overshadow	[ˌouvər'ʃædou] *vt.* 遮蔽；使…失色
	记 组合词：over(在…上) + shadow(阴影) → 给…蒙上阴影 → 使…失色
prehensile	[prɪ'hensl] *a.* (动物肢体的一部分)能抓住东西的
	记 词根记忆：prehens(=prehend，抓住) + ile(能…的) → 能抓住东西的
nondescript＊	['nɑːndɪskrɪpt] *a.* 难以区别的；无特征的
	记 拆分记忆：non(不) + descript(描述) → 无法描述的 → 无特征的
advertiser	['ædvərtaɪzər] *n.* 登广告者；广告客户
	记 来自 advertise(*v.* 做广告，登广告)
irrevocable＊	[ɪ'revəkəbl] *a.* 不能取消的
	记 拆分记忆：ir(不) + revocable(可取消的) → 不能取消的
	同 unalterable
recapture	[ˌriː'kæptʃər] *n.* 取回，夺回
	记 词根记忆：re(重新) + capt(拿) + ure → 重新拿下 → 取回，夺回
upheave	[ʌp'hiːv] *v.* 举起，使上升；隆起
retrograde＊	['retrəgreɪd] *a.* 倒退的；退化的
	记 词根记忆：retro(向后) + grad(步伐；走) + e
	→ 向后走 → 倒退的
inception＊	[ɪn'sepʃn] *n.* 起初
	同 commencement
embattle	[ɪm'bætl] *v.* 备战
isochronous	[aɪ'sɑːkrənəs] *a.* 同步的，等时的
detrimental＊	[ˌdetrɪ'mentl] *a.* 有害的
	记 来自 detriment(*n.* 损害；伤害)
trestle	['tresl] *n.* 脚手架；(放置桌面等的)支架，条凳
	记 联想记忆：使劲(wrestle)搬动脚手架(trestle)
apposition	[ˌæpə'zɪʃn] *n.* 并置，并列
incessant＊	[ɪn'sesnt] *a.* 不断的，不停的
	记 词根记忆：in(不) + cess(停止) + ant → 不停止的 → 不断的，不停的
	同 continual, continuous, constant, perpetual, perennial
joggle	['dʒɑːgl] *v.* 轻摇，摇动
exhume＊	[ɪg'zuːm] *v.* 掘出(尸首)；发掘
	记 词根记忆：ex(出) + hum(地) + e→ 从地下掘出 → 掘出
	同 disinter
forage	['fɔːrɪdʒ] *n.* 草料，饲料 *v.* 搜索；觅食
	记 联想记忆：for(为了) + age(年龄) → 为了年龄(成长)寻找粮草 → 觅食

retrograde

综合
类别

irreparable *	[ɪˈrepərəbl] *a.* 不能挽回的，无法弥补的 记 词根记忆：ir(不) + re(再) + par(安排) + able → 不能再重新安排的 → 不能挽回的
transience	[ˈtrænʃəns] *n.* 短暂 记 来自 transient(*a.* 短暂的)
engender *	[ɪnˈdʒendər] *v.* 使发生，使产生；引起；造成 记 词根记忆：en(使…) + gen(产生) + der → 使产生 同 produce
inept *	[ɪˈnept] *a.* 不适当的；无能的 记 词根记忆：in(无) + ept(=apt, 适当) → 不适当的 同 unfit
furbish	[ˈfɜːrbɪʃ] *v.* 擦亮；磨光 记 联想记忆：fur(毛皮) + bish(看作 brush, 刷) → 把毛皮刷亮 → 擦亮
hiatus *	[haɪˈeɪtəs] *n.* 裂缝，空隙 记 联想记忆：hi(音似：嗨) + at + us(我们) → 我们见面仅仅说了声"嗨"，因为我们之间出现了问题 → 裂缝
itinerate	[aɪˈtɪnəreɪt] *v.* 巡回
hone *	[hoʊn] *n.* 细磨刀石 *v.* 把…放在磨石上磨 记 联想记忆：h + one(一) → 一块磨刀石；注意不要和 horn(*n.* 号角)相混 同 whetstone
kiln	[kiln] *n.* 窑 记 联想记忆：煤窑(kiln)倒塌杀死(kill)了许多人
redound	[rɪˈdaʊnd] *v.* 有助于
pyre	[ˈpaɪər] *n.* 火葬用的柴堆 记 联想记忆：火葬用的柴堆(pyre)燃起了熊熊大火(fire)
dilapidate	[dɪˈlæpɪdeɪt] *v.* (使)荒废，(使)毁坏 记 词根记忆：di(二) + lapid(石头) + ate(使) → (使)石基倒塌成为两半 → (使)毁坏
cartridge	[ˈkɑːrtrɪdʒ] *n.* 弹药筒 记 联想记忆：cart(大车) + ridge(看作 bridge, 桥) → 一辆辆装满弹药筒的大车开过大桥 → 弹药筒
subterranean	[ˌsʌbtəˈreɪniən] *a.* 地下的
quiescent *	[kwiˈesnt] *a.* 静止的 记 词根记忆：qui(=quiet, 安静的) + escent(表状态) → 静止的
stupendous	[stuːˈpendəs] *a.* 惊人的；巨大的 记 联想记忆：stu + pend(看作 spend, 花费) + ous(多…的) → 花费很多的 → 巨大的

halcyon	['hælsiən] *a.* 平静的，宁静的 同 calm, serene
aerostat	['erəstæt] *n.* 航空器
auburn	['ɔːbərn] *n.* 赤褐色 *a.* 赤褐色的 记 联想记忆：au + burn(燃烧) → 颜色像燃烧的火焰 → 赤褐色
outstrip*	[ˌaʊt'strɪp] *v.* 超过 记 联想记忆：out(出) + strip(条；带) → 超出作为界线的带 → 超过
outstretch	[aʊt'stretʃ] *v.* 伸出，伸展
betimes	[bɪ'taɪmz] *ad.* 早；及时
fugacious	[fjʊ'geɪʃəs] *a.* 短暂的
administrator	[əd'mɪnɪstreɪtər] *n.* 管理人；行政官员 记 来自 administrate(*v.* 管理；支配)
neutrality*	[nuː'træləti] *n.* 中立；中性 记 来自 neutral(*a.* 中性的；中立的)
fray*	[freɪ] *v.* 磨损 记 联想记忆：经常用来 flay(剥皮)的刀 fray(磨损)了
prodigious*	[prə'dɪdʒəs] *a.* 庞大的；惊异的；奇妙的 记 来自 prodigy(*n.* 惊人的事物) 同 enormous
wee	[wiː] *a.* 很少的，微小的 记 联想记忆：蜜蜂(bee)虽小(wee)，五脏俱全
fungible	['fʌndʒəbl] *a.* 可互换的，可代替的
supple*	['sʌpl] *vt.* 使柔软；使顺从 记 联想记忆：suppl(看作 supply，供给) + e → 吃人嘴短，拿人手软 → 使顺从
suffuse	[sə'fjuːz] *v.* 充满 记 词根记忆：suf(下) + fus(流动) + e → 满得向下流 → 充满
transmute*	[trænz'mjuːt] *v.* 改变；(使)变形；(使)变质 记 词根记忆：trans(完全) + mut(变化) + e → 改变
stimulant	['stɪmjələnt] *n.* 刺激物；兴奋剂 记 词根记忆：stimul(刺激) + ant → 刺激物
plenteous	['plentiəs] *a.* 许多的，丰饶的，充足的，丰富的
dissever	[dɪs'sevər] *v.* (使)割裂；(使)分开
invincible*	[ɪn'vɪnsəbl] *a.* 不能征服的；无敌的 记 词根记忆：in(不) + vinc(征服) + ible → 不能征服的

invincible

singe	[sɪndʒ] v. 烧焦，烤焦 记 联想记忆：sing(唱；作响) + e → 烧焦的木材噼啪作响 → 烧焦
undersize(d)	[ˌʌndər'saɪz(d)] a. 较一般为小的；小尺寸的；矮小的
bursar	['bɜːrsər] n. (大学的)财务主管
efface*	[ɪ'feɪs] v. 抹掉 记 词根记忆：ef + face(脸；表面) → 抹去表面上的尘土 → 抹掉
arrear	[ə'rɪr] n. 欠款
encroach	[ɪn'kroʊtʃ] v. (逐步或暗中)侵占，蚕食；超出通常(或正常)界线 记 词根记忆：en (进入) + croach (沉迷，上瘾) → 吸毒上瘾，被毒品侵蚀 → 侵占，蚕食 同 infringe, invade
albeit	[ˌɔːl'biːɪt] conj. 虽然
extrude*	[ɪk'struːd] v. 突出，伸出 记 词根记忆：ex(出) + trud(伸) + e → 伸出
nexus	['neksəs] n. 连结，联系 记 词根记忆：nex(=nect，联系) + us → 联系的纽带 → 连结
sprightly	['spraɪtli] a. (尤指年长者)精力充沛，轻快的 记 联想记忆：spr(看作 spring) + ightly(看作 brightly，明亮地) → 春姑娘的眼睛明亮、脚步轻快 → 轻快的
promiscuous*	[prə'mɪskjuəs] a. 混杂的 记 词根记忆：pro(向前) + misc(混合) + uous → 混杂的
inchoate*	[ɪn'koʊət] a. 未形成的；不完全的；早期的 记 联想记忆：inch(寸) + oat(燕麦) + e → 燕麦刚长一寸 → 未形成的
frizzle	['frɪzl] v. (使)卷缩，(使)卷曲
telepathy	[tə'lepəθi] n. 心灵感应，感应 记 词根记忆：tele (远) + path (感应) + y → 在很远的地方就能感应到 → 心灵感应，感应
posit	['pɑːzɪt] v. 安置；断定，假定 记 联想记忆：断定(posit)是阳性的(positive)
aeronaut	['erənɔːt] n. 气球(或飞船)驾驶员
interchangeable	[ˌɪntər'tʃeɪndʒəbl] a. 可交换的 记 来自 interchange(v. 交换，互换)
repellent*	[rɪ'pelənt] a. 讨厌的，令人厌恶的；防…的，隔绝的 记 来自 repel(v. 使厌恶)
achromatic	[ˌækroʊ'mætɪk] a. 非彩色的 记 词根记忆：a(无) + chrom(颜色) + atic → 无色的 → 非彩色的

arrear

volant	[ˈvoʊlənt] *a.* 会飞的；迅速的，敏捷的
irreversible	[ˌɪrɪˈvɜːrsəbl] *a.* 不可倒转的；不能撤回的，不能取消的
	记 拆分记忆：ir(不) + revers(e)(倒转) + ible(可…的) → 不可倒转的
terminate	[ˈtɜːrmɪneɪt] *v.* (使某事)停止，结束
	记 词根记忆：termin(结束) + ate(使) → (使某事)停止，结束
	同 cease, stop
armful	[ˈɑːrmfʊl] *n.* 一抱之量
	记 联想记忆：arm(臂) + ful(充满时的量) → 一臂围住的量 → 一抱之量
tarnish	[ˈtɑːrnɪʃ] *v.* (使)失去光泽
	记 词根记忆：tarn(隐藏) + ish → 隐藏光泽 → 失去光泽
redemption	[rɪˈdempʃn] *n.* 赎回；偿还
	记 来自 redeem(*v.* 赎回；挽回)
impale *	[ɪmˈpeɪl] *v.* 刺穿
	记 联想记忆：im(进入) + pale(苍白的) → 心脏被刺穿，脸色煞白 → 刺穿
seethe *	[siːð] *v.* 沸腾；激动，骚动
	记 联想记忆：看见(see)那(the)骚动(seethe)的场面
	同 boil
retard	[rɪˈtɑːrd] *v.* 延迟；(使)减速
	记 词根记忆：re + tard(迟缓) → 使迟缓 → 延迟
	同 impede
perforate *	[ˈpɜːrfəreɪt] *v.* 打孔
	记 词根记忆：per(贯穿) + for(开口) + ate → 穿透 → 打孔
supplant *	[səˈplænt] *v.* 排挤掉，代替
	记 词根记忆：sup(下面) + plant(种植) → 在下面种植 → 代替
christen	[ˈkrɪsn] *v.* (施礼时)为某人命名；命名为
	记 联想记忆：christ(基督) + en → (施礼时)为某人命名
submersion	[səbˈmɜːrʒən] *n.* 淹没
	记 来自 submerge (*v.* 淹没)
overstride	[ˌoʊvərˈstraɪd] *v.* 跨过，超过，越过
posterior	[pɑːˈstɪriər] *a.* 较晚的，在后面的
	记 词根记忆：poster(后) + ior → 在后面的
	同 subsequent
vernal	[ˈvɜːrnl] *a.* 春天的
	记 联想记忆：vern(看作 verse, 诗) + al(的) → 春天就像一首无字的诗 → 春天的
piecemeal *	[ˈpiːsmiːl] *a.* 逐渐的；零碎的
	记 联想记忆：piece(片) + meal(进食) → 面包要一片片地吃 → 逐渐的

afresh	[əˈfreʃ] *ad.* 重新；再度
	记 联想记忆：a + fresh(新鲜) → 重新注入新鲜的血液 → 重新
brigade	[brɪˈɡeɪd] *n.* 【军】旅；团，队
	记 联想记忆：一队(brigade)人浩浩荡荡通过大桥(bridge)
perilous	[ˈperələs] *a.* 危险的
	记 来自 peril(*n.* 危险)
	同 dangerous, hazardous, precarious, risky
elongate	[ɪˈlɔːŋɡeɪt] *v.* 拉长，(使)变长
	记 联想记忆：e(出) + long(长的) + ate(使…) → 使…变长 → 拉长
modicum*	[ˈmɑːdɪkəm] *n.* 少量，一点点(尤指好事)
berth	[bɜːrθ] *n.* 停泊处；卧铺 *v.* (使)停泊
	记 发音记忆："簸死" → 躺在大巴的卧铺上颠簸得死去活来 → 卧铺
transposition	[ˌtrænspəˈzɪʃn] *n.* 调换，变换
	记 联想记忆：trans(改变) + position(位置) → 改变位置 → 调换
prickle	[ˈprɪkl] *v.* 刺痛；扎疼
	记 联想记忆：prick(刺，扎) + le → 刺痛
boatswain	[ˈboʊsn] *n.* 水手长
juxtapose	[ˌdʒʌkstəˈpoʊz] *v.* 并置，并列
	记 词根记忆：juxta(并排) + pos(放) + e → 并排放 → 并置，并列
brigadier	[ˌbrɪɡəˈdɪr] *n.* 旅长，陆军指挥
	记 来自 brigade(*n.* 旅)
cantonment	[kænˈtɑːnmənt] *n.* 宿营地；训练营地；兵营
whet*	[wet] *v.* 磨，磨快
	记 联想记忆：磨刀霍霍(whet the knife)向猪羊
superfluous*	[suːˈpɜːrfluəs] *a.* 多余的，过剩的，过量的；不必要的
	记 联想记忆：super(超过) + flu(流) + ous(多…的) → 流得过多 → 多余的，过量的
	记 extra, extravagant
immutable*	[ɪˈmjuːtəbl] *a.* 永远不变的
	记 词根记忆：im(不，无) + mut(变化) + able(可…的) → 永远不变的
nuance*	[ˈnuːɑːns] *n.* 细微差别
	记 联想记忆：nuisance(讨厌人的东西)和 nuance(细微差别)在拼写上只有细微差别
stealth*	[stelθ] *n.* 秘密行动
	记 来自 steal(*v.* 偷偷地移动)

substantive*	[səbˈstæntɪv] *a.* 独立存在的；真实的，实质的；大量的，巨额的
	记 来自 substant（*n.* 事实；物质）
substantiate*	[səbˈstænʃieɪt] *vt.* 使实体化；证实
	记 来自 substant（*n.* 事实；物质）
	同 confirm, corroborate, verify, authenticate, validate
scuttle*	[ˈskʌtl] *v.* 凿洞沉船
	记 联想记忆：凿（cut）洞沉船（scuttle）
momentous*	[moʊˈmentəs] *a.* 重大的，重要的
	记 联想记忆：moment（时刻）+ ous → 千钧一发的时刻 → 重大的
	同 important
juxtaposition	[ˌdʒʌkstəpəˈzɪʃn] *n.* 并置，并列
	记 来自 juxtapose（*v.* 并排，并置）
demographic	[ˌdeməˈɡræfɪk] *a.* 人口统计学的
	记 词根记忆：demo（人民）+ graph（学科）+ ic（的）→ 人口统计学的
bombardier	[ˌbɑːmbərˈdɪr] *n.* 投弹手；炮兵下士
aeronautics	[ˌerəˈnɔːtɪks] *n.* 航空学；航空术
	记 词根记忆：aero（空气）+ naut（船）+ ics（学）→ 飞船在空气中的运行 → 航空学
sequent	[ˈsiːkwənt] *a.* 相继而来的
multiform*	[ˈmʌltifɔːrm] *a.* 多样的
transverse	[ˈtrænzvɜːrs] *a.* 横向的；横断的
	记 词根记忆：trans（横向）+ vers（转）+ e → 横向转的 → 横向的
palpable*	[ˈpælpəbl] *a.* 可触知的；明显的
	记 词根记忆：palp（摸）+ able（可…的）→ 摸得到的 → 可触知的
	同 tangible, noticeable, manifest
barb*	[bɑːrb] *n.* (鱼钩的)倒钩；挖苦人的话
	记 联想记忆：这位理发师（barber）店里还兼卖鱼钩（barb）
bevy*	[ˈbevi] *n.* (同类人、动物或物体的)一群，一批，一堆
wispy*	[ˈwɪspi] *a.* 纤细的；小束状的
titular*	[ˈtɪtʃələr] *a.* 有名无实的，名义上的
sentinel*	[ˈsentɪnl] *n.* 哨兵
	记 联想记忆：sen（看作 sense，感觉）+ tin（马口铁）+ el → 注意马蹄声的人 → 哨兵
opine	[oʊˈpaɪn] *v.* 想，以为
	记 联想记忆：从 opinion（看法）反推 opine（想）
incongruity	[ˌɪnkɑːnˈɡruːəti] *n.* 不和谐，不一致
	记 拆分记忆：in（不）+ congruity（一致）→ 不一致

综合
类别

entourage[*]	[ˈɑːntʊrɑːʒ] *n.* 随行人员，随从；周围，环境 记 联想记忆：面对陌生的环境(entourage)，你要多鼓励(encourage)自己
affability	[ˌæfəˈbɪləti] *n.* 和蔼，亲切 记 联想记忆：aff(看作 af，加强) + ability(能力) → 增强与人相处的能力 → 和蔼，亲切
truculence[*]	[ˈtrʌkjələns] *n.* 凶猛，残暴；好斗，好战 记 来自 truculent(*a.* 粗暴的；好斗的)
copilot	[ˈkoʊˌpaɪlət] *n.* 【空】副驾驶员 记 联想记忆：co(共同) + pilot(驾驶员) → 协助主驾驶员共同驾驶 → 副驾驶员
procurement	[prəˈkjʊrmənt] *n.* 获得，取得；采购 记 来自 procure(*v.* 获得；采购)
bereavement[*]	[bɪˈriːvmənt] *n.* 丧亡；丧亲之痛 记 来自 bereave(*v.* 丧失亲友)；联想记忆：be(加强) + reave(剥夺，抢走) → 被迫丧失亲人 → 丧亲之痛
palliative	[ˈpæliətɪv] *n.* 缓释剂；治标药物，治标措施；权宜之计 *a.* 减轻的，缓和的
concoction	[kənˈkɑːkʃn] *n.* 调制，调和；调配品(尤指饮料或药物)；编造，捏造 记 词根记忆：con(共同) + coct(烹调) + ion → 调制
antithesis[*]	[ænˈtɪθəsɪs] *n.* 对立面；对立，对照 记 词根记忆：anti(反) + thes(放) + is → 反着放 → 对立面
apologist[*]	[əˈpɑːlədʒɪst] *n.* (尤指政治或宗教方面的)辩护者 记 来自 apology(*n.* 辩解，辩护)
apropos[*]	[ˌæprəˈpoʊ] *a./ad.* 适宜的(地)，适当的(地) 记 联想记忆：a + prop(看作 proper，适当的) + os → 适宜的(地)
arsenal[*]	[ˈɑːrsənl] *n.* (统称)武器；军械库，兵工厂，军械场 记 联想记忆：arsen(热，火) + al → 带火的东西 → 武器
asunder[*]	[əˈsʌndər] *ad.* 分离，化为碎片 记 联想记忆：a + sun(太阳) + (un)der(在…下) → 在太阳底下被晒得粉碎 → 化为碎片
ballast	[ˈbæləst] *n.* (船上保持平衡的)压舱物 记 联想记忆：ball(球) + (l)ast → 最后的球 → 压舱物
cavalcade[*]	[ˌkævlˈkeɪd] *n.* (参加典礼的)骑兵队伍
clangor[*]	[ˈklæŋgər] *n.* 连续的铿锵声 *vi.* 铿锵作响
defunct[*]	[dɪˈfʌŋkt] *a.* 死的；不存在的；失效的 记 词根记忆：de(离开) + funct(起作用) → 离开了，不起作用的 → 死的；不存在的
paucity[*]	[ˈpɔːsəti] *n.* 小量；缺乏

crescendo *	[krə'ʃendoʊ] *n.* (音乐)渐强 记 联想记忆：cre(增长) + scend(上升) + o → 音乐的声音在上升 → (音乐)渐强
dint *	[dɪnt] *n.* 凹痕 *v.* 击出凹痕 记 发音记忆："叮" → 叮的一声击出了凹痕 → 击出凹痕
drivel *	['drɪvl] *n./v.* (喋喋不休地说)废话，傻话 记 联想记忆：一边开车(drive)一边胡说(drivel)
dross *	[drɔːs] *n.* 劣质品；糟粕；废料，浮渣 记 联想记忆：这些衣服(dress)都是糟粕(dross)
revulsion *	[rɪ'vʌlʃn] *n.* 强烈反感；厌恶，憎恶 记 联想记忆：re + vuls (=vulse, 拉) + ion → 被人使劲拉会很生气 → 强烈反感
roster *	['rɑːstər] *n.* 值班表；花名册，(尤指军队等的)值勤人员名单 记 联想记忆：ros(看作 rose, 玫瑰花) + ter → 花名册
ruse *	[ruːz] *n.* 骗术，诡计 记 联想记忆：用玫瑰(rose)来骗取(ruse)姑娘的芳心
sibling *	['sɪblɪŋ] *n.* 兄弟姊妹 记 词根记忆：sib(同胞) + ling → 兄弟姊妹
puny *	['pjuːni] *a.* 弱小的，孱弱的；不起眼的，微不足道的 记 联想记忆：便士(penny)是很小的(puny)单位
rationale *	[ˌræʃə'næl] *n.* 基本原理，理论基础 记 联想记忆：rational(合理的) + e → 合理的东西 → 基本原理
rebuttal *	[rɪ'bʌtl] *n.* 反驳，反证 记 来自 rebut(*vt.* 反驳，驳斥)
rejoinder *	[rɪ'dʒɔɪndər] *n.* 回答；反驳
pitfall *	['pɪtfɔːl] *n.* 陷阱；未料到的危险或困难；隐患，易犯的错误 记 组合词：pit(坑，洞) + fall(落下) → 让人落下的坑 → 陷阱
ovation *	[oʊ'veɪʃn] *n.* 热烈的欢迎，鼓掌
natty *	['næti] *a.* 整洁的；时髦的
mimicry *	['mɪmɪkri] *n.* 模仿 记 联想记忆：mimic(模仿) + ry → 模仿
mettle *	['metl] *n.* 勇气，斗志
mutant	['mjuːtənt] *a.* 变异的，突变的；变种的 *n.* 突变型；突变体；畸形怪物
enigma *	[ɪ'nɪgmə] *n.* 谜，谜一样的人或事，费解的事物 同 mystery
emporium	[em'pɔːriəm] *n.* 商业中心；大百货商店，大商场

spontaneity＊	[ˌspɑːntə'neɪəti] n. 自然，自发性 记 来自 spontaneous(a. 自发的，自然的)
arena	[ə'riːnə] n. 表演场地，竞技场；活动场所 记 联想记忆：are + na → 想像成看角斗时的叫声"啊—呐" → 竞技场
windfall＊	['wɪndfɔːl] n. 风吹落的果实；意外的好运；横财
ecclesiastic＊	[ɪˌkliːzi'æstɪk] n. (基督教的)牧师，教士
devotee＊	[ˌdevə'tiː] n. 崇拜者，爱好者；皈依者，献身者 记 来自 devote(v. 献身于，致力于) 同 fan
gadget	['gædʒɪt] n. 小机械，小器具，小装置
consonance＊	['kɑːnsənəns] n. 一致，协调 记 词根记忆：con(共同) + son(声音) + ance → 共同的声音 → 一致，协调 同 harmony, accord
plunk	[plʌŋk] v. 弹拨(吉他等)；重重放下(并发出砰的声音)
waylay＊	[weɪ'leɪ] vt. 埋伏，伏击；拦路，拦截 同 ambush
entrepreneur＊	[ˌɑːntrəprə'nɜːr] n. 企业家；创业者；承包人
mutter	['mʌtər] n./v. 咕哝，低语；抱怨，发牢骚 同 murmur
debutante＊	['debjutɑːnt] n. 初次在上流社会社交场合露面的富家少女
predator	['predətər] n. 食肉动物；掠夺者；剥削者 记 词根记忆：pred(破坏，掠夺) + at + or (表人或物) → 掠夺者；食肉动物
moralistic	[ˌmɔːrə'lɪstɪk] a. 道学气的；说教的；关注道德的 记 来自 moralist(n. 道德说教者；卫道士)
diva＊	['diːvə] n. 【意】歌剧中的女主角
wizardry＊	['wɪzərdri] n. 魔术，巫术；非凡的才能 记 来自 wizard(n. 男巫；奇才)
connive	[kə'naɪv] v. 默许；纵容；共谋，狼狈为奸 记 词根记忆：con + nive(眨眼睛) → 互相眨眼睛 → 共谋，狼狈为奸 同 conspire
wheeze	[wiːz] n./v. 喘息，发出呼哧呼哧的声音
predate	[priː'deɪt] vt. 日期上早于
warp	[wɔːrp] v. (使)变形，(使)弯曲；使(行为等)不合情理；使乖戾 记 发音记忆："卧铺" → 卧铺太窄，只有弯曲身体才能睡下 → 弯曲
pier	[pɪr] n. 桥墩；码头
miscellaneous	[ˌmɪsə'leɪniəs] a. 各种各样的；不同成分的，混杂的

phobic	[ˈfoʊbɪk] *n.* 恐惧症患者；极端仇视者 *a.* 恐惧的；仇恨的；恐惧症的
descant*	[ˈdeskænt] *n.* 高音部(伴奏或伴唱)
prune*	[pruːn] *v.* 修剪，修整；精简，削减 *n.* 梅干
calamitous	[kəˈlæmɪtəs] *a.* 造成灾祸的，引起灾难的
cloister*	[ˈklɔɪstər] *n.* 修道院；修道院的生活 记 词根记忆：cloist(= close) + er → 幽闭之地 → 修道院
venom*	[ˈvenəm] *n.* (蛇、蜘蛛等分泌的)毒液；恶意，怨恨
wheedle*	[ˈwiːdl] *v.* (用甜言蜜语)哄骗，诱骗
enervated	[ˈenərveɪtɪd] *a.* 衰弱的，无力的 记 来自 enervate(*vt.* 使感到衰弱)
acronym	[ˈækrənɪm] *n.* 首字母缩略词
convolute	[ˈkɑːnvəluːt] *v.* 回旋，盘旋；卷绕 *a.* 回旋状的 同 twist
opus*	[ˈoʊpəs] *n.* 巨著；主要作品
conservatory*	[kənˈsɜːrvətɔːri] *n.* 温室，暖房；音乐学院
pictorial	[pɪkˈtɔːriəl] *a.* 有图片的，有插图的；图画的 *n.* 画报，画刊
veer*	[vɪr] *v.* (车辆等)突然改变方向或路线；(谈话、行为或观点)突然改变；(风)逐渐转向 同 swerve
enervation	[ˌenərˈveɪʃn] *n.* 虚弱，无力
ramshackle*	[ˈræmʃækl] *a.* 摇摇欲坠的，破烂不堪的
asteroid	[ˈæstərɔɪd] *n.* 【天】小行星 *a.* 星状的 记 词根记忆：aster(星星) + oid(像…一样) → 小行星
pretense	[prɪˈtens] *n.* 虚伪，虚假；声称，自称 记 来自 pretend(*v.* 假装)
yen*	[jen] *v.* 渴望 *n.* 日元
brass	[bræs] *n.* 黄铜；黄铜器；铜管乐器
contortion*	[kənˈtɔːrʃn] *n.* (尤指脸、身体的)扭曲，歪曲；被扭曲的事物 记 来自 contort(*v.* 扭曲，歪曲) 同 deformation
pilgrim	[ˈpɪlɡrɪm] *n.* 朝圣者；香客
erotic*	[ɪˈrɑːtɪk] *a.* 性欲的，色情的；引起性欲的
rarefied*	[ˈrerəfaɪd] *a.* 纯净的；稀薄的 记 来自 rarefy[*v.* (使)变稀薄；(使)纯化]

entitlement *	[ɪn'taɪtlmənt] *n.* 权利，资格；有权得到的东西 记 来自 entitle(*vt.* 给…权利，资格)
quirk *	[kwɜːrk] *n.* 怪异的性格、习惯；怪事，奇事；偶发事件，巧合
drawl	[drɔːl] *n./v.* 慢吞吞地说 记 联想记忆：draw(抽) + l → 一点点抽出来 → 慢慢说
gamer	['ɡeɪmər] *n.* 玩游戏的人；坚持不懈的人
mural *	['mjʊrəl] *a.* 墙壁的；挂在墙壁上的 *n.* (通常指大型的)壁画 记 词根记忆：mur(墙) + al → 墙上的画 → 壁画
prude *	[pruːd] *n.* 过分守礼的人；正经过度的人；谈性色变者
coronal	[kə'rounəl] *n.* 冠，花冠；冠状物 *a.* 冠状的
motif *	[mou'tiːf] *n.* 图案或式样；(作品)主题，主旨
elegy *	['elədʒi] *n.* 哀歌，挽歌；挽诗 记 联想记忆：e(出) + leg(腿) + y → 悲伤得迈不动步 → 哀歌
cataclysmic	[ˌkætə'klɪzmɪk] *a.* 洪水的；大变动的
watershed *	['wɔːtərʃed] *n.* 分水岭；转折点；分界线
drape	[dreɪp] *v.* 披上，披盖；悬挂，装饰 *n.* 帷幕，帷帘
witless *	['wɪtləs] *a.* 无知的，愚蠢的 记 拆分记忆：wit (智慧，脑力) + less (少，无) → 没有智慧的 → 无知的，愚蠢的 同 foolish
parallelism *	['pærəlelɪzəm] *n.* 平行；类似，类似的特点 记 来自 parallel(*a.* 平行的；类似的) 同 correspondence
plume	[pluːm] *n.* 羽毛；羽饰；一缕(烟、尘土等) *v.* 用喙整理羽毛
continence *	['kɑːntɪnəns] *n.* 节制，自制；禁欲
posthumously	['pɑːstʃəməsli] *ad.* 死后地，身后地；著作者死后出版地
cachet	[kæ'ʃeɪ] *n.* 威望，声望；(证明品质的)优良标志
whelp	[welp] *n.* 犬科的幼兽，幼崽 *v.* 下崽
protuberance *	[prou'tuːbərəns] *n.* 凸出，隆起；突出物，隆起部分 同 projection
xenophobia *	[ˌzenə'foubiə] *n.* 仇外，排外；惧外 记 词根记忆：xeno(外国的) + phob(恐惧) + ia → 惧外
connoisseur *	[ˌkɑːnə'sɜːr] *n.* 鉴赏家，行家 记 词根记忆：con + nois(知道) + s + eur(表人) → 什么都知道的人 → 行家 同 expert

miraculously	[mɪˈrækjələsli] *ad.* 奇迹般地，不可思议地 记 来自 miraculous(*a.* 奇迹般的，不可思议的) 同 marvelously
finale *	[fɪˈnæli] *n.* 终曲，末乐章；演出终场结局
postural	[ˈpɑːstʃərəl] *a.* 姿势的，位置的
choreography *	[ˌkɔːriˈɑːgrəfi] *n.* 舞蹈，舞蹈编排 记 词根记忆：chore(歌舞) + o + graphy(写) → 舞蹈编排
mote *	[moʊt] *n.* 微粒，微尘，尘埃
pluck	[plʌk] *v.* 拔掉(毛)；采，摘；拉，抓；弹，拨 *n.* 勇气，胆量 记 联想记忆：p(音似：不) + luck(运气) → 不靠运气靠勇气 → 勇气，胆量 同 courage, spunk
oracular *	[əˈrækjələr] *a.* 神谕的；天书似的；晦涩难懂的

 备考锦囊

写作备考指南（二）

　　写作中一些开篇、承上启下、总结等句型的运用十分重要。运用得当将使整篇文章思路更清晰、逻辑性更强。下面为考生总结一些在写作中常用的句型。

（一）提出观点

I would like to voice my opinions as to the pros (cons) of ...

在此对…表示支持(或反对)。

Every coin has two sides. 任何事物都有两面性。

There are always two sides to every question. 每个问题都有两面性。

Personally I agree with this opinion for the following grounds.

我个人同意这个观点，理由如下。

From my point of view, the opinion is simply untenable.

我认为这种观点显然是站不住脚的。

Although many people are behind this stance, I found it hard for me to agree with this opinion fully. 尽管不少人同意这种观点，但我并不完全认同。

综合
类别

481

chloroplast	[ˈklɔːrəplæst] *n.* 叶绿体
grasshopper	[ˈɡræshɑːpər] *n.* 蝗虫
herbaceous	[hɜːrˈbeɪʃəs] *a.* 草本的 记 词根记忆：herb(草) + aceous → 草本的
toxin	[ˈtɑːksɪn] *n.* 毒素
artery	[ˈɑːrtəri] *n.* 动脉
lobster	[ˈlɑːbstər] *n.* 龙虾
olfactory*	[ɑːlˈfæktəri] *a.* 嗅觉的 记 联想记忆：ol(看作 oil) + factory(工厂) → 嗅到工厂的油味 → 嗅觉的
ovum	[ˈoʊvəm] *n.* 卵细胞
metabolism	[məˈtæbəlɪzəm] *n.* 新陈代谢
infection	[ɪnˈfekʃn] *n.* 感染
tundra	[ˈtʌndrə] *n.* 苔原；冻土地带
spinous	[spaɪnəs] *a.* 多刺的
semiannual	[ˌsemiˈænjuəl] *a.* 每半年的；半年期的 记 拆分记忆：semi(半) + annual(一年一次的) → 半年一次的 → 每半年的；半年期的
hydrolysis	[haɪˈdrɑːlɪsɪs] *n.* 水解作用
vermicide	[ˈvɜːrmɪˌsaɪd] *n.* 驱虫剂，打虫药
ozone	[ˈoʊzoʊn] *n.* 臭氧 派 ozonic(*a.* 臭氧的，含臭氧的)
ocular	[ɑːkjələr] *a.* 眼睛的；视觉的 记 词根记忆：ocul(眼) + ar(…的) → 眼睛的
antibiotics	[ˌæntibaɪˈɑːtɪks] *n.* 抗生素
quarantine*	[ˈkwɔːrəntiːn] *n.* 检疫期 记 联想记忆：quarant(四十) + ine → 检疫期要隔开 40 天 → 检疫期

fungi	[ˈfʌŋgaɪ] *n.* 真菌
germinate *	[ˈdʒɜːrmɪneɪt] *v.* (使)发芽; (使)发展
	记 词根记忆: germ(种子; 幼芽) + inate(使) → 使发芽
pea	[piː] *n.* 豌豆
gene	[dʒiːn] *n.* 基因
gland	[glænd] *n.* 腺体
bray	[breɪ] *n.* 驴叫声; 喇叭声 *v.* (驴)叫, 嘶叫
	记 联想记忆: 在海湾(bay)能听到波浪发出的嘶叫声(bray)
dormancy	[ˈdɔːrmənsi] *n.* 休眠状态
	记 词根记忆: dorm(睡眠) + ancy → 休眠状态
excrement	[ˈekskrɪmənt] *n.* 排泄物
earthworm	[ˈɜːrθwɜːrm] *n.* 蚯蚓
nutrition	[nuˈtrɪʃn] *n.* 营养
	派 nutritional (*a.* 营养的); nutritionist (*n.* 营养学家); malnutrition(*n.* 营养不良); nutritious(*a.* 有营养成分的, 营养的)
carcass	[ˈkɑːrkəs] *n.* (屠宰后的)畜体
	记 联想记忆: car(汽车) + cass(看作 cast, 抛) → 屠宰后用汽车抛弃畜体 → (屠宰后的)畜体
supine	[ˈsuːpaɪn] *a.* 仰卧的
	记 联想记忆: 睡觉时脊梁骨(spine)贴床的 → 仰卧的
serum	[ˈsɪrəm] *n.* 血清
cancer	[ˈkænsər] *n.* 癌症
	记 联想记忆: 十二星座中的"巨蟹座"也是 Cancer
vermin	[ˈvɜːrmɪn] *n.* 害虫; 害兽; 寄生虫
	记 词根记忆: verm(蠕虫) + in → 害虫
biodegradable	[ˌbaɪoʊdɪˈgreɪdəbl] *a.* 生物可降解的
	记 拆分记忆: bio(生物的) + degradable(能降解的) → 生物可降解的
ecosystem	[ˈiːkoʊsɪstəm] *n.* 生态系统
	记 联想记忆: eco(生态) + system(系统) → 生态系统
putrid *	[ˈpjuːtrɪd] *a.* 腐烂的; 非常讨厌的
	记 联想记忆: put(放) + rid(使摆脱) → 东西腐烂了就直接扔掉 → 腐烂的
	同 rotten
aural	[ˈɔːrəl] *a.* 听觉的
	记 词根记忆: aur(耳; 听) + al(的) → 听觉的
stunt	[stʌnt] *v.* 阻碍…发育, 妨碍…生长 *n.* 发育迟缓; 矮小的人(或物)
	记 联想记忆: 七个小矮人(stunt)使白雪公主大吃一惊(stun)

生物

predatory *	[ˈpredətɔ:ri] *a.* 掠夺的；食肉的 记 来自 predator(掠夺者)
chromosome	[ˈkrouməsoum] *n.* 染色体
digestion	[daɪˈdʒestʃən] *n.* 消化
bacteria	[bækˈtɪriə] *n.* [*pl.*] 细菌 记 单数形式为 bacterium 派 bacterial(*a.* 细菌的；由细菌引起的)
alveolar	[ælˈviːələr] *a.* 牙槽的，齿槽的
bulbous	[ˈbʌlbəs] *a.* 球根的；球根状的；球根长成的 记 来自 bulb(*n.* 鳞茎；球茎物)
nascent *	[ˈnæsnt] *a.* 初生的；萌芽的；未成熟的 记 词根记忆：nasc(出生) + ent → 初生的
primeval	[praɪˈmiːvl] *a.* 原始的 记 词根记忆：prim(最初的) + ev(时间) + al → 原始的
gossamer	[ˈgɑːsəmər] *n.* 蛛丝；薄纱 记 来自 goose summer(食鹅时节)，此时节蛛丝飞扬，所以有 gossamer 一词
appendage	[əˈpendɪdʒ] *n.* 附属肢体，附属器官
sugar	[ˈʃʊgər] *n.* 糖类
virus *	[ˈvaɪrəs] *n.* 病毒
heterogeneous *	[ˌhetərəˈdʒiːniəs] *a.* 不同种类的 记 词根记忆：hetero(异) + gen(产生) + eous → 产生相异的 → 不同种类的
fat	[fæt] *n.* 脂肪
fern	[fɜːrn] *n.* 蕨类植物
genotype	[ˈdʒenətaɪp] *n.* 基因型
auricle	[ˈɔːrɪkl] *n.* 外耳，耳廓
gestate	[ˈdʒesteɪt] *v.* 孕育；创意 记 词根记忆：gest(= carry，载) + ate → 载有新生命 → 孕育
centipede	[ˈsentɪpiːd] *n.* 蜈蚣
complementary *	[ˌkɑːmplɪˈmentri] *a.* 互补的
epidermis	[ˌepɪˈdɜːrmɪs] *n.* 表皮；上皮
population	[ˌpɑːpjuˈleɪʃn] *n.* 种群
starch	[stɑːrtʃ] *n.* 淀粉
producer	[prəˈduːsər] *n.* 生产者

effete *	[ɪ'fiːt] *a.* (动植物等)生产力已枯竭的；衰老的；疲惫的；衰微的
	记 词根记忆：ef(出) + fet(生产的) + e→ 生产不出的 → 生产力已枯竭的
vein	[vein] *n.* 静脉
collagen	['kɑːlədʒən] *n.* 胶原蛋白
arboriculture	['ɑːrbərɪkʌltʃər] *n.* 树木的培植
	记 词根记忆：arbor（树）+ i + culture（栽培，培育）→ 树木的培植
vaccine	[væk'siːn] *n.* 疫苗
bullock	['bʊlək] *n.* 阉牛；一岁半以下的小公牛
	记 联想记忆：bull（公牛）+ ock（看作 lock，锁住）→ 被锁住不能交配的公牛 → 阉牛
herbivore	['hɜːrbɪvɔːr] *n.* 食草动物
variegated *	['verɪgeɪtɪd] *a.* 杂色的，斑驳的；多样化的
reclamation	[ˌreklə'meɪʃn] *n.* 开垦；改造；(废料等的)收回
homeostasis	[ˌhoʊmiə'steɪsɪs] *n.* 体内平衡
terrestrial *	[tə'restriəl] *a.* 陆地的；陆栖的
	记 词根记忆：terr(地) + estr + ial → 陆地的；陆栖的
yearling	['jɪrlɪŋ] *n.* 一岁(或两岁)动物幼崽
	记 词根记忆：year(年) + ling(小) → 一岁大小的家禽 → 一岁动物幼崽
fecund	['fiːkənd] *a.* 生殖力强的；多产的，丰饶的，肥沃的
	记 发音记忆："翻垦" → 可翻垦的土地 → 肥沃的
	同 fertile, fruitful, prolific
biology	[baɪ'ɑːlədʒi] *n.* 生物学
	记 词根记忆：bio(生物；生命) + logy(学科) → 生物学
transcription	[træn'skrɪpʃn] *n.* 转录
cornea	['kɔːrniə] *n.* 角膜
degradation *	[ˌdegrə'deɪʃn] *n.* 降解
respiration *	[ˌrespə'reɪʃn] *n.* 呼吸作用
reptile	['reptaɪl] *n.* 爬行动物
	记 词根记忆：rept(爬行) + ile(物) → 爬行动物
	派 reptilian(*a.* 爬虫类的)
scale *	[skeil] *n.* 鳞片
	派 scaled(*a.* 有鳞的)
skeleton	['skelɪtn] *n.* 骨骼
	同 cadre, framework
spider	['spaɪdər] *n.* 蜘蛛

hemolysis	[hɪ'mɑːləsɪs] *n.* 溶血(现象)
arboreal	[ɑːr'bɔːriəl] *a.* 树的；树栖的
	记 词根记忆：arbor(树) + eal → 树的
autumnal	[ɔː'tʌmnəl] *a.* 秋的，秋天的；已过中年的
	记 来自 autumn(*n.* 秋天)
microorganism	[ˌmaɪkroʊ'ɔːrɡənɪzm] *n.* 微生物
baldness	[bɔːldnəs] *n.* 秃头
biped	['baɪped] *n.* 两足动物
	记 词根记忆：bi(两个，二) + ped(足，脚) → 两足动物
esophagus	[i'sɑːfəɡəs] *n.* 食管
antibody	['æntibɑːdi] *n.* 抗体(免疫球蛋白)
decay	[dɪ'keɪ] *v./n.* 腐败
	同 rot, decline
flamboyant *	[flæm'bɔɪənt] *a.* 火焰似的，火红色的；艳丽的，灿烂的；虚张的，虚饰的
	记 联想记忆：flam(e)(火焰) + boyant → 火焰似的
spindle	['spɪndl] *n.* 纺锤体
extinction	[ɪk'stɪŋkʃn] *n.* 灭绝
locus	['loʊkəs] *n.* 基因座
molt	[moʊlt] v. 脱毛；换毛
	记 和 melt(*v.* 融化)一起记
foliate	['foʊlieɪt] *a.* 叶状的
heteromorphic	[ˌhetəroʊ'mɔːrfɪk] *a.* 异形的
fallow *	['fæloʊ] *n.* 休耕地 *a.* 休耕的
	记 联想记忆：和 fellow(*n.* 伙伴，同伙)一起记
botanical	[bə'tænɪkl] *a.* 植物的，植物学的
	记 来自 botany(*n.* 植物学)
protein	['proʊtiːn] *n.* 蛋白质
hemoglobin	[hiːmə'ɡloʊbɪn] *n.* 血红蛋白
fledgling *	['fledʒlɪŋ] *n.* 羽毛初长的雏鸟，刚会飞的幼鸟；无经验的人
	记 联想记忆：fledg(e)(长羽毛) + ling → 羽毛初长的雏鸟，刚会飞的幼鸟
dormant *	['dɔːrmənt] *a.* 休眠的；冬眠的
	记 词根记忆：dorm(睡眠) + ant → 休眠的；冬眠的
perennial *	[pə'reniəl] *a.* 四季不断的，终年的
	记 词根记忆：per(全部) + enn(年) + ial → 终年的

primordial *	[praɪ'mɔːrdiəl] *a.* 原始的，初发的
	记 词根记忆：prim(最初的) + ordial(开始) → 最初开始的 → 原始的，初发的
cerebellum	[ˌserə'beləm] *n.* 小脑
urine	['jʊrən] *n.* 尿
triennial	[traɪ'eniəl] *a.* 每三年一度的
	记 词根记忆：tri(三) + enn(年) + ial → 每三年一度的
lactose	['læktoʊs] *n.* 乳糖
desertification	[dɪˌzɜːrtɪfɪ'keɪʃn] *n.* 沙漠化
defect	['diːfekt] *n.* 缺陷
	记 联想记忆：小缺陷(defect)有大影响(effect)
	同 flaw
thoroughbred	['θɜːroʊbred] *a.* (指牲畜)纯种的，良种的
	记 组合词：thorough(完全的，彻底的) + bred(繁殖) → 纯种的
sap *	[sæp] *n.* 树等的汁液；体液 *vt.* 使衰竭
	记 联想记忆：害虫吮吸(sip)树液(sap)
kernel *	['kɜːrnl] *n.* (果实的)核，仁
organelle	[ˌɔːrgə'nel] *n.* 细胞器
giraffe	[dʒə'ræf] *n.* 长颈鹿
vegetal	['vedʒətl] *a.* 植物的；植物性的
tumor	['tuːmər] *n.* 肿瘤
larvae	['lɑːrviː] *n.* 幼虫
bole	[boʊl] *n.* 树干，树身
	记 发音记忆：皮球(ball)砸在树干(bole)上
succulent *	['sʌkjələnt] *a.* 多汁的，多水分的
	记 联想记忆：汁多肉美(succulent)要吸(suck)个够
metabolic	[ˌmetə'bɑːlɪk] *a.* 变化的；新陈代谢的
	记 来自 metaboly(*n.* 新陈代谢)
proliferate	[prə'lɪfəreɪt] *v.* (迅速)繁殖，繁衍；激增
	记 联想记忆：pro(许多) + life(生命) + rate(速度) → 迅速产生许多生命 → (迅速)繁殖
natal	['neɪtl] *a.* 出生的，诞生的
	记 词根记忆：nat(出生) + al → 出生的，诞生的
photosynthesis	[ˌfoʊtoʊ'sɪnθəsɪs] *n.* 光合作用
odoriferous	[ˌoʊdə'rɪfərəs] *a.* 有香气的
	记 联想记忆：odor(气味) + i + fer(带有) + ous → 带有香味的 → 有香气的

生物

catabolism	［kəˈtæbəlɪzəm］ *n.* 分解代谢
moo	［muː］ *v.* (牛叫声)哞 记 象声词
feral *	［ˈferəl］ *a.* 野生的，未驯服的；野兽的 同 wild
algae	［ˈældʒiː］ *n.* (alga 的复数)海藻；藻类
verdant	［ˈvɜːrdnt］ *a.* 翠绿的，青翠的；生疏的，没有经验的 记 词根记忆：verd(绿色) + ant → 翠绿的
carnivore	［ˈkɑːrnɪvɔːr］ *n.* 食肉动物
ramify *	［ˈræmɪfaɪ］ *v.* (使)分支，(使)分叉 记 词根记忆：ram(= ramus，分支) + ify(使) → 使出现分支 → (使)分支，(使)分叉
neuron	［ˈnʊrɑːn］ *n.* 神经元
pepsin	［ˈpepsɪn］ *n.* 胃蛋白酶
maple	［ˈmeɪpl］ *n.* 枫树
auricular	［ɔːˈrɪkjʊlər］ *n.* 耳的；耳状的 记 词根记忆：aur(耳，听) + icular→ 耳的
bile	［baɪl］ *n.* 胆汁
botanize	［ˈbɑːtənaɪz］ *v.* 研究植物；采集植物 记 来自 botany(*n.* 植物学)
lung	［lʌŋ］ *n.* 肺
oak	［oʊk］ *n.* 橡树
omnivore	［ˈɑːmnɪvɔːr］ *n.* 杂食动物
herbivorous *	［hɜːrˈbɪvərəs］ *a.* 食草的 记 词根记忆：herb(草) + i + vor(吃) + ous → 食草的
nuclei	［ˈnuːkliaɪ］ *n.* (nucleus 的复数)核，原子核
conjugation	［ˌkɑːndʒəˈɡeɪʃn］ *n.* (两个生殖细胞的)结合；配合
differentiation	［ˌdɪfəˌrenʃiˈeɪʃn］ *n.* 变异；区别
heterogeneity	［ˌhetərədʒəˈniːəti］ *n.* 异质性 记 词根记忆：hetero(异) + gen(产生) + eity → 异质性
pheromone	［ˈferəmoʊn］ *n.* 外激素
mutation	［mjuːˈteɪʃn］ *n.* 突变，变异 记 来自 mutate(*v.* 突变，变异)
seedy *	［ˈsiːdi］ *a.* 多籽的，结籽的 记 来自 seed(*n.* 种子)

canary	[kə'neri] *n.* 金丝雀；淡黄色 记 联想记忆：藤条(cane)是淡黄色(canary)
aquatic *	[ə'kwætɪk] *a.* 水的，水上的；水生的，水栖的 记 词根记忆：aqua(水) + tic → 水生的，水栖的
cell	[sel] *n.* 细胞
glycogen	['glaɪkoʊdʒən] *n.* 糖原
vitamin	['vaɪtəmɪn] *n.* 维生素
macrophage	['mækrəfeɪdʒ] *n.* 巨噬细胞
inheritance	[ɪn'herɪtəns] *n.* 遗传
helix	['hiːlɪks] *n.* 螺旋
capillary	['kæpəleri] *n.* 毛细血管 记 发音记忆："可劈累" → 毛细管已经那么细了，你再累也劈不开了 → 毛细血管
flagella	[flə'dʒelə] *n.* 鞭毛
ossify *	['ɑːsɪfaɪ] *v.* (使)骨化；(使)硬化 记 词根记忆：oss(骨) + ify(…化) → 使骨化
seed	[siːd] *n.* 种子
salamander	['sæləmændər] *n.* 蝾螈
cortex	['kɔːrteks] *n.* 树皮；皮层
conservationist	[ˌkɑːnsər'veɪʃənɪst] *n.* 自然资源的保护论者 记 来自 conservation(*n.* 水土的保持；森林，河道的保护)
breech	[briːtʃ] *n.* 臀部 记 联想记忆：臀部(breech)坐在椅子(bench)上
predation	[prɪ'deɪʃn] *n.* 掠夺；掠食
luxuriant *	[lʌg'ʒʊriənt] *a.* 丰富的；肥沃的
fermentation *	[ˌfɜːrmen'teɪʃn] *n.* 发酵
kidney	['kɪdni] *n.* 肾
redolent *	['redələnt] *a.* 芬芳的 记 联想记忆：red（红色）+ olent（有香味的）→ 红色的花有芬芳的香味 → 芬芳的 同 aromatic
quail *	[kweil] *n.* 鹌鹑 *v.* 感到恐惧 记 发音记忆："愧" → 有愧于人 → 感到恐惧
hormone	['hɔːrmoʊn] *n.* 荷尔蒙
placenta	[plə'sentə] *n.* 胎盘

glycerol	[ˈglɪsərəʊ] *n.* 甘油
genome	[ˈdʒiːnəʊm] *n.* 基因组
miasma*	[miˈæzmə] *n.* 沼气
vinery	[ˈvaɪnərɪ] *n.* 葡萄园；葡萄温室 记 来自 vine(*n.* 葡萄树)
spineless	[ˈspaɪnləs] *a.* 无脊椎的 记 拆分记忆：spine(脊椎) + less(无) → 无脊椎的
fertilization	[ˌfɜːrtələˈzeɪʃn] *n.* 受精
insulin	[ˈɪnsəlɪn] *n.* 胰岛素
wintry	[ˈwɪntri] *a.* 冬天的；寒冷的；冷淡的 记 联想记忆：wintr(看作 winter，冬天) + y(…的) → 冬天的
bacterium	[bækˈtɪriəm] *n.* (复数 bacteria)细菌
botany	[ˈbɑːtəni] *n.* 植物学
evanescent*	[ˌevəˈnesnt] *a.* 易消散的；会凋零的 记 词根记忆：e(出) + van(空) + escent → 空气出去的 → 易消散的
syndrome	[ˈsɪndrəʊm] *n.* 综合征
furrow	[ˈfɜːrəʊ] *n.* 分裂沟；犁沟
urea	[jʊˈriːə] *n.* 尿素
yip	[jɪp] *v.* 犬吠；叫喊
hirsute	[ˈhɜːrsuːt] *a.* 多毛的；有髭毛的 记 词根记忆：hirs(= hair，毛) + ute → 多毛的 同 hairy
pancreas	[ˈpæŋkriəs] *n.* 胰腺
endocrine	[ˈendəkrɪn] *n./a.* 内分泌(的)
propagate*	[ˈprɑːpəɡeɪt] *v.* 繁衍，增殖；扩散 记 词根记忆：pro + pag(砍，切) + ate → 繁衍，增殖；原义是把树的旁枝剪掉使主干成长，引申为"繁殖" 派 propagation(*n.* 繁殖；传播) 同 produce, multiply
omnivorous*	[ɑːmˈnɪvərəs] *a.* 杂食的 记 词根记忆：omni(全) + vor(吃) + ous → 肉素全部吃的 → 杂食的
exoskeleton	[ˈeksəʊskelɪtn] *n.* 外骨骼
osmosis	[ɑːzˈməʊsɪs] *n.* 渗透作用
cilia	[ˈsɪliə] *n.* 纤毛
phonic	[ˈfɑːnɪk] *a.* 声音的；有声的

spore	[spɔːr] *n.* 孢子
pathogen	[ˈpæθədʒən] *n.* 病原体
minnow	[ˈmɪnoʊ] *n.* 鲤类小鱼
recombination	[ˌrɪkɑːmbɪˈneɪʃn] *n.* 重组
insight	[ˈɪnsaɪt] *n.* 洞察力 派 insightful(*a.* 富有洞察力的，有深刻见解的)
languish *	[ˈlæŋgwɪʃ] *v.* 憔悴；凋萎 记 词根记忆：langu(虚弱的) + ish(动词后缀) → 身体虚弱，面容憔悴 → 憔悴
avalanche	[ˈævəlæntʃ] *n./v.* 雪崩 记 联想记忆：三个 a 像滚下的雪球 同 snowslide
germination	[ˌdʒɜːrmɪˈneɪʃn] *n.* 发芽
hybrid *	[ˈhaɪbrɪd] *n.* 杂种动物，杂交植物；混合物，合成物 *a.* 杂交产生的，杂种的；混合的，合成的
skunk	[skʌŋk] *n.* 臭鼬
pollinate	[ˈpɑːləneɪt] *vt.* 【植】给…传授花粉 记 联想记忆：pollin(=pollen, 花粉) + ate → 给…传授花粉
squid	[skwɪd] *n.* 鱿鱼；枪乌贼
aquiline *	[ˈækwɪlaɪn] *a.* 鹰的，似鹰的；弯曲的，钩状的，鹰喙状的 记 词根记忆：aquil(鹰) + ine → 鹰的，似鹰的
hibernate *	[ˈhaɪbərneɪt] *v.* 冬眠；蛰伏 记 词根记忆：hibern(冬天) + ate → 冬眠
graft *	[græft] *n./v.* 移植(皮肤、骨骼等)；嫁接；贪污，受贿 记 联想记忆：g(看作 go) + raft(木筏) → 用木筏运送嫁接的树苗 → 嫁接
ferment *	[fərˈment] *v.* (使)发酵；(使)骚动 [ˈfɜːrment] *n.* 发酵；(政治或社会的)动荡不安 记 词根记忆：ferm(=ferv, 热) + ent → (生热)发酵 → 发酵
drone *	[droʊn] *v.* 嗡嗡地响；单调低沉地说 *n.* 嗡嗡声；(风笛等乐器发出的)持续的低音
embryonic *	[ˌembriˈɑːnɪk] *a.* 【生】胚胎的；胚胎期的；萌芽期的 记 来自 embryo(*n.* 胚胎)
deciduous *	[dɪˈsɪdʒuəs] *a.* 非永久的，短暂的；(指树)落叶的 记 词根记忆：de(向下) + cid(落) + uous → 落叶的
mammal *	[ˈmæml] *n.* 哺乳动物 记 联想记忆：mamma（妈妈）+ l → 靠吃妈妈的奶长大 → 哺乳动物 派 mammalian(*a.* 哺乳动物的)

languish

哺乳大会

没你的事

mammal

生物

alligator	[ˈælɪɡeɪtər] *n.* (产于美国和中国的)短吻鳄
yolk	[jouk] *n.* 蛋黄；卵黄
	记 联想记忆：民间(folk)传说蛋黄(yolk)有营养
stevedore	[ˈstiːvədɔːr] *n.* 码头工人；码头装卸工
floral*	[ˈflɔːrəl] *a.* 花的，像花的；饰以花的
	记 词根记忆：flor(花) + al → 花的
sleeper*	[ˈsliːpər] *n.* (火车等的)卧铺；枕木；睡觉的人

其他生物常用术语：

actin	肌动蛋白	connective tissue	结缔组织
active transport	主动运输	cotransport	协调运输
allele	等位基因	crossing-over	交换
amino acid	氨基酸	cytokines	细胞因子
amitosis	无丝分裂	cytoplasm	细胞质
anaphase	(细胞分裂)后期	cytoskeleton	细胞骨架
anaerobic respiration	厌氧呼吸	decomposer	分解者
apoptosis	细胞凋亡	dehydration synthesis	脱水合成
arthropoda	节肢动物门	denaturation	变性
artificial fertilization	人工受精	diploid	二倍体
autocrine	自分泌	dominant gene	显性基因
autosome	常染色体	ectoderm	外胚层
autotroph	自养生物	electron gun	电子枪
base pairing	碱基配对	endocrine gland	内分泌腺
basophilic granulocyte	嗜碱性粒细胞	endoplasmic reticulum	内质网
biomass	生物的数量	equatorial plate	赤道板
blastula	囊胚	erythrocyte (red blood cell)	红细胞
blood platelet	血小板	eukaryotic cell	真核细胞
boreal taiga	寒带针叶林	excretory system	分泌系统
carbon dioxide	二氧化碳	flavin	黄素
carbon monoxide	一氧化碳	fluorescence microscope	荧光显微镜
cell proliferation*	细胞增殖	fructose	果糖
cell wall	细胞壁	gastrula	肠胚
centromere	着丝粒	genetic code	遗传密码
cerebral cortex	大脑皮层	genetic drift	遗传漂移
chordate	脊索动物门	glycolysis	糖酵解
chromatid	染色单体	glycoprotein	糖蛋白
chromatin	染色质	Golgi complex	高尔基体
circulatory system	循环系统	growth factor	生长因子
cloaca	泄殖腔	habituation	适应效应
condenser lens	聚光透镜	haploid	单倍体

heterotrophe	异养生物	phloem	韧皮层
heterozygote	杂合体	phospholipid	磷脂
homologous chromosome	同源染色体	phosphorylation	磷酸化作用
homozygote	纯合体	pipet	球管
immune system	免疫系统	pituitary gland	垂体
imprinting	印痕效应	plasma membrane*	质膜
interphase	(细胞分裂)间期	plasmodesmata	胞间连丝
kinetochore	动粒	polypeptide	多肽
lactase	乳糖分解酵素(乳糖酶)	polypus	息肉
lactic acid	乳酸	prokaryotic cell	原核细胞
large intestine	大肠	prophase	(细胞分裂)前期
light energy	光能	radial symmetry	辐射对称
lymph node	淋巴结	recessive gene	隐性基因
lysosomes	溶酶体	reproductive system	生殖系统
medulla oblongata	延髓	respiratory system	呼吸系统
meiotic division/meiosis	减数分裂	respirometer	呼吸计
meristem	分裂组织	ribosome	核糖体
mesoderm	中胚层	sodium chloride	氯化钠
mesophyll cell	叶肉细胞	speciation	物种形成
metaphase	(细胞分裂)中期	spermatogenesis	精子发生
mitochondria	线粒体	stem cell	干细胞
mitosis	有丝分裂	stroma lamella	基粒片层
muscular system	肌肉系统	sulfur dioxide	二氧化硫
natural selection	自然选择	sucrose	蔗糖
neurotransmitter	神经递质	synapsis	(细胞)联会
unicellular organism	单细胞生物	telomere	端粒
nitrogenous base	含氮碱基	telophase	(细胞分裂)末期
nuclear membrane	核膜	temperate forest	温带森林
nucleic acid	核酸	temperate grassland	温带草原
nucleus	核仁	tertiary structure	三级结构
octopus	章鱼	tetrad	四分体
olfactory bulb	嗅球	transgenic animal	转基因动物
oral cavity	口腔	tropical rain forest	热带雨林
paracrine*	旁分泌	tropical savanna	热带稀树大草原
parthenogenesis	单性生殖;孤雌生殖	true leaf	真叶
pepsinogen	胃蛋白酶原	vacuole	液泡
peptide	肽;缩氨酸	vacuum chamber	真空室
peristalsis	蠕动	vascular cambium	维管形成层
peroxisome	过氧化物酶体	wild type	野生型
phagocytosis	吞噬作用	xylem	木质部
phenotype	表型		

生物

化学

scintillate *	[ˈsɪntɪleɪt] *v.* 发出火花 记 词根记忆：scintill(火花) + ate → 发出火花
skirt	[skɜːrt] *n.* 女裙；边缘 记 联想记忆：和 shirt(*n.* 衬衫)一起记
clarification	[ˌklærəfɪˈkeɪʃn] *n.* 澄清
alloy *	[ˈælɔɪ] *n.* 合金
shrubbery	[ˈʃrʌbəri] *n.* 灌木林 记 来自 shrub(*n.* 灌木)
equipment	[ɪˈkwɪpmənt] *n.* 装置
smelt	[smelt] *v.* 冶炼
precipitation	[prɪˌsɪpɪˈteɪʃn] *n.* 沉淀 记 来自 precipitate(*v.* 猛地落下)
still	[stɪl] *n.* 蒸馏器
ammonia	[əˈmoʊniə] *n.* 氨
volatile *	[ˈvɑːlətl] *a.* 挥发性的；易变的；不稳定的 记 词根记忆：volat (飞) + ile → 风一吹，液体飞 → 挥发性的 派 volatility(*n.* 挥发性)
anhydrous	[ænˈhaɪdrəs] *a.* 无水的 记 词根记忆：an(无，不) + hydr(水) + ous → 无水的
gasoline	[ˈɡæsəliːn] *n.* 汽油
mixture	[ˈmɪkstʃər] *n.* 混合物
flask	[flæsk] *n.* 烧瓶
filter	[ˈfɪltər] *n.* 滤器；过滤器
boiling	[ˈbɔɪlɪŋ] *n.* 沸腾
Oxygen(O)	[ˈɑːksɪdʒən] *n.* 氧

precipitation

filter

flask

boiling

brine	[braɪn] *n.* 盐水
	记 联想记忆：海洋里的(marine)水是盐水(brine)
methane	[ˈmeθeɪn] *n.* 甲烷
indicator	[ˈɪndɪkeɪtər] *n.* 指示剂
compound *	[ˈkɑːmpaʊnd] *n.* 化合物
	记 词根记忆：com + pound(放置)→ 放到一起的东西 → 化合物
colloid	[ˈkɑːlɔɪd] *n.* 胶体
burning	[ˈbɜːrnɪŋ] *n.* 燃烧
adulterant	[əˈdʌltərənt] *n.* 掺杂物
	记 联想记忆：ad + ulter（看作 alter，其他的）+ ant → 掺杂其他物品 → 掺杂物
distillation	[ˌdɪstɪˈleɪʃn] *n.* 蒸馏
aroma	[əˈroʊmə] *n.* 芳香，香气，香味
	记 来自 arom(*a.* 有香味的；芳烃的)
acid	[ˈæsɪd] *n.* 酸
	派 acidic(*a.* 酸的，酸性的); acidity(*n.* 酸度，酸性)
leaven *	[ˈlevn] *vt.* 使发酵
	记 联想记忆：和 heaven(*n.* 天堂)一起记
hydrocarbon	[ˌhaɪdrəˈkɑːrbən] *n.* 碳氢化合物
odorous *	[ˈoʊdərəs] *a.* 有气味的
anode	[ˈænoʊd] *n.* 阳极；正极
oxide	[ˈɑːksaɪd] *n.* 氧化物
beaker	[ˈbiːkər] *n.* 烧杯
inspection	[ɪnˈspekʃn] *n.* 检验
hydroxide	[haɪˈdrɑːksaɪd] *n.* 氢氧化物
graduate	[ˈɡrædʒuət] *n.* 量筒，量杯；一量筒或量杯的量
reversible	[rɪˈvɜːrsəbl] *a.* 可逆的
erratic *	[ɪˈrætɪk] *a.* 不规律的；不稳定的
organic	[ɔːrˈɡænɪk] *a.* 有机的
cathode	[ˈkæθoʊd] *n.* 阴极
	记 联想记忆：阴(cathode)阳〔anode(*n.* 阳极，正极)〕两级八卦图
residual	[rɪˈzɪdʒuəl] *n.* 残留，残渣
oxidizer	[ˈɑːksɪdaɪzər] *n.* 氧化剂
hydrogen	[ˈhaɪdrədʒən] *n.* 氢

化学

minuscule[*]	[ˈmɪnəskjuːl] *a.* 极小的 记 词根记忆：min（小）+ us + cule（小）→ 极小的
analysis	[əˈnæləsɪs] *n.* 分解 记 词根记忆：ana（分开）+ ly（分开）+ sis → 分解
isotope	[ˈaɪsətoʊp] *n.* 同位素
series	[ˈsɪriːz] *n.* 系列
washout	[ˈwɑːʃaʊt] *n.* 冲刷
rust	[rʌst] *v.* 生锈
funnel	[ˈfʌnl] *n.* 漏斗
noisome[*]	[ˈnɔɪsʌm] *a.* 有害的，有毒的；令人讨厌的 记 联想记忆：noi(= annoy，讨厌）+ some → 令人讨厌的 同 noxious, harmful
carbohydrate	[ˌkɑːrboʊˈhaɪdreɪt] *n.* 糖类
purity	[ˈpjʊrəti] *n.* 纯度 派 impurity(*n.* 杂质，混杂物；不纯)
contact	[ˈkɑːntækt] *n.* 接触
inflammable	[ɪnˈflæməbl] *a.* 易燃的 记 词根记忆：in(在…里）+ flamm（火）+ able （易…的）→ 在火里容易燃烧的 → 易燃的
reagent	[riˈeɪdʒənt] *n.* 试剂
Phosphorus(P)	[ˈfɑːsfərəs] *n.* 磷
gypsum	[ˈdʒɪpsəm] *n.* 石膏
bond	[bɑːnd] *n.* （原子的)聚合 派 bonding(*n.* 粘接，结合)；bondage(*n.* 奴役；束缚)
molecule[*]	[ˈmɑːlɪkjuːl] *n.* 分子 记 联想记忆：mol(摩尔，摩尔质量）+ ecule → 分子 派 molecular(*a.* 分子的；分子组成的)
hydrate	[ˈhaɪdreɪt] *n.* 水合物
enzyme	[ˈenzaɪm] *n.* 酶
imbibe[*]	[ɪmˈbaɪb] *v.* 吸收；喝，饮 记 词根记忆：im(进入）+ bib(= drink，喝）+ e→ 喝进 → 吸收
homogeneity	[ˌhɑːmədʒəˈniːəti] *n.* 同种；同质 记 词根记忆：homo(同类）+ gen（产生）+ eity(表性质) → 产生相同种 类 → 同种；同质
catalyst[*]	[ˈkætəlɪst] *n.* 催化剂

进站口 inflammable

alkaloid	[ˈælkəlɔɪd] *n.* 生物碱
forceps	[ˈfɔːrseps] *n.* 镊子
concentration	[ˌkɑːnsnˈtreɪʃn] *n.* 浓度
incandescent *	[ˌɪnkænˈdesnt] *a.* 白热的；热情的 记 词根记忆：in(进入) + cand(白；发炽热) + escent → 白热的 同 ardent
cooling	[ˈkuːlɪŋ] *n.* 冷却
alkali	[ˈælkəlaɪ] *n.* 碱，强碱
corrosion	[kəˈrouʒn] *n.* 腐蚀
ion	[ˈaɪən] *n.* 离子
Aluminum(Al)	[ˌæljəˈmɪniəm] *n.* 铝
depot	[ˈdiːpou] *n.* 储存处；仓库
cleanliness	[ˈklenlinəs] *n.* 洁净
gel	[dʒel] *n.* 凝胶体
retort *	[rɪˈtɔːrt] *n.* 曲颈甑
sediment	[ˈsedɪmənt] *n.* 沉淀物，沉积物 记 词根记忆：sed(坐) + i + ment → 坐下去的东西 → 沉淀物 派 sedimentation(*n.* 沉淀，沉降); sedimentary(*a.* 沉积的，沉淀性的)
liquefy	[ˈlɪkwɪfaɪ] *v.* (使)溶解，(使)液化 记 词根记忆：liqu(液体) + efy → 液化
fetid	[ˈfetɪd] *a.* 有恶臭的 记 联想记忆：fet(看作 fat，肥的) + id(…的) → 农家肥散发出恶臭 → 有恶臭的
flame	[fleim] *n.* 火焰
commingle	[kəˈmɪŋgl] *v.* 混合 记 拆分记忆：com(一起) + mingle(结合；混合) → 混合
extraction	[ɪkˈstrækʃn] *n.* 萃取
acidify	[əˈsɪdɪfaɪ] *v.* (使)酸化，(使)成酸性 记 拆分记忆：acid(酸，酸的) + ify(使) → (使)酸化，(使)成酸性
innocuous *	[ɪˈnɑːkjuəs] *a.* 无害的；无毒的 记 词根记忆：in(无) + noc(毒害) + uous → 无害的 同 inoffensive, harmless
attenuate	[əˈtenjueɪt] *v.* 稀释
metal	[ˈmetl] *n.* 金属

化学

alcohol	[ˈælkəhɔːl] *n.* 酒精
	记 发音记忆: "爱口喝" → 总爱喝上一口 → 酒
alight	[əˈlaɪt] *v.* 落下 *a.* 点着的，发亮的
	记 联想记忆: a (在) + light (点着；光) → 点着的，发亮的
afire	[əˈfaɪr] *a.* 燃烧着的
	记 联想记忆: a(在) + fire(点燃；火) → 燃烧着的
saline	[ˈseɪliːn] *a.* 盐的；含盐的
	记 词根记忆: sal(盐) + ine → 盐的；含盐的
agglomerate	[əˈglɑːməreɪt] *n.* 大团，大块 *a.* 成块的，凝聚的 *v.* (使)成团，(使)成块，(使)凝聚
	记 词根记忆: ag + glomer(滚成球) + ate(做) → 滚成球 → (使)成团,(使)凝聚
polymer	[ˈpɑːlɪmər] *n.* 聚合物
electrolyte	[ɪˈlektrəlaɪt] *n.* 电解质
conduit	[ˈkɑːnduɪt] *n.* 导管
plastic	[ˈplæstɪk] *n.* [*pl.*] 塑胶
atom	[ˈætəm] *n.* 原子
sulfur	[ˈsʌlfər] *n.* 硫，硫磺
pipette	[paɪˈpet] *n.* 吸液管
saccharine *	[ˈsækəriːn] *a.* 糖(质)的；似糖的；产糖的；含糖的
	记 来自 saccharin(*n.* 糖精)
muddle *	[ˈmʌdl] *v.* 混合
	记 联想记忆: 多种酒混合(muddle)着喝使他醉得像一堆泥(mud)
litmus	[ˈlɪtməs] *n.* 石蕊
soda	[ˈsoʊdə] *n.* 苏打
pigment *	[ˈpɪgmənt] *n.* 色素；颜料
	记 发音记忆: "皮革蒙的" → 假皮革外面上颜料蒙人 → 色素；颜料
galvanize *	[ˈgælvənaɪz] *v.* 电镀，镀锌；电击
	记 联想记忆: galvan(看作 galvanic，电流的) + ize → 电镀
impurity	[ɪmˈpjʊrəti] *n.* 杂质
salt	[sɔːlt] *n.* 盐
combination	[ˌkɑːmbɪˈneɪʃn] *n.* 合成作用
	记 来自 combine(*v.* 结合)
Iron(Fe)	[ˈaɪərn] *n.* 铁
crystallization	[ˌkrɪstələˈzeɪʃn] *n.* 结晶

alight

afire

alcohol

saline

咸啦！

solute	[ˈsɑːljuːt] *n.* 溶质
electrolysis	[ɪˌlekˈtrɑːləsɪs] *n.* 电解
butane	[ˈbjuːteɪn] *n.* 丁烷
combustion	[kəmˈbʌstʃən] *n.* 燃烧
explosion	[ɪkˈsploʊʒn] *n.* 爆炸
incinerate	[ɪnˈsɪnəreɪt] *vt.* 把…烧成灰；烧掉；火化 记 词根记忆：in(在…里) + ciner(灰) + ate(使)→ 使成灰 → 把…烧成灰；烧掉
aerosol	[ˈerəsɔːl] *n.* 气溶胶
bauxite	[ˈbɔːksaɪt] *n.* 铝氧石
ignition	[ɪgˈnɪʃn] *n.* 灼烧
Nitrogen(N)	[ˈnaɪtrədʒən] *n.* 氮
anemometer	[ˌænɪˈmɑːmɪtər] *n.* 风速计 记 词根记忆：anemo(风) + meter(测量)→ 风速计
body	[ˈbɑːdi] *n.* 物体
virulent *	[ˈvɪrələnt] *a.* 有剧毒的；致命的；敌意的，痛恨的；恶毒的 记 联想记忆：virul(看作 virus，病毒) + ent(…的)→ 像病毒一样毒的 → 有毒的
sealant	[ˈsiːlənt] *n.* 密封剂
pungent *	[ˈpʌndʒənt] *a.* 辛辣的；(气味等)有刺激性的 记 词根记忆：pung(刺) + ent → 有刺激性的
luminescent	[ˌluːmɪˈnesənt] *a.* 发冷光的 记 联想记忆：lumin(光) + escent → 发冷光的
aerate	[ˈereɪt] *vt.* 使充满气体 记 词根记忆：aer(气) + ate → 使充满气体
phosphate	[ˈfɑːsfeɪt] *n.* 磷酸盐
test tube	试管
dipper	[ˈdɪpər] *n.* 药勺；长柄勺
platinum	[ˈplætɪnəm] *n.* 铂；白金
acetic *	[əˈsiːtɪk] *a.* 醋的；乙酸的
amalgamation	[əˌmælgəˈmeɪʃn] *n.* 【冶】汞齐化；混合，合并 记 来自 amalgamate*[*v.* (使)混合，(使)合并]
titanic *	[taɪˈtænɪk] *a.* 【化】钛的；巨人的；力大无比的
neutraliztion	[ˌnuːtrələˈzeɪʃn] *n.* 中和
glucose	[ˈgluːkoʊs] *n.* 葡萄糖
oxidize	[ˈɑːksɪdaɪz] *v.* (使)氧化

其他化学常用术语：

acetate	醋酸盐	balance weight, counter weight	砝码
acid anhydride	酸酐	bar iron	铁条
acid rain	酸雨	Barium（Ba）	钡
acid salt	酸式盐	basic oxide	碱性氧化物
acid-base neutralization titration	酸碱中和滴定	basic salt	碱式盐
acidic oxide	酸性氧化物	Berkelium（Bk）	锫
Actinium（Ac）	锕	Beryllium（Be）	铍
addition reaction	加成反应	Bismuth（Bi）	铋
air discharge；degassing	排气	bivalent	二价体
aldehyde	醛	bleaching powder	漂白粉
alkali metal	碱金属	boiling point	沸点
alkalinity	碱性	Boron（B）	硼
alkalinization	碱化	Bromine（Br）	溴
alkyl derivative	烃基衍生物	Brownian motion	布朗运动
alkylation reaction	烷基化反应	Bunsen burner	本生灯
aluminum hydroxide	氢氧化铝	buret；burette	滴定管
Americium（Am）	镅	Cadmium（Cd）	镉
amino acid	氨基酸	Calcium（Ca）	钙
ammonia water	氨水	Californium（Cf）	锎
ammonium bicarbonate	碳酸氢铵	calorescense	灼烧
ammonium chloride	氯化铵	Carbon（C）	碳
ammonium salt	铵盐	catalysis	催化作用
ammonium sulfate	硫化铵	catalytic oxidation	催化氧化
amount of substance	物质的量	catalytic reaction	催化反应
amphoteric oxide	两性氧化物	catch pan	水槽
amylum	淀粉	cation	阳离子
anhydride	酐	caustic potash	苛性钾
anion	阴离子	caustic soda	苛性钠
Antimony（sb）	锑	Cerium（Ce）	铈
aqua regia	王水	Cesium（Cs）	铯
Argon（Ar）	氩	chalcopyrite	黄铜矿
Arsenic（As）	砷	chemical corrosion	化学腐蚀
Astatine（At）	砹	chemical energy	化学能
atomic mass	原子质量	chemical equilibrium	化学平衡
atomic number	原子序数	chemistry equalization	化学平衡
atomic radius	原子半径	chemistry equation	化学方程式
atomic weight	原子量	chemistry formula	化学式
Avogadro's constant	阿佛加德罗常数	chlorine gas	氯气

Chlorine（Cl）	氯
Chromium（Cr）	铬
chromogenic reaction	显色反应
Cobalt（Co）	钴
combination reaction	化合反应
combustion heat	燃烧热
condenser pipe	冷凝管
conical flask	锥形烧瓶
constitutional formula	结构式
coordinate bond	配位键
copperas	绿矾
Copper（Cu）	铜
copper-smelting	炼铜
counter balance	托盘天平
covalent bond	共价键
cracking reaction	裂化反应
crucible pot；melting pot	坩埚
crucible	坩锅
cryogen	制冷剂
crystalline hydrate	结晶水合物
cupel	烤钵
Curium（Cm）	锔
decomposition* reaction	分解反应
degree of ionization	电离度
dehydration reaction	脱水反应
deliquescence	潮解
deposit matter	沉积物
desiccator	干燥剂
diose	二糖
dissolvent	溶剂
distilled water	蒸馏水
distillation flask	蒸馏烧瓶
double decomposition reaction	复分解反应
double salt	复盐
dropper	滴管
drying	干燥
ductility	延展性
Dysprosium（Dy）	镝
efflorescence	风化
Einsteinium（Es）	锿

electric dissociation equation	电离方程式
electric formula	电子式
electrochemical corrosion	电化学腐蚀
electrode reaction equation	电极方程式
electrolytic reaction	电解反应
electron shell	电子层
electrophoresis	电泳
electrovalent bond	离子键
elimination reaction	消去反应
endothermic reaction	吸热反应
Erbium（Er）	铒
ester	酯
Europium（Eu）	铕
evaporating dish	蒸发皿
erlenmeyer flask	锥形烧瓶
exothermic reaction	防热反应
fading	褪色
fatty acid	脂肪酸
Fermium（Fm）	镄
ferric chloride	氯化铁
ferric oxide	氧化铁
ferrous metal	黑色金属
ferrous oxide	氧化亚铁
filter liquor	滤液
filtering funnel	滤液漏斗
flame reaction	焰色反应
flowers of sulfur	硫华
Fluorine（F）	氟
fractionation	分馏
Francium（Fr）	钫
freeform	游离态
Freon	氟利昂
frosted glass	磨砂玻璃
fusion	熔合
Gadolinium（Gd）	钆
Gallium（Ga）	镓
glass rod	玻璃棒
gas collector	集气瓶
Germanium（Ge）	锗

glauber's salt	芒硝	liquor (solution)	溶液
Hafnium (Hf)	铪	Lithium (Li)	锂
halogen	成盐元素，卤素	litmus test paper	石蕊试纸
heat of reaction	反应热	Lutetium (Lu)	镥
heating value	热值	lyosol	液溶胶
Helium (He)	氦	Magnesium (Mg)	镁
high temperature	高温	Main Group	主族
Holmium (Ho)	钬	malysite	铁盐
homolog	同系物	manganese dioxide	二氧化锰
hydracid	氢酸	Manganese (Mn)	锰
hydrochloric acid	盐酸	matrass	(长颈卵形)蒸馏瓶
hydrogen bromide	溴化氢	measuring cylinder	量筒
hydrogen chloride	氯化氢	Mendelevium (Md)	钔
hydrogen fluoride	氟化氢	Mercury (Hg)	汞
hydrogen iodide	碘化氢	metallic bond	金属键
hydrogen sulfide	硫化氢	metallicity	金属性
hydrolysis of salt	盐类水解	methane	甲烷，沼气
hydrolysis reaction	水解反应	methyl orange	甲基橙
hydrosulphuric acid	氢硫酸	methylbenzene; toluene	甲苯
hydride	氢化物	mixing	混合
hypochlorous acid	次氯酸	molar volume of gas	气体摩尔体积
indicator paper	试纸	vmolar weight	摩尔质量
ionic reaction	离子反应	molarity	摩尔浓度
Indium (In)	铟	molecular equation	分子式
inflammable substance	易燃物	Molybdenum (Mo)	钼
inorganic chemistry	无机化学	monosaccharide	单糖
Iodine (I)	碘	monovalence	单价
ion equation	离子方程式	narrow-mouthed bottle	细口瓶
ion product of water ionization	水的离子积电离	Neodymium (Nd)	钕
		Neon (Ne)	氖
Iridium (Ir)	铱	Neptunium (Np)	镎
iron stand	铁架台	Nickel (Ni)	镍
iron wire	铁丝	Niobium (Nb)	铌
iron-smelting	炼铁	nitric acid	硝酸
isomerism, isomery	同分异物现象	nitrogen dioxide	二氧化氮
Krypton (Kr)	氪	nitrogen monoxide	一氧化氮
Lanthanum (La)	镧	Nobelium (No)	锘
Lawrencium (Lr)	铹	nonferrous metal	有色金属
Lead (Pb)	铅	nonmetal	非金属
limewater	石灰水	normal salt	正盐
lipids; lipin	脂类	nuclear charge number	核电荷数

oil and fat	油脂	receiving flask	收集瓶
organic acid	有机酸	redox reaction	氧化还原反应
Osmium（Os）	锇	reducer	还原剂
oxidant；oxidizer	氧化剂	relative atomic mass	相对原子质量
oxidation-reduction reaction	氧化还原反应	reversible reaction	可逆反应
		Rhenium（Re）	铼
oxidization；oxidation	氧化	Rhodium（Rh）	铑
oxy acid	含氧酸	room temperature	室温
oxygen family element	氧族元素	round flask	圆底烧瓶
Palladium（Pd）	钯	rubber plug	橡皮塞
passivation	钝化	Rubidium（Rb）	铷
Period	周期	Ruthenium（Ru）	钌
Periodic Law of the Elements	元素周期律	Samarium（Sm）	钐
		saturated solution	饱和溶液
Periodic Table of the Elements	元素周期表	Scandium（Sc）	钪
		Selenium（Se）	硒
PH indicator	PH值指示剂	shift of chemical equilibrium	化学平衡的移动
phenolphthalein	酚酞		
phototonus	感光性	Silicon（Si）	硅
Platinum（Pt）	铂	silver bromide	溴化银
Plutonium（Pu）	钚	silver chloride	氯化银
polarized covalent bond	极性共价键	silver iodide	碘化银
Polonium（Po）	钋	Silver（Ag）	银
polyethylene	聚乙烯	simple substance	单质
polymerization reaction	聚合反应	sodium bicarbonate	碳酸氢钠
polysaccharide	多糖	sodium carbonate	碳酸钠
polyvinyl chloride	聚氯乙烯	sodium hydroxide	氢氧化钠
potassium carbonate	碳酸钾	sodium meta-aluminate	偏铝酸钠
potassium cyanide	氰化钾	sodium oxide	氧化钠
potassium nitrate	硝酸钾	sodium peroxide	过氧化钠
Potassium（K）	钾	Sodium（Na）	钠
Praseodymium（Pr）	镨	solubility	溶解度
primary battery	原电池	stirring rod	搅拌棒
Promethium（Pm）	钷	strong electrolyte	强电解质
Protactinium（Pa）	镤	Strontium（Sr）	锶
quantivalence	化合价	structural formula	分子式
Radium（Ra）	镭	Subgroup	副族
Radon（Rn）	氡	substitution reaction	置换反应
rate of chemical reaction	化学反应速率	suction pipet	移液管
raw material	原料	sulfur dioxide	二氧化硫
reagent bottle	试剂瓶	sulfur trioxide	三氧化硫

sulfuric acid	硫酸	titrate	滴定
Sulphur（S）	硫	calcine	煅烧
synthetic fiber	合成纤维	hydrogenate	氢化
synthetic rubber	合成橡胶	oxygenate；oxidize	氧化
Tantalum（Ta）	钽	transition element	过滤元素
Technetium（Tc）	锝	troilite	硫铁矿
Teflon	聚四氟乙烯	Tungsten（W）	钨
Tellurium（Te）	碲	Tyndall effect	丁达尔效应
Terbium（Tb）	铽	Uranium（U）	铀
test tube clamp	试管夹	valence；valency	化合价
test tube rack	试管架	Vanadium（V）	钒
Thallium（Ti）	铊	volatile matter	易挥发物
thermit reaction	铝热反应	weak electrolyte	弱电解质
thermit	铝热剂	wettability	可湿性
thermo chemical equation	热化学方程式	wide neck flask	广口瓶
thermostability	热稳定性	Xenon（Xe）	氙
Thorium（Th）	钍	Ytterbium（Yb）	镱
Thulium（Tm）	铥	Yttrium（Y）	钇
Tin（Sn）	锡	Zinc（Zn）	锌
Titanium（Ti）	钛	Zirconium（Zr）	锆

 备考锦囊

写作备考指南（三）

（二）引起话题

It has been acknowledged that... 一直公认…

As we all know, ... 众所周知…

It is known that... 众所周知…

It's generally accepted that... 普遍认为…

It is no wonder that... 难怪（毫不奇怪）…

It is no proof that... 不能证明…

As far as I know... 据我所知…

音频

circuit	[ˈsɜːrkɪt] n. 电路
ampere	[ˈæmpɪr] n. 安培
transformer	[trænsˈfɔːrmər] n. 变压器
evaporation	[ɪˌvæpəˈreɪʃn] n. 蒸发
underexposure	[ˌʌndərɪkˈspoʊʒər] n. 曝光不足
orbit	[ˈɔːrbɪt] n. 轨道
error	[ˈerər] n. 误差
pulverize*	[ˈpʌlvəraɪz] v. 研磨成粉；彻底毁灭 记 词根记忆：pulver(粉末) + ize(使) → 研磨成粉 同 atomize, annihilate, demolish
beam*	[biːm] n. 光束；波束 派 beaming(a. 发光的，耀眼的)
physics	[ˈfɪzɪks] n. 物理学
kinetic*	[kɪˈnetɪk] a. (运)动的，动力(学)的 记 词根记忆：kine(动) + tic → 动力的
counter	[ˈkaʊntər] n. 计数器
polarization	[ˌpoʊlərəˈzeɪʃn] n. 偏振(现象)；极化(作用)
plasma	[ˈplæzmə] n. 等离子体
semiconductor	[ˌsemikənˈdʌktər] n. 半导体
X-ray	[ˈeks reɪ] n. X射线
electrification	[ɪˌlektrɪfɪˈkeɪʃn] n. 电气化
observation	[ˌɑːbzərˈveɪʃn] n. 观察
optics	[ˈɑːptɪks] n. 光学 记 来自 optic(a. 光学的)
gravitation	[ˌɡrævɪˈteɪʃn] n. 重力

物理

resilient	[rɪ'zɪliənt] *a.* 弹回的，有回弹力的 记 联想记忆：re + sil(看作 silk，蚕丝) + ient → 如蚕丝的 → 有回弹力的
vector	['vektər] *n.* 矢量
sonar	['soʊnɑːr] *n.* 声呐
nucleon	['nuːklɪɔn] *n.* 核；原子核
electrode	[ɪ'lektroʊd] *n.* 电极
thermometer	[θər'mɑːmɪtər] *n.* 温度计
refraction*	[rɪ'frækʃn] *n.* 折射
particle	['pɑːrtɪkl] *n.* 质点；粒子
glutinous	['gluːtənəs] *a.* 黏性的 记 词根记忆：glutin(胶水) + ous → 黏性的
visibility	[ˌvɪzə'bɪləti] *n.* 可见度
distend*	[dɪ'stend] *v.* 扩大；膨胀 记 词根记忆：dis(分开) + tend(伸展) → 伸展开来 → 扩大；膨胀
proton	['proʊtɑːn] *n.* 质子
switch	[swɪtʃ] *n.* 开关
condensation	[ˌkɑːnden'seɪʃn] *n.* 凝结
velocity*	[və'lɑːsəti] *n.* 速度 同 speed, rapidity
gyrate	['dʒaɪreɪt] *v.* 回旋 记 词根记忆：gyr(环，圆) + ate(使) → 使环绕 → 回旋
theory	['θɪri] *n.* 理论 派 theoretical(*a.* 理论的)
discharge	[dɪs'tʃɑːrdʒ] *v.* 放电；发力 ['dɪstʃɑːrdʒ] *n.* 放电 同 release
fission	['fɪʃn] *n./v.* 裂变
infrared	[ˌɪnfrə'red] *n.* 红外线
loop	[luːp] *n.* 回路
image	['ɪmɪdʒ] *n.* 像
adjustment	[ə'dʒʌstmənt] *n.* 调节(装置)
magnetism	['mægnətɪzəm] *n.* 磁学；磁性，磁力
rotation	[roʊ'teɪʃn] *n.* 转动
constant	['kɑːnstənt] *n.* 恒量
displacement	[dɪs'pleɪsmənt] *n.* 位移；排水量

image

adjustment

magnetism

pile	[pail] *n.* 电池组；反应堆
medium	[ˈmiːdiəm] *n.* 介质
density	[ˈdensəti] *n.* 密度
mass	[mæs] *n.* 质量
source	[sɔːrs] *n.* 电源
vibration	[vaɪˈbreɪʃn] *n.* 振动
laser	[ˈleɪzər] *n.* 激光；激光器
recoil	[rɪˈkɔɪl] *v.* 反冲
lens	[lenz] *n.* 透镜
calorie	[ˈkæləri] *n.* 卡路里(热量单位)；大卡(食物的热量) 派 calorific*(*a.* 生热的)
argumentation	[ˌɑːrgjumənˈteɪʃn] *n.* 论证
path	[pæθ] *n.* 路程
propellant*	[prəˈpelənt] *n.* 推进物；喷射剂 记 来自propel(*v.* 推进；驱使)
pulley	[ˈpʊli] *n.* 滑轮
trajectory*	[trəˈdʒektəri] *n.* 轨道
periodicity	[ˌpɪriˈɑːdɪsəti] *n.* 周期性
refract	[rɪˈfrækt] *v.* (使)折射 记 词根记忆：re(相反) + fract(打破) → (使)反向破裂 → (使)折射
photon	[ˈfoʊtɑːn] *n.* 光子
weightlessness	[ˈweɪtləsnəs] *n.* 失重
infinitesimal*	[ˌɪnfɪnɪˈtesɪml] *a.* 无穷小的，极小的 *n.* 极小量，极微量；无限小 记 来自infinite(*a.* 无穷的)
key	[kiː] *n.* 键
antenna	[ænˈtenə] *n.* 天线
lacerate	[ˈlæsəreɪt] *v.* 割裂 记 词根记忆：lacer(撕裂的) + ate → 撕开，撕裂 → 割裂
collision	[kəˈlɪʒn] *n.* 碰撞 派 collide(*vi.* 碰撞)
spectrum*	[ˈspektrəm] *n.* 谱，光谱，频谱；范围；幅度 记 词根记忆：spect(看) + rum → 看到颜色 → 光谱 同 range

物理

branch	[bræntʃ] *n.* 支路
isotherm	[ˈaɪsəθɜːrm] *n.* 等温线, 恒温线
object	[ˈɑːbdʒekt] *n.* 物体
ohm	[oʊm] *n.* 欧姆
conductor	[kənˈdʌktər] *n.* 导体
intonation	[ˌɪntəˈneɪʃn] *n.* 声调
peripheral*	[pəˈrɪfərəl] *a.* 周界的, 外围的; 外部的, 边缘的 记 词根记忆: peri(周围的) + pher(携带) + al → 携带到周围的 → 外围的; 边缘的
equilibrium	[ˌiːkwɪˈlɪbriəm] *n.* 平衡 记 词根记忆: equ(i)(平等) + libr(平衡) + ium → 平衡
light	[laɪt] *n.* 光
theorem	[ˈθiːərəm] *n.* 原理; 定理
frequency	[ˈfriːkwənsi] *n.* 频率
interference	[ˌɪntərˈfɪrəns] *n.* 干扰
temperature	[ˈtemprətʃər] *n.* 温度
power	[ˈpaʊər] *n.* 功率
moment	[ˈmoʊmənt] *n.* 时刻
magnet	[ˈmæɡnət] *n.* 磁体
microscope	[ˈmaɪkrəskoʊp] *n.* 显微镜
unit	[ˈjuːnɪt] *n.* 单位
measurement	[ˈmeʒərmənt] *n.* 测量 派 measurable(*a.* 可测量的, 可衡量的); measure(*n.* 测量单位; 测量; 量器 *v.* 量; 度量)
instrument	[ˈɪnstrəmənt] *n.* 仪器
wave	[weɪv] *n.* 波
volume	[ˈvɑːljuːm] *n.* 体积
dielectric	[ˌdaɪɪˈlektrɪk] *n.* 电介质
altimeter	[ælˈtɪmətər] *n.* 测高仪
creation	[kriˈeɪʃn] *n.* 产生
boil	[ˈbɔɪl] *n.* 沸腾; 沸点
saturation	[ˌsætʃəˈreɪʃn] *n.* 饱和
antipodes	[ænˈtɪpədiːz] *n.* 相对极 记 词根记忆: anti(相反) + pod(脚; 底部) + es → 相对极

law	[lɔː] *n.* 定律
permutation	[ˌpɜːrmjuˈteɪʃn] *n.* 改变，交换；排列，组合 记 词根记忆：per(全部) + mut(改变) + ation → 全部改变 → 改变
vaporization	[ˌveɪpərəˈzeɪʃn] *n.* 蒸发
translation	[trænsˈleɪʃn] *n.* 平移
gargantuan *	[ɡɑːrˈɡæntʃuən] *a.* 巨大的，庞大的 同 gigantic
generator	[ˈdʒenəreɪtər] *n.* 发电机
watt	[wɑːt] *n.* 瓦特
field	[fiːld] *n.* 场
crest *	[krest] *n.* 波峰
sensor	[ˈsensər] *n.* 传感器
space	[speɪs] *n.* 空间
pitch	[pɪtʃ] *n.* 音高
voltage	[ˈvoʊltɪdʒ] *n.* 电压
length	[leŋθ] *n.* 长度
lithe *	[laɪð] *a.* 柔软的；易弯的 记 词根记忆：lith(石头) + e → 以卵击石，太软了 → 柔软的
energy	[ˈenərdʒi] *n.* 能量
diode	[ˈdaɪoʊd] *n.* 二级管
static *	[ˈstætɪk] *a.* 静态的；静电的；静力的 记 词根记忆：stat(站；立) + ic → 站着的 → 静态的
phase	[feɪz] *n.* 位相
buoyancy	[ˈbuːjənsi] *n.* 浮力 记 词根记忆：buoy(浮) + ancy(表性质) → 浮力
focus	[ˈfoʊkəs] *n.* 焦点
neutron	[ˈnuːtrɑːn] *n.* 中子
propulsion	[prəˈpʌlʃn] *n.* 推进力 记 词根记忆：pro(向前) + puls(推动) + ion → 向前推 → 推进力
percolate	[ˈpɜːrkəleɪt] *v.* 过滤 记 词根记忆：per(贯穿) + col(过滤) + ate → 过滤
condenser	[kənˈdensər] *n.* 冷凝器
amplitude	[ˈæmplɪtuːd] *n.* 振幅
mirror	[ˈmɪrər] *n.* 镜

物理

anticyclone	[ˌænti'saɪkloʊn] *n.* 反气旋，高气压
	记 拆分记忆：anti(相反) + cyclone(气旋) → 反气旋
breakdown	['breɪkdaʊn] *n.* 击穿
crystal	['krɪstl] *n.* 结晶；晶体
	派 crystalline(*a.* 晶状的；结晶的)；crystallize(*v.* 结晶)；crystallization(*n.* 结晶)
tenuous *	['tenjuəs] *a.* 薄的；稀薄的；空洞无力的
	记 词根记忆：tenu(薄；细) + ous → 薄的
spectroscope	['spektrəskoʊp] *n.* 分光镜
torque	[tɔːrk] *n.* 转矩，力矩
undulate	['ʌndʒəleɪt] *v.* 波动，起伏；成波浪形
	记 词根记忆：und(波浪) + ul + ate → 波动，起伏；成波浪形
bounce	[baʊns] *v./n.* 反弹
	派 bouncy(*a.* 有弹性的；跳跃的；有生气的；颠簸的)
disorder	[dɪs'ɔːrdər] *n.* 无序
	派 disorderly(*a.* 混乱的，无秩序的)；disordered(*a.* 混乱的)
periscope	['perɪskoʊp] *n.* 潜望镜
work	[wɜːrk] *n.* 功；做功
fusion	['fjuːʒn] *n.* 熔化；熔合；聚变
data	['deɪtə] *n.* 数据
induct	[ɪn'dʌkt] *v.* 感应
electromagnet	[ɪˌlektroʊmægnət] *n.* 电磁体
brightness	['braɪtnəs] *n.* 亮度
translucent *	[træns'luːsnt] *a.* (半)透明的
	记 词根记忆：trans(穿过) + luc(发光) + ent → 光线能穿过 → 透明的
counterpoint	['kaʊntərpɔɪnt] *n.* 对位法；对应物
	记 拆分记忆：counter(对应的) + point(点) → 对应物
timer	['taɪmər] *n.* 定时器
granule	['grænjuːl] *n.* 细粒，微粒
	记 词根记忆：gran(= grain，谷粒) + ule(小) → 小颗粒 → 细粒
	派 granular(*a.* 细粒状的；有颗粒的)
sensitivity	[ˌsensə'tɪvəti] *n.* 灵敏度
vaporize *	['veɪpəraɪz] *v.* (使)蒸发
	记 来自 vapor(*n.* 蒸汽；水蒸气)
projector	[prə'dʒektər] *n.* 投影仪

liquid	[ˈlɪkwɪd] *n.* 液体；液态
sound	[saʊnd] *n.* 声
pressure	[ˈpreʃər] *n.* 压强；压力
annihilation	[əˌnaɪəˈleɪʃn] *n.* 湮灭，湮没
scanner	[ˈskænər] *n.* 扫描器
tepid *	[ˈtepɪd] *a.* 微温的，温热的；不太热烈的；不热情的 记 联想记忆：水微热(tepid)，不要掀盖子(lid)
volt	[voʊlt] *n.* 伏特
force	[fɔːrs] *n.* 力
ether	[ˈiːθər] *n.* (=aether) 以太
lead	[liːd] *n.* 导线，电线
recurrent *	[rɪˈkɜːrənt] *a.* 一再发生的，周期性发生的，循环的 记 词根记忆：re(一再) + cur(跑，引申为"发生") + rent → 一再发生的
photography	[fəˈtɑːɡrəfi] *n.* 照相术
solidification	[səˌlɪdɪfɪˈkeɪʃn] *n.* 凝固
battery	[ˈbætri] *n.* 电池组
capacitor	[kəˈpæsɪtər] *n.* 电容器
coil	[kɔɪl] *n.* 线圈
speed	[spiːd] *n.* 速率
barometer	[bəˈrɑːmɪtər] *n.* 气压计 记 词根记忆：baro(重量；压力) + meter(测量) → 气压计
eyepiece	[ˈaɪˌpis] *n.* 目镜
mite *	[maɪt] *n.* 微粒 记 联想记忆：小小的风筝(kite)相对蓝天而言只是颗微粒(mite)
malleable *	[ˈmæliəbl] *a.* 有延展性的，可锻的；易受影响的；能根据环境的变化而调整的，适应的 记 词根记忆：malle(锤子) + able(可…的) → 可锤打的 → 可锻的
experiment	[ɪkˈsperɪmənt] *n.* 实验
attraction	[əˈtrækʃn] *n.* 引力
projectile *	[prəˈdʒektl] *n.* 投射物；发射物；导弹
motor	[ˈmoʊtər] *n.* 电动机，马达
saponaceous	[ˌsæpəˈneɪʃəs] *a.* 皂质的；难以捕捉的；善于闪避的，圆滑的
transpire	[trænˈspaɪər] *v.* (使)蒸发；(使)排出；泄露 记 词根记忆：tran(通过) + spir(呼吸) + e → 通过呼吸排出 → (使)排出

coil

battery

capacitor

vacuum	[ˈvækjuəm] *n.* 真空
hydraulic	[haɪˈdrɒlɪk] *a.* 水力的；水压的 记 词根记忆：hydr(水) + aulic → 水力的；水压的
resilience	[rɪˈzɪliəns] *n.* 弹性；适应力，恢复力 记 来自 resilient(*a.* 有弹性的)
parameter*	[pəˈræmɪtər] *n.* 参数，参量 派 parametric(*a.* 参数的，参量的)；parameterized(*a.* 参数化的)
hadron	[ˈhædrən] *n.* 强子
slit	[slɪt] *n.* 裂缝，狭长切口
oscillate*	[ˈɑːsɪleɪt] *v.* 振荡 记 词根记忆：oscill(摆动) + ate(使) → 使摆动 → 振荡
manometer	[məˈnɑːmətər] *n.* 压力计
pendulum	[ˈpendʒələm] *n.* 振动体；摆，钟摆 记 词根记忆：pend(悬挂) + ulum(东西) → 钟表中悬挂之物 → 钟摆
heat	[hiːt] *n.* 热
echo	[ˈekoʊ] *n.* 回声
acceleration	[əkˌseləˈreɪʃn] *n.* 加速度
quantum	[ˈkwɑːntəm] *n.* 量子
electron	[ɪˈlektrɑːn] *n.* 电子
thermal*	[ˈθɜːrml] *a.* 热的，由热造成的；保暖的 记 词根记忆：therm(= thermo，热) + al → 热的 派 thermally(*ad.* 有关热地) 同 warm, hot
penumbra	[pəˈnʌmbrə] *n.* 半影
output	[ˈaʊtpʊt] *v.* 输出 *n.* 输出功率；输出端
gas	[gæs] *n.* 气体
tension	[ˈtenʃn] *n.* 张力；电压
impulse	[ˈɪmpʌls] *n.* 冲量；脉冲
transistor	[trænˈzɪstər] *n.* 晶体管
weight	[weɪt] *n.* 重量
input	[ˈɪnpʊt] *v.* 输入 *n.* 输入功率；输入端
wavelength	[ˈweɪvleŋθ] *n.* 波长
electroscope	[ɪˈlektrəˌskoʊp] *n.* 验电器
radar	[ˈreɪdɑːr] *n.* 雷达

magnification	[ˌmægnɪfɪˈkeɪʃn] *n.* 放大倍数, 放大率
reasoning	[ˈriːzənɪŋ] *n.* 推理
prism	[ˈprɪzəm] *n.* 棱镜
trough*	[trɔːf] *n.* 波谷
motley*	[ˈmɑːtli] *a.* 混杂的 记 词根记忆：mot(斑点；微粒) + ley → 各种微粒混合 → 混杂的
insulator	[ˈɪnsəleɪtər] *n.* 绝缘体
subside*	[səbˈsaɪd] *v.* 沉淀；下沉；平息；减退 记 词根记忆：sub(下面) + sid(坐) + e → 坐下去 → 下沉 同 abate, wane, ebb
protuberate	[prouˈtuːbəreɪt] *v.* 隆起, 凸出
momentum*	[mouˈmentəm] *n.* 动量
matter	[ˈmætər] *n.* 物质
acoustics*	[əˈkuːstɪks] *n.* 声学
reactor	[riˈæktər] *n.* 核反应堆
peak	[piːk] *n.* 峰值
mechanics	[məˈkænɪks] *n.* 力学
range	[reɪndʒ] *n.* 射程；距离
repulsion*	[rɪˈpʌlʃn] *n.* 斥力
inertia	[ɪˈnɜːrʃə] *n.* 惯性
galaxy*	[ˈgæləksi] *n.* 星系, 星群；银河系, 银河；群英
friction*	[ˈfrɪkʃn] *n.* 摩擦(力)；矛盾, 冲突 记 联想记忆：润滑油的功能(function)是减小摩擦力(friction) 派 frictional(*a.* 摩擦的) 同 discord, conflict
cosmic	[ˈkɑːzmɪk] *a.* 宇宙的；外层空间的；广大的, 无限的 记 词根记忆：cosm(宇宙) + ic → 宇宙的
centripetal*	[senˈtrɪpɪtl] *a.* 向心(力)的, 受向心力作用的 记 词根记忆：centr(i) (中心) + pet(寻求) + al → 寻求中心 → 向心的
centrifugal*	[ˌsentrɪˈfjuːgl] *a.* 离心的；受离心力作用的 记 词根记忆：centr(i) (中心) + fug(逃跑) + al → 逃离中心的 → 离心的

物理

其他物理常用术语：

a mass on a spring	弹簧振子	atomic physics	原子物理学
absolute acceleration	绝对加速度	atomic spectra	电子光谱
absolute error	绝对误差	atomic structure	原子结构
absolute motion	绝对运动	Atwood's machine	阿特伍德机
absolute temperature	绝对温度	average power	平均功率
absolute temperature scale	绝对温标	average velocity	平均速度
		Avogadro constant	阿伏伽德罗常数
absolute velocity	绝对速度	Avogadro law	阿伏伽德罗定律
absolute zero	绝对零度	ballistic galvanometer	冲击电流计
absorption spectrum	吸收光谱	band spectrum	带状谱
absorptivity	吸收率	basic quantity	基本量
accelerated motion	加速运动	basic unit	基本单位
acceleration of gravity	重力加速度	charger	电池充电器
accidental error	偶然误差	accumulator	蓄电池
acting force	作用力	betatron	电子感应加速器
actual power	实际功率	Bohr atom model	玻尔原子模型
air pump	抽气机	boiling point	沸点
air table	气垫桌	bound charge	束缚电荷
air track	气垫导轨	bound electron	束缚电子
Alber Einstein	爱因斯坦	Boyle law	玻意耳定律
alternating current	交流电	Brown(ian) motion	布朗运动
alternating current circuit	交流电路	buoyancy force	浮力
alternating current generator	交流发电机	capacity, capacitance	电容
		capillarity	毛细现象
ammeter/amperemeter	安培计，电流表	cathode ray	阴极射线
ampere force	安培力	cathode-ray tube	阴极射线管
Ampere's experiment	安培实验	cell batteriy	（太阳能)电池
Ampere's law	安培定律	Celsius scale	摄氏温标
Andre Marie Ampere	安培	center of gravity	重心
angle of rotation	自转角，转动角	center of mass	质量中心，质心
angular acceleration	角加速度	centrifugal force	离心力
angular displacement	角位移	centripetal acceleration	向心加速度
angular velocity	角速度	centripetal force	向心力
anisotropy	各向异性	chain reaction	链式反应
Archimedes principle	阿基米德原理	characteristic spectrum	特征光谱
arm of force	力臂	Charle law	查理定律
astigmatoscope	散光镜	charged body	带电体
atmospheric pressure	大气压力	charged particle	带电粒子
atomic bomb	原子弹	Charles Augustin de Coulomb	库仑
atomic nucleus	原子核		

Christian Huygens	惠更斯	critical angle	临界角
circuit diagram	电路图	critical resistance	临界电阻
circular hole diffraction	圆孔衍射	critical temperature	临界温度
circular motion	圆周运动	current density	电流密度
classical mechanics	经典力学	current element	电流元
classical physics	经典物理学	current source	电流源
closed circuit	闭合电路	current strength	电流强度
cloud chamber	云室	curvilinear motion	曲线运动
coefficient of maximum static friction	最大静摩擦系数	cyclotron	回旋加速器
coefficient of restitution	恢复系数	damped vibration	阻尼振动
coefficient of sliding friction	滑动摩擦系数	damping	阻尼
		Daniell cell	丹聂耳电池
coefficient of stiffness	刚性系数	data processing	数据处理
coherent light	相干光	defocusing	散焦
coherent wave source	相干波源	derived quantity	导出量
coherent wave	相干波	derived unit	导出单位
component velocity	分速度	diffraction	衍射
composition of forces	力的合成	diffraction pattern	衍射图样
composition of velocities	速度的合成	diffuse reflection	漫反射
concave lens	凹透镜	digital timer	数字计时器
concave mirror	凹面镜	dimensional exponent	量纲指数
concurrent force	共点力	diopter	屈光度
conducting medium	导电介质	direct current (DC)	直流电
conservative force	保守力	direct impact	正碰
conservative force field	保守力场	direct measurement	直接测量
constant current	恒定电流	dispersion	色散
constant force	恒力	divergent lens	发散透镜
continuous spectrum	连续谱	Doppler effect	多普勒效应
control variable method	控制变量法	double slit diffraction	双缝衍射
convergent lens	会聚透镜	driving force	驱动力
convex lens	凸透镜	dry cell	干电池
convex mirror	凸面镜	earth magnetic field	地球磁场
coplanar force	共面力	eddy current	涡流
Coriolis force	科里奥利力	effective value / virtual value	有效值
Coriolis theorem	科里奥利定理		
corpuscular property	粒子性	elastic body	弹性体
corpuscular theory	微粒说	elastic deformation	弹性形变
Coulomb force	库仑力	elastic energy	弹性能
Coulomb's law	库仑定律	elastic force	弹力
creepage	漏电	electric charge	电荷
		electric circuit	电路

物理

515

electric corona	电晕	electrostatic shielding / electrostatic screening	静电屏蔽
electric current	电流	elementary charge	基本电荷，元电荷
electric energy	电能	emission spectrum	发射光谱
electric field	电场	energy level	能级
electric field force	电场力	equation of state	状态方程
electric field intensity	电场强度	equilibrium condition	平衡条件
electric field line	电场线	equilibrium of forces	力的平衡
electric flux	电通量	equilibrium position	平衡位置
electric leakage	漏电	equilibrium state	平衡态
electric neutrality	电中性	equipotential surface	等势面
electric potential	电位，电势	equivalent resistance	等效电阻
electric potential difference	电位差，电势差	equivalent source theorem	等效电源定理
electric potential energy	电势能	erect image	正像
electric power	电功率	Ernest Rutherford	卢瑟福
electric quantity	电量	excitation	激发
electric work	电功	excitation state	激发态
electrical apparatus	电器	experimental physics	实验物理学
electrification by friction	摩擦起电	external circuit	外电路
electrified body	带电体	external force	外力
electromagnetic damping	电磁阻尼	far sight	远视
electromagnetic field	电磁场	farad	法拉（电容的单位）
electromagnetic induction	电磁感应	Faraday cylinder	法拉第圆筒
electromagnetic radiation	电磁辐射	Faraday's law of electromagnetic induction	法拉第电磁感应定律
electromagnetic wave	电磁波	fastening	连接体，紧固件
electromagnetic wave spectrum	电磁波谱	tink film interference	薄膜干涉
electromagnetism induction phenomenon	电磁感应现象	final velocity	末速度
electrometer	静电计	first cosmic velocity	第一宇宙速度
electromotive force (EMF)	电动势	fixed-axis rotation	定轴转动
electron beam	电子束	flat mirror	平面镜
electron cloud	电子云	flotation balance	浮力秤
electron microscope	电子显微镜	focal length	焦距
electron volt / electron-volt	电子伏特（eV）	focusing	调焦，聚焦
electrostatic equilibrium	静电平衡	forced vibration	受迫振动
electrostatic field	静电场	fractal	分形(体)
electrostatic force	静电力	free charge	自由电荷
electrostatic induction	静电感应	free electron	自由电子
		free fall	自由落体运动
		free period	自由周期
		freely-falling body	自由落体

freezing point	凝固点	induction current	感应电流
friction force	摩擦力	induction / inductive electromotive force	感应电动势
fundamental unit	基本单位	induction motor	感应电动机
Galileo Galilei	伽利略	inertial force	惯性力
galvanometer	电流计	inertial system	惯性系
galvanothermy	电热	infrasonic wave	次声波
general physics	普通物理学	initial phase	初位相
Geory Simon Ohm	欧姆	initial velocity	初速度
good conductor	良导体	instantaneous power	瞬时功率
graphic representation of forces	力的图标	instantaneous velocity	瞬时速度
gravitational energy	重力能	insulated conductor	绝缘导体
gravitational potential energy	重力势能	insulating medium	绝缘介质
gravity field	重力场	intensity of sound	声强
ground earth	接地	interference fringe	干涉条纹
ground state	基态	interference pattern	干涉图样
ground wire	地线	interferometer	干涉仪
half-life period	半衰期	internal circuit	内部电路
heat transfer	热传递	internal energy	内能
Heinrich Friedrich Emil Lenz	楞次	internal force	内力
		internal resistance	内阻
Heinrich Rudolph Hertz	赫兹	internal voltage	内电压
henry	亨利（电感单位）	inverted image	倒像
hertz	赫兹（频率单位）	invisible light	不可见光
Hooke law	胡克定律	ion beam	离子束
humidity	湿度	irreversible process	不可逆过程
hydrogen bomb	氢弹	Isaac Newton	牛顿
ice point	冰点	isobar	同重元素
ideal gas	理想气体	isobaric process	等压过程
image distance	像距	isochoric process	等容过程
image height	像高	isothermal process	等温过程
images of speed	速度图像	isotropy	各向同性
imperfect inelastic collision	非完全弹性碰撞	James Prescott Joule	焦耳
		Jospeh Louis Gay-Lussac	盖-吕萨克
incident angle	入射角	joule	焦耳（功的单位）
incident ray	入射光线	Joule heat	焦耳热
indirect measurement	间接测量	Joule energy	焦耳能
induced attraction	感应起电	Joule's law	焦耳定律
induced electric current	感应电流	Kelvin	凯尔文
induced electric field	感应电场	Kepler	开普勒

Kepler's law	开普勒定律	magnetic field	磁场
kinematics	运动学	magnetic field force	磁场力
kinetic energy/ energy of motion	功能	magnetic field intensity	磁场强度
Laplace's equation	拉普拉斯方程	magnetic field line	磁场线
law of conservation of angular momentum	角动量守恒定律	magnetic flux	磁通量
		magnetic induction flux	磁感应通量
law of conservation of energy	能量守恒定律	magnetic induction line	磁感线
		magnetic intensity	磁感强度
law of conservation of mass	质量守恒定律	magnetic material	磁性材料
		magnetic needle	磁针
law of conservation of mechanical energy	机械能守恒定律	magnetic pole	磁极
		magnetization	磁化
law of conservation of momentum	动量守恒定律	magnifier	放大镜，放大器
		man-made earth satellite	人造地球卫星
law of electric charge conservation	电荷守恒定律	mass defect	质量亏损
		mass-energy equation	质能方程
law of resistance	电阻定律	matter wave	物质波
law of universal gravitation	万有引力定律	Maxwell's equations	麦克斯韦方程组
the International system of Units（SI）	国际单位制	mean kinetic energy	平均动能
		mean speed	平均速率
left-hand rule	左手定则	mean velocity	平均速度
lens formula	透镜公式	mechanical energy	机械能
Lenz's law	楞次定律	mechanical motion	机械运动
lepton	轻子	mechanical vibration	机械振动
light source	光源	mechanical wave	机械波
light wave	光波	mechanical work	机械功
lightning rod	避雷针	melting fusion	熔化
line spectrum	线状谱	melting point	熔点
line voltage	线电压	metre rule	米尺
linear velocity	线速度	Michael Faraday	法拉第
lines of current	电流线	microdetector	灵敏电流计
lines of force of electric field	电力线	micrometer caliper	螺旋测微器
		microscopic particle	微观粒子
liquefaction	液化	mirror reflection	镜面反射
liquefaction point	液化点	mixed unit system	混合单位制
liquid crystal	液晶	modern physics	现代物理学
longitudinal wave	纵波	molar volume	摩尔体积
Lorentz force	洛伦茨力	molecular spectrum	分子光谱
luminous intensity	发光强度	molecular structure	分子结构
magnetic electricity	电流磁场	moment of force	力矩
		momentum of electromagnetic field	电磁场的动量

monocrystal	单晶体	optical glass	光学玻璃
motion for body projected horizontally	平抛运动	optical instrument	光学仪器
		optical lever	光杠杆
motion of body projected obliquely	斜抛运动	optical path	光程（路）
		optical path difference	光程差
motion of body projected vertically upward	竖直上抛运动	optically denser medium	光密介质
		optically thinner medium	光疏介质
multimeter universal meter	多用表，万用表	oscillating current	震荡电流
		oscillatory circuit	震荡电路
musical quality	音色	oscillograph	示波器
mutual inductance	互感	parallel connection of condensers	电容器的并联
natural frequency	固有频率		
natural light	自然光	parallelogram	平行四边形
natural period	固有周期	parallelogram law / rule	平行四边形定律
natural vibration	固有振动	parallel-resonance circuit	并联谐振电路
negative charge	负电荷	Pascal's law	帕斯卡定律
negative crystal	负晶体	pendulum length	摆长
negative ion	负离子	perfect tester	多用表
negative plate	负极板	perfect conductor	理想导体
neutral plane	中性面	perfect elastic collision	完全弹性碰撞
newton	牛顿（力的单位）	perfect inelastic collision	完全非弹性碰撞
Newton's first law	牛顿第一定律	permanent magnet	永磁体
Newton's second law	牛顿第二定律	permittivity	电容率，介电常数
Newton's third law	牛顿第三定律	permittivity of vacuum	真空介电常数
Nikola Tesla	尼古拉·斯特拉	phase voltage	相电压
non-crystal	非晶体	photocurrent	光电流
nonequilibrium state	非平衡态	photoelectric cell	光电管
non-soakage	不浸润	photoelectric effect	光电效应
nuclear energy	核能	photoelectron	光电子
nuclear force	核力	physical balance	物理天平
null agravity/zero gravity	失重	physical model	物理模型
condensation nucleus	凝结核	physical quantity	物理量
object distance	物距	piezometer	压强计
object height	物高	Planck constant	普朗克常量
Oersted's experiment	奥斯特实验	plastic deformation	范性形变
Ohm's law	欧姆定律	point charge	点电荷
ohmmeter	欧姆计	polarized light	偏振光
open circuit	开路	polycrystal	多晶体
optical bench	光具座	poor conductor	不良导体
optical centre of lens	透镜光心	positive charge	正电荷
optical fiber	光导纤维	positive crystal	正晶体

物理

positive electrical charge	正电荷	refraction law	折射定律
positive ion	正离子	refractive index	折射率
positive plate	正极板	relative humidity	相对湿度
positron	正电子	resistivity	电阻率
potential energy	势能	resistance	电阻
potentiometer	电位计，电势计	resultant force / net force	合力
power supply / power source	电源	right-hand rule	右手定律
primary coil	原线圈，初级线圈	rotational axis	转动轴
principle of constancy of light velocity	光速不变原理	Rutherford's Model	卢瑟福模型
projectile motion	抛体运动	scalar	标量
pulley block	滑轮组	scalar field	标量场
quantity of electrical charge	电量	second cosmic velocity	第二宇宙速度
quantity of heat	热量	selective absorption	选择吸收
quantization	量子化	self-induced electro-motive force	自感电动势
quantum mechanics	量子力学	self-inductance	自感
quantum number	量子数	self-induction phenomenon	自感现象
Raber Boyle	玻意尔	semi-transparent film	半透膜
radiating object	放射性物质	sensitive galvanometer	灵敏电流计
radioactive decay	放射性衰变	sensitometer	感光计
radioactive isotope	放射性同位素	series connection of condensers	电容器的串联
radioactive source	放射源	series-resonance circuit	串联谐振电路
radius of gyration	回旋半径	short circuit	短路
random motion	无规则运动	short sight	近视
rated output	额定功率	shunt resistor	分流电阻
rated voltage	额定电压	significant figure	有效数字
reacting force	反作用力	simple harmonic motion (SHM)	简谐运动
real image	实像	simple harmonic wave	简谐波
real object	实物	simple pendulum	单摆
rectilinear motion with constant acceleration	匀变速直线运动	sine alternating current	正弦交流电
reference frame	参考系；坐标系	single crystal / monocrystal	单晶体
reference system	参考系	single slit diffraction	单缝衍射
reflected angle	反射角	sinusoidal alternating current	简谐交流电
reflected ray	反射光线	sinusoidal current	正弦式电流
reflection coefficient	反射系数	sliding friction	滑动摩擦
reflection law	反射定律	sliding friction force	滑动摩擦力
reflectivity	反射率		
refracted angle	折射角		
refracted ray	折射光线		
refraction coefficient	折射系数		

soakage	浸润	superposition principle of electric field	电场强度叠加原理
solar cell	太阳能电池	superposition theorem	叠加定理
solenoid	螺线管	supersaturation	过度饱和
solidifying point	凝固点	supersonic speed	超声速
solvation	溶剂化	supersonic wave / ultrasound wave	超声波
sound source	声源		
sound velocity	声速	supply transformer	电源变压器
sound wave	声波	surface resistance	表面电阻
spaceship / spacecraft	宇宙飞船	surface tension	表面张力
spark discharge	火花放电	system of concurrent forces	共点力系
special relativity	狭义相对论		
specific heat capacity	比热容	system of particles	质点系
spectacles	眼镜	system of units	单位制
spectral analysis	光谱分析	systematic error	系统误差
spectral line	(光)谱线	terminal voltage	端子电压，端点电压
spectrograph	光谱仪	the law of gravity	万有引力定律
spectrography	摄谱学；光谱学	the magnetic earth	地磁场
spectroscopy	光谱学	theorem of kinetic energy	动能定理
spherical mirror	球面镜	theorem of momentum	动量定理
spontaneous radiation	自发辐射	theoretical physics	理论物理学
spring balance	弹簧秤	thermal capacity	热容(量)
stabilized current supply	稳流电源	thermal energy	热能
stabilized voltage supply	稳压电源	thermal equilibrium	热平衡
standard atmospheric pressure	标准大气压	thermal motion	热运动
		thermal transmission	传热
standard cell	标准电池	thermodynamic scale of temperature	热力学温标
standing wave	驻波		
static friction	静摩擦	thermodynamic temperature	热力学温度
static friction force	静摩擦力		
stationary state	定态	thermometric scale	温标
steady current source	恒流源	thermonuclear reaction	热核反应
steady current	恒定电流	thick lens	厚透镜
steady voltage source	恒压源	thin lens	薄透镜
steam point	汽点	third cosmic velocity	第三宇宙速度
stiffness	劲度(系数)	Thomson's model	汤姆孙模型
stimulated radiation	受激辐射	three-phrase alternating current	三相交流电
stopwatch	停表，秒表		
sublimation	升华	torsion balance	扭秤
superconduct	超导	total internal reflection	全内反射
superconductivity	超导(电)性	total reflection	全反射
superconductor	超导体		

物理

transmission line	传输线	virtual image	虚像
transmissivity	透射率	virtual object	虚物
transverse wave	横波	virtual value	有效值
triboelectrification	摩擦起电	visible light	可见光
triode	三极管	voltage divider	分压器
tuning fork	音叉	voltage division circuit	分压电路
turbulent flow	湍流	voltaic cell	伏打电池
ultrasound wave	超声波	voltmeter	电压表, 伏特表
ultraviolet ray	紫外线	voltmeter-ammeter method	伏安法
umbra	本影	vortex electric field	涡旋电场
undulatory property	波动性	wave crest	波峰
uniform dielectric	均匀电介质	wave equation	波动方程
uniform electric field	均强电场	wave theory	波动说
uniform magnetic field	均强磁场	wave velocity	波速
uniform motion	匀速运动	wave-particle dualism	波粒二象性
uniform rectilinear motion	匀速直线运动	white light	白光
universal constant	普适常量	Wilhelm Conrad Rontgen	伦琴
universal gravitation	万有引力	Wilhelm Weber	威廉·韦伯
vacuum tube	真空管	work function	功函, 功函数
value of amplitude	幅值	Young experiment	杨氏实验
vernier	游标	zero line	零线
vernier caliper	游标卡尺	α ray	α射线
vibrational wave	振动波	β ray	β射线
viewing angle	视角		
viewing field	视场		

备考锦囊

写作备考指南（四）

（三）说明原因

There are many reasons for ... …是由有很多原因引起的。

As far as I am concerned, it can be ascribed to the following causes.
在我看来这有以下几个原因。

A most obvious cause of the problem is that...
导致该问题产生的最明显的原因是…

数　学

numeration	[ˌnuːməˈreɪʃn] *n.* 计算；编号
trapezoid	[ˈtræpəzɔɪd] *n.* 梯形
edge	[edʒ] *n.* 立体的边或棱
midpoint	[ˈmɪdˌpɔɪnt] *n.* 中点
inequality	[ˌɪnɪˈkwɑːləti] *n.* 不等式
division	[dɪˈvɪʒn] *n.* 除法；分割 派 divisional(*a.* 分割的，除法的) 同 partition*
rate	[reit] *n.* 率，比率；速度，速率 搭 at this rate 以这样的速率
radius	[ˈreɪdiəs] *n.* 半径
dimension	[daɪˈmenʃn] *n.* 尺寸，尺度；维(数)，度(数)，元 派 dimensional(*a.* 尺寸的；空间的) 同 measure, aspect
leg	[leg] *n.* (直角三角形的)直角边
circular	[ˈsɜːrkjələr] *a.* 圆形的；环形的
section	[ˈsekʃn] *n.* 断面；部分
approximation	[əˌprɑːksɪˈmeɪʃn] *n.* 近似值
depth	[depθ] *n.* 深度
successive	[səkˈsesɪv] *a.* 连续的，相继的
parallel lines	平行线
decimal point	小数点
tangent	[ˈtændʒənt] *n.* 正切，切线 *a.* 切线的，相切的；离题的 记 词根记忆：tang(接触) + ent → 和圆接触的 → 相切的 派 tangential (*a.* 正切的，切线的)

数学

nickel	[ˈnɪkl] *n.* (美国和加拿大的)五分钱
tangential *	[tænˈdʒenʃəl] *a.* 切线的 记 词根记忆：tang（接触）+ ent + ial → 和圆接触的线 → 切线的
hexagon	[ˈheksəɡɑːn] *n.* 六边形
balance	[ˈbæləns] *n.* 余额
bisect	[baɪˈsekt] *v.* 把…二等分
cancellation	[ˌkænsəˈleɪʃn] *n.* 约掉；消掉
contour	[ˈkɑːntʊr] *n.* 轮廓；周线
unknown	[ˌʌnˈnoʊn] *n.* 未知数，未知量
decrease	[dɪˈkriːs] *v.* 减少 *n.* 减少量 同 diminish, reduce
vertex	[ˈvɜːrteks] *n.* 顶点
distance	[ˈdɪstəns] *n.* 距离
solution	[səˈluːʃn] *n.* 解，答案
geometry	[dʒiˈɑːmətri] *n.* 几何学 派 geometric (*a.* 几何学的)
chart	[tʃɑːrt] *n.* 图表 派 uncharted(*a.* 地图上未标明的)
center	[ˈsentər] *n.* 圆心
divisor	[dɪˈvaɪzər] *n.* 除数；约数
revolution	[ˌrevəˈluːʃn] *n.* 旋转
fraction	[ˈfrækʃn] *n.* 分数；部分 派 fractional(*a.* 微小的，极小的) 同 portion, segment
circle	[ˈsɜːrkl] *n.* 圆
graph	[ɡræf] *n.* 图表 *v.* 用图表表示
octagon	[ˈɑːktəɡɑːn] *n.* 八边形
operation	[ˌɑːpəˈreɪʃn] *n.* 运算
minus	[ˈmaɪnəs] *prep.* 减(去) *a.* 表示减(去)的；负的
gross	[ɡroʊs] *a.* 总的；毛的
triple	[ˈtrɪpl] *a.* 三部分的，三方的；三倍的，三重的 *v.* (使)增至三倍 记 词根记忆：tri(三) + ple → 三部分的；三倍的
square	[skwer] *n.* 正方形
diagonal	[daɪˈæɡənl] *n.* 对角线 *a.* 对角线的

geometry

perimeter[*]	[pəˈrɪmɪtər] *n.* 周长	
portion	[ˈpɔːrʃn] *n.* 一部分	
factor	[ˈfæktər] *n.* 因子，因素 *v.* 将…分解因子	
arithmetic	[əˈrɪθmətɪk] *n.* 算术	
curve	[kɜːrv] *n.* 曲线	
preceding	[prɪˈsiːdɪŋ] *a.* 在前的，先前的 派 precede(*v.* 先于)	
interval	[ˈɪntərvl] *n.* 间隔，区间	
quotient	[ˈkwouʃnt] *n.* 商	
token	[ˈtoukən] *n.* 辅币	
area	[ˈeriə] *n.* 面积	
expression	[ɪkˈspreʃn] *n.* 表达式	
cubic	[ˈkjuːbɪk] *a.* 立方体的；立方的	
joint	[dʒɔɪnt] *v.* 接合 *n.* 接合处 派 jointly(*ad.* 共同地，联合地；连带地)	
rhombus	[ˈrɑːmbəs] *n.* 菱形	
secant	[ˈsiːkənt] *n.* 割线	
total	[ˈtoutl] *v./n.* 合计	
segment	[ˈsegmənt] *n.* 弓形；部分	
difference	[ˈdɪfrəns] *n.* 差；差额	
root	[ruːt] *n.* 方根；方程的根	
dividend	[ˈdɪvɪdend] *n.* 被除数	
exponent	[ɪkˈspounənt] *n.* 指数	
overlap	[ˌouvərˈlæp] *v.* 部分重叠，部分搭交	
rectangle	[ˈrektæŋgl] *n.* 矩形	
angle	[ˈæŋgl] *n.* 角 搭 at right angles with 与…成直角 派 angular(*a.* 有角的；尖角的)	
ordinate	[ˈɔːrdɪnət] *n.* 纵坐标	
triangle	[ˈtraɪæŋgl] *n.* 三角形 派 triangular(*a.* 三角形的)	
arc	[ɑːrk] *n.* 弧，圆周的任意一段	
product	[ˈprɑːdʌkt] *n.* (乘)积	

数学

axis	['æksɪs] *n.* 轴	
approximately	[ə'prɑːksɪmətli] *ad.* 近似地，大约地	
factorable	['fæktərəbl] *a.* 可分解因子的	
median	['miːdiən] *n.* 中点；中线	
equality	[i'kwɑːləti] *n.* 等式	
	派 inequality(*n.* 不等式)	
solid	['sɑːlɪd] *n.* 立方体 *a.* 立方体的；实心的	
hundredth	['hʌndrədθ] *n.* 第一百个；百分之一	
pictograph	['pɪktəɡræf] *n.* 统计图表	
myriad *	['mɪriəd] *a.* 无数的，大量的	
point	[pɔɪnt] *n.* 小数点	
toll	[toʊl] *n.* 通行税	
satisfy	['sætɪsfaɪ] *v.* 满足…条件	
multiple	['mʌltɪpl] *a.* 多倍的，多重的 *n.* 倍数	
	派 multiplicity(*n.* 重数)	
round	[raund] *v.* 四舍五入	
pointer	['pɔɪntər] *n.* 指针	
numerator	['nuːməreɪtər] *n.* 分数的分子	
ratio	['reɪʃioʊ] *n.* 比；比率	
denominator	[dɪ'nɑːmɪneɪtər] *n.* 分数的分母	
coefficient	[ˌkoʊɪ'fɪʃnt] *n.* 系数	
sphere	[sfɪr] *n.* 球体	
zero	['zɪroʊ] *n.* 零	
formula	['fɔːrmjələ] *n.* 公式，方程式	
place	[pleɪs] *n.* (小数点后的)位数	
equilateral	[ˌiːkwɪ'lætərəl] *n.* 等边形 *a.* 等边的	
fold	[foʊld] *v.* 对折	
apiece	[ə'piːs] *ad.* 每人，每个	
deduct	[dɪ'dʌkt] *v.* 扣除，减去	
clockwise	['klɑːkwaɪz] *a.* 顺时针方向的 *ad.* 顺时针方向地	
probability	[ˌprɑːbə'bɪləti] *n.* 概率	
line	[laɪn] *n.* 直线	
	派 linear(*a.* 直线的；线性的)	

order	[ˈɔːrdər] *n.* 顺序
enumerate *	[ɪˈnuːməreɪt] *v.* 数，点；枚举，列举 记 词根记忆：e(出) + numer(数字) + ate → 列出数字 → 枚举，列举
odds	[ɑːdz] *n.* 事物发生的可能性，机会
quadrilateral	[ˌkwɑːdrɪˈlætərəl] *n.* 四边形
halve	[hæv] *v.* 把…平分为二；将…减半
right	[raɪt] *a.* 直的；右边的；正确的
degree	[dɪˈɡriː] *n.* 度；度数(温度和角度)
elliptical *	[ɪˈlɪptɪkl] *a.* 椭圆的 记 来自 ellipse(*n.* 椭圆；椭圆形)
base	[beɪs] *n.* 底边，底面；幂或乘方的底数
simultaneously	[ˌsaɪmlˈteɪniəsli] *ad.* 同时
miscount	[ˌmɪsˈkaʊnt] *v.* 数错
digit	[ˈdɪdʒɪt] *n.* 数字；位数
decagon	[ˈdekəɡɑːn] *n.* 十角形，十边形
face	[feɪs] *n.* 立方体的面
remainder	[rɪˈmeɪndər] *n.* 余数
side	[saɪd] *n.* 边，立体的面
convergence	[kənˈvɜːrdʒəns] *n.* 集中 记 词根记忆：con(共同) + verg(转) + ence → 转到同一方向 → 集中
intersect	[ˌɪntərˈsekt] *v.* 直线相交
randomly *	[ˈrændəmli] *ad.* 随机地
term	[tɜːrm] *n.* 项
constitute	[ˈkɑːnstətuːt] *v.* 构成，组成
multiplication	[ˌmʌltɪplɪˈkeɪʃn] *n.* 乘法
hypotenuse	[haɪˈpɑːtənuːs] *n.* 直角三角形的斜边
rectangular	[rekˈtæŋɡjələr] *a.* 矩形的；成直角的 同 oblong
quadrant	[ˈkwɑːdrənt] *n.* 象限
centiliter	[ˈsentɪliːtər] *n.* 毫升 记 联想记忆：centi(百) + liter(升) → 1升等于10个100毫升 → 毫升
indefinitely	[ɪnˈdefɪnətli] *ad.* 无限定地
equation	[ɪˈkweɪʒn] *n.* 等式，方程式

数学

billion	[ˈbɪljən] *n.* 十亿
plane	[pleɪn] *n.* 平面
set	[set] *n.* 集合
proportionate	[prəˈpɔːrʃənət] *a.* 成比例的 记 来自 proportion(*n.* 比例; 均衡)
decimal	[ˈdesɪml] *n.* 小数 *a.* 小数的 搭 calculate to three decimal places 计算结果保留三位小数
perpendicular	[ˌpɜːrpənˈdɪkjələr] *a.* 垂直的, 正交的 记 词根记忆: per(贯穿) + pend(挂) + icular → 穿线挂针 → 垂直的 搭 be perpendicular to 垂直于
uniform	[ˈjuːnɪfɔːrm] *a.* 一直不变的 派 uniformly(*ad.* 一律地, 均一地); uniformity(*n.* 同样, 一致)
cylinder	[ˈsɪlɪndər] *n.* 圆柱体 派 cylindrical(*a.* 圆柱体的; 圆筒形的)
cube	[kjuːb] *n.* 立方体; 立方; 三次幂
sector	[ˈsektər] *n.* 扇形
slope	[sloʊp] *n.* (直线的)斜率
reciprocal	[rɪˈsɪprəkl] *n.* 倒数
divisible	[dɪˈvɪzəbl] *a.* 可整除的
height	[haɪt] *n.* 高
vertical	[ˈvɜːrtɪkl] *a.* 垂直的 派 vertically(*ad.* 垂直地)
amount	[əˈmaʊnt] *v.* 合计 同 totalize
differ	[ˈdɪfər] *v.* 不同, 相异
congruent *	[ˈkɑːŋgruənt] *a.* 全等的
chord	[kɔːrd] *n.* 弦
mode *	[moʊd] *n.* 众数
sum	[sʌm] *n.* 和
proportion	[prəˈpɔːrʃn] *n.* 比, 比率; 比例 派 proportional(*a.* 比例的, 成比例的); proportionate(*a.* 成比例的) 同 ratio
integer	[ˈɪntɪdʒər] *n.* 整数

cylinder　　sector

cube

ratiocination *	[ˌreɪʃɪoʊsɪ'neɪʃn] *n.* 推理
	记 词根记忆：ratio(推定；理由) + cin(试) + ation → 试着推出理由 → 推理
	同 reasoning
similar	['sɪmələr] *a.* (三角形)相似的
column	['kɑːləm] *n.* 列；圆柱
spheroid	['sfɪrɔɪd] *n.* 球体，椭球体
	记 词根记忆：spher(球) + oid(相似的) → 球体
consecutive	[kən'sekjətɪv] *a.* 连续的
	同 successive
parallelogram	[ˌpærə'leləgræm] *n.* 平行四边形
algebra	['ældʒɪbrə] *n.* 代数
pentagon	['pentəgɑːn] *n.* 五边形
account for	(数量上、比例上)占
diameter	[daɪ'æmɪtər] *n.* 直径
tantamount *	['tæntəmaʊnt] *a.* 等价的
	记 词根记忆：tant(相等) + amount(数量) → 等量的 → 等价的
add	[æd] *v.* 加
	派 addition (*n.* 加法)
multiply	['mʌltɪplaɪ] *v.* 乘
	派 multiplication(*n.* 乘法)
equidistant	[ˌiːkwɪ'dɪstənt] *a.* 等距离的
subdivide	['sʌbdɪvaɪd] *v.* 再分；细分
supplement	['sʌplɪmənt] *n.* 补角
	派 supplementary(*a.* 互补的)；supplementation(*n.* 增补，补充)
equiangular	[ˌiːkwɪ'æŋgjələr] *a.* 等角的
eccentric *	[ɪk'sentrɪk] *n.* 偏心圆 *a.* 不同圆心的
	派 eccentricity(*n.* 离心率)
divide	[dɪ'vaɪd] *v.* 除
plus	[plʌs] *prep.* 加，加上 *a.* 表示加的；正的
oblong	['ɑːblɔːŋ] *n./a.* 长方形(的)；椭圆形(的)
	记 联想记忆：ob(看作 object，物体) + long(长) → 长的物体 → 长方形(的)
parity	['pærəti] *n.* 奇偶性

beeline	['biːlaɪn] *n.* (两点之间的)直线；最短距离；捷径 *v.* 走捷径
	记 联想记忆：bee(蜜蜂) + line(线) → 蜜蜂飞舞的最短距离 → (两点之间的)直线；最短距离
odd	[ɑːd] *a.* 单的，不成对的；奇数的，单数的
	记 联想记忆：奇奇(odd)相加(add)为偶
even	['iːvn] *a.* 平的；均匀的，平稳的；偶数的 *v.* (使)平坦；(使)相等
subtract	[səb'trækt] *vt.* 减去
	记 词根记忆：sub(下面) + tract(拉) → 拉下去 → 减去
	派 subtract...from 从…中减去
proportional	[prə'pɔːrʃnl] *a.* 成比例的
	搭 be directly / inversely proportional to 与…成正/反比例的
polygon	['pɑːligɑːn] *n.* 多角形；多边形
	记 词根记忆：poly(多) + gon(角) → 多角形
rim	[rɪm] *n.* (圆形物体的)边，边缘；轮圈；框边 *v.* 形成…边沿；给…镶边
	记 联想记忆：打靶(aim)不能打边(rim)
coordinate	[koʊ'ɔːrdɪnət] *n.* 坐标；坐标值
semicircle	['semisɜːrkl] *n.* 半圆；半圆形；半圆弧
	记 联想记忆：semi(半) + circle(圆形) → 半圆；半圆形
inscribe	[ɪn'skraɪb] *vt.* 使内切或内接
	搭 be inscribed in 内接于
extrapolate	[ɪk'stræpəleɪt] *v.* 外推，用外推法来求
	记 联想记忆：extra(附加的) + polate(看作 palate，味觉) → 看不出这种食物是什么，只能再附加味觉来判断 → 外推

其他数学常用术语：

abscissa	横坐标		angle bisector	角平分线
absolute value	绝对值		arithmetic(al) average	算术平均数
acute angle	锐角		arithmetic(al) mean	算术平均数，等差中项
acute triangle	锐角三角形		bar graph / chart	条带图
adjacent angles	邻角		base area	底面积
algebraic expression	代数式		binomial	二项式
algebraic fraction	代数分式		central angle	圆心角
algebraic term	代数项		circle graph/chart	圆形图
aliquant	除不尽的数		circular cylinder	圆柱体
aliquot	除得尽的数		common denominator	公分母
alternate angles	内错角		common difference	等差数列的公差

common divisor/factor	公因子；公约数	infinite sequence	无穷数列
common multiple	公倍数	inscribed angle	圆周角
common ratio	等比数列的公比	inside dimension	内部尺寸
complementary angle	余角	installment	分期付款中每期所付的款项
complete quadratic equation	全二次方程	integer part	代分数的整数部分（代分数的分数部分是 fractional part）
complex number	合数（指大于1而不是质数的整数）		
compound annual interest	年复利	interior angle	内角
compound interest	复利	invert a fraction	求一个分数的倒数
concentric circle	同心圆	irrational number	无理数
coordinate system	坐标系	least / lowest common multiple	最小公倍数
coordinate geometry	解析几何		
coordinate plane	坐标平面	lengthwise（lengthways）	纵长地，纵向地
consecutive even /odd integer	连续偶/奇数	like / similar terms	同类项
		line graph	线型图
consecutive integer	连续整数	literal coefficient	字母系数
corresponding angles	同位角，对应角	mathematical operation	数学运算
corresponding side	对应边	minor arc	劣弧
counter-clockwise	逆时针方向	minuend	被减数
cross multiplication	交叉相乘	mixed decimal	混合小数
cubic block / solid	立方体	monomial	单项式
cumulative graph/chart	累计图	multiplicand	被乘数
curved line	曲线	numerical coefficient	数字系数
decimal fraction	纯小数	natural number	自然数
decimal place	小数位	negative number	负数
discount rate	折扣率	n-gon / n-sided polygon	N角 / 边形
endpoint	端点	non-adjacent	不相邻的
equivalent fraction	等值分数	nonagon	九边形，九角形
evenly spaced	等间隔的	nonzero	非零；非零的
even integer	偶数	number line	数轴
evenly even integer	能再平分的偶数（能被4整除）	remote interior angles	钝角（大于90度而小于180的角）
exterior angle	外角	obtuse triangle	钝角三角形
geometric mean	几何平均数	odd integer	奇数
greatest common divisor	最大公约数	original equation	原方程
heptagon	七边形，七角形	percent decrease	减少的百分率
improper fraction	假分数	percent increase	增加的百分率
ncluded angle/side	夹角/边	percent of interest / rate of interest	利率
independent variables	自变量		
infinite decimal/non-terminating decimal	无穷小数	percent	百分比
		perfect square / cube	完全平方/立方

perpendicular lines	垂直线		simple fraction	简分数
pie graph / chart	饼状图		simultaneous equations	联立方程组
point tangency	切点		straight angle	平角(指180度的角)
polynomial	多项式		straight-line distance	直线距离
prime number	质数, 素数		surface area	表面积
progression (series)	级数		times	倍数
proportional mean	比例中项		transversal	横截线
real number	实数		trinomial	三项式
obtuse angle	三角形一个外角对应的两个内错角		unlike terms	非同类项
			value variable	变量值
repeating decimal	循环小数		X-axis	X轴
scale drawing	按比例绘制(的图)		X-coordinate	X坐标
scalene	不等边三角形; 不等边的		XY-coordinate system	平面直角坐标系
shaded region	阴影		Y-axis	Y轴
sign (symbol)	符号		Y-coodinate	Y坐标
simple annual interest	年单利			

写作备考指南（五）

（四）引出例子

For example (instance), ... 例如…

A good case in point is... 恰当的例子是…

A particular example for this is... 一个特殊例子是…

One of the greatest early writers said ... 一位非常伟大的作家说过…

..., such dilemma we often meet in daily life.

…这样的困境我们经常在生活中遇到。

（五）得出结论

In summary, it is wiser... 总之，…更明智

In short... 总之…

From what has been discussed above, we may safely draw the conclusion that...

从上面讨论的来看，我们可以得出这样的结论…

Another contributing factor is that... 另一个起作用的因素是…

Another equally important reason lies in... 另一个同样重要的原因是…

Last but not least, ...is also responsible for the problem in question.

最后也是最重要的，…也是产生问题的原因。

音频

tautology*	[tɔːˈtɑːlədʒi] *n.* 无谓的重复; 赘述
blather	[ˈblæðər] *v.* 喋喋不休地胡说, 瞎扯 *n.* 废话, 胡说
smolder*	[ˈsmoʊldər] *n./vi.* 闷烧, 熏烧; (愤怒等)郁积; 怒火中烧
detritus	[dɪˈtraɪtəs] *n.* 碎屑, 碎石; 废物; 风化物; 残渣; 腐殖质
ultraviolet	[ˌʌltrəˈvaɪələt] *a.* 紫外线的
repercussion*	[ˌriːpərˈkʌʃn] *n.* (不良的)影响, 后果; 反响; 反射, 弹回
proselytize*	[ˈprɑːsələtaɪz] *v.* (使)皈依; (使)改变信仰
laceration*	[ˌlæsəˈreɪʃn] *n.* 撕裂; 裂口
scaffold	[ˈskæfoʊld] *n.* 脚手架; 建筑架; 绞刑架; 断头台
membrane*	[ˈmembreɪn] *n.* 薄膜; 细胞膜; 膜状物
elucidation	[iˌluːsɪˈdeɪʃn] *n.* 说明, 阐明
liability*	[ˌlaɪəˈbɪləti] *n.* 责任, 义务; 负债, 债务
declivity*	[dɪˈklɪvəti] *n.* 下倾的斜面; 下坡
hunch	[hʌntʃ] *n.* 直觉, 预感
holistic	[hoʊˈlɪstɪk] *a.* 整体的, 全面的; 【生】整体主义的
synaptic	[saɪˈnæptɪk] *a.* 突触的
lithographic	[ˌlɪθəˈɡræfɪk] *a.* 平版印刷的, 平版的
anonymity*	[ˌænəˈnɪməti] *n.* 无名, 匿名
panoply	[ˈpænəpli] *n.* 壮丽的展示或装饰; 气派, 盛况; 全副盔甲
marsupial*	[mɑːrˈsuːpiəl] *n./a.* 有袋动物(的)
titter*	[ˈtɪtər] *n./v.* 短促而神经质的(地)笑; 傻笑; 窃笑; 吃吃的(地)笑
ostensibly	[ɑːˈstensəbli] *ad.* 表面上
paraphernalia*	[ˌpærəfəˈneɪliə] *n.* (尤指业余爱好或体育活动所需的)装备, 大量物品, 个人随身物品

iconoclastic *	[aɪˌkɑːnəˈklæstɪk] a. 对传统观念(或惯例)进行攻击的
fluke *	[fluːk] n. 侥幸；偶然；意外
picaresque *	[ˌpɪkəˈresk] a. 以流浪汉为小说题材的
heretic	[ˈherətɪk] n. 异教徒；离经叛道者
churn	[tʃɜːrn] n. 搅乳器 v. 用搅乳器搅拌
parched *	[pɑːrtʃt] a. 焦干的，晒焦的；烘烤的；口渴的
vanguard *	[ˈvænɡɑːrd] n. 领导者，先锋，先驱者；先头部队
regeneration *	[rɪˌdʒenəˈreɪʃn] n. 再生，恢复；革新
gouge *	[ɡaʊdʒ] n. 凿子 v. 凿，挖出；敲竹杠，漫天要价
unscathed *	[ʌnˈskeɪðd] a. 未受损伤的，未遭伤害的
tautological *	[ˌtɔːtəˈlɑːdʒɪkl] a. 用语重复的，赘述的
maelstrom *	[ˈmeɪlstrɑːm] n. 大漩涡；混乱，骚乱
bristling *	[ˈbrɪslɪŋ] a. 竖立的；林立的
liniment *	[ˈlɪnəmənt] n. (尤指油质、镇痛的)擦剂，搽剂
intrepidity	[ˌɪntrəˈpɪdɪtɪ] n. 大胆，无畏
sophomoric *	[ˌsɑːfəˈmɔːrɪk] a. (大学)二年级的；一知半解的
gelatin	[ˈdʒelətɪn] n. 骨胶，明胶，动物胶
incantation *	[ˌɪnkænˈteɪʃn] n. 符咒；咒语
sadistic *	[səˈdɪstɪk] a. 施虐狂的，残酷成性的
jabber *	[ˈdʒæbər] n./v. 快而不清楚的(地)说
indissoluble	[ˌɪndɪˈsɑːljəbl] a. 不可溶解的；不可分解的；牢固持久的
patrician *	[pəˈtrɪʃn] n. 贵族 a. 贵族的，上流社会的
rummage *	[ˈrʌmɪdʒ] n./v. 翻找，乱翻，搜寻
snivel *	[ˈsnɪvl] n./vi. 伤心的(地)啼哭；哭诉
serpentine *	[ˈsɜːrpəntiːn] a. 似蛇般绕曲的；蜿蜒的；盘旋的
iota *	[aɪˈoʊtə] n. 极小量，极少
monolithic *	[ˌmɑːnəˈlɪθɪk] a. 巨石的；巨大的
poseur *	[poʊˈzɜːr] n. 装模作样的人
limousine	[ˈlɪməziːn] n. 大型轿车，豪华轿车；中型客车
recidivism *	[rɪˈsɪdɪvɪzəm] n. 重犯，累犯
importune *	[ˌɪmpɔːrˈtuːn] v. 强求，不断请求

fop *	[fɑːp] *n.* 纨绔子弟，花花公子
reprise *	[rɪˈpriːz] *n.* (乐曲的)重复，重奏；重复部分
spendthrift *	[ˈspendθrɪft] *a./n.* 挥金如土的人
quintessential	[ˌkwɪntɪˈsenʃl] *a.* 精华的；典型的
unstinting *	[ʌnˈstɪntɪŋ] *a.* 慷慨的，大方的
schist	[ʃɪst] *n.* 片岩
mortician *	[mɔːrˈtɪʃn] *n.* 殡葬业者；丧事承办人
patina *	[pəˈtiːnə] *n.* 绿锈，铜锈；光亮的外表
vignette *	[vɪnˈjet] *n.* 小插图；短文，简介
obituary *	[oʊˈbɪtʃueri] *n.* 讣告，讣闻
disavowal *	[ˌdɪsəˈvauəl] *n.* 否认，不承认；拒绝接受
mores *	[ˈmɔːreɪz] *n.* 风俗习惯；传统道德观念
martyrdom	[ˈmɑːrtərdəm] *n.* 殉身，殉难；折磨，巨大的痛苦
tome *	[toʊm] *n.* 书，大册书；(有学术价值的)巨著
percussion *	[pərˈkʌʃn] *n.* 敲击，叩击；打击乐器；(乐队的)打击乐器组
prevarication	[prɪˌværɪˈkeɪʃn] *n.* 支吾，搪塞
disheveled *	[dɪˈʃevld] *a.* (指毛发或衣服)凌乱的，不整齐的
striated *	[ˈstraɪeɪtɪd] *a.* 有条纹的
symbiosis *	[ˌsɪmbaɪˈoʊsɪs] *n.* 共生(关系)，共栖；合作关系，互惠互利的关系
evanescence *	[ˌiːvəˈnesns] *n.* 逐渐消失；短暂性
privation *	[praɪˈveɪʃn] *n.* 丧失，缺乏；贫困，匮乏
wastrel *	[ˈweɪstrəl] *n.* 挥霍无度的人；浪荡子
gnome *	[noʊm] *n.* 地下宝藏的守护神；守护神塑像
voyeur *	[vwaɪˈɜːr] *n.* 窥阴癖者，窥隐私者
patriarch *	[ˈpeɪtriɑːrk] *n.* 家长，族长；极受尊敬的男长者
metamorphosis *	[ˌmetəˈmɔːrfəsɪs] *n.* [*pl.* -ses]变形，变异；质变
spawn *	[spɔːn] *n.* (鱼、蛙等的)卵；【生】菌丝 *v.* (鱼、蛙等)产卵；大批涌现；引起，导致
verve *	[vɜːrv] *n.* 活力，激情，热情
nonentity *	[nɑːˈnentəti] *n.* 不重要之人或事
filament *	[ˈfɪləmənt] *n.* 灯丝；细丝

认知
词汇

corrugated*	[ˈkɔːrəgeɪtɪd] *a.* 起皱纹的
ineptitude	[ɪˈneptɪtuːd] *n.* 无能, 缺乏技巧
repertoire*	[ˈrepərtwɑːr] *n.* (个人或团体的)可表演节目; 全部才能, 全部本领
rivet	[ˈrɪvɪt] *n.* 铆钉 *v.* (用铆钉)固定; 吸引(注意力)
unrequited	[ˌʌnrɪˈkwaɪtɪd] *a.* 无回报的; 单方面的; 单相思的
precinct*	[ˈpriːsɪŋkt] *n.* 区域, 范围; 分区; 警区; 选区; (城镇的)周围地区, 郊区
combust	[kəmˈbʌst] *v.* 消耗, 燃烧
geniality*	[ˌdʒiːniˈæləti] *n.* 和蔼, 亲切, 友好
inquisitor*	[ɪnˈkwɪzɪtər] *n.* 审问者(尤指天主教的宗教法庭审判官); 连续不断地发问的人
tautly	[ˈtɔːtli] *ad.* 绷紧地; 紧张地; 结构严谨地; 紧凑地
peeve	[piːv] *v.* (使)气恼, (使)发脾气
stilt	[stɪlt] *n.* 高跷; 支柱, 柱子
referendum	[ˌrefəˈrendəm] *n.* 全民投票, 全民公决
opalescent*	[ˌoʊpəˈlesnt] *a.* 色彩变幻的
jurisdiction	[ˌdʒʊrɪsˈdɪkʃn] *n.* 司法权; 裁判权; 管辖权; 管辖范围
perdition*	[pɜːrˈdɪʃn] *n.* 永劫不复; (死后)堕地狱
crackle	[ˈkrækl] *n.* (像东西在火里燃烧一样的)噼啪声, 爆裂声 *v.* 噼噼啪啪地响
stoicism	[ˈstoʊɪsɪzəm] *n.* 斯多葛学派; 禁欲主义; 坚忍, 淡泊
mastication	[ˌmæstɪˈkeɪʃn] *n.* 咀嚼
wallow*	[ˈwɑːloʊ] *n./v.* (在泥、水中)打滚; 沉溺于
sulfate	[ˈsʌlfeɪt] *n.* 硫酸盐
pulchritude*	[ˈpʌlkrɪtuːd] *n.* (尤指女性)美丽
impressionistic	[ɪmˌpreʃəˈnɪstɪk] *a.* 基于印象的; 印象主义的; 印象派的
minutiae*	[mɪˈnuːʃiiː] *n.* 微小的或不重要的细节
précis*	[preɪˈsiː] *n.* 大纲, 摘要
signatory	[ˈsɪgnətɔːri] *n.* 签署国; 签署者
expletive*	[ˈeksplətɪv] *n.* 感叹词; 咒骂语
immobility*	[ˌɪməˈbɪləti] *n.* 固定, 不能动
inadvertently*	[ˌɪnədˈvɜːrtəntli] *ad.* 不小心地, 非故意地
corroboration	[kəˌrɑːbəˈreɪʃn] *n.* 证实, 确证
splinter	[ˈsplɪntər] *n.* 碎片, 尖片

talisman *	[ˈtælɪzmən] *n.* 避邪物，护身符
improvise *	[ˈɪmprəvaɪz] *v.* 即席创作，即兴表演；临时准备
rotatory	[ˈrʊʊtətəri] *a.* 旋转的，转动的；回转的，轮流的
insubordination *	[ˌɪnsəˌbɔːrdɪˈneɪʃn] *n.* 不服从，违抗
surveillance *	[sɜːrˈveɪləns] *n.* 监视，盯梢
junta *	[ˈdʒʌntə] *n.* (以武力夺取政权的)军政府
stricture *	[ˈstrɪktʃər] *n.* 严厉谴责；束缚，限制
exigency *	[ˈeksɪdʒənsi] *n.* 危急关头；急切需要
malingerer *	[məˈlɪŋɡərər] *n.* (为逃避工作或责任)装病的人
hulking *	[ˈhʌlkɪŋ] *a.* 庞大的；笨重的
sinewy *	[ˈsɪnjuːi] *a.* 强壮有力的，肌肉发达的；强劲的，有力的
reverie *	[ˈrevəri] *n.* 幻想；空想；遐想
shoddy *	[ˈʃɑːdi] *a.* 劣质的；粗制滥造的；假冒的
elation	[iˈleɪʃn] *n.* 欢欣鼓舞，兴高采烈
preternatural *	[ˌpriːtərˈnætʃrəl] *a.* 异常的；超自然的
intransigence *	[ɪnˈtrænzɪdʒəns] *n.* 不妥协，不让步
resurgence	[rɪˈsɜːrdʒəns] *n.* 复兴，再起；复活，再现
vituperate	[vaɪˈtuːpəreɪt] *v.* 痛斥，辱骂
truce	[truːs] *n.* 休战(协定)
parasite *	[ˈpærəsaɪt] *n.* 寄生物；靠他人过活者
fleck *	[flek] *n.* 斑点；微粒
gangling	[ˈɡæŋɡlɪŋ] *a.* 瘦长难看的
meditation *	[ˌmedɪˈteɪʃn] *n.* 沉思，冥想
ruggedness	[ˈrʌɡɪdnəs] *n.* 险峻，崎岖；强度，坚固性；粗野
indentation *	[ˌɪndenˈteɪʃn] *n.* 刻痕，凹槽；呈锯齿形；行首缩进，空格
encomium *	[enˈkoʊmiəm] *n.* 赞颂，颂词
gavel *	[ˈɡævl] *n.* (会议主席、拍卖商或法官用的)小槌
ornithology *	[ˌɔːrnɪˈθɑːlədʒi] *n.* 鸟类学
gnarled *	[nɑːrld] *a.* (树木)多节瘤的，疙疙瘩瘩的，扭曲粗糙的；(身体)弯曲的
maxim *	[ˈmæksɪm] *n.* 格言；箴言；座右铭
conveyance *	[kənˈveɪəns] *n.* 运送，传达；运输工具

认知
词汇

thespian *	[ˈθespiən] *a.* 戏剧的, 演戏的 *n.* 演员
malefactor *	[ˈmælɪfæktər] *n.* 罪犯; 作恶者
fruition *	[fruˈɪʃn] *n.* 实现, 完成
pragmatist *	[ˈprægmətɪst] *n.* 实用主义者
eon *	[ˈiːən] *n.* 万古; 千万年; 永世, 永存; 【地】极长时期
famished *	[ˈfæmɪʃt] *a.* 极饥饿的
ordination *	[ˌɔːrdnˈeɪʃn] *n.* (神父或牧师等的)任命仪式; 授圣职礼
staccato *	[stəˈkɑːtoʊ] *a.* (音乐)断音的, 不连贯的
quietude *	[ˈkwaɪətuːd] *n.* 平静; 宁静; 寂静
incarnate	[ɪnˈkɑːrnət] *a.* 人体化的; 拟人化的; 化身的 [ˈɪnkɑːrneɪt] *vt.* 使人格化, 拟人化
warble *	[ˈwɔːrbl] *v.* 啭鸣; (尤指用颤音高声)唱
opulence *	[ˈɑːpjələns] *n.* 财富, 富裕; 丰富, 富饶
infidel *	[ˈɪnfɪdəl] *n.* 无信仰者; 离经叛道者
impiety *	[ɪmˈpaɪəti] *n.* 不敬, 不恭(尤指对上帝和宗教); 无信仰, 不虔诚
rote *	[roʊt] *n.* 死记硬背; 机械的做法; 生搬硬套
infraction *	[ɪnˈfrækʃn] *n.* 违法; 犯规
incarnation *	[ˌɪnkɑːrˈneɪʃn] *n.* 典型人物, 化身
portly *	[ˈpɔːrtli] *a.* (尤指年长者)发福的, 胖的
cumulonimbus	[ˌkjuːməloʊˈnɪmbəs] *n.* 积雨云
curator *	[kjʊˈreɪtər] *n.* (博物馆等的)馆长
straggle *	[ˈstrægl] *v.* 落伍, 掉队; 蔓延; 蔓生
spat *	[spæt] *n.* 口角, 小争论
protégé *	[ˈproʊtəʒeɪ] *n.* 受提携的后进
miscellany *	[ˈmɪsəleɪni] *n.* 混合物
membranous *	[ˈmembrənəs] *a.* 膜状的, 膜的
coyote *	[kaɪˈoʊti] *n.* (北美)郊狼, 丛林狼, 草原狼
tonality *	[toʊˈnæləti] *n.* 音调, 声调
quadruped *	[ˈkwɑːdruped] *n.* 四足动物
jettison *	[ˈdʒetɪsn] *v.* (为减轻重量而从飞机或船上)扔弃, 丢弃; 摆脱, 处理掉 *n.* 抛弃的货物
ruffian *	[ˈrʌfiən] *n.* 恶棍, 歹徒

mutability *	[ˌmjuːtə'bɪləti] *n.* 易变性
yore *	[jɔːr] *n.* 往昔，昔日
foamy	['foʊmi] *a.* 起泡沫的，似泡沫的
profundity	[prə'fʌndəti] *n.* 深奥，深刻
banter	['bæntər] *n./v.* 打趣，开玩笑
madrigal *	['mædrɪgl] *n.* 情歌；抒情短诗；合唱曲
proletarian *	[ˌproʊlə'teriən] *a.* 无产阶级的 *n.* 无产者，工人
germinal *	['dʒɜːrmɪnl] *a.* 幼芽的；萌芽的，未成熟的
nomenclature *	[nə'menklətʃər] *n.* (尤指某学科的)命名法；术语，名称
raiment *	['reɪmənt] *n.* 衣物
phylum *	['faɪləm] ([*pl.*] phyla) *n.* (生物分类学上的)门
purported *	[pər'pɔːrtɪd] *a.* 谣传的，声张的，号称的
servitude *	['sɜːrvətuːd] *n.* 奴役，劳役；任人差遣
synoptic *	[sɪ'nɑːptɪk] *a.* 摘要的，概要的
vouchsafe *	[ˌvaʊtʃ'seɪf] *v.* 赐予，给予；许诺
stalemate *	['steɪlmeɪt] *n.* 和棋局面；僵局
ramification *	[ˌræmɪfɪ'keɪʃn] *n.* 分支，支流
fulcrum *	['fʊlkrəm] *n.* 杠杆支点；支柱
espousal	[ɪ'spaʊzl] *n.* 拥护，支持；订婚，结婚
pittance *	['pɪtns] *n.* 微薄的薪俸，少量的收入
menagerie *	[mə'nædʒəri] *n.* 动物园；(供展览的)野生动物
unscramble	[ˌʌn'skræmbl] *v.* 整理，清理，使条理化
vestibule	['vestɪbjuːl] *n.* 前厅，门厅；(接通火车车厢的)连廊，通廊
gluttony	['glʌtəni] *n.* 暴饮暴食
revelry *	['revlri] *n.* 狂欢
soothsayer	['suːθseɪər] *n.* 占卜者；预言者
unfetter *	[ʌn'fetər] *vt.* 释放；使不受约束
procrastinator	[proʊ'kræstɪneɪtər] *n.* 拖延者，因循者
undulating	['ʌndʒəleɪtɪŋ] *a.* 波动的，起伏的；呈波浪形的
killjoy *	['kɪldʒɔɪ] *n.* 令人扫兴的人，大煞风景的人
expediency	[ɪk'spiːdiənsi] *n.* 方便；权宜之计

认知
词汇

oaf *	[ouf] *n.* 傻瓜，笨蛋
serendipitous	[ˌserənˈdɪpətəs] *a.* 偶然发现的，侥幸得到的
rosin	[ˈrɑːzn] *n.* 松香
sententious *	[senˈtenʃəs] *a.* 好说教的；多格言警句的
discomposure *	[ˌdɪskəmˈpouʒər] *n.* 不安；扰乱
prevaricator	[prɪˈværɪkeɪtər] *n.* 支吾搪塞的人
matriarch *	[ˈmeɪtrɪɑːrk] *n.* 女家长，女族长
flamboyance	[flæmˈbɔɪəns] *n.* 华丽；火焰；炫耀
malapropism *	[ˈmæləprɑːpɪzəm] *n.* 文字误用(尤指误用发音相似而意义不同的词语)
maul *	[mɔːl] *v.* (动物)袭击；粗鲁地对待；猛烈抨击
idiosyncrasy *	[ˌɪdɪəˈsɪŋkrəsi] *n.* 个人习性，癖好
gruel *	[ˈgruːəl] *n.* 稀粥；麦片粥
squalor *	[ˈskwɑːlər] *n.* 不洁，污秽，肮脏
shyster *	[ˈʃaɪstər] *n.* 不诚实的人，奸诈的人，不择手段的人(尤指律师)
orgy *	[ˈɔːrdʒi] *n.* 纵欲狂欢
mesmerize *	[ˈmezməraɪz] *vt.* 吸引，迷住
blasphemy *	[ˈblæsfəmi] *n.* 亵渎，渎神
pugnacity *	[pʌgˈnæsəti] *n.* 好斗性，好战性
reticence *	[ˈretɪsns] *n.* 缄默，沉默
naiveté *	[nɑːˈiːvteɪ] *n.* 天真，幼稚，轻信；天真幼稚的言行
sycophantic	[ˌsɪkəˈfæntɪk] *a.* 说奉承话的，阿谀的
verbiage *	[ˈvɜːrbiɪdʒ] *n.* 啰唆，冗长
philistine *	[ˈfɪlɪstiːn] *n.* 对文化艺术无知的／排斥的庸人，市侩
philanthropist *	[fɪˈlænθrəpɪst] *n.* 慈善家
shrill	[ʃrɪl] *a.* 尖锐的，刺耳的
sojourner	[ˈsoudʒɜːrnər] *n.* 旅居者，寄居者
montage	[ˌmɑːnˈtɑːʒ] *n.* 蒙太奇(手法)，剪辑
commiseration	[kəˌmɪzəˈreɪʃn] *n.* 同情
liberator *	[ˈlɪbəreɪtər] *n.* 解放者；释放者
vagary	[ˈveɪgəri] *n.* 怪异多变；奇想
epithet *	[ˈepɪθet] *n.* (贬低人或事物的)短语或形容词；别称，绰号

sartorial *	[sɑːr'tɔːriəl] *a.* 裁缝的，缝制的
musky *	['mʌski] *a.* 有麝香味的
insurrection *	[ˌɪnsə'rekʃn] *n.* 造反，叛乱
extrapolation *	[ɪkˌstræpə'leɪʃn] *n.* 预测，推测
granulate *	['grænjuleɪt] *v.* (使某物)形成颗粒
ferret *	['ferɪt] *n.* 雪貂 *v.* 用雪貂猎取；搜寻，查获
raunchy	['rɔːntʃi] *a.* 下流的；淫秽的；猥亵的
pugilist *	['pjuːdʒɪlɪst] *n.* 拳击手，拳师
hallow	['hæloʊ] *vt.* 把…视为神圣；尊敬
incorruptible	[ˌɪnkə'rʌptəbl] *a.* 廉洁的，不接受贿赂的；不受腐蚀的；不可摧毁的
nirvana *	[nɪr'vɑːnə] *n.* 佛教涅槃(超脱一切烦恼的境界)
hearsay	['hɪrseɪ] *n.* 谣传，道听途说
courier *	['kʊriər] *n.* 信使，通信员，专递公司；旅游服务员，导游
farmstead	['fɑːrmsted] *n.* 农舍及附近的建筑物
interloper *	['ɪntərloʊpər] *n.* 闯入者
waffle *	['wɑːfl] *n.* 华夫饼，蛋奶烘饼；无聊话 *v.* 胡扯，唠叨
tether *	['teðər] *v.* 用绳或链拴住(牲畜) *n.* (拴牲畜的)绳或链
plumage *	['pluːmɪdʒ] *n.* (鸟的)全身羽衣
hack	[hæk] *v.* 猛砍，劈；乱踢；骑马缓行 *n.* 劈，砍；雇佣文人；供出租的马
invocation *	[ˌɪnvə'keɪʃn] *n.* 祈祷；调用，启用
culpability	[ˌkʌlpə'bɪləti] *n.* 有罪，有过失
amino	[ə'miːnoʊ] *a.* 【化】氨基的
compendious	[kəm'pendiəs] *a.* 摘要的，简明的
ventriloquist *	[ven'trɪləkwɪst] *n.* 口技表演者；腹语表演者
scavenge *	['skævɪndʒ] *v.* (指兽或鸟)觅食腐肉；(指人、兽或鸟)在垃圾堆里觅食；捡破烂；拾荒
foreboding *	[fɔːr'boʊdɪŋ] *n.* (对不祥或危险事情的)强烈预感
unmitigated *	[ʌn'mɪtɪgeɪtɪd] *a.* 未缓和的，未减轻的；彻底的，十足的
accoutre *	[ə'kuːtər] *vt.* 供给服装，装备
inconsistency *	[ˌɪnkən'sɪstənsi] *n.* 不一致，矛盾；易变
riveting *	['rɪvɪtɪŋ] *a.* 有吸引力的；引人入胜的
peregrination *	[ˌperəgrɪ'neɪʃn] *n.* 游历，旅行

认知
词汇

peripatetic	[ˌperɪpə'tetɪk] a. 漫游的，巡游的；巡回工作的
fodder *	['fɑːdər] n. 草料；素材
prolixity *	[proʊ'lɪksəti] n. 啰嗦，冗长
immure	[ɪ'mjʊr] v. 监禁
finicky *	['fɪnɪki] a. 苛求的，过分讲究的
bombardment *	[bɑːm'bɑːrdmənt] n. 轰炸，炮轰
pastiche *	[pæ'stiːʃ] n. 混合拼凑的作品；模仿作品
dichotomy *	[daɪ'kɑːtəmi] n. 两分法，一分为二
unerringly *	[ʌn'ɜːrɪŋli] ad. 判断准确地，没有偏差地
ersatz	['ersɑːts] a. 代用的，人造的，合成的
generality *	[ˌdʒenə'ræləti] n. 概述，概论；一般性，普遍性
behemoth *	[bɪ'hiːmɔːθ] n. 庞然大物，巨兽
dregs *	[dregz] n. 糟粕，渣滓；沉淀废物，残渣
proliferation *	[prəˌlɪfə'reɪʃn] n. 大量繁殖，增殖；激增，涌现
fluorescent	[ˌflɔː'resnt] a. 荧光的，发光的
relic *	['relɪk] n. 纪念物；遗物，遗迹；遗风，遗俗
monosyllabic *	[ˌmɑːnəsɪ'læbɪk] a. 单音节的；简短的；寡言少语的
rhapsodize *	['ræpsədaɪz] v. 狂热地写(或说)
corpulence	['kɔːrpjələns] n. 肥胖，臃肿
superimpose *	[ˌsuːpərɪm'poʊz] vt. 把…加在上面；使重叠，使叠加
reconnaissance *	[rɪ'kɑːnɪsns] n. 侦察，勘察，预先考察
penance	['penəns] n. 自我惩罚，忏悔
sybarite *	['sɪbəraɪt] n. 奢侈逸乐的人
typhoon *	[taɪ'fuːn] n. 台风
gamut *	['gæmət] n.【音】全音阶，音域；全部，全范围
hallucination *	[həˌluːsɪ'neɪʃn] n. 幻觉，幻视，幻听
shale	[ʃeɪl] n. 页岩
hunk	[hʌŋk] n. 大块，大片(食物)
propinquity *	[prə'pɪŋkwəti] n. (空间或时间上的)接近，邻近
coquette *	[koʊ'ket] n. 卖弄风情的女子
lacquer	['lækər] n. 漆；喷发胶 v. 用漆涂；给(头发)喷发胶

emissary*	['emɪseri] n. 密使，特使
kitsch	[kɪtʃ] n. 庸俗的艺术作品，品位不高的作品
limerick*	['lɪmərɪk] n. 五行打油诗
exegesis*	[ˌeksɪ'dʒiːsɪs] n. (尤指对宗教著作的)诠释，注解，注释
hatchet	['hætʃɪt] n. 短柄小斧
plutocracy*	[pluː'tɑːkrəsi] n. 财阀统治
swarthy*	['swɔːrði] a. 皮肤黝黑的
elixir*	[ɪ'lɪksər] n. 长生不老药；灵丹妙药
gourmand	['ɡʊrmɑːnd] n. 喜欢吃喝的人，嗜食者
prelate*	['prelət] n. 高级教士
intelligentsia*	[ɪnˌtelɪ'dʒentsiə] n. 知识阶层，知识界
introspection	[ˌɪntrə'spekʃn] n. 内省，反省
bounty	['baʊnti] n. 慷慨之举；奖金，赏金
innuendo*	[ˌɪnju'endoʊ] n. 含沙射影，暗讽
catechism*	['kætəkɪzəm] n. (基督教的)教理问答
imposter	[ɪm'pɑːstər] n. (= impostor)冒名顶替者；江湖骗子
hysteria	[hɪ'stɪriə] n. 歇斯底里；过度兴奋
incendiary*	[ɪn'sendieri] a. 放火的，纵火的
paean*	['piːən] n. 赞美歌，颂歌
rubble*	['rʌbl] n. 碎石，碎砖，瓦砾
oligarchy*	['ɑːləɡɑːrki] n. 寡头政治
metamorphose	[ˌmetə'mɔːrfoʊz] v. (使)变形；(使)变质
buccaneer*	[ˌbʌkə'nɪr] n. 海盗；投机取巧者
tributary	['trɪbjəteri] a. 进贡的；附庸的；支流的 n. 进贡者；附庸者；支流
fecundity*	[fɪ'kʌndəti] n. 多产，富饶；繁殖力，生殖力
ingenue*	['ændʒənuː] n. (尤指戏剧、电影中的)天真无邪的少女
skulk*	[skʌlk] v. 躲藏，潜伏；鬼鬼祟祟地活动
diligence*	['dɪlɪdʒəns] n. 勤勉，勤奋
pied*	[paɪd] a. 杂色的
shambles*	['ʃæmblz] n. 凌乱景象，杂乱无章
unimpeachable*	[ˌʌnɪm'piːtʃəbl] a. 无可指摘的，无可置疑的

认知
词汇

slapdash*	['slæpdæʃ] a. 马虎的; 仓促的, 毛躁的
unassailable*	[ˌʌnə'seɪləbl] a. 所向无敌的, 无懈可击的; 不容置疑的
stamina*	['stæmɪnə] n. 耐力; 持久力; 韧性
barterer*	['bɑːrtərə] n. 交易商
rotundity*	[roʊ'tʌndəti] n. 圆, 圆形物; (声音)洪亮, 圆润; (词汇、文体)华丽, 浮夸
mercantile*	['mɜːrkəntaɪl] a. 贸易的, 商业的; 商人的; 重商主义的; 以金钱为目的的
verbatim*	[vɜːr'beɪtɪm] a./ad. 逐字的(地), 一字不差的(地)

If you shed tears when you miss the sun, you also miss the stars.
如果你因错过太阳而流泪, 那么你也将错过群星。
——印度诗人 泰戈尔(Ranbindranath Tagore, Indian poet)

索引

begrudge* / 2
beguile* / 4
behemoth* / 542
behold / 451
beige / 410
belabor* / 235
belated* / 112
belay / 361
beleaguer* / 92
belie / 61
belief / 198
belittle* / 88
belle / 351
bellicose* / 162
belligerent* / 230
bemoan* / 447
bemused* / 112
benediction / 448
benefactor* / 37
beneficence / 133
beneficent / 226
beneficial* / 148
beneficiary* / 163
benevolence / 210
benevolent* / 25
benign* / 6
benignant / 42
benison / 215
bent* / 79
bequeath* / 303
berate* / 14
bereave / 38
bereavement* / 476
bereft / 107
berserk* / 248
berth / 474
beseech* / 456
beseem / 398
beset* / 200
besiege* / 291
besmear / 373
besmirch* / 212
bestial* / 94
bestow* / 314
bestrew / 393
bestride / 386
bethink / 449
betide / 381

betimes / 471
betray* / 273
betroth* / 289
betrothal / 87
bevy* / 475
bewilder / 95
biannual / 284
biased* / 128
bibliography / 21
bibliomania / 358
bibliophile / 353
bibulous / 346
bicameral* / 397
bicker* / 286
bide / 401
biennial* / 176
bifurcation / 399
bigamist / 413
bigamy / 413
bight / 347
bigotry* / 438
bilateral / 382
bile / 488
bilingual / 371
bilious* / 438
bilk* / 91
billion / 528
biodegradable / 483
biography / 80
biology / 485
bipartisan* / 415
biped / 486
birthright / 413
bisect / 524
bizarre* / 145
blacksmith / 410
blanch* / 341
bland* / 188
blandishment* / 82
blare* / 326
blasé* / 7
blaspheme / 456
blasphemy* / 540
blatant* / 61
blather / 533
blaze / 7
blazon / 454
bleak / 7

bleary / 465
blemish / 370
blight* / 121
blighted* / 12
blithe* / 60
blithesome / 461
bloat / 216
bloated* / 464
blockade / 392
blockbuster / 421
bluff* / 306
blunder* / 117
blunt / 147
blurt* / 332
bluster* / 290
boatswain / 474
bode* / 249
body / 499
bogus* / 408
boil / 508
boiling / 494
boisterous* / 61
bole / 487
bolster* / 122
bolt* / 250
bombard / 385
bombardier / 475
bombardment* / 542
bombast / 6
bombastic* / 408
bonanza / 350
bond / 496
boon* / 388
boorish* / 18
borough / 363
bosom / 59
botanical / 486
botanize / 488
botany / 490
bounce / 510
boundless* / 239
bountiful* / 66
bounty / 543
bourgeois* / 334
bovine* / 438
bowdlerize* / 153
bowler / 368
boycott* / 201

brae / 362
brag / 123
braggadocio / 459
braggart* / 185
branch / 508
brandish* / 456
brass / 479
bravado* / 15
bravo / 447
bray / 483
braze / 356
brazen* / 465
brazier / 348
breach* / 161
breadth* / 292
breakdown / 510
breech / 489
brethren / 346
brevity* / 87
brew / 305
bridge / 190
bridle / 449
brief / 130
brigade / 474
brigadier / 474
brigand / 391
brightness / 510
brine / 495
brisk / 328
bristle / 447
bristling* / 534
brittle* / 99
broach* / 321
brochure* / 272
brokerage / 394
bronchitis / 419
bronchus / 424
brooch / 56
brotherhood / 404
browbeat* / 135
browse* / 327
brunt* / 304
brusque* / 26
brute / 205
buccaneer* / 543
bucolic* / 9
budge / 170
buffer / 424

denounce* / 111
density / 507
denude / 426
depict* / 255
depiction / 309
deplete* / 47
deplore* / 131
deploy / 301
deport / 177
deportment / 75
depose* / 417
depot / 497
depraved / 7
depravity* / 397
deprecate* / 456
depreciate* / 182
depreciatory / 182
depress / 41
depth / 523
derail / 396
derange* / 448
derelict* / 29
deride* / 41
derision / 408
derisive / 452
derivative* / 41
derive / 126
derogate / 450
derogatory* / 251
descant* / 479
descendent / 194
descry* / 4
desecrate* / 311
desert / 231
desertification / 487
desiccant / 422
desiccate* / 97
designate / 122
desolate* / 71
desolation / 399
despair / 230
desperate / 22
despicable / 89
despise* / 310
despoil* / 239
despondent* / 6
despot* / 367
despotic* / 435

despotism / 367
destination / 55
destitute* / 300
destitution / 14
destructive / 47
desultory* / 9
detach / 185
detached* / 57
deter / 136
detergent* / 335
deteriorate / 65
determinate / 118
determination* / 133
deterrent* / 293
detest / 452
detonate / 419
detract / 467
detrimental* / 469
detritus / 533
devalue / 41
devastate / 245
deviate* / 279
devious* / 79
devise* / 339
devoid* / 98
devotee* / 478
devour / 122
devout* / 282
dexterity / 432
dexterous* / 287
diabolical* / 44
diagnosis* / 62
diagnostic / 422
diagonal / 524
dialect / 9
dialectical* / 377
diameter / 529
diaphanous* / 72
diatonic / 377
diatribe* / 463
dichotomy* / 542
dictatorial / 450
dictum* / 364
didactic* / 154
didactics / 377
dielectric / 508
differ / 528
difference / 525

differentiate* / 175
differentiation / 488
diffidence* / 438
diffident / 200
diffuse* / 288
diffusion / 118
digest / 232
digestion / 484
digit / 527
dignify / 15
dignity / 45
digress / 90
digression* / 45
dilapidate / 470
dilapidated* / 90
dilate / 28
dilatory* / 433
dilemma* / 226
dilettante* / 370
diligence* / 543
diligent / 157
dilute* / 241
dimension / 523
diminish / 288
diminution* / 317
diminutive / 372
dingy* / 267
dint* / 477
diode / 509
diplomat / 157
diplomatic / 141
dipper / 499
dire* / 249
dirge* / 249
disabuse* / 298
disadvantage / 143
disaffected* / 216
disagreeable / 246
disarm / 295
disarray* / 317
disastrous / 37
disavow / 452
disavowal* / 535
disband* / 306
disburse* / 20
discern / 73
discernible* / 280
discerning* / 273

discharge / 506
disciple / 352
discipline / 236
disclaim* / 204
disclose* / 96
discombobulate* / 299
discombobulated* / 148
discomfit* / 173
discomposure* / 540
disconcert* / 297
disconsolate* / 160
discontinue / 389
discord* / 200
discordant* / 252
discount* / 220
discountenance / 445
discourse* / 11
discourteous / 11
discredit / 11
discreet / 241
discrepancy* / 395
discrepant / 444
discrete* / 253
discretion* / 152
discretionary / 453
discriminate / 243
discriminating* / 330
discursive* / 267
disdain* / 81
disdainful* / 437
disembark* / 341
disenchant / 79
disenfranchise* / 296
disengage* / 386
disfigure* / 214
disgorge* / 277
disgruntle* / 463
disguise* / 187
dishevel / 382
disheveled* / 535
disillusion / 442
disincline / 307
disinfect / 423
disingenuous* / 187
disinter* / 313
disinterest / 463
disinterested* / 273
disjointed* / 397

fascinate / 87
fastidious* / 434
fat / 484
fatalism* / 352
fathom* / 429
fatuous* / 434
fauna* / 367
fawn / 121
fawning* / 124
faze* / 339
feasible* / 238
feast / 51
feat / 156
fecund / 485
fecundity* / 543
federate / 394
feign* / 147
feint* / 45
felicitous* / 445
felicity* / 62
fell* / 217
felonious* / 447
feral* / 488
ferment* / 491
fermentation* / 489
fern / 484
ferocious / 108
ferocity / 464
ferret* / 541
fertile / 19
fertilization / 490
fervent* / 224
fervid* / 456
fervor* / 74
fester* / 430
festive* / 255
fetid / 497
fetter* / 340
feudal / 239
feverish / 285
fiasco* / 407
fickle* / 216
fictitious* / 14
fiddle / 12
fidelity* / 49
fidgety / 440
field / 509
fiery / 439

fifful* / 287
figment* / 268
figurative* / 32
figurine / 352
filament* / 535
filch* / 392
filial* / 329
filibuster* / 24
filter / 494
finagle / 334
finale* / 481
finch / 174
finesse* / 267
finicky* / 542
finite / 193
firebrand* / 282
fission / 506
fissure* / 298
flabbergast* / 79
flaccid* / 309
flag* / 118
flagella / 489
flagrant* / 272
flair* / 370
flamboyance / 540
flamboyant* / 486
flame / 497
flank / 428
flask / 494
flaunt* / 459
fleck* / 537
fledgling* / 486
fleece* / 282
flexible / 5
flick* / 281
flinch* / 284
flippant* / 328
flirt / 228
flit* / 334
flora* / 366
floral* / 492
florid* / 360
flounder* / 375
flourish* / 306
flout* / 462
fluctuate* / 246
fluctuation / 29
fluency* / 378

fluent / 168
fluffy / 340
fluid / 36
fluke* / 534
fluorescent / 542
fluster* / 260
flux* / 49
foamy / 539
focal / 283
focus / 509
fodder* / 542
foggy / 88
foible* / 371
foil* / 174
fold / 526
foliage / 365
foliate / 486
foment* / 388
foolhardy* / 351
footnote / 253
fop* / 535
forage / 469
forbearance* / 153
force / 511
forceps / 497
forebear* / 323
forebode / 92
foreboding* / 541
forecast / 230
forensic* / 416
foreordain / 353
forerun / 359
foreshadow* / 352
foresight* / 128
forestall* / 336
foretell / 230
forfeit / 385
forgery / 124
forgo* / 373
forlorn* / 298
formality* / 418
formidable* / 455
formula / 526
formulaic / 377
forsake* / 28
forswear* / 338
forte* / 369
forthright* / 139

fortify / 468
fortitude* / 437
fortuitous* / 393
fortunate / 104
forum* / 416
fossil / 63
foster* / 199
founder* / 330
fracas* / 321
fraction / 524
fractious* / 432
fracture / 231
fragile / 194
frail* / 316
franchise* / 418
frank / 32
frantic* / 451
fraternal / 401
fraternize* / 263
fraud / 256
fraudulent* / 392
fraught* / 318
fray* / 471
frenetic* / 448
frenzied / 459
frenzy / 464
frequency / 508
frequent / 132
fret / 283
fretful* / 81
friction* / 513
frightful / 158
frigid* / 108
frivolity / 435
frivolous / 43
frizzle / 472
frolicsome* / 456
frowzy / 404
frugal / 404
frugality* / 335
fruition* / 538
frustrate / 186
fudge / 466
fugacious / 471
fugitive* / 304
fugue / 349
fulcrum* / 539
fulminate / 455

564

myopia / 425
myopic* / 428
myriad* / 526
mystify* / 449
myth / 41
mythology / 219
nadir* / 352
naive / 3
naiveté* / 540
narcissism / 434
narcissist* / 440
narcissistic* / 435
narrate / 95
narrative* / 32
nascent* / 484
natal / 487
nationality / 52
native / 29
natty* / 477
naturalistic / 349
nausea / 422
nauseate* / 456
nauseous / 450
nautical* / 468
naval / 30
navigable* / 365
navigate / 231
nebula / 343
nebulous* / 361
necessitate / 334
necessity / 147
necromancy / 398
needlework / 401
needy / 401
nefarious* / 384
negate* / 82
negative / 461
negligence* / 457
negligent / 155
negligible / 14
negotiate / 23
nemesis* / 361
neologism* / 359
neology / 354
neophyte* / 357
nepotism* / 377
nestle / 371
nettle / 457

network / 181
neural / 216
neuron / 488
neutral / 129
neutrality* / 471
neutralize / 380
neutraliztion / 499
neutron / 509
nexus / 472
nicety* / 265
nickel / 524
nickname / 190
niggardly / 434
nihilism / 364
nihilistic* / 377
nimble / 349
nip* / 312
nirvana* / 541
Nitrogen(N) / 499
nocturnal* / 369
noisome* / 496
nomad / 360
nomadic* / 345
nomenclature* / 539
nominal* / 302
nominate / 110
nominee / 56
nonchalance* / 466
nonchalant / 445
noncommittal* / 464
nondescript* / 469
nonentity* / 535
nonplus* / 442
nonsensical* / 378
nostalgia* / 134
nosy / 290
notable* / 78
noteworthy / 301
noticeable / 167
notoriety* / 320
notorious / 165
novel / 227
novelty* / 335
novice* / 248
novitiate / 399
noxious* / 467
nuance* / 474
nuclei / 488

nucleon / 506
nude / 66
nugatory / 420
nuisance / 106
nullify* / 412
numeration / 523
numerator / 526
numerical / 108
numerous / 20
numismatist* / 410
nuptial* / 407
nurture* / 110
nutrient* / 427
nutriment / 42
nutrition / 483
oaf* / 540
oak / 488
obdurate* / 432
obese* / 354
obesity / 353
obfuscate* / 447
obituary* / 535
object / 508
objective* / 114
obligate / 52
obligatory* / 240
oblique* / 139
obliterate* / 354
oblivion* / 115
oblivious* / 20
oblong / 529
obnoxious* / 460
obscure* / 203
obscurity / 18
obsequies / 381
obsequious* / 460
observation / 505
obsession / 299
obsessive* / 275
obsolescent / 361
obsolete* / 123
obstinacy / 438
obstinate* / 432
obstreperous* / 434
obstruct / 11
obtrude* / 450
obtrusive / 392
obtuse* / 432

obviate* / 407
occasion / 166
occlude / 380
occlusion / 428
occult / 345
occupant / 43
occurrence / 124
octagon / 524
ocular / 482
odd / 530
odds / 527
odious* / 386
odium* / 462
odor / 310
odoriferous / 487
odorous* / 495
odyssey* / 364
offensive* / 283
offhand* / 299
officious* / 302
offset / 279
offshoot / 158
ogle* / 360
ohm / 508
olfactory* / 482
oligarchy* / 543
omen / 155
ominous / 358
omission / 52
omit / 324
omnipotent* / 351
omnipresent* / 350
omniscient* / 361
omnivore / 488
omnivorous* / 490
onerous* / 412
onrush / 390
onset* / 98
onus* / 370
opalescent* / 536
opaque* / 94
openhanded / 440
operation / 524
opiate* / 430
opine / 475
opponent / 155
opportune* / 393
opportunist / 398

radar / 512
radiance / 53
radiate / 123
radical / 84
radioactive / 139
radius / 523
rag / 146
rail* / 235
raiment* / 539
rally* / 295
ramble* / 140
rambunctious / 258
ramification* / 539
ramify* / 488
ramp* / 285
rampage / 391
rampant* / 388
rampart / 375
ramshackle* / 479
ranch / 365
rancid* / 182
rancor* / 461
rancorous / 462
random* / 342
randomly* / 527
range / 513
rankle* / 460
rant* / 458
rapacious* / 413
rapine / 415
rapport* / 258
rapprochement / 388
rapt* / 374
rapturous / 464
rarefied* / 479
raspy* / 439
rate / 523
ratification / 413
ratify* / 199
ratio / 526
ratiocination* / 529
ration / 101
rational / 99
rationale* / 477
rationalism / 103
rationality / 133
rationalization / 383
rationalize* / 181

rattle / 67
raucous* / 404
raunchy / 541
ravage / 144
rave* / 280
ravel* / 267
ravenous* / 442
ravine / 356
raze* / 207
reaction / 215
reactionary* / 52
reactor / 513
readily / 247
readjust / 62
reagent / 496
realism / 110
realm* / 209
reaper* / 411
rearrange / 135
reasonable / 44
reasoning / 513
reassure / 62
rebate / 257
rebellious / 209
rebuff* / 358
rebuke* / 209
rebut / 357
rebuttal* / 477
recalcitrant* / 360
recant* / 351
recapitulate* / 361
recapture / 469
recast* / 314
recede / 106
receptive* / 34
recess / 170
recession* / 262
recessive / 16
recidivism* / 534
recipe / 427
recipient* / 300
reciprocal / 528
reciprocate* / 391
recitation / 87
reck / 448
reckless / 187
reclaim / 99
reclamation / 485

recline / 33
recluse* / 356
reclusive / 95
recoil / 507
recollect / 70
recombination / 491
reconcile* / 332
reconciliation / 199
recondite / 353
reconnaissance* / 542
reconnoiter / 391
reconsider / 209
recount* / 364
recourse* / 19
recover / 59
recreant / 347
recreate / 406
recriminate / 451
recrimination* / 407
recrudescent / 421
recruit / 53
rectangle / 525
rectangular / 527
rectify* / 190
rectitude* / 412
recumbent* / 402
recuperate* / 355
recur / 234
recurrent* / 511
redeem / 9
redemption / 473
redirect / 404
redolent* / 489
redoubtable* / 388
redound / 470
redress* / 43
redundant* / 197
reek* / 287
refer / 83
referendum / 536
reflection / 66
reform / 93
refract / 507
refraction* / 506
refractory* / 467
refrain* / 339
refugee / 87
refulgent / 357

refurbish* / 388
refusal / 93
refute* / 202
regal* / 260
regale* / 404
regenerate* / 383
regeneration* / 534
regime* / 170
regimen* / 420
regiment / 403
regnant / 356
regress / 404
regressive / 90
regularity / 242
regulate / 192
rehabilitate* / 391
rehash / 365
reign / 18
reimburse* / 381
reinforce / 293
reinterpret / 316
reiterate* / 448
reject / 280
rejoinder* / 477
rejuvenate* / 419
relapse / 423
release / 128
relegate* / 415
relent* / 425
relentless / 251
relevant* / 25
reliance / 92
reliant / 129
relic* / 542
relinquish* / 449
relish* / 101
reluctant / 191
remainder / 527
remedial* / 427
remembrance / 123
reminiscence* / 46
reminiscent / 461
remiss* / 415
remission* / 425
remnant* / 37
remonstrance* / 455
remonstrate / 458
remorse* / 458

shirk* / 323
shoddy* / 537
shrewd* / 84
shriek / 89
shrill / 540
shrinkage / 10
shrivel / 392
shroud* / 389
shrubbery / 494
shuffle / 86
shun* / 43
shyster* / 540
sibling* / 477
side / 527
siege / 42
signatory / 536
significant / 64
similar / 529
simile* / 29
simper* / 312
simplify / 238
simplistic* / 378
simulate* / 303
simultaneous / 84
simultaneously / 527
sinecure* / 393
sinewy* / 537
singe / 472
singular* / 324
sinister* / 350
sinuous* / 344
skeleton / 485
skeptic* / 171
skimp* / 278
skinflint* / 439
skirmish* / 390
skirt / 494
skittish / 435
skulk* / 543
skunk / 491
slacken / 340
slake* / 265
slander* / 445
slant / 262
slapdash* / 544
sleeper* / 492
sleigh / 291
sleight* / 385

slender / 140
slick / 190
slight* / 174
sling / 284
slipshod* / 251
slit / 512
slither* / 316
slogan / 53
slope / 528
sloth / 374
slothful* / 436
slough* / 366
slovenly* / 436
slug / 464
sluggard* / 408
sluggish* / 433
slur* / 331
smarmy / 466
smear / 149
smelt / 494
smirk* / 299
smite / 398
smolder* / 533
smug / 170
sneer / 307
snicker* / 317
snide / 437
snivel* / 534
sober / 73
sobriety* / 411
sociable / 158
socialize / 219
societal / 399
soda / 498
sodden* / 322
sojourn* / 409
sojourner / 540
solace* / 449
solar / 135
solder / 401
solecism* / 348
solemn / 44
solemnity* / 410
solicit* / 331
solicitous* / 451
solicitude / 401
solid / 526
solidification / 511

soliloquy* / 373
solitary / 313
solitude* / 291
soluble* / 14
solute / 499
solution / 524
solvent* / 64
somber / 235
somnolent* / 425
sonar / 506
sonorous* / 455
soothe / 25
soothsayer / 539
sophism / 349
sophistical / 355
sophisticated* / 58
sophistry* / 409
sophomoric* / 534
soporific* / 419
sordid* / 353
sound / 511
source / 507
souvenir / 246
sovereign* / 333
space / 509
sparse* / 133
spartan* / 353
spasmodic* / 422
spat* / 538
spate* / 468
spatial* / 308
spawn* / 535
specialty / 203
species / 49
specific / 241
specimen / 122
specious / 358
spectacle / 197
spectroscope / 510
spectrum* / 507
speculate / 234
speculative / 395
speed / 511
spendthrift* / 535
sphere / 526
spheroid / 529
spider / 485
spike / 275

spindle / 486
spineless / 490
spinous / 482
spiral / 286
spit / 323
splice* / 255
splinter / 536
spontaneity* / 478
spontaneous / 201
spoof / 194
sporadic* / 301
spore / 491
sportive* / 282
sprain / 428
sprightly / 472
spry* / 438
spur / 257
spurious* / 384
spurn* / 312
squabble* / 442
squalid / 381
squalor* / 540
squander* / 391
square / 524
squash / 305
squat* / 113
squelch / 383
squid / 491
stability / 107
staccato* / 538
stagnant* / 385
stagnate / 381
stagy / 435
staid* / 436
stalemate* / 539
stalk / 321
stalwart* / 438
stamina* / 544
stance / 296
stanch* / 425
stanza* / 350
starch / 484
statement / 93
static* / 509
stationary / 140
statue / 22
statuesque / 351
stature / 22

574

575

travesty* / 379
treacherous / 2
treachery / 133
treacly* / 410
treatise* / 357
trek* / 254
tremendous / 70
tremor* / 446
tremulous* / 81
trenchant* / 363
trepidation* / 453
trespass* / 418
trestle / 469
trial / 193
triangle / 525
tribulation / 458
tributary / 543
tribute* / 81
trick / 127
trickery / 181
tricycle / 405
triennial / 487
trifle / 16
trifling* / 334
trigger* / 36
triple / 524
tripod / 403
trite* / 351
triumph / 5
trivial* / 219
trivialize / 23
tropical / 105
troubadour / 357
trough* / 513
trove / 375
truce / 537
trucete / 280
truculence* / 476
truculent / 352
truism / 361
trumpet / 282
truncated / 363
tug / 265
tumor / 389
tumor / 487
tumult* / 389
tumultuous / 381
tundra / 482

turbid / 257
turbulence* / 160
turgid* / 422
turmoil* / 395
turncoat* / 267
turpitude* / 454
tutelage* / 373
tutorship / 177
twinge / 419
tycoon* / 409
typhoon* / 542
typical / 26
typify / 157
typography / 351
tyrannical / 315
tyranny* / 363
tyro* / 372
ubiquitous* / 221
ubiquity / 336
ulterior* / 30
ultimate* / 141
ultimatum / 86
ultramontane / 345
ultraviolet / 533
unaccountable* / 44
unaffected / 432
unanimity* / 30
unanimous / 40
unassailable* / 544
unassuming* / 452
unawares / 147
unbecoming / 6
unbiased / 191
unbridled* / 322
uncanny* / 396
unconscionable* / 380
unconscious / 216
uncouth* / 291
unctuous* / 420
undercharge / 95
underexposure / 505
underlie / 161
underling / 380
underlying* / 296
undermine* / 382
undernourished / 427
underscore* / 229
undersell / 384

undersize(d) / 472
understate / 458
undervalue / 445
undue / 29
undulate / 510
undulating / 539
unduly / 174
unearth* / 292
unequivocal* / 456
unerring / 409
unerringly* / 542
unescorted / 410
unfathomable* / 90
unfavorable / 70
unfetter* / 539
ungainly* / 401
uniform / 528
uniformity* / 294
unify / 235
unilateral / 454
unimpeachable* / 543
uninhibited* / 441
unique* / 311
unisonous / 357
unit / 508
universal* / 283
unkempt* / 404
unknown / 524
unmitigated* / 541
unobtrusive* / 464
unpalatable* / 464
unparalleled / 43
unprecedented* / 24
unprepossessing* / 465
unproductive / 411
unqualified* / 177
unravel* / 287
unrequited* / 536
unruly* / 432
unsavo(u)ry / 387
unscathed* / 534
unscramble / 539
unscrupulous / 393
unseemly* / 409
unsettle / 460
unsightly* / 411
unspeakable / 26
unstinting* / 535

untenable* / 418
untimely / 5
untoward / 454
unused / 144
unveil / 153
unwarranted* / 324
unwieldy* / 435
unwitting* / 375
unyielding / 180
upbraid* / 455
upheaval / 467
upheave / 469
uphold / 16
uproarious* / 379
uproot / 8
upshot* / 420
upturn / 467
urbane* / 455
urchin / 375
urea / 490
urgency / 84
urgent / 232
urine / 487
usage / 9
usher / 308
usurious / 382
usurp* / 362
usury / 394
utilitarian / 350
utility / 92
utilize / 234
utmost / 192
utopia / 398
utopian / 164
utter / 25
vacate / 242
vaccinate / 158
vaccine / 485
vacillate* / 185
vacuity / 75
vacuous* / 347
vacuum / 512
vagabond* / 364
vagary / 540
vagrant* / 340
vague / 180
vain / 151
vainglorious / 434

附 录

数学常用单词

角、三角形

acute angle	锐角
alternate angles	内错角
angle	角
central angle	圆心角
equiangular	等角的
exterior angle	外角
hypotenuse	(直角三角形)斜边
obtuse angle	钝角
straight angle	平角
supplement	补角
triangle	三角形

圆、弧

arc	弧,圆周的任意一段
concentric circle	同心圆
eccentric	偏心圆
chord	弦
diameter	直径
radius	半径

立体图形

column	列,圆柱
cube	立方体,立方;三次幂
cylinder	圆柱体
edge	立体的边或棱
sphere	球体

其他平面图形

axis	轴
decagon	十角形，十边形
diagonal	对角线
equilateral	等边形
hexagon	六边行
median	中数；中线
octagon	八边形
pentagon	五边形
perimeter	周长
quadrilateral	四边形
rectangle	矩形
rhombus	菱形
square	正方形
tangent	切线
trapezoid	梯形
vertical	顶点的
parallel lines	平行线
parallelogram	平行四边形

代　数

absolute value	绝对值
balance	余额
denominator	分母
divide	除
dividend	被除数
equation	等式，方程
exponent	指数
expression	表达式
ordinate	纵坐标
quadrant	象限
root	方根；方程的根
X-axis	X 轴
Y-axis	Y 轴

亲爱的读者，祝贺你完成了本书的学习！在此，让我们以本书作者的经典语录，祝愿你在接下来的学习和工作中再接再厉，梦想成真！

- 绝望是大山，希望是石头，但是只要你能砍下一块希望的石头，你就有了希望。

- 忍受孤独是成功者的必经之路，忍受失败是重新振作的力量源泉，忍受屈辱是成就大业的必然前提。忍受能力，在某种意义上构成了你背后的巨大动力，也是你成功的必然要素。

- 会做事的人，必须具备以下三个做事特点：一是愿意从小事做起，知道做小事是成大事的必经之路；二是心中要有目标，知道把所做的小事积累起来最终的结果是什么；三是要有一种精神，能够为了将来的目标自始至终把小事做好。

- 金字塔如果拆开了，只不过是一堆散乱的石头，日子如果过得没有目标，就只是几段散乱的岁月。但如果把一种力量凝聚到每一日，去实现一个梦想，散乱的日子就集成了生命的永恒。

- 做人最大的乐趣在于通过奋斗去获得我们想要的东西，所以有缺点就意味着我们可以进一步去完善，有缺乏之处意味着我们可以进一步去努力。

- 为什么你不要自傲和自卑？你可以说自己是最好的，但不能说自己是全校最好的、全北京最好的、全国最好的、全世界最好的，所以你不必自傲；同样，你可以说自己是全班最差的，但你能证明自己是全校最差的吗？能证明自己是全国最差的吗？所以不必自卑。

- 每一条河流都有自己不同的生命曲线，但是每一条河流都有自己的梦想——那就是奔向大海。我们的生命，有的时候会是泥沙。你可能慢慢地就会像泥沙一样，沉淀下去了。一旦你沉淀下去了，也许你不用再为了前进而努力了，但是你却永远见不到阳光了。所以我建议大家，不管你现在的生命是怎么样的，一定要有水的精神。像水一样不断地积蓄自己的力量，不断地冲破障碍。当你发现时机不到的时候，把自己的厚度给积累起来，当有一天时机来临的时候，你就能够奔腾入海，成就自己的生命。

- 你说我是猪，不对，其实我连猪都不如。很多人失去了快乐，是因为他太敏感了。别人一句话、一个评论就使自己生气一个月。这是非常无聊的。严重了就成了马家爵，因为别人不请自己吃饭就郁闷地要杀人。

- 人的生活方式有两种。第一种方式是像草一样活着，你尽管活着，每年都在生长，但你毕竟是一棵草，你吸收雨露阳光，但是长不大。人们可以踩过你，但是人们不会因为你的痛苦而产生痛苦；人们不会因为你被踩了，而来怜悯你，因为人们本身就没有看到你。所以我们每一个人，都应该像树一样成长，即使我们现在什么都不是，但只要你有树的种子，即使你被踩到泥土中间，你依然能够吸收泥土的养分，自己成长起来。当你长成参天大树以后，遥远的地方，人们就能看到你，走近你，你能给人一片绿色。活着是美丽的风景，死了依然是栋梁之才，活着死了都有用，这就是我们每一个同学做人的标准和成长的标准。

- 一个人可以从生命的磨难和失败中成长，正像腐朽的土壤中可以生长鲜活的植物。土壤也许腐朽，但它可以为植物提供营养；失败固然可惜，但它可以磨练我们的智慧和勇气。

- 人世间，任何事情的结果几乎都取决于当事者所持有的态度。只要你做出了选择，你的经历就会因选择而异，所产生的最后结局也会完全不同。

- 一个人要完成自己的使命，必须同时具备思想的高度和前瞻性，任何人想要改变自己的命运，必须首先改变自己的人生观、价值观。

- 人首先要学会停止，才能去做事情，直线并不一定是两点之间的最短距离。只有知道如何停止的人，才能知道如何快速发展。放弃是一种智慧，包括我们对财富及其他目标的追求，你越知道怎么停，你的速度就越快。

- 在我们的生活中最让人感动的日子总是那些一心一意为了一个目标而努力奋斗的日子，哪怕为了一个卑微的目标而奋斗也是值得我们骄傲的。

- 在走向人生的目的地之前，先为自己设计一张人生地图，人生不仅仅是为了走向一个结果，同样重要的是走向结果的路径选择，有人生的地图在手中，走在风中雨中你都不会迷失方向。

- 不管经历多少苦涩，我们都不应胆怯。胆怯是生命的堤坝，使心灵失去对自由的向往。只要不自我封闭，勇敢向前，没有什么能够阻挡我们对自由的向往和对美好生活的追求。

- 有些人一生没有辉煌，并不是因为他们不能辉煌，而是因为他们的头脑中没有闪过辉煌的念头，或者不知道应该如何辉煌。

- 一定要相信自己，只要艰苦努力，奋发进取，在绝望中也能寻找到希望，平凡的人生终将会发出耀眼的光芒。

- 成功没有尽头，生活没有尽头，生活中的艰难困苦对我们的考验没有尽头，在艰苦奋斗后我们所得到的收获和喜悦也没有尽头。当你完全懂得了"成功永远没有尽头"这句话的含义时，生活之美也就向你展开了她迷人的笑容。

- 生活中其实没有绝境。绝境在于你自己的心没有打开。你把自己的心封闭起来，使它陷于一片黑暗，你的生活怎么可能有光明！封闭的心，如同没有窗户的房间，你会处在永恒的黑暗中。但实际上四周只是一层纸，一捅就破，外面则是一片光辉灿烂的天空。

- 成功就在蓦然回首中，你所追求的一切实际上就在你的心中。只要你的心正了，一切就会正，只要你的心成了，一切就会成，只要你的心里想成功，你就会成功。

- 当一个人什么都不缺的时候，他的生存空间就被剥夺掉了。如果我们每天早上醒过来，感到自己今天缺点儿什么，感到自己还需要更加完美，感到自己还有追求，那是一件多么值得高兴的事情啊！

《SAT 综合指导与模拟试题》 （含光盘1张）

Sharon Weiner Green, Ira K.Wolf 编著

　　本书由新东方从美国巴朗教育出版公司独家引进，是SAT考试权威指导用书，对考生了解SAT的考试内容和测试方向具有极强的指导意义。

◎ 最新SAT考试内容与特点透析

◎ 各种题型的全面介绍及有效的应试策略

◎ 1套诊断测试题 + 5套完整的全真模拟题

◎ 1张CD-ROM，包含大量测试题及自动评分系统

◎ 含SAT高频词表、热点词表、巴朗基础词表、基本词根词缀表

定价：128元　开本：16开　页码：988页

《SAT 数学专项突破与模拟试题》

Lawrence S. Leff 编著

◎ 介绍SAT考试总体特点并深入分析数学部分的考查重点和题型特点

◎ 详细讲解重要数学概念、运算技巧及特殊题型的处理方法

◎ 精选数百道选择题和主观填空题，同时含有2套数学全真模拟题

◎ 附有"数学重点知识快速复习"（Quick Review of Key Math Facts）

定价：58元　开本：16开　页码：512页

《SAT 阅读专项突破与模拟试题》

Sharon Weiner Green, Mitchel Weiner 编著

◎ 介绍SAT考试总体特点和阅读部分的考查重点

◎ 剖析阅读部分两大题型——句子填空题和阅读理解题，并附有三个不同难度级别的练习题及答案解析

◎ 含有1套阅读自测题和3套阅读全真模拟题

◎ 提供"SAT高频词汇表"，收录迄今为止SAT考试中出现的高频核心词汇

定价：45元　开本：16开　页码：312页

《SAT 写作专项突破与模拟试题》

George Ehrenhaft 编著

◎ 洞悉SAT考试写作部分的考查重点

◎ 分步骤讲解如何完成SAT作文，概括写作精要

◎ 逐一分析写作部分三种选择题（改进句子题、识别句子错误题和改进段落题）

◎ 包含1套写作自测题和4套写作全真模拟题

定价：48元　开本：16开　页码：408页

《SAT 词汇词根 + 联想记忆法》

俞敏洪　编著

◎ "词根 + 联想"记忆法——实用有趣，巩固记忆
◎ 实用例句——仿真环境应用，直接了解考查要点
◎ 图解记忆——形象生动，千言万语尽在一图中
◎ 常考搭配——归纳常考词组和搭配，帮助考生抓住考试的重点

定价：48元　开本：32开　页码：504页

《SAT 词汇词根 + 联想记忆法：乱序版》

俞敏洪　编著

◎ 采取"乱序"编排，全面收录约11000个SAT考试必备词汇
◎ 用＊号标出近3500个巴朗词表中的核心词汇
◎ 精心甄选单词释义，提供大量经典例句
◎ 提供实用有趣的"词根+联想"记忆法，配以形象生动的插图
◎ 归纳常考搭配，给出重点词汇的同义词、派生词，全面扩充词汇量

定价：62元　开本：16开　页码：600页

《SAT 词汇词根 + 联想记忆法：乱序便携版》

俞敏洪　编著

◎ 全面收录SAT考试必备词汇，精选常考释义，标注同义词
◎ 以＊标出近3500个巴朗词表核心词汇
◎ 提供"词根+联想"记忆法，轻松记忆单词
◎ 开本小巧，便于携带，方便随时随地背单词
◎ 登录www.dogwood.com.cn免费下载本书相关音频资料

定价：29元　开本：32开　页码：488页

《SAT 核心词汇速记卡片》

George Ehrenhaft　编著

◎ 100张便携式词汇卡片
◎ 收录600个SAT高频主词

定价：39元　开本：48开　页码：222页

《SAT 高分词汇必备》

蒋万贵　编著

◎ 收录SAT高分词汇，提供权威中英文释义
◎ 提供词根记忆法，丰富的同义词和派生词
◎ 大量经典例句，强化对单词的理解与记忆

定价：45元　开本：16开　页码：284页

《SAT 核心词汇考法精析》

齐际　编著

◎ 选词科学，释义权威，例句经典，练习实用
◎ 完整收录SAT高频核心词汇，归纳重点考法
◎ 总结近／反义词、派生词和意群
◎ 精编大量练习题目，强化学习效果

定价：48元　开本：16开　页码：344页

《词以类记：SAT词汇》（上下册）（附MP3）

张红岩　编著

◎ 收录SAT考试最新最全词汇
◎ 按学科和意群分类，便于同步学习与记忆
◎ 含数学、物理、化学、生物四专项考试词汇
◎ 辅助词根词缀、自测练习，多重强化记忆

定价：58元　开本：32开　页码：696页

《SAT 13 套题》

◎ 全面剖析最新SAT考试内容与特点，帮助考生熟悉真实考试形式
◎ 精心打造13套全真模拟试题，全方位强化应试技能
◎ 详细解析所有题目，便于考生认识自身的优势与不足，科学备考

定价：138元　开本：16开　页码：872页

《SAT II 15 套题》

◎ 全面覆盖SAT II 各科考点
◎ 专家点拨解题思路，增加取胜把握
◎ 倾囊相授解题技巧，直击正确答案
◎ 15套全真模拟试题，提高应试技能

定价：70元　开本：16开　页码：436页

《SAT II 数学 Level 1》

◎ 全面覆盖SAT II 数学Level 1考点
◎ 精心设计诊断测试，发现知识漏洞
◎ 专家点拨解题思路，直击正确答案
◎ 7套全真模拟试题，提高应试技能

定价：50元　开本：16开　页码：360页

《SAT II 数学 Level 2》

- ◎ 全面覆盖SAT II 数学Level 2考点
- ◎ 精心设计诊断测试，发现知识漏洞
- ◎ 专家点拨解题思路，直击正确答案
- ◎ 9套全真模拟试题，提高应试技能

定价：60元　开本：16开　页码：416页

《SAT II 生物》

- ◎ 全面覆盖SAT II 生物考点
- ◎ 专家点拨解题思路，增加取胜把握
- ◎ 倾囊相授解题技巧，直击正确答案
- ◎ 4套全真模拟试题，提高应试技能

定价：50元　开本：16开　页码：352页

《SAT II 化学》

- ◎ 全面覆盖SAT II 化学考点
- ◎ 专家点拨解题思路，增加取胜把握
- ◎ 倾囊相授解题方法，提供备考技能
- ◎ 5套全真模拟试题，体验考场情境

定价：48元　开本：16开　页码：316页

《SAT II 文学》

- ◎ 全面覆盖SAT II 文学考点
- ◎ 专家点拨解题思路，增加取胜把握
- ◎ 倾囊相授解题技巧，直击正确答案
- ◎ 7套全真模拟试题，提高解题能力

定价：40元　开本：16开　页码：252页

《SAT II 美国历史》

- ◎ 全面覆盖SAT II 美国历史考点
- ◎ 精心设计诊断测试，发现知识漏洞
- ◎ 专家点拨解题思路，直击正确答案
- ◎ 6套全真模拟试题，提高应试技能

定价：75元　开本：16开　页码：472页